D1369944

La Situación Ambiental Argentina 2005

A. Brown, U. Martinez Ortiz, M. Acerbi y J. Corcuera
Editores

Dedicado a la memoria de Ana Inés
Malvares y Sandra Caziani, miembros del Consejo Científico de la
Fundación Vida Silvestre Argentina y
tenaces luchadoras que han dedicado su vida a enriquecer nuestros conocimientos sobre los ecosistemas
de la Argentina.

FUNDACIÓN
VIDA SILVESTRE
ARGENTINA

La Situación Ambiental Argentina 2005

Publicado por:
Fundación Vida Silvestre Argentina
Defensa 251 6° K (C1065AAC)
Buenos Aires, Argentina
www.vidasilvestre.org.ar

Edición:
Alejandro Brown,
Ulises Martinez Ortiz, Marcelo
Acerbi y Javier Corcuera.

Desarrollo de fondos:
Milagros Olivera, Javier Corcuera,
Ulises Martinez Ortiz y Marcelo Acerbi

Encuesta ambiental:
Poliarquía Consultores

Diseño gráfico:
DG Daniela Bilello Ferrari

Corrección de estilo:
Mariela Edith Hernández

Impresión:
Imprenta Kurz

Fotos de tapa y contratapa:
Claudio Bertonati, Beatriz Nussbaumer,
Laboratorio de Ecología Regional FCEyN-
UBA, Lucio Malizia, © WWF-Canon /
Edward Parker, Telam.

La Fundación Vida Silvestre Argentina
ha convocado a ciento cuarenta y ocho
especialistas de diversos sectores para el
desarrollo de la presente publicación.

Las opiniones vertidas en los artículos
firmados son de exclusiva responsabilidad de sus autores.

Los límites nacionales e internacionales
expuestos en los mapas de esta publicación son de carácter referencial.

Citar:
Brown, A., U. Martinez Ortiz, M.
Acerbi y J. Corcuera (Eds.), *La
Situación Ambiental Argentina 2005*,
Fundación Vida Silvestre Argentina,
Buenos Aires, 2006.

La situación ambiental argentina 2005/ Alejandro Brown...[et.al.]. -
1a ed. - Buenos Aires : Fundación Vida Silvestre Argentina, 2006. 587 p. + CD ; 21x16 cm.
ISBN 950-9427-14-4
1. Medio Ambiente Argentino. CDD 363.7

Fecha de catalogación: 28/03/2006
ISBN-10: 950-9427-14-4
ISBN-13: 978-950-9427-14-3

La Situación Ambiental Argentina 2005

**FUNDACIÓN
VIDA SILVESTRE
ARGENTINA**

Esta publicación ha sido realizada con el apoyo de:

EMBAJADA DE SUIZA

Embajada Británica

La Situación Ambiental Argentina 2005

A. Brown, U. Martinez Ortiz, M. Acerbi y J. Corcuera
Editores

Con la colaboración de:

Marcelo Acerbi, Jorge M. Adámoli, Martín R. Aguiar, Marcelo A. Aizen, Claudia Alzugaray, Gustavo Aprile, Laura Aréjola, Alejandro Arias, Santiago M. Arias, Marcelo Arturi, Andrea A. Astié, Lía Bachmann, Claudio R. M. Baigún, Ignacio M. Barberis, Mario Beade, Homero M. Bibiloni, David Bilenca, Roberto F. Bó, Eduardo Boló Bolaño, Antonio E. Brailovsky, Alejandro D. Brown, Agustina Budani, Mariana Burghi, Rodolfo Burkart, Sergio R. Camín, Claudio Campagna, Marcelo Canevari, Osvaldo Canziani, Guillermo Cañete, Jorge Cappato, Esteban Carabelli, Alejandra Carminati, Nélida Carnevale, Lorena V. Carreño, Juan Casavelos, Adela Casco, Alejandro Catterberg, Silvia C. Chalukian, Rosa Chiquichano, Mariano Codesido, Javier Corcuera, María Corriale, Luciana Cristóbal, Noemí Cruz, Víctor R. Cueto, Santiago D'alessio, Marcela Dabas, Jimena Damonte, Claudio Daniele, Carlos De Angelo, Malena De Paula, Mario S. Di Bitetti, Néstor Di Leo, Carolina Diotti, Emiliano Ezcurra, Valeria Falabella, Carlos Fernández Balboa, Sofía Ferrari, Eduardo Fidanza, Judith Franco, Federico C. Frank, Andrea Frassetto, Néstor A. Gabellone, Ignacio Gasparri, Rubén Ginzburg, Alejandro Giraudo, Rodolfo A. Golluscio, Ricardo Grau, Verónica Guerrero Borges, Nélida Harracá, Pablo Herrera, Raúl A. Herrera, Irina Izaguirre, Guillermo Jacob, Manuel Jaramillo, Esteban G. Jobbágy, Fabio A. Kalesnik, Patricia Kandus, Thomas Kitzberger, Bernardo Lartigau, Juan C. Leiva, Juan P. Lewis, Jorge Liotta, Teresita Lomáscolo, Dardo López, Javier López De Casenave, Patricio Mac Donagh, Lucio Malizia, Sebastián Malizia, Claudia B. Manzur, Carlos March, Gabriel Marcuz, Ulises Martinez Ortiz, Hernán M. Maturo, Fernando G. Maugeri, Fernando A. Milesi, Fernando Miñarro, Jorge Morello, Diego Moreno, Diego Murguía, Juan J. Neiff, Norberto O. Oldani, Silvia Pacheco, Germán Palé, Aníbal Parera, José M. Paruelo, Andrés A. Pautasso, Agustín Paviolo, Roberto A. Peiretti, Walter Pengue, Octavio Perez Pardo, Pablo Perovic, Julieta Peteán, Guillermo Placci, Rodrigo G. Pol, Gustavo Porini, Darién E. Prado, Walter Prado, Paula Pratolongo, Andrea C. Premoli, Rubén D. Quintana, Estela Raffaele, Daniel Ramadori, Carlos Reboratti, Diego Ríos, Liliana Rivero, Daniela Rode, Andrea F. Rodríguez, Alicia S. G. Poi de Neiff, Daniel Sabsay, María C. Sagario, Rodolfo Sánchez, Karina Schiaffino, Nicolás Solari, Daniel Somma, Gustavo Soto, Carlos Tanides, Sebastián A. Torrella, Silvia S. Torres Robles, Nuncia M. Tur, Carlos Verona, Ricardo Vicari, Ernesto F. Viglizzo, Alejandro Vila, Bibiana Vilá, Damián Voglino, Juan R. Walsh, Pablo Yapura.

Índice

La Situación Ambiental Argentina 2005

La Situación Ambiental Argentina 2005

La conservación de la naturaleza y de sus recursos para las presentes y futuras generaciones debe basarse, en primera instancia, en el conocimiento de los procesos ecológicos que la rigen, así como también en la evolución de su relación con otros factores, entre los que se incluyen los sociales, económicos y culturales. Es así que diversos organismos e instituciones fomentan el desarrollo de evaluaciones, diagnósticos e informes de distinto tipo y a diversas escalas para monitorear diferentes aspectos del ambiente en todo el mundo.

Con este espíritu, la Fundación Vida Silvestre Argentina ha desarrollado previamente en tres publicaciones su visión sobre la situación del medio ambiente en distintos tiempos de la Argentina. Las más recientes fueron tituladas *Situación Ambiental de la Argentina: recomendaciones y prioridades de acción* (Vila y Bertonatti, 1993) y *Situación Ambiental Argentina 2000* (Bertonatti y Corcuera, 2000). Ambas fueron realizadas con el apoyo económico de WWF (el Fondo Mundial para la Naturaleza). En el segundo caso, incluimos no sólo nuestra opinión institucional, sino también la de cincuenta especialistas en diversos temas y una encuesta a nivel nacional sobre la percepción pública de los temas ambientales, realizada en aquel entonces por nuestra organización con la ayuda de numerosos voluntarios y medios de comunicación.

Ante la repercusión que tuvo ese libro, nos dimos cuenta de que valía la pena mejorarlo y actualizarlo periódicamente. Y decidimos hacer este esfuerzo cada cinco años. El próximo será, entonces, en 2010, doscientos años después del 25 de Mayo de 1810.

Hoy, la radiografía sobre la situación ambiental de la Argentina es presentada en un contexto muy especial. Tras la crisis económica y social más profunda que podamos recordar, nuestro país intenta recuperarse económicamente, pero se advierte la necesidad urgente de reconstruir su tejido social. Lamentablemente, la regla imperante no es la búsqueda de una visión común, sino la desconfianza y el enfrentamiento. Si bien hay muchos esfuerzos por generar puentes, la mayor parte de la sociedad no los ha hecho suyos, por diversos motivos. Falta un proyecto común de nación. La crisis, por lo tanto, aún no ha terminado. Y la situación ambiental no es ajena a este panorama.

Hay, por supuesto, algunos indicadores que pueden despertar esperanza. Nuestra sociedad evidencia una mayor participación en materia ambiental. Esta activa participación implica una mayor toma de conciencia sobre la importancia de lo que está en juego cuando hablamos de conservar nuestros recursos naturales. Pero no debemos olvidar que toda participación, tarde o temprano, perderá credibilidad si no se sustenta en un estricto respeto de la ley por parte de quienes reclaman. No podemos acusar a un particular ni exigir el mejor funcionamiento de un municipio, de una provincia o del país si no obedecemos, al mismo tiempo, las leyes y las normas que rigen nuestro sistema democrático. Como esto no siempre ocurre, las exigencias ambientales de la gente –como muchas otras– corren el riesgo de convertirse en una moda impulsada por unos pocos para instalarse en los medios o, peor aún, en un elemento funcional a ciertos esquemas de presión económica y política, y hasta de extorsión y corrupción. Es clave que el aumento de nuestra conciencia ambiental esté acompañado por un creciente respeto por los derechos de los demás ciudadanos, así como también por una serie de cambios de actitudes cada vez más concretos. Con reclamar y exigir no basta.

En un país que aspira a seguir creciendo, toda autoridad con poder de decisión debe tener en cuenta los límites que impone el ambiente en sus diversas escalas, desde la local a la planetaria. Por eso es imprescindible contar con una información actualizada que permita tener la visión más objetiva posible de la realidad. Para ello, hemos buscado la opinión de expertos prestigiosos en cada tema y, por qué no, la de referentes de otros sectores distintos del ambiental. Los ambientalistas, desde hace mucho, están pagando caro el precio de no saber dialogar con madurez con el sector de la industria, con el universo asociado al desarrollo urbano, a la pesca, a la actividad forestal o la actividad agropecuaria. Es hora de hacerlo. En la Fundación Vida Silvestre Argentina ya hemos iniciado esfuerzos en esta dirección, y lo seguimos haciendo.

Teniendo en cuenta que la situación ambiental argentina no es una, sino muchas (porque depende de cada gran unidad ambiental en la que se enmarca el diagnóstico), en esta ocasión presentamos el estado ambiental –al año 2005– de cada una de la grandes regiones ecológicas o *ecorregiones*, y dentro de este diagnóstico incorporamos los aportes de los especialistas, para lo cual convocamos a ciento cuarenta y ocho autores representantes de cuarenta y nueve instituciones académicas, organismos públicos, organizaciones sociales y empresas privadas, quienes produjeron ochenta y tres artículos. Claro está que también hay temas que, por su carácter nacional o global, exceden a una ecorregión en particular. Finalmente, cabe señalar que la Encuesta Ambiental Argentina 2005 fue realizada por una firma encuestadora profesional de gran prestigio (Poliarquía Consultores), lo cual nos permite ofrecer una sólida imagen sobre la percepción de los argentinos sobre los temas ambientales que les preocupan.

Este libro está organizado, entonces, en cuatro secciones. En la primera de ellas, se analiza la situación ambiental en cada una de las ecorregiones de la Argentina. Cada uno de los capítulos comienza con una visión general de la situación ambiental en la ecorregión (o conjunto de ecorregiones), que incluye una caracterización biofísica y socio-económica, la identificación de los principales problemas que la afectan y de las prioridades u oportunidades para su mejor conservación. A continuación, en cada capítulo se presentan estudios de casos sobre aspectos particulares relevantes en la ecorregión. Estos casos pueden abarcar desde el planteo de problemas específicos y alternativas de superación hasta el relato de experiencias concretas, exitosas o no, así como también la presentación de resultados de investigaciones, evaluaciones y priorizaciones de conservación a escala regional. Los estudios de caso apuntan a reflejar la opinión de una variedad de sectores que actúan en cada región, con el objeto de destacar las oportunidades de la multisectorialidad en el abordaje de temas ambientales. Cada capítulo ecorregional incluye también un mapa de la ecorregión, donde se identifican las áreas protegidas existentes y las áreas que, en diferentes estudios, han sido identificadas como prioritarias desde el punto de vista de la conservación de su biodiversidad. Un subproducto de este esfuerzo de compilación es, por ejemplo, una propuesta de redefinición para los límites de algunas ecorregiones en los mapas oficiales actuales.

La segunda sección se ocupa de los aspectos globales y/o transversales, y de su relación con el ambiente en la Argentina. Allí, el lector encontrará análisis sobre problemas relacionados con el cambio climático, el uso y la conservación de la biodiversidad, la degradación del suelo y la deforestación, la expansión urbana y la contaminación, los efectos de la globalización y el comercio internacional, la política y la legislación ambiental, así como también acerca de la educación y la comunicación en estos temas. Tales cuestiones son evaluadas con diferentes enfoques, aportados por cada uno de los autores. Consideramos que la diversidad de opiniones enriquecerá al lector y lo ayudará a formar mejor su propio juicio.

En la tercera sección se revela la percepción del "ciudadano común" sobre la situación ambiental en la Argentina y en cada una de sus provincias.

Por último, en la cuarta sección, ofrecemos un conjunto de recomendaciones derivadas del análisis de los aportes provenientes de las secciones anteriores. De este modo, la Fundación Vida Silvestre Argentina, una vez más, expresa su compromiso con el concepto de interinstitucionalidad e intersectorialidad en la construcción de propuestas que nos acerquen al objetivo de un ambiente saludable y un desarrollo sustentable para todos los argentinos.

Todo esto habría sido imposible sin el apoyo de la Agencia Española de Cooperación Internacional, el Banco Mundial y las Embajadas en la Argentina del Reino Unido y Suiza. Estas cuatro instituciones son las grandes auspiciantes de este libro, y al hacerlo demostraron su confianza en que la Fundación Vida Silvestre Argentina podía afrontar una obra de esta magnitud. También quiero agradecer la colaboración del Laboratorio de Investigaciones Ecológicas de las Yungas de la Universidad Nacional de Tucumán por haber facilitado la obtención de una de estas donaciones.

Por su parte, la Encuesta Ambiental Argentina 2005 que contiene este libro fue realizada gracias al apoyo económico de un grupo de empresas provenientes de diversos sectores (Alto Paraná S.A., Bahía Grande S.A., Coca Cola de Argentina, Gasoducto Nor Andino Argentina, Pan American Energy y Unitan S.A.I.C.A.) que, pese a que algunas de ellas puedan desarrollar actividades que suelen impactar directa o indirectamente sobre el ambiente, nos han dado claras señales de su vocación por participar en procesos de diálogo maduros y sinceros que generen mejoras ambientales reales en sus operaciones. La Encuesta Ambiental Argentina 2005 se ha transformado, gracias a su aporte, en un ambicioso estudio de opinión pública que abarcó a 5.106 personas en ciento nueve localidades grandes, medianas y pequeñas de todo el país.

Sin duda, se trata de una obra perfectible: todo comentario para mejorarla será bienvenido. Pero estamos convencidos de que nuestros socios y voluntarios, los investigadores, los legisladores, los periodistas, los empresarios, los militares, los docentes, los jueces, las organizaciones no gubernamentales y los gobernantes que suelen consultar a nuestra fundación sobre una diversidad de temas podrán encontrar en este libro una referencia útil para pensar y actuar hacia un país más ordenado en la forma en que usa y planifica su territorio y sus recursos. Un país más previsible y seguro.

Héctor Laurence
Presidente
Fundación Vida Silvestre Argentina

La Situación Ambiental Argentina 2005 analiza las cuestiones ambientales desde diferentes perspectivas. La primera es un enfoque ecorregional -el más adecuado para entender la complejidad de las funciones ecológicas y los servicios ambientales involucrados-. En segundo lugar se abordan problemas ambientales de alcance global así como los aspectos políticos, sociales y económicos que afectan transversalmente al ambiente. Por último, también se refleja la percepción de la sociedad a través de la ¨Encuesta Ambiental Argentina¨. Este estudio destaca que un 15% de los argentinos tiene una visión positiva sobre la situación ambiental en el país, mientras que el 30% tiene una visión negativa. Por otro lado, mientras que el 21% de la población argentina considera que la situación del ambiente mejoró en los últimos cinco años, el 45% considera que empeoró.

Veamos qué dice el Estado sobre las tendencias ambientales. *Según los indicadores de desarrollo sostenible elaborados por el Estado Nacional (SAyDS, 2005), las grandes tendencias ambientales del país siguen siendo preocupantes. En materia de bosques, estamos decididamente peor: la disminución de bosques nativos es sostenida. La erosión de los suelos sigue avanzando, tanto en términos hídricos como eólicos. La merluza, una especie clave de nuestro mar, sigue en estado de sobre-explotación. Las emisiones argentinas de gases que influyen en el cambio climático siguen siendo muy pequeñas en relación a las de otros países, pero la quema de bosques no nos ayuda a mejorar la ecuación. El problema de los residuos sólidos urbanos e industriales aumenta. El acceso al agua potable mejoró: en diez años, pasamos de 21 millones de habitantes con agua potable a más de 28 millones (de 66% al 78% de cobertura a nivel nacional). La mejora en la disponibilidad de desagües cloacales es insuficiente: pasó de cubrir el 34% de la población nacional en 1991 al 42% en el 2001. Nuestras áreas protegidas cubren el 6% del país, y debemos llegar al 15%.*

La **deforestación** en Argentina alcanza una tasa de aproximadamente 250.000 ha anuales, principalmente en el Chaco Seco (70% del total), Chaco Húmedo, Selva Paranaense y Yungas. Algunos sistemas forestales como la "Selva Pedemontana" de las Yungas o los "bosques de tres quebrachos" del Chaco seco, están en una situación verdaderamente comprometida. La deforestación es el mayor problema ambiental para el 7% de los argentinos, aunque ese porcentaje se eleva al 35% en la provincia de Tierra del Fuego, y es de 23 a 26% en las provincias de Chaco, Santiago del Estero, Misiones y Salta. El proceso de conversión de ecosistemas naturales en tierras de cultivo es estimulado por una multitud de variables socioeconómicas, políticas, tecnológicas y hasta climáticas. Ante esta situación, le corresponde al estado planificar el desarrollo de estos procesos de manera de asegurar la provisión de bienes y servicios ambientales a las generaciones actuales y futuras.

Otra actividad que reclama cada vez más territorio es la **expansión urbana**. En la Pampa ondulada las urbanizaciones ocupan casi el 18% de los suelos más fértiles del país, lo que a su vez presiona sobre la expansión agropecuaria en otras áreas. La tendencia histórica a concentrar flujos de recursos, población y servicios desde el interior del país hacia los puertos ha derivado en la conformación, en un futuro no lejano, de un conglomerado urbano prácticamente continuo desde La Plata y Buenos Aires hasta Rosario. A las consideraciones que caben sobre el efecto extractivo de materia y energía de esta megaciudad en formación sobre otras regiones proveedoras, se agregan los múltiples efectos locales de semejante concentración de desechos de todo tipo (sólidos, líquidos y gaseosos) sobre su población.

El 38,5% de los argentinos consideró que la **contaminación** es el principal problema ambiental del país. Si bien en general se trata de problemas de origen urbano-industrial, también existen casos puntuales vinculados con emprendimientos mineros en ecorregiones como la Estepa patagónica, Puna, Altos Andes y las Yungas, con un severo impacto sobre las fuentes de agua potable para las poblaciones cercanas. Por otro lado, el conflicto suscitado con la República Oriental del Uruguay por las papeleras pone en evidencia la dimensión transnacional de estos impactos y, en consecuencia, la necesidad de coordinar nuevos y mejores mecanismos de planificación conjunta entre naciones vecinas, con el fin de prevenir tales problemas.

La **degradación del suelo y de la vegetación** es un proceso extendido. En la Selva Paranaense (Misiones) sólo quedan unas 40.000 ha de bosques realmente prístinos, mientras que más del 89% presenta niveles medianos a elevados de degradación y fragmentación. En el Chaco seco, el Monte, la Estepa patagónica y la Puna, el sobrepastoreo es generalizado y muy intenso, y está generalmente asociado a incendios intencionales. En la ecorregión del Monte casi 10 millones de hectáreas fueron afectadas por incendios en la última década, y en el Chaco húmedo se queman entre 2 y 4 millones de hectáreas cada año. Estos procesos de degradación avanzan inexorablemente hacia la desertificación a escala ecorregional, como ocurre actualmente en la Estepa patagónica. Para enfrentar estos problemas se requiere desarrollar e incentivar la adopción de modelos productivos sustentables y adaptados a las realidades culturales y tecnológicas de estas regiones.

Luego del auge de la industria pesquera en los años noventa, se evidenciaron los problemas de la **sobreexplotación de los recursos pesqueros**. Los efectivos de merluza común se vieron seriamente comprometidos y el calamar y el langostino han experimentado fuertes oscilaciones de biomasa. La adopción de una política pesquera oportunista, dio lugar a reiterados ciclos "auge-/ruina", con severas secuelas económicas y sociales. Un panorama similar se observa en los grandes ríos de la cuenca del Plata, donde especies como el sábalo son extraídos a una tasa anual de entre 60 y 80 mil toneladas sin planes de manejo. La gestión sustentable de los recursos pesqueros requiere de una planificación a largo plazo basada en los ecosistemas, con una sólida base científica, más respetada, y que incluya mecanismos de acuerdo de los sectores involucrados relevantes en el tema.

La Argentina se ha transformado en un destino privilegiado para el **turismo** convencional y de aventura, particularmente vinculado con los espacios silvestres. La primera razón por la que nos visita el turismo extranjero son nuestros parques nacionales. En los parques Nacionales de la Patagonia se recibieron más de 5 millones de visitantes en los últimos 8 años, mientras que en la Antártida, la cantidad de visitantes aumentó más del 2500% en los últimos 20 años. La adopción de criterios de responsabilidad en la operación turística es esencial para la sustentabilidad tanto de los ecosistemas como del negocio turístico.

Debido al **calentamiento global y al cambio climático** en la Argentina han aumentado, según los expertos, la frecuencia e intensidad de eventos climáticos extremos como inundaciones, sequías, tormentas intensas y tornados. Por otro lado, el retroceso de los glaciares de la cordillera de los Andes implica la disminución del caudal de los ríos que alimentan a las ciudades y valles de riego en regiones como Cuyo. Se debe mencionar que el cambio climático fue considerado entre los principales problema en provincias como Santa Cruz (26%) Tierra del Fuego (22%), San Juan (21%), Catamarca (19%) y Mendoza (17%). Los riesgos del cambio global del clima requieren el fortalecimiento del sistema de observaciones meteorológicas tanto para monitoreo y prevención, como para la planificación y localización de actividades productivas y obras de infraestructura.

En cuanto a la **conservación de la biodiversidad,** la Argentina cuenta con unas 360 áreas protegidas de diferentes categorías que cubren aproximadamente el 6,8% del territorio nacional. El objetivo estatal de proteger al menos el 15% del país debe ser implementado con urgencia. Hay ecorregiones con valores muy inferiores al promedio nacional de 6,8%, como los Campos y Malezales, el Espinal, la Pampa y el Chaco húmedo. Por otro lado, el 44% de las reservas declaradas no posee control de terreno alguno y sólo el 19% del 6.8% general tiene un nivel de protección mínimo aceptable. En otras palabras, para alcanzar el objetivo del 15%, hoy debemos contar tan sólo con el 1.3% de superficie realmente protegida. El establecimiento efectivo de corredores ecológicos (se han dado algunos pasos, en los últimos años, en esta dirección) que incluyan nuevas áreas protegidas federales y provinciales, la mejora de las áreas protegidas actuales poco o no controladas, ("parques de papel") y zonas de amortiguación con áreas protegidas en tierras privadas, son parte de una estrategia que debe insertarse en el marco de un ordenamiento territorial a escala ecorregional. El uso sustentable de la biodiversidad es una alternativa que puede generar valor agregado en algunas áreas protegidas estatales y en las privadas, generando incentivos para su conservación y oportunidades de desarrollo para las poblaciones locales.

La inserción de la Argentina en el **comercio global** ha determinado un salto cuali-cuantitativo de la producción agropecuaria, con algunos efectos ambientales ya mencionados. La incorporación de nuevas tecnologías, entre otras cosas, ha generado la adopción generalizada de la siembra directa y la rotación y, junto con ellas, una visión sobre la sustentabilidad agropecuaria orientada principalmente a la conservación del suelo. Si bien esto constituye un avance importante, es necesario incorporar al análisis otros aspectos de la sustentabilidad, como los antes citados. El nacimiento de espacios de diálogo multisectoriales sobre el tema aparece como una nueva herramienta para lograrlo.

Una tendencia del comercio internacional es que los consumidores en todo el mundo demandan cada vez más información sobre el origen, la calidad y el impacto ambiental de los productos que consumen. Esto ha promovido la adopción de **sistemas voluntarios de certificación** con normas de calidad y control acordadas por distintos sectores. Los bosques argentinos manejados con la certificación FSC, por ej., hoy superan las 130.000 ha, con 8 empresas certificadas. Esta tendencia genera oportunidades concretas para el desarrollo sustentable en nuestro país.

Como consecuencia de la crisis económica, social e institucional surgida a principios del nuevo siglo se ha producido un profundo deterioro del capital social, entendido como la capacidad que tiene una sociedad para utilizar los recursos que dispone para construir su propio desarrollo. Esa capacidad depende básicamente del **desarrollo educativo, técnico y científico** y de la **calidad de sus instituciones**. Invertir en educación y ciencia es clave para alcanzar el desarrollo nacional. Esta necesidad es confirmada en nuestra encuesta nacional, en la que un 42% de los argentinos considera que la educación es la principal herramienta para mejorar la calidad ambiental.

Ante la pérdida de credibilidad de los ciudadanos en numerosas instituciones en la Argentina, las organizaciones no gubernamentales y el estado tenemos la responsabilidad de **promover nuevos mecanismos para recuperar y mejorar la confianza en la institucionalidad y el estado de derecho, a través de una mayor participación y el impulso del diálogo constructivo**. Pero esto no significa que el estado deba abandonar su función. En este sentido, justamente, se pronunció el 74% de los argentinos, que opinó en nuestra encuesta que el estado debe asegurar el control ambiental. Los gobiernos provinciales (47%) y nacional (27%) son los que deben asumir la mayor responsabilidad para enfrentar los problemas ambientales, según los encuestados. Por otro lado, el 56% de la población cree que cada ciudadano, individualmente, puede realizar su aporte para una mejora ambiental. Las ONG tenemos un importante papel que cumplir en lo que respecta a la educación y la difusión de información. En este sentido, la audiencia prioritaria debería consistir en aquellos actores con capacidad de tomar decisiones (políticos, jueces, legisladores, empresarios, dirigentes en general), los formadores y generadores de información (educadores, científicos, periodistas) y los consumidores. En este libro presentamos una serie de recomendaciones dirigidas a estos públicos.

Executive Summary

This book, "The Environmental Situation in Argentina 2005" (*La Situación Ambiental Argentina 2005*) is an assessment of the environmental issues from different perspectives. The first one is an ecoregional approach -the most appropriate scale to understand the complex ecological functions and environmental services involved-. The second perspective involves global environmental problems, as well as political, social and economical issues that cross-cut and therefore, affect the environment. Last but not least, we present the public perception by means of a National-scale Argentine Environmental Poll ("Encuesta Ambiental Argentina"). This study shows that 15% of Argentineans have a positive view of the environmental situation in the country, and 30% have a negative opinion. On the other hand, 21% of the population believes that the environmental situation has improved during the last five years, and 45% thinks that the situation is worse.

Let´s see the opinion of the State on the environmental trends. *According to the sustainable development indicators collated by the National State (SAyDS, 2005), the major environmental trends are still of great concern. In terms of forests, we are definitely worse: the loss of native forests is not decreasing. Soil erosion (both hydric and eolic) is still growing. The hake -a key species in our seas- keeps on its overexplotation levels. Although green house effect air emissions related to climate change are low compared to other countries, but forest burning does not help to balance our equation. The problem of our urban and industrial solid wastes is increasing. The population access to drinkable water has improved: in 10 years, we went from 21 million people with access to more than 28 million (thus, from 66% to 78% of national coverage). The improvement in water sewage networks is insufficient: in 1991 it covered 34% of the country population, in 2001 only 42%. Our protected areas cover 6% of the country territory, and we must attain the 15%.*

Deforestation in Argentina reaches an approximate rate of 250.000 ha per year,. This happens mainly in Dry Chaco (70%), Humid Chaco, the Atlantic Forest and the Yungas. Some native forest systems as the piedmont forest or "Selva Pedemontana" in the Yungas region, or the Three Quebrachos Forest ("Bosque de Tres Quebrachos") in the Dry Chaco, are in a critical situation. Deforestation is the main environmental threat to 7% of the Argentineans in average, but this percentage increases to 35% in Tierra del Fuego province and 23-26% in Chaco, Santiago del Estero, Misiones and Salta provinces. Natural ecosystem conversion to crop lands is stimulated by multiple socio-economic, political, technological and even climate factors. The State must plan this process in order to ensure the supply of environmental goods and services to present and future generations.

Urban expansion is another activity which is increasingly claiming lands. At the eastern Pampa region ("Pampa Ondulada"), urban settlements occupy almost 18% of the most fertile soils of the country, thus pushing agricultural and cattle ranching expansion to other areas. The historic trend to concentrate resources, population and services from inside the country to the main harbors results in the aggregation, in a future that is not so far away, of a single urban continuum from La Plata and Buenos Aires to Rosario. The extractive effect of matter and energy to other regions from this growing megacity must be added to the multiple consequences of such a concentration of solid, liquid and atmospheric wastes on its population.

Pollution is the main environmental problem according to 38.5% of the people. Even though in general it is an industrial urban problem, there are also specific cases related to mining projects in some ecoregions as the Patagonia Steppe, Puna, Altos Andes and Yungas, with a severe impact on fresh water sources for some populations next to them. On the other hand, the conflict between Argentina and Uruguay on two pulp mills being installed on the Uruguay river border brings up the transboundary dimension of these impacts and the need to build up new coordination mechanisms to develop these plans among nations in order to avoid such problems.

Soil and vegetation degradation is a huge, extensive process. In the Atlantic Forest (Misiones province) only about 40.000 ha of pristine forest remain, while more than 89% have a medium to high level of degradation and fragmentation. At Dry Chaco, Monte, Patagonia steppe and Puna ecoregions, overgrazing is widespread and very intense, and frequently linked with intentional fires. In the Monte ecoregion almost 10.000.000 ha were affected by fires in the last decade, and in Humid Chaco between 2 to 4 million hectares are burned every year. This degradation process evolves inexorably towards desertification at a regional level, as is currently taking place in the Patagonia steppe. To face this problem, development of incentives for modern, sustainable productive systems adapted to local culture and technologies, are required.

After the fishery boom in Argentine waters in the nineties, the threat of **overexploitation of fisheries** surfaced. Hake stocks were severely affected and the squid and prawn fisheries have experienced dangerous biomass oscillations. The adoption of an opportunistic fishery policy produced a repeated "boom/ruin" cycle, with severe social and economic consequences. A similar picture is observed in the big rivers of La Plata basin, where species like the sábalo are fished at a rate of 60 to 80,000 tons per year without management plans. Sustainable use of fisheries resources requires a long term planning based on an ecosystem approach, a solid scientific knowledge and must include mechanisms of agreement from the relevant stakeholders.

Argentina has become a privileged place for conventional and adventure **tourism**, especially related to natural spaces. Foreign tourists visit our country, mainly because of our national parks. The Argentine Patagonian national parks received more than 5 million tourists in the last eight years, while at the Antarctic sector visitors increased more than 2.500% in the last 20 years. It is essential to adopt responsible criteria for tourist operations to ensure the sustainability of both the ecosystems and the tourist business.

In relation to **global warming and climate change**, the experts stress that frequency and intensity of extreme climate events like floods, droughts, intense storms and tornados have increased in Argentina. On the other hand, the retreat of the Andes glaciers indicates a reduction of the water volume in rivers which supply cities and valleys in regions like Cuyo. It should be mentioned that climate change was considered among the main environmental problems by the inhabitants of Santa Cruz (26%), Tierra del Fuego (22%), San Juan (21%), Catamarca (19%) and Mendoza (17%) provinces. The risks of global climate change require a strengthening of climate observatory systems, not only to monitor events but also for the planification of productive activities and infrastructure.

Regarding **biodiversity conservation**, Argentina has about 360 protected areas of different categories covering approximately 6.8% of the national territory. The state target to protect at least 15% of the country should be implemented as soon as possible. Many ecoregions, like Campos and Malezales, the Espinal, the Pampas and Humid Chaco, are far below the present national 6.8% average. Moreover, 44% of the present protected areas do not have any control at all, and only 19% of the national 6.8% figure have a minimum acceptable protection level. Therefore, only 1.3% of our territory is really protected. The establishment of ecological corridors -some steps have been done during these recent years- that include new federal and provincial protected areas, the improvement of present "paper parks" and buffer areas with protected areas in private lands are part of a strategy that must be part of ecoregional land use planning frameworks. The sustainable use of biodiversity is an alternative that may add value to some state and private protected areas, generating incentives for conservation and opportunities to local development.

The Argentine insertion on **global commerce** led to a significant rise in agriculture production, with already mentioned environmental effects. The incorporation of new agriculture technologies led to a wide adoption of no till practices and a vision of sustainability based on soil conservation and field rotation. While such practices are an important improvement, other aspects of ecological and social sustainability as those previously cited should be included in this analysis. The rise of some multisectorial spaces to discuss this issue shows a new tool to achieve this inclusion.

Another feature of the international commerce is the fact that consumers around the world are increasingly demanding more information about the origin, quality and environmental impacts of the products they are consuming. This has promoted the adoption of voluntary

La Situación Ambiental Argentina 2005

certification systems with potential to contribute to responsible production under quality and control standards that are agreed by different sectors. The argentine forests managed with the FSC certification, for example, cover today more than 130,000 ha; 8 corporations (large and small) have already certified. This trend provides tangible opportunities to sustainable development in Argentina.

The economic, social and institutional crisis that Argentina suffered at the beginning of the new century led to a deterioration of its social capital. Social capital is understood here as the capacity of a society to use its available resources to build its own development. This capacity basically stems from **educational, technical and scientific development** and from the **institutional quality**. Investments in education and science are key for development. This perception is confirmed in our poll, where approx. 42% of the citizens consider education as the main tool to improve our environmental quality.

The lack of reliability of argentine citizens on several institutions compels both non-governmental organizations (NGOs) and the state to **promote new mechanisms to recover confidence on the institutions and the rule of law, through more participation and constructive dialog**. This does not mean that the state has to abandon its duties. 74% of the citizens believe that the state must ensure the environmental control. Provincial governments (47%) and national government (27%) have, according to the poll, the major responsibility to solve environmental problems. On the other hand, 56% of the population believes that every citizen has the possibility to contribute to an environment improvement. NGOs have an important role to play regarding education and communication. The priority audiences should be decision-makers (politicians, judges, congressmen, corporate heads and other leaders), those that play the role of opinion makers (teachers, scientists, journalists) and consumers. We present in this book a series of recommendations to these distinct publics.

La Situación Ambiental Argentina 2005

UN ENFOQUE ECORREGIONAL DE LA PROBLEMÁTICA AMBIENTAL DE LA ARGENTINA

¿Qué son las ecorregiones?

Las regiones ecológicas o ecorregiones son grandes áreas, relativamente homogéneas, en las que hay diferentes comunidades naturales que tienen en común un gran número de especies y condiciones ambientales. Los principales procesos ecológicos que mantienen la biodiversidad (por ejemplo, la conexión entre ambientes naturales que permite la reproducción de muchas especies) y los servicios que los ecosistemas naturales proporcionan a la gente (por ejemplo, la disponibilidad y calidad de agua dulce) son evidentes a escala ecorregional.

Las ecorregiones son el nivel de organización biológica más apropiado para conservar la variabilidad de especies, de ecosistemas y de sus funciones. Incluso, es posible encontrar características socioculturales propias de una ecorregión asociadas al desarrollo histórico de las sociedades en interacción con el medio natural en el que viven. En otras palabras, las ecorregiones son "el gran paisaje" que modela no sólo las formas en que evoluciona lo viviente, sino también la cultura humana. El término se origina a partir de las regiones fitogeográficas o biogeográficas, pero incluye otros valores que van más allá de los biológicos.

Por otro lado, las ecorregiones se presentan a una escala geográfica adecuada para el desarrollo e implementación de políticas regionales. Es por ello que el enfoque ecorregional se ha consolidado como el más apropiado para el análisis y la planificación en cuestiones relacionadas con la conservación del medio ambiente. No obstante, se debe reconocer que existen circunstancias administrativas que propician la adopción de un enfoque jurisdiccional. La gestión de los recursos naturales se realiza, en general, en función de los límites geopolíticos. El nuevo desafío es armonizar a escala ecorregional (por ejemplo, al promover que los parámetros para el aprovechamiento forestal en distintas provincias que comparten una ecorregión sean idénticos).

En los últimos años, en la Argentina han surgido algunas experiencias de aplicación del enfoque ecorregional en la planificación estratégica orientada a la conservación de la biodiversidad. Ejemplos de esto son las visiones ecorregionales del Bosque Atlántico del Alto Paraná (Di Bitetti *et al.*, 2003) y de la selva valdiviana (Tecklin *et al.*, 2002), la evaluación ecorregional del Gran Chaco Americano (The Nature Conservancy, Fundación Vida Silvestre Argentina, Fundación para el Desarrollo Sustentable del Chaco y Wildlife Conservation Society Bolivia, 2005), la identificación de áreas valiosas de pastizal (Bilenca y Miñarro, 2004) y el establecimiento de prioridades de conservación de las Yungas (Brown *et al,.* 2002).

Conservar la naturaleza incluye asegurar la conservación de procesos ecológicos como el flujo genético natural de las especies –el motor de su evolución– y los servicios que brindan los ecosistemas a la sociedad, mas allá de las fronteras políticas. Por esta razón, en la primera sección de este libro se realiza un análisis de la situación ambiental en cada una de las ecorregiones de la Argentina.

Las ecorregiones argentinas

La República Argentina está situada en el Cono Sur de Sudamérica y, con sus 3,7 millones de km^2 de superficie, representa el segundo país más extenso de Latinoamérica y uno de los diez países más grandes del mundo.

La ubicación latitudinal de la Argentina entre el Trópico de Capricornio y la región Antártica le confiere una enorme diversidad climática y ecorregional. Se encuentran ambientes de clima tropical húmedo (selvas subtropicales como las Yungas y la Selva Paranaense), bosques xerófilos (Chaco y Espinal), pastizales sometidos a fuertes variaciones interanuales de las precipitaciones (Pampa) hasta ambientes de climas desérticos (Puna, Estepa Patagónica, Monte).

Geomorfológicamente, la Argentina es una gran planicie bordeada al Oeste y a lo largo de toda su extensión por la Cordillera de los Andes. La ubicación de los cordones montañosos en el noroeste del país en dirección predominante norte-sur genera ambientes muy contrastantes entre las laderas este (selvas subtropicales) y las de exposición oeste (desierto del Monte).

Desde el punto de vista climático, podemos subdividir al país en tres grandes regiones de condiciones de precipitación contrastantes: los ambientes húmedos como las selvas subtropicales, el Chaco Húmedo y el Bosque Patagónico (con más de 1.000 mm de precipitaciones anuales), que representan alrededor del 16% del país; los ambientes xerófilos entre 200 y 700 mm de precipitaciones anuales (Chaco Seco, Espinal, Pampas, Monte), que representan un 56% del país y los ambientes desérticos (Altos Andes, Puna, Estepa Patagónica), con precipitaciones inferiores a los 200 mm anuales y fuertes amplitudes térmicas anuales y diarias, que representan un 28% del país. En otras palabras, más del 80% del país está bajo condiciones climáticas limitantes en términos de disponibilidad de lluvias y, por ende, con fuertes limitaciones (o, al menos, con fuertes incertidumbres) para el desarrollo de la agricultura de secano. Prácticamente la mayor parte de la superficie con aptitud agrícola del país ya se encuentra sometida a este uso y representa aproximadamente un 15% de la superficie total del área continental de la Argentina (50 millones de hectáreas). Pero esta fotografía va cambiando, debido no sólo a las nuevas tecnologías agrícolas, sino también a fenómenos globales como el cambio climático.

Nuestro país es subdividido actualmente en dieciocho ecorregiones (Figura 1). De ellas, quince corresponden al área continental y las otras tres, a las islas del Atlántico Sur, a la Antártida Argentina y al Mar Argentino (Burkart et al., 1999). A continuación, se presenta un trabajo que, teniendo en cuenta ese mapa –que fue adoptado desde entonces por los organismos oficiales–, recomienda una actualización de los límites de varias ecorregiones, a la luz de los trabajos recientes citados.

Figura 1. Ecorregiones de la Argentina (Burkart et al., 1999)

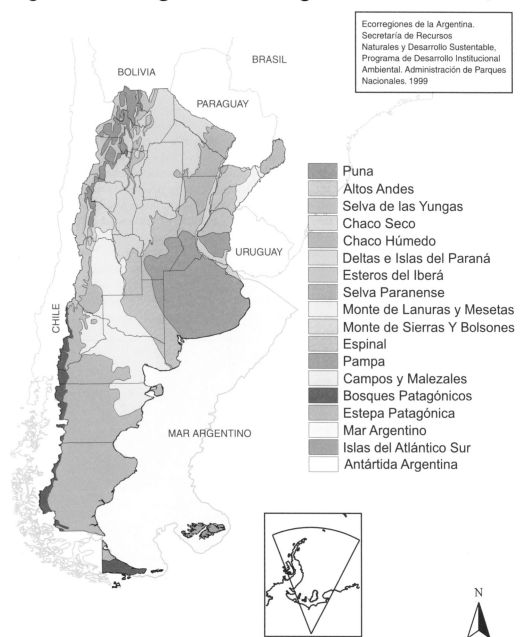

Ecorregiones de la Argentina.
Secretaría de Recursos
Naturales y Desarrollo Sustentable,
Programa de Desarrollo Institucional
Ambiental. Administración de Parques
Nacionales. 1999

BRASIL

BOLIVIA

PARAGUAY

URUGUAY

CHILE

MAR ARGENTINO

Puna
Altos Andes
Selva de las Yungas
Chaco Seco
Chaco Húmedo
Deltas e Islas del Paraná
Esteros del Iberá
Selva Paranense
Monte de Lanuras y Mesetas
Monte de Sierras Y Bolsones
Espinal
Pampa
Campos y Malezales
Bosques Patagónicos
Estepa Patagónica
Mar Argentino
Islas del Atlántico Sur
Antártida Argentina

N

0   400   800   1200   1600   Km

PROPUESTA DE ACTUALIZACIÓN DEL MAPA ECORREGIONAL DE LA ARGENTINA

Por: Alejandro D. Brown y Silvia Pacheco
Laboratorio de Investigaciones Ecológicas de las Yungas y Fundación ProYungas. abrown@proyungas.com.ar

A fines de la década del 90 se generó un mapa (Figura 1) de las ecorregiones de la Argentina (Burkart *et al.*, 1999), basado en el mapa de regiones fitogeográficas de la Argentina de Cabrera (1976), a partir de un panel de expertos en flora y fauna de las distintas regiones geográficas de la Argentina. Este mapa se utilizó para la definición de ecorregiones en el libro *Situación Ambiental Argentina 2000* (Bertonatti y Corcuera, 2000) y representa la distribución potencial de las ecorregiones, dado que no considera los importantes procesos de transformación acaecidos en algunas de ellas. No obstante, configura la versión "oficial" de la distribución de dieciocho ecorregiones de la Argentina. Las mismas están definidas en función de variables climáticas, de biodiversidad y características ecológicas particulares de funcionamiento (por ejemplo Delta e Iberá). Sobre la base de la definición de ecorregiones de ese mapa y en consideración del avance de una visión regional de algunas ecorregiones como las Yungas (Brown *et al.*, 2002), la Selva Paranaense (Di Bitetti *et al.*, 2003), la Pampa (Bilenca y Miñarro, 2004), el Chaco Húmedo y el Chaco seco (The Nature Conservancy *et al.*, 2005), se ha actualizado la definición territorial de estas ecorregiones. Para esto, se combinaron diferentes fuentes de información derivada de análisis de imágenes satelitales como índices de vegetación, fuentes bibliográficas a escala continental (Eva *et al.*, 2004) e información proveniente de un mejor conocimiento sobre la distribución geográfica de las ecorregiones. El mapa representa un documento a trabajar en el futuro próximo, a fin de validar los límites geográficos propuestos (Figura 2). Sin embargo, esta aproximación ha permitido realizar estimaciones bastante aceptables de superficie por ecorregión y estimar las áreas transformadas. Además, se le suma información cartográfica sobre reservas generada por distintas instituciones públicas –APN, SINAP– y privadas –FPY, FVSA, etc.– (Tabla 1).

De las quince ecorregiones continentales del país, el proceso de transformación de ambientes naturales en agroecosistemas está concentrado en seis de ellas, en proporciones que presentan

Figura 3. Áreas transformadas en la Argentina hacia 2004. Modificado de Eva et al., 2004.

Figura 2. Ecorregiones de la Argentina
(Brown y Pacheco, 2006)

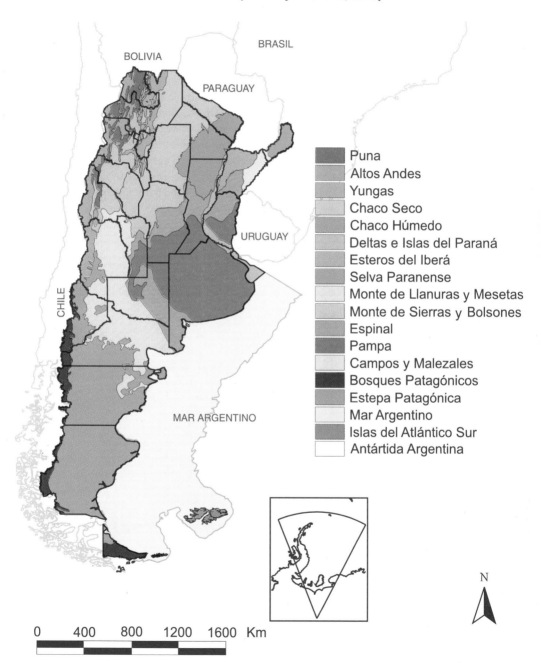

Puna
Altos Andes
Yungas
Chaco Seco
Chaco Húmedo
Deltas e Islas del Paraná
Esteros del Iberá
Selva Paranense
Monte de Llanuras y Mesetas
Monte de Sierras y Bolsones
Espinal
Pampa
Campos y Malezales
Bosques Patagónicos
Estepa Patagónica
Mar Argentino
Islas del Atlántico Sur
Antártida Argentina

BOLIVIA
BRASIL
PARAGUAY
URUGUAY
CHILE
MAR ARGENTINO

N

0   400   800   1200   1600   Km

del 10% (por ejemplo, Chaco Seco, Yungas) a más del 50% de su superficie original transformada (Selva Paranaense y Pampa), con situaciones intermedias como el Espinal y el Chaco Húmedo (Figura 3).

El esfuerzo relativo de preservación de las ecorregiones ha sido muy desigual. Hay ecorregiones que tienen más del 20% de su superficie protegida como las ecorregiones del Iberá, Puna y Bosques Patagónicos; otras presentan alrededor del 10% protegido como Altos Andes, Monte de Sierras y Bolsones, y Selva Paranaense, mientras que las ecorregiones restantes tienen menos del 5% protegido. Un cálculo razonable es que aproximadamente un 4% del país se encuentra bajo régimen de reserva con algún grado de implementación, lo que representa un total aproximado de 12.000.000 de ha protegidas (Tabla 1). Esta cifra debe ser revisada, sobre todo si se considera que el 44% de toda la superficie declarada bajo protección por el Sistema Nacional de Áreas Protegidas (SINAP) no posee control de terreno alguno, que el 37% tiene un control insuficiente y que sólo el 19% tiene un control mínimo aceptable (Burkart, en este volumen).

ECORREGIÓN	Superficie total (ha)	Porcentaje del país	Superficie transformada (ha)	Porcentaje transformado	Porcentaje protegido estimado
Altos Andes	13.936.686	5,0%			13,00%
Bosque Patagónico	6.911.990	2,5%			34,30%
Campos y Malezas	2.748.637	1,0%			2,00%
Chaco Húmedo	16.022.190	5,7%	4.676.849	29,2%	0,40%
Chaco Seco	42.719.047	15,2%	4.244.868	9,9%	1,60%
Delta e Islas del Paraná	5.734.561	2,0%			0,01%
Espinal	24.384.381	8,7%	9.025.943	37%	0,03%
Estepa Patagónica	56.546.973	20,1%			4,10%
Esteros del Iberá	3.916.427	1,4%			26,60%
Islas del Atlántico Sur	1.073.777	0,4%			
Monte de Llanuras y Mesetas	34.712.487	12,4%			2,03%
Monte de Sierras y Bolsones	11.370.079	4%			9,70%
Pampa	44.255.538	15,7%	27.851.855	62,9%	0,05%
Puna	6.920.510	2,5%			21,02%
Selva de Yungas	7.511.297	2,7%	923.478	12,3%	4,90%
Selva Paranaense	2.700.754	1,0%	1.520.272	56,3%	8,20%
Total país	281.000.000 + 964.000 Antártida		48.243.265	17,2%	4,27%

Tabla 1. Superficie por ecorregión, áreas transformadas y esfuerzo de protección en la República Argentina en relación con el mapa actualizado.

Bibliografía

• Bertonatti, C. y J. Corcuera, *Situación Ambiental Argentina 2000*, Fundación Vida Silvestre Argentina, 2000.

• Bilenca, D. y F. Miñarro, *Identificación de Áreas Valiosas de Pastizal (AVPs) en las Pampas y Campos de Argentina, Uruguay y sur de Brasil*, Buenos Aires, Fundación Vida Silvestre Argentina, 2004.

• Brown, A. D., A. Grau, T. Lomáscolo y N. I. Gasparri, "Una estrategia de conservación para las selvas subtropicales de montaña (Yungas) de Argentina", *Ecotropicos*, 2002, 15: pp. 147-159.

• Burkart, R.; N. O. Bárbaro; R. O. Sánchez y D. A. Gómez, *Ecorregiones de la Argentina*, Buenos Aires, Administración de Parques Nacionales, 1999.

• Cabrera, A. L., "Regiones fitogeográficas Argentinas", *Enciclopedia Argentina de Agricultura y Jardinería*, Segunda Edición, Vol II. Buenos Aires, 1976.

• Di Bitetti, M. S., G. Placci y L. A. Dietz, Una visión de biodiversidad para la ecorregión del Bosque Atlántico del Alto Paraná: Diseño de un paisaje para la conservación de la biodiversidad y prioridades para las acciones de conservación, Washington DC, World Wildlife Fund, 2003.

• Eva, H. D., A. S. Belward, E. E. de Miranda, C. M. di Bella, V. Gonds, O. Huber, S. Jones, M. Sgrenzaroli y S. Fritz, "A land cover map of South America", *Global Change Biology*, 2004, 10: 731-744.

• Tecklin, D., A. Vila y S. Palminteri (eds.), *A Biodiversity Vision for the Valdivian Temperate Rain Forest Ecoregion of Chile and Argentina*, Washington DC, WWF, 2002.

Ecorregiones Puna y Altos Andes

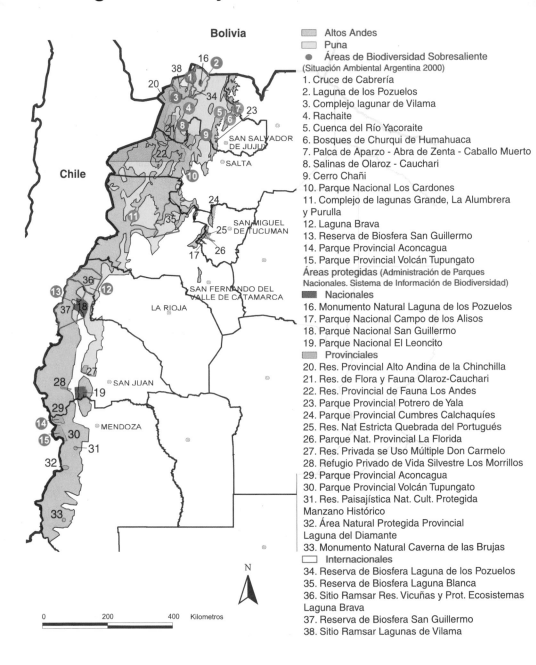

Bolivia

Chile

SAN SALVADOR DE JUJUY

SALTA

SAN MIGUEL DE TUCUMAN

SAN FERNANDO DEL VALLE DE CATAMARCA

LA RIOJA

SAN JUAN

MENDOZA

Altos Andes
Puna
Áreas de Biodiversidad Sobresaliente
(Situación Ambiental Argentina 2000)
1. Cruce de Cabrería
2. Laguna de los Pozuelos
3. Complejo lagunar de Vilama
4. Rachaite
5. Cuenca del Río Yacoraite
6. Bosques de Churqui de Humahuaca
7. Palca de Aparzo - Abra de Zenta - Caballo Muerto
8. Salinas de Olaroz - Cauchari
9. Cerro Chañi
10. Parque Nacional Los Cardones
11. Complejo de lagunas Grande, La Alumbrera y Purulla
12. Laguna Brava
13. Reserva de Biosfera San Guillermo
14. Parque Provincial Aconcagua
15. Parque Provincial Volcán Tupungato
Áreas protegidas (Administración de Parques Nacionales. Sistema de Información de Biodiversidad)
Nacionales
16. Monumento Natural Laguna de los Pozuelos
17. Parque Nacional Campo de los Alisos
18. Parque Nacional San Guillermo
19. Parque Nacional El Leoncito
Provinciales
20. Res. Provincial Alto Andina de la Chinchilla
21. Res. de Flora y Fauna Olaroz-Cauchari
22. Res. Provincial de Fauna Los Andes
23. Parque Provincial Potrero de Yala
24. Parque Provincial Cumbres Calchaquíes
25. Res. Nat Estricta Quebrada del Portugués
26. Parque Nat. Provincial La Florida
27. Res. Privada se Uso Múltiple Don Carmelo
28. Refugio Privado de Vida Silvestre Los Morrillos
29. Parque Provincial Aconcagua
30. Parque Provincial Volcán Tupungato
31. Res. Paisajística Nat. Cult. Protegida Manzano Histórico
32. Área Natural Protegida Provincial Laguna del Diamante
33. Monumento Natural Caverna de las Brujas
Internacionales
34. Reserva de Biosfera Laguna de los Pozuelos
35. Reserva de Biosfera Laguna Blanca
36. Sitio Ramsar Res. Vicuñas y Prot. Ecosistemas Laguna Brava
37. Reserva de Biosfera San Guillermo
38. Sitio Ramsar Lagunas de Vilama

N

0   200   400   Kilometros

SITUACIÓN AMBIENTAL EN LAS ECORREGIONES PUNA Y ALTOS ANDES

Por: Carlos Reboratti

Consejo Nacional de Investigaciones Científicas y Técnicas (CONICET). Universidad de Buenos Aires (UBA).
creborat@arnet.com.ar

Las alturas que alcanza el territorio argentino en su borde occidental ejercen un efecto fundamental sobre las características del ambiente. Desde la frontera con Bolivia en el extremo noroeste hasta el norte de la provincia de Neuquén se extienden, entremezclados, dos paisajes caracterizados por su altitud: la Puna y los Altos Andes. La diferencia fundamental entre ambos ambientes –aun con sus muchas similitudes– es que el primero tiene un relieve básicamente plano, mientras que el segundo se caracteriza por sus grandes pendientes.

La Puna

La Puna es una planicie de alrededor de 12.500.00 ha, ubicada por encima de los 3.000 m de altura en el extremo noroeste del país; abarca parte de las provincias de Salta, Jujuy, Catamarca, La Rioja y San Juan (en estos dos últimos casos depende de cómo se definan su límites). Hacia el este, la Puna se extiende hasta la Sierra de Santa Victoria, los nevados de Chañi y Cachi, y la sierra de Quilmes o Cajón. Clásicamente el límite sur se ubicaba en la Cordillera de San Buenaventura en la provincia de Catamarca pero, en realidad, este ambiente se puede encontrar también con el nombre de "punillas" o "altipampas" más al sur, entremezclado con cadenas montañosas. En el oeste, el límite lo forman una línea de volcanes que marca en el norte el límite con Chile y más hacia el sur los principales cordones de la Cordillera de los Andes.

Morfológicamente la Puna se extiende más allá de las fronteras políticas, hacia el sur de Bolivia y el noreste de Chile. Por el borde oriental acceden a la Puna una serie de valles y quebradas (Humahuaca, del Toro, Calchaquíes) que, además de servir como canales de comunicación biológica, han sido históricamente importantes vías de comunicación.

La Puna tiene un relieve relativamente chato, surcado ocasionalmente por serranías que sirven como elementos de delimitación de cuencas cerradas, características de este ambiente. En realidad, la mayor parte de la Puna (salvo en su sector norte) constituye una gran cuenca arreica, fragmentada en un sistema de cuencas menores no relacionadas entre sí. En el fondo de estas cuencas se desarrollan grandes lagunas (Guayatayoc, Vilama), que tienen límites variables según la alternancia de las usuales irregularidades interanuales en la precipitación y también por la aparición esporádica de El Niño, que tienen en el noroeste del país efectos de sequía. Cuando las lagunas tienden a desecarse, dan lugar a extensos salares (Olaroz, Hombre Muerto), que resultan de la acumulación de elementos químicos lavados en los faldeos por las lluvias y arrastrados hacia el fondo de las cuencas. Estos salares aumentan en frecuencia y tamaño hacia el sudoeste, a medida que el clima se hace más seco.

En líneas generales, las precipitaciones, siempre escasas, descienden de noreste a sudoeste. Mientras que en La Quiaca se pueden registrar alrededor de 350 mm de precipitación anual, hacia el sudeste éstas van disminuyendo y ha habido años sin registro alguno de precipitación en los salares del norte de Catamarca. Desde una perspectiva relativa, se podría diferenciar una puna más húmeda en el noreste y una más seca en el sur.

A pesar de su ubicación subtropical, el control que ejerce la altura hace que las temperaturas sean relativamente bajas, con un promedio de 10ºC. Las mínimas pueden llegar en el invierno a los -15ºC. Pero la gran sequedad del ambiente hace que la amplitud térmica diaria sea muy alta. En los meses de verano, no es raro que entre las mediciones del mediodía y las de la noche existan más de 25ºC de diferencia.

Los suelos son, por lo general, incompletos, arenosos (hay ocasionales formaciones de dunas) o pedregosos, con un muy bajo contenido de materia orgánica, ya que ésta se produce en poca cantidad y tarda mucho en descomponerse. Sólo en los escasos lugares húmedos hay formaciones de turberas, de muy lento desarrollo por las condiciones imperantes.

La baja temperatura y las escasas precipitaciones han dado como resultado una vegetación esteparia, formada fundamentalmente por arbustos bajos como la tola (*Paraestrephia sp.*), la añagua (*Adesmia horridiscula*) y la yareta (*Azorella yareta*) –una particularidad de ésta es su longevidad, ya que se han encontrado ejemplares que tienen cientos de años. Los arbustos, por lo general, aparecen mezclados, con distinto grado de predominio según las condiciones locales y el efecto de especialización del ramoneo del ganado. No cubren totalmente el suelo, que en buena medida aparece desnudo. Las gramíneas aparecen solamente en forma ocasional en las llamadas "vegas", que son depresiones locales donde se acumula el agua de vertiente y dan lugar a un microambiente diferenciado; también aparecen asociaciones de esporal (*Pennisetum chilensis*) en algunas laderas resguardadas. Los árboles de mayor porte son muy escasos, como la queñoa (*Polylepis tomentella*), que aparece formando bosquecillos en algunos lugares reparados, y el churqui (*Prosopis ferox*), que sólo aparece en los bordes orientales más bajos. Los intentos por introducir especies foráneas no han sido muy exitosos, y solamente ha tenido cierto desarrollo el olmo siberiano (*Ulmus pumila*), frecuente en los centros urbanos.

La fauna está formada por animales con gran adaptación al medio, gracias a su desarrollo de pelambres muy aislantes, su gran capacidad de desplazamiento, sus pocas necesidades de bebida y sus pocas limitaciones alimenticias. De todas maneras, la riqueza faunística es limitada; por ejemplo, se pueden mencionar las vicuñas (*Lama vicugna*), los guanacos (*Lama guanicoe*), el suri andino (*Pterocnemia pennatta garleppi*), la chinchilla (*Chinchilla chinchilla*), el gato andino (*Felis jacobita*), aves como el flamenco (*Phoenicopterus andinus* y otras dos especies) y patos de varias especies. Sin embargo, y a pesar de la baja biodiversidad, en algunos lugares hay gran concentración de ejemplares –sobre todo de aves–, como sucede en los ambientes más húmedos (por ejemplo, en la Laguna de Pozuelos).

El poblamiento

A pesar de que las condiciones naturales presentan fuertes limitaciones, la Puna ha sido objeto de un antiguo poblamiento de culturas de cazadores-recolectores primero y, luego, de culturas ganaderas. En algunos lugares más húmedos se han registrado, incluso, andenes de riego, que muestran una actividad agrícola incipiente, tal vez fruto de condiciones climáticas menos rigurosas. La actividad ganadera se basaba en el aprovechamiento de la llama, el animal mejor adaptado a las condiciones locales. Éste, además de proveer fibra y carne, fue el carguero por excelencia de la Puna hasta el siglo XIX y el vehículo básico para el desarrollo del gran tráfico caravanero que caracterizó a la región en toda su historia. Este tráfico tiene que ver con la posición estratégica de esta meseta de altura con respecto a ambientes proveedores de distintos recursos naturales desde la costa del Océano Pacífico, las Yungas y los valles templados del sudeste.

Más modernamente la Puna fue considerada como un espacio marginal, donde se desarrollaron algunas actividades mineras puntuales, pero no fue objeto de explotación ganadera a gran escala. La instalación humana continuó siendo básicamente dispersa, y solamente con la llegada del ferrocarril y el trazado de las fronteras aparecieron algunos centros urbanos de tamaño mediano, como Abra Pampa y La Quiaca, cuya existencia y desarrollo no están ligados al medio local, sino a su posición estratégica como nudo de transportes.

En 2001, toda la población de la Puna apenas sobrepasaba las 46.000 personas. Pero si se descuenta de esta población a la que vive en los centros urbanos, se llegaría a una cifra de solamente 25.000 habitantes rurales. Y aún éstos se encuentran distribuidos en forma irregular, dado que 14.000 viven en la parte norte, menos extensa, y el resto, en el sur. Esto hace que la densidad de la población sea de apenas 0,2 hab./km^2 en este último sector.

Los impactos sobre el ambiente natural

Si bien la Puna no ha sufrido el impacto de grandes concentraciones de población o la implantación de sistemas productivos intensivos, la fragilidad de su ambiente ha hecho que la poca actividad desarrollada haya sido suficiente como para producir procesos de degradación importantes, aunque es todavía difícil decir de cuánta importancia. Un efecto importante lo tuvo la introducción del ganado ovino, que pese a que no alcanzó el desarrollo que tuvo, por ejemplo, en la Patagonia (no necesariamente por motivos ecológicos, sino simplemente por una excesiva distancia a los mercados), es posible que haya generado un empobrecimiento generalizado en la vegetación regional. En toda la Puna pastan alrededor de 520.000 animales, la mayor parte ovinos y llamas, con una menor participación de los caprinos y muy pocos vacunos. Pero las características de las pasturas, naturalmente más ricas en los sectores más húmedos del norte, hacen que el rebaño se concentre en esta última zona. Así, mientras que en la zona más seca se podrían contabilizar unas 77 ha por animal, esta cifra se reduce a 4 en el norte, lo que evidentemente genera un impacto mucho mayor, que se traduce en el empobrecimiento de la vegetación y en el aumento de la ya muy fuerte erosión eólica natural. Téngase en cuenta que hace veinte años el Instituto Nacional de Tecnología Agropecuaria (INTA) ya advertía que no había ningún lugar de la Puna donde la carga animal pudiera sobrepasar las 10 ha por animal, lo que fue más tarde confirmado por Braun Wilke.

La combinación de la ganadería de ovinos con llamas podría ser potencialmente muy impactante sobre la vegetación natural, de baja capacidad de producción de biomasa y lenta recuperación. Sin embargo, es posible que procesos muy fuertes de degradación (e incluso de desertificación) sean de alguna manera atenuados por la gran movilidad del manejo del ganado, que incluye la trashumancia estacional entre áreas con pasturas de diferente capacidad y también la movilidad diaria.

Hay que tener en cuenta que el manejo de los rebaños está relacionado fuertemente con su posición con respecto a un potencial mercado: si por alguna circunstancia se abrieran las posibilidades (por ejemplo, con la ampliación del mercado para la carne de llama), no sería raro que las majadas aumentaran generando un mayor impacto ambiental. La baja integración de la población ganadera de la Puna –formada en su gran mayoría por pequeños productores, muchos de los cuales producen en tierras fiscales– hace muy difícil la regulación de esta actividad.

Otro proceso que ha generado el empobrecimiento de la vegetación es la recolección de leña por parte de los pobladores locales. Ésta es una actividad muy difícil de neutralizar, sobre todo si se tiene en cuenta que el nivel económico de los pobladores no les permite acceder a otro tipo de insumos energéticos. La leña es un recurso cada vez más escaso, y esto obliga a los pobladores a caminar distancias cada vez mayores para obtenerla, lo que indirectamente es una medida de su degradación.

Donde el impacto ha sido más fuerte fue sobre la fauna, cazada desde el siglo XIX para abastecer el mercado de pieles y fibras finas. Los animales más perseguidos fueron la chinchilla, el suri y la vicuña. La primera fue llevada casi al extremo de su extinción, hasta el punto de que el abastecimiento del mercado se desplazó hacia las chinchillas provenientes de criaderos, no sin antes lograr que sus poblaciones prácticamente desaparecieran. Aquí se tiene un caso interesante de falta de información: es para todos evidente que la chinchilla ha sido llevada hasta el borde del proceso de extinción, pero no se sabe la magnitud de este proceso, básicamente se ignora cuál es su nivel poblacional actual y de qué población se partió para llegar a la actual situación. Incluso, la formación del área de protección especialmente dirigida a la conservación de la chinchilla (Reserva Provincial Altoandina de la Chichilla) no está basada sino en suposiciones sobre la ubicación, el desarrollo y el potencial de su población animal, dado que no ha habido un proceso de análisis continuo en el tiempo.

El suri andino también fue muy perseguido para la obtención de plumas y hoy es una especie muy difícil de ver, aunque en tiempos coloniales parece haber sido abundante.

La vicuña, apreciada por la inmejorable calidad de su fibra, pareció correr un destino similar, hasta que las autoridades nacionales establecieron una reglamentación muy estricta respecto de su caza y comercialización, lo que produjo una notable recuperación de la especie, que hoy en día ha vuelto a poblar la Puna aun en lugares cercanos a los centros urbanos (ver Vilá en este volumen). Un efecto complicado de esto es que los criadores de llamas y ovejas están comenzando a ver en la vicuña una competencia por las pasturas de sus animales. Si esto va a traer como consecuencia una nueva persecución, ahora con otras causas, es algo que se podrá ver en el futuro.

Además de estos impactos territorialmente amplios, también el tendido de obras de infraestructura ha generado impactos negativos en el ambiente, pero de carácter más localizado. Hay que tener en cuenta que en la Puna la construcción de caminos, vías férreas y ductos genera una modificación que tarda mucho tiempo en recuperarse, como en el caso de los gasoductos a Chile construidos a fines de los 90 y la Ruta Nacional 52, que llega hasta el Paso de Jama.

Los Altos Andes

Los Altos Andes son, en general, todos los espacios montañosos por encima de los 3.500 m de altura, aunque hacia el sur este límite desciende hasta los 2.500 m y aun menos. Dado que el límite es altitudinal, este ambiente conforma espacios alargados y a veces aislados entre sí, y forma una especie de archipiélago. Hacia abajo, los Altos Andes se confunden con la Puna y, en otros lugares, con la Prepuna, los pastizales yungueños y el Monte, en una franja ecotonal de diferente ancho. Su superficie es difícil de calcular, pero se encuentra alrededor de las 12.000.000 de ha. El relieve es montañoso, quebrado, con valles profundos y usualmente marcados por la actividad glacial, con abundantes morrenas.

La altura es el factor ambiental más importante, pues controla las temperaturas y las precipitaciones. Las primeras nunca son elevadas y, si bien es un ambiente donde las mediciones meteorológicas son pocas, son frecuentes los descensos por debajo del nivel de congelación, aún en verano. La amplitud térmica es importante, sobre todo en verano. Del mismo modo, las escasas precipitaciones son en forma de nieve durante buena parte del año. Los Altos Andes son un receptáculo importante de agua en forma sólida, dado que allí se extiende un buen número de glaciares y campos de nieves eternas, aunque éstos están en permanente retroceso por los efectos del proceso del calentamiento global. El límite de las nieves permanentes se encuentra en unos 5.500 m en el norte, pero va descendiendo hacia el sur hasta llegar a los 3.000 m en el norte de Neuquén.

Estas condiciones básicas de baja temperatura y precipitación no permiten la formación de una cobertura vegetal densa ni la formación de suelos completos. Estos últimos suelen ser esqueléticos, salvo en las ocasionales hondonadas donde se acumula el agua de deshielo, lo que da lugar a una vegetación pobre de gramíneas. La vegetación básicamente esta formada por arbustos bajos, leñosos y en forma de colchón, muy adaptados a las condiciones locales con una copa densa, hojas pequeñas y un gran desarrollo radicular, como el cuerno de una cabra. Las gramíneas más comunes son el iro (*Festuca ortophylia*), el coirón (*Stipa chrysophylla*) y más al sur del huecú (*Poa holciformis*).

Similar a lo mencionado acerca de la Puna, la fauna es pobre y con baja densidad, dados los pocos recursos naturales. Sobresalen el cóndor (*Vultur gryphus*), el guanaco, la chinchilla, el zorro (*Dusicyon culpareus sp.*) y el puma (*Felis concolor*).

Dado su aislamiento y la rigurosidad de clima, es un ambiente relativamente poco alterado (se podría pensar que es el menos modificado del país). La instalación humana sólo ha sido continua en el último siglo, circunstancia relacionada con las obras de infraestructura y el mantenimiento de espacios dedicados al ocio, como son las pistas de esquí y las instalaciones mineras, que en este país son relativamente escasas en la alta montaña. Anteriormente, los Altos Andes sólo eran recorridos en verano por los pastores trashumantes y los ocasionales viajeros que transitaban la cordillera hacia o desde Chile. También fue un campo de cacería, sobre todo de guanaco.

La conservación en la Puna y los Altos Andes

Si se suman las superficies de los dos ambientes, se contabilizarían alrededor de 24.000.000 de ha, por lo que se podría decir que, dado el nivel de conservación existente en el país, el 20% que teóricamente cubren las áreas protegidas (AP) en estos ambientes representa un nivel adecuado de protección. Sin embargo, la realidad es otra: sólo se puede decir que un cuarto de las casi 5.000.000 de ha que se encuentran como "protegidas" en realidad lo están. La mayor parte de las extensas reservas y parques provinciales no cuentan con la infraestructura adecuada, no tienen un plan de manejo realista y, a veces, ni siquiera tienen guardaparques. Hay que tener en cuenta que se trata de un ambiente muy riguroso, con enormes superficies que carecen, por lo general, de caminos transitables y que tienen una serie de recursos faunísticos que son muy atrayentes para los cazadores furtivos. En realidad, y en consideración de lo que sucedió con la vicuña, se podría pensar que para la protección de estos elementos del ambiente las legislaciones dirigidas a la regulación de la comercialización han sido mucho más eficientes que las del control de la actividad de los cazadores.

También hay que tener en cuenta que el acceso a buena parte de estos lugares protegidos es muy fácil (sobre todo en la Puna), dado que están atravesados por rutas transitables y, a veces, muy activas. Téngase en cuenta que, por ejemplo, el bajo impacto que ha sufrido San Guillermo se debe fundamentalmente al hecho de su aislamiento.

Los problemas que se pueden avizorar para la conservación en la Puna y los Altos Andes son varios. Los primeros ya se han nombrado, y son la caza furtiva y la extracción de leña, ambos fácilmente controlables o neutralizables por medio de políticas de promoción social y el fomento del desarrollo económico local. Menos predecibles, y posiblemente más impactantes, pueden ser los desarrollos mineros. La Puna y los Altos Andes son las reservas mineras más importantes del país, y todo indica que la explotación de sus recursos va a tener una curva ascendente, como viene ocurriendo desde principios de los 90. Este tipo de explotaciones puede generar múltiples impactos: el uso masivo y la contaminación de los cursos de agua, la acumulación de residuos mineros, la modificación del relieve, el fuerte impacto sobre la flora y la fauna por la construcción de vías de comunicación y un importante tránsito vehicular. El ejemplo de la instalación minera de Veladero, en San Juan puede dar un ejemplo de la magnitud de estos impactos: el emprendimiento movilizará 200.000.000 de t de mineral para obtener el oro y la plata buscados (no más de 50 g por tonelada extraída), en un enorme tajo a cielo abierto y utilizará no menos de 150 l de agua por segundo en una cuenca de muy baja capacidad de reposición y donde el recurso es utilizado casi en su totalidad aguas abajo, tanto para el riego como para el consumo humano. En el área analizada hay, por lo menos, otros tres proyectos de similar magnitud. Y el problema siempre está en la tensión que para las provincias genera la necesidad de conservación, por un lado, con la promesa empresarial de las inversiones y la generación de fuentes de trabajo, por otro.

Un problema no menor es el gran crecimiento que está teniendo la actividad turística, tanto en la forma del tránsito de grandes contingentes de visitantes como por la construcción de pistas de esquí en algunos sitios. Por lo general, la actividad turística sólo se analiza desde el punto de vista de los ingresos –reales o imaginarios– que podría generar, pero pocas veces se lo hace desde la visión de la protección a largo plazo del ambiente. Cualquiera que haya visto las marcas de los vehículos todo terreno en los extensos salares puneños comenzará a dudar de las bondades de esta actividad si no se la controla.

LA DECLARACIÓN DE JUJUY SOBRE EL DESARROLLO SUS-TENTABLE DE LAS MONTAÑAS

Emitida en la asamblea de clausura del Quinto Simposio Internacional de Desarrollo Sustentable de los Andes. San Salvador de Jujuy, 27 de abril de 2005.

Por invitación de la Asociación de Montañas Andinas (AMA), los académicos andinos, los funcionarios del gobierno nacional y gobiernos provinciales, los miembros de organizaciones no gubernamentales (ONG) y los representantes de las organizaciones comunitarias de base, reunidos en el Hotel Altos de la Viña de la ciudad de San Salvador de Jujuy, República Argentina, del 25 de abril al 1 de mayo de 2005, para participar del V Simposio Internacional de Desarrollo Sustentable de los Andes, con el fin de analizar la realidad social, ecológica y económica de los ecosistemas andinos bajo el lema unificador "Promover la participación fortaleciendo vínculos", arribaron a las siguientes consideraciones:

1. Que los paisajes andinos son una de las fuentes más importantes de diversidad biológica, social y cultural en el mundo, y que los paisajes vivos de los Andes continúan siendo sometidos a una creciente presión por procesos de cambio cuyas causas y consecuencias deben ser debidamente reconocidas y estudiadas tanto por los científicos como por quienes toman las decisiones y las comunidades afectadas.

2. Que la totalidad de la población andina depende directa o indirectamente de los recursos naturales –hídricos, energéticos, biológicos– y culturales –redes y organizaciones sociales, saberes, conocimientos y valores– de la gran cordillera andina, y que la vitalidad de los paisajes de montaña depende de la gente que allí vive, por lo que se debe garantizar la sustentabilidad de sus modos de vida.

3. Que los Andes constituyen un articulador natural y cultural para una integración pacífica entre las naciones y los pueblos latinoamericanos, no solamente económica, sino también académica, social, cultural y espiritual, que estimule el desarrollo común ante las amenazas y las oportunidades generadas por la globalización.

4. Que los Andes generan una visión cosmológica irrepetible, basada en un mestizaje que integra los valores, los ideales, las actitudes y los conocimientos de los grupos indígenas, colonos, campesinos y citadinos; constituyen una cosmovisión irreemplazable de interacción entre la naturaleza y la sociedad, y garantizan la permanencia de la diversidad de los recursos y los servicios ambientales y sociales.

5. Que los Andes son un fenómeno sagrado para la mayoría de sus habitantes. La gente andina ha administrado sus ambientes en una manera integrada con esta visión espiritual de las montañas. La dimensión espiritual es un factor clave para la interrelación entre la gente local y otras culturas y pueblos.

6. Las regiones andinas constituyen bordes de marginalidad que son relegados por los gobiernos centrales, desfavorecidos en la distribución de los recursos provenientes de los presupuestos nacionales, poseen una menor infraestructura y, por lo tanto, mayores dificultades de acce-

so a los centros de comercio e industria nacionales e internacionales; las menores inversiones económicas y sociales, junto a la fragilidad ecológica y cultural, tornan especialmente vulnerables estas áreas ante las amenazas y los riesgos de la globalización.

7. Que los procesos actuales de globalización, sin embargo, están desarticulando los sistemas económicos locales y produciendo tensiones económicas, políticas, socio-culturales y ambientales severas, tanto a nivel regional como a nivel local.

8. Que deben fortalecerse las acciones destinadas a consolidar los capitales naturales, sociales y culturales que aseguren la participación activa y beneficiosa de las comunidades locales ante los desafíos de la globalización.

9. Que se advierte con preocupación el crecimiento inorgánico y explosivo de las ciudades que cubre paulatinamente las áreas de montaña y pedemontana, y que contamina, altera y destruye las fuentes de servicios ambientales, y drena los recursos que legítimamente pertenecen a los pueblos de montaña, favoreciendo la especulación en el precio del suelo al extender los límites urbanos sin planificación alguna.

10. Que en este contexto, la intervención humana en los paisajes andinos –por efecto de la política, los proyectos de desarrollo (en áreas tales como la minería, la forestación con exóticas y la sustitución de bosques nativos) y los cultivos intensivos de exportación– se traduce en la ampliación ilimitada de la frontera agrícola y forestal con una exclusión de las sociedades locales y un aumento de la vulnerabilidad frente a los desastres naturales, tales como el volcanismo, la sequía, los derrumbes e inundaciones.

11. Que todavía no existen mecanismos participativos disponibles para las comunidades locales en los Andes, en los esfuerzos de toma de decisiones que afecten su futuro, y que es necesario observar comportamientos éticos de las partes que participan en las transacciones y acuerdos para el desarrollo de las áreas de montaña.

De la lista presentada como marco referencial, todos los participantes del V Simposio Internacional de la AMA concuerdan unánimemente en las siguientes recomendaciones:

a) Fortalecer las actividades de investigación de las instituciones y las agencias encargadas de generar conocimientos para adoptar iniciativas de desarrollo que sean científicamente sustentadas. Revalorizar a las instituciones académicas y a la profesión para que la investigación deba ser utilizada como un requisito básico en los proyectos de desarrollo y, al mismo tiempo, sensibilizar a los investigadores respecto de su rol social, la pertinencia de su trabajo y el sentido ético que debe guiarlo.

b) Vincular estrechamente la investigación con las necesidades y las aspiraciones de las poblaciones locales involucradas en las iniciativas de desarrollo sustentable, e incluir la restauración, la conservación y la administración de la ecodiversidad andina. Ampliar la interacción y la articulación de las redes de investigación, a fin de favorecer el intercambio de experiencias, la evaluación conjunta de trabajos y el uso de los beneficios de la investigación comparativa para la aplicación del conocimiento en la toma de decisiones.

c) Comprometer a la comunidad científica para que reasuma su rol social en la región y reconozca su papel investigador como un aporte a la discusión de los problemas de las sociedades andinas, a fin de que el conocimiento generado sea transparente a los grupos locales y se convierta este mensaje explícito y práctico en una herramienta pertinente para una consulta apropiada en el proceso de la toma de decisiones y su implementación.

d) Promover y asegurar la participación efectiva y permanente de las comunidades locales en los Andes en la formulación, ejecución y evaluación de los proyectos de conservación y desarrollo.

e) Incentivar el uso de los criterios e indicadores de sustentabilidad adaptados a las diferentes realidades de los paisajes andinos, con la participación de la comunidad local en la identificación de los problemas y en los esfuerzos de seguimiento.

f) Favorecer la creación de AP nacionales, binacionales o internacionales, en categorías de manejo que impliquen la conservación y la restauración del paisaje andino, que promocionen la sustentabilidad social, económica y ecológica de las poblaciones afectadas.

g) Recomendar a los gobiernos nacionales y a los organismos internacionales la conveniencia de garantizar el desarrollo y la conservación de las áreas andinas, considerando su alto valor ecológico y patrimonial, regulando el uso de sus recursos naturales, adoptando decisiones a favor de la permanencia de las comunidades locales, controlando la expansión urbana y las fronteras agrícolas y forestales, y fiscalizando efectivamente el cumplimiento de los compromisos y las normas que deben cumplir las empresas que son autorizadas a intervenir en los paisajes de montaña.

LAS POBLACIONES DE VICUÑAS EN LA ARGENTINA: ELEMENTOS PARA UN USO SUSTENTABLE

Por: Bibiana Vilá

Proyecto MACS. Universidad Nacional de Luján. blvila@mail.unlu.edu.ar

La vicuña (*Vicugna vicugna*) es el camélido silvestre más pequeño. Endémica de la región andina, habita los sistemas puneños y altoandinos (a más de 3.200 msnm) en la Argentina, Bolivia, Chile y Perú (Franklin, 1982), y es el herbívoro silvestre que aporta mayor biomasa en las estepas de altura. La distribución de esta especie en este país comprende las provincias de Jujuy, Salta, Catamarca, la Rioja y San Juan.

Mas allá de las características biológicas fascinantes y únicas de esta especie, como por ejemplo sus adaptaciones a la altura y a la baja calidad de las pasturas, su estructura social muy estable, su falta de dimorfismo sexual, la permanencia del macho en los grupos familiares y la persistencia de la territorialidad durante todo el año (Vilá, 1994, 1995; Vilá y Roig, 1992; Vilá y Cassini, 1993, 1994), la vicuña posee atributos específicos que la convierten en un animal emblemático de la Puna. Estos atributos se basan en la importancia de esta especie para la cosmovisión andina, su pertenencia a la

Pachamama, su cuidado por el Coquena y ,obviamente, su valor económico. Este animal posee la fibra de origen animal más fina del mundo (aproximadamente, 12,5 micrones) muy cotizada en el mercado internacional (300 a 650 dólares/kg). La vicuña está calificada como un recurso clave para la región, y es una de las siete especies seleccionadas por la FAO (Food and Agriculture Organization) para el desarrollo rural de América Latina (FAO/PNUMA, 1985).

La vicuña ha sido utilizada por los habitantes andinos desde tiempos prehistóricos (Bonavia, 1996; Yacobaccio, 2003); inicialmente ha sido cazada como recurso, y las técnicas de utilización fueron sofisticándose hasta llegar al manejo de *chaku* durante el incanato. Cada tres o cuatro años se capturaban los animales, se esquilaba la mayoría y luego se los liberaba (Custred, 1979). Luego de la conquista y hasta tiempos recientes, la caza con armas de fuego provocó una disminución drástica de las poblaciones, que llegaron al riesgo de extinción. En la década del 60, la población mundial se calculaba en menos de 10.000 animales (Hoffman *et al.*, 1983). Esta situación fue revertida gracias a intensos esfuerzos internacionales, nacionales y regionales de conservación, entre los que se destacan el Convenio sobre Conservación de la Vicuña firmado en 1969, el listado de la especie en el ESA (Endangered Species Act) que prohíbe su comercialización en los Estados Unidos desde 1970 y el listado de la especie en el Apéndice I de CITES (Convention on International Trade in Endangered Species of Wild Flora and Fauna) en 1975. A su vez, los países con vicuñas crearon reservas provinciales y nacionales, y han elaborado una legislación que prohíbe la caza de esta especie.

La recuperación de muchas poblaciones de vicuñas desde el inicio de estas medidas ha sido constante y la población actual ronda los 200.000 animales, de modo que esta especie es un ejemplo del éxito de las políticas conservacionistas a nivel mundial. Esta recuperación ha llevado a los países andinos a solicitar a CITES el traspaso de algunas poblaciones al Apéndice II y desarrollar diversas técnicas de uso. El análisis comparativo de las modalidades de manejo en los países andinos muestra particularidades en función de la organización social, la idiosincrasia, los sistemas de producción, el sistema de tenencia de la tierra y los recursos naturales, y la legislación (Lichtenstein y Vilá, 2003). En la Argentina se transfirieron al Apéndice II de CITES las poblaciones de vicuñas de la provincia de Jujuy y las poblaciones que se encuentran en criaderos fundados con vicuñas procedentes del INTA, y luego, en el año 2002, a las vicuñas de la provincia de Catamarca. El resto de las poblaciones de vicuña continúa en el Apéndice I.

Tanto en términos de conservación como de posible uso, en estos momentos es fundamental conocer el número de vicuñas de presentes en el país, que carece de un censo nacional de esta especie. A diferencia de los restantes países andinos donde las vicuñas dependen de instituciones centralizadas (Perú, CONACS –Consejo Nacional del Camélidos Sudamericanos–; Chile, CONAF –Corporación Nacional Forestal–, Bolivia DGB –Dirección General de Biodiversidad–), el sistema federal de organización de la Argentina otorga a las provincias el dominio de sus recursos naturales y esto ha venido postergando y dificultando la realización de un censo coordinado, por lo que la información sobre el número de animales es fragmentaria y no siempre obtenida con métodos equivalentes. Afortunadamente, se están implementando acciones tendientes al consenso entre diversos actores (autoridades administradoras de fauna provinciales, parques nacionales e investigadores), a fin de poder llevar a cabo el necesario censo en el próximo año. Hasta el momento, se calculan unos 35.000 ó 45.000 animales en el país (Lichtenstein y Vilá, 2003).

Las vicuñas y el manejo

La vicuña (al igual que el guanaco) es la única especie de ungulado silvestre que puede ser "cosechada"; en otras palabras, es posible, mediante la esquila, obtener su fibra sin necesidad de matarla. A su vez, sus características de pastoreo de bajo impacto, su resistencia a condiciones climáticas extremas y a pasturas pobres, y su cualidad de animal silvestre (y, por lo tanto, sin costo de manutención en términos sanitarios y alimenticios) la convierte en un excelente recurso para las poblaciones marginales andinas.

Hasta el año 2003, en la Argentina el único manejo que se realizaba era en criaderos privados con animales en cautiverio, manejo fomentado por el INTA-Abrapampa. Esta modalidad de manejo ha sido ampliamente cuestionada por su inutilidad en términos de conservación de las vicuñas y desarrollo social (Lichtenstein y Vilá, 2003; Lichtenstein, 2005) y las problemáticas biológicas asociadas (Vilá, 2002). En términos biológicos, es importante reconocer que esta especie ha sufrido un "cuello de botella" en su aspecto genético y ha perdido mucha variabilidad a partir de su riesgo de extinción, por lo que cualquier sistema que aísle más una población aumenta su vulnerabilidad.

Los grandes riesgos para la conservación de la vicuña en la Argentina son la caza furtiva, el deterioro del hábitat y la competencia con el ganado doméstico por pasturas (FWS, 2002). En trabajos recientes (McNeill y Lichtenstein, 2003; Vilá y Lichtenstein, 2005), se ha demostrado que el manejo en cautiverio no incide positivamente en una disminución de la presión por caza furtiva, un reemplazo de especies domésticas por vicuñas, un cambio en la percepción sobre el animal en estado silvestre ni en el cuidado del hábitat para aumentar las tierras de pastoreo disponibles. El manejo en cautiverio es, por lo tanto, una actividad productiva y no una actividad de conservación ni de sustentabilidad.

Manejo en silvestría

Las vicuñas silvestres tienen mucho que ofrecer con un manejo en silvestría bajo altos estándares de bienestar animal. Esto ha sido comprobado en el manejo de vicuñas silvestres realizado en Cieneguillas por primera vez en este país entre 2003 y 2004. En estas experiencias se trabajó bajo un marco basado en el Principio de Precaución y con una estrategia de manejo "adaptativo" con actividades crecientes en intensidad espacial y temporal, y se trataron de disminuir los riesgos de la incertidumbre que afectan a todo manejo de fauna al involucrar a la mayor cantidad posible de actores.

Cieneguillas es un pueblo de la provincia de Jujuy con unos doscientos habitantes, ubicado en el sector de la llanura de piedemonte, en el sector nororiental de la cuenca de la Laguna de Pozuelos (Reserva de Biosfera MAB-Unesco), a una altura de 3.700 msnm. Es un área donde el pastoreo es intensivo con ganado de llamas, ovinos y con presencia de vicuñas silvestres. En el año 2000, los miembros de la Asociación Los Pioneros de dicha localidad se contactaron con especialistas para iniciar una serie de estudios que determinaran la potencialidad del área para el uso de sus vicuñas (Vilá, 2001). A partir de este inicio "desde las bases", se consideró fundamental trabajar en conjunto con los pobladores, especialmente en la redacción del "Plan de Manejo", cuya aprobación por las autoridades provinciales dio origen a la posibilidad de manejar las vicuñas. El "Marco de Precaución" implica un balance entre los intereses sociales, los de la conservación y los de la economía, a fin de **anticipar, prevenir** y **mitigar los riesgos de la incertidumbre** para los cuales la evidencia científica no está disponible. Esto implica, asimismo, una planificación previa de las actividades cuidadosamente determinadas y la inclusión en el Plan de Manejo de un "Análisis de Impacto Ambiental" basado en factores ambientales y sociales, con la identificación y la cuantificación de los impactos a través de matrices de causa-efecto que permitan anticipar acciones que mitiguen las consecuencias negativas del manejo.

Existe un tipo de manejo de fauna que expresamente plantea un acercamiento al marco precautorio. Se lo denomina "Manejo adaptativo" y se lo podría definir como aquél que se basa en intervenciones de manejo modestas, de pequeña escala, prácticamente reversibles, con un cuidadoso monitoreo del impacto de la intervención y un continuo refinamiento de las técnicas utilizadas a medida que la información sobre el mismo se incrementa y lo retroalimenta. El manejo de vicuñas en Cieneguillas fue planificado como si fuera un "experimento" dentro de un marco de "bienestar animal (Bonacic y Macdonald, 2001) para obtener datos de base que pudieran informar sobre el impacto del manejo. El manejo en sí mismo fue fuente de una serie de datos que se obtuvieron a partir de la posibilidad de manipular los animales y de obtener muestras biológicas (sangre, heces, fibra, edad por dentición, parásitos, estado sanitario, etc.) y como consecuencia del manejo mismo (evaluación sobre cambios en la estructura social, estrés conductual, migraciones, etc.).

Se capturaron vicuñas en noviembre de 2003 y en noviembre de 2004 bajo estrictas normas de bienestar animal y Los Pioneros hoy tienen 43 kg de fibra de las vicuñas que hasta hace unos años eran motivo de queja. Las vicuñas capturadas han sido individualizadas con un collar y su estudio sistemático postcaptura está brindando una serie de datos valiosísimos para conocer mejor esta emblemática especie. La realidad hoy en Cieneguillas es que las vicuñas han pagado su conservación, que está garantizada por un cambio de percepción de la gente del pueblo por este animal. La experiencia de Cieneguillas es alentadora y exitosa en términos de sustentabilidad del uso de las vicuñas, ya que: a) la población no ha demostrado declinación ni aumento de vulnerabilidad; b) las vicuñas en Cieneguillas mantienen su rol ecológico y el sistema, su diversidad (producción primaria, ciclo de nutrientes); c) se han desarrollado técnicas poco impactantes para obtener la fibra, que pueden ser transferidas; d) la comunidad local ha sido un componente fundamental de la actividad; e) se ha "integrado" el manejo de vicuñas a las actividades pastoriles (llamas y ovejas) del área con la promoción de la economía local.

Conservación

Es importante tener en cuenta la historia de riesgo de extinción de las vicuñas en el pasado; a partir de esta situación hubo cientos de extinciones locales y la distribución de las vicuñas es un ejemplo de "islas" y de pérdida de variabilidad genética. Es, por lo tanto, un pre-requisito fundamental tener poblaciones de vicuñas conservadas y con alta densidad antes de encarar cualquier proyecto de manejo. La conservación debe seguir siendo una prioridad con áreas de poblamiento intangibles a partir de las cuales se dispersen animales. La utilización silvestre de esta especie debe encararse como una actividad complementaria a las otras desplegadas por las comunidades. El manejo en silvestría pasa no sólo por comunidades que respeten y conserven las vicuñas, sino también por un marco legal adecuado que permita su utilización.

Un tema muy alarmante es el de la caza furtiva, una actividad creciente en la Argentina y en otros países andinos, que pone en riesgo la conservación y el manejo de vicuñas. Justamente debido a las preocupaciones que este tema genera, se realizó en septiembre de 2004 un taller en La Quiaca convocado por numerosas instituciones del gobierno nacional, provincial e internacional y con presencia de autoridades de países hermanos, así como también de fuerzas de seguridad (gendarmería, policía, carabineros de Chile). En este taller se identificaron problemas como la falta de coordinación entre los diferentes estamentos involucrados en la temática del control de la caza furtiva y el tráfico ilegal, y el déficit de los recursos humanos y logísticos para prevenir y combatir estas acciones.

Figura 1. Manejo en silvestría de vicuñas. Foto Jerry Laker.

La Situación Ambiental Argentina 2005

Las ideas formuladas frente a este diagnóstico determinan la necesidad de: a) integrar e intercambiar información y coordinar entre autoridades; b) establecer lazos entre autoridades y comunidades puneñas; c) tener presencia en zonas de furtivismo de difícil acceso; d) fomentar el manejo de vicuñas silvestres con la participación de las comunidades; e) dar a conocer la legislación relativa a la protección de la biodiversidad a los organismos encargados de administrar justicia; f) ser estrictos en el tratamiento de los delitos conexos a la caza y el tráfico; g) hacer inteligencia; h) capacitar a los técnicos de las aduanas; i) tener censos nacionales y j) educar ambientalmente. Este último punto, la educación ambiental, ha sido uno de los pilares a partir de los cuales se sostiene la experiencia de Cieneguillas.

Agradecimientos

Quisiera agradecer a la comunidad de Cieneguillas, a la Asociación Los Pioneros y a todos los miembros del Proyecto MACS-Argentina.

ENERGÍAS RENOVABLES EN LA PUNA. UN APORTE REALIZADO DESDE EL INSTITUTO DE ENERGÍAS NO CONVENCIONALES

Por: Dra. Judith Franco
Instituto de Energías No Convencionales (INENCO). Universidad Nacional de Salta (UNSA). Consejo Nacional de Investigaciones Científicas y Técnicas (CONICET). francoj@unsa.edu.ar

Los problemas originados por el uso intensivo de los combustibles fósiles –tales como el cambio climático, las lluvias ácidas, la contaminación producida por los derrames de petróleo y otros– están llegando a tener una gran importancia a medida que la población va tomando conciencia.

Una de las posibilidades de suplantar estos combustibles es mediante el uso de energías renovables y existen actualmente diversas tecnologías desarrolladas para su uso. En este artículo se presentará el tipo de trabajo que se realiza en un centro de investigación de este país mediante el abordaje de un tema específico: el uso de las fuentes renovables para aplicaciones distintas de la generación de energía eléctrica.

Los habitantes de las zonas de la Puna y los valles aledaños del noroeste argentino viven en condiciones socio-económicas difíciles, debido a las pocas posibilidades de generar una actividad económica rentable, la cual se limita actualmente a actividades pastoriles extensivas en campos áridos o a la emigración temporaria relacionada con actividades agrícolas en zonas bajas de mejores condiciones productivas. La falta de fuentes convencionales de energía, ya sea local por falta de leña o, en general, por dificultades de transporte, constituye una de las razones importantes que llevan a esta situación. Solamente en el noroeste argentino el número de habitantes de la Puna y los valles aledaños a los que afectan estos problemas supera los 100.000 habitantes.

Por otro lado, la satisfacción de sus necesidades básicas (alimentación, calefacción e higiene personal) lleva a la extracción de arbustos –e.g., la llamada tola– para ser usados como combustibles, lo que ocasiona un fenómeno de desertificación que se está agudizando en los últimos años y da lugar a daños ambientales que pueden llegar a ser de difícil solución en el futuro. También cabe destacar que los habitantes de los pequeños poblados deben dedicar una buena parte de su tiempo productivo a la búsqueda de arbustos a distancias considerables, aspecto que hace más difícil la superación de sus problemas económicos.

Estas regiones disponen de la energía solar como un recurso energético de importancia, en condiciones de uso favorables debido a los altos niveles de radiación y a la poca frecuencia de días nublados. El uso de este recurso conlleva la ventaja de no producir daños ambientales de consideración, lo que permite encarar soluciones que lleven a un desarrollo sustentable de la comunidad.

Los intentos de uso de la energía solar en la actualidad están centrados, en su mayoría, en la mejora de sus condiciones de vida, como ser, por ejemplo, mediante el uso de paneles fotovoltaicos para iluminación y comunicaciones. Estos usos, si bien solucionan problemas importantes, no atacan el problema de fondo: la generación de tecnologías que permitan encarar actividades económicas con las cuales el habitante tenga una oportunidad de mejorar su nivel de vida a través de su propio esfuerzo.

El INENCO, perteneciente a la Universidad Nacional de Salta y al CONICET, ha llevado a cabo numerosos estudios sobre aplicaciones de la energía solar de las que se detallan algunas de ellas como ejemplos:
1) Viviendas solares. Se han construido en zonas de altura, caracterizadas por muy bajas temperaturas nocturnas y muy buena radiación, varias viviendas fabricadas con materiales de la zona, las cuales han funcionado muy bien y han constituido un antecedente para impulsar el uso de las técnicas de acondicionamiento pasivo, que implica no utilizar ningún tipo de equipamiento mecánico o eléctrico. El INENCO colabora, en la actualidad, con el diseño de dos edificios solares públicos: el hospital materno-infantil de la población de Susques, Jujuy, con 700 m^2 de superficie, y el edificio de la Aduana en el paso fronterizo con Chile, de 2.000 m^2 de superficie. Ambos edificios se encontrarán a más de 3.500 m de altura.
2) Secado solar. Se han desarrollado y transferido secadores solares semi-industriales con colectores calentadores de aire de hasta 500 m^2 de superficie para el secado de diversos productos agrarios, tales como ser el pimiento, los hongos, las hortalizas, etc. El primero de ellos, con un área de 400 m^2, secaba 3.000 kg de pimiento por semana. Esta tecnología comienza a ser requerida por agricultores en la actualidad debido al aumento de los costos de producción.

La Situación Ambiental Argentina 2005

3) Pozas solares. Se trabajó en la utilización de las pozas solares, es decir, de piletas que se llenan con un gradiente salino que permite la captación y la acumulación de la radiación solar. Esta tecnología resultó tener un bajo costo en la zona, debido a la existencia de numerosas salinas. Con ellas se desarrolló un proceso para la purificación industrial de sulfato de sodio y se instaló una fábrica con una capacidad de 300 t mensuales.

Figura 1. Secadero de tabaco en el INTA, Cerrillos, Salta.

4) Cocinas solares. La cocción en zonas rurales altas y áridas resulta muy dificultosa debido a la aridez de la región y a la dificultad en el transporte de combustibles. Allí existen numerosas escuelas-albergues con comedores escolares, para los cuales se han desarrollado cocinas solares comunales que permiten la preparación de más de 100 kg de comida por sesión y así resuelven el problema planteado. Se ha desarrollado una cocina comunal que utiliza concentradores con superficies de entre 2 y 3 m², que permiten la cocción de alrededor de 30 kg de comida por cada concentrador y brindan la posibilidad de trabajar en forma conjunta. Estas cocinas están siendo instaladas en diferentes escuelas de la región.

Figura 2. Poza solar en la puna jujeña.

5) Desalinizadores solares de agua. Se utilizan para potabilizar agua contaminada con sales; se han instalado en distintos parajes del Chaco salteño para proveer de agua potable a diversos grupos de pobladores.

Figura 3. Cocina solar El Rosal.

6) Pasteurizador de leche. Es un equipo que consiste en un concentrador solar y una caja aislada donde se coloca el pasteurizador, que permite pasteurizar hasta 40 l de leche por día y se utiliza para la preparación de quesos artesanales.

Estos sistemas, si bien no suplen completamente el uso de energías convencionales, permiten el ahorro de un gran porcentaje de la misma y, combinados con otros sistemas como la energía eólica, los biocombustibles, la generación de hidrógeno, etc., podrían reemplazar completamente el uso de combustibles fósiles.

Bibliografía

• Acta del Taller sobre caza furtiva y tráfico ilegal de productos de Vicuña, VIII Reunión Técnica del Convenio Internacional de la Vicuña, La Quiaca, Jujuy. Mim., 2004.

• Bonacic, C. y D. W. Macdonald, "Preliminary physiological assessment of the effects of capture for shearing on vicuna (*Vicugna vicugna*)", Proceedings of the 3rd European Symposium on Camelids, Gottingen, Wageningen Press, 2001, pp. 34-39.

• Bonavia, D., *Los camélidos sudamericanos (una introducción a su estudio)*, Lima, Instituto Francés de Estudios Andinos, 1996, 846 pp.

• Braun Wilke, R. *et al*, *Carta de aptitud ambiental de la provincia de Jujuy*, Cátedra de Ecología Agrícola, Facultad de Ciencias Agrarias, Diversidad Nacional de Jujuy [CD-ROM], 2001.

• Braun Wilke, R. y G. Guzmán, "Evidencias, indicadores y agentes del deterioro en las Tierras Altas de Jujuy", en: Abraham, E., D. Tomasini y P. Maccagno (eds.), *Desertificación. Indicadores y puntos de referencia en América Latina y el Caribe*, Mendoza, Zeta Editores, 2003, pp. 121-129.

• Chebez, J. C., *Guía de las Reservas Naturales de la Argentina: Noroeste*, Buenos Aires, Editorial Albatros, 2005.

• Custred, G., "Hunting technologies in Andean Culture", *Journal de la Societe des Americanistes*, Tomo LXVI, Paris, Musee de l'Homme, 1979, pp. 7-12.

• FAO, "Manejo de Fauna Silvestre y Desarrollo Rural. Información sobre siete especies de América Latina y el Caribe", Perú, 1985.

• Franklin, W. L, "Biology, Ecology and Relationship to Man of the South American Camelids", en: Mares, M. A. y H. H. Genoways (eds.), *Mammalian Biology in South America*, Linesville, Pymatuning Laboratory of Ecology Special Publication 6, University of Pittsburgh, 1982, pp. 457-489.

• FWS (Fish and Wildlife Service), "Endangered and threatened wildlife and plants: Reclassification of certain vicuñas populations from endangered to threatened with a special rule: Federal Regioster", Vol. 67, N°104, *Rules and regulations*, 2002, pp. 37.695-37.723.

• Gil Montero, R., *Caravaneros y trashumantes en los Andes Meridonales*, Lima, IEP, 2004.

• Gobel, B., "El ciclo anual de producción pastoril en Huáncar (Jujuy, Argentina), en: Mengoni Goñalons, G., D. Olivera y H. Yacobaccion (eds.), *El uso de los camélidos a través del tiempo*, Buenos Aires, Ediciones El Tridente, 2001, pp. 91-116.

• Hofmann, R. K., K. C. Otte, C. F. Ponce del Prado y M. A. Rios, *El Manejo de la Vicuña Silvestre*, 2 tomos, Eschborn, GTZ, 1983.

• INDEC, Censo Nacional agropecuario, [en línea], 2003, <http://www.indec.gov.ar>.

• INDEC, Censo Nacional de Población 2001, [en línea], 2004, <http://www.indec.gov.ar>.

La Situación Ambiental Argentina 2005

- INTA, *Aptitud y uso actual de las tierras de la Argentina*, Buenos Aires, SAGyP, 1986.
- Lichtenstein, G., Utilización de vicuñas por comunidades andinas: ¿una alternativa para la conservación y desarrollo local? "Antropología y Ruralidad, un reencuentro", Memorias III Congreso Argentino y Latinoamericano de Antropología Rural [CD-ROM], 2004.
- Lichtenstein, G., "El manejo de vicuñas en cautiverio en Argentina: Un estudio de caso", *Investigaciones sobre vicuñas*, Ed. B. Vilá, 2005.
- Lichtenstein, G. y B. Vilá, "Vicuna use by Andean Communities: An overview", *Mountain Research and Development*, 23, 2003, pp. 197-201.
- McNeill, D. y G. Lichtenstein, "Local Conflicts and International Compromises: the Sustainable Use of Vicuña in Argentina", *Journal of International Wildlife Law and Policy*, 6, 2003, pp. 233-253.
- Reboratti, C., *La naturaleza y el hombre en la Puna*, Colección nuestros ecosistemas, Salta, GTZ, 1994.
- UICN, "Captura, Esquila y Liberación de Vicuñas en Argentina", Camelidae: Noticiero Oficial del Grupo Especialista en Camélidos Sudamericanos 1 (1), 2004, pp. 5-6.
- Vilá, B. L., C. Bonacic, Y. Arzamendia, A. Wawrzyk y H. Lamas, "Captura y esquila de vicuñas en Cieneguillas", *Ciencia hoy*, 14 (80), 2004, pp. 44-55.
- Vilá, B. L., *Camellos sin joroba*, Buenos Aires, Editorial Colihue, 2002.
- Vilá, B. L., "La silvestría de las vicuñas, una característica esencial para su conservación y manejo", *Ecología Austral*, 12 (1), 2002, pp. 79-82.
- Vilá, B. L., "Las vicuñas en Cieneguillas y Vilama: Cuando los pobladores llaman a los científicos", *Ciencia hoy*, 11 (65), 2001, pp. 20-26.
- Vilá, B. L., "Spacing patterns within groups in vicuñas in relation to sex and behaviour", *Studies on Neotropical Fauna & Environment*, 30 (1), 1995, pp. 45-51.
- Vilá, B. L., "Use of dung piles by neighbouring vicuñas", *Mammalian Biology (Z. fur Sargetierkunde)*, 59, 1994, pp. 126-128.
- Vilá, B. L. y M. H. Cassini, "Summer and autumn activity patterns of vicuña", *Studies on Neotropical Fauna & Environment*, 28, 1993, pp. 251-258.
- Vilá, B. L. y M. H. Cassini, "Time allocation during the reproductive season in vicuñas", *Ethology*, 97, 1994, pp. 226-235.
- Vilá, B. L. y Roig V. G., "Diurnal movements, family groups and alertness of vicuña (*Vicugna vicugna*) during the late dry season in the Laguna Blanca Reserve (Catamarca-Argentina)", *Small Ruminant Research*, 7, 1992, pp. 289-297.
- Yacobaccio, H., "Procesos de intensificación y de domesticación de camélidos en los Andes centrosur", Tercer Congreso Mundial sobre Camélidos, Tomo 1, 2003, pp. 211-216.
- Yacobaccio, H., "Sociedad y ambiente en el NOA precolombino", en: Reboratti, C. (comp.), *De hombres y tierras: una historia ambiental del noroeste argentino*, Salta, GTZ, 1997.

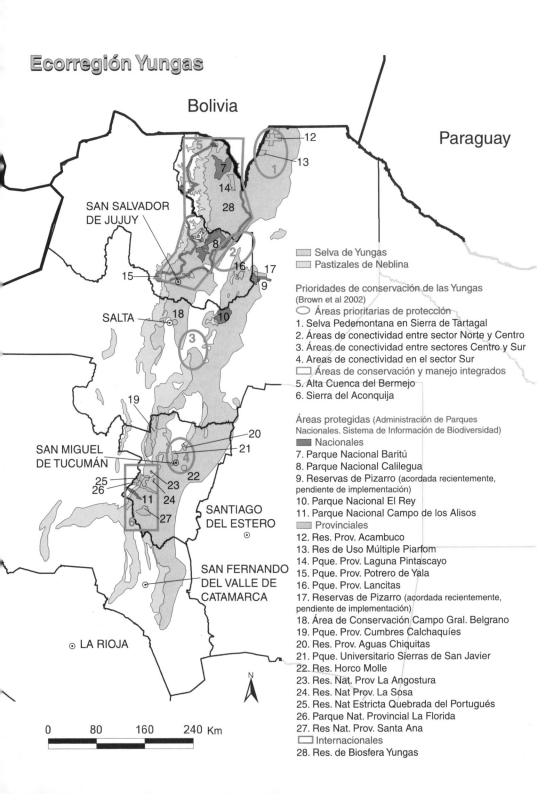

Ecorregión Yungas

Bolivia

Paraguay

SAN SALVADOR
DE JUJUY

SALTA

SAN MIGUEL
DE TUCUMÁN

SANTIAGO
DEL ESTERO

SAN FERNANDO
DEL VALLE DE
CATAMARCA

LA RIOJA

N

0   80   160   240 Km

- Selva de Yungas
- Pastizales de Neblina

Prioridades de conservación de las Yungas
(Brown et al 2002)
◯ Áreas prioritarias de protección
1. Selva Pedemontana en Sierra de Tartagal
2. Áreas de conectividad entre sector Norte y Centro
3. Áreas de conectividad entre sectores Centro y Sur
4. Areas de conectividad en el sector Sur
▭ Áreas de conservación y manejo integrados
5. Alta Cuenca del Bermejo
6. Sierra del Aconquija

Áreas protegidas (Administración de Parques
Nacionales. Sistema de Información de Biodiversidad)
■ Nacionales
7. Parque Nacional Baritú
8. Parque Nacional Calilegua
9. Reservas de Pizarro (acordada recientemente,
pendiente de implementación)
10. Parque Nacional El Rey
11. Parque Nacional Campo de los Alisos
▨ Provinciales
12. Res. Prov. Acambuco
13. Res de Uso Múltiple Piarfom
14. Pque. Prov. Laguna Pintascayo
15. Pque. Prov. Potrero de Yala
16. Pque. Prov. Lancitas
17. Reservas de Pizarro (acordada recientemente,
pendiente de implementación)
18. Área de Conservación Campo Gral. Belgrano
19. Pque. Prov. Cumbres Calchaquíes
20. Res. Prov. Aguas Chiquitas
21. Pque. Universitario Sierras de San Javier
22. Res. Horco Molle
23. Res. Nat. Prov La Angostura
24. Res. Nat Prov. La Sosa
25. Res. Nat Estricta Quebrada del Portugués
26. Parque Nat. Provincial La Florida
27. Res Nat. Prov. Santa Ana
▭ Internacionales
28. Res. de Biosfera Yungas

SITUACIÓN AMBIENTAL EN LOS BOSQUES ANDINOS YUNGUEÑOS

Por: Alejandro D. Brown, Silvia Pacheco, Teresita Lomáscolo y Lucio Malizia
Laboratorio de Investigaciones Ecológicas de las Yungas, Universidad Nacional de Tucumán (UNT) y Fundación ProYungas. abrown@proyungas.com.ar

Introducción

Sobre la vertiente oriental de las cadenas montañosas de los Andes se extiende el sistema de los bosques nublados y selvas de montaña que pueden ser llamados globalmente como Bosques Andinos Yungueños, definido principalmente por ocurrir en las laderas de las montañas en una franja altitudinal en donde el ambiente se caracteriza por una persistente o estacional cobertura de nubes y neblinas. Este sistema actúa como un filtro de las corrientes de circulación global, de forma tal que los bosques nublados del continente americano pueden captar e incorporar al ciclo de nutrientes local partículas originadas tan lejos como en el continente africano. Los bosques nublados se caracterizan por una enorme diversidad biológica (tan diversa, quizás, como la selva tropical lluviosa), pero también por regular los importantes caudales hídricos de los ríos que atraviesan el continente y, sobre todo, por compartir una historia de uso y de oferta de recursos en forma ininterrumpida con la humanidad durante, por lo menos, la última decena de miles de años. En la actualidad, los bosques nublados están considerados como uno de los sistemas naturales más frágiles ante la intervención humana, ya que sobre ellos están actuando con inusual fuerza los procesos de degradación por sobreutilización y conversión en sistemas agrícolas y campos de pastoreo. Al mismo tiempo, son muy pocas las experiencias de manejo de los recursos naturales que sobre la base de criterios de sustentabilidad encuentran un mercado atractivo para los productos del bosque y brindan un beneficio directo para las comunidades que los habitan (Brown y Kapelle, 2001).

La preservación de un paisaje tan heterógeneo como aquel en el que se encuentran los bosques nublados en la actualidad, junto con la rica biodiversidad que albergan, sólo será posible si se elabora una estrategia de conservación por la cual las áreas protegidas se complementen con el manejo sustentable del espacio circundante. Esta estrategia debe buscar la forma de trabajar sobre la matriz boscosa dominante del paisaje, sobre los corredores biológicos, particularmente sobre las tierras privadas y comunales. Para ello, es central la generación de conocimiento y la capacitación técnica y científica de quienes regulan y de quienes toman las decisiones de manejo, a lo que también se debe sumar el compromiso activo del sector privado.

Las Yungas de la Argentina y Bolivia: bosques nublados en su extremo meridional

En el noroeste de la Argentina y el sur de Bolivia se encuentra el límite sur de la distribución de los Bosques Andinos Yungueños en América del Sur. Conocidos localmente como Selva Tucumano-boliviana, Selva Tucumano-oranense o Yungas, estos bosques húmedos subtropicales presentan precipitaciones concentradas en el período estival (noviembre-marzo). En conjunto con la selva misionera, estos dos núcleos selváticos, de similar superficie, representan menos del 2% de la Argentina continental, pero acumulan más del 50% de la biodiversidad del país (Brown *et al.*, 1993). En la Argentina, las Yungas ocupan una superficie estimada actual de 5.200.000 ha, se extienden desde la frontera con Bolivia (23° de latitud sur) hasta el norte de la provincia de Catamarca (29° de latitud sur) y pasan por las provincias de Salta, Jujuy y Tucumán. Presentan una longitud de 600 km en sentido norte-sur y menos de 100 km de ancho, en un rango altitudinal entre los 400 y 3.000 msnm. Las Yungas no sólo se encuentran en la Argentina, sino que se extienden hacia Bolivia, en los departamentos de Tarija y Chuquisaca, y conforman una sola unidad tanto desde punto de vista biogeográfico como ecológico y social (Grau y Brown, 2000; Brown *et al.*, 2001). En la Argentina, las áreas que tradicionalmente han sido ubicadas dentro de las selvas de montañas o Yungas han sido denominadas como "Yungas en sentido estricto" y ocupan una superficie aproximada de 2.700.000 ha (Brown *et al.*, 2002). A estos bosques deben sumarse las "Yungas en transición", otras 2.500.000 de ha relativamente más secas, usualmente más simples estructuralmente y menos diversas, que comúnmente aparecen formando ecotonos con ambientes del Chaco Semiárido y el Chaco Serrano.

Las "Yungas en sentido estricto" se caracterizan por un fuerte gradiente altitudinal que tiene por correspondencia un importante gradiente en la composición específica de la vegetación. Dependiendo del punto del gradiente altitudinal en que uno se encuentre, existen especies adaptadas a las más diversas condiciones ambientales (sequía, altas temperaturas, elevados niveles de humedad, heladas y nevadas invernales). Esta situación genera condiciones ambientales para la coexistencia de especies de diferentes orígenes biogeográficos a lo largo del gradiente altitudinal (especies andinas, holárticas, austral-gondwánicas, tropicales). Como respuesta al gradiente ambiental, la vegetación de las Yungas se organiza en pisos o franjas de vegetación de características fisonómicas y florísticas bien diferenciables:

Selva Pedemontana. Ocupa los sectores entre los 400 y 700 msnm en el pedemonte y las serranías de escasa altitud. En todo el noroeste los distintos autores han reconocido a grandes rasgos dos unidades ambientales claramente diferenciables dentro de este piso de vegetación: la "selva de palo blanco y palo amarillo" (*Calycophyllum multiflorum* y *Phyllostylon rhamnoides*, respectivamente) en las áreas más septentrionales (provincias de Salta y Jujuy) y la "selva de tipa y pacará" (*Tipuana tipu* y *Enterolobium contortisiliquum*, respectivamente) en las más meridionales (provincia de Tucumán, principalmente). La segunda comunidad vegetal ha sido completamente transformada en áreas de agricultura intensiva hacia fines del siglo XIX y principios del XX (principalmente para plantaciones de caña de azúcar), en tanto que la primera aún persiste en una importante superficie superior al medio millón de hectáreas en la alta cuenca del río Bermejo, en la región fronteriza con Bolivia, mayormente en situación de ladera (Brown y Ma-

La Situación Ambiental Argentina 2005

lizia, 2004). Esta selva de "palo blanco y palo amarillo" ha sido considerada como relicto de un bosque que se extendió por gran parte de las áreas tropicales y subtropicales de Sudamérica, del cual quedan pocos fragmentos. Además de en la Selva Pedemontana, existen parches de este tipo de bosque en el centro de la Argentina y Paraguay, al sudeste de Bolivia, en los extremos del noreste de Brasil (*Caatinga*) y al norte de Venezuela y Colombia, en la Península de Guajira (Prado, 1995). Las especies dominantes son el palo blanco, el palo amarillo, el lapacho rosado (*Tabebuia impetiginosa*), el cebil (*Anadenanthera colubrina*), la quina (*Myroxylon peruiferum*), la afata (*Cordia trichotoma*), el palo lanza (*Patagonula americana*), la pacara y el urundel (*Astronium urundeuva*) –Brown, 1995 b.

Selva Montana. Ocupa las laderas de las montañas entre los 700 y los 1.500 msnm, y representa la franja altitudinal de máximas precipitaciones pluviales (más de 2.000 mm anuales). Las especies dominantes son de origen tropical y presentan en esta región su límite meridional de distribución geográfica. Entre ellas se pueden señalar la maroma (*Ficus maroma*), los laureles (*Cinnamomum porphyrium, Nectandra pichurim y Ocotea puberula*), el pocoy (*Inga edulis, I. marginata, I. saltensis*), la tipa blanca y el palo barroso (*Blepharocalix salicifolius*). En general, es un bosque con predominio de especies perennifolias y con una estacionalidad hídrica menos marcada que la Selva Pedemontana. Los deslizamientos de laderas son los principales disturbios naturales de este nivel altitudinal, al cual responden un conjunto de especies que tienen en los mismos su principal situación de reclutamiento poblacional (*Trema micrantha, Mutingia calabura, A. colubrina, Parapiptadenia excelsa, T. tipu, Bocconia pearcei*) –Grau y Brown, 1995.

Bosque Montano. Representa el piso ecológico de los "bosques nublados" propiamente dichos, entre los 1.500 y 3.000 msnm. Se encuentra lindante con los "pastizales de neblina" (ubicados altitudinalmente por encima) y muestra el paisaje con mayor heterogeneidad estructural. Esta heterogeneidad está dada por bosques en distintos estadíos sucesionales a partir de la dinámica del fuego, elemento utilizado por las poblaciones locales para renovar las pasturas y controlar los procesos de sucesión secundaria (Brown, 1995 b; Arturi *et al.*, 1998; Grau y Veblen, 2000). Las especies comunes son de clara distribución andina; entre ellas, se encuentran especies de origen austral (gondwánico), como el pino del cerro (*Podocarpus parlatorei*), la yoruma colorada (*Roupala meisneri*) y la flor de la quebrada (*Fuchsia boliviana*) de origen boreal (*holártico*) como el aliso del cerro (*Alnus acuminata*), el nogal criollo (*Juglans australis*), el arbolillo (*Viburnum seemenii*), el sauco o molulo (*Sambucus peruviana*) y el palo yerba (*Ilex argentinum*).

En las Yungas en transición, además de las especies típicas de la vegetación chaqueña (e.g., el palo borracho, el horco quebracho, el quebracho blanco), se pueden encontrar el cebil, el palo blanco, el palo amarillo, el virarú (*Ruprechtia laxiflora*), el lapacho rosado, especies características de las áreas bajas de las Yungas.

La Situación Ambiental Argentina 2005

Las Yungas en la Argentina presentan también un gradiente latitudinal de diversidad biológica originado principalmente por la discontinuidad de las masas de bosques que, a su vez, es producto de la irregular distribución de los cordones montañosos sobre los que las mismas se desarrollan. En tal sentido, se reconocen tres sectores geográficos latitudinales (norte, centro y sur), que coinciden con los grandes bloques orográficos y que se contactan entre sí a través de los bosques chaqueños serranos en las áreas intermedias (Brown *et al.*, 2002).

Estado de protección de las Yungas en la Argentina

En la actualidad, de las 5.200.000 ha estimadas como superficie total en sentido amplio para este ecosistema en la Argentina (Yungas en sentido estricto y Yungas en transición), sólo un 4,8% (251.770 ha) está protegido (Brown *et al.*, 2002). Si se consideran sólo las Yungas en sentido estricto, este porcentaje alcanza el 10%, ya que es este sector el que ha resultado tradicionalmente más "atractivo" a los fines de la conservación. Por otro lado, las áreas transicionales o marginales de las Yungas, más secas, con aptitud agrícola elevada y de menor belleza escénica comparativa, han sido poco tenidas en cuenta en el actual esquema de protección. Adicionalmente los distintos pisos altitudinales han tenido un esfuerzo de protección diferenciado: fue más intenso en la Selva Montana y de muy escaso a nulo en el Bosque Montano y la Selva Pedemontana, tendencia que se está revirtiendo en los últimos años con la creación de la Reserva Nacional El Nogalar de los Toldos, del Parque Provincial Pintascayo y la ampliación de la Reserva de Acambuco, todas en la provincia de Salta.

Bienes y servicios de las Yungas

Los bienes y los servicios que los bosques nublados pueden ofrecer a los seres humanos están decayendo (e.g., los recursos forestales y las variedades de cultivos tradicionales) y, en algunos casos, están cercanas a la extinción especies animales de gran tamaño como el tigre (ver Di Bitetti *et al.* en este volumen) o en riesgo de extinciones locales; tal es el caso del tapir (ver recuadro "El tapir de las Yungas…"). En relación con la tasa de transformación, el noroeste de la Argentina presenta una situación menos dramática que otras regiones de América del Sur, particularmente en las áreas de ladera. En relación con los valores emergentes de este ecosistema, tales como la biodiversidad, las Yungas albergan aproximadamente un 50% de la avifauna del país. Dentro de la diversidad silvestre que aún perdura en las Yungas, se encuentran algunos parientes cercanos de cultivos de importancia comercial, como variedades silvestres del tabaco (*Nicotiana tabacum*), del tamarillo (*Cyphomandra betacea*) y de la papa (*Solanum tuberosum*).

EL TAPIR DE LAS YUNGAS: ROL ECOLÓGICO Y SUPERVIVENCIA A LARGO PLAZO

Por: Silvia C. Chalukian
Coordinadora para la Argentina del Grupo de Especialistas en Tapir de la Unión Internacional para la Conservación de la Naturaleza (UICN); Proyecto de Investigación y Conservación del Tapir, Noroeste Argentino.
tapiresalta@argentina.com

Los tapires son los herbívoros terrestres de mayor tamaño que habitan actualmente los bosques neotropicales. Se conoce que desempeñan un papel destacado en los procesos y las funciones de los sistemas naturales donde viven, e influencian particularmente la estructura de los bosques mediante la dispersión y la predación de semillas y el ramoneo selectivo de diversidad de plantas y renovales de muchos árboles. Por otro lado, constituyen un recurso económico, pues aportan proteínas a las comunidades locales en muchas áreas de su distribución. Estos animales de hábitos solitarios pueden ser considerados como **ingenieros o arquitectos de paisaje** por la influencia que ejercen sobre su propio hábitat, y como verdaderos **centinelas ecológicos** para detectar cambios en las comunidades naturales. Se trata de animales muy móviles que utilizan una diversidad de ambientes dentro de sus ámbitos de vida. Son particularmente sensibles a la cacería, la alteración y la reducción de sus hábitat, y aunque la perturbación que promueve la diversidad y la sucesión en el bosque puede beneficiarla, las actividades humanas que tienden a la homogeneización del paisaje (e.g. monocultivos, dispersión de plantas exóticas como malezas o cicatrizantes que acompañan la degradación por ganadería y desmonte, entre otros) perjudican esta especie a largo plazo.

En la Argentina, aún se conoce poco sobre sus hábitos y biología. Es evidente que las poblaciones más australes de esta especie se han adaptado a condiciones más estresantes que en la mayor parte de su área de distribución: menor disponibilidad de frutos, menos diversidad vegetal, mayor estacionalidad de los recursos, mayor fragmentación de hábitat y presencia de ganado. Los tapires se distribuían en todo el norte del país, desde las Yungas hasta la selva misionera, en bosques y sabanas chaqueñas, bosques ribereños, humedales y aun en pastizales serranos. Actualmente, su área de distribución se ha reducido prácticamente en un 50%, pero se puede considerar que existen poblaciones con perspectivas de supervivencia a largo plazo sólo en los remanentes de selvas (del noroeste y noreste) y en áreas poco alteradas de la región chaqueña, lo que representa aproximadamente un 10% de su área de distribución original. Si bien es común que la gente local comente que "anta hay mucho y en todas partes", suelen verse en abundancia sus huellas, lo que no necesariamente indica que hay muchos individuos; es válido pensar que tienen que caminar mucho para satisfacer sus necesidades de alimento. La mayor extensión de un hábitat adecuado y continuo para esta especie en la Argentina se encuentra hoy en día en las Yungas, y está particularmente protegida dentro de los parques nacionales y en las porciones montañosas más inaccesibles.

El avance de la frontera agrícola está provocando una alarmante disminución del hábitat disponible, un aislamiento de los ambientes de montaña del piedemonte y su continuidad con los bosques chaqueños, a la vez que también disminuye el tamaño de las poblaciones e impide su dispersión. En consecuencia, la dinámica natural de los desplazamientos y el flujo genético están siendo alterados, a lo que se le suma la reducción y el confinamiento de las poblaciones. Esto seguramente tendrá consecuencias altamente negativas para la supervivencia del tapir en el país y, por ende, en el equilibrio de los ecosistemas que constituyen su hábitat natural.

La función de captación de agua, característica de todos los bosques nublados, es particularmente importante en las Yungas. Gran parte del sistema productivo regional depende del agua para riego y el 90% de las precipitaciones caen durante cinco meses, de modo que la neblina es el único aporte de agua significativo por más de seis meses (Hunzinger, 1995). En la parte baja de la cuenca se encuentran una serie de humedales de gran importancia para la biodiversidad local (ver recuadro "Los humedales de las Yungas").

LOS HUMEDALES DE LAS YUNGAS

Por: Luciana Cristóbal

Fundación ProYungas. sig@proyungas.com.ar

Los humedales lénticos en la ecorregión de las Yungas están localizados principalmente en la Selva Pedemontana, cerca de la inflexión de las pendientes de la montaña y la llanura chaqueña, y están constituidos, en general, por lagunas, madrejones, bañados y embalses de dimensiones modestas.

La superficie promedio registrada para estos humedales es de 78 ha y, a través de interpretación visual de imágenes Landsat y de relevamientos de campo, se contabilizaron un total de ciento treinta y cinco humedales mayores a 1 ha de superficie en la ecorregión (Figura 1).

En las 5.000.000 de ha de las Yungas, sólo unas 6.700 están ocupadas por humedales lénticos, y varían desde las 2.300 ha aproximadamente en el embalse El Tunal (límite entre las Yungas y Chaco) hasta 1 ha, los de tamaño más pequeño.

Las mayores concentraciones de humedales están principalmente en el área de Libertador General San Martín y Calilegua, con aproximadamente cincuenta madrejones y, en el área de Tartagal y sus alrededores, con aproximadamente el cincuenta humedales entre lagunas y embalses. Entre los atributos que presentan estos sistemas, el más destacado es la alta concentración de fauna, que reúne especies que no se encuentran en ningún

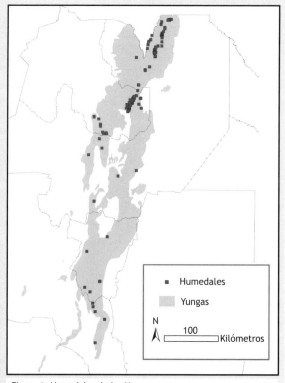

Figura 1. Humedales de las Yungas

La Situación Ambiental Argentina 2005

otro tipo de ecosistemas en la región. Tal es el caso, entre los mamíferos, de los carpinchos (*Hydrochaerus hydrochaeris*) y las nutrias (*Myocastor coipus*), mientras que entre las aves están presentes el bigua (*Phalacrocorax brasilianus*), la garza mora (*Ardea cocoi*), el hocó colorado (*Tigrisoma lineatum*), la garcita blanca (*Egretta thula*), el yabirú (*Jabiru mycteria*), el tuyuyú (*Mycteria americana*), el pato de collar (*Callonetta leucophrys*), la pollona negra (*Gallinula chloropus*), el chiricote (*Aramides cajanea*) y la jacana (*Jacana jacana*). Entre las especies amenazadas se encuentran el caimán (*Caiman latirostris*) y el pato real (*Cairina moschata*).

Entre las causas más conspicuas que afectan a los humedales de la ecorregión, se pueden destacar el drenaje para habilitar las áreas para agricultura y/o ganadería, la contaminación por vertido de aguas residuales de la actividad industrial regional (e.g., ingenios azucareros) y la importante presión de caza, dado el factor aglutinante de fauna silvestre que representan los humedales. Por otra parte, es notable la ausencia de humedales en las áreas protegidas de las Yungas, a excepción del Parque Provincial Pintascayo, en el que la presencia de la laguna homónima fue la razón principal de su creación.

Con respecto a los riesgos a los que se hace frente, en esta región persisten aún más del 90% de los bosques que existían a principios del siglo XX, valor que supera ampliamente los porcentajes encontrados en otros países latinoamericanos. Lamentablemente, este valor aparentemente positivo no lo es tanto si se toman en cuenta por separado las selvas pedemontanas, el sector más bajo de las Yungas. Más del 90% de la superficie original de Selva Pedemontana en áreas de suelo profundo desapareció al ser transformada en extensos cultivos de caña de azúcar entre las décadas del 30 y el 50 y, actualmente, en plantaciones de soja (Brown y Malizia, 2004). El deterioro de esta zona de transición o contacto podría tener consecuencias importantes para la biodiversidad en toda la ecorregión (ver recuadro "La biodiversidad..."). Con respecto a la explotación forestal para madera, en muchos bosques nublados la marcada dominancia de especies de interés forestal genera procesos de degradación muy importantes. En la Argentina, por el contrario, las especies de las Yungas que se utilizan para madera son muy pocas, sólo el cedro y el nogal en las áreas montanas y unas diez especies en los sectores pedemontanos (cedro, quina, lapacho, palo blanco, cebil, etc.) sobre un total aproximado de doscientas especies de árboles que habitan las Yungas en la Argentina.

LA BIODIVERSIDAD DE LA ECORREGIÓN DE LAS YUNGAS ¿ES SUSTENTABLE A LARGO PLAZO?

Por: Silvia Pacheco y Alejandro D. Brown

Fundación ProYungas. pacheco@proyungas.com.ar

En la actualidad, el 90% de la superficie original de las Yungas que ocupaban las áreas pedemontanas del noroeste argentino ha desaparecido. Esto se debe tanto a la alta calidad de sus suelos, situados en lugares de muy poca pendiente, como a las excelentes posibilidades de riego. Estas características posibilitan el desarrollo de una importante y tecnificada agricultura que, en gran medida, es el soporte económico de una región en la cual habitan más de 2.000.000 de personas.

En un comienzo, esta transformación se centró en las áreas con posibilidades de riego, sitios en los que se instaló la actividad azucarera, que representa en la actualidad alrededor de medio millón de hectáreas y que implicó la transformación del 30% de la Selva Pedemontana original. De tal forma, importantes superficies de la Selva Pedemontana en áreas sin posibilidades de riego se mantuvieron en un estado relativamente bueno de conservación hasta el inicio de la década del 80, momento en el que irrumpió el desarrollo de la soja y se desató un acelerado proceso de transformación que, hoy en día, implica la transformación de cerca de 10.000 ha de Selva Pedemontana por año.

Este proceso está produciendo, por primera vez en la historia de la ecorregión, la desaparición de áreas de contacto con la región chaqueña. La

Figura 2. Zona de contacto entre las Yungas y el Chaco. La línea de puntos muestra las áreas antropizadas, mientras que la línea de trazo continuo muestra las áreas donde se mantienen corredores de vegetación natural.

conexión actual representa alrededor del 16% de la longitud original de principios del siglo pasado (en efecto, la longitud de contacto original era de 1.035 km, mientras que la longitud actual es de 162 km). En relación con esta situación, surge la necesidad de saber en qué medida la biodiversidad de las Yungas depende del contacto con Chaco, especialmente para las especies de distribución geográfica y las áreas de acción amplias, como los grandes mamíferos (tapires, chanchos del monte, tigres) y también para especies que, como los loros, basan su estrategia de alimentación y reproducción en grandes desplazamientos diarios y estacionales. Esta cuestión es muy difícil de responder y, lamentablemente es posible que se conozca la respuesta una vez que el proceso sea ya irreversible. De esta forma, se hace imprescindible la implementación de corredores Yungas-Chaco que aseguren la continuidad espacial entre ambos ecosistemas en los pocos sitios en donde aún sea posible hacerlo.

Prioridades para la conservación de las Yungas

Las Yungas en la Argentina están representadas por una cadena de "islas" y "penínsulas" húmedas situadas entre dos grandes extensiones áridas o semiáridas, la Puna y el Chaco (ver mapa Ecorregión Yungas). La historia climática de la región y el aislamiento de los distintos sectores posiblemente han jugado un papel importante para determinar la composición biológica actual, lo que se refleja en el patrón geográfico de endemismos (Brown, 1986). En tal sentido, la concentración de endemismos de bosques húmedos respondería a las posibilidades de migración latitudinal y a la existencia de áreas que se comportan como refugios a largo plazo. A juzgar por el número de especies endémicas pertenecientes a distintos grupos taxonómicos y formas de vida (plantas epífitas y arbóreas, aves, anfibios, moluscos), la alta cuenca del río Bermejo en la Argentina y las áreas contiguas de Bolivia (Tariquía, Tarija) posiblemente se han comportado como un refugio de biodiversidad durante el Pleistoceno, al igual que el sector desarrollado sobre las laderas húmedas de la Sierra del Aconquija en Tucumán (Brown, 1986). En tal sentido, ambas áreas constituyen los núcleos más importantes a conservar y, en consideración a su "estabilidad" a largo plazo, sobre estas áreas debe volcarse una proporción importante del esfuerzo de conservación regional.

Perspectivas futuras

En el sector norte de las Yungas (alta cuenca del río Bermejo) la Reserva de la Biósfera de las Yungas, creada en noviembre de 2002, puede constituirse en el escenario ideal para la implementación de las acciones necesarias para lograr un mejor estado de conservación de las Yungas desde una perspectiva regional. Si se utilizara hábilmente esta figura de protección, se podría lograr la mejora de las áreas protegidas ya existentes, la creación de nuevas reservas en donde fuere necesario, la incorporación de áreas protegidas privadas, la implementación de actividades productivas sustentables en los territorios que no son áreas protegidas y un marco de ordenamiento territorial para las áreas sometidas a transformación.

Con respecto al área de la Sierra de San Javier en Tucumán, se considera que es urgente comenzar a generar acciones concretas que lleven a la creación de un marco de protección similar al de la alta cuenca del río Bermejo. Esto permitiría afianzar el sistema de áreas protegidas e impulsar a nivel local la implementación de actividades de desarrollo sustentable.

Básicamente, el futuro de esta ecorregión en la Argentina dependerá de qué tan hábiles sean los hombres para lograr una zonificación y planificación estratégicas que, sustentadas en un marco regulatorio legal, puedan dar las herramientas adecuadas y los incentivos económicos suficientes para desarrollar la ecorregión sin poner en riesgo la persistencia de la biodiversidad y para mejorar el actual esquema de protección sin reducir el enorme potencial productivo de esta diversa y valiosa región.

CASO PIZARRO: DESAFECTACIÓN Y RECUPERACIÓN DE UNA RESERVA NATURAL

Por: Noemí Cruz, Juan Casavelos y Emiliano Ezcurra

Greenpeace Argentina. ncruz@ar.greenpeace.org

En 1995 la provincia de Salta declaró los lotes 32 y 33 del Departamento de Anta como Reserva Natural Provincial mediante el decreto N°3.397/95. Su objetivo era preservar una diversidad de ambientes de las Yungas del pedemonte y las serranías, y del Chaco Semiárido. Dentro de la reserva se estableció un tipo de zonificación que otorgaba la categoría de "Usos Múltiples" al área con pobladores criollos, wichi y a la localidad de General Pizarro, y se estableció una zonificación más restrictiva en una zona de serranía de las Yungas. A pesar de este estatus, el área, conocida como Reserva Natural Lotes 32 y 33 nunca contó con un plan de manejo. En nueve años jamás recibió la presencia de un guardafauna, así como tampoco se generó sobre el sitio una actividad de fiscalización y control.

El 6 de abril de 2004, por iniciativa del gobernador Juan Carlos Romero, el gobierno de la provincia de Salta promulgó por el Decreto N°809 la Ley N°7.274, por el que se desafectaban los lotes fiscales N°32 y 33 del Departamento de Anta, se les quitaba la categoría de Área Natural Protegida y se le autorizaba al Poder Ejecutivo a vender dichas tierras mediante licitación pública. La ley establecía que el importe total que se obtuviera de esta venta sería destinado a la ejecución de obras de infraestructura vial para el mejoramiento de las rutas provinciales N°5 y 30.

A pesar de las numerosas voces que se alzaron en el parlamento provincial y desde la sociedad civil para interrumpir este proceso legislativo que llevaba a la desafectación de la reserva, el gobierno puso una gran presión sobre sus legisladores, quienes finalmente aprobaron la ley.

La reserva fue rematada el día 23 de junio de 2004 y Greenpeace denunció posteriormente la ejecución clandestina de los desmontes enmascarados en deslindes, realizados en zonas de pendientes superiores a los 45° y de un ancho mayor a 20 m, algo inusual para una actividad que sólo debería apuntar a la apertura de angostas picadas para la demarcación de parcelas.

Acciones legales interpuestas

La Fundación Vida Silvestre Argentina, Greenpeace y la Asociación Illay, con el patrocinio jurídico del Programa Control Ciudadano de la Fundación Ambiente y Recursos Naturales (FARN), interpusieron una acción de amparo ante la justicia de Salta, con el fin de impedir la venta de la reserva provincial porque, si se vendía, se violaba el artículo N°41 de la Constitución Nacional, por el que se protege el derecho a un medio sano, también porque la venta se había realizado sin la participación ciudadana correspondiente y porque se vulneraba la vigencia de numerosos tratados internacionales que protegen el medio ambiente y la biodiversidad.

La acción de amparo fue rechazada por la Suprema Corte de Justicia de Salta con el argumento de que los actores no estaban legitimados para interponerla y que, además, no se trataba de la vía judicial idónea para cuestionar la ley que desafectó la reserva.

La Universidad Nacional de Salta promovió una acción declarativa y solicitó la medida de no innovar en los términos del artículo N°322 del Código Procesal Civil y de la Constitución Nacional contra la Ley N°7.274 de la provincia de Salta, a fin de establecer la nulidad absoluta e insanable de dicho acto estatal y, consecuentemente, su inconstitucionalidad por afectar en forma directa y manifiesta las garantías reconocidas en la Constitución Nacional, en el artículo N°41 y sus concurrentes.

Responsabilidad corporativa

En un comienzo, el área desafectada por la mencionada ley alcanzó más de 16.000 de las 20.000 ha de la reserva, sin contar unas 5.000 ha más que se encuentran en litigio con la provincia de Jujuy.

La superficie licitada fue inicialmente loteada en siete parcelas que fueron adjudicadas a las empresas Miguel Ragone S.A., Manuel Alberto Courel S.A. y MSU S.A. Tanto Ragone como MSU, al observar la magnitud del conflicto en el que estaban involucradas, retiraron en momentos diferentes su participación en la operación. La parcela de Ragone volvió a la provincia de Salta y MSU transfirió los derechos adquiridos por las dos parcelas obtenidas en la licitación a la empresa Initium Aferro S.A. Posteriormente, el señor Manuel A. Courel informó a Greenpeace haber vendido sus cuatro parcelas a una empresa que, más tarde, se dio a conocer: Everest S.A., por lo que esta última quedó, entonces, con cuatro parcelas e Initium Aferro S.A., con las otras dos.

El apoderado de la comunidad wichi Eben Ezer presentó un recurso de amparo por el que solicitaba una medida cautelar, a fin de que se declarara la invalidez del proceso administrativo de los estudios de impacto ambiental y social presentados por la empresa Everest S.A., que ya había presentado un pedido de desmonte.

La audiencia pública

El gobierno salteño, a través de la Secretaría de Medio Ambiente y Desarrollo Sustentable, convocó el 2 de mayo de 2005 a una audiencia pública no vinculante por el tema del desmonte de 6.218 ha de tierras para agricultura en el área de conflicto, solicitada por el señor Álvaro Domingo Cornejo en representación de la firma Everest S.A., de acuerdo con lo establecido por el artículo N°49 de la Ley Provincial N°7.070.

En la audiencia, la firma Everest hizo la presentación estelar de un proyecto que utilizaría 6.000 ha para sembrar soja y maíz, 1.500 ha para el cultivo de cítricos, de modo que invertiría U$S17.000.000 en cuatro años. Los exponentes presentaron un proyecto que transformaría el panorama desolador de miseria y pobreza que sufren los habitantes de Pizarro en un polo de bienestar de alcances impredecibles.

Ante la inminencia del desmonte, la Administración de Parques Nacionales (APN) presentó una propuesta al gobierno de Salta para adquirir los lotes y preservarlos como reserva natural. El organismo cuenta con $1.000.000, mientras que las parcelas en cuestión fueron loteadas por, aproximadamente, $8.000.000. Complementariamente y como reacción al esfuerzo de la APN, Greenpeace, La Red Solidaria y Fundación Vida Silvestre, también se ofrecieron a recaudar dinero para adquirir los lotes.

Acciones de la sociedad civil por una reserva

En el marco del conflicto, se desarrollaron numerosos debates y marchas multisectoriales, además de las acciones judiciales interpuestas. El año pasado, en Salta, se reunieron más de 5.000 personas y, en otras oportunidades, como durante el aniversario de Güemes, los pobladores de Pizarro viajaron hasta la capital de Salta a exigir por la reserva. En Buenos Aires y Tucumán también se realizaron marchas y acciones de reclamo ante el gobernador de Salta y las empresas involucradas (en particular Courel, que es de Tucumán) respecto de la compra de la reserva.

Intervención del defensor del pueblo como tercero interesado

En la acción de amparo que solicita la nulidad de la audiencia pública para el desmonte solicitado por Everest S.A., la Comunidad Eben Ezer citó como tercero interesado al Defensor del Pueblo de la Nación, el doctor Eduardo Mondino, a fin de que interviniera en defensa de sus derechos constitucionales. La figura procesal del tercero interesado consiste en la posibilidad de citar a alguien en un proceso judicial a efectos de que tome una posición jurídica en el mismo. El 19 de mayo de 2005, entonces, el Defensor del Pueblo de la Nación se presentó como tercero interesado a favor de la Comunidad Eben Ezer de General Pizarro de la provincia de Salta.

El Defensor sostuvo que "…interviene en este amparo, entendiendo que la comunidad se encuentra afectada por el proyecto que se intenta plasmar y que conlleva a graves daños ambientales. Es que de no hacerse lugar a este amparo se obligará a la comunidad indígena actora a (…) sufrir la degradación del territorio que habita o, en su caso, forzada a desplazarse del mismo…". Asimismo expuso que "…la absoluta desconsideración en el informe (…) de los aspectos sociales y culturales de la Comunidad Eben Ezer descalifican al mismo como pauta a considerar en la toma de [una] decisión".

La citación como tercero interesado del Defensor del Pueblo de la Nación por parte de una comunidad indígena y su posterior intervención en tal carácter en el presente proceso judicial sienta un precedente de una enorme trascendencia institucional, ya que es la primera vez en la historia que concurre por citación como tercero interesado a defender los derechos constitucionales de una comunidad indígena con el objeto de evitar su desaparición cultural y la de los recursos naturales que ella utiliza que, en este caso particular, son los de la ex-reserva natural de General Pizarro de la provincia de Salta.

Conclusión

El caso Pizarro es, al mismo tiempo, un emblema y un caso más de los otros tantos que conforman el cuadro de una crisis ambiental con consecuencias sociales inmediatas como la transformación de ambientes de bosques nativos en monocultivos extensivos. Más allá de la urgente necesidad y el amplio consenso que exige poner freno a la expansión agrícola sin planificación, mediante el establecimiento de pautas claras y vinculantes de ordenamiento territorial, la producción agrícola no necesita avanzar sobre áreas protegidas.

El contexto regional en el que se inscribe el caso Pizarro, uno de una alarmante y aparentemente imparable tasa de transformación de bosques a agricultura industrial no sustentable, ha hecho que el caso fuese noticia internacional y que transcendiese la alta cobertura nacional generada sobre el mismo. En este sentido, el caso ha generado y genera un nivel de debate que ha permitido activar en el parlamento nacional un proyecto de ley que pone freno a los desalojos de las comunidades indígenas e impulsa la aprobación de una declaración de Emergencia Forestal Nacional.

El esfuerzo para salvar la Reserva de Pizarro es, sin duda, un valioso aporte más allá del área en cuestión, dado que permite dinamizar con urgencia mecanismos que llevan hacia la concreción del objetivo superior que es el establecimiento pleno, vigente y vinculante de un Plan Nacional de Ordenamiento Territorial.

La presión pública por el caso Pizarro se mantuvo con altibajos durante los dieciocho meses que duró esta campaña. Pudo disminuir por momentos, pero nunca cesó. A mediados de 2005, Greenpeace realizó dos acciones directas ante la Casa Rosada, en agosto colocó cientos de chanchitos-alcancía sobre la calle para simbolizar la necesidad de que el Estado Nacional "re-comprara" la reserva y transmitiera el espíritu de la colecta. La otra, a principios de septiembre, fue con más de cien activistas con máscaras de pingüinos, quienes llevaron el foco de atención más cerca aún de la figura del presidente.

Aunque, sin duda, fue la convocatoria hecha a famosos la que disparó el tema con singular fuerza y llevó sobre fines de mes a que el presidente Kirchner recibiera a Red Solidaria, FVSA, Greenpeace, representantes de la comunidad wichi de Pizarro y el actor Ricardo Darín durante más de una hora en la casa de gobierno y, ante ellos, se comprometiera a solucionar el conflicto en breve. El 14 de octubre, a dos semanas de ese encuentro, se firmó en Salta el convenio entre la Administración de Parques Nacionales y la provincia de Salta para la creación de una nueva área protegida de jurisdicción nacional. Este convenio logró salvar más del 85% de la reserva y dar a la comunidad wichi 800 ha en propiedad comunitaria y acceso a más de 1.400 para su uso. Se había ganado una gran batalla ambiental y el país entero fue testigo.

COMPROMISO SOCIAL Y AMBIENTAL EN LA OPERACIÓN Y EL MANTENIMIENTO DEL GASODUCTO NOR ANDINO ARGENTINA

Por: Gabriel Marcuz

Gasoducto Nor Andino. gabriel.marcuz@naa.com.ar

En una región tan magnífica como atormentada por conflictos ambientales y sociales de larga data, el conflicto sobre el Gasoducto Nor Andino se ha transformado en un caso testigo de cómo distintas fuerzas pueden dejar de lado la confrontación para integrarse en un esfuerzo común.

En 1998 la ONG Greenpeace alertó a los medios de comunicación y a las autoridades sobre los posibles impactos ambientales de un gasoducto que estaba iniciándose para atravesar las selvas de montaña del noroeste argentino, con el fin de exportar gas a Chile. En ese entonces pocos reconocían, fuera de algunos especialistas, el nombre de "Yungas", que hoy ya es de uso común.

La compleja instalación del gasoducto, que partía de las cercanías de Orán, en Salta, para atravesar bajo tierra algunas zonas de selva, cruzar más de una vez sus torrentosos ríos y recorrer empinadas laderas en la puna salteña y jujeña para cruzar los Andes a 5.000 m de altura hasta llegar a Chile fue encarada por **Gasoducto Nor Andino**, cuyo principal accionista era, en ese momento, el grupo belga **Tractebel** (hoy **SUEZ**).

Los reparos no eran menores: las topadoras para hacer la obra arrasarían, según se afirmaba entonces, grandes áreas de selva virgen, extinguirían al yaguareté al impedir su paso a través del camino, y la traza del gasoducto atravesaría sitios de valor cultural y social como el hábitat de las comunidades indígenas. Éste fue el caso de la comunidad kolla *Tinkunaku*, que se oponía al paso del gasoducto por el hasta entonces bucólico valle de San Andrés. Mientras los reclamos aumentaban, los medios de comunicación empezaban a hablar de las Yungas y del yaguareté.

Por otra parte, Pedro Olmedo Rivero, obispo de una localidad emblemática de la Puna (Humahuaca) había reunido miles de firmas de sus pobladores para solicitar el acceso al gas del Gasoducto Nor Andino. Humahuaca, hasta ese momento, carecía de su red de distribución de gas.

Pero, además de conflictos, también había oportunidades y actores para resolverlos. La FVSA conformó un equipo de trabajo que analizó el tema profundamente y elaboró un excelente informe de los impactos ambientales. Este informe incluyó propuestas concretas para mitigar los impactos de las obras que luego fueron la base de acuerdos posteriores. Desde el terreno, el doctor Alejandro Brown –un destacado científico que lideraba el Laboratorio de Investigaciones Ecológicas de las Yungas (LIEY)– aportaba, además de una gran solidez técnica, la muy rara capacidad de articular el diálogo entre varios grupos enfrentados.

En Gasoducto Nor Andino se decidió también tener en cuenta las recomendaciones de FVSA y del LIEY. Pero, más allá de estas recomendaciones, también se empezó a trabajar en una escala distinta, regional, por un plan integral de responsabilidad ambiental y social.

En este sentido, el compromiso de Gasoducto Nor Andino incluyó, entre los logros más importantes, los siguientes:

• La donación de los fondos y el apoyo necesarios para que la Fundación Vida Silvestre Argentina creara un fideicomiso supervisado por el señor José Xavier Martini, que permitió comprar tres propiedades privadas con porciones de selva muy valiosas. De esta compra surgieron el actual Parque Provincial Pintascayo (Salta) en colaboración con la provincia de Salta y la Reserva Nacional El Nogalar, que fue donada a la Administración de Parques Nacionales.

• La donación completa de toda la red de distribución de la localidad de Humahuaca, donde hay hoy más de quinientas familias beneficiadas.

• La financiación de un programa de seis años de investigación para la conservación y el desarrollo sustentable de la región, coordinado por el LIEY.

• Se logró un acuerdo sustentable con los pobladores de San Andrés que, por ejemplo, hoy ha permitido la construcción conjunta de las obras necesarias para proveer de energía eléctrica al pueblo de Los Naranjos.

• Se fortaleció el desarrollo de la Fundación Proyungas, una ONG local desde la cual se generaron puentes de diálogo con la comunidad local y otros actores sociales.

• La provisión de derivaciones de gas a cinco localidades de la Puna (Humahuaca, Abra Pampa, El Aguilar, Tres Cruces y Mina Pirquitas).

Hoy, ya en 2005 –a más de siete años de aquel conflicto– es un orgullo señalar que todos los objetivos se hicieron realidad. Gasoducto Nor Andino creó, con estos resultados, un precedente del que se ha hablado mucho. Quienes han seguido de cerca la evolución de la relación entre el hombre y la naturaleza en las selvas y los bosques del noroeste argentino hoy reconocen que, desde el caso del Gasoducto Nor Andino, las Yungas y sus pobladores tienen otra oportunidad.

RESERVA DE BIOSFERA DE LAS YUNGAS: UN MODELO DE GESTIÓN PARTICIPATIVA

Por: Teresita Lomáscolo y Sebastián Malizia
Fundación ProYungas. tlomascolo@proyungas.com.ar

En noviembre de 2002 se creó en el noroeste de la Argentina la Reserva de Biosfera de las Yungas (RB Yungas) en el marco del Programa del Hombre y la Biosfera (MAB) de la Unesco. Las Reservas de la Biosfera (RB) contribuyen a la protección de paisajes, ecosistemas, especies y recursos genéticos, promueven el desarrollo económico y humano sustentable, y generan acciones de investigación, educación y formación de recursos humanos (Unesco, 1996). La RB Yungas cuenta con una superficie de aproximadamente 1.300.000 ha, es la más grande de este país, la única que incluye territorio de dos provincias (Jujuy y Salta) y que cubre una amplia superficie continua de Yungas (Reserva de la Biosfera de las Yungas, 2002). El objetivo de esta reserva es la implementación de acciones para lograr la conservación y el manejo sustentable de la ecorregión de las Yungas.

La RB Yungas es el marco de discusión y consenso para la implementación de una estrategia regional de integración institucional orientada a la conservación de la biodiversidad y el desarrollo sustentable, que incluye la participación del gobierno, las comunidades locales, las empresas privadas y las organizaciones no gubernamentales. Dicha estrategia se basa en cuatro ejes: 1) institucionalización de las acciones de conservación y desarrollo; 2) manejo de áreas protegidas; 3) desarrollo local y 4) relevamiento y monitoreo ambiental. Las acciones en cada uno de estos cuatro ejes intentan vincular la generación de información ecológica con la toma de decisiones en el contexto de una propuesta de ordenamiento territorial para la RB Yungas y su área de influencia.

Históricamente, las selvas de montaña de la Argentina han registrado un importante esfuerzo de conservación (Brown *et al.*, 2002). Esto se ve reflejado en la estructura de la RB Yungas, que contiene áreas protegidas de carácter nacional (Parques Nacionales Baritú y Calilegua, Reserva Nacional El Nogalar de Los Toldos) y provincial (Parque Provincial Laguna Pintascayo, Parque Provincial Potrero de Yala), que suman en total aproximadamente 160.000 ha bajo algún régimen de protección legal. Estas áreas protegidas constituyen las zonas núcleo de la RB Yungas. Los pisos altitudinales de las Yungas representados principalmente en estas reservas son la Selva Montana y los bosques montanos. Este patrón no es exclusivo de la RB Yungas, sino que se repite a lo largo de la franja de las Yungas en la Argentina (Brown *et al.*, 2002). En el límite superior del gradiente, los pastizales de neblina prácticamente carecen de áreas protegidas. En el límite inferior del gradiente, la Selva Pedemontana es el piso altitudinal que presenta mayor riesgo de transformación por su topografía plana y por la profundidad de sus suelos (Brown y Malizia, 2004), con una tasa anual de deforestación en el orden de la decena de miles de hectáreas por año para la última década, según la zona (Gasparri y Menéndez, 2004). Dentro de la RB Yungas, este piso se encuentra representado principalmente por el Parque Provincial Lagu-

La Situación Ambiental Argentina 2005

na Pintascayo. Fuera de la RB Yungas, cerca de la ciudad de Tartagal, se encuentran lás áreas de Selva Pedemontana más extensas y en mejor estado de conservación de la ecorregión, albergadas en parte en la Reserva Provincial de Flora y Fauna Acambuco y en sus alrededores.

La heterogeneidad social y ambiental representada en la RB Yungas constituye un gran desafío para su gestión. Como se mencionó anteriormente, la región se caracteriza por la diversidad de intereses en juego, en relación con la conservación de los ecosistemas y el interés económico que sus recursos representan para el sector privado. Esta realidad, realzada desde la creación de la RB Yungas, ha condicionado a los gobiernos locales a tomar un rol más activo para liderar la evolución de las discusiones y la generación de alternativas que compatibilicen los distintos intereses en juego. Dado el interés que ha despertado la región y los recursos que se están generando, éste es un momento especial para la generación y la ejecución de acciones que involucren a los distintos actores que participan de la dinámica ambiental y social de la región, y la RB Yungas constituye el escenario ideal para lograrlo.

En el país existen once RB como ejemplos de la diversidad de alternativas posibles para su gestión. Estas reservas son manejadas por gobiernos provinciales (e.g., RB Yabotí, RB Laguna Blanca), gobiernos municipales (e.g., RB Delta del Paraná, RB Parque Costero del Sur, RB Parque Atlántico Mar Chiquito), instituciones académicas (e.g., RB Ñacuñan) o la Administración de Parques Nacionales (e.g., RB Laguna de Pozuelos, RB San Guillermo). La RB Yungas es la única que tiene como objetivo y ha logrado una gestión participativa y multi-institucional. En la actualidad, la gestión de la RB Yungas está organizada en dos niveles. El primer nivel lo constituyen cuatro comités zonales que reúnen representantes de todos los sectores interesados de su área de influencia. Estos cuatro comités fueron establecidos con un criterio político y demográfico de organización a nivel municipal (municipios de Los Toldos, Orán, Calilegua y Palpalá). El segundo nivel de organización está compuesto por el Comité de Gestión, formado por tres representantes de cada uno de los comités zonales, más un representante de cada uno de los gobiernos de Salta y Jujuy, uno de la Administración de Parques Nacionales y uno de la Comisión Regional del Bermejo. Asimismo, el Comité de Gestión cuenta con dos órganos asesores, uno Jurídico Legal y otro Técnico Científico, de los cuales sólo el último muestra un proceso incipiente de implementación.

Una realidad común a muchas RB es que, una vez creadas, decrece el interés en generar acciones concretas en terreno y se convierten en "reservas de papel", es decir, en territorios en los cuales no existe una estrategia de planificación y ordenamiento territorial, pero que poseen el título de RB. La RB Yungas representa un caso diferente en el que, a través de proyectos administrados y coordinados por distintos sectores (ONG, gobiernos provinciales y nacional, y APN), existen fuentes de financiamiento para la realización de actividades que han sido planteadas dentro del ámbito de implementación de la RB Yungas. Esto genera la posibilidad de trabajar en la gestión de esta RB utilizando como eje la planificación y la ejecución de estos proyectos.

A casi tres años de su creación, ésta es una buena oportunidad para hacer un análisis crítico del estado de situación de esta RB. La RB Yungas se ha convertido en la base sobre la cual se planifica el ordenamiento territorial del sector norte de las Yungas argentinas. Si bien es incipiente, este proceso ha comenzado y avanza a través de la participación activa de las instituciones presentes en la ecorregión. En este sentido, es fundamental incluir en la planificación territorios que, si bien se encuentran fuera de los límites de la RB, son fundamentales para definir la estrategia de acción ecorregional. Tal es el caso de las áreas de la Selva Pedemontana situadas en las cercanías de Tartagal, a las que se definen como área de influencia de la RB Yungas (Departamento de San Martín, Salta). Lo mismo ocurre con el sector de las Yungas que continúa hacia el norte, en Bolivia. Es más redituable, en términos de conservación, planificar acciones sobre la base de los límites ambientales y no políticos, y por ello se está evaluando la posibilidad de crear una RB binacional para las Yungas argentinas y bolivianas, a través de proyectos binacionales de conservación.

El sector privado juega un rol importante dentro de los objetivos y las acciones de la RB Yungas; por ello, es necesario incluir más activamente a los representantes de este sector en la implementación de acciones de conservación y desarrollo sustentable. Dos herramientas importantes en esta dirección son la figura de las áreas protegidas privadas y el ordenamiento predial dentro de un marco de ordenamiento territorial regional. En la actualidad, existen algunos emprendimientos en esta dirección, pero es necesario formalizar incentivos legales que promuevan estas acciones aisladas.

Para finalizar, es importante destacar que el mayor logro de la RB Yungas es haber incorporado en su gestión la participación activa de diversos sectores. El gran desafío actual es mantener el interés de estos sectores en participar, para lo cual se debe continuar trabajando en la generación de acciones concretas que plasmen en el terreno los objetivos de conservación y desarrollo sustentable con los que se creó la RB Yungas.

Bibliografía

• Arturi, M. F., H. R. Grau, P. G. Aceñolaza y A. D. Brown, "Estructura y sucesión en bosques montanos del Noroeste de Argentina", *Revista Biología Tropical*, 46, 1998, pp. 525-532.

• Brown, A. D., "Autoecología de bromelias epífitas y su relación con *Cebus apella*, Primates en el noroeste argentino", Tesis doctoral, UNLP, 1986.

• Brown, A. D., "Introducción y conclusiones de trabajo en talleres de la Primera Reunión Regional sobre Selvas Subtropicales de Montaña", en: Brown, A. D. y H. R. Grau (eds.), *Investigación, conservación y desarrollo en las selvas subtropicales de montaña*, Laboratorio de Investigaciones Ecológicas de las Yungas, UNT, pp. 1-8, 1995 a.

• Brown, A. D., "Las selvas de montaña del noroeste de Argentina: problemas ambientales e importancia de su conservación", en: Brown, A. D. y H. R. Grau (eds.), *Investigación, conservación y desarrollo en las selvas subtropicales de montaña*, Laboratorio de Investigaciones Ecológicas de las Yungas, UNT, pp. 9-18, 1995 b.

• Brown, A. D. y H. R. Grau, *La naturaleza y el hombre en las selvas de montaña*, Sociedad Alemana de Cooperación Técnica (GTZ), 1993, 143 pp.

• Brown, A. D. y L. R. Malizia, "Las selvas pedemontanas de las Yungas: en el umbral de la extinción", *Revista Ciencia Hoy*, Vol. 14, N°83, 2004.

• Brown, A. D. y M. Kappelle, "Introducción a los bosques nublados neotropicales", en: Kappelle, M. y A. D. Brown (eds.), *Bosques Nublados de Latinoamérica*, Costa Rica, Editorial INBio, 2001, pp. 25-40.

• Brown, A. D., H. R. Grau, L. R. Malizia y A. Grau, "Bosques Nublados del Neotrópico en Argentina", en: Kappelle, M. y A. D. Brown (eds.), *Bosques Nublados del Neotrópico*, Editorial INBio, 2001.

• Brown, A. D., A. Grau, T. Lomáscolo y N. I. Gasparri, "Una estrategia de conservación para las selvas subtropicales de montaña (Yungas) de Argentina", *Ecotrópicos*, 15, 2002, pp. 147-159.

• Gasparri, I. y J. Menéndez, "Transformación histórica y reciente de la Selva Pedemontana", en: Brown, A. D. y L. R. Malizia (eds.), "Las selvas pedemontanas de las Yungas: en el umbral de la extinción", *Ciencia Hoy*, Vol. 14, N°83, 2004.

• Grau, A. y A. D. Brown, "Development threats to biodiversity and opportunities for conservation in the mountain ranges of the Upper Bermejo River Basin, NW Argentina and SW Bolivia", *Ambio*, Vol. 29, N°7, 2000.

• Grau, H. R. y A. D. Brown, "Patterns of tree species diversity in latitudinal, altitudinal and successional gradients in the argentinian subtropical montane forests", en: Churchil *et al.* (eds.), *Biodiversity and conservation of Neotropical Montane Forests*, The New York Botanical Garden, 1995, pp. 295-300.

• Grau, H. R. y T. Veblen, "Rainfall variability, fire and vegetation dynamics in neotropical montane ecosystems in north-western Argentina", *Journal of Biogeography*, 27, 2000, pp. 1.107-1.121.

• Unesco, Marco Estatutario de la Red Mundial de Reservas de Biosfera, 1996.

• "Reserva de la Biosfera de las Yungas", Documento presentado a la Unesco para la creación de la Reserva de la Biosfera de las Yungas, 2002.

La Situación Ambiental Argentina 2005

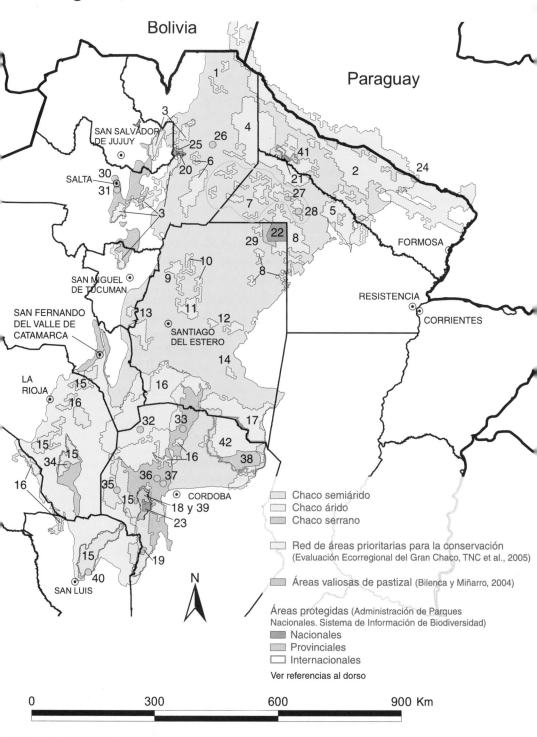

Ecorregión Chaco Seco

Bolivia

Paraguay

SAN SALVADOR DE JUJUY

SALTA

FORMOSA

SAN MIGUEL DE TUCUMAN

SAN FERNANDO DEL VALLE DE CATAMARCA

RESISTENCIA

CORRIENTES

LA RIOJA

SANTIAGO DEL ESTERO

CORDOBA

SAN LUIS

N

Chaco semiárido

Chaco árido

Chaco serrano

Red de áreas prioritarias para la conservación
(Evaluación Ecorregional del Gran Chaco, TNC et al., 2005)

Áreas valiosas de pastizal (Bilenca y Miñarro, 2004)

Áreas protegidas (Administración de Parques
Nacionales. Sistema de Información de Biodiversidad)

Nacionales

Provinciales

Internacionales

Ver referencias al dorso

0   300   600   900 Km

Referencias Chaco Seco

Red de áreas prioritarias para la conservación (Evaluación ecorregional del Gran Chaco. TNC et al., 2005)

1. Derrames del río Itiyuro
2. Planicie aluvial del río Pilcomayo
3. Transición Chaco-Yungas
4. Bosques del deslinde entre Chaco, Salta y Formosa
5. Planicie aluvial del río Bermejo
6. Bañados del Quirquincho
7. Zona de El Impenetrable
8. Bosques del límite Santiago del Estero-Chaco .
9. Derrames de los ríos Horcones y Ureña
10. Bañados del río Salado y Bañados de Figueroa
11. Esteros Salobres del Norte de Sgo. del Estero
12. Bosques del Este de Suncho Corral
13. Área del límite entre Tucumán y Sgo. del Estero
14. Delta del Río Dulce
15. Sierras de Córdoba, San Juan, Catamarca y San Luis
16. Salinas Grandes, de Ambargasta y otras
17. Laguna Mar Chiquita

Áreas valiosas de pastizal (Bilenca y Miñarro, 2004)

18. Pampa de Achala y Quebrada del Condorito
19. Pastizal serrano – cuenca río La Tapa

Áreas protegidas (Administración de Parques Nacionales, Sistema de Información de Biodiversidad)

Nacionales

20. Reservas de Pizarro (acordada recientemente, pendiente de implementación)
21. Reserva Natural Formosa
22. Parque Nacional Copo
23. Parque Nacional Quebrada del Condorito

Provinciales

24. Res. de Caza Agua Dulce
25. Reservas de Pizarro (acordada recientemente, pendiente de implementación)
26. Res. Prov. de Flora y Fauna Los Palmares
27. Parque Prov. Fuerte Esperanza
28. Res. Priv Augusto Shultz
29. Res. Prov de Uso Múltiple Copo
30. Res. Permanente e intangible Finca de las Costas
31. Res. Municipal Cerro San Bernardo
32. Ref. de Vida Silvestre Monte de las Barrancas
33. Res. Nat. Cultural Cerro Colorado
34. Pque. Prov. Laguna Guasamayo
35. Pque. Nat. Prov. y Res. Ftal. Chancaní
36. Res. Nat. Vaquerías
37. Res. Hídrica Nat. La Quebrada
38. Res. Hídrica Nat. Pampa de Achala
39. Pque Nat. La Florida R.

Internacionales

40. Res. de Biosfera Teuquito
41. Sitio Ramsar Bañados del Río Dulce y Laguna de Mar Chiquita

SITUACIÓN AMBIENTAL DE LA ECORREGIÓN DEL CHACO SECO

Por: Sebastián A. Torrella[I] y Jorge Adámoli[II]

[I]*Laboratorio de Ecología Regional de la Facultad de Ciencias Exactas y Naturales (FCEN), Universidad de Buenos Aires (UBA).*

[II]*Profesor Asociado de Ecología Regional, Facultad de Ciencias Exactas y Naturales, Universidad de Buenos Aires. Investigador independiente del Consejo Nacional de Investigaciones Científicas y Técnicas (CONICET). jorge@ege.fcen.uba.ar*

Paisaje y vegetación

El Chaco Seco es, en su mayor parte, una vasta llanura sedimentaria, modelada esencialmente por la acción de los ríos que la atraviesan en sentido noroeste-sudeste, principalmente el Juramento-Salado, el Bermejo y el Pilcomayo. Sus altas cuencas se encuentran fuera de la región, en la cordillera, desde donde transportan una gran cantidad de sedimentos que forman albardones a los costados del cauce o, como ocurre con frecuencia, colmatan los cauces y dan origen a la divagación de los ríos.

Estas divagaciones forman con el tiempo verdaderos abanicos (o paleo abanicos) fluviales, caracterizados por la presencia de paleoalbardones con una cobertura vegetal (muchas veces en desequilibrio con el régimen hídrico actual) y paleocauces de suelos arenosos, generalmente cubiertos por pastizales de aibe (*Elionurus sp.*) que atraviesan la matriz boscosa característica de la región. Estos paleocauces fueron, a fines del siglo XIX y a comienzos del XX, las vías de acceso de los colonos ganaderos que se establecían en la región. De hecho, la zona conocida popularmente como "el impenetrable" no presenta un bosque más cerrado o espinoso que el resto, sino que es un área donde no existen paleocauces y, por lo tanto, resultaba inaccesible o "impenetrable" para los colonos. Originalmente también se encontraban parches de pastizales de distinto tipo en las zonas más bajas e inundables o donde el bosque había sido eliminado por el fuego.

El fuego es otro importante factor que actúa como modelador del paisaje a nivel regional. Aunque en una época se lo consideró como un elemento negativo para el ambiente, hoy en día no hay dudas de que se trata de un componente natural que se manifiesta periódicamente. Su acción tiene un rol fundamental en el equilibrio dinámico que existe entre las especies leñosas y las herbáceas. Es el responsable de numerosos parches de pastizal que salpican la matriz boscosa, parches que persisten sólo si el fuego es recurrente ya que, de no ser así, el bosque se restablece. Son los llamados pastizales pirógenos, y las gramíneas más importantes en ellos son el pasto crespo (*Trichloris sp.*), los sorguillos (*Gouinia sp.*) y la cola de zorro (*Setaria argentina*). El fuego también es manipulado por el hombre con fines de manejo, para favorecer el rebrote del pasto del que se alimenta el ganado, para facilitar la caza y para eliminar áreas boscosas con fines agrícolas; de hecho, la palabra "chaco" en todas sus acepciones lleva implícito el concepto de la perturbación del manto verde con el uso del fuego (Morello, 1970). Este manejo, cuando es practicado en forma inadecuada, sí implica un efecto negativo sobre el medio.

Dentro del Chaco Seco se pueden distinguir tres subregiones, según sus condiciones climáticas:

El **Chaco Semiárido** es la más extensa, pues ocupa el oeste de Chaco y Formosa, casi la totalidad de Santiago del Estero, el este de Salta y Tucumán, y parte del norte de Córdoba. Es en esta subregión donde el bosque chaqueño encuentra su mayor expresión por la continuidad y la extensión de la masa boscosa. Este bosque, xerófilo y semicaducifolio, antes de la intervención del hombre contaba con un estrato superior dominado por el quebracho colorado santiagueño (*Schinopsis quebracho-colorado*) y el quebracho blanco (*Aspidosperma quebracho-blanco*), que superaba los 20m. En el límite oriental de la ecorregión, estas especies coexisten también con el quebracho colorado chaqueño (*Schinopsis balansae*), en lo que se conoce como el "bosque de los tres quebrachos", una de las comunidades más particulares y amenazadas de la ecorregión (ver Adámoli en este volumen). En el centro u oeste del Chaco Seco aparece también el palo santo (*Bulnesia sarmientoi*), aunque generalmente en suelos deprimidos.

El quebracho colorado santiagueño, que delimita tradicionalmente el Chaco Semiárido con su distribución, es, sin duda, una de las especies más emblemáticas de la región y, tal vez, una de las más imponentes de la flora argentina. Se destaca por su robustez y por la dureza de su madera (su nombre deriva de "quiebra hacha"), su tronco puede alcanzar el metro y medio de diámetro a la altura del pecho y no se ramifica en su parte baja. Se hace referencia a él en numerosas canciones de la música popular de la región. Es, además, una de las especies que fue más afectada por la acción del hombre, a través de la explotación forestal de carácter minero, lo que llevó a una drástica reducción de sus poblaciones.

Integran el bosque chaqueño también otros árboles más bajos como el mistol (*Ziziphus mistol*), de frutos comestibles, el palo cruz (*Tabebuia nodosa*), una gran variedad árboles y arbustos, con una importante presencia de algarrobos (*Prosopis sp.*) que se ven favorecidos por la extracción forestal y la ganadería, y la carandilla (*Trithinax biflabellata*), que tiene un importante papel en la propagación de incendios.

El **Chaco Serrano** forma la mayor parte del límite oeste de la región, que en este tramo limita con las Yungas y el Monte, y ocupa sectores de las provincias de Salta, Tucumán, Catamarca, La Rioja, San Luis y Córdoba. Está formado por elementos de las Sierras Pampeanas y las áreas más bajas de las Sierras Subandinas. En el extremo occidental del Chaco Semiárido las sierras constituyen una barrera orográfica para los vientos húmedos del este, lo que provoca mayores precipitaciones en las laderas orientales y climas más secos hacia el oeste. Este factor y la variación térmica asociada a la altura establecen particulares condiciones climáticas que determinan el desarrollo de la vegetación. En general, el bosque serrano está dominado por el horco-quebracho (*Schinopsis hanckeana*), junto con el molle de beber (*Lithrea molleoides*), especialmente en el sur, y por gran cantidad de cactáceas y leguminosas espinosas en el norte. En el estrato arbustivo y herbáceo aparecen varias especies de otros distritos biogeográficos. A mayor altitud, el bosque es reemplazado por pastizales o estepas graminosas con predominio de especies de los géneros Stipa y Festuca. El mismo juega, posiblemente, un rol importante en la conectividad norte-sur entre los distintos sectores de Yungas.

El **Chaco Árido** ocupa el sudoeste de la región: el este de Catamarca y La Rioja, el norte de San Luis, el noroeste de Córdoba y el sudoeste de Santiago del Estero. Está prácticamente rodeado por sierras, lo que le confiere características particulares ya que, al actuar como barrera, restringe fuertemente las precipitaciones en esta subregión. Las cuencas que se forman son autóctonas y endorreicas (no desagotan agua fuera de la región), y la evapotranspiración es superior al aporte de agua. Esto origina un fuerte proceso de evaporación, que saliniza los suelos y llega a formar salinas. De hecho, las Salinas Grandes, que ocupan 8.400 km^2 en Catamarca, Córdoba, La Rioja y Santiago del Estero, son las mayores del país. La salinidad de los suelos condiciona la vegetación y, según las condiciones particulares, se encuentran distintos tipos de arbustales, muchas veces dominados por el jume (*Suaeda sp.* y *Allenrolfea sp.*), con presencia de elementos más típicos de la ecorregión del Monte, tales como las jarillas (*Larrea sp.*). En los suelos altos menos salinos aparece el bosque xerófilo característico de la región, incluso con el quebracho colorado santiagueño.

Fauna

El Chaco Seco contiene una gran diversidad faunística, aunque muchos de sus componentes han sufrido una fuerte reducción en sus poblaciones, provocada por la intervención antrópica. Los principales factores con los que el hombre ha amenazado y amenaza a la conservación de la fauna de la región son: la reducción y la fragmentación de hábitat, especialmente en las zonas aptas para la agricultura, y la caza, principalmente de algunos mamíferos mayores.

Entre los mamíferos que habitan la región, se destaca sin dudas el yaguareté (*Panthera onca*), aunque su situación es bastante crítica (tanto en el Chaco como en otras regiones), debido a la fuerte fragmentación que experimentó su hábitat y a la presión de caza que sufrió y sufre por parte de los pobladores.

Aunque fuera del país habita zonas más húmedas, en la Argentina el tatú carreta (*Priodontes maximus*) es exclusivo del Chaco Seco. Se trata del mayor de los armadillos vivientes con unos 150 ó 160 cm de longitud total. Es muy perseguido por el hombre, ya sea como curiosidad o como alimento, por lo que nunca se lo encuentra cerca de poblados. Su densidad poblacional es muy baja y, por ello, es una especie raramente vista. Como el resto de los armadillos (el Chaco Seco es la región con mayor diversidad de este grupo) es de hábito crepuscular o nocturno, y con sus uñas delanteras cava cuevas en donde se refugia en caso de agresión.

Están presentes tres especies de pecaríes o chanchos salvajes: el labiado (*Tayassu pecari*), el de collar (*T. tajacu*) y el quimilero (*Catagonus wagneri*), de mayor tamaño y el único endémico de la región. Con respecto a este último, su estado de conservación es precario por su escaso tamaño poblacional y porque es preferido por los cazadores sobre los otros pecaríes. Si bien los pobladores de la región lo identificaban claramente como una especie diferente, la "ciencia moderna" lo descubrió recién en 1975. Debe su nombre a su costumbre de alimentarse de los frutos del quimil (*Opuntia quimilo*), una cactácea común en la región.

El guanaco (*Lama guanicoe*) actualmente sólo cuenta con relictos poblacionales en la periferia de la región (Salinas Grandes y Sierra de las Quijadas), pero en el pasado contaba con una distribución más amplia dentro del Chaco Seco. La enorme retracción que ha sufrido se debería, principalmente, a la presión de caza que recibió por parte de los pobladores (fundamentalmente sobre sus crías o "chulengos" para consumo) y a la reducción de las superficies abiertas de pastizal, que eran su hábitat más propicio.

Los mismos motivos habrían afectado a la raza norteña del venado de las pampas (*Ozotoceros bezoarticus leucogaster*), que contaba con poblaciones en distintas localidades de la región y, actualmente, se encuentra en inminente riesgo de extinción en el país (ver el artículo de Pautasso en este volumen). El oso hormiguero (*Myrmecophaga tridactyla*), especie amenazada y emblema de la conservación en el país, se encuentra en el Parque Nacional Copo, uno de sus refugios.

Una gran diversidad de aves habita los bosques y los pastizales del Chaco Seco; entre las más características de la región están la martineta chaqueña (*Eudromia formosa*), la chuña de patas negras (*Chunga burmeisteri*), el carpintero negro (*Dryocopus schulzi*), el hornerito copetón (*Furnarius cristatus*), la viudita chaqueña (*Kinipolegus striaticeps*) y el soldadito común (*Lophospingus pusillus*).

Entre los reptiles, se encuentran bien representados los grupos de los iguánidos y los lagartos. Entre los ofidios se destacan la lampalagua (*Constrictor constrictor*) y la yarará (*Bothrops sp*). Habitan la región numerosos anfibios que combaten de distintas maneras la escasez de agua; por ejemplo, algunos la encuentran en los huecos de la vegetación y otros se entierran en pequeños charcos temporarios.

Son comunes las colonias de insectos sociales como las termitas y las hormigas (*Atta sp., Acromyrmex sp.*), que en algunas zonas son consideradas como las principales consumidoras de vegetación, aunque también las hay granívoras y predadoras.

Una historia de explotación y degradación ambiental

La extracción forestal y la ganadería vacuna y caprina practicadas en el Chaco Semiárido tuvieron y tienen un gran impacto en la estructura del paisaje. El sobrepastoreo en los parches de pastizales naturales ya descriptos alteró la relación entre las especies leñosas y las herbáceas. La acción del ganado provoca una pérdida de la habilidad competitiva de las herbáceas y favorece a las leñosas, que avanzan sobre los pastizales hasta convertirlos en arbustales si no hay remoción o fuego. Esto ha llevado al ganado a pastorear dentro de los bosques, lo que ha modificado fuertemente también su estructura y composición específica. El estrato herbáceo dentro del bosque ha sido prácticamente eliminado; esto ha dado lugar a una invasión de arbustos y árboles bajos que lo vuelven mucho más cerrado y espinoso. Muchas de estas especies ven favorecida su germinación al pasar por el tracto digestivo del ganado, que también actúa como dispersante. La baja receptividad de los campos se mantiene en forma similar a la de hace cincuenta años atrás, lo que sugiere que la presión de pastoreo alcanzó un equilibrio con el bajísimo potencial forrajero.

La explotación forestal se practicó históricamente como una extracción minera y no como el aprovechamiento sustentable de un recurso renovable. Esto llevó a que las especies más buscadas vieran diezmadas sus poblaciones y que llegaran muchas veces al límite de la extinción comercial, que difiere de la extinción biológica porque en ella la especie está presente, pero no en diámetros ni en volúmenes comercializables.

Una de las especies más afectadas tanto por la explotación forestal como por la ganadería es el quebracho colorado santiagueño. Por la dureza de su madera fue una de las primeras especies en ser explotadas comercialmente, al punto de que en vastas extensiones perdió su carácter de dominante en el bosque, y han quedado prácticamente sólo sus "tocones" muertos en el piso. Además, la renovación de sus poblaciones se ve afectada por la ganadería en distintos aspectos: sus renovales son preferidos por el ganado por sobre otras especies leñosas; sus ejemplares jóvenes son deformados por el ramoneo; y el mantillo de hojarasca que naturalmente actúa favoreciendo su germinación es eliminado.

La extracción forestal se centró, en un principio, en individuos de gran fuste para postes y durmientes, lo que implicaba una extracción selectiva de individuos adultos y sanos. Más adelante se fue diversificando mucho, y se fue explotando fuertemente el algarrobo para la fabricación de muebles y muchas otras especies para la producción de carbón. Esto llevó a una menor selectividad en cuanto al tamaño de los individuos a extraer, por lo que se eliminaron también individuos jóvenes, lo que comprometió la sustentabilidad del proceso.

Esta intervención en el paisaje dio como resultado grandes extensiones de una variedad de formaciones leñosas secundarias (bosques secundarios, arbustales, fachinales) con prácticamente sólo el quebracho blanco en su estrato superior (cuando éste existe) y un estrato inferior muchas veces cerrado y espinoso que, según las condiciones del suelo, del clima y de su historia de manejo, está compuesto por distintas asociaciones de especies favorecidas por la intervención del ganado y/o el hachero como el algarrobo negro (*Prosopis nigra*), el blanco (*P. alba*), el itín (*P. kuntzei*), característico por carecer prácticamente de hojas, el vinal (*P. ruscifolia*), con espinas de hasta 30 cm, o el chañar (*Geoffroea de-corticans*), de muy singular corteza que se "deshoja" y deja a la vista su tronco verde. También se encuentran en abundancia las acacias como el espinillo (*Acacia caven*), el garabato (*A. praecox*), la tusca (*A. aroma*) y otros pequeños árboles o arbustos del género *Capparis*.

Es importante la presencia de las cactáceas en estas formaciones secundarias; el quimil es una de las más conspicuas (*Opuntia quimilo*), cuyos tallos modificados semejan grandes hojas; el cardón (*Cereus coryne*) y el ucle (*C. validus*) presentan una fisonomía de tipo "candelabro". Las tres especies son arborescentes y pueden alcanzar varios metros de altura. Particularmente, el quimil es muy utilizado por los locales como alimento o como "cerco vivo" en los corrales pequeños, gracias a sus fuertes espinas; su fruto, la "tuna", es preparado como arrope y también es muy buscado por la fauna. También se encuentran variedades cultivadas que carecen de espinas.

En el Chaco Árido y en el Serrano, la escasa cobertura vegetal del suelo (acentuada por los malos manejos del ganado, la extracción forestal o la agricultura) hace que la erosión hídrica y eólica se conviertan en uno de los principales factores de degradación del ambiente, y que así se produzcan voladuras y carcavamiento en los suelos de algunas zonas.

Un nuevo escenario

Un factor que ha aparecido en la región en los últimos años, y con gran intensidad en los límites oriental y occidental del Chaco Semiárido, donde se dan las mayores precipitaciones, es el avance de la agricultura. En la región existe desde principios del siglo XX un importante núcleo agrícola, fundamentalmente algodonero, localizado en el oeste de la provincia de Chaco, en torno a las localidades de Sáenz Peña y Charata. Un aumento relativo de las precipitaciones, combinado con nuevas tecnologías como la siembra directa, ha posibilitado un importante avance de la frontera agrícola sobre zonas tradicionalmente ganaderas y/o forestales del Chaco Semiárido. Este avance es, sin dudas, el proceso de mayor impacto sobre el paisaje y la mayor amenaza para la conservación de la biodiversidad de la región en la actualidad. Se da sobre la base del desmonte de grandes extensiones de bosques y, al hacerse sin una regulación o un plan ambiental de manejo, implica la pérdida y la fragmentación de ambientes y hábitat, lo que pone en peligro la conservación de la biodiversidad y la sustentabilidad del proceso (el avance de la frontera agrícola se analiza en detalle en los artículos de Adámoli, y Gasparri y Grau, en este volumen).

Conservación y áreas protegidas

Los ambientes que se ven más comprometidos por el avance de la agricultura son los bosques que se encuentran sobre tierras altas y reciben mayores precipitaciones. Estos son los quebrachales de tres quebrachos ubicados al este de la región, en el deslinde entre el Chaco Seco y el Chaco Húmedo, y también en los bosques de la transición del Chaco con las Yungas, en el este salteño. Ambos ambientes se encuentran ya en la actualidad fuertemente fragmentados y no están representados en el sistema de áreas protegidas.

La zona de los tres quebrachos concentra gran parte de la agricultura de la región; el valor que tomaron las tierras a partir de la expansión actual y el alto grado de fragmentación de los bosques hacen que sea muy difícil pensar en superficies continuas importantes para la conservación. Por estos motivos, una medida posible sería la formación de un archipiélago de pequeñas unidades de conservación, adecuadamente protegidas y con cierta conectividad. Para ello se necesitaría que los gobiernos provinciales implementasen de inmediato un programa de ordenamiento territorial que regule los desmontes y planifique el uso de la tierra a nivel regional o subregional.

Tampoco hay unidades de conservación en el Chaco salteño: el Parque Nacional El Rey no ocupa una superficie significativa dentro del Chaco. La reserva conocida como "Lotes 32 y 33", si bien también se encuentra en el límite del Chaco con las Yungas, ha sido recientemente vendida por el gobierno provincial, lo que muestra claramente la falta de interés en una efectiva política de conservación de muchos gobiernos provinciales. Afortunadamente, la sociedad argentina se moviliza con éxito para recuperar este patrimonio natural y evitar este lamentable precedente (ver Cruz *et al.* en este volumen).

Las principales unidades de conservación con un grado aceptable de implementación en el Chaco Semiárido se encuentran concentradas entre las localidades de Los Pirpintos (Parque Nacional Copo) y Laguna Yema (Reserva de Biosfera Riacho Teuquito). La Reserva Natural Laguna de Mar Chiquita, en Córdoba, tiene una importancia estratégica para la conservación de las aves acuáticas de la región y de muchas especies migratorias que la visitan en sus viajes. En el resto del Chaco Semiárido existe un gran vacío en el que importantes ecosistemas quedan sin protección.

En el Chaco Árido, en la reserva del Monte de las Barrancas, en las Salinas Grandes, el guanaco encuentra uno de sus últimos refugios dentro de la región. En el Chaco Serrano, las principales unidades de conservación son el Parque Nacional Quebrada del Condorito y su lindante Reserva Provincial Pampa de Achala, que contienen una importante diversidad faunística, de la que se destaca la presencia del cóndor andino (*Vultur gryphus*), que tiene allí su límite oriental de nidificación. También persisten importantes superficies del Chaco Serrano en muy buen estado de conservación en las provincias de Tucumán, Salta y Jujuy.

La preocupante situación de los campesinos y los pueblos originarios

Las riquezas naturales que tuvo y tiene la región contrastan tristemente con la pobreza en que viven muchos de sus habitantes. Las provincias del noroeste argentino están entre las de mayores índices de pobreza del país. Santiago del Estero, Salta, Chaco y Formosa son las de mayor porcentaje de población con necesidades básicas insatisfechas. Estas condiciones se concentran principalmente en la población rural. En muchos casos, estos campesinos son antiguos puesteros de explotaciones forestales abandonadas que se asentaron en los obrajes y desarrollan una economía familiar de subsistencia sobre la base de la cría de cabras y la producción de carbón, leña, algodón o miel.

Cerca del 75% de las familias campesinas de Santiago del Estero son poseedoras veinteañales de las tierras que habitan, pero en su mayor parte carecen de títulos que les aseguren la propiedad formal. La presión registrada en los últimos años sobre estas tierras, producto de la expansión agropecuaria, puso de manifiesto este problema y generó un conflicto social hasta ahora irresuelto. Estas familias son, en muchas oportunidades, desalojadas violentamente de sus tierras por un supuesto nuevo propietario (la mayor parte de las veces, una empresa agropecuaria) que cuenta con un título y, en general, con el apoyo del poder político y policial local.

Los actores principales de la actual expansión son productores medianos y grandes provenientes de provincias tradicionalmente agrícolas como Santa Fe y Córdoba, que trabajan a grandes escalas y con modernas tecnologías. Esta expansión excluye a los pequeños productores, no genera mano de obra rural ni deja sus ganancias en los pequeños poblados, por lo que expulsa a la población rural a los cordones de pobreza de las grandes ciudades. Esta situación compromete aún más a las comunidades campesinas, muchas de ellas pertenecientes a los distintos pueblos originarios de la región, como los tobas, los pilagás, los chiriguanos y los wichis, que fueron despojados de sus tierras con la conquista y aún hoy no se les reconoce su derecho a desarrollarse con plenitud en sus territorios (estos temas se discuten con mayor detalle en el artículo de Soto en este volumen).

El desafío actual

El Chaco Seco cuenta con un importante potencial productivo, una maravillosa biodiversidad y una gran riqueza cultural. Pero para que estas cualidades se conserven y se desarrollen, es necesario cambiar la forma en que el hombre y el Estado interactuaron con ellas. Esto podría ser, por ejemplo, mediante la implementación de un programa de ordenamiento territorial que integre estos tres aspectos y no los "unilateralice"; que sea consensuado por la población y no que le sea impuesto; que atienda las necesidades del conjunto y no las posibilidades económicas de unos pocos. Sólo en este marco será posible una explotación sustentable de los recursos naturales, compatible con la conservación de la biodiversidad y con un desarrollo cultural y social equitativo en la región.

ETAPAS DE USO DE LOS RECURSOS Y DESMANTELAMIENTO DE LA BIOTA DEL CHACO

Por: Jorge Morello, Walter Pengue y Andrea F. Rodríguez

Grupo de Ecología del Paisaje y Medio Ambiente (GEPAMA) de la Facultad de Arquitectura, Diseño y Urbanismo (FADU), Universidad de Buenos Aires (UBA). morello@gepama.com.ar

A partir del análisis temporal y la visión del ecólogo (Matteucci, 1998 y 2003), es posible comprender "lo que hacían", es decir, cómo se comportaban los ecosistemas bajo la presión de pulsos naturales (Adámoli *et al.*, 1990; Barquez, 1997) y cómo fueron cambiando los efectos de los mismos al intervenir el hombre como modificador de su frecuencia e intensidad.

Han sido varios los factores que pueden ser considerados como importantes elementos que participaron en el diseño y el rediseño de los paisajes del Chaco e influyeron de manera diferente en su transformación: el fuego (Kunst y Bravo, 2003; Herrera *et al.*, 2003), las inundaciones, el sobrepastoreo, las labranzas, el desmonte, la exploración petrolera, las mangas de langosta y, muy particularmente, la mudanza o el traslado de los cauces (Cordini, 1947; Adámoli *et al.*, 1972; Herrera *et al.*, 2005).

Esos pulsos tuvieron distintas respuestas ecosistémicas (De la Cruz, 1998) en los diez períodos en que se divide la historia de la ocupación humana en el Chaco. En cada etapa la sociedad fue usando la oferta de la naturaleza de manera distinta (Bolsi, 1982) y se produjeron cambios en los usos del suelo.

Conocer la secuencia y el tipo de cambios producidos no es suficiente para pronosticar el futuro de los paisajes chaqueños, pero puede ser un recurso informativo inicial que ayude a identificar los procesos que involucraron y produjeron estas transformaciones (Bünstorf, 1982; Bücher, 1982).

En el uso de los recursos naturales chaqueños pueden distinguirse dos períodos: uno de **cosecha ecosistémica** y otro de **agricultura generalizada**, que se dividen en diez etapas.

Primera etapa: de las etnias locales

Quienes manejaban los elementos del paisaje eran los pueblos indígenas que, lentamente, fueron incorporando las herramientas de cosecha ecosistémica del blanco (Arenas, 2003; Maranta, 1987).

Ecosistema fundamental: pastizales y sabanas de tierra firme.
Actividades fundamentales: caza, pesca, recolección de miel, cosecha de frutos y fibras.
Pulso natural y herramienta de manejo: fuego para caza, control de insectos y combate.
Herramientas de cosecha: arco y flecha, odre impermeabilizado, morral y red de chaguar.
Disturbio principal y respuesta ecosistémica: el pastizal se enriqueció con parches de etapas su-

cesionales de distinta edad y composición biótica. El incendio controlado y por manchones fue incorporado por el blanco; la técnica fue llamada "quemar mateado".

Actores sociales: aborígenes; misioneros; exploradores; expedicionarios militares; comerciantes de mieles, cera, tejidos de chaguar, cueros, plumas y pieles.

Transculturación: se incorporaron el ovino, el chancho casero, la cabra, el perro, el machete y el hacha. El caballo se utilizaba, pero para transporte de carga sin jinete. Se trataba de culturas "de a pie".

Segunda etapa: de los fronterizos y meleros

El criollo entraba y salía de la frontera que separaba la tierra controlada por el blanco del dominio aborigen, en busca de miel y cera. Se introdujo el ganado cerca de los ríos.

Ecosistema fundamental: pastizal, sabana y humedal (madrejones y riberas fluviales).

Actividades fundamentales: ganadería en pastizales, abras y cañadas; recolección de miel y cera.

Actividades de apoyo: producción de pieles y cueros de la biota nativa; cosecha de algarroba.

Herramientas de manejo: fuego y caballo.

Herramientas de cosecha: lazo, arma blanca y de fuego, hacha y machete.

Disturbio principal y respuesta ecosistémica: inicio de defaunación local en pastizales y debilitamiento de los simbolares (*Pennisetum frutescens*).

Nuevos actores: criollo melero; expedicionario militar; misionero católico; estanciero latifundista; comerciante de miel, cera, cueros y pieles (Bilbao, 1967).

Tercera etapa: los puestos ganaderos

La tierra "conquistada" fue asignada a propietarios blancos y sus puesteros tomaron el control de los bordes de los predios y de la de tierra pública, e introdujeron rodeos mixtos. Se consolidó el reemplazo de herbívoros nativos por ungulados domésticos y de pastizal por arbustal.

Ecosistema fundamental: pastizales, sabanas y humedales (Saravia Toledo,1987).

Herramientas de manejo: fuego, corrales, aguadas, trojes, "clausura" (cercos de ramas espinescentes para hacer un mosaico de pastizal nativo y cultivar zapallo y maíz).

Herramientas de cosecha: igual que la etapa de los fronterizos y meleros, con jaurías adiestradas en cosecha de distintas presas (perro leonero, quirquinchero-tatucero, iguanero, chanchero).

Disturbio principal y respuesta ecosistémica: eliminación local del pulso de fuego en pastizales sobrepastoreados e invasión de leñosas oportunistas de dispersión endozoica, ampliación de peladares peridomésticos; desaparición local de ñandúes, guanacos y cérvidos.

Vegetación de reemplazo: iscayantales (*Mimozyganthus carinatus*), tuscales (*Acacia caven*), garabatales (*Acacia praecox*), teatinales (*Acacia furcatispina*). Explosión poblacional del conejo del palo (*Pediolagos salinicola*) y la vizcacha (*Lagostomus maximus*) en los puestos donde cazaban a sus predadores naturales, los grandes carniceros (Morello y Saravia, 1959).

Nuevos actores: ganadero engordador, rematador de hacienda, jinete corredor, arriero, puestero y turco ambulante (comerciante que abastecía a los puesteros en trueque).

Cuarta etapa: durmiente y poste

El sistema ferroviario y el alambrado crearon una fuerte demanda de madera imputrescible.

Ecosistema fundamental: bosque e isletas de monte en sabanas.

Actividad fundamental: explotación selectiva de madera dura para elementos al aire libre.

Actividades de apoyo: ganadería; producción de carne de monte, cueros y pieles; recolección de miel y cera.

Herramientas de manejo: aserradero, obraje, campamento de hacheros, picadas.

Herramientas de cosecha: bueyes, alzaprima, hacha de apeo y labradora.

Disturbio principal: selección negativa de germoplasma; quedaron *in situ* ejemplares tortuosos sin fuste forestal, atacados por insectos y hongos xilófagos.

Vegetación de reemplazo: arbustificación de parches de apeo por *Acacia praecox*.

Nuevos actores: obrajero, contratista, hachero, carbonero, cachapecero.

Quinta etapa: primera taninera

Empresas europeas de producción forestal-ganadera accedieron a cientos de miles de hectáreas y desarrollaron una actividad industrial que produjo extractos tánicos de los quebrachos colorados y extractos para aceites esenciales de palosanto (*Bulnesia sarmientoi*).

Ecosistema fundamental: quebrachal-palosantal, bosque de quebracho colorado y monte fuerte.

Recursos más valiosos: bosques de maderas tánicas, quebrachales-palosantales y agua.

Actividades principales: obraje para apeo y preparación *in situ* de rollizo descortezado.

Actividades de apoyo: explotación de no tánicas, fabricación de carbón, ladrillos y muebles.

Herramientas de manejo en el bosque: en las tánicas y el palosanto, tala selectiva de cualquier diámetro y estado sanitario por encima de los 25 cm DAP; madera campana.

Herramientas de cosecha: vías de saca, alzaprima, camiones, tractores, ramal ferroviario, guinche, playas o canchones para rollizo (Bünstorf, 1982).

Disturbio principal y respuesta ecosistémica: rediseño de la escorrentía superficial por construcción de vías férreas y caminos terraplenados. Con ganado en el monte, difícilmente sobrevivían juveniles de quebracho de menos de cinco a siete años edad.

Vegetación de reemplazo: en los bosques no hubo sustituciones de comunidades en sentido estricto. Alta capacidad de restauración natural del quebrachal si se restringía el acceso al ganado durante una década o más y si se controlaban los incendios (Morello y Adámoli, 1974).

Nuevos actores: Comisión Nacional del Extracto de Quebracho (CONAQUE), Instituto Nacional Forestal (IFONA), Ley N°13.273 de defensa de la riqueza forestal.

La Situación Ambiental Argentina 2005

Sexta etapa: colonia algodonera

Ha ocupado con predios de menos de 50 ha los ecosistemas no anegadizos de herbáceas y, así, creó un paisaje abigarrado; ha desmontado lentamente el borde de fragmentos del bosque.

Ecosistema principal: pastizales y sabanas de suelos profundos, alta fertilidad y buen drenaje: "campo prado".

Recursos más valiosos: suelos fértiles y clima pluviométrico con lluvias suficientes para el largo ciclo de un cultivo de verano o agua de riego (Bünstorf, 1982).

Actividades principales: algodonera y ganadería en campo natural (Bolsi, 1985).

Actividades de apoyo: maderera, rizicultura, horticultura, fruticultura subtropical, caza.

Herramientas de manejo: agricultura tradicional: largos barbechos, quema de rastrojo; la labranza era con arado de reja y vertedera. Se hacía algodón sobre algodón.

Herramienta de cosecha: manual con miles de braceros que alternaban distintas zafras.

Disturbio principal y respuesta ecosistémica: pérdida de los ecosistemas "campo prado" y selvas de ribera, fragmentación de bosques y pastizales; pérdida de fertilidad y erosión.

Disturbio secundario y respuesta ecosistémica: desmantelamiento de los parches de bosque de cada propiedad por sobreexplotación para leña, postes, varillas y construcciones de refugios de los cosecheros temporarios, quienes se ubicaban en su interior.

Vegetación de reemplazo: los cultivos y sus comunidades de malezas (*Cynodon dactylon*, *Sorghum halepense*, *Ipomoea fistulosa*), cadillo (*Cenchrus myosuroides*).

Nuevos actores: chacarero, acopiador, cooperativa, desmotadora, aceitera, hilandería.

Séptima etapa: exploración y explotación petrolera

La construcción de una red de picadas de exploración se consolidó en los 70 como un sistema de corredores transgresivos a paisajes diversos y como una vía de penetración a ecosistemas vírgenes para obrajeros, cazadores, puesteros, topógrafos, científicos, coleccionistas de fauna y flora, "arriadores" de aborígenes a la zafra azucarera, fuerzas de seguridad y contrabandistas. Funcionó como una red facilitadora de defaunación, explotación forestal y pastoreo, en los fragmentos que habían conservado alta diversidad biótica.

Recursos más valiosos: hidrocarburos, agua, ecosistemas vírgenes y semivírgenes.

Actividades fundamentales: en las picadas hubo supresión de la cobertura vegetal en franjas angostas y rectas de decenas de kilómetros, y se formó un retículo interconectado. Perforación y explotación.

Actividades de apoyo: horticultura y fruticultura para el abastecimiento de campamentos.

Actividades conexas: la picada abrió un abanico de posibilidades de cosecha ecosistémica en bosques y pastizales con una oferta biótica casi intacta. Obrajeros, cazadores y recolectores de mascotas tuvieron acceso automotriz y se ampliaron las opciones para el traslado de arreos.

Herramientas de manejo: en exploración, equipo de desmonte y vehículos de prospección; en explotación, torre de bombeo y piletas de líquidos residuales, tanques y ductos.

Herramientas de cosecha: en caza comercial, aguadas construidas para concentrar fauna, panes de sal y trampas; en explotación petrolera, sistema de bombeo y acumulación.

Disturbio principal y respuesta ecosistémica: la defaunación en picadas es centenaria e incluye picadas petroleras, de límites interprovinciales, de exploración de potencial maderero, de estudios hidrológicos y topográficos para venta de tierra pública, vías de saca de madera, etc. El entorno de campamentos de explotación se contaminó con derrames de hidrocarburos.

Vegetación de reemplazo: estadios sucesionales pioneros en tramos abandonados.

Nuevos actores: topadorista, geólogo-topógrafo, contratistas de perforación, químicos.

Octava etapa: agriculturización

Corresponde al fenómeno global llamado "Revolución Verde" (Pengue, 2005), por el cual los rindes aumentaron debido a una agricultura de crecientes insumos externos, en la que se manifestaba la capacidad de respuesta de los cultivares e híbridos al fertilizante, la maquinaria o el riego. Los ciclos de vida cortos permitían el doble cultivo; en el Chaco se han alternado el trigo, el algodón y más tarde la soja, por lo que así desaparecieron los períodos de barbecho. Esta nueva agricultura incorporó agroquímicos de alta toxicidad y su modalidad de aplicación hizo estragos. En la región pampeana, producir grano se volvió más rentable y se comenzó a competir por la tierra, por lo que gran parte de la actividad ganadera inició un primer traslado al Chaco y el Espinal en el proceso paralelo llamado "ganaderización". Éste ha sido el período de venta masiva de tierra pública sin normativas de manejo; quien compraba podía hacer lo que le placiera con la biota, con el agua y con el suelo (Pengue, 2005).

Ecosistema fundamental: lo que ha quedado de campo natural y cualquier tipo de pastizal no anegadizo.

Actividad principal: cultivo de textil-oleaginoso y granos en sistema de doble cultivo.

Actividad de apoyo: ganadería en campo natural y en pasturas implantadas, básicamente "buffel grass" (*Pennisetum purpureum*), *Chloris gayana* y *Digitaria decumbens*.

Disturbio principal y respuesta ecosistémica: desmonte con tecnologías destructivas del soporte edáfico; uso de silvicidas y arbusticidas en el proceso. Fragmentación de bosques, selvas y generalizada conversión de humedales en arrozales; erosión mantiforme.

Herramientas de manejo: labranza convencional y reducida o vertical (Álvarez, 2005), cebos tóxicos para aves y agroquímicos de alta toxicidad –sobre todo los silvicidas y defoliantes–, entre los que se incluyen el 2-4-5T (herbicida) y los fosforados (Álvarez, 2005).

Herramienta de cosecha: cosecha mixta manual y mecánica para algodón.

Disturbio principal y respuesta ecosistémica: envenenamiento de avifauna acuática, contaminación de aguas y suelos, graves accidentes en el manejo de agroquímicos, aparición de resistencia al 2-4-5T en arbustos, calcinación de suelos en cordones.

Vegetación de reemplazo: arbustales de vinal, *Acacia bonariensis*, *A. aroma* y *A. praecox*.

Nuevos actores: universidades regionales, ONG rurales, organismos técnicos provinciales, semilleros-criaderos de germoplasma subtropical, contratista agrícola, terrateniente empresario y empresario arrendatario (Piñeiro y Villareal, 2005).

Novena etapa: segunda taninera

Con la modernización de las fábricas y la diversificación de la demanda de productos (Goin, 2005, *in litt.*), la industria taninera cambió de óptica en cuanto al manejo del bosque e inició una etapa experimental de uso sustentable del mismo y de mejoramiento genético de las especies clave.

El sector privado y el público, como UNITAN-INTA –Instituto Nacional de Tecnología Agropecuaria– (Goin, 2005), desarrollaron un programa de fitomejoramiento de nativas y produjeron material para la plantación y el enriquecimiento de los quebrachales degradados de chacareros y grandes propietarios (Barrett, 1997).

Ecosistema fundamental: territorios con bosques y fragmentos de bosque y pajonales.
Recursos más valiosos: madera, suelo agrícola, pasturas naturales, humedales para arroz.
Recursos de apoyo: fauna ictícola para pesca comercial y deportiva, avifauna para mascota.
Actividades principales: producción de extracto tánico y derivados, mueblería.
Herramientas de manejo: planes de manejo, plantaciones de quebracho, algarrobos y exóticas, enriquecimiento de fragmentos de quebrachal explotado (Goin, 2005).
Herramientas de cosecha: tractor, pluma y camión; el resto, igual que en la primera etapa taninera. Arado "taipero" para ricicultura y preparación de camellones para plantación forestal.
Disturbio principal y respuesta ecosistémica: achicamiento de humedales por ricicultura y plantación forestal sobre camellones (Barrett, 1997). Queda la duda acerca de la factibilidad de generalizar un gerenciamiento conservativo de fragmentos del bosque nativo, donde siempre primó el criterio de "sacar hasta que no haya más y cuando se acabe nos vamos".
Nuevos actores: Secretaría de Ambiente y Desarrollo Sustentable; Programa de Ambiente Forestal de INTA, Programa de Ambiente Nacional Forestal de la Secretaría de Agricultura, Ganadería, Pesca y Alimentos (SAGPyA), genetistas, laboratoristas, polos madereros como Machagay y Pirane (Besil *et al.*, 2001).

Décima etapa: la pampeanización del Chaco

Combina una agricultura de altos insumos, excepcionalmente rentable en el corto plazo, con ganadería en pasturas implantadas. Los rindes y los precios permiten costear desmontes masivos, ya que la única tierra con vegetación natural disponible son los arbustales y los bosques. Se caracteriza por la celeridad de la ocupación (Grau *et al.*, 2005) de bosques explotados. "Pampeanizar" significa pensar y actuar como si los paquetes tecnológicos y los tipos de uso del suelo fueran intercambiables entre ecorregiones muy distintas, y que todo lo que se hace en la Ecorregión Pampa puede hacerse en el Chaco (Pengue, 2005). Es lógico que aparezcan rápidamente consecuencias ambientales y sociales de este proceso de fuerte incorporación tecnológica y capital. El concepto incluye el supuesto de que los ecosistemas naturales funcionan y responden de manera similar, y que los suelos castaños forestales y los Brunizen, también. La soja es el cultivo estrella, y tanto en las pampas como en la ecorregión chaqueña la demanda por nuevas tierras parece irrefrenable. El desbosque no sólo afecta la biodiversidad, sino que también genera conflictos sociales no resueltos (Bradford, 2004). En este marco se modifica sustancialmente el tamaño de la unidad productiva sojera, que aumenta en detrimento de otras producciones (Pengue, 2004), pero subregionalmente el cultivo de algodón no ha perdido aún su vigencia y sigue siendo el organizador agroeconómico. Para el 2006 la soja liderará en superficie sembrada.

Ecosistema fundamental: quebrachal, quebrachal-palosantal, monte fuerte, selva de ribera en el Chaco y selva pedemontana en el umbral Chaco-Yungas (Grau *et al.*, 2005).

Actividades principales: cultivo industrial de soja transgénica, algodón, girasol y maíz; ganadería.

Actividades de apoyo: producción forestal, rizicultura, pesca comercial y deportiva.

Herramientas de manejo: desmonte, siembra directa, glifosato, rotaciones, fertilización y control químico de plagas, información satelital, agricultura de precisión (Grobocopatel, 2005; Zak y Cabido, 2005; Grau *et al.*, 2005).

Herramientas de cosecha: equipos de siembra directa, cosecha y pulverización más grandes, con mayor capacidad de trabajo (Piñeiro y Villareal, 2005).

Disturbio principal y respuesta ecosistémica: desmonte "con criterios técnicamente pobres" (Grobocopatel, 2005) en una ecorregión donde la deforestación es la tarea principal del proceso de conversión. En Salta el reemplazo por soja entre 1988 y 2002 se hizo en un 89% sobre desmontes de arbustales y bosques (Paruelo *et al.*, 2005). La fragmentación y la desaparición de parches por conversión afecta fundamentalmente la riqueza biótica y la oferta de servicios y bienes ambientales imperfectamente conocidos.

Vegetación de reemplazo: domina el cultivo de soja y algodón; lo acompaña la caña de azúcar, el trigo, el girasol, el citrus, las frutas tropicales y las pasturas perennes; el poroto y el garbanzo están en declinación.

Nuevos actores: contratista, terrateniente empresario, productores de otras regiones (pampeanos), nuevo empresario arrendatario, promotor de inversión de corto plazo o "*pool* de siembra" y una gran empresa agrícola verticalmente integrada (Piñeiro y Villareal, 2005). En este marco, se presiona sobre las pequeñas y las medianas producciones; tiende a desaparecer la agricultura de base familiar.

Conclusiones

El Gran Chaco, con más de 1.000.000 de km^2, es un fenomenal repositorio de biodiversidad en sentido amplio: incluye desde la riqueza de conocimiento de etnias sobrevivientes hasta la biodiversidad variable espacialmente, a lo largo de dos gradientes: uno de pluviometría decreciente este-oeste y otro de transición termoclimática tropical, subtropical y templada norte-sur.

La ecorregión ha sufrido en su desarrollo histórico reemplazos y extinciones locales y regionales de poblaciones, especies, comunidades, ecosistemas, culturas aborígenes y criollas, y modalidades de producción agrícola que no son totales ni definitivas. Siempre aparecen hallazgos de refugios en los cuatro países que tienen fragmentos de paisajes de la ecorregión.

Desde el punto de vista de los reemplazos ecosistémicos, la etapa de "fronterizos y meleros" inauguró y la de "puestos ganaderos" consolidó el cambio de estado sucesional más importante: la arbustificación de pastizales, que es un rediseño del paisaje que incorporó nuevos elementos y eliminó otros. Se inició la primera desaparición subregional de una comunidad, el simbolar de *Pennisetum frutescens*.

Las etapas de "durmiente y poste" y "taninera" presionaron los bosques de maderas duras (lo que cambió las pirámides de edades de las especies demandadas), pero se han comportado como ecosistemas de alta resiliencia a la explotación selectiva y los "rehaches".

En estos períodos, el Chaco Semiárido ha presentado la formación de peladares y la cancelación de incendios por falta de combustible del suelo, mientras que en el Chaco Oriental el pulso sigue usándose hasta hoy como herramienta de manejo en el campo natural.

En la "etapa petrolera" se diseñaron corredores de uso múltiple y se contribuyó a la expansión de la cosecha ecosistémica en áreas vírgenes. La "colonia algodonera" fue un lento proceso de creación de pequeñas celdas de paisaje de 10 a 20 ha.

La "agriculturización" fue una etapa corta (1975-1995) con cambios tecnológicos, de tamaño de unidad productiva y de diseño del paisaje rural, que preanunciaron la llegada de la "sojización" y la "ganaderización" del monte donde la soja no entra.

La "pampeanización", es decir, la imposición del modelo industrial agrícola pampeano en la ecorregión, es el último proceso y, quizás, uno de los más intensivos en cuanto a transformaciones del paisaje rural. Esta última etapa del Chaco convierte ecosistemas cuyos servicios ambientales y riqueza de bienes potenciales se conocen precariamente, inaugura interacciones entre el parche cultivado y la matriz de bosques que se ignoran y exacerba conflictos sociales de desarrollo difícilmente predecibles, pero transgresivos a lo rural, lo periurbano, lo urbano y lo metropolitano.

SITUACIÓN SOCIO-ECONÓMICA DEL CHACO ARGENTINO

Por: Gustavo Soto

Docente, investigador y extensionista del Departamento de Desarrollo Rural de la Facultad de Ciencias Agropecuarias de la Universidad Nacional de Córdoba e integrante de la Red Agroforestal Chaco Argentina. gsoto@agro.uncor.edu

La expansión de la frontera agropecuaria

En los últimos veinte años, el Chaco argentino ha sufrido un importante proceso de reestructuración e innovación tecnológica, de fuerte expansión de la frontera agropecuaria, representado por la agricultura extensiva que desplazó, en gran medida, la actividad ganadera preponderante en la zona[1]. El rubro productivo más representativo de este proceso de expansión lo constituye el cultivo de soja transgénica, vinculada con el paquete tecnológico de la siembra directa. En las Figuras 1 y 2 se observa la gran expansión que ha experimentado este cultivo, proceso conocido como "sojización del país". En efecto, en los últimos veinte años la producción se multiplicó por seis y pasó de casi 6.000.000 de t en 1985 a 38.000.000 de t en 2005.

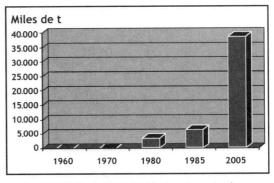

Figura 1. Evolución de la producción de soja en el país, expresada en miles de toneladas. Fuente: [en línea] <http://www.indec.gov.ar>.

Los impactos sociales

Este proceso de expansión de la agricultura extensiva, caracterizado por un uso masivo de insumos químicos y maquinaria potente y sofisticada, es altamente rentable, pero sólo para grandes superficies bajo un esquema de economía de escala. Esta elevada rentabilidad del agro argentino ha significado en los últimos años la entrada de grandes capitales para la agricultura, tanto nacionales como internacionales[2] (estos últimos atraídos por los comparativamente bajos precios internacionales de la tierra agrícola nacional). El resultado de este proceso es la pérdida de uni-

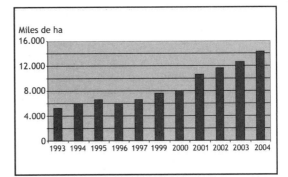

Figura 2. Evolución de la superficie sembrada de soja en el país, expresada en miles de hectáreas. Fuente: [en línea] <http://www.indec.gov.ar>.

dades de producción y, paralelamente a ello, el aumento en el tamaño medio de los predios, como puede observarse en la Tabla 1, que compara datos de los dos últimos censos nacionales agropecuarios. Más del 20% de los productores agropecuarios nacionales se ha retirado de la producción porque ha vendido su tierra o porque la ha arrendado a grandes empresarios agrícolas.

	Censo nacional agropecuario 1988		Censo nacional agropecuario 2002		Porcentaje de variación intercensal	
Total del país	Número de establecimientos	Superficie promedio	Número de establecimientos	Superficie promedio	Número de establecimientos	Superficie promedio
	421.221	421,2 ha	332.057	518,3 ha	-21,2	23,1 ha

Tabla 1. Evolución en el número de productores agropecuarios y la superficie promedio trabajada; análisis del período intercensal 1988-2002. Fuente: Lazzarini, A., *Avances en el Análisis del CNA 2002 y su comparación con el CNA 1988*, Buenos Aires, INTA, 2004.

Esta pérdida de unidades de producción estuvo acompañada por la expulsión de mano de obra de las unidades de producción debido a la mecanización de las tareas y a la gran reducción en su número, dado el uso de la mencionada técnica de siembra directa[3].

La resistencia al modelo

Esta situación descripta aquí rápidamente –aunque en forma generalizada– no es absoluta en todo el territorio chaqueño. Cientos, quizás miles, de familias chaqueñas están viviendo de la producción agropecuaria basada en otro enfoque: un tipo de producción más "amigable" con el entorno, que no degrada los recursos naturales ni da lugar a injusticias sociales. Este tipo de producción basada en principios agroecológicos[4] está siendo impulsada desde equipos técnicos de instituciones oficiales (ProHuerta, P.S.A.), así como también desde organismos no gubernamentales (Fundapaz, INCUPO, Red Agroforestal Chaco y varias otras) y está sentando las bases empíricas de lo que, tal vez en un futuro cercano, se convierta en un modelo de desarrollo alternativo, un modelo que no se agote en prácticas conservacionistas, sino que necesariamente deba ir acompañado de políticas públicas que produzcan cambios estructurales para que la mayoría de la población involucrada vea mejorada sustancialmente su calidad de vida que, en última instancia, debe ser el principal objetivo de un modelo de producción alternativo.

Palabras finales

En las últimas décadas, la agricultura argentina de productos de exportación ha crecido año tras año y ha traspasado con cada campaña el récord anterior. Las exportaciones de granos generaron enormes ganancias en todos los niveles, desde el empresario agrícola en adelante y no sólo en la esfera privada, sino también para las arcas del estado. Este "éxito" se logró a un alto costo, tanto ambiental como socio-económico. Decenas de miles de hectáreas en el país ya no son aptas para la actividad productiva debido a la generalización de procesos erosivos. La contaminación de napas freáticas es un problema corriente en amplias zonas rurales. La gran inundación de la ciudad de Santa Fe no ha sido un desastre de la naturaleza, sino que tuvo causas antrópicas. La deforestación del bosque chaqueño, por su parte, elimina el efecto "esponja" que disminuye, en gran medida, el flujo de escorrentía del agua de lluvia. Como se expresó en los párrafos anteriores, estas consecuencias ambientales están acompañadas de graves consecuencias socio-económicas, tales como la disminución de la renta familiar, los procesos de descapitalización creciente, la disminución en la calidad de vida de miles de familias, la descampesinización y el éxodo rural, lo que motiva que los cordones de miseria de las grandes ciudades del país estén integrados en buena parte por los "expulsados" del sector rural.

Esta síntesis es la más clara evidencia del agotamiento de una forma de producción de alimentos (modelo de la agricultura moderna) y, por ende, de la necesidad de búsqueda e implementación de una forma alternativa de producción.

Notas

[1] *Esto no significa que la ganadería bovina extensiva haya desaparecido, sino que la agricultura extensiva productora de* commodities *desplazó la ganadería a otras zonas no aptas para este tipo de agricultura. Este "corrimiento" produce, a su vez, que la ganadería bovina desplace otros tipos de producción directamente vinculadas a la pequeña producción, tales como la ganadería caprina y ovina y los rubros agrícolas destinados tanto al autoconsumo como al mercado. La ganadería bovina extensiva estrictamente sobre base pastoril también produce un fuerte impacto sobre el ambiente, ya que colabora con la deforestación y la disminución de la biodiversidad y, asimismo, impacta negativamente sobre la población, debido a que es expulsora de mano de obra y desplaza de sus lugares tradicionales a la pequeña producción campesina.*

[2] *Así lo expresa un artículo de un importante medio periodístico nacional: "Se trata del desembarco de nuevos compradores de tierras, beneficiados por los irrisorios costos de riquísimas parcelas (...) la familia Benetton (...) [tiene] la mayor propiedad de tierras en el sur argentino. En 1997 con la adquisición de la estancia Lai-Aike en Santa Cruz, los Benetton desplazaron del primer lugar en el* ranking *al financista húngaro George Soros, poseedor de otras 400.000 ha, incluido el Hotel Llao-Llao", extraído de "Hambre en el país de la Tierra",* Le monde diplomatique, *Buenos Aires, agosto de 2004.*
"El distrito chaqueño no es ajeno a este proceso: el señor Eurnekian en el norte de la provincia de Chaco adquirió 35.000 ha de las cuales desmontó 20.000 ha para hacer algodón con riego. Macri adquirió 2.000 ha en Salta y la empresa Liag adquirió 40.000 ha en Formosa a la altura de Laguna Yema, que desmontó en gran parte para hacer agricultura con riego. En la provincia de Salta, el mismo empresario adquirió hace ya más años, cerca de Joaquín V. González, más de 40.000 ha que ha desmontado y las dedica a la agricultura extensiva con riego. El Consorcio La Jungla S.A., Salónica, Los Mimbres, ha adquirido 160.000 ha en Santiago del Estero y las ha desmontado para dedicarlas a la soja y el algodón. En Santa Fe –noroeste; Dpto. 9 de julio–, Los Guasuchos es un campo de 20.000 ha que habían comenzado a desmontar; este desmonte fue parado cuando llevaban 4.000 ha para dedicarlo a la soja" (comunicación personal de Guillermo Stahringer, Secretario General de la Red Agroforestal Chaco).

³En la actualidad, un productor agrícola de 200 ha cultivadas bajo el esquema de siembra directa trabaja sólo veinte jornales de 8 horas al año.
⁴Ver Sarandón, S., Agroecología: un camino hacia la agricultura sustentable, La Plata, Ediciones Científicas Americanas, 2002.

LA EVALUACIÓN ECORREGIONAL DEL GRAN CHACO AMERICANO. IDENTIFICACIÓN DE LAS ÁREAS MÁS IMPORTANTES PARA LA CONSERVACIÓN[1]

Por: Pablo Herrera y Ulises Martinez Ortiz
Programa Chaco, Fundación Vida Silvestre Argentina (FVSA). granchaco@vidasilvestre.org.ar
[1]Los resultados completos de la Evaluación Ecorregional del Gran Chaco Americano pueden obtenerse en <http://www.tnc.org.br/chaco/chaco.html>.

Muchos expertos indican que la diversidad biológica de la Ecorregión del Gran Chaco se encuentra entre las más amenazadas de la Argentina. En efecto, el análisis realizado en la versión anterior de esta obra (Bertonatti y Corcuera, 2000) situó esta región en el **número uno** de la lista de las ecorregiones argentinas, según su importancia de conservación.

Ocurre que, desde hace más de un siglo, este vasto y rico territorio se ha visto sometido a la degradación y la pérdida sostenida de su patrimonio natural, a causa del uso extractivo y no planificado de sus recursos naturales. A modo de ejemplo, cabe mencionar que el Chaco argentino es el principal escenario de la actual expansión de la frontera agropecuaria, que avanza sobre sus ambientes naturales. Pero éste no es el único reto en relación con la conservación de los recursos naturales del Chaco argentino. La utilización de los recursos naturales sin la aplicación de medidas básicas de manejo que garanticen la protección de los procesos ecológicos (de los cuales dependen el hombre y sus actividades productivas) genera una presión que lleva al progresivo empobrecimiento de los ambientes, y que termina por agotarlos. De esta forma, abundan los desafíos para quienes están interesados en que el impostergable desarrollo socio-económico de esta castigada parte del país se dé en armonía con el cuidado de su patrimonio natural.

Una de las barreras que ha dificultado la ejecución de acciones tendientes a alcanzar un desarrollo tanto económico como social y ambientalmente sostenible consiste en el hecho de que nunca se había intentado integrar todo el espectro de diversidad biológica, cultural y de necesidades e intereses sectoriales de la región en una visión común y a largo plazo. La falta de esta estrategia llevó a que las escasas acciones de conservación que se han desarrollado en la región resulten desarticuladas y, por eso, vulnerables.

Mediante la aproximación ecorregional, la FVSA ha intentado aportar a la solución de estas falencias a través del Proyecto de Evaluación Ecorregional del Gran Chaco Americano, del que participó junto a The Nature Conservancy (que impulsó la iniciativa) y otras dos ONG de Bolivia y Paraguay (Wildlife Conservation Society y Fundación DeSdel Chaco, respectivamente).

Una evaluación ecorregional es una herramienta de planificación que provee información útil para orientar geográficamente las acciones de los diferentes actores que intervienen en una ecorregión, de forma tal que la diversidad de especies, comunidades y ecosistemas presentes en la misma se mantengan viables y, en consecuencia, que los bienes y servicios que éstos brinden al hombre sean mantenidos a largo plazo.

El producto final de una evaluación ecorregional consiste en un conjunto de mapas asociado a una base de datos que sistematiza toda la información disponible sobre la diversidad biológica de la ecorregión. En estos documentos se indica qué elementos requieren una atención prioritaria y a qué sitios se deben dirigir las acciones de conservación. Además, este diagnóstico incorpora un documento que refleja el consenso alcanzado, en un espacio de diálogo amplio y multisectorial, en lo referente a las estrategias más apropiadas para atender los desafíos de conservación que se presentan en el área analizada.

Para obtener este producto, más de un centenar de los más reconocidos científicos de la región participaron del análisis y la selección de las áreas más valiosas para la biodiversidad. El primer resultado de este trabajo es un Mapa de Sistemas Ecológicos Terrestres del Gran Chaco Americano, el primero de este tipo elaborado para toda la ecorregión. Este mapa fue desarrollado por una veintena de destacados científicos de la Argentina, Bolivia y Paraguay, y se constituyó en un insumo clave para la tarea de identificación de las áreas más importantes para la conservación de la biodiversidad.

Posteriormente, los equipos técnicos del proyecto recopilaron la mejor información disponible en lo referente a la biodiversidad del Gran Chaco. Sobre la base de esta información se seleccionaron "objetos de conservación", es decir, los ecosistemas, las comunidades y las especies sobre los que es necesario actuar para garantizar la supervivencia de toda la diversidad biológica del Chaco.

Esta primera etapa del proceso culminó en un conjunto de talleres donde se reunieron más de una centena de los más reconocidos especialistas del Gran Chaco, quienes produjeron los mapas de áreas significativas para la biodiversidad para diferentes grupos taxonómicos (aves, mamíferos, anfibios, reptiles, plantas, ecosistemas terrestres y ecosistemas acuáticos).

Las áreas seleccionadas por los seis equipos técnicos fueron integradas, posteriormente, en un mapa final (ver Figura 1) denominado "Red de áreas prioritarias para la conservación". Esta red de áreas es una herramienta fundamental para la planificación regional y la definición de prioridades en materia de conservación. Dicho mapa selecciona las áreas más importantes para la conservación, considera criterios de superposición entre los distintos mapas de áreas significativas para la biodiversidad y la viabilidad de cada objeto representado en ellos, y apunta a abarcar todo el espectro de biodiversidad de la ecorregión. Esta selección de áreas también consideró la localización de los impactos humanos y las metas establecidas para asegurar la viabilidad a largo plazo de cada objeto de conservación (por ejemplo, el tamaño poblacional o la superficie mínima, la cantidad mínima de poblaciones, etc.).

La participación de todos los sectores con injerencia en el uso, la administración y la conservación de los recursos naturales del Gran Chaco resulta clave para garantizar la apropiación a nivel local de los resultados de este proceso. Por eso, el Proyecto de Evaluación Ecorregional del Gran Chaco Americano intentó incorporar las distintas demandas y expectativas existentes, a fin de equilibrar los intereses de los diferentes sectores con la responsabilidad de cada uno sobre el uso y la conservación del territorio. Para esto, en paralelo al trabajo descrito anteriormente, y a través de un proceso participativo en el cual intervinieron más de doscientos representantes de los más diversos intereses sectoriales de la sociedad chaqueña (desde gobiernos hasta asociaciones de productores, comunidades aborígenes, el sector industrial, grupos religiosos, etc.), se realizó un análisis de conflictos ambientales, acompañados de su jerarquización en función de su alcance, severidad, irreversibilidad y urgencia, y se defi-

nieron las estrategias más viables para compatibilizar la conservación de los recursos naturales con los modelos de desarrollo económico-productivos vigentes. Si bien este análisis también se realizó a nivel "trinacional", cabe mencionar aquí los principales desafíos identificados para el Gran Chaco argentino. Estos son: 1) el avance de la frontera agrícola, 2) la explotación forestal comercial, 3) las represas hidroeléctricas, 4) la expansión de la frontera ganadera, 5) el fuego en el Chaco Seco, 6) la caza y la captura comercial, 7) las urbanizaciones, 8) la ganadería en vegetación natural, 9) las invasiones biológicas y 10) las canalizaciones, los drenajes y las pequeñas represas.

Figura 1. Red de áreas prioritarias para la conservación de la biodiversidad. Evaluación Ecorregional del Gran Chaco Americano (TNC, et al., 2005).

Las estrategias propuestas para hacer frente a los desafíos que se plantean en la arena chaqueña incluyeron un amplio abanico de posibilidades, de acuerdo con las características ecológicas y socio-económicas de cada una de las áreas y con el tipo de presión a la cual están expuestas. Algunas de ellas son: 1) el desarrollo de planes de ordenamiento territorial y manejo integrado de cuencas hidrográficas, 2) el incentivo de alternativas de manejo y uso sustentable de los recursos naturales, 3) el estímulo de mejores prácticas agrícolas y ganaderas para garantizar su sustentabilidad, 4) la capacitación para el perfeccionamiento de las prácticas de manejo del fuego, 5) el diseño y la implementación de corredores biológicos de áreas protegidas, etc. Es interesante reflexionar sobre un factor común que caracteriza todas estas estrategias: las mismas no apuntan a suprimir las actividades desarrolladas por el hombre, sino a ordenarlas y perfeccionarlas en el marco de una planificación que permita, por un lado, minimizar los impactos negativos sobre el ambiente y, en paralelo, maximizar los beneficios obtenidos por el hombre. Todas apuntan a apoyar la conservación de las especies y los procesos ecológicos, y reconocen y responden, al mismo tiempo, a las necesidades y aspiraciones de la gente.

A modo de conclusión, es posible considerar que este proceso de construcción participativa y los altos estándares científicos que siguió el Proyecto de Evaluación Ecorregional del Gran Chaco Americano convirtieron sus resultados en un insumo de gran valor (necesario, pero no suficiente) para la planificación del uso de la tierra y el ordenamiento territorial. Es imprescindible que todos se involucren en la conservación y el manejo responsable de los recursos naturales del Gran Chaco. La diversidad de opiniones y de demandas de los diferentes sectores es tan importante como la diversidad biológica que se quiere conservar. La Evaluación Ecorregional del Gran Chaco Americano pone a disposición de todos un conjunto de instrumentos y estándares comunes de información, análisis espacial, mapas, conocimientos científicos sistematizados y propuestas de acción sobre los principales temas a abordar para alcanzar un adecuado manejo del ambiente y para afrontar los desafíos que plantean los actuales modelos de desarrollo en el conjunto de la región chaqueña. Sin embargo, los resultados de este trabajo son dinámicos y adaptables. Pueden revisarse y mejorarse periódicamente, y cada institución puede utilizar estos productos para adecuarlos a sus objetivos. Las instituciones que han participado en el desarrollo de este proyecto anhelan que quienquiera que forme parte de un organismo de gobierno, una ONG, una comunidad local, una empresa con actividades en el Gran Chaco, etc., encuentre en este trabajo una guía para orientar y potenciar sus actividades, de modo que sean cada vez más compatibles y armónicas con las leyes de la naturaleza y con las metas del desarrollo sustentable.

Bibliografía

• Adámoli, J., E. Sennhauser, J. Acero y A. Rescia, "Stress and disturbance: vegetation dinamics in the dry Chaco region of Argentina", *Journal of Biogeography*, 1990, 17, pp. 491-500.

• Adámoli, J., R. Ginzburg y S. Torrella, *Expansión de la frontera agrícola en la región chaqueña: diagnóstico y respuesta para la sustentabilidad ambiental. Plan Fénix*, inédito, 2004.

• Adámoli, J., R. Neumann, Rattier de Colina y J. Morello, "El Chaco aluvional salteño", *Revista de Investigación Agropecuaria*, Serie 3, tomo IX, 1972, pp. 165-237.

• Adámoli, J., S. Torrella y P. Herrera, "La expansión de la frontera agrícola y la conservación de la biodiversidad en el Chaco argentino", en: Castroviejo, J. (ed.), *Por la Biodiversidad en Latinoamérica*, Fundación Amigos de Doñana y Fundación Félix de Azara.

• Álvarez, C., "Métodos de labranza", *Ciencia Hoy*, Vol. 15, N°87, 2005, p. 18.

• Arenas, P., *Etnografía y alimentación entre los toba-Nachilamolettek y Wichi- lhuku´tas del Chaco Central (Argentina)*, Buenos Aires, ed. del autor, 2003, 562 pp.

• Barquez, R., "Viajes de Emilio Budín: la expedición al Chaco, 1906-1907", *Mastozoología Neotropical, Publicaciones especiales*, Soc. Arg. para el estudio de los Mamíferos, N°1, Buenos Aires, 1997, 82 pp.

• Barrett, W., *Antecedentes y situación actual del cultivo de quebracho colorado*, Buenos Aires, UNITAN, 1997, pp. 1-22.

• Bertonatti, C. y J. Corcuera, *Situación Ambiental Argentina 2000*, Buenos Aires, Fundación Vida Silvestre Argentina, 2000.

• Besil, A., E. Alfonso y L. Bonilla, "La economía del Chaco en la década de los 90", *Indicadores Económicos*, Resistencia, UNNE, [versión electrónica] 2001.

• Bilbao, S., "Poblamiento y actividad humana en el extremo norte del Chaco santiagueño", *Cuadernos del Instituto Nacional de Antropología*, N°5, 1967, pp. 143-162.

• Bolsi, A., "Apuntes para la geografía del nordeste argentino", *Cuadernos de Geohistoria Regional*, N°11, 1985, pp. 5-81.

• Branford, S., "Argentina´s bitter harvest", *New Scientist*, N°2.443, 17 abril de 2004.

• Bücher, E., "Chaco and Caatinga-South American arid savannas, woodlands and thickets", en: Huntley, J., B. Walker (eds.), *Ecology of tropical savannas*, Berlin, Springer Verlag, 1982, pp. 48-79.

• Bünstorf, J., "El papel de la industria taninera y de la economía agropecuaria en la ocupación del espacio chaqueño", *Separata de Folia Histórica del Nordeste*, Resistencia, 1982, 5, 69 pp.

• Caziani, S., C. Trucco, P. Perovic, A. Tálamo, E. Derlindati, J. Adámoli, F. Lobo, M. Fabrezi, M. Srur, V. Quiroga y M. Martinez Oliver, "Línea de base y programa de monitoreo de biodiversidad del Parque Nacional Copo - Informe Final", Universidad Nacional de Salta, 2003.

• Chebez, J. C., *Los que se van, especies argentinas en peligro*, Buenos Aires, Albatros, 1994.

• Cordini, R., "Los ríos Pilcomayo en la región del Patiño", *Anales*, Dirección Nacional de Minería, Vol. 1, N°22, 1947.

• De la Cruz, L. M., "¿Qué pasó con los pastizales que vio Astrada? Productividad y degradación ambiental en la región del Pilcomayo medio", Maestría de Gestión Ambiental, Facultad de Arquitectura, UNNE, inédita, Resistencia, 1998, 40 pp.

• Demaio, P., U. Karlin y M. Medina, *Árboles nativos del centro de Argentina*, Buenos Aires, Literatura of Latin America, 2002.

• Erize, F., M. Canevari, P. Canevari, G. Costa y M. Rumboll, *Los parques nacionales de la argentina y otras de sus áreas naturales*, Madrid, INCAFO - El Ateneo, segunda edición, 1993.

• Goin, J. C., UNITAN, información personal, 2005.

• Grau, R., N. Gasparini y M. Aide, "Cambios ambientales y responsabilidad de los científicos", *Ciencia Hoy*, Vol. 15, N°87, Buenos Aires, 2005, pp. 15-16.

• Grobocopatel, G., "La visión de los productores", *Ciencia Hoy*, Vol. 15, N°87, Buenos Aires, 2005, pp. 8-9.

• Herrera, P., J. Adámoli, P. Torrella y R. Ginzburg, "Riacho Mbiguá en el contexto del modelado fluvial de la región chaqueña", en: Di Giacomo, A. y S. Krapovickas (eds.), *Historia Natural y paisaje de la Reserva El Bagual; Pcia. de Formosa, Argentina*, Temas de la Naturaleza y Conservación, N°4, Aves Argentinas, Buenos Aires, 2005, pp. 227-239 y 592 pp.

• Herrera, P., P. Torrella y J. Adámoli, "Los incendios forestales como modeladores del paisaje en la región chaqueña", en: Kunst, C., S. Bravo, L. Panigatti (eds.), *Fuego en los ecosistemas argentinos*, Santiago del Estero, INTA, 2003, 332 pp.

• Kunst, C. y S. Bravo, "Ecología y régimen de fuego en la región chaqueña argentina", en: Kunst, C., S. Bravo, J. Panigatti (eds.), *Fuego en los ecosistemas argentinos*, Santiago del Estero, INTA, 2003, 332 pp.

• Maranta, A., "Los recursos vegetales alimenticios de la etnia mataco en el Chaco Centro Occidente", *Parodiana*, 1987, pp. 161-267.

• Matteucci, S. D., "El análisis regional desde la ecología", en: Matteucci, S. D., G. Buzai (comp.), *Sistemas Ambientales Complejos*, Buenos Aires, EUDEBA, Colección CEA, 21, 1998.

• Matteucci, S.D., "La visión de un ecólogo", *Contextos*, N°12, ADU-UBA, Buenos Aires, 2003, pp. 70-73.

• Morello, J. y C. Saravia Toledo, "El bosque chaqueño. I Paisaje primitivo, paisaje natural y paisaje cultural en el oriente de Salta", *Revista agronómica del noroeste argentino*, Vol. III, N°1-2, 1959.

• Morello, J. y C. Saravia Toledo, "El bosque chaqueño. II La ganadería y el bosque en el oriente de Salta", *Revista agronómica del noroeste argentino*, Vol. III, N°1-2, 1959.

• Morello, J. y J. Adámoli, "Las grandes unidades de vegetación y ambiente del Chaco Argentino", *Vegetación y ambiente de la provincia del Chaco*, INTA, Serie Fitogeográfica, N°13, 1974, 131 pp.

• Morello, J., *Modelo de relaciones entre pastizales y leñosas colonizadoras en el Chaco argentino*, IDIA 276, 1970.

• Paruelo, J., J. Guerscham y Verón, "Expansión agrícola y cambios en el uso del suelo", *Ciencia Hoy*, Vol. 15, N°87, pp. 1-7.

• Pengue, W. A., *Agricultura Industrial y Transnacionalización en América Latina*, México DF, UACM-PNUMA, Red de Formación Ambiental, Serie Textos Básicos para la Formación Ambiental, N°9, 2005, 220 pp.

• Pengue, W. A., "Environmental and socioeconomic impacts of transgenic crops in Argentina and South America. An ecological economics approach", en: Breckling, B. y R. Verhoeven (eds.), *Risk Hazard Damage. Federal Agency for Nature Conservation*, Bonn, 2004.

• Piñeiro, M. y F. Villareal, "Modernización agrícola y nuevos actores sociales", *Ciencia Hoy*, Vol. 15, N°87, Buenos Aires, 2005, pp. 32-36.

• Red Agroforestal Chaco, "Estudio integral de la región del parque chaqueño", Ministerio de Desarrollo Social y Medio Ambiente.

• Saravia Toledo, C., "Restoration of degraded pastures in the semiarid Chaco region in Argentina", *Proceedings International Symposium on Ecosystem Redevelopment: Ecological, Economic and Social Aspects*, Budapest, Unesco, 1987, pp. 25-37.

• Terán, B., "Presencia de camélidos en la región chaqueña de acuerdo al testimonio aborigen", en: Bertonatti, C. y J. Corcuera (eds.), *Situación ambiental argentina 2000*, Buenos Aires, Fundación Vida Silvestre Argentina, 2000.

• The Nature Conservancy, Fundación Vida Silvestre Argentina, Fundación para el Desarrollo Sustentable del Chaco y Wildlife Conservation Society Bolivia, *Evaluación Ecorregional del Gran Chaco Americano/Gran Chaco Americano Ecorregional Assessment*, Buenos Aires, Fundación Vida Silvestre Argentina, 2005 [en línea]. <http://www.tnc.org.br/chaco/chaco.html.

• Zak, M. y M. Cabido, "Deforestación y avance de la frontera agropecuaria en el norte de Córdoba", *Ciencia Hoy*, Vol. 15, N°87, Buenos Aires, 2005, 20 pp.

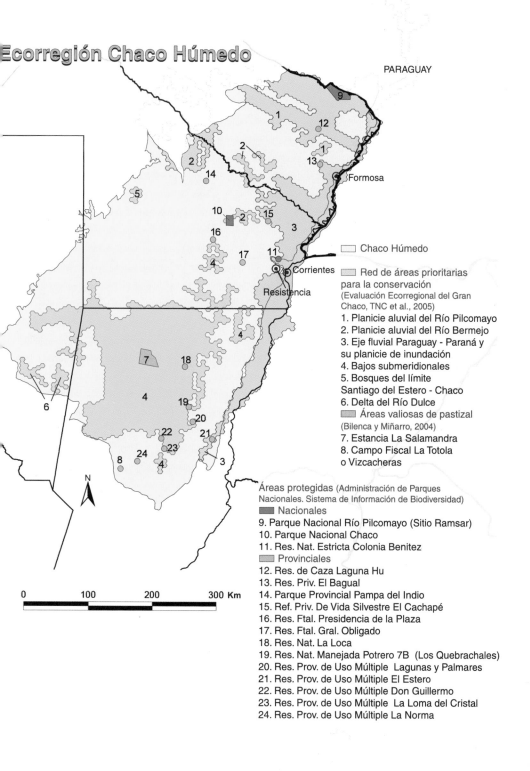

Ecorregión Chaco Húmedo

PARAGUAY

Formosa

Corrientes

Resistencia

☐ Chaco Húmedo

▨ Red de áreas prioritarias para la conservación
(Evaluación Ecorregional del Gran Chaco, TNC et al., 2005)
1. Planicie aluvial del Río Pilcomayo
2. Planicie aluvial del Río Bermejo
3. Eje fluvial Paraguay - Paraná y su planicie de inundación
4. Bajos submeridionales
5. Bosques del límite Santiago del Estero - Chaco
6. Delta del Río Dulce
▨ Áreas valiosas de pastizal
(Bilenca y Miñarro, 2004)
7. Estancia La Salamandra
8. Campo Fiscal La Totola o Vizcacheras

Áreas protegidas (Administración de Parques Nacionales. Sistema de Información de Biodiversidad)
▨ Nacionales
9. Parque Nacional Río Pilcomayo (Sitio Ramsar)
10. Parque Nacional Chaco
11. Res. Nat. Estricta Colonia Benitez
▨ Provinciales
12. Res. de Caza Laguna Hu
13. Res. Priv. El Bagual
14. Parque Provincial Pampa del Indio
15. Ref. Priv. De Vida Silvestre El Cachapé
16. Res. Ftal. Presidencia de la Plaza
17. Res. Ftal. Gral. Obligado
18. Res. Nat. La Loca
19. Res. Nat. Manejada Potrero 7B (Los Quebrachales)
20. Res. Prov. de Uso Múltiple Lagunas y Palmares
21. Res. Prov. de Uso Múltiple El Estero
22. Res. Prov. de Uso Múltiple Don Guillermo
23. Res. Prov. de Uso Múltiple La Loma del Cristal
24. Res. Prov. de Uso Múltiple La Norma

N

0   100   200   300 Km

SITUACIÓN AMBIENTAL EN EL CHACO HÚMEDO

Por: Rubén Ginzburg[I] y Jorge Adámoli[II]

[I]*Laboratorio de Ecología Regional, Departamento de Ecología, Genética y Evolución, Facultad de Ciencias Exactas y Naturales (FCEN), Universidad de Buenos Aires (UBA).*
[II]*Profesor Asociado de Ecología Regional, FCEN, UBA. Investigador Independiente del Consejo Nacional de Investigaciones Científicas y Técnicas (CONICET). jorge@ege.fcen.uba.ar*

Chaco o "*chacu*", voz quechua;
dar caza en conjunto a los animales.

El medio físico

El Chaco Oriental o Húmedo es una extensa región que abarca más de 12.000.000 de ha (120.000 km²) en este país (la superficie varía según los autores, de modo que llega a abarcar desde 170.000 hasta 200.000 km²). Ocupa aproximadamente la mitad este de las provincias de Chaco y Formosa, y parte del norte de Santa Fe.

Se trata de una llanura extremadamente plana, con pendientes muy suaves en sentido oeste-este del orden de 20 a 40 cm/km. Geomorfológicamente es un bloque hundido, rellenado con sedimentos de los ríos Pilcomayo, Bermejo y Juramento. La baja pendiente de toda la región chaqueña y la torrencialidad estacional de los ríos favorecen los procesos fluviomorfológicos, y genera una topografía local irregular, con albardones elevados con respecto a los alrededores anegables.

El clima es templado húmedo, con una temperatura media anual de 22°C y temperaturas absolutas que pueden alcanzar máximas superiores a 40°C y mínimas bajo cero. Las precipitaciones siguen un marcado gradiente longitudinal, con registros máximos en el este, superiores a 1.300 mm (con valores de hasta 2.200 mm), que decaen en el oeste a 750 mm. El período de lluvias se corresponde con la estación cálida, y se concentra durante los meses de octubre a abril. El mínimo de precipitaciones se registra durante la estación invernal, entre los meses de junio a agosto, en los que se presentan sequías y algunas heladas.

En algunos años, coincidentes con el fenómeno de El Niño, se producen intensas precipitaciones que provocan inundaciones extraordinarias en gran parte del territorio. También, pero con menor frecuencia, existen años en los que se acentúa y prolonga la sequía invernal, lo que favorece la ocurrencia de incendios, naturales y provocados, de pastizales y sabanas.

Los principales ríos que bajan de la cordillera y vuelcan sus aguas en el Chaco son el Pilcomayo, el Bermejo, el Juramento-Salado y el Tafí-Dulce. Estos ríos alóctonos (formados fuera de la región) ingresan al Chaco con caudales importantes durante todo el año y un alto contenido de sedimentos, y atraviesan la planicie chaqueña, donde experimentan una marcada inestabilidad de sus cauces. Los sucesivos cambios de curso, resultado de procesos de colmatación o de taponamiento, dan lugar a la formación de amplios abanicos aluviales. Por el contrario, los ríos autóctonos (formados dentro de la región con aguas que provienen de lluvias locales), que se manifiestan claramente en el Chaco Húmedo, son espacialmente muy estables, con cuencas de pequeñas dimensiones, bajos caudales y muy baja carga sedimentaria, por lo que no presentan condiciones para la migración de sus cauces.

El escurrimiento superficial del agua en el Chaco Húmedo se produce de una manera distributiva en el norte y otra concentradora en el sur (Herrera *et al.*, 2005). El modelo distributivo del norte corresponde a la subregión denominada "Chaco de esteros, cañadas y selvas de ribera" (Morello y Adámoli, 1968), en la que coexisten las geoformas originadas por los ríos autóctonos con las de los ríos alóctonos. Los brazos del abanico aluvial del río Bermejo generan un alineamiento de las formas del relieve de dirección oestenoroeste-estesudeste, por el cual las áreas más deprimidas e inundables (esteros, bañados y riachos de origen autóctono) quedan contenidas lateralmente por los albardones de los distintos ríos (de origen alóctono). Este impedimento favorece que los cuerpos de agua formados por las lluvias locales escurran sus aguas, en parte canalizadas en los ríos y los riachos, y en parte en forma laminar a través de las cañadas y los esteros, hasta alcanzar el río Paraguay por diversos puntos.

El modelo concentrador del sur corresponde a los Bajos Submeridionales, una inmensa depresión inundable en la que no se manifiesta el modelado fluvial del sistema alóctono, dado que el río Salado, único río que ingresa a esta subregión, lo hace con un caudal ínfimo, sin la posibilidad de ejercer algún tipo de modelado. El pobre drenaje de los suelos junto con el lento y desorganizado escurrimiento superficial del agua hacen que gran parte de la subregión se anegue por varios meses en época de lluvias. La presencia de la Dorsal Oriental de Santa Fe provoca que las aguas confluyan formando un gigantesco embudo que las dirige hacia el sur y se vierten en el río Salado, que gradualmente aumenta de volumen hasta desembocar en el río Paraná con un importante caudal de claro origen autóctono.

Los humedales, elementos dominantes del paisaje

El complejo régimen hidrológico, junto con las características geomorfológicas, climáticas y –asociadas a ellas– edafológicas de la región, determinó la existencia de un gran número y diversidad de humedales. Estos humedales están ampliamente distribuidos por toda la región chaqueña, y cubren más del 80% del territorio del Chaco Oriental (con una superficie superior a las 9.750.000 ha), pero también con amplia representación en el Chaco Seco.

Los humedales son ecosistemas que presentan propiedades únicas que los diferencian de los ambientes terrestres y acuáticos. Dependen de un proceso recurrente de inundación o de saturación del sustrato, lo que determina la presencia de suelos con rasgos hidromórficos y de especies adaptadas a condiciones de anegamiento permanente o temporario. En otras palabras, lo que caracteriza a un humedal es la influencia del agua, a través de su patrón estacional o régimen hidrológico, principal condicionante del ambiente, la vegetación y la fauna de estos ecosistemas.

Los humedales chaqueños presentan, en general, un ciclo anual de recarga hídrica durante la época lluviosa de octubre a abril, seguido por un período de estiaje que se extiende durante la estación seca de mayo a septiembre. Este régimen es variable en intensidad y duración, y está asociado a las variaciones pluviales o fluviales. Por ejemplo, las crecidas del río Paraguay pueden provocar inundaciones otoñales e invernales.

En el Chaco Húmedo los humedales son colindantes entre sí, pero claramente diferenciables por su organización espacial y sus atributos funcionales. En esta región, los humedales son claros ejemplos de macrosistemas o macrohumedales (Adámoli, 1999; Neiff, 2001; Ginzburg *et al.*, 2005). Un paradigma de macrohumedal es el ya citado "Chaco de esteros, cañadas y selvas de ribera", en el este de las provincias de Chaco y Formosa. En él, las unidades de paisaje tienen una clara orientación oestenoroeste-estesudeste, y es común que haya esteros o cañadas de 100 a 200 km de extensión y de unos 10 km de ancho, separados por albardones igualmente extensos, pero cuyos anchos son del orden de 1 km. Esta configuración tiene dos implicancias clave, ya que en lo funcional se establecen relaciones muy estrechas entre los elementos, y en lo cartográfico resulta imposible mapearlos por separado, salvo a niveles de mucho detalle.

En el Chaco Húmedo todos los humedales presentan un balance positivo de entrada/salida de agua durante la época de lluvias, es decir, la cantidad de agua que reciben es superior a la que pierden, lo que genera de esta manera, importantes excedentes de agua que fluyen en forma laminar o encauzada. Al discriminar cuál es el origen del ingreso de las aguas (pluvial o fluvial), se conforman dos grandes grupos (Ginzburg *et al.*, 2005):

1) Los humedales originados en ríos de importancia continental (con cuencas del orden de 1.000.000-2.000.000 de km^2), que corresponden a las planicies de inundación de los ríos Paraguay y Paraná; funcionan como sistemas de paso, con enormes volúmenes de agua desplazados, sin presentar grandes diferencias en cuanto a la organización del paisaje y las características de los humedales. Comprende los siguientes:
• Planicie de inundación del río Paraguay (225.000 ha).
• Planicie de inundación del río Paraná (1.400.000 ha).
2) Los humedales originados básicamente por lluvias locales, donde los aportes de los ríos alóctonos son secundarios (salvo en el caso del Estero Bellaco, en la provincia de Formosa, y de los Esteros de Pampa del Indio, en la provincia de Chaco, formados por desbordes del río Bermejo). Las altas precipitaciones y el predominio de suelos marcadamente arcillosos favorecen la formación de estos humedales. En esta categoría se incluyen:

- Bosques, cañadas y lagunas (2.800.000 ha).
- Esteros, cañadas y selvas de ribera (2.890.000 ha).
- Bajos Submeridionales (4.075.000 ha).
- Región del Iberá (3.795.000 ha).

El fuego

El fuego es un componente ecológico muy importante en el diseño de la vegetación del Chaco Húmedo, al ser un elemento regulador de la dinámica de sus ecosistemas de sabanas y pastizales. Se da una conjunción de diversos factores, tales como la alta productividad del estrato herbáceo, el predominio de pastizales y pajonales con especies fibrosas y un nivel de herbivoría insuficiente como para asimilar toda la producción de biomasa herbácea, lo que genera, a su vez, una acumulación de material combustible que posibilita que el fuego sea un factor clave en la relación herbáceas/leñosas, al restringir el reclutamiento de las leñosas y favorecer el desarrollo de las herbáceas.

Ya en tiempos prehispánicos las etnias chaqueñas usaban el fuego para desplazar y concentrar la caza, para comunicarse con humo y para guerrear. Los incendios, naturales o provocados, son una parte fundamental del diseño y el funcionamiento del paisaje chaqueño. La ecología de pastizales, como los de paja colorada o los de chajapé y espartillo, está profundamente ligada a incendios de origen antrópico desde tiempos precolombinos. Más recientemente, el fuego se utiliza como una herramienta de manejo en la producción ganadera, dado que poco tiempo después de la quema, al producirse el rebrote del estrato herbáceo, el valor nutritivo y la concentración de nitrógeno y de proteína bruta alcanzan sus niveles máximos. Se calcula que, anualmente, se queman entre 2.000.000 y 4.000.000 de ha de pastizales y sabanas en el Chaco Húmedo (Herrera *et al.*, 2003).

Vegetación

En el Chaco Oriental se da una estrecha vinculación entre las distintas formas del paisaje y la vegetación que se desarrolla en ellas. Las comunidades vegetales (Morello y Adámoli, 1967, 1968 y 1974) se encuentran condicionadas por el gradiente topográfico que ocupan, y éste está relacionado, a su vez, con el gradiente de inundación.

El **Monte Fuerte** o **Quebrachal** constituye la comunidad florística más importante. En este bosque predominan el quebracho colorado chaqueño (*Schinopsis balansae*), un árbol de gran porte que puede alcanzar los 20 m de altura y un tronco de 1 m de diámetro, y en menor cantidad, el quebracho blanco (*Aspidosperma quebracho-blanco*), de menor porte que el anterior. A ellos se les suman el guayacán (*Caesalpinia paraguariensis*), el algarrobo negro (*Prosopis nigra*), el algarrobo blanco (*Prosopis alba*), el mistol (*Ziziphus mistol*) y el chañar (*Geoffroea decorticans*), entre muchas otras especies. Se trata, en general, de un bosque semixerófilo con árboles caducifolios, que se encuentra en las posiciones altas e intermedias del terreno.

En tierras o campos altos, sobre suelos arenosos a húmedos pero casi nunca anegables, se desarrollan los **pastizales**. En ellos crecen numerosas especies herbáceas, entre las que predominan gramíneas como la paja colorada (*Andropogon lateralis*), la cola de zorro (*Schizachiryum spicatum*) y el espartillo dulce (*Elionurus muticus*). Estos campos altos y pajonales suelen sufrir incendios, luego de los cuales aparecen especies que florecen inmediatamente, como *Calea cymosa*, *Turnera grandifolia*, *Aspalia pascaloides*, etc.

En sectores topográficamente un poco más bajos y que en épocas de grandes lluvias se inundan parcialmente, se encuentran las sabanas y los palmares. En las **sabanas** la superficie está cubierta por un tapiz de especies herbáceas, con especies leñosas distanciadas entre sí, por lo que adquiere una fisonomía más bien abierta; entre las leñosas se encuentran el ñandubay o espinillo (*Prosopis affinis*), el urunday (*Astronium balansae*) y el palo piedra (*Diplokeleba floribunda*). Los **palmares** de palma blanca o caranday (*Copernicia alba*) crecen en parcelas casi puras, con un dosel abierto y un denso tapiz herbáceo en la superficie, en suelos alcalinos y salobres; esta palmera puede alcanzar una altura de 12 a 15 m y un tronco de 30 cm de diámetro.

Muchas veces, entre el Monte Fuerte y las sabanas y los palmares, existe una zona de transición donde se presenta un **bosque bajo abierto**, en el que coexisten árboles de menor porte, palmeras, caranday y arbustos.

En los albardones más desarrollados, pertenecientes a los ríos alóctonos, se extienden formando una estrecha franja las **selvas en galería** (también llamadas selvas marginales, selvas de ribera o bosques de albardón). Estos albardones tienen un alto relieve positivo y permiten la instalación de especies leñosas que no pueden prosperar en las áreas inundables. Entre los árboles de mayor porte (más de 16 m) predominan el timbó colorado (*Enterolobium contortisiliquum*), el lapacho rosado (*Tabebuia heptaphylla*), el guayaibí (*Patagonula americana*), el espina de corona (*Gleditsia amorphoides*), el laurel blanco (*Ocotea diospyrifolia*) y el ombú (*Phytolocca dioica*). A estos los acompañan el pindó (*Syagrus romanzoffiana*), el Francisco Álvarez (*Pisonia zapallo*), el urunday (*Astronium balansae*), el poroto guaycurú (*Capparis flexuosa*) y la azucena del monte (*Brunfelsia uniflora*). Abundan, además, numerosas trepadoras y epífitas.

Por otro lado, en los albardones mucho menos desarrollados (en alto y ancho) de los ríos autóctonos, se produce la instalación de los **bosques riparios de inundación**, unos delgados bosques en galería. Éstos poseen un reducido desarrollo lateral y una muy baja riqueza de especies, dado que cada lluvia de regular intensidad los deja parcialmente inundados durante períodos de dos a tres meses, y son pocas las especies que pueden tolerar estas condiciones críticas de asfixia radicular.

En los terrenos más bajos, de suelos arcillosos, se encuentran los ambientes acuáticos representados por los **esteros**, las **cañadas** y **las lagunas**. Mientras que en las zonas topográficamente más bajas se extienden los esteros, donde el suelo permanece cubierto de agua casi todo el año (entre nueve a once meses/año) e impide el desarrollo de árboles, en las cañadas o bañados el agua permanece por períodos menores (generalmente, menos de seis meses) y cubre el suelo de una forma más irregular con las grandes lluvias, para luego desaparecer con las sequías; los bañados suelen sufrir incendios estacionales. Entre las comunidades características de todos estos ambientes acuáticos se encuentran los pajonales, los pirizales, los peguajosales, los totorales y los camalotales, con una enorme variedad de especies acuáticas, tanto flotantes como arraigadas. En un gradiente creciente de inundación, desde los bañados hacia los esteros, se encuentran la paja amarilla (*Sorghastrum setosum*), la paja boba (*Paspalum intermedium*), la paja de techar (*Panicum prionitis*), el pirí (*Cyperus giganteus*), el junco (*Schoenoplectus californicus*) y el pehuajó (*Thalia geniculata*).

Para citar un ejemplo de la vasta biodiversidad que existe en la región, cabe mencionar que en la Reserva Biológica Estricta de Colonia Benítez (provincia de Chaco) existen alrededor de doscientos ochenta especies vegetales, número para nada despreciable si se considera que la reserva cuenta tan sólo con una superficie de 10 ha.

Fauna

La gran variedad de ambientes del Chaco Húmedo (bosques, esteros, bañados, sabanas, pastizales, lagos y ríos) hace que se presente en la región una notable cantidad y diversidad de fauna silvestre. Seguramente, la cantidad más grande de especies corresponde al grupo de los insectos, entre los cuales las hormigas se destacan por ser la principal biomasa de consumidores primarios en la región. Entre los vertebrados se encuentran más de cincuenta especies de peces, cuarenta de anfibios, cincuenta de reptiles, trescientas cincuenta de aves y setenta de mamíferos.

Dentro del grupo de los reptiles se encuentran, entre otras especies, el yacaré negro (*Caiman yacare*), el yacaré overo (*Caiman latirostris*), la iguana overa (*Tupinambis merianae*), la tortuga canaleta chaqueña (*Acanthochelys pallidipectoris*), la boa curiyú (*Eunectes notaeus*) y la yarará grande (*Bothrops alternatus*).

Entre la gran diversidad de aves, se pueden nombrar las siguientes: el tuyuyú (*Mycteria americana*), el jote cabeza amarilla (*Cathartes burrovianus*), el águila coronada (*Harpyhaliaetus coronatus*), el guaicurú (*Herpetotheres cachinnanas*), el aguilucho pampa (*Busarellus nigricollis*), la charata (*Ortalis canicollis*), el milano chico (*Gampsonyx swainsonii*), el ipacaá (*Aramides ypecaha*), el carpintero lomo blanco (*Campephilus leucopogon*), la urraca morada (*Cyanocorax cyanomelas*), el yetapa de collar (*Alectrurus risora*) y el boyero ala amarilla (*Cacicus chrysopterus*).

Entre los mamíferos, se pueden destacar la mulita grande (*Dasypus novemcinctus*), la comadreja overa (*Didelphis albiventris*), el oso hormiguero (*Myrmecophaga tridactyla*), el oso melero (*Tamandua tetradactyla*), el mono carayá o aullador (*Alouatta caraya*), el mirikiná o mono de noche (*Aotus azarai*), el aguará guazú (*Chrysocyon brachyurus*), el zorro de monte (*Cerdocyon thous*), el lobito de río (*Lontra longicaudis*), el coipo (*Myocastor coypus*), el carpincho (*Hydrochaeris hydrochaeris*), el tuco tuco chaqueño (*Ctenomys argentinus*), el murciélago gigante (*Chrotopterus auritus*), el vampiro común (*Desmodus rotundus*), el ciervo de los pantanos (*Blastocerus dichotomus*), la corzuela parda (*Mazama gouazoupira*), el ocelote (*Leopardus pardalis*), el gato montés (*Oncifelis geoffroyi*), el puma (*Puma concolor*), el coatí (*Nasua nasua*), el aguará-popé (*Procyon cancrivorous*), el tapir (*Tapirus terrestris*) y el pecarí de collar (*Pecari tajacu*).

Agricultura

El desarrollo agrícola del Chaco Húmedo se inició a fines del siglo XIX, y luego se profundizó en las primeras décadas del siglo XX. Si bien toda el área presenta buenas condiciones climáticas para la actividad agrícola, la gran abundancia de tierras inundables hizo que los núcleos agrícolas se establecieran sobre los pocos sitios de tierras altas. De esta forma, la Dorsal Oriental de Santa Fe (Reconquista) y sur de Chaco (Basail), y los albardones de los ríos en Formosa (El Colorado, Laguna Blanca y Riacho He-he) y Chaco (Resistencia, Colonia Benítez, Margarita Belén, Las Palmas, San Martín y Presidencia Roca) ya se encontraban ocupados desde comienzos de 1900.

Aunque sólo el 7,5% de la superficie del Chaco Oriental estuvo cultivada en 1995/96 (Torrella *et al.*, 2003), dicha superficie corresponde virtualmente al total de las tierras con potencial agrícola, y sus posibilidades de expansión son muy reducidas. Al dividir el territorio en dos, se observa que:
• Desde Resistencia hacia el sur, la expansión agrícola se ve limitada hacia el este por la Planicie de inundación del río Paraná, mientras que, hacia el oeste, por la Cuña Boscosa y los Bajos Submeridionales (ambas subregiones también inundables). Debido a estas severas restricciones tiene sus áreas de expansión virtualmente cerradas.
• Desde Resistencia hacia el norte, la expansión agrícola se ve limitada hacia el este por la Planicie de inundación del río Paraguay y hacia el oeste, por la gran cantidad de esteros y bañados que alternan con los albardones. Por ser la única oferta de tierras altas, la expansión agrícola quedaría restringida a los albardones, con el consiguiente conflicto que ello traería: en estos albardones se encuentran escasos remanentes de los bosques en galería o selvas de ribera, reservorios de alta biodiversidad, a lo que se suman restricciones de carácter hidrológico, porque los desmontes requeridos afectarían severamente a los propios albardones.

Ganadería

Hasta finales de 1800, la ganadería era una actividad de muy baja escala, con efectos mínimos sobre la cubierta vegetal, dado el reducido número de cabezas en relación con las grandes extensiones de que disponían y el control que ejercían sobre ellas los predadores. El ganado vacuno introducido por los españoles se asilvestró y se multiplicó en el área, mientras que el ganado menor (cabras, ovejas y cerdos) se mantuvo como ganado doméstico en posesión tanto de los mismos españoles como de los indígenas.

Ya en el siglo XX, junto con las corrientes colonizadoras provenientes del sur y con la llegada del ferrocarril a la región, se fue dando un desarrollo más importante del sector ganadero. La producción, tanto en la provincia de Chaco como en Formosa, se expandió principalmente en las grandes estancias del este de la región y abarcó las áreas con suficiente disponibilidad de pasturas (sabanas, pastizales, cañadas y esteros). Hasta la primera mitad del siglo XX, el crecimiento del número de cabezas de ganado vacuno fue exponencial. En la actualidad, la parte oriental de ambas provincias sigue concentrando la mayor cantidad de cabezas, con una existencia ganadera superior a los 2.000.000 de animales.

Explotación forestal

Durante la primera mitad del siglo XX se produjo una intensa y abusiva explotación forestal de los bosques de quebracho colorado, especialmente los de la porción más austral del Chaco Oriental en la Cuña Boscosa Santafesina.

Históricamente el bosque nativo se ha manejado como un recurso natural no renovable, sin tener en cuenta su posible regeneración. El método empleado está basado en la extracción de los mejores individuos, y para la repoblación quedan los ejemplares más viejos y enfermos (Morello y Matteucci, 1999). Se explotó el quebracho colorado para la industria del extracto de tanino y para durmientes del ferrocarril; además, junto con otras maderas duras como el lapacho, el urunday y el guayacán, se los utilizó para postes de alambrado y construcciones rurales. Más recientemente, pero a un ritmo alarmante, se ha estado empleando el algarrobo para la mueblería.

Al no existir un manejo silvicultural del bosque con enfoque sustentable, no sólo se produjo el deterioro de éste, sino que también se manifestó un deterioro social (Morello y Matteucci, 1999). Con la instalación de una compañía de extracción forestal que sólo quería enriquecerse a corto plazo, al incremento inicial de la población y su bienestar por la generación de nuevas fuentes de trabajo le siguió, a medida que se fue acabando el recurso, la disminución de los salarios y una reducción de puestos de trabajo, hasta el abandono y el cierre definitivo de la empresa, por lo que la gente se quedó sin ocupación y sustento, y el bosque, sin recursos (tal como ocurrió con el caso paradigmático de La Forestal en Villa Guillermina, provincia de Santa Fe).

Producto de esta sobreexplotación del recurso forestal, se produjo el agotamiento de unas 7.500.000 ha de quebrachales en el Chaco Húmedo, mientras que las áreas remanentes ocupadas por bosques presentan, en la actualidad, importantes grados de fragmentación y deterioro.

Áreas protegidas

Tan sólo por el hecho de poseer una gran superficie cubierta por humedales, el Chaco Húmedo cuenta con un elemento favorable para la conservación: al no ser un área con aptitud para la agricultura convencional, no está sujeta a la intensa presión de las tierras más altas, lo que facilita el mantenimiento de su integridad ambiental.

En términos generales, la región presenta una estructura de áreas protegidas (AP) con un nivel organizativo bueno o aceptable (Adámoli *et al.*, 2004). Incluye a los Parques Nacionales Pilcomayo y Chaco, la Reserva Natural Estricta Colonia Benítez, la Reserva de Biosfera Laguna Oca y diversas reservas privadas como El Bagual y El Cachapé. Ahora bien, la distribución de estas AP no es equitativa, ya que las que cuentan con una mejor estructura, tanto funcional como organizativa, se concentran en la subregión del "Chaco de esteros, cañadas y selvas de ribera", al norte de la ciudad de Resistencia, mientras que al sur de dicha localidad hay un déficit de áreas efectivamente protegidas. En cuanto a los Bajos Submeridionales y la Planicie de inundación del río Paraná, si bien presentan una estructura de conservación bastante débil, tienen a su favor la gran extensión territorial de sus áreas inundables. Los puntos más críticos en cuanto a la conservación de los distintos ambientes del Chaco Oriental son:
• La Cuña Boscosa de Santa Fe y Chaco, donde los bosques presentan un alto grado de fragmentación y degradación, producto de la fuerte extracción maderera a la que han sido expuestos.
• La Dorsal Oriental de Santa Fe donde, por la intensa actividad agrícola, sólo restan escasísimos remanentes de bosques, altamente fragmentados y dispersos en la faja agrícola; es, sin dudas, el área más problemática.
• Los bosques en galería, característicos del paisaje desde Resistencia (Chaco) hasta Clorinda (Formosa), que presentan, de por sí, una fragmentación natural importante, a lo que hay que sumar los desmontes en las áreas agrícolas.

A futuro: amenazas y oportunidades

La región chaqueña es una de las zonas del país más castigadas por la pobreza y sus consecuencias. Los números, y detrás de ellos la gente y su realidad, son alarmantes: en las provincias de Chaco y Formosa más del 50% de los hogares se encuentran por debajo de la línea de pobreza; el analfabetismo en Chaco es tres veces superior al promedio nacional; Formosa posee el mayor índice de mortalidad infantil. A lo agobiante de la realidad social se suman en un círculo vicioso la degradación del ambiente y la explotación abusiva de sus recursos naturales.

Los humedales del Chaco Húmedo constituyen una de las últimas fronteras de ambientes naturales y poco modificados, y se encuentran muy amenazados por la falta de una política de ordenamiento territorial y la implementación de proyectos que no consideran la dinámica del funcionamiento de estos ecosistemas. Entre las principales amenazas, se encuentran la construcción de grandes obras de ingeniería sin las adecuadas evaluaciones de impacto ambiental (entre ellas, están la construcción de canalizaciones y otras obras hidráulicas que puedan modificar el régimen hidrológico o el sistema de drenaje), la colmatación por la erosión de los suelos, la transformación para tierras productivas, la contaminación y el desvío del agua para irrigación.

En este sentido, en el desarrollo de obras que involucren áreas de humedales, las evaluaciones ambientales deberían considerar, como mínimo, los siguientes aspectos: los humedales deben ser analizados en el marco de su variabilidad tanto temporal como espacial, y no en función de su estado hidrológico actual (Neiff, 2001); se deben tener en cuenta los efectos combinados, aditivos y sinérgicos del total de las obras que afectan a estos ambientes, y no considerar cada obra por separado; es conveniente reconocer como unidad ecosistémica funcional a toda la cuenca de captación hidrológica del humedal, para así englobar la mayor cantidad posible de los procesos que influyen y son influidos por los humedales.

Por otra parte, la escasa disponibilidad de tierras altas, aptas para la agricultura, ha limitado la expansión agrícola; pero esta misma limitación de espacios aptos genera, a su vez, distintas tensiones y disputas entre la conservación de estos ambientes remanentes (con sus bosques en galería) y su apertura como tierras productivas. Es necesario implementar medidas urgentes que contemplen la resolución de este tipo de conflictos por usos alternativos de la tierra, siempre desde una visión participativa, democrática y abarcativa. La implementación de políticas y programas de ordenamiento territorial es una posible herramienta para poner en orden el asunto.

Por último, en cuanto a los esfuerzos de conservación necesarios en la región, es recomendable: fortalecer las capacidades de las AP que cuentan con un funcionamiento razonablemente efectivo; para las que no lo poseen (las llamadas "reservas de papel"), implementar las condiciones mínimas para su real funcionamiento; y donde no existan unidades de conservación o sean de una cobertura insuficiente, crear nuevas AP (Adámoli et al., 2004). En el caso de las principales áreas agrícolas (la Dorsal Oriental de Santa Fe y los bosques de albardones al norte de Resistencia) y de la Cuña Boscosa, dado su alto nivel de fragmentación y su escasa superficie remanente de vegetación natural, es prácticamente imposible implementar unidades de conservación de gran superficie y de primer nivel como los parques nacionales, por lo que una alternativa viable sería la creación de "archipiélagos de pequeñas reservas", las cuales, diseñadas estratégicamente, podrían formar corredores biológicos de AP. Nuevamente, para viabilizar esta alternativa, sería necesario enmarcar estas consideraciones dentro de una estrategia regional de planificación y desarrollo de ordenamiento territorial que tenga en cuenta e incorpore facilidades y beneficios para los productores participantes.

El desafío que une este presente y sus dificultades con un futuro prometedor radica en encontrar alternativas que contemplen la participación de todos los sectores de la sociedad y fomenten el desarrollo económico, social y cultural, junto con el uso racional y la conservación de los recursos naturales. En una región con las más grandes injusticias sociales y con una cantidad tan amplia e importante de recursos productivos naturales, de una vez por todas debe promoverse desde el Estado un desarrollo más equilibrado de la región y una distribución más equitativa entre su gente, con el único objetivo de mejorar la condiciones de vida de la población y evitar la destrucción del ambiente, base de su sustento productivo.

ESTADO ACTUAL DE LAS COMUNIDADES VEGETALES DE LA CUÑA BOSCOSA DE SANTA FE

Por: Claudia Alzugaray[I], Ignacio Barberis[I, II], Nélida Carnevale[I, III], Néstor Di Leo[I], Juan Pablo Lewis[I, II] y Dardo López[I]
[I]Facultad de Ciencias Agrarias, Universidad Nacional de Rosario.
[II]CONICET.
[III]Consejo de Investigaciones de la Universidad Nacional de Rosario.
ibarberi@fcagr.unr.edu.ar

La Cuña Boscosa se encuentra en el noreste de Santa Fe, entre la Dorsal Oriental y los Bajos Submeridionales. Es una llanura con suave pendiente de noroeste a sudeste, formada sobre una cuenca sedimentaria sobreelevada con loess y limos loessicos depositados durante el Cuaternario. Está surcada por las cuencas de varios arroyos que la recorren con dirección general de norte a sur, para luego desviarse hacia el este y volcarse en el valle del río Paraná (Popolizio *et al.*, 1978). El clima es templado-cálido y húmedo, con lluvias estivales de 800 a más de 1.000 mm anuales y presenta una estación seca invernal de duración variable (Burgos, 1970). Los suelos predominantes son halo-hidromórficos y forman mosaicos muy complejos (Espino *et al.*, 1983). La vegetación más notable es el bosque xerofítico, que se alterna en el paisaje con sabanas y esteros (Lewis y Pire, 1981).

Las principales formaciones boscosas se distribuyen a lo largo del paisaje en aparente correspondencia con diferencias de humedad y salinidad (Lewis y Pire, 1981; Lewis, 1991). En las porciones más altas y mejor drenadas de los interfluvios, se encuentran los bosques densos mixtos muy ricos en especies (Lewis *et al.*, 1994). En posiciones intermedias de las laderas se encuentran los quebrachales, bosques abiertos de *Schinopsis balansae*, que ocupan grandes extensiones sobre suelos halo-hidromórficos con drenaje lento (Lewis *et al.*, 1997; Barberis *et al.*, 1998; Barberis *et al.*, 2002; Marino y Pensiero, 2003). En las posiciones bajas de las laderas, antes de llegar a los esteros que aparecen en los fondos de los valles, hay algarrobales de *Prosopis nigra* var. *ragonesei*, chañarales de *Geoffroea decorticans* y, no tan frecuentemente, palmares de *Copernicia alba*. Estas formaciones, que ocupan suelos salinos e inundables, tienen un estrato herbáceo dominado por especies halófitas como *Spartina argentinensis* o hidrófitas como *Panicum prionitis* (Lewis y Pire, 1981).

Durante la primera mitad del siglo XX, las comunidades arbóreas fueron intensamente explotadas, principalmente para la extracción de tanino (Bitlloch y Sormani, 1997). Los quebrachales y algarrobales fueron posteriormente destinados para uso ganadero y para la extracción de madera para carbón o leña. Las comunidades herbáceas (pastizales, cañadas y esteros) han sido utilizadas principalmente para la actividad ganadera.

Actualmente, las comunidades herbáceas, así como las sabanas (algarrobales, chañarales y palmares), son frecuentemente quemadas para favorecer el rebrote y, así, aumentar la carga ganadera de los mismos. Lamentablemente, no siempre se siguen pautas de manejo adecuadas, lo cual implica un deterioro del recurso por sobrepastoreo. En los quebrachales y los bosques mixtos, frecuentemente se realiza la tala selectiva de especies maderables (e.g., algarrobos y quebrachos) y, en ciertas ocasiones, el desmonte para uso ganadero. En los quebrachales, al igual que en otras regiones boscosas del Chaco y del Espinal, es preocupante el pastoreo descontrolado del ganado que elimina los renovales y favorece la arbustización (Bertonatti y Corcuera, 2000).

En los quebrachales, algunos autores sugieren eliminar las colonias de bromeliáceas terrestres (chaguar o caraguatá) que habitan en el sotobosque (Martínez Crovetto, 1980; Pire y Prado, 2000). Esta práctica de manejo se basa en que las bromeliáceas reducirían la regeneración de las especies leñosas al interceptar el agua de lluvia y los propágulos, al disminuir la luz incidente y al reducir el espacio físico para el establecimiento de las plántulas (Pire y Prado, 2000). Sin embargo, estas colonias podrían actuar como una barrera mecánica al paso del ganado reduciendo, en consecuencia, la incidencia del pisoteo y pastoreo (Pire y Prado, 2000). Además, algunas especies de bromeliáceas (e.g., *Aechmea distichantha*) tienen la capacidad de interceptar y retener dentro del tanque conformado por sus hojas el agua de lluvia, la materia orgánica, así como también los propágulos que caen (Benzing, 2000). Por lo tanto, las colonias de bromeliáceas brindarían una mayor cantidad de hojarasca y alimento, mayor humedad, menor irradiación y menor variación de temperatura. Estas condiciones ambientales favorecen el desarrollo de numerosos animales (e.g,. anélidos, artrópodos, anfibios) que habitan tanto en el interior como entre las plantas de bromeliáceas. En consecuencia, sería de suma importancia para la conservación de la biodiversidad y el logro de un manejo sustentable mantener algunos sectores del bosque con colonias de bromeliáceas terrestres.

Con el objeto de determinar el área, la distribución espacial y el estado actual de las comunidades naturales de la Cuña Boscosa, se analizó una imagen satelital (Landsat 7 georreferenciada, sensor ETM+, 18 de diciembre de 2000) que cubre, aproximadamente, 1.000.000 de ha. Las comunidades boscosas ocupan casi tres cuartas partes de la superficie relevada, mientras que las comunidades herbáceas cubren algo más del 20% del área. Algo más del 5%

del área está cubierta por suelos desnudos con sal superficial, y menos del 1% constituye ambientes con aguas calmas (ver Figura 1.A). En las comunidades herbáceas, la mayor superficie está ocupada por las cañadas con vegetación higrófila, seguida por los pastizales y los esteros (ver Figura 1.B). Dentro de las comunidades boscosas, los quebrachales ocupan más de la mitad del área, seguidos por los chañarales y algarrobales, y, finalmente, por los palmares y los bosques mixtos (ver Figura 1.C).

Estos resultados demuestran que en la Cuña Boscosa el área cubierta por comunidades naturales es elevada y que el avance de la frontera agrícola en la Cuña Boscosa no es muy importante (Torrella *et al.*, 2005). El desmonte en esta zona se realiza, principalmente, para uso ganadero, dados los suelos del área pesados e inundables. Esto se contrapone a lo registrado en el dorso occidental de Santa Fe y en las provincias de Chaco y Santiago del Estero, donde la frontera agrícola avanza rápidamente (Adámoli *et al.*, 2004).

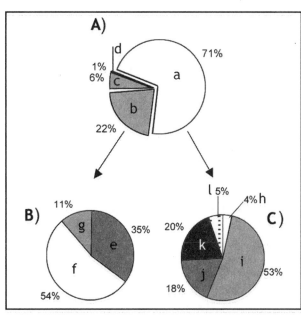

Figura 1.A) Distribución porcentual del área cubierta por las distintas unidades fisonómicas en la Cuña Boscosa de Santa Fe. a) Bosques y sabanas, b) pastizales, cañadas y esteros, c) suelo desnudo con sal superficial y d) agua calma. Se detalla, a su vez, la distribución porcentual del área de los distintos tipos de comunidades. 1.B) Comunidades herbáceas: e) pastizales, f) cañadas con vegetación higrófila y g) esteros. 1.C) Comunidades arbóreas: h) bosques mixtos, i) quebrachales, j) algarrobales, k) chañarales y l) palmares.

Sin embargo, al igual que en el resto del Gran Chaco, existen grandes extensiones de bosques y pastizales con distintos grados de deterioro que, en algunos casos, es muy importante. En los mismos, la vegetación natural no fue reemplazada por cultivos o pasturas, pero presenta alteraciones estructurales y/o funcionales severas (Adámoli *et al.*, 2004). En general, el estado de conservación de las comunidades arbóreas decrece hacia el sur de la Cuña Boscosa. En los bosques mixtos densos más australes, además, se reduce la riqueza de las especies y resulta difícil distinguirlos florísticamente de los quebrachales (Lewis, 1991; Lewis *et al.*, 1994).

La Situación Ambiental Argentina 2005

Es importante señalar que las reservas naturales en la Cuña Boscosa son muy escasas, pues se limitan a la Reserva Natural La Loca (2.169 ha) y a la Reserva Natural Manejada Potrero 7-B (2.010 ha). Esta superficie es insignificante en relación con el área de la Cuña Boscosa, sobre todo si se tiene en cuenta que es una de las áreas de biodiversidad sobresaliente del Chaco Húmedo (Bertonatti y Corcuera, 2000).

LOS BOSQUES DEL CHACO HÚMEDO FORMOSEÑO: TRES ESTADOS CONTRASTANTES DE CONSERVACIÓN EN TIERRAS PRIVADAS

Por: Hernán M. Maturo y Darién E. Prado
Cátedra de Botánica, Facultad de Ciencias Agrarias, Universidad Nacional de Rosario.
hmatu@mixmail.com

La mayor parte de la subregión del Chaco Húmedo está sujeta a anegamientos periódicos por lluvias y desbordes fluviales. El paisaje se caracteriza por su alta heterogeneidad de ambientes, donde se distinguen varios tipos de bosques, pastizales, sabanas y bañados. El Chaco Húmedo formoseño ocupa el este de la provincia de Formosa y forma parte del Distrito Pilaguense del Parque Chaqueño Oriental; presenta como límites el río Paraguay, al este, y la isoyeta de 750 mm, al oeste. En este trabajo se comparan tres áreas boscosas del este formoseño, que forman parte de establecimientos agropecuarios privados y que están sometidas a distintos manejos, lo cual determina el estado de conservación en cada caso.

El **establecimiento A**, correspondiente a la Estancia "El Bagual" (de casi 20.000 ha), está situado en el extremo sudeste de la provincia, a unos 100 km de la ciudad de Formosa sobre la ruta provincial N°1 y frente a Colonia Presidente Irigoyen (Departamento de Laishi). En dicha estancia se encuentra un área de reserva, llamada Reserva El Bagual, con clausura total a la ganadería, la agricultura y la extracción forestal desde el año 1985. La superficie de la misma es de 3.335 ha, con otras 800 ha de área boscosa de amortiguación sobre los límites norte y oeste.

Se pueden distinguir en la reserva once unidades ambientales (Maturo *et al.*, 2005). Sobre los albardones del riacho Mbiguá se distinguen dos tipos de bosques: el **bosque ribereño**, en la parte más alta, con fisonomía de bosque muy alto cerrado (de 16 a 25 m), y el **urundayzal**, que se desarrolla en la parte más baja de los albardones o forma "isletas"; se trata de un bosque alto y cerrado, que puede alcanzar hasta 15 m de altura, cuya composición heterogénea varía entre isletas, pero mantiene un patrón de especies de maderas duras y semiduras. También aparecen "isletas" de **Monte Fuerte** o **quebrachal** de quebracho colorado (*Schinopsis balansae*), que es un bosque alto y abierto, que puede alcanzar hasta 15 m de altura. Las unidades restantes son dos tipos de **arbustales** de *Tessaria dodoneaefolia*; tres **pastizales**, dos que se desarrollan en campos altos con distintas dominantes y otro en campos inundables (**bañados** o **"cancha"**); también existen los **esteros**, con tipos de vegetación concéntrica en función de la profundidad; las **sabanas de ñandubay** (*Prosopis affinis*) y las **ecotonales** (formadas por especies de las unidades adyacentes).

El **establecimiento B** también está situado en el sudeste de la provincia de Formosa, cercano a la ruta provincial N°1, en el Departamento de Laishi. Se trata de un establecimiento agrícola-ganadero de menos de 20.000 ha, con cultivos de soja, maíz, sorgo y pasturas implantadas. Para este fin, se desmontaron las tierras altas y sólo se mantuvo la vegetación boscosa de los bordes de los cursos de agua. En los pastizales naturales se realizó una intersiembra de pasturas; en cambio, en los bañados se realizaron canales de drenado y luego, mediante herbicidas totales, se eliminó la vegetación, para luego proceder a la siembra de pasturas.

Las unidades ambientales remanentes aún presentes en este establecimiento son: el **bosque ribereño**, que se encuentra sobre albardones y cuya fisonomía es de bosque alto cerrado (entre 15 y 20 m). El **bosque mixto** se ubica del lado externo del bosque ribereño; conforme el albardón es más bajo y alejado del curso de agua, se observa un bosque alto de unos 15 m de altura, donde coexisten especies del bosque de ribera con elementos de otros bosques. En algunos casos, presenta especies de bosques típicamente chaqueños, como el quebracho colorado. Por último, el **fachinal** se presenta en zonas donde hubo desmonte o sobrepastoreo, y está dominado por arbustos y árboles bajos como la tusca (*Acacia aroma*) y el chañar (*Geoffroea decorticans*).

El **establecimiento C** está situado al norte de la ciudad de Formosa, sobre la ruta nacional N°11 (Departamento de Formosa). Es un establecimiento ganadero de 25.000 ha con manejo de ganadería de monte. Según Placci (1995), las unidades ambientales de bosques presentes en la región son: **bosque de inundación** (de unos 13 m de altura), que se desarrolla en el cauce de los cursos de agua; tres tipos de **bosques de albardón**, uno alto y cerrado (de 15 a 25 m), otro algo más bajo y cerrado (de 15 a 20 m), y otro que crece en la parte más baja del albardón, de hasta 14 m de altura y más abierto que los anteriores, llamado Bosque Transicional Austro-Brasileño (BTAB). También se encuentran otras unidades ambientales no asociadas a los cursos fluviales: **sabanas**, con algarrobos blancos o algarrobos negros (*P. alba* y *P. nigra*), ñandubay, chañar; extensos **palmares** de palmera caranday (*Copernicia alba*) e **isletas de bosque**, que pueden ser similares al BTAB o al Monte Fuerte. También son frecuentes las zonas de **humedales** o **esteros**.

Resulta evidente que el área mejor conservada corresponde al establecimiento A (Reserva El Bagual); esto se pone en evidencia por el excelente estado de conservación y la diversidad de unidades ambientales, que reflejan la heterogeneidad típica del Chaco Húmedo formoseño. Naturalmente, esto obedece al manejo conservacionista empleado, el cual puede ser ideal desde el punto de vista de la conservación, pero no se puede obviar el hecho de que se trata de establecimientos agropecuarios privados en los cuales los intereses no pasan exclusivamente por la conservación.

En contraposición con lo anterior, se observa el caso del establecimiento B, donde la pérdida de heterogeneidad de ambientes (sólo dos unidades naturales y una antropogénica *versus* las once unidades del establecimiento A) provoca una gran disminución de la biodiversidad y perjudica indirectamente también las unidades restantes. Tal es el caso del bosque ribereño; la erosión se evidencia con profundas cárcavas dentro del mismo, las que afectan seriamente el anclaje de los árboles (muy propensos a las caídas). Además, se observan pronunciadas pérdidas de suelo, lo cual se ve reflejado en el color de los cursos de agua y la cantidad de sedimentos que transportan. Todo esto es consecuencia del desmonte total en las tierras altas de esta estancia, en zonas linderas al bosque ribereño; con el alto nivel de precipitaciones del este formoseño y al no existir un tapiz vegetal que proteja al suelo de la erosión, es inevitable su arrastre y pérdida.

En cambio, en el caso del establecimiento C no se realizaron desmontes y casi no se modificaron los pastizales naturales; además, existe un área de reserva de 1.100 ha que abarca los bosques de albardón. Por otra parte, las unidades de vegetación fuera del AP, tales como las isletas de bosque, los palmares y los esteros, se encuentran integradas al sistema productivo y se emplean como dormideros para ganado, para sombra, como recursos forrajeros alternativos, etc. A su vez, prestan servicios como áreas de amortiguación y refugio de flora y fauna silvestre. De este modo, se minimiza el impacto de las actividades de producción sobre las áreas de vegetación natural, sin transformarse en un obstáculo para los intereses económicos de los productores. Ésta es una alternativa compatible con los objetivos de conservación actuales en esta zona geográfica del país, en la cual gran parte de los recursos naturales se encuentran aún en manos privadas.

Agradecimientos

A los propietarios y los encargados de los establecimientos, por su atención y permisos de visita y colección. A la Fundación Hábitat & Desarrollo (Santa Fe), Aves Argentinas/AOP y a la "Darwin Initiative", por su apoyo económico. A Alejandro Di Giacomo, por su dedicación y sus experiencias compartidas.

MANEJO DE POBLACIONES SILVESTRES DE YACARÉS OVERO Y NEGRO EN EL REFUGIO DE VIDA SILVESTRE EL CACHAPÉ, PROVINCIA DE CHACO

Por: Diego Moreno[I], Walter Prado[II, III], Alejandra Carminati[I] y Eduardo Boló Bolaño[II]
[I]*Fundación Vida Silvestre Argentina (FVSA).*
[II]*Refugio de Vida Silvestre El Cachapé.*
[III]*Grupo de Especialistas en Cocodrilos, Unión Internacional de Conservación de la Naturaleza. refugios@vidasilvestre.org.ar*

Uno de los grandes desafíos que debe afrontar el país en materia ambiental es lograr un desarrollo sustentable (económico, ambiental y social) en las áreas silvestres incluidas en el ámbito de trabajo rural. La producción agropecuaria tradicional y la rápida expansión de la frontera agropecuaria han generado, en las últimas décadas, una fuerte presión sobre los recursos naturales, en particular en el norte del país, y han degradado el capital natural de muchos establecimientos agropecuarios. Esta situación se ve ampliamente justificada en términos económicos por la falta de rentabilidad que ofrecen al productor los ambientes naturales (bosques, humedales, etc.).

La FVSA promueve, a través de distintos programas de trabajo, la puesta en valor de la flora y la fauna nativas como una de las herramientas para paliar esta situación. A través de su uso, se busca no sólo asegurar la sustentabilidad en términos ambientales, sino también promover el desarrollo local en términos económicos y sociales.

La región chaqueña contiene distintas especies que pueden ser objeto de un manejo extractivo que permita cumplir con estas condiciones. El yacaré es una de ellas, ya que ofrece distintos productos de valor comercial (cuero y carne). Además, sus poblaciones silvestres muestran una dinámica que avala el planteo de algunas técnicas de manejo que, por un lado, no afectarían a la conservación de sus poblaciones silvestres y, por otro, permitirían sustentar una actividad económica.

Durante décadas, las poblaciones silvestres de ambas especies de yacarés presentes en la Argentina (*Caiman latirostris* y *C. yacare*) fueron objeto de un intenso comercio ilegal (Waller y Micucci, 1993). Este hecho puso en riesgo a algunas de sus poblaciones. Al mismo tiempo, esta circunstancia no representó una alternativa económica de importancia para los pobladores rurales de la región, ya que los cueros se exportaban con un mínimo procesamiento y la carne sólo era aprovechada, en el mejor de los casos, en forma artesanal y para consumo local. Esta situación motivó a distintos organismos en el orden nacional e internacional a proponer fuertes medidas de control de la actividad que, junto con la caída de los precios de las pieles en el mercado internacional, determinaron que el comercio de productos de yacaré provenientes de la Argentina prácticamente se detuviera a fines de la década del 80 (Waller y Micucci, *op.cit.*; Micucci y Waller, 1995; Larriera y Verdade, 1993). En la década pasada, si bien no ha habido estudios intensivos de campo, se ha registrado una notable recuperación de las poblaciones de ambas especies en todo el norte argentino.

En el año 1998 se inició, por iniciativa del propietario del Refugio de Vida Silvestre El Cachapé (una reserva privada ubicada en el departamento Primero de Mayo de la provincia de Chaco) y la FVSA, una experiencia piloto de manejo de poblaciones silvestres de yacarés (Moreno y Parera, 1998). Este proyecto contó desde su inicio con la colaboración del Ministerio de la Producción de la provincia de Chaco, a través de la Dirección de Fauna, Parques y Ecología.

Mediante el aprovechamiento de experiencias previas de manejo de otras especies de cocodrílidos, se comenzó a ensayar la aplicación de la técnica de *ranching*. Esta técnica se basa en extraer una porción de la población no reproductiva a través de la cosecha de huevos en su estado silvestre. Dadas las características particulares de las poblaciones silvestres de coco-drílidos (con tiempos generacionales en torno a los veinte años, con muchos eventos reproductivos a lo largo de su vida y una alta mortalidad de los primeros estadíos), la aplicación de programas de manejo que involucran la cosecha de entre un 50 y un 80% de los huevos depositados anualmente no ha mostrado efectos en la situación de las poblaciones y se presenta como una de las alternativas más confiables para su manejo (Ross, 1999). Al mismo tiempo, permite simplificar las tareas de control y monitoreo, en comparación con la alternativa de cosecha o zafra de individuos en el medio silvestre (*harvesting*). Por otra parte, con esta técnica se mantiene un fuerte vínculo con el estado de conservación de la población silvestre (y, en consecuencia, de su hábitat natural), en comparación con la alternativa de cría en cautiverio (*farming*), ya que de ésta depende el número de individuos que anualmente puede manejar un emprendimiento.

El manejo aplicado consiste en la cosecha de nidos que, en su ambiente natural, se arman anualmente en torno a los humedales del área de trabajo. Estas nidadas son incubadas artificialmente en instalaciones montadas a tal efecto en El Cachapé. Allí, reciben la temperatura y la humedad adecuadas para su desarrollo a través de un sistema basado en energía solar, al mismo tiempo que se los protege de predadores. Una vez eclosionados los huevos, los neonatos son trasladados a piletones y recintos de crianza, donde se les provee de temperatura y alimento adecuados. Una vez pasado el primer invierno, una porción de los individuos logrados es devuelta a los sitios de cosecha en una proporción similar a la que hubiera sobrevivido naturalmente, y de esta forma se asegura el reclutamiento de la población silvestre (Prado *et al.*, 2000; 2001). El excedente de individuos logrado con el manejo descripto continúa su desarrollo en cautiverio hasta alcanzar un tamaño comercial.

Este procedimiento es acompañado anualmente con censos poblacionales, realizados en la mayor parte de los cuerpos de agua del área de estudio (Prado *et al.*, *op.cit.*), donde se registran la densidad y la estructura poblacional para ambas especies. Esta información permite monitorear el posible impacto del manejo desarrollado sobre la población silvestre.

La búsqueda de nidos de yacaré se realiza por dos metodologías: el rastreo aéreo mediante el sobrevuelo en helicóptero y por la participación de la población rural del área de trabajo (puesteros de estancias, mariscadores y pobladores de escasos ingresos). Estos últimos reciben a cambio una compensación económica que representa un ingreso estacional a su economía, muchas veces de subsistencia. Unos ochenta y nueve pobladores correspondientes a setenta y dos familias han participado activamente en esta actividad (Prado, 2005). Al mismo tiempo, la población local abastece de insumos al emprendimiento (alimento para el proceso de crianza, materiales y mano de obra para la construcción de infraestructura, personal para el manejo del emprendimiento, etc.).

En su fase comercial, iniciada en 2004, se busca agregar valor local a los productos y los derivados, a través del desarrollo de un emprendimiento industrial. Esta nueva etapa prevé el curtido, el acabado y la elaboración del cuero, además del procesamiento de la carne como principal subproducto para su comercialización en el mercado nacional y exterior. A tal fin, se prevé la capacitación necesaria para que la población local desarrolle en el futuro cercano estas actividades.

Durante la etapa piloto, en el proyecto se ha generado información inédita sobre la situación y la dinámica poblacional de ambas especies en la región chaqueña, sobre la situación sanitaria de ambas especies en cautiverio y en estado silvestre (a través del trabajo conjunto con la Wildlife Conservation Society, Uhart *et al.*, 2000), y sobre las técnicas de manejo en cautiverio. Al mismo tiempo, se ha trabajado activamente y en conjunto con las autoridades provinciales para proponer un marco legal que genere las condiciones adecuadas para que el aprovechamiento de este importante recurso sea desarrollado con criterios ambientales y sociales básicos, de modo que no sólo asegure la conservación de las especies y su hábitat, sino que también promueva el desarrollo local.

Este sistema se aplica desde 1998 en un área de aproximadamente 80.000 ha en torno al Refugio de Vida Silvestre El Cachapé e involucra tres localidades rurales (La Eduvigis, Selvas del Río de Oro y Pampa Almirón), y abarca una de las áreas de mayor importancia para la conservación regional, como el sector de Río de Oro y sus selvas en galería.

Durante la fase comercial, el emprendimiento busca lograr una sustentabilidad económica que permita, entre otras cosas, reinvertir parte de los ingresos en acciones de conservación, educación, capacitación y apoyo a iniciativas de desarrollo para la comunidad local. Una de estas iniciativas es el desarrollo de un programa educativo con escuelas de la zona. El programa tiene como eje central al yacaré, la importancia de su conservación y la de sus ambientes naturales, y ha sido aprobado por el Ministerio de Educación, Cultura, Ciencia y Tecnología de la provincia de Chaco (Prado, 2005).

La iniciativa realizó, en siete años de trabajo, un aporte significativo al desarrollo de una técnica de manejo para las poblaciones silvestres de yacarés de la provincia de Chaco. Además, ha sentado las bases técnicas y operativas para generar una alternativa de desarrollo económico, social y ambiental para una región que, por sus limitaciones edáficas, resulta marginal para la actividad agrícola. La información generada es de acceso público y ha sido plasmada en publicaciones y presentaciones tanto científicas como técnicas y de divulgación, con la idea de que esta experiencia pueda ser replicada en otras situaciones del noreste del país.

Al mismo tiempo, genera un precedente interesante de trabajo conjunto entre el sector privado (productor agropecuario), el sector ambiental (FVSA) y el sector gubernamental (Ministerio de Producción de la provincia de Chaco). El enfoque interdisciplinario y multisectorial con el que se encaró la iniciativa es factible de aplicarse en este tipo de experiencias, que buscan explorar el camino para lograr nuevos modelos de desarrollo para el país.

LA CRÍTICA SITUACIÓN DEL VENADO DE LAS PAMPAS (*OZOTOCEROS BEZOARTICUS LEUCOGASTER*) EN EL CHACO SANTAFESINO

Por: Andrés A. Pautasso, Daniel Chersich, Blas Fandiño, Juan M. Mastropaolo, Martín Peña, Vanina Raimondi y Adriana Senn

Proyecto Venados. andrespautasso@yahoo.com.ar

En la Argentina, el venado de las pampas fue categorizado en peligro. Cinco subespecies fueron descriptas hasta el momento y dos de ellas habitan en el país: *Ozotoceros bezoarticus celer*, restringido a la región pampeana, y *O. b. Leucogaster*, que se ubica en el norte del país, Bolivia, Paraguay y parte de Brasil (Cabrera, 1943).

Según la literatura histórica, la subespecie pampeana fue la primera en experimentar una acentuada disminución (Cabrera y Yepes, 1940). Por ello, y por ser endémica de una ecorregión muy modificada por las actividades agrícolo-ganaderas, los primeros esfuerzos en estudios y conservación fueron orientados a las poblaciones de San Luis y Buenos Aires.

Por su parte, la raza norteña no tuvo la misma atención, y algunos autores la consideraron extinta a principios de los 80. Mediante el análisis de materiales de museos y bibliografías se sabe que *O. b. leucogaster* habitó gran parte de las provincias de Corrientes, Entre Ríos, Formosa, Chaco, Santiago del Estero, Salta, Tucumán, el norte de Córdoba, el centro y el norte de Santa Fe, el sur de Misiones y, posiblemente, el sudeste de Jujuy (Cabrera, 1943; Giai, 1945; Chébez, 1994).

Hacia mediados del siglo XX aún se comentaba la existencia de esta subespecie en Formosa y en el sudoeste de Chaco; y entrada la década del 90, se suponía la presencia de una población en el departamento de Metán, Salta. Todas ellas hoy estarían extintas, a excepción de algunos ejemplares que sólo permanecen hasta el presente en el noreste de los Esteros del Iberá, Corrientes (Chébez, 1994); también existe un núcleo relictual redescubierto recientemente en los Bajos Submeridionales de Santa Fe (Pautasso *et al.*, 2002).

El venado de las pampas en el Chaco santafesino

La literatura histórica enseña que esta subespecie estuvo presente en numerosas localidades del centro y el norte de Santa Fe, y que ocupó ambientes chaqueños y del Espinal. La retracción en el área de distribución comenzó en el Espinal, con el establecimiento de colonias agrícolas.

En las primeras décadas del siglo XX, el venado abundaba en las abras del Chaco Seco santafesino, tal como lo sugiere Giai (1945): "Podemos decir también que nuestra juventud transcurrió viendo gamas a diario". Al igual que en gran parte de la ecorregión chaqueña, la disminución del venado habría tenido mucha influencia en la introducción del ganado bovino, que provocó una pérdida y/o degradación de los pastizales con la invasión de leñosas. Producto de la colonización de esta región, hacia mediados del 40, esta subespecie ya se había extinguido de localidades donde fue muy común, como en los alrededores de Tostado. Subsistió, sin embargo, en gran número en la fracción norte de los Bajos Submeridionales, desde el sur de Chaco hasta, al menos, el paralelo de 29°. El último reporte de Giai (1950) es ilustrativo al respecto, ya que observó una manada de sesenta gamas en los palmares abiertos del noreste del departamento 9 de Julio, e informó que abundaban hasta bien entrado el departamento de Vera.

Los Bajos Submeridionales presentan casi 1.000.000 de ha en Santa Fe. El alto contenido de arcillas en los suelos, las escasas vías de avenamiento y una pendiente muy suave favorecen la ocurrencia de anegamientos. Asimismo, entre períodos húmedos se presentan regularmente sequías. Como característica fundamental se destaca la escasez del elemento arbóreo, y la mayor parte del área está compuesta por espartillares altos y densos de *Spartina argentinensis*, que pueden soportar períodos de anegamientos, sequías y un suelo con alta concentración de sales. Estas condiciones han sido las causas de su baja productividad para los modelos productivos convencionales, aspecto que permitió el desarrollo de la ganadería extensiva. Hasta entrada la década del 60, su mayor parte aún no había sido apotrerada. Sin dudas, esto posibilitó que, hasta hace unos veinte años atrás, las manadas de venados fuesen contadas por decenas de animales y que su área de dispersión fuese muy amplia.

Recuperar esas tierras para la producción agrícolo-ganadera fue un proyecto conjunto de las provincias de Chaco, Santiago del Estero y Santa Fe. A lo largo de muchas gestiones de gobierno, se intentó la realización de obras de "saneamiento". Las canalizaciones fueron, en gran medida, responsables por la extinción de venados. Por ejemplo, en el sur de Chaco se cavaron una serie de canales que derivaron en poco tiempo importantes volúmenes de agua a Santa Fe (que en esos momentos no contaba con canalizaciones cerca del paralelo 28°). De esta forma, una serie de inundaciones desencadenaron la desaparición de los ciervos hacia fines de los 80, en el lugar donde Giai los había citado por última vez.

El resto de los Bajos Submeridionales no estuvo ajeno a la colonización. Entre las décadas del 70 y 80 se construyeron las rutas provinciales N°30, 31, 32 y 13. Con ellas se favoreció el apotreramiento y el asentamiento de productores en el área. Para los venados, esto se tradujo en una mayor presión cinegética y en la presencia de más cabezas de ganado.

Según el testimonio de viejos pobladores de los Bajos, hubo dos motivos centrales en la merma de estos animales: las inundaciones extremas y la aftosa. La primera de ellas, como se ha señalado con un ejemplo, fue favorecida por un desordenamiento hídrico superficial provocado por las canalizaciones, en relación con la magnitud e intensidad de los últimos episodios de la corriente El Niño. Por su parte, la influencia de la epizootia aún es discutida, pero es asegurada por baqueanos de la región. Debido a esto, cuando se empezó a trabajar en la zona en 1997 sólo quedaban venados en una pequeña porción de su área original de dispersión, es decir, desde la ruta N°32 (aproximadamente) hacia el norte y este, hasta la cañada de las víboras. Por el oeste, no se lo hallaba más allá de la ruta N°13.

A sólo un año de comenzar a determinar el área de dispersión sobre la base de entrevistas a pobladores rurales, se produjo una gran inundación durante el fenómeno El Niño entre 1997 y 1998, y una gran parte del área estuvo anegada durante meses. Como consecuencia, se produjo una retracción en el área de distribución. Por efecto directo de la inundación (e.g., falta de forraje) hubo mortalidad de venados, y el desplazamiento de éstos hacia zonas sobreelevadas facilitó la caza. Así se habrán perdido, al menos, treinta animales, según los testimonios de baqueanos y la observación de restos de animales. Debido a la magnitud del evento, se temió su extinción definitiva hasta que, en el año 2001, se volvió a

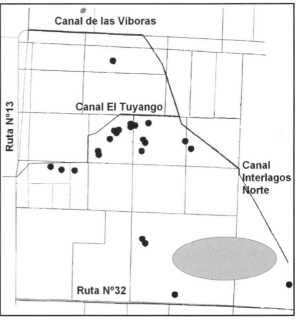

Figura 1. Área de distribución actual del venado de las pampas en los Bajos Submeridionales de Santa Fe. Los puntos negros son registros concretos producidos entre los años 1997 y 2003. El área gris señala el sector de concentración de la población hacia mediados de 2005.

documentar la sobrevivencia de venados. Desde entonces, su área de ocurrencia estuvo restringida a unas 23.000 ha (que unen los puntos extremos de registros recientes documentados).

En el año 1999, el gobierno provincial excavó dos canales de drenaje que atravesaban el norte de esta área. Esto indujo a que los eventos de sequía se acentuaran por el escurrimiento de agua y que aumentaran los anegamientos en períodos cortos ante importantes lluvias locales o del oeste, ya que los canales colectan agua de áreas del Chaco Seco actualmente deforestadas.

En el año 2003, se produjo una nueva inundación (conocida por haber afectado a la ciudad de Santa Fe, pero sin el efecto de la anterior en los Bajos). El desborde de los canales El Tuyango e Interlagos Norte habría provocado el desplazamiento de venados hacia el sur, donde existen áreas más drenadas.

De esta forma, en la actualidad sólo se puede asegurar con evidencia documental la residencia de venados en dos potreros de la estancia La Salamandra. Si bien se trata de un establecimiento muy grande, los venados parecen estar concentrados en espacios específicos caracterizados por espartillares, como comunidad dominante, manchados por mogotes poco extensos de leñosas (*i.e.* Palo azul, Chañar, Chilcas). Allí, la receptividad forrajera de los venados se ve favorecida por las quemas, que logran el rebrote de los espartillos.

El número total de individuos que componen la población es aún desconocido. Sin embargo, numerosas entrevistas a baqueanos arrojan un resultado común: entre once y veinte animales. Es muy probable que hoy se cuente con una población extremadamente reducida. Existen indicadores que lo confirman: baja frecuencia de registros visuales tanto en las campañas realizadas como los registros de los mismos pobladores de la zona. Por ejemplo, de unos veinte baqueanos consultados en los años 1999-2000, la mitad vio venados todos los años, pero en baja frecuencia (lo más regular fue de una a cinco veces), el 14% los vio al menos una vez cada dos años, el 21% no los vio por más de dos años y el 14% restante, pese a que sabía de su existencia, no los vio nunca.

Lo que se conoce acerca de su biología es fragmentario y preliminar. Se estima que su densidad en sitios específicos puede rondar los 0,003 a 0,005 venados por hectárea. Aunque hasta hace al menos treinta años las manadas se componían por decenas de animales, hoy lo más usual es que se encuentren solitarios (más de la mitad de los registros). Los grupos son menos registrados y, regularmente, rondan los tres a seis animales, y este último es el número más grande observado recientemente (en el año 2003). Por otra parte, dentro de las manadas actuales hay un predominio de hembras. Otros datos de su historia natural aún son poco conocidos, como en el caso de su reproducción. Hay registros de animales con astas en felpa que datan del mes de octubre. En ese mismo mes se ha sabido de un caso de parición, por lo que la cópula habría ocurrido en marzo.

Su número reducido hace que los eventos de mortalidad sean de una importancia considerable. Actualmente, los venados son afectados por la competencia de forraje con el ganado en períodos críticos (e.g., invierno), las inundaciones extraordinarias, las sequías prolongadas, los predadores naturales (*i.e.* aguará guazú) y la caza. Al respecto, es probable que la caza haya sido el factor de mortalidad más importante en los últimos meses. La misma es realizada, eventualmente, por cazadores de localidades cercanas (e.g., Fortín Olmos), quienes usan armas de fuego y persiguen machos. Sin embargo, la caza realizada por pobladores locales es, quizás, más significativa, pues se efectúa con perros venaderos, boleadoras y lazos.

El manejo ganadero es, sin dudas, otro factor de disturbio. En algunas ocasiones los grandes arreos se realizan en octubre, momento en el que se sabe que al menos parte de las hembras están preñadas o con crías al pie. Este manejo provoca el desplazamiento anormal de ciervos y sería de esperar que ello pudiese afectar su efectividad reproductiva.

Sin dudas, de continuar las condiciones actuales, el venado de las pampas en Santa Fe estará destinado a la extinción, y esto podría ocurrir en pocos años. Debido a la crítica situación de la especie, aún las poblaciones pequeñas pueden ser valiosas desde el punto de vista genético. La población de los Bajos Submeridionales es la que más próxima a la desaparición se encuentra; por ello, su conservación debería ser una prioridad.

Para intentar revertir la situación actual, investigadores, naturalistas y guardafaunas de la provincia elaboraron un "Plan provincial", que fue analizado y corregido por investigadores del país y el extranjero. Si bien llevarlo adelante no es sencillo, se postularon acciones prioritarias que deberían llevarse a cabo en forma urgente. Dos de ellas son: 1) el control de la caza y 2) la gestión de un AP. Paralelamente, para controlar la caza se ha declarado a la especie Monumento Natural (Ley N°12.182) aunque esto, hasta ahora, no ha tenido incidencia en la conservación real de la población. Se debe hacer efectivo el control e involucrar a la comunidad rural.

Es indispensable acompañar el proceso de control de caza con la preservación y el manejo adecuado (a saber, mediante áreas de exclusión de ganado, control de perros, fuegos prescriptos, etc.) de la estancia La Salamandra, declarada "Área Valiosa de Pastizal" por la FVSA (ver Miñarro *et al.* en este volumen), incluida entre las áreas prioritarias para la conservación del Gran Chaco (ver Herrera y Martinez Ortiz en este volumen), pero que aún dista de ser declarada bajo alguna categoría de reserva.

De no actuar coordinadamente, en forma eficaz y rápida, se lamentará la pérdida de una población a poco tiempo de haber sido redescubierta. De ser así, se desaprovechará una chance de conservar la subespecie *O. b. leucogaster* en el país y a la especie dentro de la ecorregión chaqueña (a escala global), ya que no hay evidencias confirmadas de la existencia de otra población en esta región.

Bibliografía

• Adámoli, J., R. Ginzburg, S. Torrella y P. Herrera, "Expansión de la frontera agraria en la región chaqueña: el ordenamiento territorial como herramienta para la sustentabilidad", *Gerencia Ambiental*, 2004, 11: pp. 810-823.

• Adámoli, J., "Los humedales del Chaco y del Pantanal", en: Malvárez, A. I. (ed.), *Tópicos sobre humedales subtropicales y templados de Sudamérica*, Universidad de Buenos Aires, Oficina Regional de Ciencia y Tecnología de la Unesco para América Latina y el Caribe, ORCYT, Montevideo, 1999.

• Adámoli, J., S. Torrella y P. Herrera, "La expansión de la frontera agrícola y la conservación de la biodiversidad en el Chaco argentino", en: Castroviejo (ed.), *Por la Biodiversidad en Latinoamérica*, Fundación Amigos de Doñana y Fundación Félix de Alzara, 2004.

• Barberis, I. M., E. F. Pire y J. P. Lewis, "Spatial heterogeneity and woody species distribution in a *Schinopsis balansae* (*Anacardiaceae*) forest of the Southern Chaco, Argentina", *Revista de Biología Tropical*, N°46, 1998, pp. 515-524.

• Barberis, I. M., W. B. Batista, E. F. Pire, J. P. Lewis y R. J. C. León, "Woody population distribution and environmental heterogeneity in a Chaco forest, Argentina", *Journal of Vegetation Science*, 2002, 13: pp. 607-614.

• Benzing, D. H., "Bromeliaceae. Profile of an Adaptive Radiation", Cambridge, *Cambridge University Press,* 2000.

• Bertonatti, C. y J. Corcuera, *Situación ambiental Argentina 2000*, Buenos Aires, Fundación Vida Silvestre Argentina, 2000.

• Bitlloch, E. y H. A. Sormani, "Los enclaves forestales de la región chaqueño-misionera", *Ciencia Hoy*, 1997, 7: pp. 41-52.

• Burgos, J. J., "El clima de la región noreste de la República Argentina", Boletín de la Sociedad Argentina de Botánica N°11 (supl.), 1970, pp. 37-102.

• Cabrera, A., "Sobre la sistemática del venado y su variación individual y geográfica", *Revista del Museo de La Plata*, Secc. Zool., 1943, 3: pp. 5-41.

• Cabrera, A. y J. Yepes, *Mamíferos sudamericanos (vida, costumbres y descripción)*, Buenos Aires, Compañía Argentina de Editores, 1940.

• Chébez, J. C., *Los que se van, especies argentinas en peligro*, Buenos Aires, Editorial Albatros, 1994.

• Espino, L. M., M. A. Seveso y M. A. Sabatier, *Mapa de suelos de la provincia de Santa Fe*, Tomo II, MAG Santa Fe e INTA EERA Rafaela, 1983.

• Giai, A. G., "Venados y gamas", *Diario La Prensa*, Buenos Aires, 19 de agosto de 1945.

• Giai, A. G., *Notas de viajes*, Hornero, 1950, 9: pp. 121-164.

• Ginzburg, R., J. Adámoli, P. Herrera y S. Torrella, "Los Humedales del Chaco: Clasificación, Inventario y Mapeo a Escala Regional", en: Aceñolaza, F. G. (ed.), *Temas de la Biodiversidad del Litoral fluvial argentino II*, CONICET e Instituto Miguel Lillo (UNT), 2005, pp: 135-152.

• Herrera, P., J. Adámoli, S. Torrella y R. Ginzburg, "El Riacho Mbiguá en el contexto del modelado fluvial de la Región Chaqueña", Di Giacomo, A. G. y S. F. Krapovickas (eds.), *Historia Natural y Paisaje de la Reserva El Bagual, Provincia de Formosa, Argentina*, Buenos Aires, Aves Argentinas/Asociación Ornitológica del Plata, 2005, pp. 27-39.

• Herrera, P., S. Torrella y J. Adámoli, "Los incendios forestales como modeladores del paisaje en la región chaqueña", en: Kunst, C., S. Bravo y J. Panigatti (eds.), *Fuego en los ecosistemas argentinos*, Santiago del Estero, INTA, 2003.

• Larriera, A., "The experimental breeding station of Caiman latirostris at Santa Fe City, Argentina", en: Larriera, A. y L. Verdade (eds.), *Conservación y Manejo de Caimanes y Cocodrilos en América Latina*, Vol. 1, Santa Fe, Fundación Banco Bica, 1993, pp. 160-163.

• Lewis, J. P., "Three levels of floristical variation in the forest of Chaco, Argentina", *Journal of Vegetation Science*, 1991, 2: pp. 125-130.

• Lewis, J. P. y E. F. Pire, "Reseña sobre la vegetación del Chaco santafesino", *Serie Fitogeográfica* 18, Buenos Aires, INTA, 1981.

• Lewis, J. P., E. F. Pire y I. M. Barberis, "Structure, physiognomy and floristic composition of a *Schinopsis balansae* (*Anacardiaceae*) forest in the Southern Chaco, Argentina", *Revista de Biología Tropical*, 1997, 45: pp. 1.013-1.020 c.

La Situación Ambiental Argentina 2005

• Lewis, J. P., E. F. Pire y J. L. Vesprini, "The mixed dense forest of the Southern Chaco. Contribution to the study of flora and vegetation of the Chaco", VIII, *Candollea*, 1994, 49: pp. 159-168.

• Marino, G. y J. F. Pensiero, "Heterogeneidad florística y estructural de los bosques de *Schinopsis balansae* (*Anacardiaceae*) en el sur del Chaco Húmedo", *Darwiniana*, 2003, 41: pp. 17-28.

• Martínez Crovetto, R., "Estudios fitosociológicos en el sotobosque de los quebrachales del noroeste de Corrientes (República Argentina)", Boletín de la Sociedad Argentina de Botánica, 1980, 19: pp. 315-329.

• Maturo, H., L. Oakley y D. Prado, "Vegetación y posición fitogeográfica de la Reserva 'El Bagual'", en: Di Giacomo, A. y S. Krapovickas (eds.), *Historia Natural y Paisaje de la Reserva "El Bagual", Provincia de Formosa, Argentina*, Temas de Naturaleza y Conservación 4, Aves Argentinas/AOP, Buenos Aires, 2005.

• Micucci, P. y T. Waller, "Los yacarés en Argentina", en: Larriera, A. y L. Verdade (eds.), *La Conservación y el Manejo de caimanes y cocodrilos en América Latina*, Vol. 1, Santa Fe, Fundación Banco Bica, Santo Tomé, 1995.

• Morello, J. y J. Adámoli, "Vegetación y ambiente del nordeste del Chaco argentino", Boletín N°3, IX Jornadas Botánicas Argentinas, EEA Colonia Benítez, 1967.

• Morello, J. y Adámoli, J., "Las grandes unidades de vegetación y ambiente del Chaco argentino", Primera parte: Objetivos y metodología, Serie fitogeográfica N°10, Buenos Aires, INTA, 1968, 125 pp.

• Morello, J. y J. Adámoli, "Las grandes unidades de vegetación y ambiente del Chaco argentino", Segunda parte: Vegetación y ambiente de la Provincia del Chaco, Serie fitogeográfica N°13, Buenos Aires, INTA, 1974, 130 pp.

• Morello, J. y S. Matteucci, "Biodiversidad y fragmentación de los bosques en la Argentina", en: Matteucci, S., O. T. Solbrig, J. Morello y G. Halffter (eds.), *Biodiversidad y uso de la tierra. Conceptos y ejemplos de Latinoamérica*, Buenos Aires, EUDEBA, 1999.

• Moreno, D. y A. Parera, "Disponibilidad de nidos y estado poblacional de yacarés en el Refugio de Vida Silvestre El Cachapé y su zona de influencia", Boletín Técnico N°39, Buenos Aires, Fundación Vida Silvestre Argentina, 1998.

• Neiff, J. J., "Humedales de la Argentina: sinopsis, problemas y perspectivas futuras", Programa Iberoamericano de ciencia y tecnología para el desarrollo, Subprograma XVII, Aprovechamiento y Gestión de Recursos Hídricos, CYTED, 2001.

• Pautasso, A., M. Peña, J. Mastropaolo y L. Moggia, "Distribución y conservación del venado de las pampas (*Ozotoceros bezoarticus leucogaster*) en el norte de Santa Fe, Argentina", *Mastozoología Neotropical*, 2002, 9: pp. 64-69.

• Pire, E. F. y D. E. Prado, "Pautas empíricas para un manejo sustentable de los bosques de la Cuña Boscosa Santafesina", en: Bertonatti, C. y J. Corcuera (comp.), *Situación ambiental argentina 2000*, Buenos Aires, Fundación Vida Silvestre Argentina, 2000, pp. 257-260.

• Placci, L., "Estructura y comportamiento fenológico en relación a un gradiente hídrico en bosques del este de Formosa", Tesis doctoral, Facultad de Ciencias Naturales y Museo, Universidad Nacional de La Plata, 1995.

• Popolizio, E., P. Y. Serra y G. O. Hortt, "Bajos Submeridionales. Grandes unidades taxonómicas de Santa Fe", Investigación, Centro de Geociencias Aplicadas, Serie C, Resistencia, 1978.

La Situación Ambiental Argentina 2005

• Prado, W., Participación de pobladores rurales en un proyecto de *ranching* de *Caiman latirostris* y *Caiman yacare* en la provincia de Chaco, Argentina; Reunión Regional de Latinoamérica y el Caribe del Grupo de Especialistas en Cocodrilos (CSG/SSC/IUCN), Santa Fe, Argentina, 2005, pp. 201-207.

• Prado, W., "Proyecto 'Semana del yacaré': La educación en las escuelas rurales como herramienta para la conservación de los caimanes en la Argentina", Reunión Regional de Latinoamérica y el Caribe del Grupo de Especialistas en Cocodrilos (CSG/SSC/IUCN), Santa Fe, 2005, pp. 207-214.

• Prado, W., E. Boló Bolaño, A. Parera, D. Moreno y A. Carminati, "Manejo de yacarés overo (*Caiman latirostris*) y negro (*Caiman yacare*) en el Refugio de Vida Silvestre 'El Cachapé'", Boletín Técnico Nº55, Buenos Aires, Fundación Vida Silvestre Argentina, 2001.

• Prado, W., G. Stamatti, O. Gómez, E. Boló Bolaño, A. Parera y D. Moreno, "Primera cosecha de nidos de yacarés overo (*Caiman latirostris*) y negro (*Caiman yacare*) en el Refugio de Vida Silvestre 'El Cachapé', Boletín Técnico Nº53, Buenos Aires, Fundación Vida Silvestre Argentina, 2000.

• Ross, J. P., "Bases biológicas para el uso sostenible de los cocodrílidos", en: Frang, T. G., O. L. Montenegro y R. E. Bodiner (eds.), *Manejo y Conservación de la Fauna Silvestre en América Latina*, 1999.

• Torrella, S., J. Adámoli, P. Herrera y R. Ginzburg, "La expansión agrícola en el Chaco argentino: contrastes entre el litoral fluvial y el interior", en: Aceñolaza, P. G. (ed.), *Temas de la Biodiversidad del Litoral fluvial argentino II*, Tucumán, Editor INSUGEO, 2005, 14: pp. 123-134.

• Torrella, S., P. Herrera y J. Adámoli, "Sostenibilidad de la expansión agraria en la región chaqueña: condiciones favorables y factores limitantes", Terceras Jornadas Interdisciplinarias de Estudios Agrarios y Agroindustriales, Facultad de Ciencias Económicas, Universidad de Buenos Aires, 2003.

• Uhart, M., W. Prado, D. Moreno, H. Ferreira, C. Rossetti, M. Ferreyra Armas, V. Paz y W. Karesh, "Estado sanitario y uso sustentable de yacarés overo (*Caiman latirostris*) y negro (*Caiman yacare*) en el Chaco Argentino", V Congreso Internacional en Manejo de Fauna Silvestre en Amazonia y Latinoamérica, 2001.

• Waller, T. y P. Micucci, "Relevamiento de la distribución, hábitat y abundancia de los crocodilios de la Provincia de Corrientes, Argentina", *Zoocría de los Crocodylia*, Memorias de la I Reunión Regional del CSG, Grupo de Especialistas en Cocodrilos de la UICN: I Taller sobre Zoocría de los Crocodylia, Santa Marta, 1993, pp. 341-385.

La Situación Ambiental Argentina 2005

Ecorregión Delta e Islas del Paraná

☐ Delta e Islas del Paraná

☐ Red de áreas prioritarias para la conservac
(Evaluación Ecorregional del Gran Chaco,
TNC et al., 2005)
Eje fluvial de los ríos Paraná - Paraguay
y sus planicies de inundación

▨ Áreas valiosas de pastizal
(Bilenca y Miñarro, 2004)
Porción no insular del bajo delta del río Paraná

Áreas protegidas (Administración de Parques
Nacionales. Sistema de Información de Biodiversidad)
■ Nacionales
1. Parque Nacional Pre Delta
2. Res. Nat. Estricta Otamendi
▨ Provinciales
3. Pque. Prov. Litoral Chaqueño
4. Res. Prov. Uso Múltiple Campo Salas
5. Pque. Nat. Prov. Virá Pitá
6. Res. Gral. Nat. Prov. Del Medio -
Los Caballos
7. Res. Gral. Nat. Prov. Cayastá
8. Pque. Escolar Rural Gral. San Martín
9. Res. Gral. Nat. Prov. El Rico
10. Res. Nat. Isla del Sol
11. Res. Municipal Madrejón Don Felipe
12. Pque. Regional Ftal. y Botánico
Rafael Aguilar
13. Res. Uso Múltiple Isla Botija
14. Res. Nat. Obj. Definido Isla Martín García
15. Res Nat. Integral Bahía de Samborombón
16. Res Nat. Integral Rincón de Ajó
17. Res. de Vida Silvestre Campos del Tuyú
☐ Internacionales
18. Res. de Biosfera Laguna de Oca
19. Sitio Ramsar Humedales del Chaco
20. Sitio Ramsar Jaaukanigás
21. Res. de Biosfera Delta del Paraná
22. Sitio Ramsar Res. Ecológica Costanera Sur
23. Res. de Biosfera Pque. Costero del Sur
24. Sitio Ramsar Bahía de Samborombón

SITUACIÓN AMBIENTAL EN LA ECORREGIÓN DELTA E ISLAS DEL PARANÁ

Por: Roberto F. Bó

Grupo de Investigaciones en Ecología de Humedales (GIEH). Laboratorio de Ecología Regional. Departamento de Ecología, Genética y Evolución. Facultad de Ciencias Exactas y Naturales (FCEN), Universidad de Buenos Aires (UBA). rober@ege.fcen.uba.ar

Caracterización general de la ecorregión

La Ecorregión Delta e Islas del Paraná es un conjunto de macrosistemas de humedales de origen fluvial que, encajonado en una gran falla geológica, se extiende en sentido norte-sur, a lo largo de la llanura chaco-pampeana, y cubre 4.825.000 ha (APN, 2001). Si bien su nombre destaca algunos de sus componentes más conspicuos, resulta conveniente aclarar que incluye el corredor fluvial y las planicies aluviales del tramo inferior del río Paraguay (en adelante, Bajo Paraguay), de los tramos medio e inferior del río Paraná (es decir, el Paraná Medio y el Delta del Paraná) y el cauce del Río de la Plata (Burkart *et al.*, 1999). Dichos sectores cuentan con porciones tanto continentales como insulares y, si bien poseen varias características ecológicas comunes, por su ubicación, extensión y algunos rasgos físico-biológicos y socio-económicos diferenciales, son comúnmente descriptos en forma separada (Pando y Vitalli, 2002).

El río Paraguay nace a los 14° 20' de latitud sur en el Matto Grosso central (Brasil). El Bajo Paraguay corresponde a la porción argentino-paraguaya del mismo, la que se inicia en su confluencia con el río Pilcomayo (donde se hace sinuoso y con pequeñas islas) y se extiende hasta su desembocadura en el río Paraná (27° 17' de latitud sur).

El río Paraná, el segundo más largo de Sudamérica, también nace en territorio brasileño (15° 30' de latitud sur). Por sus características geomorfológicas e hidrológicas diferenciales, comúnmente es zonificado en cuatro grandes tramos: el Alto Paraná, el Paraná Superior (no incluidos en la ecorregión), el Paraná Medio y el Delta. El Paraná Medio se extiende desde su confluencia con el río Paraguay en Paso de la Patria (Corrientes) hasta la ciudad de Diamante (Entre Ríos), donde se inicia el Delta (Giraudo y Arzamendia, 2004). En él, la margen correntino-entrerriana es una barranca continua y elevada, mientras que la chaqueño-santafesina es baja (Pando y Vitalli, 2002). En el Delta, el cauce se ensancha determinando un amplio valle de inundación que, en su porción terminal, se divide en dos grandes brazos para conformar un verdadero delta desde el punto de vista geomorfológico (Quintana *et al.*, 2002).

El Río de la Plata, por último, corresponde, en realidad, a un estuario que se extiende desde la porción terminal del Delta y la desembocadura del río Uruguay hasta el Océano Atlántico, y finaliza a la altura de una línea imaginaria que une la localidad de Punta Rasa, en la Argentina, con Punta del Este, en Uruguay (Bonetto y Hurtado, 1999).

En términos generales, se trata de macrosistemas complejos en los que los flujos de energía y materiales ocurren como pulsos de inundación y sequía. Por otro lado, como el agua proviene en gran parte de otras regiones, se produce un desfasaje de algunos meses entre las precipitaciones ocurridas en las altas cuencas y los niveles de agua en los grandes ríos (Neiff y Malvárez, 2004). Estos macrosistemas incluyen ambientes acuáticos permanentes, temporarios y sectores de tierra firme, distribuidos en gradientes desde los canales principales hacia los laterales de sus llanuras aluviales. Este rasgo geomorfológico característico sumado a la elevada capacidad de almacenaje de agua en sus suelos (que se saturan por la circulación del río) y a la variabilidad regional observada en el balance lluvias/evapotranspiración + infiltración determinan su "elasticidad", es decir, la relación dinámica entre las superficies ocupadas en las fases de máxima inundación (o de aguas altas) y de sequía (o de aguas bajas). Dicha elasticidad permite explicar, en gran medida, aspectos tales como la prevalencia de fenómenos de acumulación o degradación de la materia orgánica, la variación en las condiciones químicas, el almacenamiento y la movilidad de los nutrientes y el flujo, la distribución y la abundancia de las poblaciones animales y vegetales (Neiff y Malvárez, 2004). Las comunidades bióticas pueden presentar importantes diferencias en su complejidad y diversidad específica; en muchos casos, se observan gradientes claramente marcados entre las distintas secciones del río y entre los diferentes componentes de la llanura de inundación (Marchese *et al.*, 2002).

Los grandes ríos Paraguay y Paraná constituyen importantes "corredores", es decir, vías efectivas para la migración activa o pasiva de flora y fauna de linaje tropical hacia zonas templadas, donde pueden coexistir con especies propias de estas últimas (Kandus y Malvárez, 2002; Quintana *et al.*, 2002). Según Giraudo y Arzamendia (2004), varias especies de aves, reptiles y grandes mamíferos tropicales tendrían mayor afinidad con la biota amazónica, a diferencia de las que "bajan" por el Alto Paraná y el río Uruguay, que serían más "atlánticas".

Los eventos periódicos de inundación producen situaciones de estrés biótico que, en muchos casos, implican un "volver a iniciar" del sistema; la fase de aguas bajas también constituye un importante factor de selección que condiciona la distribución de animales y plantas (Neiff y Malvárez, 2004). Sin embargo, muchos de los organismos presentes se hallan adaptados a los mencionados pulsos y pueden sobrevivir en una amplia gama de condiciones ambientales, o bien migran en las épocas desfavorables (Bó y Malvárez, 1999). La percepción humana de estos eventos (particularmente de las inundaciones) tiene connotaciones y alcances muy distintos. La inundación "puede resultar detrimental por su magnitud, amplitud o lo inesperado de su ocurrencia, pero también por la incoherencia del funcionamiento de la sociedad humana antes, durante y después de su manifestación" (Neiff y Malvárez, 2004). No debe olvidarse, por lo tanto, que el régimen hidrológico de pulsos es el responsable de las elevadas productividad y diversidad biológica que caracterizan a la ecorregión y, por lo tanto, de los numerosos bienes y servicios que históricamente han brindado a las sociedades humanas que la habitan. A continuación, se realiza una breve descripción físico-biológica y socio-económica de cada uno de los cuatro grandes sectores identificados.

El Bajo Paraguay

Su valle aluvial se halla constituido por el canal principal del río, sus brazos laterales (semipermanentes o esporádicos), los altos relativos (albardones), las medias lomas altas y bajas (espiras) y los bajos (esteros y lagunas semilunares). Estos últimos dominan el paisaje y se inundan cada dos o tres años.

La fase de aguas altas se extiende de mayo a octubre. El clima es cálido (la temperatura media anual es de 22°C). La precipitación anual es de 1.350 mm y se concentra en verano y, si bien la evapotranspiración potencial también es relativamente alta, el balance hídrico anual resulta positivo (Bucher y Chani, 1999; GPF, 2000).

Los altos relativos se hallan cubiertos por estrechas franjas de bosques fluviales en los que abundaban árboles de timbó blanco (*Cathormium polyantum*), ibirá puitá (*Peltophorum dubium*), lapacho (*Tabebuia impetiginosa*), Francisco Álvarez (*Pisonia zapallo*) y palo mora (*Chlorophora tinctorea*), especies actualmente relictuales debido a la intensa extracción de madera a la que fueron sometidas (Del Rosso, com. pers.).

Las medias lomas altas son dominadas por arbustales de espinillos mansos y carpincheras (*Mimosa spp.*) y las bajas, por pajonales de distinto tipo: carrizales (*Panicum grumosum*), pirizales (*Cyperus giganteus*), achirales (*Thalia geniculata*), canutillares (*Paspalum repens*), etc. Los bajos se hallan cubiertos por pajonales y pastizales dominados por totoras (*Thypa dominguensis*), el catay (*Polygonum punctatum*), la verdolaga (*Ludwigia peploides*) y los camalotes (*Eichhornia spp.* y *Pontederia spp.*). Todos ellos pueden experimentar la muerte de muchas de sus especies leñosas y sufrir cambios importantes en la biomasa y la riqueza específica de sus herbáceas, de acuerdo con la magnitud, la duración y la regularidad de las crecientes y los estiajes (GPF, 2000).

Su elevada heterogeneidad ambiental y su dinámica hidrosedimentológica originan una particular oferta de hábitat y determinan una relativamente alta diversidad de fauna silvestre (que incluye especies residentes y migratorias). La misma, históricamente, ha venido soportando una intensa presión de caza y pesca comercial y de subsistencia, las que se han incrementado desde 2001. A partir de los 90, también han aumentado considerablemente las excursiones de caza y pesca deportiva (Del Rosso, com. pers.).

Entre los peces, sobresalen el pacú (*Colossoma mitrei*), la tararira (*Hoplias malabaricus*), el dorado (*Salminus maxillosus*), los surubíes (*Pseudoplatystoma spp.*) y el manguruyú (*Paulicea lutkeni*), en los que se concentran las actividades mencionadas (GPF, 2000). De la avifauna se destacan el pato criollo (*Cairina moschata*), el sirirí colorado (*Dendrocygna bicolor*), el yabirú (*Jabiru mycteria*), el muitú (*Crax fasciolata*), el picabuey (*Machetornis ilsoxus*) y varias especies de garzas, bandurrias y milanos. Entre los reptiles, se destacan dos especies de yacaré, el ñato (*Caiman latirostris*) y el negro (*C. yacare*), y la boa curiyú (*Eunectes notaeus*), aprovechados por el valor comercial de su cuero (sobre un modelo de uso sustentable del yacaré, ver Moreno *et al.*, en este volumen). Los mamíferos más representativos son el mono aullador (*Alouatta caraya*), el coatí (*Nasua nasua*), el zorro de monte (*Cerdocyon thous*), los pecaríes labiado y de collar (*Pecari tajacu* y *Tayassu pecari*), y el murciélago pescador grande (*Noctilio leporinus*). También son particularmente distintivos la rata colorada –*Holochilus chacarius*–, el carpincho –*Hydrochaeris hydrochaeris*–, el lobito de río –*Lutra longicaudis*– y el coipo o nutria –*Myocastor coypus*– (GPF, 2000), aunque la situación de este último sería problemática, al menos en los años recientes (Bó *et al.*, 2004 a).

Las zonas urbanas y periurbanas (como la ciudad de Formosa) utilizan el agua proveniente de estos humedales. En los últimos años, en las zonas rurales se han efectuado desmontes para realizar ganadería extensiva, instalar viveros forestales, núcleos hortícolas y ladrilleros, además de algunos *campings* y clubes náuticos. No obstante, la mayoría de los habitantes, asentados en forma precaria, realiza estas actividades para el autoconsumo en pequeñas granjas familiares complementadas con pesca artesanal (GPF, 2000; Del Rosso, com. pers).

El Paraná Medio

El Paraná Medio se halla conformado por depósitos aluvionales que forman islas que, posteriormente, van adosándose para constituir la planicie de inundación donde lagunas, madrejones y zanjones son particularmente abundantes. Al igual que en el Bajo Paraguay y en el Delta, el régimen hidrológico se caracteriza por un pulso anual aunque, en los últimos años, el mismo ha adquirido un carácter errático. Si bien siguen detectándose períodos de aguas relativamente altas y bajas, pueden observarse varios pulsos pequeños en el ciclo anual, o bien varios años de inundación o de estiaje. Estos eventos se relacionan con fenómenos climáticos naturales como "El Niño"o "La Niña", aunque también se los asocia al manejo hidráulico que se realiza en las altas cuencas.

La vegetación marginal de la planicie es un bosque en galería, actualmente muy degradado y con amplios sectores erosionados. Los sauzales (*Salix humboldtiana*) y timbosales (*Tessaria integrifolia*) se establecen en márgenes y bancos, mientras que en los sectores altos del valle se forma otro tipo de bosque fluvial que incluye, entre otras, timbós blancos y colorados (*Enterolobium contortisiliquum*), seibos (*Erythrina cristagalli*) y curupíes (*Sapium haemastospermun*). En las medias lomas altas son comunes los pajonales de paja de techar (*Panicum prionitis*) y en las bajas, los carrizos, los canutillos, las verdolagas, los cataysales y los pastos de laguna (*Echinochloa spp.*). En los cuerpos de agua abundan los camalotes, los camalotillos (*Nymphoides indica*) y el irupé (*Victoria cruziana*) –Bonetto y Hurtado, 1999.

En cuanto a la fauna silvestre, los peces y las aves son los grupos más diversos. Entre los primeros merecen señalarse el sábalo (*Prochilodus platensis*)—que constituye más del 50% de la biomasa íctica y se destina al consumo y a la elaboración de aceite y harina–, los surubíes, el manguruyú, el dorado y el pirapitá (*Brycon orbigianus*), muy importantes para la pesca (comercial y deportiva), la actividad más distintiva y compleja de la región (Bonetto y Hurtado, 1999; Baigún y Oldani, en este volumen). Entre las aves se destacan el biguá (*Phalacrocorax olivaceous*), la garza blanca (*Casmerodius albus*), las cigüeñas (*Mycteria americana* y *Ciconia maguari*), el cuervillo de la cañada (*Plegadis chihi*) y varias especies de macáes, gallinetas y tordos. Muchas especies de patos, como el cutirí (*Amazonetta brasiliensis*), el capuchino (*Anas versicolor*), el sirirí pampa (*Dendrocygna viduata*), el sirirí colorado y el picazo (*Netta peposaca*) son sometidas a una intensa caza deportiva y de subsistencia, y son también perseguidas por su eventual efecto negativo en las grandes arroceras que, en forma creciente, están cubriendo grandes extensiones de la cuenca (Zaccagnini, 2002).

Los mamíferos, los reptiles y los anfibios más conspicuos son el aguará guazú (*Chrisocyon brachiurus*), el osito lavador (*Procyon cancrivorus*), el guasuncho (*Mazama goazoubira*), los yacarés, la curiyú, la ñacaniná (*Hydrodinastes gigas*), otros ofidios como *Hydrops triangularis* y *Philodryas olferssi*, el sapo buey (*Bufo paracnemis*), el lagarto overo (*Tupinambis merinae*), el carpincho y el coipo. Estos tres últimos han sido sometidos a una intensa caza comercial y de subsistencia (Bonetto y Hurtado, 1999; Bucher y Chani, 1999; Giraudo, Arzamendia y López, 2004; Bó *et. al.* en este volumen).

En cuanto a las actividades humanas, resulta conveniente recordar que, a lo largo del Paraná Medio, se extienden grandes conglomerados urbanos e industriales, algunos de ellos correspondientes a las ciudades capitales y puertos de varias provincias, lo que implica una histórica e intensa intervención de la cuenca a fin de proveer bienes y servicios a las mismas (Zuidwijk, 2002; Basadonna, 2002; Salvatori, 2002).

El Delta del río Paraná

Constituye la porción terminal del mencionado río. Su elevada heterogeneidad ambiental, producto de procesos geomorfológicos e hidrológicos pasados (ingresiones y regresiones marinas holocénicas) y actuales (modelado fluvial) y de sus particulares características climáticas, determina diferentes patrones de paisaje habitados por una biota rica y abundante, de origen tanto subtropical como templado. A grandes rasgos, puede dividirse en tres zonas: el Delta Superior (DS), el Delta Medio (DM) y el Delta Inferior (DI). Los dos primeros, con rasgos relativamente similares al Paraná Medio, constituyen la porción más ancha de la planicie de inundación que, a diferencia de lo que ocurre en este último, se extiende por su margen izquierda. En el DI o Bajo Delta, se distinguen geoformas de origen marino (antiguos cordones arenosos, lagunas litorales y canales de marea) y típicas geoformas deltaicas. Esto es un importante conjunto de islas, surcado por numerosos cursos de agua y formado por el depósito de enormes cantidades de sedimentos transportados por el río Paraná.

Su régimen hidrológico es complejo y está determinado por inundaciones periódicas de distinto origen: crecientes de los ríos Paraná, Uruguay y Gualeguay y mareas y sudestadas del Río de la Plata. En ocasiones, las mismas pueden provocar graves problemas por la altura y/o la permanencia de las aguas.

El clima es templado y subhúmedo, con temperaturas medias anuales de 16,7°C a 18°C, la precipitación anual es de 1000 mm y humedad relativa es del 79%. Dichos valores, junto con las relativamente bajas amplitudes térmicas diarias, temperaturas máximas y frecuencia de días con heladas, se producen debido a la acción moderadora de las grandes masas de agua circundantes.

Entre las comunidades vegetales arbóreas en el DS y el DM, se destacan el bosque fluvial mixto, constituido por especies arbóreas como el sauce criollo, el aliso de río (*Tessaria integrifolia*), el canelón (*Rapanea laetevirens*) y el laurel (Nectandra falcifolia). En el DI se destaca la selva en galería o "monte blanco", actualmente relictual, compuesta por leñosas como la palmera pindó (*Arecastrum romanzoffianum*), el ingá (*Inga uruguayensis*), el anacahuita (*Blephalocalix tweedi*) y el sauco (*Sambucus australis*). Esta última, junto con los seibales dominaba en los albardones de las islas, y actualmente son reemplazados por un bosque secundario de exóticas dominado por ligustros (*Ligustrum lucidum*), ligustrinas (*L. sinence*), moras (*Morus sp.*), fresnos (*Fraxinus sp.*) y cubiertos de madreselvas (*Lonicera japonica*) y zarzamoras (*Rubus sp.*) -ver Kalesnik y Quintana en este volumen. En el sector no insular, en cambio, los bosques bajos de espinillo (*Acacia caven*) constituyen las comunidades características.

En las riberas y en los ambientes de media loma aparecen comunidades capaces de soportar condiciones hidrológicas fluctuantes como sarandizales (*Cephalantus glabratus*), chilcales (*Baccharis* spp.), cardasales (*Eryngium* spp.) y pastizales de *Luziola peruviana*, respectivamente. En los bajos, se encuentran comunidades herbáceas hidrófilas con especies dominantes variables, según la zona considerada. Tal es el caso de los catayzales, los verdolagales, los canutillares del DS y DM, los pajonales de cortadera (*Scirpus giganteus*) y los juncales (*Schoenoplectus californicus*) del DI. Los carrizales y las distintas comunidades acuáticas se distribuyen, en cambio, a lo largo de todo el Delta (Malvárez, 1999; Kandus y Malvárez, 2002; Quintana *et al.*, 2002).

En cuanto a la fauna silvestre, de las formas ribereñas que ingresan al área merecen destacarse el lobito de río, el ciervo de los pantanos (*Blastocerus dichotomus*) -ver Aprile *et al.*, en este volumen-, la rata colorada (*Holochilus brasiliensis*), la pava de monte común (*Penelope obscura*) y el biguá víbora (*Anhinga anhinga*). Los mismos conviven con cuises (*Cavia aperea*), coipos, carpinchos, chajáes (*Chauna torquata*), caraos (*Aramus guarauna*) y varias especies de garzas, gallinetas y patos, junto con otras especies netamente pampeanas como la comadreja overa (*Didelphis albiventris*), el gato montés común (*Oncifelis geoffroyi*), el federal (*Amblyramphus holocericeus*) y el cabecita negra (*Carduelis magellanica*).

La Situación Ambiental Argentina 2005

Entre los reptiles se destacan el lagarto overo, la yarará (*Bothrops alternatus*) y varios colúbridos y tortugas acuáticas. Con respecto a los anfibios, dentro de las veintisiete especies presentes merecen mencionarse la rana criolla (*Leptodactylus ocellatus*), los sapos como el *Bufo fernandezae* y varias especies de ranitas de zarzal como *Hyla pulchella*.

Dentro de los peces se destacan varias especies de bagres (de los géneros *Pimelodus* y *Parapimelodus*), surubíes y patíes (de los géneros *Pseudoplatystoma* y *Luciopimelodus*) y el dorado. Los bagres, junto con el sábalo, son los de mayor número y biomasa en toda la Cuenca del Plata (Quintana *et al.*, 2002).

En la actualidad, la alta diversidad biológica, íntimamente asociada con la ocurrencia de pulsos de inundación, se encuentra claramente influida por la intervención humana. Las actividades productivas tradicionales son la ganadería extensiva, la caza y la pesca (comercial y de subsistencia) (Bó *et al.*,2002), la apicultura, la recolección de leña en la porción entrerriana, la forestación con salicáceas -sauces y álamos- (ver Vicari *et al.*, en este volumen) y el turismo, actividades que son más desarrolladas en la porción bonaerense. Por otro lado, la zona de islas del DI reconoce una historia de uso productivo y residencial relativamente antigua que tiende a intensificarse en la actualidad (Kandus y Malvárez, 2002; Quintana *et al.*, 2002).

La mayoría de las actividades mencionadas, pese a la importante presión que ejercen sobre el medio natural, se consideran en la actualidad poco desarrolladas, debido al fenómeno de relocalización y despoblamiento que, desde hace varias décadas, viene produciéndose en el Delta, a causa de los bajos precios pagados por los productos locales, las modalidades de producción y, fundamentalmente, las inundaciones "extraordinarias". En algunas oportunidades, estas últimas afectaron drásticamente los asentamientos humanos y varias especies de flora y fauna (Malvárez *et al.*, 1999; Bó y Malvárez, 1999). Cuestiones como las mencionadas tienen, simultáneamente, efectos positivos y negativos sobre la biodiversidad del área, ya que si bien el tipo e intensidad de ciertas actividades productivas permiten el mantenimiento y/o la recuperación de algunas condiciones del hábitat natural, la falta de oportunidades laborales determina también una mayor presión sobre ciertos componentes de las comunidades bióticas, y los mismos son, en muchos casos, la única fuente de recursos para el poblador local (Bó y Quintana, 1999).

El Río de la Plata

El Río de la Plata recibe un caudal medio anual de 23.000 m2/seg de los ríos Paraguay-Paraná y Uruguay. Los materiales fluviales (mayoritariamente limo y arcilla) se depositan sobre las costas (Bonetto y Hurtado, 1999). Constituye un estuario poco profundo y de gran superficie en cuya zona interior, aledaña al Delta, predominan condiciones fluviales mientras que, en su parte más externa, experimenta fenómenos marinos como el oleaje y las mareas. Posee dos capas, una superior de agua dulce y una inferior de agua salada (Acha y Mianzan, 2003). El nivel del agua depende más de los vientos (pamperos y sudestadas) que de las mareas. Las sudestadas, cuya frecuencia es de cinco episodios por año, se caracterizan por sus vientos sostenidos y de variada intensidad, los que pueden provocar grandes inundaciones en el Delta y varias ciudades costeras (Bonetto y Hurtado, 1999; Ereño, 2002)

El clima se caracteriza por sus condiciones templadas y húmedas (la temperatura media y la humedad relativa anuales son de 17,8°C y 73%, respectivamente). Los inviernos no son muy rigurosos, pero el elevado contenido de humedad produce una sensación térmica considerablemente inferior. Sin embargo, es notoria la variación entre el clima interior de las grandes ciudades circundantes como Buenos Aires y el de la ribera. El río ejerce un poder amortiguador de los cambios térmicos, pero en sus orillas y en el río abierto los vientos tienden a ser más intensos (Ereño, 2002).

Si bien la ecorregión estrictamente incluye sólo el cauce del río, resulta necesario mencionar que, en los sectores no intervenidos de la margen argentina, baja y barrosa, abundan pajonales de cortadera, praderas de *Paspalum vaginatum* y *Panicum decipiens* y espartillares (*Spartina densiflora*). Los mismos son habitados por cangrejos (*Chasmagnatus granulata*), coipos y una importante diversidad de aves acuáticas, entre las que se incluyen chorlos, playeros y gaviotas (*Calidris fuscicollis*, *Limosa haemastica* y *Larus* spp., entre otras). No obstante, los peces son los más destacados por generar una relativamente importante actividad económica. Entre las especies más características, tanto marinas como de agua dulce, se destacan el sábalo, el pejerrey (*Odonthestes* spp.), el machete (*Raphiodon vulpinus*), varios bagres (entre los que figura el género Trachycoristes), la anchoa de río (*Lycengraulis olidus*) y el bagre de mar (*Netuma barba*), que realizan migraciones regulares entre el río y el mar; mientras que la corvina rubia (*Micropogonias furnieri*), el pargo (*Umbrina canosai*) y la pescadilla de red (*Cynoscion guatucupa*) utilizan el estuario y la zona marítima adyacente (Bonetto y Hurtado, 1999; Acha y Mianzan, 2003).

En cuanto a las actividades humanas, además de la pesquera se extraen juncos, arena y resaca. Sin embargo, no debe olvidarse que, en sus márgenes y áreas cercanas, se asienta la mayor concentración demográfica e industrial de Argentina y Uruguay, que contiene los puertos de ultramar más importantes de ambos países. Esto ha determinando una importantísima intervención del medio natural por un sinnúmero de actividades desde hace más de dos siglos (Arrese, 2002; Pando y Vitalli, 2002).

Estado de conservación y áreas protegidas

Por distintos motivos, de carácter general y particular (ver Problemas y amenazas), distintos sectores a lo largo de la ecorregión han sufrido y sufren, en la actualidad, impactos de variado signo y magnitud. No obstante, ciertas áreas y/o ambientes en los cuatro sectores mencionados cuentan todavía con un relativamente buen estado de conservación.

La Situación Ambiental Argentina 2005

La superficie protegida dentro de las reservas naturales es, sin embargo, todavía escasa. En sus 4.825.000 ha sólo existen dos áreas de conservación bajo la órbita de la Administración de Parques Nacionales: el Parque Nacional Predelta (Entre Ríos) y la Reserva Natural Estricta Otamendi (Buenos Aires), ubicadas en el Delta y sus alrededores. Las mismas cubren 52.005 ha, es decir, el 1,08% de la ecorregión (Raffo, com. pers).

A nivel provincial y municipal, existen también varias áreas protegidas correspondientes a distintas categorías de manejo, tales como Campo Salas, Virá Pitá, Del Medio, Los Caballos, Isla El Rico, Isla del Sol, Laguna del Pescado, Isla Botija, Isla Solís, Río Barca Grande, entre otras. Sin embargo, la importancia relativa de sus paisajes, su estado de conservación y, sobre todo, la efectivización de su funcionamiento como tales son de naturaleza variable y, en muchos casos, muy precarios (SPANP, 1997; Kandus *et al.*, 2002; Kandus y Malvárez, 2002; Quintana *et al.*, 2002: Kalesnik y Kandel, 2004)

En cuanto a las denominadas Reservas de Biosfera del Programa MAB de la Unesco, cuya finalidad es la de integrar los usos tradicionales humanos con la conservación de áreas protegidas, la ecorregión cuenta con tres de ellas: el Parque Costero del Sur (23.500 ha), ubicado sobre la costa del Río de la Plata, la Reserva Delta del Paraná (88.624 ha), en el sector del mismo nombre, y Laguna Oca del río Paraguay (10.000 ha), ubicada en el Bajo Paraguay. Estas últimas fueron declaradas como tales en 2000 y 2001, respectivamente (Del Rosso, com. pers.; Kalesnik y Kandel, 2004).

Por último, en relación con los denominados sitios Ramsar, cuya función es la conservación de humedales de importancia internacional (y a cuya convención el país adhiere desde 1991), se han logrado en los años recientes importantes avances. Al Sitio Jaukaanigás (que abarca 492.000 ha), creado en el 2001 para la conservación del Paraná Medio santafesino (ver Giraudo en este volumen), se le ha sumado recientemente el Sitio Humedales Chaco (de 508.000 ha), en la provincia homónima y está próximo a su declaración el Sitio Humedales Entrerrianos del Paraná que, al incluir todo el litoral fluvial de la mencionada provincia, intenta contribuir en forma significativa a proteger y usar racionalmente un área de enorme importancia en cuanto a su biodiversidad, como sistema hidrológico y por el enorme potencial para el desarrollo en beneficio de las poblaciones ribereñas y la economía regional del noreste argentino.

Problemas y amenazas

La ecorregión se encuentra sometida a un conjunto de problemas, presiones y amenazas íntimamente relacionados con la naturaleza de humedal de sus ambientes componentes y la particular historia de intervención que los mismos han tenido a lo largo del tiempo. Esta situación se potencia y agrava, en muchos casos, con la expansión y la presión de los mercados y con el creciente deterioro en la situación socio-económica que la mayoría de los habitantes del área ha venido experimentando en los últimos años.

En referencia a las actividades extractivas (caza, pesca y explotación del bosque nativo), ya se ha planteado que en todos los sectores la sobreexplotación de los recursos bióticos es y ha sido una realidad. Esto se produce no sólo por las malas prácticas culturales o relacionadas exclusivamente con la subsistencia (aunque, como veremos más adelante, la presión actual, debido a la pobreza y la falta de oportunidades laborales, es muy alta), sino también por una elevada demanda comercial. A esto se suma el desconocimiento sobre aspectos bioecológicos básicos, la falta de regulaciones concretas y/o importantes deficiencias en los sistemas de control, que determinan una drástica disminución en el número, el tamaño y la condición de las piezas (aun si se realiza un mayor esfuerzo de extracción), e incluso la pérdida en áreas relativamente extensas de la mayoría de las especies arbóreas de valor maderero, además de ejemplares de mediano y gran porte de varias especies de valor cinegético y pesquero.

Las actividades agropecuarias tradicionales también han contribuido a la destrucción de la vegetación natural a lo largo de la cuenca, con el consiguiente deterioro y erosión de los suelos y la eliminación o la fragmentación de hábitat para las especies de tetrápodos más representativas de los humedales. Los bosques fluviales como el monte blanco han sufrido y sufren particularmente este problema, de modo que ven afectada su existencia y su función como corredores de biodiversidad (Bucher, 1999; Quintana *et al.*, 2002), sobre todo para las especies subtropicales, ya que muchas de ellas son exclusivas o facultativas de estos bosques (Giraudo *et al.*, 2004). El pastoreo y la agricultura realizados en tierras no aptas o con técnicas no adecuadas y el avance de la frontera agropecuaria están contribuyendo cada vez más a intensificar los problemas mencionados. A esto se suman las prácticas de manejo del agua asociadas (grandes endicamientos, canalizaciones y drenajes) que afectan la estructura y, sobre todo, el funcionamiento de los sistemas de humedal (Bó y Quintana, 1999).

Como consecuencia del manejo inadecuado de los recursos anteriormente señalados, se están produciendo en la zona invasiones cada vez más importantes de especies exóticas que, como en el Delta, determinan la formación de "neoecosistemas" de bosques secundarios (Kalesnik, 2001) que desplazan a las poblaciones autóctonas de peces, como la carpa (*Cyprinus carpio*) u obstruyen cañerías y afectan fábricas y construcciones ribereñas, como sucede con los moluscos asiáticos de los géneros *Corbicula* y *Linmoperma* (ver Kalesnik y Quintana, en este volumen).

En cuanto al tema fundamental del manejo del agua, si bien la misma es, a diferencia de otras ecorregiones, un recurso abundante, son varios los problemas asociados a ésta. En primer lugar, el comúnmente mencionado tema de las represas, que si bien se encuentran en alta concentración fuera de la ecorregión en el Alto Paraná y el Paraná Superior (por ejemplo, Yacyretá e Itaipú), sus efectos se perciben aguas abajo a lo largo de toda la cuenca. Se plantea que las mismas alteran el régimen hidrológico natural, y atenúan o incluso eliminan las inundaciones, esenciales para el mantenimiento del sistema. Esto genera cambios en las condiciones limnológicas y,

La Situación Ambiental Argentina 2005

por lo tanto, en la composición de la biota, y altera el funcionamiento de la cuenca como corredor, al obstruir el paso o eliminar grandes extensiones de la planicie aluvial, sin permitir que muchas especies migradoras activas y pasivas (como varios peces de interés comercial o varios ofidios que "viajan" en los camalotales y embalsados) puedan trasladarse y/o cubrir adecuadamente sus funciones vitales -alimentación, reproducción y cría- (Bonetto y Hurtado, 1999; Bucher y Chani, 1999; Giraudo y Arzamendia, 2004). Las mencionadas represas, entre las que se incluyen las construidas o proyectadas a pequeña escala, junto con otras obras de canalización, rectificación, conexión y transferencia, regulación del flujo, etc., contribuyen al desacople del canal principal con sus afluentes y demás componentes de la planicie aluvial. De este modo permiten no sólo la eliminación y la fragmentación de hábitat, sino que también, y fundamentalmente, disminuyen la capacidad autorregulatoria del sistema, se suman a los mencionados problemas de deforestación y erosión masiva de las cuencas, y aumentan el riesgo de grandes inundaciones (Bonetto y Hurtado, 1999; Bucher y Chani, 1999). Si bien cada vez se plantea con mayor frecuencia que los cambios en los pulsos de inundaciones y sequías pueden deberse a varias causas, y que es difícil establecer claramente los efectos de este tipo de obras, ya que se trata de sistemas ecológicos particularmente dinámicos y de procesos que operan a escalas relativamente grandes en el tiempo y el espacio, no es posible ignorar que las mismas, en mayor o menor medida, se hallan particularmente involucradas, al menos al potenciar el efecto de otros procesos. De las experiencias pasadas, propias y ajenas, debe surgir, por lo tanto, la necesidad de un profundo trabajo de evaluación y discusión, y la consecuente decisión responsable sobre la conveniencia de la construcción y la operación en el futuro de este tipo de megaobras (ver Gabellone y Casco en este volumen).

Problemáticas como la ya expuesta tienen una íntima relación con el crecimiento poblacional y la expansión urbana, aspectos particularmente destacables en la ecorregión, ya que la misma abarca las mayores concentraciones demográficas e industriales del país, que incluyen sus principales puertos. La presión cada vez mayor que las poblaciones humanas ejercen involucra una importantísima intervención del medio en las áreas aledañas a través de actividades como las anteriormente enunciadas, sumadas al aumento de la navegación por embarcaciones turísticas, de cabotaje y ultramarinos de gran calado y, sobre todo, a importantes procesos de contaminación y eutrofización de las aguas y sus riberas por desechos cloacales, urbanos y agroindustriales (ver Daniele *et al.* en este volumen).

Todos los problemas, presiones y amenazas anteriormente señalados se ven potenciados por dos aspectos particularmente distintivos de la situación socio-económica de la ecorregión (y del resto del país) en los últimos años: la tendencia global a la apertura de las economías y la búsqueda de rentabilidad individual sin contemplar el costo ambiental ni social. Las mismas, en muchos casos, lamentablemente implicaron un aumento sustancial de la pobreza con la consiguiente presión sobre el medio de gran parte de la población, con el sólo fin de subsistir, sin poder planificar el futuro. Para intentar (o no) revertir estos problemas, "los gobernantes terminan por posponer los objetivos ambientales y sociales del desarrollo" (Bucher, 1999), y se destinan escasos recursos económicos para realizar los necesarios estudios de base, la actualización o la creación de normativas específicas y las tareas de control y fiscalización.La administración es fragmentada, con escasa o nula interacción interinstitucional y, en el mejor de los casos, se planifica y se toman decisiones sólo para el corto plazo (Bó *et al.*, 2004.b.).

Necesidades, perspectivas y propuestas

Pese a todo lo expuesto, se considera que no todo está perdido para la ecorregión y su gente. Todavía se cuenta con áreas en un relativamente buen estado de conservación, con una adecuada dotación de recursos naturales y con recursos humanos y técnicos calificados. Además, existe una mayor participación en la toma de decisiones por parte de las comunidades locales y una mayor conciencia (en ámbitos académicos, educativos, productivos, naturalistas y de gestión a distintos niveles) sobre la necesidad de capacitarse para conocer y manejar sustentablemente los recursos, las funciones y los valores de los principales humedales fluviales del país (Malvárez, 2004; Bó *et al.*, 2004.b.).

Para tratar de evitar que estos aspectos entren en conflicto con la extensión, la intensificación, el cambio en la modalidad de varias actividades productivas (como la tendencia a la concentración de la producción en unas pocas empresas de gran envergadura), los emprendimientos inmobiliarios agresivos (favorecidos por el menor precio de la tierra en los ambientes inundables) y con varios megaemprendimientos en marcha o proyectados para la ecorregión--como la Hidrovía Paraguay-Paraná, la Ruta Troncal Santa Fe al Océano, la reactivación de puertos sobre el Paraná, los canales de navegación en el Río de la Plata, la conexión vial Rosario-Victoria, el endicamiento del Bajo Delta entrerriano, el sistema de caminos interisleños en el Bajo Delta Bonaerense, el Puente Buenos Aires-Colonia; la ampliación del Puerto de Buenos Aires, entre otros (Basadonna, 2002; Salvatori, 2002; Quintana *et al.*, 2002)–, se propone elaborar una política específica para los ecosistemas de humedal no sólo a nivel de la cuenca, sino también a nivel nacional, con criterios unificados y con fundamentos científicos (Malvárez, 2004). Para ello, se sugiere priorizar y favorecer las siguientes actividades:

• En el caso de las áreas de conservación, efectivizar el funcionamiento de las ya existentes e implementar otras nuevas que representen efectivamente áreas clave en términos de biodiversidad y que no sólo prevalezcan criterios basados en lo estético o en el aprovechamiento de tierras fiscales y con bajo valor productivo (Giraudo *et al.*, 2004), sin perder de vista el contexto regional en el que se insertan. Deben funcionar en forma de red y manejarse diferencialmente en función de su estructura, funcionamiento y dinámica naturales, y del tipo e intensidad de las actividades humanas que se realizan (Kandus y Malvárez, 2002). En este sentido, se propone favorecer su generación a través de experiencias participativas (ver Giraudo, y también Lomáscolo y Malizia en este volumen) e, idealmente, mediante un seguimiento de los lineamientos propuestos para las Reservas de Biosfera en el marco del Programa MAB-Unesco (Kalesnik y Kandel, 2004).

• Realizar estudios básicos que contribuyan a un adecuado inventario de los humedales, a fin de evaluar qué y cuántos hay, su estado, funciones y valores. Priorizar programas específicos que permitan elaborar modelos conceptuales de funcionamiento, a fin de identificar sus componentes "clave". Desde este punto de vista, favorecer su manejo sustentable junto con el de las especies históricamente más usadas, y desarrollar métodos adecuados para generar estándares ambientales que permitan evaluar cómo incide determinada actividad en el funcionamiento del sistema y/o en algunos de sus componentes -así como sus efectos acumulativos (Malvárez y Lingua, 2004).

• Discutir los efectos de posibles escenarios ambientales, resultantes del cambio climático global, sobre la ecorregión o alguno de sus componentes básicos y viceversa, a fin de evitar políticas equivocadas de protección o incentivos a determinadas actividades.

• Complementar dichas investigaciones con adecuados estudios de factibilidad y relación costo-beneficio en términos socio-económicos de emprendimientos como los anteriormente mencionados.

• A partir de los mismos, el Estado debe reasumir su función en la planificación y la regulación, a fin de generar normativas específicas, asegurar su cumplimento y destinar mayores recursos a programas de monitoreo permanente, control y fiscalización (Bucher, 1999).

• Evitar la actual fragmentación institucional y provincial y la existente entre gestores e investigadores, a fin de favorecer el trabajo integrado a nivel regional (y con los países limítrofes).

• En este sentido, se propone hacer un "manejo integrado de cuencas" (que incluyan a todos los ambientes componentes de las mismas y sus interconexiones), conservar las áreas de captación y los humedales transfronterizos, desarrollar legislación y regulaciones comunes, por ejemplo, para el adecuado tratamiento y devolución al medio de las aguas usadas (Bucher, 1999).

• Por último, favorecer que las organizaciones de base y otros representantes de la sociedad civil contribuyan a la educación, la concientización, la difusión, la vigilancia y el control de las decisiones a tomar y las acciones a ejecutar (Bucher, 1999).

En todos los casos, es indispensable que las futuras planificaciones para el manejo de la ecorregión se encuadren dentro de un esquema que interprete globalmente estos macrosistemas de humedales (cuenca + curso del río + planicie) en series largas de tiempo (Neiff y Malvárez, 2004), que considere la preservación de su dinámica natural característica y que conserve sus principales componentes físicos y bióticos, a partir del respeto por las necesidades, los intereses, la cultura y las tradiciones de las comunidades locales.

Agradecimientos

Este capítulo está dedicado a la memoria de la Dra. Ana Inés Malvárez, precursora en los estudios ecológicos sobre humedales en Argentina y, en particular, en la región del Delta del río Paraná. Científica innovadora, docente apasionada y entrañable amiga, comprometida con la democracia, su país y su gente.

A mis colegas Rubén Quintana, Fabio Kalesnik, Patricia Kandus, Ricardo Vicari, Nora Madanes, Franco del Rosso, Alejandro Giraudo, Vanesa Arzamendia y a todos los investigadores citados en las referencias bibliográficas, cuyos aportes hicieron posible la redacción de este capítulo.

LA ICTIOFAUNA Y LOS RECURSOS PESQUEROS

Por: Claudio R. M. Baigún[I] y Norberto O. Oldani[II]

[I]*Instituto de Investigaciones Biotecnológicas, Instituto Tecnológico de Chascomús (IIB-INTECH)*
[II]*Instituto de Desarrollo Tecnológico para la Industria Química (INTEC), Consejo Nacional de Investigaciones Científicas y Técnicas (CONICET) y Universidad Nacional del Litoral (UNL)*
claudiobaigun@intech.gov.ar

Introducción

La ictiofauna del corredor de los ríos Paraná-Paraguay pertenece a la ictioregión del eje Potámico Subtropical (López *et al.*, 2002) y es la de mayor biodiversidad de la Argentina. Se han reconocido sesenta especies en el bajo Paraguay, ciento ochenta y ocho en el Paraná Medio e Inferior y cineto sesenta y cuatro en el delta del Paraná. Al igual que el resto de la provincia parano-platense, la mayoría de las especies se agrupan en los órdenes Siluriformes y Characiformes. A pesar de la extraordinaria riqueza específica, sólo un reducido número de especies conforma la base de las pesquerías deportivas y comerciales. Las más destacadas son: el surubí (*Pseudoplatystoma corruscans* y *P. fasciatum*), el patí (Luciopimelodus pati), el manguruyú (*Paulicea lüetkeni*), los armados (*Oxydoras kneri* y *Pterodoras granulosus*), el dorado (*Salminus maxillosus*), la boga (*Leporinus obtusidens*), el sábalo (*Prochilodus lineatus.*), el pacú (*Piaractus mesopotamicus*), el pirapitá (*Brycon orbygnianus*) y el mandube cucharón (*Sorubim lima*). Todas ellas son migradoras y realizan desplazamientos reproductivos de hasta más de mil kilómetros (Bonetto, 1986), estimuladas por las variaciones del nivel hidrométrico. Aun cuando no existe información adecuada, la percepción de pescadores, acopiadores, científicos, etc., manifiesta que las pesquerías se están deteriorando rápidamente. En este contexto, el objetivo del trabajo es considerar sucintamente los principales factores que regulan y afectan la dinámica de los recursos pesqueros en el corredor fluvial Paraná-Paraguay y que condicionan tanto su conservación como su manejo sustentable.

Pesquerías conflictivas y amenazadas

Según Baigún (2003), las pesquerías de los ríos de la porción inferior de Cuenca del Plata exhiben una estructura compleja, tienen una gran importancia socio-económica y, a menudo, se presentan conflictos de intereses entre pescadores deportivos y comerciales. Quiros y Cuch (1989) consideraron que, a medida que se incrementa la complejidad del sistema hacia el sur, las poblaciones de surubíes son reemplazadas por sábalos y estimaron a la pesquería como subexplotada con capturas totales de 11.000 t/año para toda la baja Cuenca del Plata, de las que el sábalo representa el 73%. En los últimos años, sin embargo, las capturas de esta especie para la exportación se incrementaron sin control, y se alcanzaron 31.000 t en el 2004. La norma de Welcomme (1985) para grandes ríos con llanura de inundación establece un rendimiento de referencia de 40 a 60 kg/ha, valor que se alcanzaría con las capturas declaradas y no declaradas de esta especie solamente en el sector definido entre Victoria y Paraná. Sin embargo, dado que los sábalos representan aproximadamente entre el 50 y el 60% de la biomasa total (Bonetto, 1986), resulta claro que la pesquería del Paraná Medio e Inferior habría superado los niveles de sustentabilidad.

Por otra parte, existen indicios puntuales que corroboran el creciente deterioro de los recursos pesqueros. Oldani *et al.* (2003) establecieron que los pescadores del río San Javier (Santa Fe) operaban con redes de aberturas de mallas inferiores a las permitidas, que entre el 8 y el 80% de los peces capturados se encontraban por debajo de la talla legal y que el 26% de los sábalos representaban casos de sobreexplotación de crecimiento, es decir que eran capturados por debajo de la talla estimada para obtener el máximo rendimiento por recluta (talla a la cual los peces que ingresan a la pesquería maximizan en rendimiento). Igualmente significativos fueron los resultados de Oldani *et al.* (2005), que compararon la evolución de la pesquería de Puerto Sánchez, en el cauce principal del río Paraná a la altura de la ciudad de Paraná (Entre Ríos) entre 1976 y 2003, y advirtieron que: a) la pesquería se contrajo, fruto de una disminución de casi el 50% de la presencia de las especies, a pesar de un leve incremento de la eficiencia de los pescadores; b) las tallas medias y máximas de los grandes migradores se redujeron significativamente; c) las tallas medias de las capturas fueron inferiores a las tallas óptimas estimadas; d) no se respetaban las tallas de primera captura establecidas en las legislaciones de las provincias de Santa Fe y Entre Ríos y e) la talla de la primera captura (fijada por la legislación) en algunas especies era inferior a la talla de la primera madurez.

Los signos de sobrepesca se advierten también en las pesquerías deportivas, como por ejemplo se aprecia al evaluar el concurso de pesca del surubí de Reconquista (figura 1).

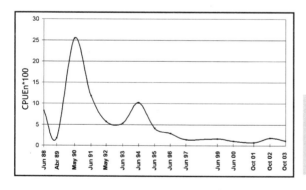

Figura 1: Captura Por Unidad de Esfuerzo, expresada en el número de surubíes capturados (de tallas superiores a 85 cm) por pescadores, multiplicado por 100. Datos del concurso de pesca de Reconquista (Santa Fe), entre 1988 y 2003.

Impactos antrópicos

El eje Paraná-Paraguay representa, sin duda, una vía de navegación y comunicación de gran potencial, lo que ha llevado a la planificación y el desarrollo de obras de infraestructura con un impacto sobre las pesquerías que aún hoy se desconoce. La construcción del puente Rosario-Victoria posee terraplenes que modifican la dinámica hidrológica del valle aluvial y que afectarán las pesquerías entrerrianas de una de las áreas con mayor producción pesquera. Por otra parte, la fallida (pero nunca resignada) construcción de las represas del Paraná Medio evitó un impacto que hubiera tenido proporciones devastadoras para las pesquerías y el resto de las comunidades acuáticas de haber sido concretada. La formación de embalses reduce el rendimiento pesquero y modifica la composición de la ictiofauna, y así favorece el reemplazo de especies migradoras por especies limnéticas de pequeño porte y menor valor. (Agostinho, 1994). Esto ha sido observado en Salto Grande (Prenski y Baigún, 1988), Yacyretá (Roa *et al.*, 2001) y en las represas de la alta Cuenca del Paraná (Agostinho *et al.*, 1999).

Aun cuando en el corredor Paraná-Paraguay no existan todavía represas construidas, la influencia de Yacyretá sobre las pesquerías del tramo medio del Paraná no puede ser minimizada. La muy baja eficiencia de los elevadores para peces (Oldani y Baigún, 2002) constituye un escollo para mantener los ciclos migratorios ascendentes y descendentes. Otro impacto significativo es la capacidad de esta represa de modificar, junto a las ya existentes en el Paraná Superior (Brasil), los pulsos regulares de inundación, de modo que altera la necesaria conectividad entre el valle de inundación y el cauce principal. Estos pulsos son fundamentales para inducir los procesos migratorios de los peces.

La planicie aluvial y los pulsos como factores reguladores de los recursos pesqueros

Para la comunidad de peces (ictiocenosis), las llanuras aluviales son ecosistemas críticos porque representan excelentes ambientes para la cría y el crecimiento de especies migradoras y forrajeras, que aprovechan el sustrato rico en microorganismos y las larvas de insectos que se desarrollan asociados a la abundancia de macrófitas acuáticas. Esto pone de relieve la necesidad de conservar los pulsos de crecidas e inundaciones en los grandes ríos (Junk *et al.*, 1989). Su control es, por lo tanto, un factor crítico que impacta sobre la integridad de las llanuras aluviales y sobre la estructura de las comunidades de peces (Suzuki *et al.*, 2004). Asimismo, la alteración de los ciclos de crecida influye en el éxito reproductivo y en el reclutamiento de las especies. Esto se ha observado en el caso del sábalo (Gomes y Agostinho, 1997), lo que afecta a otras especies que predan sobre sus larvas y juveniles (Oldani *et al.*, 2005). Por otra parte, el caudal del río y el agua que ingresa en la llanura aluvial influyen sobre el rendimiento de las pesquerías, y ponen de relieve la importancia de mantener la dinámica hidrológica natural del sistema (Welcomme 1985).

Conclusión

La ecorregión del corredor fluvial Paraná-Paraguay constituye un bioma único por la continuidad de grandes humedales en estado natural, desde el Pantanal hasta el Río de la Plata. Por esta razón, el Paraná Medio fue considerado como un sistema de referencia para la recuperación de otros grandes ríos del mundo que ya fueron severamente modificados y perdieron parte de sus características ecológicas originales (Nestler *et al.*, 2005). Las economías y las actividades regionales asociadas a las pesquerías están basadas en grandes especies migradoras, por lo que resulta prioritario conservar la integridad de sus ciclos de vida. Para ello, es necesario definir urgentemente legislaciones que favorezcan la conservación de estos recursos de acuerdo con criterios ecológicos y socio-económicos, impedir la pérdida de la estructura de hábitat para los desplazamientos y la reproducción, asegurar la calidad del agua, evitar el aislamiento o la desaparición de llanuras aluviales y mantener intactos los pulsos de crecida. Estos son los factores clave que asegurarán la conservación de la biodiversidad y la sustentabilidad de las pesquerías en el corredor Paraná-Paraguay.

EQUIDAD Y SUSTENTABILIDAD MEDIANTE EL MANEJO DE LOS HUMEDALES: LA INICIATIVA DEL CORREDOR FLUVIAL

Por: Julieta Peteán y Jorge Cappato
Fundación PROTEGER
humedales.proteger@arnet.com.ar

El corredor del litoral fluvial de la Argentina es un macrosistema de humedales alimentado por los ríos Paraná y Paraguay, que se extiende desde Formosa hasta el Río de la Plata en lo que constituye la mayor reserva de agua dulce y la más importante pesquería continental del país. Es también una de las áreas con mayor biodiversidad de la Argentina y forma una parte vital de la Cuenca del Plata. Esta cuenca, una de las cuatro más extensas del planeta, es el segundo sistema hídrico más grande de Sudamérica después del Amazonas, y abarca territorios de Bolivia, Brasil, Paraguay, la Argentina y Uruguay e incluye el eje poblacional más importante del subcontinente, que alberga a unas 100 millones de personas. En el litoral fluvial, que atraviesa y da vida a la región del noreste argentino, viven más de 7 millones de personas, sin contar la provincia de Buenos Aires, que lo utilizan básicamente para su provisión de agua, alimentación, trabajo, transporte y producción de energía. Otro aspecto destacado es que el corredor de los ríos Paraguay y Paraná en la Argentina forma parte de un vasto sistema que incluye el Alto Paraguay y el Gran Pantanal: más de 3.400 kilómetros libres de represas, uno de los pocos casos actuales, dado que la mayor parte de los ríos se encuentran alterados. El 60% de las cuencas de los grandes ríos del mundo se encuentra mediana o altamente fragmentado por represas, por transferencias entre cuencas y por extracciones de agua para el riego (McCully, 2004).

El valor ecológico de estos ríos está dado por enormes humedales, que son reservas gigantescas de agua dulce de la mejor calidad, con una notable biodiversidad de peces y, además, está dado por la particularidad de poseer la vía de energía del detritus como una de las más importantes (Oldani, 1990). No obstante, pese a su valor y sus irremplazables funciones, los humedales fluviales sufren alteraciones que incluyen el desagüe, el drenaje, las retenciones del agua para embalses, su utilización como sumidero de sustancias tóxicas, su relleno para urbanizaciones y otras acciones desapercibidas cuando no aprobadas por la sociedad (Neiff, 2001). El cambio climático y la pérdida de la cubierta vegetal debido a la expansión de la frontera agrícola, hoy alentada por el *boom*

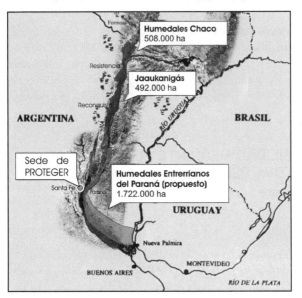

de la soja, incrementan los procesos de erosión e intensifican la escorrentía y la frecuencia de las grandes crecidas. Las represas como Yacyretá, las obras viales mal planificadas (p. ej. la conexión Rosario-Victoria) y la paulatina instalación del Proyecto Hidrovía Paraguay-Paraná generan grandes impactos negativos, especialmente en las poblaciones de peces migradores que son la base de las pesquerías de la cuenca, e interrumpen las migraciones y degradan los hábitat de reproducción y cría.

A esto se suma la creciente presión pesquera a tasas insustentables y con destino a la exportación, principalmente de la especie clave del sistema, el sábalo (*Prochilodus lineatus*), agravada en los últimos cuatro años. Los huevos y las larvas de este pez detritívoro son un alimento indispensable para el desarrollo de surubíes, dorados, bagres, entre otras especies de alto valor alimentario y comercial, de modo que puede considerarse el "cimiento" de la pesquería del litoral fluvial. Actualmente, el sábalo es el pescado más exportado del país junto con la merluza. Desde la localidad santafesina de San Javier, a unos 600 km al norte de Buenos Aires, hasta el Delta entrerriano y bonaerense inclusive hay catorce grandes frigoríficos que compran sábalo para exportar a Brasil, Bolivia, Colombia, Chile, Perú, Nigeria, Angola, Jordania y Rusia, con un volumen estimado entre las 60.000 y las 80.000 t anuales. Solamente Colombia compraba en 2004, según datos oficiales del Ministerio de Asuntos Agrarios, 35.000 t/año, lo que contrasta con la cifra del SENASA, que fija en 37.000 t de sábalo la exportación anual total, aspecto que evidencia la importancia de la pesca ilegal.

Rica biodiversidad y pobreza extrema

El corredor de los ríos Paraná y Paraguay constituye un gigantesco humedal alongado en la región Neotropical con dirección norte-sur, asociado a variaciones periódicas del nivel hidrométrico de casi 9 m, lo que determina una complejidad de ambientes de gran diversidad biológica y altísima productividad. Más de doscientas veinte especies de peces en total (López, H. *et al.*, 2003) son un claro indicador, y el régimen de pulsos es la componente esencial de esta singularidad. En el sistema convergen características ecológicas de las regiones biogeográficas Neotropical, Paranaense, Chaqueña Oriental y Espinal, entre otras, lo que explica la alta

La Situación Ambiental Argentina 2005

diversidad de especies, funciones y atributos únicos. El corredor está conformado por sistemas complejos que involucran, generalmente, varios ecosistemas; por este motivo, deben considerarse macrosistemas (Neiff, 2003). En el Sitio Ramsar Humedales Chaco (508.000 ha, designado en 2004), la confluencia de los ríos Paraguay y Paraná y todo su abanico de afluentes locales conforman una rica red hidrográfica. El tramo fluvial abajo de la confluencia constituye una zona de contacto dinámico entre ecosistemas tan distintos como el Chaco, el aporte de arroyos que desaguan las selvas subtropicales de Misiones y los extensos humedales de la depresión Iberana considerados como un hot-spot de biodiversidad por reunir unas cuatro mil especies (Neiff, 2004).

Notablemente, en el mismo corredor pero a unos 1.000 km más al sur, se han registrado más de setecientas especies de plantas (Malvárez, 1997 y 1999) y una biodiversidad total próxima a la del Pantanal de Mato Grosso (Neiff, 2001), en el área de lo que será el Sitio Ramsar de Entre Ríos, en proceso de designación. Especies de linaje subtropical, chaqueño y paranaense ingresan a través de los ríos Paraguay, Paraná y Uruguay. Desde Diamante hasta el límite con Buenos Aires hay 16.400 km² de tierras anegables e inundables que forman el 93,7% del Delta del Paraná.

En contraste con esta rica diversidad de especies, suelos, paisajes y culturas, y con la alta productividad biológica, la región litoral del noreste argentino es **la zona con mayor pobreza del país**; el 68,5% de las personas tienen ingresos bajo la línea de pobreza y el 57,7% de los hogares son pobres (Martínez et al., 2003). Según un estudio de 2005, los niveles de pobreza se mantienen o crecen. En la ciudad de Santa Fe, según el INDEC, en el último semestre de 2004 aumentó el índice de pobreza en menores de 14 años: del 65,5 al 67,5%, sobre 112 mil niños, 76 mil viven en hogares pobres. Esta capital es una de las cinco ciudades de la Argentina con mayor pobreza infantil; de las cuatro restantes, tres están también en el litoral del noreste argentino con hasta un 75,7% de menores pobres. Hay una constante migración desde las pequeñas y las medianas comunidades hacia los grandes centros urbanos de habitantes ribereños y rurales expulsados por la soja y la merma de la pesca. El aumento de la pobreza incrementa, a su vez, la presión sobre los humedales en un circuito de realimentación positiva. Achim Steiner, en el III Congreso Mundial de la Conservación de UICN (Bangkok 2004), aseguró que "los pobres son los que más dependen de los recursos naturales, que les aseguran hasta el 50% de sus ingresos". También aquí estos recursos son vitales para las comunidades ribereñas empobrecidas; su degradación y su escasez conducen a mayores niveles de indigencia. Para los wichi de Formosa, por ejemplo, el sábalo es la base de su alimentación. Paradójicamente frente al río Paraná, con un rendimiento estimado en 60 kg de pescado por hectárea/año (Welcomme, 1985), en Corrientes se dan casos de "geofagia", la práctica de niños desnutridos que comen tierra para saciar el apetito.

Impactos en la pesquería y deterioro social

Entre los impactos ambientales negativos en el río Paraná, cobra relevancia la pérdida del recurso pesquero al deteriorar tanto la calidad de vida de los pescadores artesanales y de subsistencia como la economía regional. La sobreexplotación de la pesquería por la falta de aplicación de medidas de manejo afecta una porción muy importante del Paraná Medio e Inferior (Oldani y Rabe, 2004). La exportación masiva del sábalo está señalada como la principal **causa evitable** de la drástica merma de la pesca que sostiene la alimentación y el trabajo de cientos de miles de familias, entre las que se incluyen desocupados y subocupados que pescan para sobrevivir. Esta depredación genera millonarias ganancias para unas pocas empresas en detrimento de la sustentabilidad. Existen fuertes presiones de los grandes frigoríficos exportadores para disminuir la talla mínima de captura de los sábalos -fijada por ley en la provincia de Santa Fe en 42 cm para respetar el largo de mayor eficacia reproductiva. Como ha explicado recientemente Bernardo Ortiz, director de TRAFFIC Sudamérica, "...es el típico proceso de deterioro por intereses comerciales muy poderosos y de corto plazo; el típico caso de *boom* y colapso, que no sólo genera el agotamiento de un recurso económico sino que magnifica los problemas de equidad social".

Aguas abajo de la represa de Yacyretá se hacen sentir fuertes impactos sobre la pesquería, especialmente en comunidades pesqueras de Chaco, Corrientes y el norte santafesino y entrerriano. Según Neiff, "...el peor daño que producen las represas reside en el disturbio que producen sobre el régimen de pulsos (alternancia de sequías e inundaciones) propio del río, que es lo que mantiene las distintas formas de vida fluvial. Hasta hoy, ninguna de las represas posee un gerenciamiento de caudales que permita mantener el régimen de pulsos y es por esto que los bañados y lagunas sufren cambios que finalmente afectan a los peces". Estos pulsos permiten las migraciones transversales en la planicie aluvial ligadas a la reproducción y desarrollo de los peces, cuyos ciclos están acoplados a la regularidad de las fluctuaciones. La operación de las compuertas de Yacyretá responde hoy a criterios ligados a la generación eléctrica. El cierre de Itaipú (1982) y el de Yacyretá (1989) produjeron también "una pérdida del 44% del área de reproducción del surubí pintado más importante de la Cuenca del Plata". En Puerto Sánchez, Paraná, un estudio de Oldani y Baigún reveló que la cantidad promedio en kilos de pescado capturado por cada pescador durante una jornada disminuyó a su tercera parte, en comparación con datos de hace treinta años. A nivel social, la pérdida del recurso deteriora la forma de trabajo y de vida de las comunidades y las familias dispersas en el valle aluvial: necesidades básicas insatisfechas, pérdida de ocupación, caída del nivel de salud y educación, malnutrición y desnutrición infantil, escasa capacidad para organizarse y mantener iniciativas que permitan el mejoramiento socioeconómico.

La iniciativa del corredor fluvial

El corredor del litoral fluvial, con su rica diversidad tanto biológica como étnica y su relativamente buen estado de conservación, constituye una **unidad** hidrológica, ecológica, cultural y poblacional, condición fundamental para el mantenimiento de los ciclos hidrológicos, la calidad ambiental, la conservación de la biodiversidad y la sustentabilidad de ecosistemas y comunidades. Estas características interactúan en un solo sistema, integrado, y ofrecen una oportunidad excepcional para la aplicación de los principios del **enfoque ecosistémico** (Andrade y Navarrete, 2004) y para la puesta en marcha de modelos replicables de sustentabilidad (Nino *et al.*, 2005).

La iniciativa de la Fundación PROTEGER promueve participativamente el manejo integrado y sustentable de los humedales en el corredor, y aplica también los lineamientos de **uso racional** para la reducción de la pobreza y el mejoramiento de las condiciones ambientales, de trabajo y de vida de las comunidades. La declaración de grandes Sitios Ramsar ensamblados para proteger al sistema **como una unidad** (Figura 1) es un primer paso, acorde con la meta de la Convención de Ramsar de alcanzar 250.000.000 de ha resguardadas como sitios para 2010. El marco de la iniciativa es el **enfoque ecosistémico**, que coincide con la "...gestión integrada de la tierra, el agua y los recursos vivos, de tal manera que se promuevan la conservación y el uso sostenible de los ecosistemas de una forma justa y equitativa, participativa y descentralizada, a través de la integración de los factores ecológicos, económicos, culturales y sociales dentro de un marco geográfico definido principalmente por límites ecológicos" (Convención de Diversidad Biológica, 2000). En términos prácticos, la iniciativa busca un balance entre la conservación, el uso sostenible y las necesidades de la gente que depende del corredor.

La importancia del sistema ha llevado a un creciente reconocimiento internacional (Cappato y Peteán, 2004). La recomendación 2.85 del II Congreso Mundial de la Conservación de UICN (Amman, 2000) llama a "...otorgar prioridad al corredor de humedales más importante del mundo, desde el Pantanal de Mato Grosso hasta el Río de la Plata" y a aplicar el criterio de uso racional y la cooperación internacional establecidos por la Convención de Ramsar. En el III Congreso Mundial de UICN, la recomendación 3.97 alienta a que "...se reconozca y apoye la Iniciativa del Corredor de Humedales del Litoral Fluvial, [en la] Argentina" e insta a otorgar "...la más alta prioridad a la implementación de medidas de conservación y uso racional" relacionadas con el mejoramiento de las condiciones socio-ambientales, a fin de permitir que los ciclos ecológicos sean completos en todo el sistema y también estimula "...a los organismos internacionales a apoyar la implementación de políticas de desarrollo sustentable en el Corredor".

Entre las funciones de los humedales, además de reservar el agua dulce, recargar los acuíferos y mitigar las inundaciones, se encuentran aquéllas relacionadas con la biodiversidad, que mantienen las condiciones aptas para las distintas especies de fauna y flora (Brinson *et al.*, 1994). De hecho, los humedales fluviales del corredor son enormes criaderos naturales de peces. La estrecha dependencia entre los bienes y los servicios que ofrece el sistema y las particularidades sociales, culturales y productivas hacen que la economía de las comunidades ribereñas esté profundamente vinculada con los humedales fluviales. La conservación de los recursos acuáticos es fundamental tanto para el mantenimiento de la pesca artesanal y comercial tradicional como para un nuevo enfoque de puesta en valor que supere el criterio extractivista propio de la pesca marítima. Pese a la difícil situación de las poblaciones ribereñas y las secuelas de las políticas que alientan la producción y la exportación a gran escala con la consecuente degradación de los recursos y la destrucción de empleo, algunas experiencias en el corredor (microrregiones ecológicas, producción orgánica, productos de pescado con valor agregado, uso de tecnología social y ambientalmente apropiada) revelan el alto potencial existente para sostener iniciativas participativas económicamente viables que mejoren los ingresos familiares, reduzcan la pobreza y promuevan la conservación de los ecosistemas, las comunidades locales y el rico patrimonio cultural de la región.

SITIO RAMSAR JAAUKANIGÁS: UNA EXPERIENCIA PARTICIPATIVA PARA LA CONSERVACIÓN DEL RÍO PARANÁ

Por: Alejandro R. Giraudo
Instituto Nacional de Limnología (INALI), CONICET, UNL. alegiraudo@arnet.com.ar

En la Argentina hay catorce Sitios Ramsar que abarcan 3.582.939 ha. Jaaukanigás es uno de ellos y tiene 492.000 ha en el río Paraná medio y las tierras aledañas (Departamento General Obligado). Es el primero de este tipo en Santa Fe y en el mencionado río y limita al norte con el Sitio Humedales Chaco (508.000 ha). Jaaukanigás es una voz abipón que significa "gente del agua". Los abipones fueron los primeros habitantes en este sector y, a pesar de que desaparecieron en el violento proceso de colonización, su cultura fue conocida por las crónicas del padre Dobrizhoffer y por excavaciones arqueológicas realizadas por arqueólogos de Reconquista (Ruggeroni, 1998; Echegoy, 2005). El Sitio Ramsar Jaaukanigás comprende un mosaico de humedales muy diverso en el valle de inundación del río Paraná y sus tierras aledañas, e incluye numerosos hábitat (selvas, bosques, palmares, esteros, bañados, lagunas, sabanas, ríos y riachos) que albergan una rica flora y fauna, las que abarcan unas seiscientas noventa y nueve especies de vertebrados –un 77% de los vertebrados de Santa Fe y un 31% de los de Argentina (del Barco, 2005; Giraudo, 2005)– y ochocientas ochenta y una especies de plantas (el 44% de la flora provincial) presentes en el departamento (Pensiero, 2005), además de una invalorable riqueza cultural.

Juntos por la conservación del humedal

La gestión para la designación y el manejo del sitio está siendo realizada de manera multisectorial. Instituciones de ciencia, tecnología e instituciones académicas (tales como la Facultad de Ciencias Agrarias y la Facultad Humanidades y Ciencias de la UNL y el INTA en conjunto con organismos estatales (tales como la Secretaría de Estado de Medio Ambiente y

Desarrollo Sustentable de Santa Fe SEMADS, la Municipalidad de Reconquista, la Secretaría de Ambiente y Desarrollo Sustentable y Política Ambiental de la Nación) y organizaciones no gubernamentales (ONG) de promoción social y de conservación (como el Instituto de Cultura Popular) han conformado un Comité Intersectorial de Manejo (CIM) que ha sesionado en diez oportunidades para asesorar a la SEMADS, de manera no vinculante, en la inmensa y difícil tarea que implica acercarse a la utopía del manejo sostenible o racional del humedal con el apoyo de la Convención de Ramsar. Se puso énfasis en estos tres años de gestión en una campaña centrada en la difusión y la capacitación de actores locales, lo que está permitiendo la integración de la gente del sitio y otras instituciones con gran entusiasmo, como la Organización de Comunidades Aborígenes de Santa Fe, el Centro de Ecología Aplicada al Litoral, la Comisión de Defensa del Paraná y la Regional II de Educación, de la cual dependen todas las escuelas del sitio.

Los resultados más tangibles incluyen la impresión y la distribución de folletos y pósters, la realización y la emisión de diez micros radiales y de un documental televisivo, la publicación de notas en medios de difusión masiva (diarios, diferentes emisoras de radio y diferentes canales de televisión), la organización de cursos de capacitación e intercambio –que incluye dos cursos para unos cincuenta actores clave (docentes, asociaciones de pescadores, fuerzas de seguridad, municipios y comunas, sectores productivos y asociaciones civiles). Todo esto permitió un rico intercambio sobre las características naturales y culturales de Jaaukanigás, y sobre sus principales problemas de manejo y conservación, lo que ha propiciado un enriquecimiento mutuo, una mejor identificación de las potencialidades de las personas e instituciones comprometidas con la iniciativa, además de una mayor calidad y efectividad de las acciones de difusión, manejo y conservación.

Breve balance de la experiencia

A partir de la creación del Sitio Ramsar Jaaukanigás en octubre de 2001, muchos sectores de la población se sumaron con entusiasmo a la gestión y el manejo del sitio, aunque otros evidenciaron desconfianza y temor en relación con las posibles prohibiciones o limitaciones que les serían impuestas a sus actividades de subsistencia o productivas, debido al desconocimiento que existía sobre los objetivos que persigue la creación de un Sitio Ramsar y sobre el significado de "uso sostenible o racional". Las actividades de difusión y la integración de las instituciones permitieron el amortiguamiento y la disminución de estos posibles conflictos; incluso, se han integrado productores ganaderos del grupo Cambio Rural de Las Garzas que han visto la posibilidad de valorizar sus productos por provenir de pastizales naturales del sitio (Hug, 2005). Avanzar en el consenso de las actividades y las decisiones, a veces, provoca demoras en las gestiones, que se ven compensadas por la mayor eficiencia lograda con el aporte interinstitucional y con el mayor número de personas que intervienen.

Las principales dificultades encontradas no son pocas e incluyen diferentes aspectos que van desde conflictos históricos en el manejo de los recursos, hasta la falta de un presupuesto asignado particularmente para el funcionamiento del Sitio Ramsar, aspecto que, por ejemplo, ha impedido la colocación de carteles. Las instituciones que componen el CIM han aportado recursos humanos y económicos para la elaboración de un video, para la realización de viajes o para dictar charlas y cursos en el sitio, lo que ha ayudado a algunas actividades de difusión llevadas a cabo, aunque la falta de asignación de un presupuesto oficial es un problema importante que impide la planificación de actividades futuras.

Existen problemas ambientales históricos importantes que han provocado conflictos como la sobrepesca, la contaminación o la cacería indiscriminada de aves por parte de extranjeros en los alrededores del sitio. Estos problemas están bien identificados por la población, aunque sus soluciones son complejas y requieren del aporte de investigaciones básicas y aplicadas en los campos biológico, sociocultural y económico, así como también requieren de la concienciación de los sectores involucrados y de la aplicación de políticas claras y a largo plazo sobre el ambiente (a saber: legislación, controles, etc.). Dichas soluciones implican procesos de consenso que demandarán tiempo, recursos humanos y económicos, y discusiones amplias. Entre otras problemáticas, la pesca afecta a toda la cuenca del Paraná, e involucra otras provincias y países. Tales conflictos constituyen el sustrato adecuado para que diferentes sectores de interés brinden o reclamen soluciones rápidas o a corto plazo, sólo en consideración de aspectos parciales o sectoriales de las problemáticas. Si bien el CIM es un organismo donde se discuten estos aspectos, su función ante la SEMADS es no vinculante y, por lo tanto, eleva sugerencias y no toma decisiones, aspecto que no está del todo claro para algunas personas u ONG. No obstante, la postergación de las soluciones a los problemas ambientales genera un clima de impaciencia, muchas veces justificada, por parte de algunos pobladores y sectores del Sitio Ramsar, que suelen esperar soluciones inmediatas a partir de la designación del sitio.

La gestión y la conservación de Jaaukanigás debe avanzar mediante el aporte de todos los sectores posibles, aunque no es una tarea sencilla manejar una superficie de casi 500.000 ha, área sumamente compleja y con una importante diversidad productiva, cultural y socio-económica. No obstante, la expectativa generada en la población a partir de la creación del sitio debe ser atendida, ya que si no se establecen diferencias en la calidad del manejo de los recursos dentro del sitio con respecto a otras áreas, la figura de los Sitios Ramsar como herramienta de conservación y manejo podría transformarse, para la opinión pública, en una mera intención establecida en los papeles con escasa efectividad real para la conservación del humedal. Es posible que la población regional no esté dispuesta a aceptar nuevas decepciones en relación con las políticas ambientales.

Uno de los logros más significativos a largo plazo incluye un proceso de discusión con docentes y autoridades de la Regional II de Educación para incluir en los planes de estudios primarios y secundarios contenidos sobre el Sitio Ramsar Jaaukanigás. Esto tendrá un impacto positivo sobre los niños, los adolescentes y las futuras generaciones encargadas de manejar el sitio.

El esfuerzo del CIM se ha volcado a apoyar iniciativas locales, ya que para tener suficiente continuidad en actividades de difusión y manejo, son necesarias una descentralización, una formación y una participación fuerte y amplia de grupos locales en distintos sectores de Jaaukanigás, que permitan transferir asesoramiento y capacitación científica y técnica a estos grupos. En esta línea, el Instituto de Cultura Popular, en conjunto con la Municipalidad de Reconquista, está asesorando y apoyando la iniciativa de familias de pescadores del Puerto de Reconquista que decidieron volver a las islas y que, ante la disminución y la prohibición de la pesca, optaron por ensayar la realización de huertas orgánicas para su autoconsumo e intercambio.

La experiencia de este corto período es muy alentadora e indica la factibilidad de alcanzar objetivos de manejo y conservación mediante un programa participativo, que ya está identificando acciones tendientes al manejo sostenible, que favorece el rescate de las culturas nativas y que logra estimular la responsabilidad de los ciudadanos en la propuesta que dio origen a este sitio.

AVANCES EN LA CONSERVACIÓN DEL CIERVO DE LOS PANTANOS EN EL BAJO DELTA DEL RÍO PARANÁ

Por: Gustavo Aprile[I], Santiago D'Alessio[I], Bernardo Lartigau[I] y Pablo Herrera[I, II]
[I]*Proyecto Ciervo de los Pantanos, Asociación para la Conservación y el Estudio de la Naturaleza (ACEN).*
[II]*Fundación Vida Silvestre Argentina.*
pcp@acen.org.ar

El ciervo de los pantanos (*Blastocerus dichotomus*) constituye, como la mayoría de los integrantes autóctonos de su familia zoológica (*Cervidae*), una especie amenazada de extinción. En la Argentina se distribuía en las planicies de inundación, en algunos afluentes de los ríos Paraguay y Paraná, en el macrosistema del Iberá, en el Delta del río Paraná y en el bajo río Uruguay (D'Alessio *et al.*, 2001). Es en el Delta del Paraná, precisamente, donde este ciervo encuentra su límite austral de distribución geográfica. Sin embargo –y a pesar de ser uno de los tres mayores mamíferos terrestres del país (junto al tapir y al guanaco) y el mayor cérvido autóctono de Sudamérica–, hasta fines de la década pasada se desconocía su situación en esta última región.

En 1997, la **ACEN** dio inicio al "Proyecto Ciervo de los Pantanos" (PCP), con el objeto de conocer la situación de la especie en el Bajo Delta y apoyar la conservación de las poblaciones remanentes en el área y la de los ambientes naturales que le brindasen refugio. Con este fin, se planificaron acciones tendientes a:

1. Generar información biológica básica (distribución, abundancia relativa, motivos de su rareza, escasez o desaparición y factores que permiten su supervivencia).
2. Difundir ante la opinión pública su existencia en la región y su situación actual, a partir de jerarquizar su figura como especie emblemática de la Ecorregión del Delta y de invitar a la población local a involucrarse en su conservación.
3. Fomentar la creación de áreas naturales protegidas que conserven poblaciones de esta especie y que protejan muestras representativas de su hábitat natural.

El área de trabajo comprendió una superficie aproximada de 3.024 km^2 pertenecientes a las provincias de Buenos Aires y Entre Ríos. Los sectores cercanos a centros urbanos no fueron considerados debido a su alto grado de urbanización y a las pocas referencias actuales respecto de la supervivencia de relictos poblacionales de la especie.

Las tareas fueron planificadas en tres etapas distintas, cada una asignada a un ámbito geográfico definido. La primera (realizada entre 1997 y 2000) comprendió el relevamiento de las poblaciones remanentes en la provincia de Buenos Aires (D'Alessio et al., 1997). Una segunda etapa (realizada entre 2001 y 2004) cubrió parte del Bajo Delta de la provincia de Entre Ríos (D'Alessio et al., en prensa). En ambas etapas, la distribución y la estimación de la abundancia se obtuvo mediante el registro sistemático de signos (heces, huellas, etc.) en transectas dispuestas al azar, paralela y perpendicularmente sobre los albardones costeros de las islas. Los índices obtenidos para cada sector muestreado, si bien pueden estar subestimados, resultaron ser adecuados indicadores de los niveles de abundancia relativa de la especie. De este modo, se estableció una primera aproximación al área de distribución de la especie para el Bajo Delta del Paraná, y se identificaron cuatro áreas de destacada relevancia con los mayores índices de abundancia. La tercera etapa, en ejecución (2005-2008), propone cubrir las áreas de bañados y pajonales interiores a las islas, ambientes típicos de la especie (Pinder y Grosse, 1991; Tomas, 1997; D'Alessio et al., 2001), lo que permitirá ajustar la información previamente obtenida.

Otro aspecto en el cual se avanzó significativamente fue en la confirmación de la existencia y la caracterización de los ambientes de "embalsado". Esta formación, conocida por los pobladores locales y conformada por una masa de vegetación flotante, no había sido descripta para la región por la ciencia con anterioridad a la realización de este proyecto. Las investigaciones realizadas (que incluyeron reiterados sobrevuelos al área) aportaron importantes indicios sobre la importancia que tienen los embalsados en la supervivencia del ciervo de los pantanos, particularmente durante las sudestadas e inundaciones. Durante estos eventos, las islas pueden inundarse casi completamente y los ciervos encuentran alimento y refugio (es decir, sitios secos donde descansar) sobre estas particulares formaciones. Por ello, la conservación de la especie estaría directamente ligada con la protección de las mismas.

Las tareas de difusión fueron constantes en cada etapa de trabajo. Se editó un folleto sobre la especie que destacaba su importancia como recurso natural, cultural y turístico e informaba, paralelamente, sobre su situación en la región. Su difusión fue focalizada entre los habitantes de las islas (1.000 ejemplares). Posteriormente, el folleto fue actualizado, se mejoró su diseño y se amplió su distribución (5.000 ejemplares). Otros impresos destinados a otros actores sociales extendieron al resto de la comunidad la información sobre la existencia de este ciervo y la necesidad de protegerlo. Copias de los materiales impresos han sido publicadas, asimismo, en Internet (http://www.acen.org.ar).

La participación anual en la Fiesta de los Isleños, evento que se realiza en el Río Carabelas (Partido de Campana) y que convoca a gran parte de la población isleña, ha permitido transmitir información –integrada a actividades recreativas– relacionada con la figura del ciervo y la de su hábitat, y dio lugar a la difusión masiva de la problemática y al retorno de datos novedosos sobre la situación de la especie en el Delta.

La difusión en medios radiales y televisivos también fue considerada, y generó un alto impacto en la población local. A modo de cierre de estos esfuerzos de difusión de la problemática, se está realizando un documental, actualmente en edición final y pronto a su distribución en medios regionales.

Gestiones ante autoridades municipales, provinciales y nacionales destinadas a incrementar las acciones de control sobre la especie y a crear áreas naturales protegidas que la conserven fueron impulsadas desde los comienzos del proyecto. El diálogo con las autoridades de la Municipalidad de San Fernando (MSF) y el aporte de la información obtenida, por ejemplo, permitieron ajustar el diseño del área núcleo de la Reserva de Biosfera Delta del Paraná (RBDP) e incorporar en ella una de las principales subpoblaciones de ciervos del Bajo Delta, formaciones de embalsados y una muestra destacada de ambientes naturales propios de la región. Además, acciones de control de la caza furtiva han sido puestas en práctica, de manera coordinada, por el personal del MSF, de la Dirección de Recursos Naturales de Buenos Aires, por la Dirección Nacional de Fauna y por la Prefectura Naval Argentina.

Si bien aún quedan pendientes muchos aspectos tendientes a reforzar las medidas de conservación de la especie y su hábitat (por ejemplo: implementar efectivamente la RBDP, contar con el apoyo formal de las autoridades provinciales para el control del área, incorporar eficientemente las propiedades privadas dentro de la estrategia regional de conservación de hábitat para la especie, conocer patrones de actividad y de uso del territorio por parte del ciervo, realizar censos de la población existente, editar materiales educativos destinados a escuelas, etc.), los avances obtenidos a la fecha y el interés manifestado por diferentes actores sociales (pobladores, autoridades locales y autoridades nacionales) permiten proyectar cierto optimismo con respecto a la conservación de la especie en la región.

EL COIPO EN LA ECORREGIÓN DELTA E ISLAS DEL PARANÁ. SITUACIÓN ACTUAL Y PERSPECTIVAS

Por: Roberto F. Bó[I], Gustavo Porini[II], María J. Corriale[I] y Santiago M. Arias[II]

[I]*Grupo de Investigaciones en Ecología de Humedales (GIEH). Departamento de Ecología Genética y Evolución, FCEN, UBA.*
[II]*Dirección de Fauna Silvestre, Secretaría de Ambiente y Desarrollo Sustentable.*
rober@ege.fcen.uba.ar

El coipo y su importancia

El coipo o nutria (*Myocastor coypus*) es un roedor relativamente grande, nativo de los grandes sistemas de humedales del sudeste de Sudamérica (Parera, 2002). Es una de las especies más representativas e históricamente más abundantes de la Argentina y, en particular, de esta ecorregión, y constituye una importante fuente de ingresos para muchas comunidades rurales (Bó *et al.*, en prensa).

En la actualidad, es el principal recurso de fauna silvestre de la Argentina, de donde se exportan, en promedio, 2.500.000 pieles anuales. Sin embargo, hasta épocas relativamente recientes, las investigaciones científicas realizadas con esta especie en su medio ambiente natural y original eran escasas y dispersas. Además, se lo podía cazar sin cupo de ejemplares y durante una temporada oficial (otoño-primavera) no fijada con criterios ecológicos, sino netamente comerciales, ya que en la época relativamente más fría del año la felpa de la piel del coipo es más espesa y tiene, por lo tanto, mayor valor (Porini *et al.*, 2002 a).

Por todo lo expuesto, desde el año 2001, investigadores y técnicos de las Direcciones de Fauna Silvestre de la Nación, de las provincias de la ecorregión y de la FCEN de la UBA, vienen llevando a cabo el denominado "Proyecto Nutria. Estudios ecológicos básicos para el manejo sustentable de *Myocastor coypus* en la Argentina" (Bó y Porini, 2001).

La situación actual del coipo en la ecorregión

Los resultados obtenidos en los últimos años, en diecisiete áreas representativas ubicadas a lo largo del valle de inundación de los ríos Paraguay-Paraná, indican que se produciría un aumento gradual de la aptitud del hábitat en sentido norte-sur, lo que se traduce en una mayor abundancia y estabilidad de las poblaciones silvestres. No obstante, en la mayoría de los ambientes presentes en la mencionada cuenca, el coipo puede cubrir en forma relativamente adecuada todos sus requisitos de vida (Porini *et al.*, 2002 b).

La densidad media observada para todas las áreas bajo estudio es de 2,3 individuos/ha, aunque estos números sufren una importante variación de acuerdo con los distintos ambientes de humedal presentes y, fundamentalmente, según las temporadas con y sin caza (rango 0,55-4,45 individuos/ha, respectivamente). No obstante, las tasas de incremento poblacional serían relativamente altas (el valor medio es de 1,06±0,18).

Al inicio de las actividades de caza, el porcentaje de hembras preñadas es de 67,5%. Además, existen dos momentos del año en los que se producen "picos" de parición (a mediados de otoño y a mediados de primavera). Esta situación coincide con el inicio y el final de la temporada de caza autorizada en las principales provincias "nutrieras" del país, lo que determina una importante pérdida de producción potencial para la especie. En relación con la estructura de edades durante la temporada de caza autorizada, se observa que en el 50% de las áreas estudiadas (donde la caza es relativamente intensa y persistente) predominan individuos de corta edad (jóvenes y subadultos de 8,7 meses, en promedio), que constituyen un 57,6% del total de la población. Prácticamente no se observan individuos mayores a 3 años; estos valores son muy bajos comparados con los 6,3 años de longevidad potencial estimados para la especie (Gosling y Baker, 1981).

En los sitios donde se pudo evaluar el estado físico de los individuos mediante un índice de condición (Corriale, 2004), se observaron valores relativamente bajos (entre 3,8 y 5,24; cuando el valor máximo de referencia es 10) que se corresponden, en su mayoría, con los sitios de relativamente mayor intensidad "histórica" en cuanto a la presión de caza. En relación con su estado sanitario, los análisis de materia fecal y de vísceras realizados hasta el presente muestran que los coipos poseen una fauna de parásitos helmintos particularmente diversa y que, contrariamente a lo previsto, *Fasciola hepática* estaría prácticamente ausente (Galvani, com. pers.).

La mayor parte de los "nutrieros" caza con trampas-cepo un promedio de trescientos siete individuos anuales (rango 135-1.855) aunque en el norte de la ecorregión predomina la caza con perros y escopeta. Los resultados de este trabajo muestran que ninguna de las dos modalidades mencionadas sería selectiva ni por sexo ni por grupo de edad, lo que también determina una importante pérdida, si se considera el potencial reproductivo de la especie.

A partir de la aplicación de distintos modelos para evaluar la sustentabilidad de la caza (Bodmer *et al.*, 1997) surge que las poblaciones de coipo son poco susceptibles a las extinciones locales. No obstante, se observa una leve tendencia al decrecimiento o a un menor incremento de sus tamaños, relacionada con tiempos de generación relativamente mayores (Nazar Anchorena, 2004). Por otro lado, se están realizando actividades de sobrecaza en, al menos, un 40% de las áreas nutrieras consideradas. En algunas de ellas, sin embargo, dicha sobrecaza es "encubierta" por efectos "compensatorios" relacionados con la todavía adecuada oferta de hábitat y las elevadas capacidades reproductivas, dispersivas y de colonización propias de la especie. No obstante, debe tenerse en cuenta que, de aparecer algún factor natural o antrópico no contemplado hasta el presente (como las enfermedades o las modificaciones en el régimen hidrológico), los factores compensatorios mencionados podrían dejar de actuar con consecuencias negativas o, al menos, inciertas para la especie y las comunidades humanas que viven de este recurso.

En la actualidad, se trabaja en la integración del conocimiento generado en un modelo predictivo de carácter cuantitativo (basado en la relación hábitat-población-presión de caza), que permita evaluar *a priori* el estado de las poblaciones e incorporar los conceptos integradores de capacidad de carga y cosecha sostenida, cuyos resultados puedan traducirse efectivamente en medidas político-administrativas adecuadamente sustentadas.

Perspectivas, necesidades y propuestas

Por todo lo expuesto, se considera necesario replantear algunas de las actuales modalidades de caza y medidas de manejo del coipo, pues las mismas estarían afectando negativamente a sus poblaciones silvestres.

Debe tenerse en cuenta que, además de la extensión de la temporada de caza autorizada y de la falta de controles adecuados, el tamaño actual de "cuero" autorizado para la comercialización es de 65 cm, valor que, según los estudios de este trabajo, corresponde a individuos inmaduros de alrededor de tres meses de edad que, por lo tanto, no han tenido la oportunidad de reproducirse. En consecuencia, se propone evitar la caza con perros, ya que la misma no es selectiva por grupos etarios, no colocar las trampas-cepo en cuevas, nidos o en caminos secos (para evitar la captura de crías), acortar la temporada de caza permitida, de modo que se concentre sólo en los meses de invierno para salvaguardar los eventuales picos de parición y aumentar el tamaño de "cuero" permitido a 75 cm, a fin de que los individuos capturados tengan la posibilidad de reproducirse al menos una vez, y no aceptar ningún porcentaje de cueros por debajo de dicho tamaño.

Se considera muy importante avanzar en el conocimiento sobre los posibles efectos sinérgicos o compensatorios que tendrían, con respecto a la presión de caza diferencial, los movimientos dispersivos o migratorios de estos animales. Dichos movimientos ocurrirían en íntima relación con eventos extremos de inundación y sequía que, cada vez con mayor frecuencia, experimentan extensas zonas de la ecorregión (Bó y Malvárez, 1999).

De manera análoga, resulta fundamental analizar cómo las oscilaciones en la oferta y la demanda comercial pueden potenciar y/o compensar los riesgos de disminución de las poblaciones de coipo. Dicho análisis debería formar parte de un amplio programa de estudios, en el que no pueden faltar los relacionados con la valoración y la factibilidad tanto social como económica de la explotación del recurso. Si se considera la situación de extrema pobreza de muchos habitantes de este país, dichos estudios deberían tender a la generación de una alternativa laboral real basada en un manejo efectivamente sustentable del coipo que garantice una distribución más equitativa de los ingresos generados. Se pretende, también, desarrollar un adecuado programa educativo y de transferencia a la comunidad de los conocimientos generados y, a su vez, avanzar en aspectos relacionados con la reglamentación y la coordinación de la legislación específica existente (a nivel provincial y nacional) en sus distintas modalidades (de subsistencia y comercial).

El trabajo que, en forma integrada, vienen realizando representantes de organismos de investigación y gestión (tanto nacionales como provinciales) y pobladores locales (quienes brindan sus conocimientos y plantean sus intereses) es la única forma de contribuir a un manejo realmente adecuado y duradero de la "nutria". Se espera que el mismo tenga la continuidad y el apoyo necesarios, a través de una mayor reinversión de los fondos generados por el uso del recurso, para que, así, se cuente con más personal y medios, a fin de que las necesarias tareas de investigación, monitoreo y control legal sean realmente efectivas y suficientes. Si se procede de esta forma, se estará contribuyendo cada vez más a la conservación del coipo y de los humedales que habita y, por lo tanto, a la conservación de la cultura y al mejoramiento de la calidad de vida de las comunidades rurales que habitan la ecorregión.

Agradecimientos

Se agradece a los siguientes investigadores y técnicos por su activa participación en el Proyecto Nutria: M. Busatto, G. Cao, N. Ceresoli, F. del Rosso, J. Echeverría, O. Eclesias, R. Fernández, G. Galvani, F. Kleinman, L. Moggia, L. A. Navarro, S. Nazar Anchorena, J. Osinalde, E. M. Pascual de Vaccari, F. Prongué, R. Quiani, V. Rodriguez, J. C. Rozatti, M. L. Sanz, L. Sybut, A. Vázquez, J. Verdún, A. Vilches y A. V. Volpedo.

ALTERACIÓN EN EL ALMACENAJE DE CARBONO POR LA INTERVENCIÓN HUMANA DE LOS SISTEMAS NATURALES EN EL BAJO DELTA DEL RÍO PARANÁ. SU IMPORTANCIA EN EL BALANCE EMISIÓN-SUMIDERO DE CO_2 ATMOSFÉRICO

Por: Ricardo Vicari, Patricia Kandus, Paula Pratolongo y Mariana Burghi

GIEH, Departamento de Ecología Genética Evolución, FCEN, UBA. rvicari@bg.fcen.uba.ar

La biosfera es un fuerte determinante de la composición química de la atmósfera. Desde la existencia de la biosfera y, sobre todo, con la presencia del hombre, una gran variedad de gases de carbono, nitrógeno y azufre son emitidos y absorbidos por ésta. En la actualidad, hay fuertes evidencias de que el aumento de la utilización y la alteración de la biosfera para la producción, principalmente de alimentos y combustibles, están contribuyendo a incrementar la concentración atmosférica de gases de efecto invernadero –GEI– (IPCC, 2001).

La vegetación extrae CO_2 de la atmósfera a través del proceso de fotosíntesis. El CO_2 retorna a la atmósfera por la respiración de la vegetación y la descomposición de la materia orgánica de los suelos y la hojarasca. Aproximadamente la séptima parte del CO_2 total de la atmósfera es capturada por la vegetación en un año y, sin la presencia de los disturbios producidos por el hombre, este gas retorna a la atmósfera por los flujos de la respiración. Los cambios en el uso de la tierra y el uso directo de los bosques alteran tanto estos flujos como su balance y, en consecuencia, alteran también la cantidad de carbono almacenada en la vegetación viva, la hojarasca y los suelos.

Los humedales templados de agua dulce muestran tasas de producción y exportación de carbono orgánico extremadamente elevadas y constituyen la mayor proporción de la exportación continental del mundo. En particular, se destacan aquellos ambientes dominados por herbáceas ubicados en sitios donde el sustrato se encuentra saturado o inundado por largos períodos de tiempo o en forma permanente. La productividad primaria neta en este tipo de ambientes puede alcanzar valores de hasta 2.000 g m-2 año-1 (Mitsch y Gosselink, 2000). En el Bajo Delta del río Paraná este tipo de humedales está representado por juncales dominados por *Schoenoplectus californicus* y por pajonales dominados por *Scirpus giganteus*, sobre los cuales se han desarrollado actividades productivas que involucran el manejo del agua para el control de inundaciones. En particular, el desarrollo de la actividad forestal ha introducido drásticos cambios no sólo por su intensidad, sino también por su extensión. Los juncales y pajonales ocupaban el 80% de la superficie de las islas del Delta, lo que equivale aproximadamente a 190.000 ha. En la actualidad, éstos ocupan apenas el 30% de la superficie de islas. La necesidad de adaptar los ambientes naturales para la instalación de sistemas forestales hace indispensable el trazado de zanjas y canales de drenaje que faciliten la rápida salida de los excedentes de agua. En otros casos, se construyen endicamientos y atajarrepuntes (Kandus, 1997). Los mismos tienen como objetivo impedir y/o regular el ingreso de las aguas a las plantaciones. Como consecuencia de estas obras, la vegetación nativa de los albardones, así como también de grandes superficies de bajos, ha sido reemplazada totalmente por las plantaciones de salicáceas. En estos casos, los sistemas cambian sustancialmente sus funciones y un reservorio de carbono podría pasar a actuar como fuente emisora de carbono hacia la atmósfera, mediante un proceso de oxidación bioquímica (Lugo *et al.*, 1990) o podría exportar carbono orgánico hacia otros ambientes (por ejemplo, a las áreas estuáricas ubicadas aguas abajo, a través del flujo superficial del agua).

Los bosques, tanto naturales como implantados, son una importante fuente de captura de CO_2, aunque también en determinados casos pueden ser fuentes de emisión. En la actualidad, una de las principales acciones de mitigación contra el aumento global de emisiones de CO_2 hacia la atmósfera es el aumento de la superficie destinada a la forestación. Sin embargo, si los ecosistemas que son reemplazados para instalar las forestaciones capturan grandes cantidades de carbono a través de la producción primaria y el almacenamiento en la biomasa y la materia orgánica del suelo, las transformaciones que pueden producirse podrían generar un incremento de las emisiones de CO_2 hacia la atmósfera. De esta manera, un sistema forestal, en vez de comportarse como sumidero de carbono, podría comportarse como un emisor, si se lo compara con el sistema natural que reemplaza.

La comparación entre los niveles de fijación de carbono (PPN) dados en los sistemas naturales de herbáceas altas (pajonales) con los niveles que se registran en los sistemas forestales que los reemplazan (Tabla 1) indica que las plantaciones de sauces, especie que se adapta mejor a las condiciones de los sitios ocupados por los pajonales, fijan un 34% menos de biomasa por año que los pajonales de cortadera (*S. giganteus*) –Burghi y Vicari 2002; Pratolongo, 2005–; este valor representa una disminución aproximada de 3 t de C por ha/año –aproximadamente 0,5 t de C por cada t de biomasa (IPCC, 2000). Si bien esta diferencia en sí resulta muy importante, el cambio más notable que se produce con el reemplazo de estos pajonales con forestaciones es la pérdida de materia orgánica del suelo que se registra, según se ha observado en los establecimientos forestales de la zona (García Conde, com. pers.) durante los primeros doce o catorce años de establecida la plantación. Como resultado de estos cambios se emitiría a la atmósfera el carbono contenido en 150 t/ha-1 de materia orgánica (aproximadamente 75 t de C/ha hasta 30 cm de profundidad). Si se considera que la superficie ocupada por las plantaciones de sauces en el año 1997 era de 94.600 ha, la cantidad de carbono emitida a la atmósfera por este cambio sería, aproximadamente, de 7.100.000 de t de C, lo que representa el 16% del carbono capturado en todo el país en el año 2000 por las forestaciones (Fundación Bariloche, 2005).

AMBIENTE	Superficie (km²)	Biomasa (t.ha)	PPN (t.ha.año)	MO suelo (t.ha)
Plantación de sauce	94,6	115	11,1	100-150
Pajonales *Scirpus giganteus*	36,1	22,6	16,9	250-300

Tabla 1. Valores de almacenaje de materia orgánica en la vegetación y el suelo, y velocidad de almacenaje (PPN) en ambientes del Bajo Delta del río Paraná. Las superficies de cada ambiente corresponden al año 1997 (Kandus, 1997).

La causa de esta pérdida en el capital de materia orgánica y de los nutrientes asociados es el cambio dramático en el funcionamiento del sistema, que pasa de ser un sistema abierto a las entradas de materia orgánica y nutrientes transportados al interior de las islas por las entradas de agua con las inundaciones (régimen hidrológico) a comportarse, en el caso extremo de las plantaciones bajo dique, en sistemas cerrados en los cuales las únicas entradas de agua son las producidas por las lluvias.

Si bien los resultados presentados en este caso son preliminares, permiten alertar a los actores del sistema, principalmente gobernantes y productores, para generar estudios que conduzcan a minimizar las pérdidas de las reservas de materia orgánica y nutrientes mediante la aplicación de técnicas de manejo sustentables a largo plazo.

LAS ESPECIES INVASORAS EN LOS SISTEMAS DE HUMEDALES DEL BAJO DELTA DEL RÍO PARANÁ

Por: Fabio A. Kalesnik y Rubén D. Quintana
Grupo de Investigación en Ecología de Humedales (GIEH). Departamento de Ecología, Genética y Evolución, FCEN, UBA. e-mail fabiokales@yaoo.com.ar

Una determinada especie puede ser considerada como introducida o exótica cuando la misma ha sido intencional o accidentalmente transportada por el hombre a un área fuera de su rango de distribución geográfica natural, y puede ser considerada como una especie invasora cuando la misma, una vez introducida, puede expandir su población o rango de distribución en la nueva situación geográfica sin necesidad de la intervención humana. De este modo, las especies exóticas pueden invadir distintas comunidades naturales y pueden llegar a afectar tanto la estructura como los procesos que se desarrollan en los ecosistemas (Rejmánek, 1995).

En la Argentina, de acuerdo con la base de datos sobre invasiones biológicas (InBiAr), existen en la actualidad unas cuatrocientas dos especies vegetales y animales introducidas. Casi la mitad de las mismas ocasiona graves problemas relacionados con impactos sobre la biodiversidad, la transformación de ambientes naturales, el recambio paisajístico (e.g., la formación de bosques o arbustales en pastizales naturales), perjuicios sobre actividades económicas (como malezas en agricultura y forestación), la depredación de aves de corral y otros animales domésticos, daños en instalaciones eléctricas u obstrucciones en cañerías y problemas para la salud humana, fundamentalmente por su toxicidad o efectos alergénicos.

Procesos invasivos en ambientes de humedales

Los humedales son ecosistemas cuyo funcionamiento depende tanto del régimen hidrológico como de pequeñas variaciones en el pulso de inundación o en los niveles de anegamiento, y pueden producir cambios masivos en la biota presente. Estos tipos de ambientes son particularmente susceptibles a los procesos de invasión, y las variaciones en el régimen hidrológico son consideradas como una de las causas de incorporación de especies invasoras (Howe y Knopf, 1991). Por otro lado, los **sistemas de humedales** están siendo sometidos a un intenso manejo antrópico, con lo cual, a nivel de paisaje, se produce una elevada fragmentación de los mismos que conduce a la yuxtaposición de ambientes naturales y antropizados, así como también a la modificación de sus principales variables condicionantes. Este tipo de situaciones incrementa de manera considerable la probabilidad de dispersión de especies invasoras dentro de los ambientes naturales (Hobbs, 1989).

Especies exóticas invasoras en el Bajo Delta del río Paraná

Las actividades productivas en las islas (principalmente, la frutihorticultura y la forestación) comenzaron en las últimas décadas del siglo XIX, a partir de lo cual se produjo la introducción de las primeras especies exóticas en la región con distintos fines (ornamentales, comerciales, etc.), de manera tal que, en poco tiempo, su presencia ya preocupaba y empezaron a ser consideradas como **especies molestas** en la región (Burkart, 1957). Este proceso se vio favorecido debido a numerosos factores, tales como el traslado de personas y pertenencias desde las áreas vecinas, densamente pobladas y con importantes procesos de producción e industrialización, o bien por el paso de embarcaciones transoceánicas hacia los puertos ubicados aguas arriba, lo que implicó un flujo constante de propágulos hacia las islas.

Sin duda alguna, las especies vegetales conforman el grupo de especies exóticas más importante en esta región. Según Kalesnik y Malvárez (1996), de un total de seiscientas treinta y dos especies presentes en el Delta Inferior, el 16,14% (102 *spp.*) es de origen exótico, de las cuales más de la mitad son originarias de Europa (63,70%) y, en menor proporción, de Asia (17,64%), América del Norte (8,82%), África (5,88%) y Oceanía (3,92%). En particular, si se analiza el sector de islas del Delta Inferior, se puede mencionar la presencia de veintinueve especies exóticas citadas por Burkart en 1957 aunque, en trabajos más recientes, se menciona sólo la presencia de once especies exóticas en distintos tipos de ambientes naturales. En los ambientes de pajonales se han observado sólo cuatro especies no nativas –el lirio (*Iris pseudacorus*), la madreselva (*Lonicera japónica*), la ligustrina (*Ligustrum sinense*) y la zarzamora (*Rubus spp.*)– que no se comportan como invasoras en estos ambientes, ya que sus valores de constancia y cobertura son bajos (Kandus, 1997). Sin embargo, en la actualidad se observa un avance importante del lirio en pajonales naturales, particularmente en la primera y segunda secciones de islas del Bajo Delta Bonaerense. A diferencia de lo observado en los pajonales, los parches de bosque nativo que aún se encuentran en los albardones de las islas presentan en su composición un importante componente de especies exóticas, algunas de las cuales se comportan como invasoras, entre las que se destaca la ligustrina, el ligustro (*Ligustrum lucidum*), la madreselva, la mora (*Morus alba*) y el arce (*Acer negundo*) –Kalesnik, 2001; Vallés *et al.*, 2005–. En relación con los ambientes antrópicos, se pueden mencionar dos situaciones contrastantes vinculadas con el gradiente topográfico de las islas. Las forestaciones que se realizan drenando los ambientes bajos presentan especies exóticas que no llegan a comportarse como invasoras, por ejemplo el lirio, el falso índigo (*Amorpha fructicosa*), la madreselva y la ligustrina. Cuando estas forestaciones son abandonadas por problemas de tipo socio-económico, se reestablecen las condiciones hidrológicas originales y, por consiguiente, se regenera el pajonal de cortadera (*Scirpus giganteus*), en el cual las especies exóticas mencionadas no juegan un papel importante (Valli, 1990). A diferencia de ello, el abandono de las forestaciones localizadas en los albardones no conduce a la regeneración del bosque original. En su lugar, crece un bosque secundario dominado por especies exóticas invasoras, donde las nativas presentan una muy baja densidad de renovales e individuos juveniles (Kalesnik, 2001). En este nuevo tipo de bosque se encuentran presentes dieciséis especies exóticas, de las cuales siete pueden considerarse como invasoras –la ligustrina, el fresno (*Fraxinus pennsylvanica*), la acacia negra (*Gleditsia triacanthos*), la madreselva, la zarzamora, el arce y el ligustro. Estos bosques alcanzan un gran desarrollo en el sector medio y frontal del Bajo Delta, y en ellos la influencia fluvial del río Paraná es menor que la del régimen de mareas del Río de la Plata.

En consecuencia, en el sector de islas del Bajo Delta sólo el 8,82% (9 *spp.*) de las especies exóticas introducidas se comportan como invasoras. Dicho porcentaje es similar al encontrado para los ecosistemas templados, a diferencia de los ecosistemas tropicales, en los cuales dicha proporción es cercana al 100% (Usher, 1991).

En relación con las especies de fauna, varias especies exóticas también se han incorporado al elenco del Bajo Delta. Uno de los casos más espectaculares en los últimos años tuvo lugar en los cursos de agua con la introducción y la posterior dispersión de tres especies de bivalvos de agua dulce. Dos de ellas fueron introducidas a principios de la década de los 70 (las almejas de agua dulce *Corbicula largillierti* y *C. Fluminea*), mientras que el mejillón dorado (*Limnoperna fortunei*) apareció en las aguas del Río de la Plata en 1991. Este último proviene de China y del sudeste asiático, y llegó a la cuenca del Plata en el agua que se usaba como lastre en los tanques de los buques transoceánicos. Desde su aparición, se ha dispersado a un ritmo de 240 km al año. Este crecimiento descontrolado provoca graves problemas en la mayoría de las plantas energéticas e industriales que utilizan agua del río Paraná y del Río de la Plata para su funcionamiento, entre las que se incluyen destilerías de hidrocarburos, plantas potabilizadoras, centrales térmicas, nucleares e hidroeléctricas (Darrigran y Darrigran, 2001). Otro problema de importancia que plantea la introducción de este bivalvo es el rápido recambio de especies de las comunidades bentónicas y el desplazamiento de las especies de moluscos nativos. En este sentido, esta especie resulta un gran filtro de plancton (probablemente cada individuo filtra más de un litro por hora), lo que incide sobre la disponibilidad de alimento para otros organismos acuáticos (en particular, las larvas de peces). La almeja *C. largillierti*, además, acumula sustancias tóxicas, por lo que puede tener efectos nocivos en la salud de la población, ya que ha pasado a formar parte de la cadena alimenticia de peces de consumo humano.

Por otra parte, en algunas islas del Bajo Delta Entrerriano se habría detectado la presencia de grupos de ciervos axis (*Axis axis*) que, habiéndose escapado de cotos de caza, se habrían dispersado hasta esta zona. La presencia de gatos domésticos asilvestrados podría constituir un problema para la conservación del gato montés (*Oncifelis geoffroyi*), debido a la hibridización con éstos, además del impacto que generan por la depredación sobre otras especies. Algo similar ocurre con los perros, asilvestrados o no, los que, muchas veces, cazan en jauría coipos y otras especies de fauna. También es importante mencionar que una especie nativa se puede comportar como una especie invasora. Como ejemplo de ello se puede mencionar el caso de las ratas acuáticas (*Holochilus brasiliensis* y *Scapteromys tumidus*), que se han convertido en plagas para las forestaciones comerciales de salicáceas, ya que se alimentan de los renovales de los árboles, por lo que, muchas veces, son combatidas mediante la colocación de cebos con estricnina, con el consiguiente perjuicio para otras especies como las aves rapaces. La presencia de peces exóticos en la cuenca del Paraná también representa una amenaza para la ictiofauna nativa.

En síntesis, en la región del Bajo Delta del río Paraná se observan procesos de invasión de especies exóticas que abarcan un rango temporal que tiene más de cien años de antigüedad, como en el caso de las especies vegetales invasoras, hasta casos más recientes como el de la invasión del mejillón dorado. Dichos procesos invasivos ocurren a escala regional y, en ocasiones, sería imposible plantear la toma de medidas de control, por lo que se podría considerar a los mismos como un fenómeno de carácter "irreversible". Tal sería el caso de la instalación de exóticas invasoras de los bosques secundarios, así como también el de la invasión del mejillón dorado en los cursos de agua, el cual "llegó para quedarse".

Ante esta situación, en la actualidad, la estrategia adoptada por algunos organismos e instituciones científicas y de gestión apunta a la prevención de nuevas invasiones de especies y a que los métodos utilizados para el control de los organismos ya instalados no resulten más perjudiciales para el medio ambiente que los propios invasores (se debe evitar la implementación de sistemas de control que, por ejemplo, sean contaminantes de las aguas). También son esenciales las campañas de capacitación y de concientización para prevenir la introducción accidental de especies potencialmente invasoras, independientemente de que se trate de una especie nativa o exótica. Como ejemplo de ello, se puede mencionar la liberación de ejemplares de tortugas de la Florida, Estados Unidos (*Trachemys scripta elegans*) en el Refugio Educativo Ribera Norte (Partido de San Isidro), las cuales son de difícil erradicación. Otro ejemplo emblemático es la introducción de la zarzamora (*Rubus spp.*) en las islas del Bajo Delta que, según los pobladores locales, fue llevada al área hace aproximadamente cien años por una familia de inmigrantes para la producción de vino y, al presente, es una de las peores malezas de las islas que alcanza una distribución regional.

Varias de estas especies exóticas se han convertido en un importante componente de la dieta de muchas especies nativas (particularmente, aves). Por ejemplo, las especies exóticas que conforman los bosques secundarios, como la ligustrina, el ligustro, la mora y la zarzamora, por nombrar sólo algunas, representan una importante fracción de los frutos consumidos por la pava de monte (*Penelope obscura*), una de las especies emblemáticas de las islas, la cual, a su vez, se ha convertido en un efectivo agente dispersor de sus semillas (Quintana *et al.*, 2002). Por lo tanto, y desde un punto de vista funcional, el desafío consistiría en analizar la importancia de los nuevos actores y en analizar también el papel que los mismos juegan en los humedales del Bajo Delta del río Paraná, de manera tal que se encuentren los medios necesarios no ya para erradicarlos, sino para, al menos, controlar su impacto sobre las especies nativas y sus hábitat.

La Situación Ambiental Argentina 2005

Bibliografía

- Acha, E. M. y H. Mianzan, "El estuario del Plata: donde el río se encuentra con el mar", *Ciencia Hoy*, Volumen 13, N°73, 2003.

- Administración de Parques Nacionales (APN), Banco de datos en Áreas Protegidas de la Argentina, Administración de Parques Nacionales, Buenos Aires, 2001.

- Agostinho, A. A., "Consideracões sobre a atuaçâo do setor electrico na preservaçâo da fauna aquática a dos recursos pesqueiros", Seminario sobre fauna aquática e o setor elétrico brasileiro, Reuniones temáticas preparatorias, Cuaderno 4, Fundamentos, Río de Janeiro-RJ: COMASE/Eletrobrás, 1994, pp. 38-61.

- Agostinho, A. A., L. E. Miranda, L. E. Bini, L. M. Gomez, L. C. Thomasy, H. L. Susuki, "Patterns of colonization in neotropical reservoirs and prognoses on aging", en: Tundisi, J. G. y M. Straskraba (eds.), *Theoretical reservoir ecology and its applications*, International Institute of Ecology, Brasil, 1999, pp. 227-266.

- Arrese, A., "Buenos Aires y la ribera del Plata", en: Borthagaray, J. M. (ed.), *El Río de la Plata como territorio*, Buenos Aires, Ediciones FADU, FURBAN e Infinito, 2002.

- Baigún, C., "Principales características regionales de las pesquerías recreativas y deportivas continentales en Argentina: características, problemas y perspectivas", en: Capatto, J., J. Peteán y N. Oldani (comp.), *Pesquerías continentales en América Latina. Hacia la sustentabilidad del manejo pesquero*, Universidad Nacional del Litoral, 2003, pp. 77-85.

- Bassadona, J., "Complejo Rosafé. El Río: desarrollo del interior", en: Borthagaray, J. M. (ed.), *El Río de la Plata como territorio*, Buenos Aires, Ediciones FADU, FURBAN e Infinito, 2002.

- Bó, R. F y G. Porini, "Caracterización del hábitat, estudios de uso *vs.* disponibilidad de recursos y estimaciones indirectas de densidad de *Myocastor coypus* en áreas nutrieras de Argentina fuera de la temporada de caza autorizada", Informe final de la Primera Etapa del Proyecto Nutria, Dirección de Flora y Fauna Silvestres, Secretaría de Ambiente y Desarrollo Sustentable de Argentina, 2001, 66 pp.

- Bó, R. F, R. D. Quintana y A. I. Malvárez, "El uso de las aves acuáticas en la región del Delta del Río Paraná", en: Blanco, D. E. J. Beltrán y V. de la Balze (eds.), *Primer Taller sobre la caza de Aves Acuáticas. Hacia una estrategia para el uso sustentable de los recursos de los humedales*, Buenos Aires, Wetlands International, 2002.

- Bó, R. F. y A. I. Malvárez, "El pulso de inundación y la biodiversidad en humedales, un análisis preliminar sobre el efecto de eventos extremos sobre la fauna silvestre", en: Malvárez, A. I. (ed.), *Tópicos sobre humedales subtropicales y templados de Sudamérica*, Montevideo, Oficina Regional de Ciencia y Técnica para América Latina y el Caribe (ORCyT) MAB/Unesco, 1999.

- Bó, R. F. y R. D. Quintana, "Actividades humanas y biodiversidad en humedales: el caso del Bajo Delta del Río Paraná", en: Matteucci, S., O. Solbrig, J. Morello y G. Halffter (eds.), *Biodiversidad y usos de la tierra. Conceptos y ejemplos de Latinoamérica*, Buenos Aires, EUDEBA, 1999.

- Bó, R. F., F. Kalesnik y N. Madanes, "Aspectos referidos a estructura y funcionamiento; funciones, valores, manejo y gestión de humedales", en: Malvárez, A. I. y R. F. Bó (comp.), Documentos del Curso Taller Bases ecológicas para la clasificación e innventario de humedales en Argentina, Buenos Aires, 2004 b.

• Bó, R. F., G. Porini, S. M. Arias y M. J. Corriale, "Estudios ecológicos básicos para el manejo sustentable del coipo (*Myocastor coypus*) en los grandes sistemas de humedales de Argentina", en: Universidad Nacional del Litoral y Fundación Proteger (eds.), *Manejo Sustentable de Humedales Fluviales en América Latina*, Santa Fe, Universidad Nacional del Litoral, Fundación Proteger, Wetlands International.

• Bó, R. F., G. Porini, S. M. Arias, M. J. Corriale y F. R. del Rosso, "Proyecto de investigación y manejo del coipo (*Myocastor coypus*) en la Reserva de Biosfera Laguna Oca del Río Paraguay (Formosa, Argentina)", Informe final, Buenos Aires, Unidad de Coordinación del Programa MAB-Argentina, Secretaría de Ambiente y Desarrollo Sustentable de la Nación y Oficina Regional de Ciencia y Técnica para América Latina y el Caribe (ORCyT), MAB/UNESCO, 2004 a.

• Bodmer, R., R. Aquino, P. Puertas, C. Reyes, T. Fang y N. Gottdenker, *Manejo y uso sustentable de pecaríes en la Amazonia peruana*, Quito, Comisión de supervivencia de especies de la UICN, 1997, 7: pp. 64-83.

• Bonetto, A. A., "Fish of the Paraná System", en: Davies, B. R. y K. F. Walker (eds.), *The ecology of River System*, Dordrecht, The Netherlands, 1986, 574 pp.

• Bonetto, A. A y S. Hurtado, "Cuenca del Plata", en: Canevari, P., D. E. Blanco, E. H. Bucher, G. Castro e I. Davidson (eds.), *Los humedales de la Argentina: clasificación, situación actual, conservación y legislación*, Buenos Aires, Wetlands International, 1999.

• Brinson, M. M., W. Kruczynski, L. C. Lee, W. L. Nutter, R. D. Smith y D. F. Whigham, "Developing an approach for assessing the functions of wetlands", en: Mitsch, W. J. (ed.), *Global wetlands: old world and new*, Amsterdam, Elsevier, 1994, pp. 615-624.

• Burghi, M. y R. Vicari, "Determinación alométrica de Biomasa y Productividad de *Salix babylonica* var. *Sacramenta* en el Bajo Delta del río Paraná: Importancia como sumidero de carbono", Tesis de Licenciatura, Universidad de Buenos Aires, 2002.

• Burkart, A., "Ojeada sinóptica sobre la vegetación del Delta del río Paraná", *Darwiniana*, 11, 1957, pp. 457-561.

• Burkart, R., N. Bárbaro, R. O. Sánchez y D. A. Gómez, *Ecorregiones de la Argentina*, Buenos Aires, APN, PRODIA, 1999.

• Cappato, J., "Se está destruyendo la fábrica", entrevista a Bernardo Ortiz, Santa Fe, Fundación Proteger, 2005.

• Cappato, J., J. Peteán, "Iniciativa Corredor de Humedales del Litoral Fluvial, Argentina", en: Cracco, M. y E. Guerrero (eds.), *Aplicación del Enfoque Ecosistémico a la Gestión de Corredores en América del Sur*, Taller Regional, Quito, UICN, 2004.

• CBD, Decisiones de la COP5 del Convenio sobre la Diversidad Biológica, 2000, 165 pp.

• Convención de Ramsar sobre los Humedales, Plan Estratégico 2003-2008 [en línea] <http://www.ramsar.org>.

• Corriale, M. J., "Evaluación del estado poblacional y patrón de uso de hábitat del coipo (*Myocastor coypus*) en humedales urbanos", Tesis de Licenciatura en Ciencias Biológicas, Universidad de Buenos Aires, 2004, 98 pp.

• Cowie, I. D. y P. A. Werner, "Alien Park species invasive in Kakadu National Park, Australia", *Biological Conservation*, 63, 1993, pp. 127-135.

• D'Alessio, S., D. Varela, F. Gagliardi, B. Lartigau, G. Aprile, C. Mónaco y S. Heinonen Fortabat, "Ficha técnica Ciervo de los Pantanos", en: Dellafiore, C. M. y N. Maceira (eds.), *Los Ciervos Autóctonos de Argentina*, 2001.

- D'Alessio, S., F. Gagliardi, B. Lartigau, D. Varela, G. Aprile y C. Mónaco, "Avances del proyecto de conservación de *Blastocerus dichotomus* en la III Sección del delta bonaerense", Libro de resúmenes de las XII Jornadas Argentinas de Mastozoología, Mendoza, SAREM, 12-14 noviembre de 1997.
- D'Alessio, S., B. Lartigau, G. Aprile, P. Herrera, D. Varela, F. Gagliardi y C. Mónaco, Distribución, abundancia relativa y acciones para la conservación del ciervo de los pantanos en el Bajo Delta del río Paraná, 28 pp.
- Darrigán, G. y J. Darrigán, "El mejillón dorado: una obstinada especie invasora", *Ciencia Hoy* [en línea], 2001, 11 (61), <http://www.cienciahoy.org/hoy61/mejillon0.htm>.
- De Pietri, D. E., "Alien shrubs in a national park: can they help in the recovery of natural degraded forest?", *Biological conservation*, 62, 1992, pp. 127-130.
- Del Barco, D., "Los peces del Sitio Ramsar Jaaukanigás", *Manual del Sitio Ramsar Jaaukanigás (Río Paraná, Santa Fe, Argentina): Biodiversidad, Aspectos Socioculturales, Conservación y Manejo*, Humedales para el Futuro-Ramsar, Proyecto WWF/02-2/ARG/3, 2005.
- Echegoy, C., "Los primeros habitantes del Sitio Ramsar Jaaukanigás", *Manual del Sitio Ramsar Jaaukanigás (Río Paraná, Santa Fe, Argentina): Biodiversidad, Aspectos Socioculturales, Conservación y Manejo*, Humedales para el Futuro-Ramsar, Proyecto WWF/02-2/ARG/3, 2005.
- Ereño, C. E., "Climatología en la Cuenca", en: Borthagaray, J. M. (ed.), *El Río de la Plata como territorio*, Buenos Aires, Ediciones FADU, FURBAN e Infinito, 2002.
- Fundación Bariloche, "Inventario Nacional de la República Argentina de Fuentes de Emisiones y Absorciones de Gases de Efecto Invernadero no Controlados por el Protocolo de Montreal", Año 2000, Borrador sujeto a revisión, 2005.
- Ganchier, A. R., O. Romero, O. Cena y N. Raffin, "Emprendimiento productivo en Isla La Fuente: las riquezas del agua con el esfuerzo de muchos", *Manual del Sitio Ramsar Jaaukanigás (Río Paraná, Santa Fe, Argentina): Biodiversidad, Aspectos Socioculturales, Conservación y Manejo*, Humedales para el Futuro-Ramsar, Proyecto WWF/02-2/ARG/3, 2005.
- Giraudo, A. R. y V. Arzamendia, "¿Son los humedales fluviales de la Cuenca del Plata corredores de biodiversidad? Los amniotas como ejemplo", en: Neiff, J. J. (ed.), *Humedales de Iberoamérica. La Habana, Cuba*, CYTED, Programa Iberoamericano de Ciencia y Tecnología para el desarrollo y Red Iberoamericana de Humedales (RIHU), 2004.
- Giraudo, A. R., V. Arzamendia y M. L. López, "Ofidios del litoral fluvial de Argentina (*Reptilia Serpentes*): Biodiversidad y síntesis sobre el estado actual de conocimiento", *Temas de la Biodiversidad del Litoral Fluvial Argentino*, Instituto Superior de Correlación Geológica (INSUGEO) y Miscelánea, 2004.
- Giraudo, A. R., "Entre el agua y la tierra: Anfibios, Reptiles y Aves", *Manual del Sitio Ramsar Jaaukanigás (Río Paraná, Santa Fe, Argentina): Biodiversidad, Aspectos Socioculturales, Conservación y Manejo*, Humedales para el Futuro-Ramsar, Proyecto WWF/02-2/ARG/3, 2005.
- Gobierno de la Provincia de Formosa (GPF), "Reserva de Biósfera Laguna Oca del Río Paraguay", Informe Técnico, Gobierno de la Provincia de Formosa, 2000.
- Gomes, L. C., A. A. Agostinho, "Influence of the flood regime on the nutritional state and juveniles recuitment of the curimba *Prochilodus scrofa*, Steindachner, in upper Parana River, Brazil", *Fisheries Management and Ecology*, 1997, 4: pp. 263-274.

• Gosling, L. M. y S. J. Baker, *Coypu* (Myocastor coypus) *potential longevity*, J. Zool. Lond, 1981, 197: pp. 285-312.

• Hobbs, R. J., "The Nature and Effects of Disturbance Relative to Invasions", en: Drake *et al.* (eds.), *Biological Invasions: a Global Perspective*, SCOPE, 1989, pp. 389-405.

• Howe, W. y F. Knopf, "On the imminent decline of Rio Grande cottonwoods in Central New Mexico", *Southwestern Naturalist*, 36, 1991, pp. 218-224.

• Hug, O., "Ganadería sustentable en Islas del Río Paraná", *Manual del Sitio Ramsar Jaaukanigás (Río Paraná, Santa Fe, Argentina): Biodiversidad, Aspectos Socioculturales, Conservación y Manejo*, Humedales para el Futuro-Ramsar, Proyecto WWF/02-2/ARG/3, 2005.

• Institución Salesiana Nuestra Señora del Rosario, "Panorama Demográfico, Económico y Social de la Argentina y las Provincias del Litoral y NEA", 2005, p. 5.

• IPCC, "Good Practice Guidance and Uncertainty Management in National Greenhouse Gas Inventories", IPCC National Greenhouse Gas Inventories Programme Technical Support Unit, [en línea] Kanagawa, 2000 <http://www.ipcc-nggip.iges.or.jp/gp/report.htm>.

• IPCC, "Climate Change 2001: A Scientific Basis, Intergovernmental Panel on Climate Change", en: Houghton, J. T., Y. Ding, D. J. Griggs, M. Noguer, P. J. van der Linden, X. Dai, C. A. Johnson and K. Maskell (eds.), *Cambridge University Press*, Cambridge, 2001.

• Junk, W. J., P. B. Bayley y R. E. Sparks, "The flood pulse concept in river-floodplain systems", *Canadian Special Publication of Fisheries and Aquatic Sciences*, 1989, 106: pp. 110-127.

• Kalesnik, F., "Relación entre las comunidades vegetales de los neoecosistemas de albardón y la heterogeneidad ambiental del Bajo Delta del río Paraná. Tendencias sucesionales y proyecciones sobre la composición futura", Tesis Doctoral, Universidad de Buenos Aires, 2001.

• Kalesnik, F. y A. I. Malvárez, "Relación entre especies leñosas exóticas y la heterogeneidad ambiental a nivel regional en el Bajo Delta del río Paraná", Buenos Aires, inédito.

• Kalesnik, F. A y C. Kandel, "Reserva de Biosfera Delta del Paraná", *Formación en educación para el ambiente y el desarrollo*, Buenos Aires, Municipalidad de San Fernando, 2004.

• Kandus, P., "Análisis de patrones de vegetación a escala regional en el Bajo Delta del río Paraná (Argentina)", Tesis Doctoral, Universidad de Buenos Aires, 1997.

• Kandus, P. y A. I. Malvárez, "Las islas del Bajo Delta del Paraná", en: Borthagaray, J. M. (ed.), *El Río de la Plata como territorio*, Buenos Aires, Ediciones FADU, FURBAN e Infinito, 2002.

• Kandus, P., F. Kalesnik, L. Borgo y A. I. Malvárez, "La Reserva Natural 'Isla Botija' en el Delta del río Paraná: análisis de las comunidades de plantas y condicionantes ambientales", *Parodiana*, 12, 2002, pp. 1-2.

• López, H. L., C. C. Morgan y M. J. Montenegro, "Ichthyological ecoregions of Argentina", ProBiota Serie Documentos, 2002, 1: 68 pp.

• Lugo, A. E., S. Brown y M. Brinson, "Concepts in Wetland Ecology", en: Lugo, A. E., M. Brinson y S. Brown (eds.), *Forested Wetlands Ecosystems of the World*, Amsterdam, Elsevier, 1990, pp 53-85.

• Luisoni, L. H., "Actividad ganadera", *Manual del Sitio Ramsar Jaaukanigás (Río Paraná, Santa Fe, Argentina): Biodiversidad, Aspectos Socioculturales, Conservación y Manejo*, Humedales para el Futuro-Ramsar, Proyecto WWF/02-2/ARG/3, 2005.

- Malvárez, A. I., "El Delta del río Paraná como mosaico de humedales", en: Malvárez, A. I. (ed.), *Tópicos sobre humedales subtropicales y templados de Sudamérica*, MAB-UNESCO, 1999, pp. 35-54 y 224.
- Malvárez, A. I. y G. Lingua, "Lineamientos para una clasificación e inventario de humedales. Un aporte conceptual", en: Malvárez, A. I y R. F. Bó (comp.), Documentos del Curso Taller Bases ecológicas para la clasificación e inventario de humedales en Argentina, Buenos Aires, 2004.
- Malvárez, A. I., "Las comunidades vegetales del Delta del río Paraná. Su relación con factores ambientales y patrones de paisaje", Tesis Doctoral, Universidad de Buenos Aires, 1997.
- Malvárez, A. I., "Consideraciones preliminares sobre un sistema nacional de clasificación e inventario de humedales", en: Malvárez, A. I. y R. F. Bó (comp.), Documentos del Curso Taller Bases ecológicas para la clasificación e inventario de humedales en Argentina, Buenos Aires, 2004.
- Malvárez, A. I., "El Delta del Río Paraná como mosaico de humedales", en: Malvárez, A. I. (ed.), *Tópicos sobre humedales subtropicales y templados de Sudamérica*, Montevideo, Oficina Regional de Ciencia y Técnica para América Latina y el Caribe (ORCyT) MAB/UNESCO, 1999.
- Malvárez, A. I., M. Boivín y A. Rosato, "Biodiversidad, uso de los recursos naturales y cambios en las islas del Delta Medio del Río Paraná (Dto. Victoria, provincia de Entre Ríos, Argentina)", en: Matteucci, S., O. Solbrig, J. Morello y G. Halffter (eds.), *Biodiversidad y usos de la tierra. Conceptos y ejemplos de Latinoamérica*, Buenos Aires, EUDEBA, 1999.
- Marchese, M., I. Ezcurra de Drago y E. Drago, "Benthic macroinvertebrates and phisical habitat relationship in the Paraná flood-plain system", en: IAHS (ed.), *The ecohidrology of south american rivers and wetlands*, IAH Special Publication, 2002.
- Martínez, G., *Pobreza, Indigencia y Desocupación en el Litoral y Noreste Argentino*, 2003, p. 7.
- McCully, P., *Ríos Silenciados. Ecología y Política de las Grandes Represas*, Proteger Ediciones, 2004, 450 pp.
- Mitsch, W. V. y J. G. Gosselink, *Wetlands*, New York, John Wiley & Sons, 2000.
- Nazar Anchorena, S., "Estimación de la edad de *Myocastor coypus* (Molina, 1782) y sus implicancias en la ecología y el manejo sustentable de la especie", Tesis de Licenciatura en Ciencias Biológicas, Universidad de Buenos Aires, 2004, 84 pp.
- Neiff, J. J. y A. I. Malvárez, "Grandes humedales fluviales", en: Malvárez, A. I. y R. F. Bó (comp.), Documentos del Curso Taller Bases ecológicas para la clasificación e inventario de humedales en Argentina, Buenos Aires, 2004.
- Neiff, J. J., "Humedales de la Argentina: sinopsis, problemas y perspectivas futuras", Contribución de los proyectos CONICET PIP N°4.242; 4.244; 0815, 2001.
- Nestler, J., C. Baigun, N. Oldani y L. Weber, "The Paraná river: a template for restoring large river-floodplain ecosystems", *Journal of River Basin and Management,* 2005.
- Nino, M., V. Tejera, J. Cappato y J. Peteán, Diagnóstico preliminar sobre iniciativas de producción sustentable en comunidades ribereñas y de pescadores del Paraná medio e inferior, Fundación Proteger, 2005, 24 pp.
- Oldani, N. y C. Baigún, "Performance of a fishway system in a major south american dam on the Paraná River (Argentina-Paraguay)", *River Research and Applications*, Vol. 18 (2), 2002, pp. 171-183.

La Situación Ambiental Argentina 2005

• Oldani, N., C. Baigún, J. Capatto, J. Peteán, N. Calamari y L. Espínola, "Característica y evaluación preliminar de la pesquería artesanal del río San Javier, Santa Fe, Argentina", en: Capatto, J., J. Peteán y N. Oldani (comp.), *Pesquerías continentales en América Latina. Hacia la sustentabilidad del manejo pesquero*, Universidad Nacional del. Litoral, 2003, pp. 101-114.

• Oldani, N., M. Peña y C. Baigún. "Cambios en la estructura del *stock* de peces de Puerto Sánchez en el cauce principal del tramo medio del río Paraná (1976-1977; 1984-1986 y 2002-2003)", Actas del Seminario Internacional sobre Manejo de Humedales en América Latina y Simposio Internacional de Ecoturismo y Humedales, Paraná, 25 al 27 de septiembre de 2003.

• Pando, H. y O. Vitalli, "El Río de la Plata en la historia", en: Borthagaray, J. M. (ed.), *El Río de la Plata como territorio*, Buenos Aires, Ediciones FADU, FURBAN e Infinito, 2002.

• Parera, A., *Los mamíferos de la Argentina y la región austral de Sudamérica*, Buenos Aires, El Ateneo, 2002, 453 p.

• Pensiero, J. F., "Flora y vegetación Sitio Ramsar Jaaukanigás", *Manual del Sitio Ramsar Jaaukanigás (Río Paraná, Santa Fe, Argentina): Biodiversidad, Aspectos Socioculturales, Conservación y Manejo*, Humedales para el Futuro-Ramsar, Proyecto WWF/02-2/ARG/3, 2005.

• Pinder, L. y A. Grosse, "*Blastocerus dichotomus*", *Mammalian Species*, N°380, 1991, pp. 1-4.

• Porini, G., R. F. Bó, L. Moggia, R. Fernández, J. Osinalde, A. Vilches, G. Cao, M. Busatto, M. L. Sanz, J. Rozatti y R. Quiani, "Estimaciones de densidad y uso de hábitat de *Myocastor coypus* en áreas de humedales de Argentina", en: Sánchez, P., A. Morales y H. F. López Arévalo (eds.), *Libro de Memorias del V Congreso Internacional sobre Manejo de Fauna Silvestre en Amazonia y Latinoamérica*, Bogotá, Universidad Nacional de Colombia y Fundación Natura, 2002 b, pp. 134-154.

• Porini, G., M. Elisetch y C. Seefeld, *Manual de identificación de especies de interés peletero*, Buenos Aires, International Fur Trade Federation y Federación Argentina Comercio e Industria de la Fauna, 2002 a, 208 p.

• Pratolongo, P., "Dinámica de comunidades herbáceas del Bajo Delta del río Paraná sujetas a diferentes regímenes hidrológicos y su monitoreo mediante sensores remotos", Tesis Doctoral, Universidad de Buenos Aires, 2005.

• Prenski, B. y C. Baigún, "Resultados entre ensayos de captura y factores ambientales en el embalse de Salto Grande (febrero 1980-febrero 1981)", *Revista de Investigación y Desarrollo Pesquero*, 6, 1988, pp. 77-102.

• Publicación de la Asociación Coopedora de la E.Z.E., Santa Fe, Sistema Provincial de Áreas Naturales Protegidas (SPANP), Gobierno de la Provincia de Santa Fe, Administración de Parques Nacionales, 1997.

• Quintana, R. D., R. Bó y F. Kalesnik, "La vegetación y la fauna silvestres de la porción terminal de la cuenca del Plata. Consideraciones biogeográficas y ecológicas", en: Bortharagay, J. M. (ed.), *El Río de la Plata como territorio*, Universidad de Buenos Aires y Ediciones Infinito, 2002, pp. 99-124.

La Situación Ambiental Argentina 2005

173

- Quiros y Cuch, "The fisheries and limnology of the lower Plata basin. Proceedings of the international large river symposium", en: Dodge, D. P. (ed.), *Canadian Special Publication of Fishheries and Aquatic Sciences*, 1989, 106: pp. 429-443.
- Rejmanek, M., "What makes species invasive?", en: Pysek, P. *et al.* (eds.), *Plant Invasions: General Aspects and Special Problems*, Amsterdam, SPB, 1995, pp. 1-3.
- Roa, B., H. Roncati, A. De Lucia y A. Aichino, "Evaluación de los recursos pesqueros aguas arriba", Informe Final Convenio VI, EBY-UnaM, 2001, 123 p.
- Ruggeroni, D., *El Loakal (alma, imagen, sombra, eco)*, Reconquista, 1998, 40 p.
- Salvatori, G., M. Salvatori e I. Schmidt, "Grandes obras en el Río. Dragado e hidrovía", en: Borthagaray, J. M. (ed.), *El Río de la Plata como territorio*, Buenos Aires, Ediciones FADU, FURBAN e Infinito, 2002.
- Suzuki, H. I., F. M. Pelicice, E. A. Luiz, J. D. Latini y A. A. Agostinho, "Reproductive strategies of the fish community of the Upper Parana River floodplain", en: Agostinho, A. A., L. Rodrigues, L. C. Gomes, S. M. Thomaz y L. E. Mirada (eds.), *Structure and functioning of the Parana River ands its flooplain,* LTEER-Site 6, Maringa, EDUEM, 2004, pp. 125-130.
- Tomas, W., "O papel de usinas hidroeléctricas na distribucao e abundancia das populacoes de cervodo-pantanal (*Blastocerus dichotomus*) na parte brasileira da bacia do río Paraná", Resúmenes del III Congreso Internacional sobre Manejo de Fauna Silvestre de la Amazonia, Santa Cruz de la Sierra, 1997.
- Usher, M. B., "Biological Invasions into Tropical Nature Reserves", en: Ramakrishnan (ed.), *Ecology of Biological Invasions in the Tropics*, 1991, pp. 21-34.
- Vallés, L., F. Kalesnik y A. I. Malvarez, "Los parches relictuales de Monte Blanco del área núcleo de la Reserva de Biosfera MAB-UNESCO 'Delta del Paraná'", *Manejo y conservación de los humedales del litoral Argentino*, Fundación Proteger, Paraná, Entre Ríos y Wetlands International, 2005.
- Valli, S., "Tendencia de las forestaciones en el Delta del Río Paraná y sus implicancias ecológicas", en: Adámoli, J. y A. I. Malvárez (eds.), *Condicionantes ambientales y bases para la formulación de alternativas productivas y ocupacionales en la Región Delta*, Inf. Téc. UBA CyT N°135, 1990, pp. 43-60.
- Welcomme, R. L., *River fisheries*, FAO Fish, Tech. Pap, 1985, 262: 330 pp.
- Zaccagnini, M. E., "Los patos en las arroceras del noreste de Argentina. ¿Plagas o recursos para caza deportiva y turismo sostenible?", en: Blanco, D. E., J. Beltrán y V. de la Balze (eds.), *Primer Taller sobre la caza de Aves Acuáticas. Hacia una estrategia para el uso sustentable de los recursos de los humedales*, Buenos Aires, Wetlands International, 2002.
- Zuidwijk, A., "Navegación y puertos argentinos en la cuenca del Plata", en: Borthagaray, J. M. (ed.), *El Río de la Plata como territorio*, Buenos Aires, Ediciones FADU, FURBAN e Infinito, 2002.

La Situación Ambiental Argentina 2005

Ecorregión Esteros del Iberá

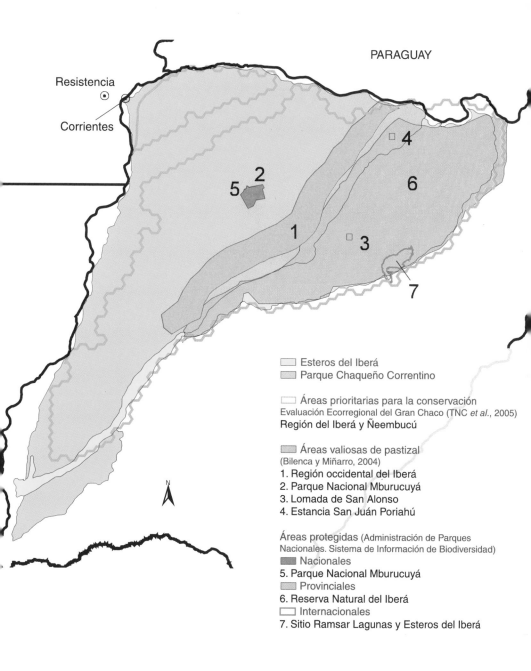

PARAGUAY

Resistencia

Corrientes

4

2

5

6

1

3

7

☐ Esteros del Iberá
▨ Parque Chaqueño Correntino

☐ Áreas prioritarias para la conservación
Evaluación Ecorregional del Gran Chaco (TNC *et al.*, 2005)
Región del Iberá y Ñeembucú

▨ Áreas valiosas de pastizal
(Bilenca y Miñarro, 2004)
1. Región occidental del Iberá
2. Parque Nacional Mburucuyá
3. Lomada de San Alonso
4. Estancia San Juán Poriahú

Áreas protegidas (Administración de Parques
Nacionales. Sistema de Información de Biodiversidad)
▨ Nacionales
5. Parque Nacional Mburucuyá
▨ Provinciales
6. Reserva Natural del Iberá
☐ Internacionales
7. Sitio Ramsar Lagunas y Esteros del Iberá

0   100   200 Km

SITUACIÓN AMBIENTAL EN LA ECORREGIÓN IBERÁ

Por: Juan José Neiff [I] y Alicia S. G. Poi de Neiff [I, II]

[I] *Consejo Nacional de Investigaciones Científicas y Técnicas (CONICET).*
[II] *Profesora Titular de Limnología, Universidad Nacional del Nordeste (UNNE), CONICET.*
neiff@arnet.com.ar

Caracterización ambiental

Iberá ("agua que brilla") es la palabra del idioma guaraní con la que los aborígenes designaron a las enormes lagunas comprendidas en un extenso paisaje palustre. El macrosistema Iberá comprende un complejo de ecosistemas con predominio de los ambientes palustres (esteros y bañados) que interconectan extensos lagos poco profundos, unidos por cursos de agua de distinto orden. Por su posición estratégica en el noreste de la Argentina (Figura 1) y por su extensión (12.300 km²) es una de las principales fuentes superficiales de agua limpia de este país (Gálvez *et al.*, 2003; Lancelle, 2003; Poi de Neiff, 2003).

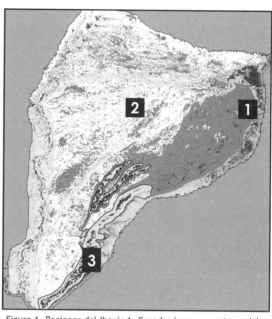

Figura 1. Regiones del Iberá: 1. Grandes lagunas y esteros del este, 2. NW-Iberá/Ñeembucú, 3. Cursos y bañados fluviales.

El clima es subtropical húmedo y puede tener diferencias al comparar localidades situadas en los extremos norte y sur. A lo largo de series estadísticas que datan de cincuenta años, la temperatura mínima media mensual más baja se registró en junio y julio con valores comprendidos entre 16 y 17°C. La mínima absoluta fue de -2°C y para la serie considerada hubo baja frecuencia de heladas anuales (0,5). La temperatura máxima promedio más alta se registró en enero y febrero con valores de entre 27 y 28°C, y las máximas absolutas llegaron a 44°C. Hubo un importante aumento en el volumen anual de lluvias, que pasó de una media histórica de 1.300 mm/año a 1.700-1.800 mm/año, debido al cambio climático ocurrido a comienzos de 1970. Con ello, se produjeron cambios importantes en el escurrimiento, que se tornó difuso en tramos progresivamente mayores y provocó un alto efecto disipador de la vegetación. Por otro lado, las áreas centrales de las lagunas y los esteros están expuestas a vientos suaves durante todo el año, cuya velocidad media oscila entre los 5 y los 9 km/h. La mayor frecuencia de ráfagas se registró durante la primavera y hubo muy baja frecuencia de tormentas con vientos que superaron los 100 km/h.

La depresión tectónica del Iberá tiene fondo regular, si bien en el borde noroeste afloran lomadas arenosas cuyo eje está orientado en sentido noreste-sudoeste. Estas lomadas son relictos del modelado fluvial que ha dejado también ondulaciones suaves (hoy sumergidas bajo la vegetación) e islotes emergentes de pocas hectáreas, ocupados por bosques hidrófilos con especies de linaje paranaense. En otras palabras, la cubeta de los esteros del Iberá es asimétrica en el sentido transversal. La mayor depresión se encuentra en el límite oriental, en el que se ubica la mayor parte de los grandes lagos (Conte, Galarza, Naranjito, Iberá, Fernández, Trin, Medina). Este límite oriental del macrosistema es bien definido y constituye la divisoria de aguas de la provincia de Corrientes, hacia los ríos Paraná y Uruguay. El límite occidental es muy suave, difuso, en forma de extensos bañados.

Ambientes leníticos		pH	C.E. ($\mu S.cm^{-1}$)	O.D. ($mg.l^{-1}$)	NO_3-N ($\mu g.l^{-1}$)
Permanentes	Lagunas de superficie bien definida	5,0-7,0	20-49	7,0-10,5	15-181
	Esteros y cañadas	4,3-7,2	20-100	1-6	24-113
Temporarios	Bañados	6,8-7,2	10-50	4-9	5-60
	Campos anegables (malezales)	6,8-7,5	20-60	2-7	20-85
Ambientes lóticos					
Efluentes y afluentes	Río Corrientes	5,8-7,7	46-150	7-9	32-230
	Arroyo Ita Cuá	6,1-6,6	15-50	6,0	25-45
Canales secundarios	Con flujo permanente Arroyo Caenguá y Carambola	5,5-7,2	22-40	4,8-6,6	40,7-194
	Sin flujo permanente	6,2-7,0	11-20	5,1-6,0	45-98

Tabla 1. Caracterización limnológica de los ambientes acuáticos y palustres del Iberá.
Referencias. C.E.: conductividad eléctrica; O.D.: concentración de oxígeno disuelto en el agua; NO_3-N: concentración de nitrógeno inorgánico en forma de nitrato en el agua.

En los ambientes de aguas quietas (leníticos), la conductividad eléctrica es un indicador de baja salinidad. Los valores registrados variaron poco entre las distintas lagunas y esteros, en diferentes épocas del año. El agua es ácida o neutra, tiene buena disponibilidad de oxígeno disuelto y una concentración de nitrato inferior a 100 mg.l[-1]. Según la disponibilidad de agua de lluvia, la lámina de agua tiene continuidad en sentido este-oeste y norte-sur. Las imágenes satelitales Landsat TM tomadas en 1998, en condición de máximo anegamiento del terreno, muestran que los esteros del Iberá, de Carambolas, Batel-Batelito, de Santa Lucía y las cabeceras del San Lorenzo se encontraban conectados por numerosas transfluencias. La separación de "cuencas" o "sistemas hidrográficos" es solamente operativa, pues existe una conexión superficial y freática (Neiff, 1977; INCYTH, 1978).

Se distinguen en el Iberá tres zonas (Figura 1) que se corresponden básicamente con tres modelos de vegetación (Neiff, 2004). En la zona 1 se distinguen las grandes lagunas del sistema Iberá, cuya forma es subredondeada (lagunas Galarza, Luna, Trin y Naranjito) o elongada con su eje mayor paralelo al eje del sistema (Fernández, Medina, Iberá, Paraná). La superficie de estas lagunas oscila entre los 15 y los 80 km² y su profundidad, entre los 2 y los 3 m. La zona 2 comprende el sector occidental, donde predominan las plantas arraigadas, sumergidas con una especie dominante *Cabomba caroliniana*. La zona 3 básicamente está comprendida por el río Corrientes y su planicie de desborde, que presenta un modelo de vegetación más simplificado que el de la zona 1. No hay especies exclusivas en estos modelos y las especies vegetales encontradas no difieren de las citadas para las cuencas cercanas (Batel-Batelito, Riachuelo, esteros del Santa Lucía) e incluso para los esteros del Ñeembucú ubicados en el Paraguay (Neiff, 2004).

Los esteros que circundan las grandes lagunas tienen suelos de turberas (histosoles), de escasa ocurrencia en Sudamérica cálida; también presentan una matriz orgánica (más del 60%) originada por el entrelazado de las raíces y una deposición de sucesivas capas de materia vegetal, derivada de la muerte de las plantas del estero. Los suelos perimetrales tienen un alto grado de hidromorfismo, con predominio areal de los entisoles y alfisoles. Son de formación reciente, originados cuando se interrumpió la conexión superficial del Paraná con el Iberá (Neiff, 1997) en el período Ipsitermal, unos 8.000 a 3.000 años AC (Orfeo, 2003).

Flora y fauna

Si la biota del Iberá se considera globalmente, la mayor complejidad se encuentra en el sector húmedo y subhúmedo del gradiente topográfico, sin registrarse especies endémicas.

El Iberá es uno de los humedales de clima cálido más diversificados de la biosfera, y se conocen 1.659 especies de plantas vasculares (Arbo y Tressens, 2002). El 70% de las plantas vasculares son terrestres y el 30% restante, acuáticas o palustres. En un estudio restringido a la Estancia Rincón y a los bosques próximos a la laguna Iberá (Bar *et al.*, 2005) se recolectaron 3.348 artrópodos. Los autores de este trabajo destacan la riqueza de familias de insectos y de géneros de arácnidos.

En los ambientes leníticos y lóticos del Iberá se registraron, entre 1976 y 1980, ciento veintisiete especies de macrófitas acuáticas, la mayoría de las cuales son helófitas. Las plantas arraigadas emergentes, que pueden utilizar los nutrientes inmovilizados en los sedimentos del fondo de las lagunas y los esteros, constituyeron la bioforma dominante. Hubo sólo nueve especies de plantas flotantes libres que requieren de una mayor concentración de nutrientes disueltos en el agua que la registrada en el Iberá. En el mismo período se recolectaron setecientas noventa y seis algas en el plancton, distribuidas en ocho grandes taxa (Zalocar, 2003). Las algas verdes presentaron el mayor número de especies con dominancia de desmidiáceas, las cuales son muy comunes en aguas ligeramente ácidas con baja salinidad (Wetzel, 1981). El 60% de las desmidiáceas se registró por primera vez

La Situación Ambiental Argentina 2005

para la Argentina y el 30%, para América del Sur (Zalocar, 2003). Se registraron ciento veintiséis especies de crustáceos microscópicos que viven en suspensión en el agua de lagunas y esteros (zooplancton), y la mayor abundancia corresponde a los rotíferos (Frutos, 2003). En la vegetación acuática y palustre se recolectaron más de cien morfoespecies, si bien este número puede ser aún mayor cuando se complete la identificación taxonómica. La mayor complejidad se dio en los camalotales de *Eichhornia azurea* y el menor número de especies, en los esteros poblados de totoras (*Typha latifolia*). Los invertebrados que viven en la vegetación del Iberá, cuyo tamaño varía entre los 125 y los 18 mm, son un recurso trófico muy importante en las lagunas y los esteros, especialmente en las praderas sumergidas, donde pueden registrarse hasta 500.000 individuos por kilogramo de peso seco de vegetación (Poi de Neiff, 2003). La fauna del fondo de las lagunas es, en general, pobre, debido a que el fondo de estos lagos someros está cubierto por sedimentos orgánicos laxos que pueden ser removidos por la acción del viento (Bechara y Varela, 1990).

Hasta el presente, se han registrado ciento veintiséis especies de peces en relevamientos aún incompletos del Iberá (Almirón *et al.*, 2003), lo que equivale a más de un tercio de las especies conocidas para la subregión brasílica en la Argentina. Si se agregan las especies de la cuenca del Riachuelo, en la región del Iberá, habría ciento veintinueve especies de peces (Lopez *et al.*, 2005). En las lagunas del sector oriental-noreste (si se considera una línea imaginaria que se inicia en el río Corrientes y se dirige al noreste, que pasa por las lagunas Trin y Fernández), se registran especies de pequeña o moderada talla, que constituyen el alimento de los últimos eslabones de la malla trófica representados por las pirañas (*Sarrasalmus nattereri* y *S. spiropleura*) y los dientudos (*Acestrorhamphua spp.*). En el sector meridional (sudoeste) ingresan especies que habitan en el río Paraná, tales como el sábalo (*Prochilodus lineatus*), que llega hasta la laguna Iberá, y el dorado (*Salminus brasiliensis*), que llega hasta la laguna Paraná.

La fauna silvestre todavía no se conoce bien. El relevamiento más completo fue realizado por la Universidad Nacional del Nordeste (Alvarez *et al.*, 2003). Dentro de este estudio, se cita la presencia de cuarenta y cinco especies de anfibios y aproximadamente treinta y cinco especies de reptiles. Entre los principales, se incluyen el yacaré negro (*Caiman yacaré*), el yacaré overo (*Caiman latirostris*) y la iguana overa (*Tupinambis merianae*). La serpiente venenosa que puebla la periferia de los esteros es la yarará o la víbora de la cruz (*Bothrops alternatus*), encontrada con poca frecuencia en isletas de monte dentro de los esteros. También existen algunos ejemplares inofensivos como la ñacaniná (*Hydrodynastes gigas*), la falsa yarará (*Lystrophis dorbignyi*) y la constrictora curiyú (*Eunectes notaeus*).

Giraudo *et al.* (2003) presentan una valiosa prospección de la avifauna del Iberá, en la cual citan trescientas cuarenta y tres especies (que corresponden al 70,5% de las aves de Corrientes y al 34,5% de las aves registradas en la Argentina). De este total, trescientas cuarenta y dos son aves autóctonas y la mayor parte (88%), de linaje paranaense. En los esteros y las lagunas existen poblaciones de aves ictiófagas como los biguá (*Phalacrocorax brasilianus*) y los macaes (*Podiceps spp.*).

El sistema Iberá constituye uno de los corredores más importantes de aves migratorias que visitan los humedales de los ríos Paraná, Paraguay y los humedales del sistema de lagunas litorales de Río Grande do Sul (Brasil). No se han introducido aún especies exóticas de aves en el Iberá, aunque ha sido registrado el gorrión (*Passer domesticus*), de amplia dispersión en la Argentina (Giraudo *et al.*, 2003).

El mayor desequilibrio ambiental en relación con la fauna se debe al avance de una especie autóctona: la vizcacha, cuya expansión en la periferia sudeste del macrosistema coadyuva a los procesos erosivos y se relaciona con el uso inadecuado de la tierra y otros factores.

El patrón de paisaje, el origen, la química de sus aguas, la elevada riqueza de especies vegetales y animales, su estado prístino y su posición biogeográfica hacen del Iberá un sistema único en América. Algunos de sus paisajes tienen equivalentes ecológicos en Sudamérica –alta cuenca del Paraguay, cuenca media y baja del Amazonas; planicies del Orinoco y del Magdalena–; en África –cuenca del Nilo– y en Europa –cuenca del Danubio– (Neiff, 2001).

Especies amenazadas

Del total de especies de aves, se considera que dieciocho se hallan amenazadas, una de ellas en peligro crítico, dos en peligro y siete han sido calificadas como vulnerables. Entre las especies de mamíferos consideradas en peligro de extinción –registro de la Convención sobre el Comercio Internacional de Especies Amenazadas de Fauna y Flora Silvestres (CITES)– se encuentran el aguara guazú (*Chrysocyon brachyurus*), el gato onza (*Pantera onca*), el gato montés (*Herpailurus jagouroundi*), el lobito de río (*Lontra longicaudis*) y el guazuncho (*Mazama gouazoubira*). El carpincho (*Hydrochaeris hydrochoerus*) se encuentra en un estatus de riesgo menor, si bien sus poblaciones son más pequeñas que en otros grandes humedales como en el Pantanal.

Aspectos socio-demográficos

La depresión del Iberá puede considerarse como un espacio casi vacío en el que viven menos de cien familias. Los asentamientos poblacionales desde tiempos históricos se localizan en la periferia, tienen una densidad próxima a los 5 ó 7 habitantes por kilómetro cuadrado (la densidad de población de la provincia de Corrientes es de 9 hab/km^2 y la de la Argentina es de 13 hab/km^2). La mayor parte de la población (el 75%) vive en las ciudades próximas a los esteros del Iberá, en asentamientos con más de 2.000 habitantes.

El crecimiento poblacional de los municipios vecinos al Iberá en los últimos veinte años ha sido menor que el provincial, que es del 15%, a excepción de Mercedes, que creció un 16% en la última década.

La Situación Ambiental Argentina 2005

Riesgo para los esteros del Iberá

Entre los impactos que ha producido la actividad humana, pueden encontrarse aquéllos que son consecuencia de la ganadería, que afectan a los sectores medios y altos del gradiente topográfico en la periferia del sistema. Fundamentalmente se han manifestado por alguna modificación de las pasturas naturales, por pastoreo (consumo selectivo) y también por el uso que los ganaderos hacen del fuego para favorecer el rebrote de los pastos. Sin embargo, estos impactos pueden considerarse de menor importancia, en tanto se mantengan las condiciones de uso actual del sistema y se asuman algunos recaudos de uso.

La agricultura de arroz, en la periferia del Iberá, es una actividad de alto impacto debido a la sistematización hidráulica del terreno para favorecer la inundación del suelo, la roturación periódica de la tierra, la extracción de agua de las lagunas para el cultivo y la incorporación de agroquímicos a los esteros y las lagunas por efecto de las lluvias. Quizá el principal impacto deriva de la falta de tratamiento de recuperación ecológica de los campos luego de ser abandonados al caer la rentabilidad del cultivo por el enmalezamiento, la pérdida de su fertilidad y los efectos asociados.

La forestación ha cobrado mucha importancia a partir de la década del 90; en efecto, actualmente existen más de 50.000 ha forestadas con especies exóticas en la periferia del Iberá. Las forestaciones implantadas tienen menores efectos que otras formas de agricultura, pero producen cambios importantes en el ambiente, que deben ser considerados y evaluados en cada caso, cuyos principales efectos pueden ser: la sustitución del paisaje nativo por una cobertura homogénea, el mayor consumo de agua y el aumento del riesgo de incendios y su propagación.

La actividad turística ha sido repetidamente preconizada como una forma sustentable de uso del paisaje, debido a sus múltiples ventajas socio-económicas y a la revalorización de los humedales. Esta apreciación, válida en términos generales, debe ser cuidadosamente analizada para evitar los efectos indeseables que ha tenido en algunos casos. Al respecto, merece citarse el uso desordenado de la naturaleza, la construcción de infraestructura (caminos, canales, alojamiento) que no respeta las prescripciones ambientales y su impacto en la transculturización y en el uso inequitativo de los recursos paisajísticos.

La modificación del nivel hidrométrico del Iberá ha sido destacada como uno de los principales impactos actuales y fuentes de riesgo futuro (Neiff, 1977; 2004), que incluyen el descenso artificial del nivel actual mediante canales (como podrían ser las obras hidráulicas en el río Corrientes o los canales de desagüe que modifican los tiempos de permanencia del agua en el sistema) y la elevación artificial del agua, que ocurriría como consecuencia de la construcción del embalse de Yacyretá, próximo a los esteros (ver Acerbi en este volumen).

Es oportuno analizar posibles escenarios de riesgo en caso de que se produzcan nuevos incrementos en el nivel de los esteros del Iberá como consecuencia del aumento del nivel actual del embalse de Yacyretá (Neiff, 2004). En tal situación, el Iberá se encontrará en peligro por cambios drásticos en el paisaje, en el sistema de escurrimiento, en la permanencia del agua, en la vegetación, así como también en su fauna y en los asentamientos humanos que se encuentran en los esteros o en su proximidad (Neiff, *op.cit.*).

Un estudio realizado por la Fundación Bariloche (Girardín, 2003) da cuenta de que ya se han perdido unas 150.000 ha dedicadas principalmente a la ganadería, lo que significaría, además de los cambios en el patrón de paisaje con aumento de la superficie de bañados, una pérdida de entre U\$S 7.500.000 y U\$S 15.000.000 (Perol y Reid, 2004). Sin embargo, la valoración económica del ambiente es siempre parcial, pues cubre los valores inmobiliarios y las pérdidas en algunas de las formas de producción (Perol y Reid, *op.cit.*).

Cabe destacar que el Iberá, a pesar de las presiones que ha venido recibiendo por las actividades humanas, se encuentra en muy buen estado de conservación, lo que no implica omitir las amenazas que surgen del desconocimiento de la legislación vigente y de su reiterado incumplimiento.

Perspectivas actuales y futuras

Para finalizar una historia de propuestas antinómicas de manejo, la provincia de Corrientes declaró reserva provincial al macrosistema Iberá, con una superficie de 13.000 km^2. En 2001, la Convención Ramsar declaró al Iberá como "humedal de importancia internacional". Actualmente, se encuentra en gestión una propuesta para declararlo patrimonio natural de la humanidad.

Estas manifestaciones inducirían a pensar que el presente y el futuro del Iberá está asegurado por la preocupación y el respeto de los ciudadanos hacia la naturaleza, especialmente cuando la Argentina es signataria de la Convención de Humedales de Ramsar y cuando en la provincia de Corrientes existe un Código de Aguas y una ley de evaluación de impacto ambiental (Ley N°5.067), mediante la cual toda actividad que involucre al ambiente debe contar con una evaluación de sus impactos ambientales y un plan de gestión antes de realizar las obras. Sin embargo, sólo en algunos casos se ha cumplido con estas prescripciones, y muchas veces no se reconoció a la autoridad de aplicación (Instituto Correntino del Agua y del Ambiente).

Hoy en día no existe un plan de gestión para el Iberá. En 1994, se presentó una estrategia de Unidades de Conservación (Neiff, 1994) y se produjo una propuesta de plan de manejo por parte de la Fundación Ecos (ver Parera en este volumen), que no ha sido reconocido por el Instituto Correntino del Agua y el Ambiente (ICAA) y por un sector importante de la sociedad. Paralelamente, ha crecido la expectativa por la posible utilización del agua subterránea, ya que los estudios indican que el Iberá se encuentra sobre el acuífero Guaraní, de gran importancia futura como reserva de agua.

Ante esta situación, el gobierno debería cobrar un mayor protagonismo como promotor y controlador de las acciones necesarias de gestión ambiental que aseguren el cumplimiento de las leyes y el uso equitativo de los recursos naturales con un bajo deterioro de los ecosistemas, por ser éstos patrimonio de las generaciones futuras.

LOS ESTEROS DEL IBERÁ AMENAZADOS. ¿YACYRETÁ CULPABLE O INOCENTE?

Por: Lic. Marcelo H. Acerbi
Director de Conservación y Desarrollo Sustentable. Fundación Vida Silvestre Argentina (FVSA).
conservacion@vidasilvestre.org.ar

Los esteros del Iberá amenazados

Desde hace algunos años, los esteros del Iberá han venido sufriendo un aumento del nivel de agua y, por ende, una inundación constante que estaría generando importantes cambios en el ecosistema, entre los que se incluyen el anegamiento de vastas extensiones de tierras ganaderas y forestales.

Entre los años 1989 y 1990, se ha observado un considerable aumento en el nivel de las aguas de los esteros, en coincidencia temporal con el desvío del río Paraná y su represamiento parcial relacionado con la construcción de la represa Yacyretá. A partir de entonces, los esteros habrían alcanzado un nuevo estado de equilibrio e incrementaron su valor medio de alturas hidrométricas de los últimos doce años en unos 80 cm respecto de lo observado durante el período anterior, entre los años 1968 y 1988. Esto se debería a que la cuenca del Iberá no es independiente de la cuenca del Paraná, probablemente por la existencia de fracturas en el basalto y por haber sido el antiguo cauce del mencionado río.

Estudios desarrollados por investigadores de la Universidad Nacional del Centro (Argentina), junto con otras universidades de Sudamérica y Europa, en el marco de un proyecto apoyado por la Comisión Europea (Canziani *et al.*, 2003), han puesto en evidencia la importante brecha que se generó a partir de 1989, entre los valores del modelo hidrológico (ver la línea negra de la Figura 1) –basado en una hipótesis de cuenca cerrada–, y los niveles de agua medidos en Laguna Iberá (ver la línea gris de la Figura 1). A partir de la utilización del modelo de balance hídrico para testear distintas hipótesis, han demostrado que el aumento del nivel del agua registrado en los esteros no ha podido atribuirse exclusivamente al aumento de las precipitaciones regionales ni al taponamiento del río Corrientes, única vía de desagüe superficial del sistema. Los estudios concluyen que el aumento en el nivel de los esteros sólo puede ser explicado en términos de un eventual ingreso subterráneo de agua. La hipótesis, entonces, es que dicho ingreso subterráneo sería el resultado de un posible transvase de aguas desde el río Paraná hacia los esteros a través de fracturas en el basalto subyacente y del albardón arenoso que separa ambos sistemas (Angeleri, 2000; Fulquet, 1999).

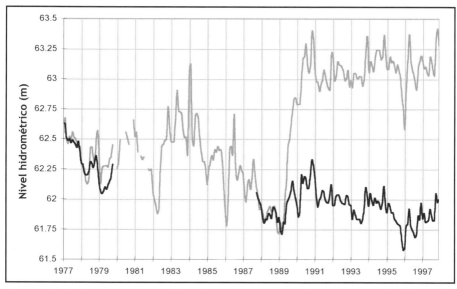

Figura 1. Ajuste del modelo de balance hídrico (línea negra) a los datos registrados en Laguna Iberá (línea gris).

El incremento del nivel del agua se aprecia gracias a las evidencias que quedan sobre el terreno, como por ejemplo la inundación de aproximadamente 300.000 ha de tierras ganaderas y forestales en el entorno de los esteros del Iberá.

De confirmarse la hipótesis de un eventual transvase, podría esperarse que con el aumento previsto de la cota del embalse de la represa Yacyretá de 76 a 83 msnm se profundizarían los impactos ambientales actualmente registrados en el Iberá. No obstante, la falta de estudios a nivel regional sobre el comportamiento de las aguas subterráneas impide predecir la verosimilitud y la magnitud de dichos impactos.

Las hipótesis de los estudios científicos (Canziani *et al.*, 2003), la certezas de las tierras inundadas y la incertidumbre frente a un incremento de la cota del embalse a nivel de diseño han originado diversos y reiterados reclamos a la Entidad Binacional Yacyretá (EBY) con respecto a la implementación de los estudios hidrogeológicos necesarios para comprobar y cuantificar un eventual transvase. La EBY, por su parte, sigue negando el fenómeno enfáticamente.

La base de un reclamo: transparencia y participación de la sociedad civil

Los productores rurales de Ituzaingó fueron pioneros en denunciar la inundación de las tierras productivas. Por su parte, el ICAA constató la veracidad de la denuncia, así como también la elevación del pelo de agua en 80 cm a partir de 1989, medida en la escala hidrométrica de Car-

La Situación Ambiental Argentina 2005

los Pellegrini (Angeleri *et al.*, 2003). Sólo en el Departamento de Ituzaingó las pérdidas incluyeron unas 100.000 ha de tierras productivas inundadas y unas 50.000 cabezas de ganado en los últimos cinco años (Ferrati *et al.*, 2000).

La compleja estructura geológica de la provincia de Corrientes –vinculada a los sucesivos desplazamientos del paleocauce del río Paraná– hace que el aumento de los niveles de los espejos de agua no quede circunscripto al Iberá, sino que se extienda muy posiblemente a otras cuencas, como la de los esteros Batel-Batelito, donde también se ha registrado el anegamiento de unas 250.000 ha de tierras productivas y su consiguiente efecto en las actividades económicas.

El aumento del nivel de agua en el Iberá despertó la preocupación del gobierno y de los habitantes de la provincia de Corrientes, y los reclamos de los organismos provinciales (ICAA, cooperativas rurales), nacionales (Secretaría de Desarrollo Sustentable y Política Ambiental de la Nación, Defensoría del Pueblo de la Nación, universidades) e internacionales ("Panel de Expertos" convocado por la EBY, Lotti & Associati, Banco Mundial), de numerosas ONG y entidades intermedias (Blanco y Parera, 2001; Canziani 2000, 2001, 2002).

Estos reclamos fueron encausados a través de la experiencia innovadora del Foro Iberá-Yacyretá, constituido sobre la base de una multisectorial de actores interesados en las amenazas de los esteros.

El Foro Iberá-Yacyretá: una propuesta innovadora

Ante la incertidumbre y la falta de una respuesta contundente y transparente sobre los cambios hidrológicos del Iberá que satisficiera a los actores involucrados, se constituyó el Foro Iberá-Yacyretá. Paradójicamente, nació el 18 de octubre de 2001 en el marco de la "Jornada de Participación Embalse de Yacyretá-Esteros del Iberá: hidrología e hidrogeología de ambos sistemas", convocada por la EBY y llevada a cabo en Posadas, provincia de Misiones.

El foro quedó conformado por un conjunto amplio de diversas entidades presentes en esa reunión, que actualmente son unas treinta, que delegaron su representatividad en cuatro organizaciones, a saber: FVSA (en representación de las ONG), Comité de cuenca Batel-Batelito (en representación del sector productivo), Universidad Nacional del Nordeste (en representación del sector académico) y el ICAA (en representación del sector público y gubernamental). Desde marzo de 2003, el Municipio de Ituzaingó ha tomado la representación del sector de gobierno en el foro, luego del retiro del ICAA.

El principal objetivo del Foro Iberá-Yacyretá es asegurar los mecanismos de transparencia para evaluar la magnitud del transvase desde la represa de Yacyretá hacia los esteros del Iberá, para lo cual una de sus primeras acciones fue la designación de un "grupo técnico". A éste se le atribuyó la función de asesorar y monitorear tanto los planes como los trabajos de la EBY, en relación con la evaluación y la mitigación de los impactos ambientales existentes y/o potenciales sobre los esteros del Iberá. Motivos ajenos al foro impidieron que el trabajo de este grupo técnico fuera iniciado en cooperación con la EBY.

Sin embargo, y afortunadamente, la EBY reconoció al foro, se dirigió al mismo y aceptó su grupo técnico, en ocasión de la Segunda Reunión del Foro realizada en la ciudad de Buenos Aires, el 6 y el 7 de marzo de 2003. Esta actitud de la EBY implicó un paso adelante respecto de la discusión del eventual transvase. Para ello, la EBY propuso la realización de una reunión técnica, que tuvo lugar entre el 14 y el 16 de mayo de 2003 en la ciudad de Ituzaingó, Corrientes. En dicha ocasión, tanto el foro como la EBY presentaron documentación y resultados de trabajo que sustentaban cada una de las posiciones. La EBY, por su parte, concluyó nuevamente en que no había ningún motivo para que ocurriera un transvase de Yacyretá a Iberá.

Por otro lado, los técnicos representantes del foro concluyeron que los estudios realizados por la EBY son insuficientes para descartar una hipótesis de transvase. Aun cuando la reunión no fue convocada con el objetivo de confirmar o rechazar una hipótesis de eventual afectación de Yacyretá a Iberá, el acceso a la información que sustenta los resultados de los estudios presentados por la entidad no habría ocurrido en tiempo y forma (Poder Ciudadano-Transparency International, 2003), lo que no satisface la búsqueda de transparencia reclamada por el foro.

Si bien la articulación entre la EBY y varios representantes de la sociedad civil aglutinados en el foro no han arribado a un consenso, la realización de la reunión técnica representa un importante punto de partida con respecto a reclamos anteriores. Es la primera vez que la EBY asiste a discutir este tipo de cuestiones con representantes de la sociedad civil. La existencia de veedores u observadores externos, tales como Poder Ciudadano o la Defensoría del Pueblo de la Nación, ha otorgado al ejercicio de la reunión una suerte de sello o marca de institucionalidad que no podrá ser desconocida en el futuro.

La aceptación por parte de la EBY para discutir estos temas con representantes de la sociedad civil, en un ámbito como el que se produjo en la ciudad de Ituzaingó, es concordante con los objetivos y los requerimientos del Plan de Manejo de Medio Ambiente oportunamente elaborado por la EBY, a instancias de los organismos de financiamiento. En este sentido, la naturaleza de la reunión técnica, durante la cual la EBY estuvo dispuesta a debatir con la sociedad civil, representa un cambio importante en el manejo de las cuestiones ambientales en comparación con las prácticas anteriores de la entidad.

Sin duda, confluyen dos razones de peso para comprender este cambio en la gestión ambiental de la EBY: por un lado, la propia presión de los organismos multilaterales de financiamiento, frente a los antecedentes del proyecto Yacyretá, ha sido un factor decisivo. Por otro lado, la fuerte movilización de la sociedad civil, frente a la percepción de una amenaza con suficiente entidad como para alterar la biodiversidad y las opciones productivas del Iberá, ha puesto limitaciones políticas en cuanto a la legitimidad de las decisiones de la EBY.

Más allá del desenlace del ejercicio, no caben dudas de que la participación del Foro Iberá-Yacyretá en la citada reunión técnica constituye un antecedente de peso importante que podrá ser esgrimido en el futuro o en otras situaciones similares, por el foro o inclusive por otros afectados.

El consenso como punto de encuentro

Luego de las instancias de diálogo antes comentadas, ha quedado planteada la siguiente situación: la EBY pide elementos probatorios de la posible conexión Yacyretá-Iberá, y pretende que sea el foro el que produzca esa información. Los técnicos que han representado al foro sostienen que es la EBY la que debe demostrar qué parte del agua del Iberá no proviene del embalse. Por lo tanto, es deseable que la EBY comprenda que el foro y su grupo técnico no pretenden demostrar que hay transvase, sino que, al tener una duda razonable y sin poder justificar este aumento sólo a partir de las precipitaciones, solicitan que se realicen estudios serios para descartarlas o no.

Si bien el debate técnico es complejo y conflictivo, el proceso de diálogo entre las partes continúa. De todo esto, hasta ahora queda claro que las diversas instituciones que forman parte del Foro Iberá-Yacyretá tienen distintos grados de dudas sobre la exactitud de los estudios con los que la EBY pretende asegurar que no hay transvase, y existe una opinión común: es necesario aclarar esto por medio de la transparencia, el acceso a la información y la participación "sin maquillaje".

En este contexto, ha surgido la Mesa de Consenso Iberá-Yacyretá, convocada por la Honorable Cámara de Diputados de la Nación (Comisión de Seguimiento Obras Complementarias Yacyretá) e integrada por la EBY, la Secretaría de Ambiente y Desarrollo Sustentable de la Nación, el Foro Iberá-Yacyretá y el ICAA. La mesa también contaría con la participación de la Defensoría del Pueblo de la Nación. En el ámbito de la Mesa de Consenso y en cumplimiento con el objetivo de su creación, durante los años 2003 y 2004 se han debatido y consensuado los términos y los documentos que regularán el proceso de contratación de una consultora, a fin de evaluar los antecedentes, la documentación y la información recopilada vinculada con una eventual interrelación entre el comportamiento de los esteros del Iberá y el llenado del embalse de Yacyretá.

La Mesa de Consenso encomendó a la Entidad Binacional Yacyretá y a la FVSA en representación del foro, a fin de que lleven a cabo la gestión tendiente a realizar la selección entre las firmas propuestas por la mesa para su posterior contratación.

Tanto la EBY como la FVSA, en representación del Foro Iberá-Yacyretá, aceptaron el mandato de la mesa y se comprometieron para llevar a cabo el referido procedimiento de contratación, asumiendo en calidad de representantes de la Mesa de Consenso el rol de contratantes, en el marco de un acuerdo único en su tipo, con miras a resolver un conflicto ambiental. La EBY ha ofrecido financiar los trabajos; sin embargo, la FVSA asumió el compromiso de realizar sus mayores esfuerzos para obtener fondos que permitan un co-financiamiento del proyecto y la co-ejecución del contrato resultante, para dar lugar a un mecanismo efectivo de control interinstitucional que dé vuelta la página oscura en el tratamiento que ha recibido la problemática Iberá-Yacyretá por parte de la EBY.

Al momento de la redacción de esta contribución, la EBY y la FVSA siguen en plena ejecución del mandato de la Mesa de Consenso. Seguramente, los resultados de esta etapa serán un gran aporte para resolver, en parte, la controversia suscitada en torno a los esteros y su contacto con el lago de la represa de Yacyretá, tema insuficientemente explorado hasta el momento.

UN PLAN DE MANEJO PARA LA RESERVA NATURAL DEL IBERÁ EN LA PROVINCIA DE CORRIENTES

Por: Aníbal Parera
Biólogo a cargo del Plan de Manejo para el Proyecto GEF/PNUD Fundación Ecos ARG 02/G35.
aparera@ecosibera.org

La Reserva Natural del Iberá, en la provincia de Corrientes, fue creada a través de la Ley Provincial N°3.771 del año 1983. Ésta fue la primera área de naturaleza protegida en territorio correntino. De acuerdo con el Sistema Federal de Áreas Protegidas (SIFAP), La Reserva Natural Iberá, con aproximadamente 1.300.000 ha, fue la más grande del país al momento de su creación, y en las décadas siguientes sólo fue superada por otras dos en el ámbito nacional.

La misma comprende un complejo de **humedales** (esteros, lagunas, bañados, cañadas) y **ambientes terrestres** (pastizales de lomada, bosques paranaenses, chaqueños y del Espinal), único por su diversidad paisajística (Neiff, 2004). En esto influye el emplazamiento del Iberá, en el encuentro de cuatro grandes ecorregiones: la Selva Paranaense, los Campos y Malezales, el Chaco Húmedo y el Espinal. Pero debido a su unicidad, modernamente ha sido promovido a una ecorregión en sí misma: los Esteros del Iberá (Burkart *et al.*, 1999).

Sustentado en torno al antiguo cauce principal del río Paraná (que hoy discurre alejado y desconectado del Iberá, al menos superficialmente), este complejo de humedales capta las aguas de origen pluvial en su cuenca y las deriva al anterior a través del cauce del río Corrientes. La gran extensión de territorio anegado (una de las mayores del país) ha constituido una importante barrera para el avance del hombre moderno, de forma tal que el paisaje ha permanecido poco alterado hasta las últimas décadas del siglo XX (Fundación Biodiversidad, 2004).

La Situación Ambiental Argentina 2005

La Situación Ambiental Argentina 2005

A veintitrés años de su creación, la Reserva Natural del Iberá estuvo lejos de alcanzar una adecuada instrumentación (SIFAP). Si bien durante los primeros meses se realizaron ciertas inversiones (se construyó la infraestructura para un Centro de Visitantes en Laguna Iberá, se contrató personal para la coordinación de tareas, se tomó un grupo de cazadores como guardaparques y se adquirió cierta cantidad de equipamiento), esto resultó a todas luces insuficiente, con altibajos en el tiempo, pese a los respetables esfuerzos personales de funcionarios, guardaparques y miembros de la sociedad civil (tales como la Fundación Iberá, creada en la cercana ciudad de Mercedes, a efectos de promover el área protegida).

Por otra parte, la provincia de Corrientes es, posiblemente, una de las menos experimentadas en materia de manejo de áreas naturales, y ha enfrentado períodos de severas crisis institucionales (ha tenido tres largas intervenciones del Estado Nacional sobre sucesivos gobiernos democráticos señalados por el desorden en las cuentas públicas y su gestión), lo que significó una notable discontinuidad en las políticas de Estado y, en particular, en materia de política ambiental.

El Proyecto "Manejo y Conservación de la Biodiversidad de los Esteros del Iberá", desarrollado con fondos del Fondo Mundial para el Medio Ambiente (GEF), bajo la responsabilidad del Programa de las Naciones Unidas para el Desarrollo (PNUD) y ejecutado por la Fundación Ecos durante los últimos tres años, tuvo entre sus objetivos principales alcanzar el desarrollo de un plan de gestión para la Reserva Natural del Iberá.

El desarrollo del mismo adquiere especial importancia, pues la Ley de Creación (luego modificada parcialmente por la Ley de Áreas Naturales Protegidas de la Provincia de Corrientes en 1996) nunca fue reglamentada y, por lo tanto, sus previsiones –siempre de marco amplio y general– jamás llegaron a expresarse convenientemente. Fue en ausencia de dichas reglamentaciones y de un plan de manejo para la reserva que la fauna silvestre fue sistemáticamente expoliada, el avance de cultivos y forestaciones no encontró límites y el desarrollo del turismo quedó librado a decisiones individuales y espontáneas.

Como ejemplo de la ausencia reglamentaria, basta mencionar que los límites de la reserva nunca llegaron a precisarse, tampoco ningún tipo de zonificación para administrar el uso del territorio en manos de los propietarios de tierras. Asimismo, la mencionada norma del año 1996 había dado por creado el Parque Provincial del Iberá, pero su tamaño, forma y delimitación aún esperan concretarse (¡cuando dicha ley anunciaba su delimitación dentro del año próximo a la promulgación!).

En el camino del desarrollo del plan de gestión para la reserva, el proyecto formó alianzas con distintas instituciones del medio local y nacional, y conformó, así, un equipo interdisciplinario –en el que el Instituto Nacional de Tecnología Agropecuaria (INTA) desarrolló un Sistema de Información Geográfica (SIG)–, la Asociación Unesco de Corrientes tomó a su cargo los procesos participativos con la comunidad local, la Fundación Biodiversidad desarrolló inventarios de fauna silvestre, la Universidad Nacional del Nordeste hizo lo propio con la ictiofauna y la Fundación Naturaleza para el Futuro desarrolló un diagnóstico y una estrategia para el turismo sostenible. Por su parte, la Fundación Iberá (ONG local) ofició de anfitriona y desarrolló tareas de apoyo a los guardaparques de la reserva.

El vínculo con las instituciones oficiales de Corrientes no fue sencillo. Profundas divisiones partidarias, incongruencias en la distribución de responsabilidades acerca de la reserva en diferentes –e incluso antagónicas– oficinas públicas y la ausencia de experiencia en el manejo de las mismas determinaron un escabroso escenario para el establecimiento de alianzas oficiales sólidas.

El producto de planificación obtenido, actualmente en la etapa de exposición pública de borradores, alcanza un razonable grado de aproximación para una propuesta de definición de límites de la reserva y una reglamentación que determine el uso de la tierra (con la administración de tres zonas: Zona Núcleo de la reserva, Zona de Ganadería Sustentable y Zona de Uso de Agroecosistemas). Ello incluye la identificación pormenorizada del catastro, lo que ha permitido contar por primera vez con una estadística de las propiedades y de los propietarios del territorio de la reserva, donde el 38% de la misma es de carácter fiscal y el restante 62% se encuentra a nombre de propietarios privados. Además, se realizó la zonificación para el uso público, se estableció la reglamentación para el acceso a los recursos de la fauna silvestre (caza y pesca de subsistencia, pesca deportiva), se determinaron las consideraciones para el rescate y la conservación cultural de los habitantes locales (en especial, los "isleños o habitantes del estero"), además de que se reconocieron las necesidades edilicias y logísticas, y el personal de guardaparques y el personal civil que el desarrollo de la reserva requeriría.

Pero, tal vez, la más significativa previsión del plan de manejo consiste en la visión de una política sólida, transparente y continua a favor de la preservación del Iberá. La misma estaría basada en la constitución de un organismo autárquico de naturaleza mixta (estatal y privado), con representación de los sectores de interés

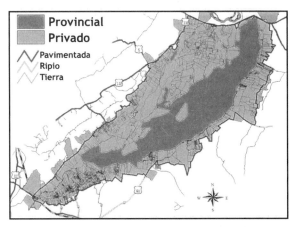

Figura 1. Reserva Natural del Iberá. El límite indicado es el propuesto por el plan de manejos del Iberá en instancia de borrador de discusión. Los polígonos descriptivos de dominio catastral son indicativos y aún poseen errores de origen que deben ser subsanados.

La Situación Ambiental Argentina 2005

191

(productores, empresarios del turismo, habitantes y autoridades municipales, entre otros). Adicionalmente, esta estructura tendría acceso a la administración de un fondo de asignación exclusiva (bajo el posible formato de un fondo fiduciario para la conservación del Iberá), a los fines de la implementación de la reserva.

El plan provee presupuestos y un camino crítico para su implementación en diferentes etapas durante los próximos quince años. Su mayor desafío a futuro será la aprehensión que la sociedad correntina ejercite de esta herramienta de gestión, y la paulatina resolución de conflictos devenidos de eventuales situaciones de lucro cesante, que deberán ser atendidos por el gobierno provincial, en el camino –largo y sinuoso– de convertir esta reserva natural en un verdadero artífice del desarrollo sustentable regional, para el beneficio de sus habitantes de hoy y del mañana.

Bibliografía

• Acerbi, M. (coordinador), D. Blanco y A. Parera, La inundación silenciosa. El aumento de las aguas en los esteros del Iberá: la nueva amenaza de la represa Yacyretá, Fundación Vida Silvestre Argentina, 2002, p. 27.

• Almirón, A., J. Casciotta, J. Bechara, P. Roux, S. Sanchez y P. Toccalino, "La ictiofauna de los esteros del Iberá y su importancia en la designación de la reserva como sitio Ramsar", en: Alvarez, B. B. (coord.), Fauna del Iberá, Corrientes, EUDENE, 2003, pp. 1-390.

• Alvarez, B. B. (coordinador), Fauna del Iberá, Corrientes, EUDENE, 2003, p. 390.

• Angeleri, J. L., D. E. Blanco, G. Canziani, R. Ferrati, A. Fulquet y J. J. Neiff., "El aumento del agua en los Esteros del Iberá y la ausencia de una respuesta institucional", La Ley, Argentina, 2003, Año X, N°1, Suplemento de Derecho Ambiental.

• Angeleri, J. L., Documento elaborado para el Instituto Correntino del Agua-ICA; presentado en el Panel de Expertos convocado por la EBY, Corrientes, agosto de 2000.

• Arbo, M. M. y S. G. Tressens (eds.), Flora del Iberá, EUDENE, Corrientes, 2002, 613 pp.

• Bar, M. E., M. Damborsky, G. Avalos, E. Monteresino y E. Ocherov, "Fauna de Arthropoda de la Reserva Iberá, Corrientes, Argentina", en: Aceñolaza, F. G (coord.), Temas de la Biodiversidad del Litoral fluvial argentino, Tucumán, Instituto Superior de Correlación Geológica (INSUGEO), 2005, pp. 293-310.

• Bechara, J., "Caracterización de la fauna íctica y elaboración de pautas para el Plan de Manejo", 4° Informe de avance, INICNE/Universidad Nacional del Nordeste, PNUD ARG 02 G35, 2004, p. 5.

• Bechara, J. y M. E. Varela, "La fauna bentónica de lagunas y cursos de agua del sistema Iberá", Ecosur, 16 (27), 1990, pp. 45-60.

• Burkart, R., N. Bárbaro, R. Sanchez y D. Gómez, Ecorregiones de la Argentina, APN-PRODIA, 1999, 43 pp.

• Canziani, G., "The Sustainable Management of Wetland Resources in Mercosur: Hydrological Models (Proyecto INCO-DC)", Partner Final Report 1999-2001 de la Universidad Nacional del Centro de la Provincia de Buenos Aires, 2002, p. 94.

• Canziani, G., C. Rossi, S. Loiselle y R.M. Ferrati (eds), "Los Esteros del Iberá", Informe del Proyecto "El manejo sustentable de los Recursos de Humedales en el MERCOSUR", Comisión Europea, Programa INCO-DEV, Proyecto ERB IC 18-CT98-0262, Buenos Aires, Fundación Vida Silvestre Argentina - Interational Rivers Network, 2003, p. 258.

• Canziani, G., Informe sobre el impacto ambiental de la Represa Yacyretá sobre los Esteros del Iberá; solicitado al Rector de la UNCPBA por el Defensor del Pueblo de la Nación, abril de 2001.

• Canziani, G., Informe sobre el impacto ambiental de la Represa Yacyretá sobre los Esteros del Iberá; solicitado al Rector de la UNCPBA por el Defensor del Pueblo de la Nación, febrero de 2002.

• Canziani, G., Informe sobre el impacto ambiental de la Represa Yacyretá sobre los Esteros del Iberá; solicitado por el Subsecretario de Desarrollo Sustentable y Política Ambiental Lic. Rubén Patrouillieau, Ministerio de Acción Social y Medio Ambiente de la Nación, octubre de 2000.

• Ferrati, R. M., D. Ruiz Moreno y G. A. Canziani, "Modelos de balance hídrico para analizar el cambio de régimen en un humedal sujeto a perturbaciones antrópicas y climáticas", Conferencia Internacional Electrónica sobre Economía del Agua, Sección Técnica IV: Agua, Energía y Medio Ambiente, España, noviembre de 2000.

• Frutos, S. M., "Zooplancton de lagunas y cursos de agua del sistema Iberá", en: Poi de Neiff, A. (ed.), Limnología del Iberá, Corrientes, EUDENE, 2003, pp. 143-170.

• Fulquet, A., "Yacyretá-Iberá: Primera y Segunda Notas", El Litoral, Argentina, septiembre de 1999.

• Fundación Biodiversidad, Fauna del Iberá: composición, estado de conservación y propuestas de manejo, Waller, T. y A. Parera (eds.), Proyecto ARG 02/G35 GEF/PNUD/Fundación Ecos, 2004.

• Gálvez, J. A., A. Cózar y C. M. García, "Limnología de las lagunas Iberá y Galarza", en: Canziani, G., C. Rossi, S. Loiselle y R. Ferrati (eds), Los Esteros del Iberá, Informe del Proyecto "El manejo Sustentable de Humedales del Mercosur", Buenos Aires, Fundundación Vida Silvestre Argentina, 2003, pp. 117-142.

• Girardín, O., "Estudio de evaluación económica y de Servicios Ambientales en el área afectada por el aumento en el nivel de agua en los Esteros del Iberá (Provincia de Corrientes-Argentina)", Informe técnico, Fundación Bariloche, Buenos Aires, 2003.

• Giraudo, A. R. (coord.), "Avifauna", en: Alvarez, B. B. (ed.), Fauna del Iberá, Corrientes, EUDENE, 2003, pp. 181-307.

• INCYTH, "Estudios hidrogeológicos de 11 localidades de la provincia de Corrientes", Convenio Instituto Nacional de Ciencia y Técnica Hídricas-Ministerio de Bienestar Social, Corrientes, Proyecto 1330, 1978, pp. 1-93.

• Lancelle, H., "Características físicas y químicas de las aguas del Iberá", en: Poi de Neiff, A. (ed.), Limnología del Iberá, Corrientes, EUDENE, 2003, pp. 71-85.

• Lopez, H. L., A. M. Miquelarena y J. Ponte Gomez, "Biodiversidad y distribución de la ictiofauna de Mesopotámica", en: F. G. Aceñolaza (coord.), Temas de la biodiveridad del Litoral Fluvial Argentino II, INSUGEO, 14, Miscelánea, 2005, pp. 311-354.

• Neiff, J. J., "Diversity in some tropical wetland systems of South América", en: Gopal, B., W. Junk y J. Davis (eds.), Biodiversity in wetlands: assessment, function and conservation, Vol II, Backhuys Publish The Netherlands, 2001, pp. 57-186.

• Neiff, J. J., "Ecología Evolutiva del macrosistema Iberá", Tesis de Maestría, Universidad Nacional del Litoral, 1999, pp. 1-166.

La Situación Ambiental Argentina 2005

• Neiff, J. J., "Investigaciones ecológicas en el complejo de la laguna Iberá en relación a diversas formas de aprovechamiento hídrico", Seminario sobre Medio Ambiente y Represas, Montevideo, OEA, Universidad de la República, Tomo I: pp. 70-88, 1977.

• Neiff, J. J., *El Iberá... ¿en peligro?*, Fundación Vida Silvestre de Argentina, 2004, 136 pp.

• Neiff, J. J. *et al.*, "Ambientes protegidos y áreas compensatorias del embalse de Yaciretá", Presentado al Superior Gobierno de la Provincia de Corrientes, Subsecretaría de Recursos Naturales y Medio Ambiente, 1994, 104 pp.

• Orfeo, O., "Geología del macrosistema Iberá", Jornadas Iberá un patrimnio nuestro, FACENA (UNNE), 3 de abril de 2003.

• Perol, G. y J. Reid, *Beneficios y Costos de Elevar la Cota del Proyecto Hidroeléctrico de Yacyretá*, International Rivers Network (IRN) y Estrategias para la Conservación, 2004, pp. 1-27.

• Poder Ciudadano - Transparency International, Informe de Observación de la Reunión Técnica entre el Foro Iberá-Yacyretá y la EBY, Buenos Aires, 2003, p. 12.

• Poi de Neiff, A. S. G., "Invertebrados de la vegetación del Iberá", en: Poi de Neiff, A. (ed.), *Limnología del Iberá*, Corrientes, EUDENE, 2003, pp. 171-191.

• Poi de Neiff, A. S. G. (ed.), *Limnología del Iberá*, Corrientes, EUDENE, 2003, pp. 1-191.

• Wetzel, R. G., *Limnología*, Barcelona, Ed. Omega, 1981, 679 pp.

• Zalocar, Y., "Fitoplancton de lagunas y cursos de agua del sistema Iberá", en: Poi de Neiff, A. (ed.), *Limnología del Iberá*, Corrientes, EUDENE, 2003, pp. 85-142.

Ecorregión Selva Paranaense

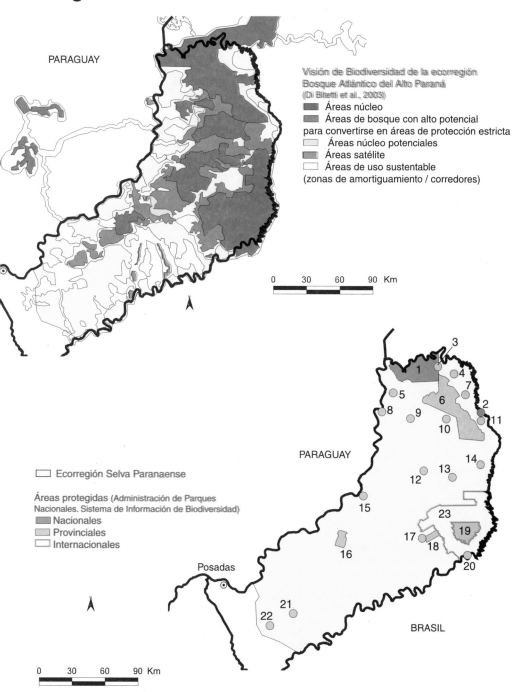

PARAGUAY

Visión de Biodiversidad de la ecorregión
Bosque Atlántico del Alto Paraná
(Di Bitetti et al., 2003)

■ Áreas núcleo
■ Áreas de bosque con alto potencial
para convertirse en áreas de protección estricta
☐ Áreas núcleo potenciales
■ Áreas satélite
☐ Áreas de uso sustentable
(zonas de amortiguamiento / corredores)

0   30   60   90   Km

PARAGUAY

☐ Ecorregión Selva Paranaense

Áreas protegidas (Administración de Parques
Nacionales. Sistema de Información de Biodiversidad)
■ Nacionales
■ Provinciales
☐ Internacionales

Posadas

BRASIL

0   30   60   90   Km

Referencias Selva Paranaense

Áreas protegidas (Administración de Parques Nacionales, Sistema de Información de Biodiversidad)

Nacionales
1. Parque Nacional y Reserva Natural Iguazú
2. Reserva Natural Estricta San Antonio

Provinciales
3. Parque Provincial Yacuy
4. Res. de Uso Múltiple Florencio Basaldúa
5. Paisaje Protegido Lago Urugua-í
6. Pque. Prov. Urugua-í
7. Pque. Prov Guarda Parque Horacio Foerester
8. Pque. Nat. Municipal. Yarará
9. Pque. Prov. Esperanza
10. Res. Priv. de Vida Silvestre Urugua-í
11. Res Ftal. Gral. Belgrano
12. Res. Priv. Tomo
13. Pque. Prov. Cruce Caballero
14. Pque. Prov. Piñalito
15. Ref. Priv de Vida Silvestre Timbó Grande
16. Pque. Prov. Salto Encantado
17. Res. Ftal. Guaraní
18. Res. Cult. y Nat. Papel Misionero
19. Pque Prov. Esmeralda
20. Pque. Prov. Moconá – Yabotí
21. Res. de Uso Múltiple Cerro Azul
22. Pque Prov. de la Sierra Crovetto

Internacionales
23. Reserva de Biosfera Yabotí

SITUACIÓN AMBIENTAL EN LA ECORREGIÓN DEL BOSQUE ATLÁNTICO DEL ALTO PARANÁ (SELVA PARANAENSE)[I]

Por: Guillermo Plací[II] y Mario Di Bitetti[III]

[I]*Extraído de: Di Bitetti, M. S., G. Placci y L. A. Dietz, Una visión de biodiversidad para la Ecorregión del Bosque Atlántico del Alto Paraná: Diseño de un paisaje para la conservación de la biodiversidad y prioridades para las acciones de conservación, Washington DC, World Wildlife Fund, 2003.*

[II]*Doctor en Ciencias Naturales, especialista en ecología forestal, Foundations of Success (FOS).*

[III]*Consejo Nacional de Investigaciones Científicas y Técnicas (CONICET), Laboratorio de Investigaciones Ecológicas de las Yungas (LIEY), Universidad Nacional de Tucumán y Asociación Civil Centro de Investigaciones del Bosque Atlántico (CeIBA).*

guillermoplacci@ciudad.com.ar

El Bosque Atlántico, una ecorregión en peligro crítico

El Bosque Atlántico de Sudamérica es uno de los bosques tropicales lluviosos más amenazados de la Tierra, del cual subsiste solamente el 7% de su cobertura original. En una clasificación mundial basada en el análisis comparativo de datos sobre biodiversidad, el WWF ha identificado las Global 200, las ecorregiones más destacadas que representan el espectro completo de los diversos hábitat terrestres de agua dulce y marinos de la Tierra. El Bosque Atlántico, una de las ecorregiones incluidas en las Global 200, es, en realidad, un complejo de quince ecorregiones terrestres[i] que recorre la costa atlántica de Brasil y se extiende hacia el oeste por Paraguay oriental y el noreste de la Argentina. Este complejo de ecorregiones también ha sido identificado como una de las veinticinco "zonas calientes de biodiversidad" del mundo (*biodiversity hotspot*) por Conservation International (Mittermeier *et al.*, 1998; Myers *et al.*, 2000). Birdlife International ha mapeado cada una de las especies de aves con rango de distribución restringida a menos de 50.000 km², y estas áreas de endemismo de aves se superponen significativamente con una gran parte del complejo de ecorregiones del Bosque Atlántico (WWF, 2000).

A pesar de su estado altamente fragmentado, el Bosque Atlántico es aún uno de los ecosistemas biológicos más diversos de la tierra, pues contiene el 7% de las especies del mundo (Quintela, 1990, en: Cullen *et al.*, 2001). Esta biodiversidad no se encuentra distribuida en forma uniforme, ya que las diferentes combinaciones de temperatura, altitud, suelos, precipitaciones y distancia al océano a lo largo de su extensión han creado condiciones para que evolucionen grupos únicos de especies en áreas localizadas.

El Bosque Atlántico no sólo se caracteriza por su biodiversidad, sino también porque su nivel de especies endémicas (aquéllas que no se encuentran en ningún otro lugar de la Tierra) es asombroso, aspecto que hace que este complejo de ecorregiones sea de alta prioridad para la conservación. El 40% de las 20.000 especies de plantas del Bosque Atlántico son endémicas y el 42% de los 1.361 vertebrados terrestres también son endémicos (Myers *et al.*, 2000). Más del 52% de sus especies arbóreas, el 74% de las especies de bromelias, el 80% de las especies de primates y el 92% de sus anfibios son endémicos (Mittermeier *et al.*, 1999; Quintela, 1990, en: Valladares-Padua *et al.*, 2002). Muchas de estas especies se encuentran, en la actualidad, amenazadas de extinción.

Además de contar con algunas de las especies más raras del mundo, lo que queda del Bosque Atlántico está directamente asociado con la calidad de vida de la población humana. Estos bosques son vitales para la protección de las cuencas hídricas, la prevención de la erosión del suelo y el mantenimiento de las condiciones ambientales necesarias para la existencia de ciudades y áreas rurales. Sólo en Brasil el Bosque Atlántico es la reserva de agua de casi las tres cuartas partes de la población del país. Una gran parte de la electricidad de Brasil, Paraguay y la Argentina se produce en los ríos del Bosque Atlántico y, especialmente, en la Ecorregión del Alto Paraná, donde se encuentran dos de las represas más grandes del mundo (Itaipú y Yacyretá).

En la actualidad, las tres cuartas partes de los 170.000.000 de habitantes de Brasil viven en el Bosque Atlántico y el 80% del PBI de Brasil, la octava economía más grande del mundo, se produce en esta región. Su ocupación se dio desde el inicio del proceso de colonización de este país, lo que causó su temprana fragmentación y degradación. La ocupación de la ecorregión en Paraguay y la Argentina empezó más tarde y, hasta comienzos del siglo XX, la mayor parte del Bosque Atlántico de estos países todavía se encontraba cubierta de bosque nativo. En las últimas décadas, se transformaron grandes extensiones del Bosque Atlántico en Paraguay para desarrollar plantaciones de soja a gran escala y agricultura a pequeña escala. En la Argentina, la colonización y el desarrollo del país comenzaron en las pampas, lejos de este bosque que, en la provincia de Misiones, fue explotado relativamente tarde en la historia del país, principalmente para la obtención de madera y yerba mate.

El Bosque Atlántico del Alto Paraná

También conocido como Selva Paranaense, el Bosque Atlántico del Alto Paraná es la ecorregión más grande (471.204 km²) de las quince ecorregiones que conforman el complejo de ecorregiones del Bosque Atlántico, y se extiende desde los faldeos occidentales de la Serra do Mar, en Brasil, hasta el este de Paraguay y la provincia de Misiones, en la Argentina (ver Figura 1). Esta ecorregión posee los bloques boscosos remanentes más grandes, y éstos todavía contienen el conjunto original de grandes vertebrados, entre los que se incluyen grandes predadores (como las harpías, las águilas crestudas, los jaguares, los pumas y los ocelotes) y grandes herbívoros (como los tapires, los venados y los pecaríes). Aunque estos bloques representan una importante oportunidad para la conservación, también presentan el singular desafío de encontrarse a través de las fronteras de tres países con diferentes culturas y diferentes idiomas, con una diversidad socio-económica y cultural compleja, y con recientes crisis económicas y sociales. Más de 25.000.000 de personas viven en esta ecorregión; 18.600.000, en áreas urbanas y 6.400.000, en áreas rurales. La toma de decisiones a nivel gubernamental en la ecorregión es también compleja, ya que las políticas de importancia para el Bosque Atlántico del Alto Paraná son desarrolladas e implementadas por tres gobiernos nacionales, dieciocho gobiernos provinciales, estaduales y departamentales, y 1.572 gobiernos municipales.

A pesar del alto grado de fragmentación del hábitat natural, aún existen buenas oportunidades para la conservación de los grandes fragmentos de bosques remanentes en la ecorregión. Si es posible conservar estos grandes bloques de Selva Paranaense, entonces se podrán mantener los procesos ecológicos que sustentan la diversidad biológica.

Historia natural del Bosque Atlántico del Alto Paraná

La vegetación predominante en la Ecorregión del Alto Paraná es la del bosque subtropical semideciduo. Las variaciones en el ambiente local y el tipo de suelo permiten la existencia de diferen-

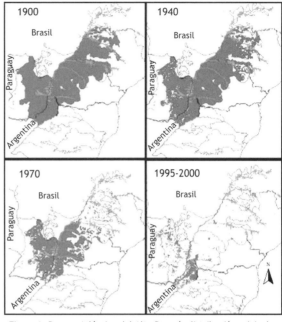

Figura 1. Bosque Atlántico del Alto Paraná: distribución original y proceso de desmonte. Modificado de Holz y Placci, 2003.

tes comunidades vegetales –bosques en galería, selvas de bambú, bosques de palmito (*Euterpe edulis*) y bosques de araucaria (*Araucaria angustifolia*). La mayoría de los bosques han sido explotados para obtener madera, y algunos son bosques secundarios que se están recuperando de la deforestación. Los fragmentos del bosque están, por lo tanto, compuestos por bosques primarios y secundarios en diferentes estadios de sucesión.

La Ecorregión del Bosque Atlántico del Alto Paraná se halla situada en la parte sur del Macizo de Brasil. La topografía de la región comprende desde áreas relativamente planas con suelos profundos, cerca del Paraná y otros ríos principales, con altitudes de 150 a 250 m sobre el nivel del mar (msnm), hasta una meseta relativamente plana con altitudes de 550 a 800 msnm. Las áreas que se ubican entre los principales ríos y la meseta, con altitudes de 300 a 600 msnm, tienen pendientes relativamente pronunciadas y están muy expuestas a la erosión del suelo cuando se retira el bosque (Ligier, 2000). Sobre los 700 y los 900 msnm, la Ecorregión del Alto Paraná da lugar a la Ecorregión de la Araucaria en el este y el Cerrado en el norte.

Los suelos de la ecorregión son relativamente ricos en nutrientes. Los suelos rojos, que son profundos cerca de los ríos, se vuelven menos profundos y más rocosos en altitudes mayores. Hay

La Situación Ambiental Argentina 2005

mucha diferencia en los tipos de suelos, que varían en textura, composición química y acidez (Ligier, 2000; Fernández *et al.*, 2000).

La ecorregión tiene un clima subtropical. La temperatura media anual es de 16-22°C, con una variación anual relativamente alta. En la porción sur de la ecorregión, las heladas son comunes en los meses de invierno (junio y agosto), especialmente en las zonas altas. Las precipitaciones en la región varían entre los 1.000 y los 2.200 mm por año; habitualmente hay con menos precipitaciones en la parte norte de la ecorregión que en la parte sur y no están distribuidas uniformemente a lo largo del año; de hecho, en algunas partes de la ecorregión hay hasta cinco meses secos, en general durante el invierno. El aumento de las precipitaciones durante los años de El Niño produce grandes variaciones interanuales en las precipitaciones.

Las precipitaciones, la alta estacionalidad de la temperatura y la luz determinan un patrón estacional de productividad primaria de la selva (Placci *et al.*, 1994; Di Bitetti, sin publicar). En el Bosque Atlántico del Alto Paraná hay una marcada estacionalidad en la disponibilidad de alimento para las especies animales folívoras, frugívoras e insectívoras. Las hojas nuevas, los frutos y los insectos son más abundantes durante la primavera, entre los meses de septiembre a diciembre (Placci *et al.*, 1994; Di Bitetti y Janson, 2001).

Las características naturales de la región compartida entre la Argentina, Brasil y Paraguay forman un hábitat extremadamente rico, que alberga un sinnúmero de especies de plantas y animales, entre los cuales se encuentran los espectaculares grandes felinos (Crawshaw, 1995), tales como el jaguar (*Panthera onca*), el puma (*Puma concolor*) y el ocelote (*Leopardus pardalis*). Otros mamíferos comunes incluyen al tapir (*Tapirus terrestris*), tres especies de corzuelas (*Mazama americana*, *M. nana* y *M. gouazoubira*), dos especies de pecaríes (*Tayassu pecari* y *T. tajacu*), el coatí (*Nasua nasua*) y cuatro especies de monos (*Cebus apella nigritus*, *Alouatta caraya*, *A. guariba* y *Leontopithecus chrysopygus*). Se encuentran cerca de quinientas especies de aves, que incluyen cinco especies de tucanes (*Ramphastos toco*, *R. dicolorus*, *Pteroglossus castanotis*, *Baillonius bailloni* y *Selenidera maculirostris*). También los reptiles y los anfibios muestran una alta diversidad, que comprende caimanes, tortugas, boas y otras serpientes (entre las que se encuentran varias especies endémicas del género *Bothrops*, como *Bothrops jararacusu*), lagartijas y anfibios espectaculares, como el sapo *Bufo crucifer* y las ranas *Osteocephalus langsdorffi*, *Hyla faber* y *Phyllomedusa iheringi*. Algunos animales se consideran en peligro o amenazados, como la nutria gigante de río o el lobo gargantilla (*Pteronura brasiliensis*), el mico-león negro (*Leontopithecus chrysopygus*), la yacutinga (*Aburria jacutinga*), el macuco (*Tinamus solitarius*), el pato serrucho (*Mergus octosetaceus*), el loro vinoso (*Amazona vinacea*), el pájaro campana (*Procnias nudicollis*) y la harpía (*Harpia harpyja*). Algunas especies, como el jaguar, la harpía, la nutria gigante de río y el pecarí labiado, requieren grandes extensiones de bosque continuo para garantizar su supervivencia a largo plazo, lo que representa un gran desafío para su conservación en un paisaje fragmentado. Algunas especies de la Ecorregión del

Bosque Atlántico del Alto Paraná tienen distribuciones restringidas y constituyen endemismos locales, como el mico-león negro, que se restringe a un área pequeña en la parte oeste del estado de San Pablo, Brasil (Cullen *et al.*, 2001), y la ranita del Urugua-í (*Crossodactylus schmidti*), endémica de una pequeña porción de Misiones (Chebez y Casañas, 2000).

Los niveles de biodiversidad alfa y beta[2] son bastante altos en la ecorregión, aunque hay muy pocos grupos de especies que se hayan estudiado intensamente. Por ejemplo, en la Reserva de Recursos Manejados San Rafael, en Paraguay, se han registrado trescientas setenta y ocho especies de aves, pero se estima que, en la actualidad, existen en el área entre cuatrocientas y quinientas especies (Clay *et al.*, 2000). Las áreas del Parque Nacional do Iguaçú, en Brasil, y el Parque Nacional Iguazú, en la Argentina, se encuentran entre las mejor estudiadas de la ecorregión. En estas áreas protegidas (AP) se han registrado cuatrocientas sesenta especies de aves (Saibene *et al.*, 1993) y más de doscientas cincuenta especies de árboles. Se han registrado entre cincuenta y tres y setenta y tres especies arbóreas por hectárea en parcelas de estudio en el Parque Nacional Iguazú en la Argentina (Placci y Giorgis, 1994; S. Holz, com. pers.). Sólo allí se registraron ochenta y cinco especies de orquídeas, lo que representa 1/3 de las especies conocidas para toda la Argentina (Johnson, 2001). En Misiones se han registrado más de 3.000 especies de plantas vasculares, que representan 1/3 de las plantas vasculares de la Argentina (Zuloaga *et al.*, 2000; Giraudo *et al.*, 2003).

La Ecorregión del Bosque Atlántico del Alto Paraná se encuentra situada sobre una gran porción de uno de los mayores reservorios de aguas subterráneas del mundo, el Acuífero Guaraní. Este acuífero se extiende sobre un total de 1.200.000 km^2 desde la región centro-oeste de Brasil, a través de Paraguay, hasta el sur y el sureste de Brasil, el noreste de la Argentina y el centro-oeste de Uruguay (Facetti y Stichler, 1995). El volumen actual de la reserva de agua dulce almacenada es de aproximadamente 40.000 km^3. A pesar de la importante reserva de agua superficial, el suministro de agua potable en esta región altamente poblada depende cada vez más del agua subterránea. Se pueden presentar futuros problemas si la explotación no se realiza de manera sustentable o si las aguas se contaminan. Debido a su significativa profundidad (hasta 1.000 m), el Acuífero Guaraní está relativamente exento de contaminación en su superficie (The World Bank, 1997). Sin embargo, el rápido desarrollo de la agricultura en la región –especialmente en algunos sectores de Brasil, donde el acuífero se encuentra casi sobre la superficie– tiene potencial suficiente para contaminar este valioso recurso acuífero. Éste es un ejemplo muy claro de la necesidad de planificación y acción para la conservación a escala ecorregional.

Las principales causas de la fragmentación y la degradación del Bosque Atlántico del Alto Paraná
Uso de la tierra
Debido, principalmente, a la expansión de la agricultura hacia el oeste en Brasil (de café en el siglo XIX y de trigo, soja, caña de azúcar y naranjas en los últimos cincuenta años), el Bosque

Atlántico del Alto Paraná ha sido reducido a sólo el 7,8% de su extensión original. En Brasil sólo queda el 2,7% (771.276 ha) de la superficie original, que incluye el Parque Nacional do Iguaçu, el Parque Estadual Morro do Diablo, el Parque Estadual do Turvo, unos pocos fragmentos más pequeños de bosque y, virtualmente, ninguno fuera de las AP.

Las porciones argentina y paraguaya de la ecorregión están relativamente aisladas de los grandes centros poblacionales, lo cual ha permitido la conservación del área remanente más grande del Bosque Atlántico del Alto Paraná en estos dos países. En la Argentina subsisten, aproximadamente, 1.123.000 ha (alrededor de la mitad del área del bosque original de la ecorregión en este país), que forman un corredor continuo que cubre una gran parte de la provincia de Misiones. La mayor parte de este bosque remanente yace dentro de lo que se denomina Corredor Verde, un área de conservación y uso sustentable de más de 1.000.000 de ha, creada mediante una ley provincial (García Fernández, 2002; Cinto y Bertolini, 2003). Aunque Paraguay alberga un área grande del Bosque Atlántico del Alto Paraná (1.152.332 ha), ésta sólo representa el 13,4% del área original en este país, que actualmente está sometido a una de las tasas de deforestación más altas de Latinoamérica (Altstatt et al., 2003; ver Figura 2).

La fragmentación, el aislamiento y la degradación de los fragmentos del bosque son las principales amenazas que atentan contra la conservación de la biodiversidad en la ecorregión. Estos procesos han ocurrido con diferentes intensidades en distintas partes de la ecorregión.

La expansión de la agricultura se ha identificado como la mayor causa que subyace al proceso de fragmentación del bosque en la ecorregión del Alto Paraná. Las principales actividades económicas que han llevado a este proceso de conversión del bosque nativo incluyen cultivos anuales (soja, caña de azúcar, maíz, trigo, algodón, tabaco) y cultivos perennes (café, yerba mate, té y plantaciones de pino y eucaliptos). La cría de ganado es también una actividad económica importante en la ecorregión que, generalmente, requiere de la conversión del bosque nativo en pastizales para pastoreo. La importancia de estas actividades económicas difiere a nivel regional dentro de la ecorregión debido, principalmente, a las diferentes historias y patrones de desarrollo de los tres países (Laclau, 1994; Holz y Placci, 2003). Por ejemplo, las plantaciones de soja son muy importantes en los estados del sur de Brasil y el este de Paraguay, pero no lo son en la provincia de Misiones, en la Argentina. Por su parte, las plantaciones ilegales de marihuana están restringidas a la parte norte de la porción paraguaya de la ecorregión. En Misiones, los monocultivos forestales, principalmente las plantaciones de pino, constituyen la mayor actividad económica de la provincia, y estas plantaciones están ubicadas cerca del río Paraná. Las plantaciones de tabaco están concentradas en el estado de Santa Catarina, en Brasil (Hodge et al., 1997), y en la porción este de la provincia de Misiones. De esta manera, para abordar las causas de la fragmentación y la degradación del bosque, se deben llevar a cabo diferentes acciones en distintas partes de la ecorregión.

Mientras que la agricultura a gran escala claramente produce impactos negativos en la biodiversidad, la agricultura de subsistencia también contribuye de variadas maneras a la fragmentación y la degradación del bosque.

En primer lugar, para muchos pequeños productores la agricultura no es económicamente sustentable porque carecen de acceso a los mercados u otros incentivos económicos disponibles para los grandes productores. Como resultado de la falta de sustentabilidad del sistema de producción, los pequeños productores finalmente abandonan su tierra y, a menudo, la venden a grandes propietarios o compañías. Estas tierras, luego, se incorporan a sistemas de producción muy intensivos y de gran escala (Laclau, 1994; Colcombet y Noseda, 2000).

En segundo lugar, la ocupación y el asentamiento de campesinos sin tierra están contribuyendo a la conversión de los últimos remanentes de bosque en tierras dedicadas a la agricultura no sustentable y a pequeña escala. En este caso, estas personas ocupan ilegalmente propiedades privadas o públicas, por lo general en forma temporaria, para producir unas pocas cosechas anuales. Sin otra alternativa, los campesinos sin tierra en busca de pequeñas parcelas para agricultura de subsistencia se ven, a veces, forzados a ocupar ilegalmente los últimos remanentes de bosque ubicados en áreas no adecuadas para la agricultura, donde los suelos son improductivos o donde las pendientes son pronunciadas (Hodge *et al.*, 1997; Cullen *et al.*, 2001; Chebez y Hilgert, 2003).

Las causas de la degradación ambiental de la ecorregión están asociadas a situaciones históricas y actuales de desigualdad social (Laclau, 1994). Esto se puede ver claramente cuando se observa el patrón desigual de tenencia de la tierra que, en general, es similar en los tres países. En Misiones, el 93% de los productores tienen propiedades de menos de 100 ha, lo que representa sólo 1/3 de la tierra productiva. El resto de las actividades se realiza en grandes propiedades que ocupan los otros 2/3 de la tierra productiva. La tendencia a la concentración de la tierra en manos de unos pocos propietarios, mientras la mayoría de la gente posee pequeñas parcelas, ha aumentado en la última década (Colcombet y Noseda, 2000).

Infraestructura

En la ecorregión existen varias represas cuyo efecto no sólo se ha limitado a inundar grandes extensiones de bosque nativo, sino que también ha impuesto nuevas barreras que incrementan la fragmentación del bosque y reducen la capacidad de dispersión de la flora y la fauna que viven en las márgenes opuestas del recién formado reservorio (Fahey y Langhammer, 2003). Existen planes para la construcción de varias nuevas represas en la ecorregión que provocarían efectos negativos, probablemente similares a los de aquéllas que ya han sido construidas (FVSA, 1996; Bertonatti y Corcuera, 2000; Fahey y Langhammer, 2003).

Los caminos constituyen una causa importante de fragmentación y degradación del bosque nativo, debido a su efecto directo (efecto de borde, fragmentación y aislamiento de poblaciones, y atropellamiento de fauna) y porque facilitan el proceso de colonización e invasión de tierras por parte de ocupantes ilegales (Chebez y Hilgert, 2003). Casi no existen áreas en la ecorregión a las que no haya acceso mediante caminos. La erosión del suelo a lo largo de caminos de tierra de diseño inadecuado y escaso mantenimiento es también causa de preocupación.

Existen planes para desarrollar grandes obras de ingeniería, como el dragado y la canalización de la Hidrovía Paraná-Paraguay, que intensificaría el transporte de mercaderías desde el corazón de América del Sur hacia el Océano Atlántico y viceversa. Estos planes tienen la potencialidad de afectar seriamente los recursos naturales de la región (Huszar *et al.*, 1999). Si se implementa este gran canal y su infraestructura de navegación, habrá un gran impacto indirecto sobre la biodiversidad, ya que se crearán incentivos económicos para la expansión de la agricultura a gran escala y la conversión de los últimos remanentes de bosque de la ecorregión.

Explotación no sustentable del bosque nativo

El aprovechamiento no sustentable del bosque nativo mediante la explotación "convencional" o "tradicional" también ha degradado los remanentes de bosque. La explotación del bosque nativo se ha efectuado, tradicionalmente, de manera predatoria y no sustentable (Rice *et al.*, 2001). Está bien documentado que el sistema de extracción convencional tiene efectos severos sobre la biodiversidad (Putz *et al.*, 2000). En el Alto Paraná la explotación convencional del bosque nativo tiene, como efectos más directos, el empobrecimiento del bosque y cambios en la estructura del mismo y en la composición del suelo; también puede incrementar la dominancia de algunas especies arbóreas y puede reducir la regeneración natural del bosque (Mac Donagh *et al.*, 2001; Placci, 2000).

Originalmente, sólo unas pocas especies de árboles nativos (e.g., cuatro en Misiones) se extraían por su madera y, cuando estas especies se volvieron escasas, el número de especies explotadas se incrementó. En la actualidad se extraen regularmente entre veinte y cuarenta especies (Laclau, 1994). Los bosques nativos que han sido explotados sufren, generalmente, un proceso de invasión por parte de especies nativas de bambú, que ocupan los claros abiertos por la explotación e impiden la regeneración natural del bosque (Campanello, P. y L. Montti, com. pers.). Es sabido que diferentes comunidades de aves están asociadas a bosques en diferentes estados de sucesión; los bosques secundarios contienen más especies de borde y han perdido especies de bosque primario (Protomastro, 2001). Sin embargo, se conoce poco sobre los cambios en la composición de especies en relación con diferentes tipos y grados de explotación del bosque primario (Mac Donagh *et al.*, 2001). Uno de los mayores impedimentos para revertir esta tendencia a la explotación no sustentable y la consecuente degradación de los bosques es que existe poca información científica sobre la composición y la estructura del bosque, su dinámica y sobre las mejores formas de manejarlo responsablemente.

En los tres países existen leyes que protegen la cobertura boscosa nativa, que requiere planes de manejo para su explotación. Sin embargo, estos planes o leyes son insuficientes o no se cumplen en forma efectiva, y un alto porcentaje de la madera nativa se comercializa ilegalmente. San Pablo, en Brasil, es el mercado más grande para la madera explotada de forma irresponsable en Paraguay y la Argentina; Buenos Aires también recibe una fracción importante de la madera extraída en Misiones, mientras que los mercados locales juegan un rol menor en el consumo de la madera de la ecorregión.

Además de la extracción de madera para la construcción o la mueblería, los parches de bosques remanentes se encuentran bajo una fuerte amenaza debido a la extracción de madera para combustible. Por ejemplo, en el estado de Santa Catarina, Brasil, no hay gasoductos ni oleoductos que provean energía. La leña y el carbón (producidos localmente) son utilizados por la mayor parte de la población rural para calefacción, para cocinar y para secar comida. La producción de tabaco, uno de los principales productos de Santa Catarina, requiere grandes cantidades de leña, que se obtiene localmente en los remanentes del bosque secundario (Hodge *et al.*, 1997). En Misiones, la yerba mate también se seca con la leña que se obtiene de los bosques secundarios, y ésta se está convirtiendo en un recurso escaso para los productores de yerba mate (S. Holz, com. pers.).

Caza no sustentable

La caza de especies nativas está prohibida por ley en los tres países, con la excepción de unas pocas especies cuya caza está permitida y regulada. Los aborígenes de estos países tienen derecho legal a cazar de manera tradicional. Sin embargo, la caza ilegal está muy difundida en la ecorregión del Alto Paraná. Los bosques nativos están empobrecidos como consecuencia de la drástica reducción de las poblaciones y la extinción local de las especies cazadas (Cullen *et al.*, 2000 y 2001), y sufren el "síndrome del bosque vacío" (Bennett *et al.*, 2002). Es difícil controlar la caza ilegal en los tres países, ya que la mayoría de los organismos gubernamentales carece de los recursos técnicos y financieros necesarios para aplicar las leyes (para Misiones, ver Cinto y Bertolini, 2003), y la caza tiene raíces culturales (y, en ciertos casos, económicas) muy profundas (Giraudo y Abramson, 1998).

Distintos sectores de la población cazan de diferentes formas. En los tres países hay una fuerte tradición cultural de caza, que se practica en el tiempo libre, generalmente durante los fines de semana. La caza es practicada no sólo por la población rural que vive cerca de los bosques, sino también por la gente que vive en ciudades y tiene medios económicos. Los empleados de bajos ingresos de las empresas madereras muchas veces complementan su dieta con carne silvestre que obtienen cazando los fines de semana en las áreas de explotación maderera donde están empleados. Los pobladores rurales también cazan animales que consideran plagas, generalmente por el daño que éstos pueden causar a los animales domésticos. Por ejemplo, los jaguares, los pumas y otros carnívoros se cazan porque pueden atacar a los animales domésticos (Schiaffino, 2000; Pereira Leite Pitman, 2002). A su vez, las víboras se exterminan aunque unas pocas especies son peligrosas para el hombre y los animales domésticos.

Existe también la caza ilegal bien organizada para suministrar carne silvestre a los mercados locales, como en Brasil, donde existen restaurantes que ofrecen este tipo de carne como especialidad del menú. La carne silvestre también se utiliza para preparar carne procesada y charqui.

Algunas comunidades aborígenes aún practican la caza de subsistencia (e.g., los Aché, en Paraguay, y algunas comunidades Mbya de Paraguay y Misiones). Sin embargo, incluso las prácticas tradicionales de caza son no sustentables, debido a la relativamente alta densidad de la población humana en la mayor parte de las áreas del Bosque Atlántico del Alto Paraná, al pequeño tamaño de los fragmentos de bosque y a la baja densidad de animales silvestres que hay en toda la ecorregión.

Las causas últimas de la degradación ambiental

La mayoría de las causas de la fragmentación y la degradación descriptas anteriormente son lo que puede llamarse causas próximas. Por otra parte, las causas últimas de la pérdida del bosque en la ecorregión incluyen:
• Altas tasas de crecimiento poblacional (debido tanto a la tasa de natalidad como a la tasa de inmigración), altas tasas de analfabetismo y altas tasas de mortalidad infantil –indicadores sociales que constituyen componentes críticos de la crisis socio-económica y ambiental de la ecorregión del Alto Paraná (Laclau, 1994; SEPA, 2000).
• El bajo valor que la gente le asigna al bosque nativo, que ha sido históricamente visto como un impedimento para el desarrollo (Laclau, 1994; Hodge *et al.*, 1997).
• La falta de capacidad para hacer cumplir las leyes, debido a organismos gubernamentales débiles, el escaso entrenamiento de los funcionarios oficiales, la ineficiencia en el uso de los recursos (Cinto y Bertolini, 2003) o, simplemente, debido a la corrupción generalizada.
• El insuficiente conocimiento de la población sobre los problemas ecológicos de la ecorregión (Laclau, 1994), debido a la falta de educación ambiental. La situación se agrava, entonces, por las altas tasas de analfabetismo en los tres países.
• La falta de alternativas económicas y de conocimiento de las prácticas de uso sustentable del bosque (Colcombet y Noseda, 2000; Holz y Placci, 2003).
• La profunda crisis económica de la región, sumada a cierta inestabilidad política.
Muchas de estas causas últimas tienen su origen en un sistema de desigualdad económica que ha concentrado la tierra y los recursos en las manos de unos pocos, ha marginado a una gran proporción de la población y la ha privado de sus necesidades más básicas.

Oportunidades para la conservación de la biodiversidad en la ecorregión del Alto Paraná

A pesar del alto grado de fragmentación del bosque de la ecorregión del Alto Paraná, hay buenas oportunidades para la conservación de la biodiversidad. Éstas incluyen un sistema de AP relativamente bien implementado (particularmente en la Argentina y Brasil) y un interés creciente acerca de temas relacionados con la conservación por parte de los gobiernos, la población local y numerosos y nuevos grupos ambientalistas locales.

Existen cuarenta y ocho AP estrictas (categorías IUCN I-III) en la ecorregión, que protegen 737.444 ha de bosque nativo. Hay 1.393.305 ha que pertenecen a dieciséis áreas de uso sustentable (categorías IUCN IV-VI), que incluyen la Reserva de la Biosfera Yabotí. Estas AP pertenecen a los sistemas de AP nacionales (federales), provinciales (estatales), municipales y privados de los tres países. Muchas de estas áreas son pequeñas (tienen menos de 1.000 ha) y no están bien implementadas, poseen problemas de tenencia de la tierra y todavía carecen de un plan de manejo (Chalukian, 1999). Sin embargo, el número de AP se ha elevado rápidamente en los últimos años y hay mucho interés de los gobiernos y de las ONG en la creación de nuevas AP en los tres países. Un gran bloque de once AP (que incluye el Parque Nacional do Iguaçu en Brasil, el Parque Nacional Iguazú en la Argentina, el Parque Provincial Urugua-í y otras ocho reservas privadas y provinciales más pequeñas) forma una AP continua de 340.800 ha, que sirve como un reservorio grande y resiliente de la biodiversidad de la ecorregión.

Legislación ambiental

A pesar de los problemas para la aplicación de las leyes en los tres países, existen leyes que protegen el bosque, particularmente los bosques ribereños y las áreas con pendientes pronunciadas. El Código de Bosques de Brasil también protege los bosques en las cimas de las serranías y montañas, y hace obligatorio el mantenimiento de una reserva de bosque constituida por el 20% del área total de una propiedad. Si están bien diseñadas, estas áreas pueden servir como corredores que conecten los remanentes del bosque. La legislación brasileña prohíbe la conversión de los últimos remanentes del Bosque Atlántico. En efecto, un decreto presidencial brasileño de 1993 prohíbe el corte de Bosque Atlántico primario o secundario. Un movimiento liderado por ONG está movilizando un apoyo nacional para transformar este decreto en una ley permanente, pero se enfrenta con una fuerte oposición de los sectores que practican agricultura a gran escala en la ecorregión del Alto Paraná. Por otra parte, la Ley del Corredor Verde de Misiones, en la Argentina, ha creado un área de conservación de uso múltiple de más de 1.000.000 de ha, con el objetivo principal de mantener las conexiones entre las principales AP de la provincia. Esta ley ha eliminado los incentivos perversos para la conversión del bosque y ha creado incentivos para la protección y la restauración del bosque nativo.

Los tres países poseen leyes que protegen las cuencas hídricas. Por ejemplo, la nueva ley de aguas de Brasil promueve el establecimiento de comités de cuencas hídricas y un impuesto a los usuarios de agua para apoyar la conservación de las cuencas hídricas. Estas leyes constituyen buenas oportunidades para la conservación de los últimos remanentes del bosque.

Acciones prioritarias para la conservación

Mediante un proceso participativo que involucró a más de treinta organizaciones gubernamentales y no gubernamentales, se desarrolló una Visión de Biodiversidad para la ecorregión (ver Di Bitetti *et al.*, 2003 para documento completo), que define un Paisaje para la Conservación de la Biodiversidad y un Plan de Acción Ecorregional (ver Figura 2). La implementación de este Paisaje para la Conservación de la Biodiversidad requerirá de una serie de acciones a diferentes escalas de tiempo y espacio. Dado que ninguna organización sola puede lograr resultados en esta escala, se deben coordinar acciones entre organizaciones gubernamentales y no gubernamentales de muchos sectores. Para lograr esta visión, será necesario que los gobiernos incorporen sus principios, ideas y diseños a sus programas y políticas de desarrollo regional. El mantenimiento del bosque intacto en las áreas núcleo requerirá mejorar la implementación de las actuales AP, tanto públicas como privadas; también deberán establecerse nuevas AP. Las conexiones entre áreas núcleo se pueden asegurar más fácilmente mediante el establecimiento de corredores biológicos que atraviesen paisajes de zonas de uso múltiple que provean servicios valiosos para las poblaciones humanas. El diseño de estos corredores y de las zonas de uso múltiple requerirá una planificación a escala fina del uso de la tierra. La participación de los actores involucrados es fundamental para contar con su apoyo para la implementación.

Deben desarrollarse nuevas alternativas de producción ecológicamente sustentables y económicamente viables, así como también incentivos para la protección del bosque en tierras privadas (grandes o pequeñas propiedades). A su vez, se deben eliminar los incentivos perversos que contribuyen a la conversión del bosque. Por otra parte, las campañas de educación a gran escala serán esenciales para aumentar la comprensión del público acerca del valor de los bosques protegidos y para generar, de esta forma, el apoyo y el compromiso de éste con la conservación, además del cumplimiento de las leyes forestales existentes y el desarrollo de nuevas y mejores políticas públicas donde sea necesario. La capacitación también es esencial para los propietarios de la tierra, tanto en el sector público como privado, para que se conviertan en guardianes de las áreas de bosque. Implementar muchas de estas actividades requerirá de nuevas investigaciones básicas y aplicadas en áreas tales como la restauración de comunidades forestales nativas, la sustentabilidad biológica y económica de los usos alternativos de la tierra, la evaluación de necesidades de comunicación y esfuerzos educativos, la planificación del uso de la tierra y los mecanismos económicos para sustentar la conservación.

Junto con las ideas inspiradoras de esta visión, son necesarios objetivos claros e informes transparentes sobre los resultados alcanzados, a fin de construir un sentido de responsabilidad y de pertenencia de las instituciones y organizaciones involucradas, y también para alcanzar

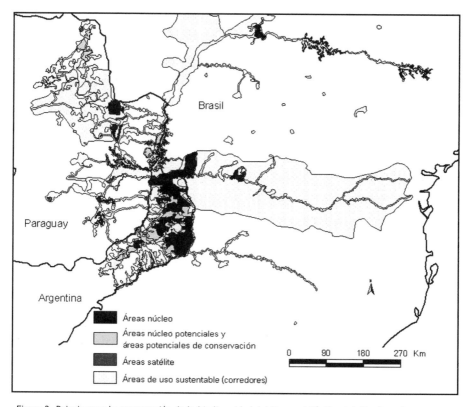

Figura 2. Paisaje para la conservación de la biodiversidad del Bosque Atlántico del Alto Paraná.

un compromiso continuo y activo. Inmersa en la construcción de un Plan de Acción para la Ecorregión se encuentra la necesidad de un manejo adaptativo. A medida que se recoge más información y se monitorean las acciones, el plan puede actualizarse fácilmente y debe permitir criterios sólidos cuando sea necesario un cambio de rumbo o de táctica. El Plan de Acción Ecorregional puede ayudar explícitamente a articular una agenda de la biodiversidad y, de la misma forma, ayudar a los líderes a reconocer la importancia de esta agenda dentro de otras prioridades nacionales e internacionales.

Resulta evidente la necesidad de contar con un apropiado desarrollo institucional de los actores involucrados para fortalecer la defensa de la causa de la conservación en varios niveles. Dado que Brasil, la Argentina y Paraguay son (en diferentes grados) democracias emergentes, esta capacitación coincide significativamente con el desarrollo de una participación activa en el gobierno y de un rol activo de los ciudadanos.

La implementación de las acciones de conservación debe concebirse en relación con las realidades sociales y políticas en las que se insertan. En la Ecorregión del Bosque Atlántico del Alto Paraná, estas realidades son diferentes en cada uno de los tres países y aun en diferentes regiones de un mismo país. La mayoría de las acciones serán implementadas a nivel nacional o regional dentro de cada país. Sin embargo, la planificación estratégica, el monitoreo de las amenazas y de los resultados de la conservación, así como también los ajustes que sean necesarios deben manejarse en una escala ecorregional.

Notas

[1] *Estas quince ecorregiones forman bosques tropicales y subtropicales continuos que comparten una misma historia biogeográfica y tienen muchas especies en común; por esta razón, el WWF las ha considerado como una sola ecorregión en las Global 200.*

[2] *La biodiversidad beta se define como el recambio de especies dentro de un rango o a lo largo de un gradiente ambiental, como la altitud. En contraste, la biodiversidad alfa es el número de especies en un sitio dado.*

¿ES POSIBLE EL USO SUSTENTABLE DE LOS BOSQUES DE LA SELVA MISIONERA?

Por: Patricio Mac Donagh[I] y Liliana Rivero[II].

[I] *Profesor Adjunto (M. Sc.) de Explotación Forestal, Facultad de Ciencias Forestales, Universidad Nacional de Misiones.*

[II] *Ing. Forestal, becaria de postgrado, Facultad de Ciencias Forestales, Universidad Nacional de Misiones.*

mdonagh@facfor.unam.edu.ar

Alguien dijo una vez que la historia de los bosques puede asociarse a la historia de la humanidad. De alguna manera, cuando los pueblos pasaron de nómades a sedentarios, empezaron a construir poblados con maderas que extraían de los bosques. La historia del uso de los bosques en Misiones guarda cierta similitud con esta cuestión, ya que el empleo intensivo de los mismos comenzó con la colonización por parte de los inmigrantes. En este sentido, se empezó a cortar madera hacia los años 30 y, con más énfasis, desde los 50, cuando se dieron los procesos de inmigración de postguerra. En esa época, los desmontes se realizaban con el propósito de habilitar tierras para la agricultura y, posteriormente, en los 60 y los 70, a fin de habilitar tierras para la forestación gracias a la desgravación impositiva. En este contexto, la madera era usada para la fabricación de muebles y la construcción. Muy raramente hubo situaciones en las que se haya considerado al bosque nativo como un recurso maderable renovable, por las cuales luego de una primera intervención debieran existir otras intervenciones con cierta recurrencia.

Desde aquel panorama hasta el día de hoy, la superficie boscosa de la provincia ha ido disminuyendo desde valores iniciales de más de 2.000.000 de ha hasta valores actuales de 40.000 ha de bosques prístinos y alrededor de 800.000 ha de bosques secundarios. En el mismo contexto, se han desarrollado forestaciones hasta un total de unas 385.000 ha, y otras 700.000 ha permanecen bajo cultivos agrícolas (yerba, té, cítricos). Unas 450.000 ha son áreas naturales protegidas (bajo la Ley Provincial N°2.932, que crea el sistema de áreas naturales protegidas) con diversas figuras, es decir, casi un 16% de la superficie total de la provincia. Todo esto implica, entonces, que la mayor superficie de Misiones se encuentra cubierta por bosques en distintos estados de uso y que la mayoría son bosques degradados, muchos de ellos no productivos desde el punto de vista maderable.

En lo que respecta a la producción de madera, el sector forestal de plantaciones produce unos 4.000.000 de m^3/año, mientras que los bosques nativos, 600.000 a 800.000 m^3/año. Esto, en total, representa entre el 50 y el 65% del PBI provincial, según los años considerados (IPEC). Entonces, de acuerdo con los números anteriores, el sector de bosques nativos responde sólo por el 20% de la producción total, con el 51% del territorio ocupado por bosques (Tabla 1).

En un censo realizado en 2003, se relevaron cuatrocientas cuarenta empresas de aserrado de madera de monte nativo. De éstas, el 98,6% se clasificó como pequeñas, con una producción que variaba de 0 a 600 m^3 por mes y el 1,45% de tamaño medio, con una producción de 600 a 1.900 m^3 por mes (SAGPyA, 2003).

Estratos	Bosques nativos	Arbustivos capueras	Plantaciones	Tierras agropecuarias
Selva no alterada	40.238			
Selva poco alterada	111.948			
Selva medianamente alterada	686.543			
Selva muy alterada	76.094			
Tierras agroforestales	536.410	362.894	246.367	480.328
Bosques en galería	3.972			
Cañaverales	48.357			
Tierras agropecuarias			138.581	214.657
Proporción (%)	51	12	13	24
Gran total	1.503.562	362.894	384.948	694.985

Tabla 1. Uso de la tierra en Misiones (ha). Fuente: Inventario Nacional de Bosques Nativos 1998-2001, Inventario Provincial de Bosques Cultivados, Ministerio de Ecología, Recursos Renovables y Turismo (MERNRyT), 2001.

La Situación Ambiental Argentina 2005

En resumen, la producción forestal de los bosques nativos de Misiones es pequeña en comparación con la proveniente de plantaciones, y está concentrada en pequeños aserraderos que se caracterizan por tener poca tecnología, escasa capacidad de inversión y una alta informalidad comercial e impositiva.

El manejo forestal

El modo de manejo más tradicional de los bosques nativos en Misiones ha sido la extracción selectiva de las especies comerciales más valiosas. Éstas han variado poco a lo largo de los años y se han concentrado en unas diez especies. Cuando el propietario, o el administrador de una propiedad, decide poner en producción cierta área de trabajo, por un lado inicia las tramitaciones administrativas y legales con el Ministerio de Ecología, Recursos Renovables y Turismo (organismo de aplicación y contralor) y, por otro lado, le "encarga" el área de trabajo a un contratista, al que se conoce localmente como obrajero. Se puede decir que, en casi todos los casos, estos dos caminos se desarrollan en forma independiente. En lo que se refiere estrictamente a las decisiones de terreno, y según la misma generalidad anterior, el contratista toma la mayoría de las decisiones. El equipo de trabajo de un contratista está generalmente compuesto por un motosierrista, un tractorista y el camionero o fletero. En ocasiones, es frecuente que el fletero sea el mismo contratista, ya que es el encargado de realizar las mediciones de la madera para comercializar y también prepara las "guías de transporte" de la madera. Para el proceso de selección y corta de los árboles, algunas veces el propietario o el administrador realizan una recorrida previa para "ver" si hay madera y, en la gran mayoría de los casos, esta decisión es tomada por el motosierrista y/o por el tractorista. Se debe mencionar, en esta instancia, que hay algunas empresas que realizan la apertura de rumbos de medición y marcación de árboles, pero esta información siempre queda en niveles cualitativos y no se inserta en lo que se denominaría un plan de manejo.

La otra parte del camino es la tramitación administrativa legal, por la cual se han dado distintos marcos regulatorios para la ordenación de los bosques, aunque últimamente se ha generalizado la adopción del diámetro mínimo de corte por especie y/o grupo de especies. Luego, el propietario o administrador del predio presenta un plan de ordenación o plan de manejo forestal, que puede ser plurianual y, por medio de éste, se van habilitando tramos de corta. Esta habilitación la realiza el ministerio, con previa inspección del terreno. En ocasiones, la inspección también la llevan a cabo con posterioridad al inicio del aprovechamiento y, a veces, al final. De una manera sencilla, el problema más grave que puede atribuirse a este sistema de manejo es la falta de correlación entre lo que se presenta al organismo de aplicación y lo que se ejecuta. En el mismo sentido, la mayoría de las empresas propietarias de bosques carece de planes de manejo como herramientas de trabajo, y así no tienen una idea del patrimonio/capital que administran ni de las potencialidades del mismo, entonces, en la práctica, es un sistema desconectado de lo técnico, por el cual cada obrajero que entra a un lote/tramo a

La Situación Ambiental Argentina 2005

cortar corta todo lo que puede o lo que se vende, y el propietario o administrador se enfrenta, entonces, al problema de comercialización de la madera puesta en planchada o en la industria, independientemente del bosque de donde haya salido.

El resultado de este sistema ha sido la casi sistemática degradación de los bosques nativos, el empobrecimiento de los mismos, el agotamiento del recurso y la no rentabilidad de la actividad forestal.

Un ejemplo de explotación forestal en la Reserva de Biosfera Yabotí (RBY)

Se presenta un ejemplo del uso que ha registrado una empresa de la RBY sobre un lote de 1.500 ha en un período que comprende todo el año 2004, alrededor de 18.000 m³ de madera y más de $1.000.000 de facturación. Esta situación constituye un ejemplo paradigmático ya que, por un lado, es una de las pocas empresas que lleva registros confiables y, por otro lado, el lote en cuestión se puede tomar como el lote típico que ya ha sufrido más de dos intervenciones de cosecha a lo largo de su historia y, por lo tanto, tiene un importante estado de degradación.

Del análisis de los datos de esta empresa, para el año 2004, en primera instancia se observa que las ventas de madera realizadas desde el lote tuvieron una variación mensual del 17%. Si bien no hay mucha experiencia en la zona, se puede afirmar que este nivel de variación de facturación mensual es normal para los aserraderos de la zona, aunque se trata de una complicación a la hora de planificar y un problema importante en lo que se refiere al mantenimiento del negocio. Tal como se menciona más adelante, esto es, en parte, consecuencia de la estrategia comercial de la empresa, que posee una cartera de clientes que emiten pedidos de madera en forma periódica; así la costumbre es esperar a que se venga a comprar la madera, en lugar de salir a venderla. Sin embargo, estos clientes sólo requieren ciertas especies y ciertos productos, de manera tal que en el aserradero existe un importante *stock* sin vender, y del bosque sólo se demanda una limitada cantidad de especies.

Desde el lado de la oferta, al no tener información adecuada de lo que se tiene (lo que se refleja en la falta de inventarios forestales o registros de existencias), esta empresa –como la mayoría de las de la región– no puede salir a vender, ya que no sabe qué posee.

Con respecto a las especies, y a su incidencia en términos de volumen y de facturación, en la Figura 1 se presenta una comparación de las mismas. Se observa allí que las primeras cinco especies en volumen también son las primeras cinco en facturación, aunque en distinto orden. Por otra parte, sobre un total de diecinueve especies cortadas, las primeras seis especies reúnen el 87,5% de la facturación. Esta circunstancia es especialmente complicada para la planificación silvícola, ya que plantear una operación de cosecha para sólo seis especies que, además, no son las más frecuentes puede llegar a elevar bastante los costos.

En resumen, algo que ya se viene sosteniendo para bosques como el amazónico desde hace años es que en los bosques tropicales el manejo debe ser por especies y no a nivel de la masa boscosa (Hosokawa, 1986). Por lo tanto, en un esquema donde se cortan muchos ejemplares de muchas especies que no tienen suficiente valor de mercado, se pueden confundir los márgenes individuales de la operación (es decir, los costos son mayores que los ingresos).

El aprovechamiento de mínimo impacto: una alternativa

En las regiones forestales tropicales del mundo mayoritariamente se practica el método de explotación que se conoce como aprovechamiento convencional (CC). Por lo general, estos sistemas de aprovechamiento forestal no poseen una planificación previa ni una ejecución ordenada de las operaciones, los costos de producción son altos, hay una baja utilización del bosque y una gran cantidad de desperdicios o residuos. Hoy en día, existen estudios de diferentes países que demuestran que la cosecha convencional y las altas intensidades de corta producen, por un lado, daños a la masa remanente, la dinámica y la estructura del bosque y, por otro lado, disturbios en el suelo.

Los impactos sobre el medio ambiente resultan principalmente de la carencia de planificación y del uso de técnicas inapropiadas. La disminución de la productividad del bosque luego de la cosecha convencional es seguida por un alto costo de oportunidad de manejo del bosque y grandes incentivos para la conversión del suelo forestal a otras alternativas de uso. Todos estos problemas pueden reducirse normalmente con una planificación global del aprovechamiento, unida a un sistema de control operativo que garantice la aplicación del plan y su adaptación, si así lo requieren las nuevas condiciones.

En algunos países se han experimentado otras técnicas de cosecha, a saber, el aprovechamiento de impacto reducido, que se aplica con éxito desde hace pocos años y se caracteriza por una planificación detallada, un pre-aprovechamiento y una ejecución cuidadosa de las actividades de tala y extracción. En las regiones donde se practica la cosecha de impacto reducido se logra una disminución del costo total, lo cual está fundamentado en la correcta planificación de las actividades de cada máquina, la capacitación de los operarios y el uso eficiente de los productos del bosque.

Para poner esto en evidencia, se presenta un ejemplo comparativo sobre costos y rendimientos obtenidos en dos situaciones al aplicar técnicas de cosecha convencional y técnicas de cosecha de mínimo impacto sobre bosques subtropicales de la RBY (ANR 10/02, Fontar-Facultad de Ciencias Forestales). El ensayo consistió en la aplicación de la Cosecha de Impacto Reducido (CIR) en un rodal que cuenta con una superficie total de 170 ha, de las cuales 105 fueron aprovechadas en los meses de enero a marzo de 2005.

La zona restante se descartó por la inaccesibilidad del terreno (pendientes mayores al 30%). La CIR consiste en una planificación detallada de las actividades pre-cosecha; para implementarla, se realiza un censo de todos los árboles comerciales mayores a 30 cm de dap (diámetro a la altura del pecho). Con esta información, se confeccionan mapas detallados en los cuales se especifican ubicaciones de planchadas, árboles a extraer, árboles de futura cosecha, vías de saca y caminos principales. Por otro lado, se realizó una cosecha bajo aprovechamiento convencional (CC) en un rodal de una superficie de 18 ha, que fueron aprovechadas en el mes de abril de 2005. En este sistema de cosecha el obrajero toma todas las decisiones referidas a la cosecha y, como se mencionó anteriormente, éstas no poseen planificación previa.

Los resultados de la operación de corta mostraron valores promedios de 8,28 m³/h para la CIR y 5,06 m³/h para la CC, es decir, una diferencia de 3,22 m³/h. En cuanto a la extracción, los datos fueron de 8,58 m³/h para la CIR y 4,48 m³/h para la CC, es decir, una diferencia de 4,1 m³/h. Esto indica que el tractor forestal demora significativamente más tiempo en extraer rollos en el tratamiento CC. Con esto, se aprecia una mayor eficiencia y un mayor rendimiento en el método CIR que en el CC, y estas diferenciaciones son a causa de una planificación previa de la cosecha de impacto reducido.

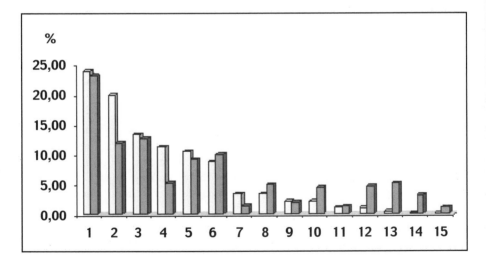

Figura 1. Comparación porcentual entre volumen y facturación de madera aserrada. Barras oscuras: volumen promedio; barras claras: valor promedio. 1) anchico, 2) cedro, 3) grapia, 4) incienso, 5) guatambú, 6) marmelero, 7) cañafístola, 8) cancharana, 9) zoita, 10) laurel, 11) loro negro, 12) guayubirá, 13) otras, 14) timbó, 15) rabo itá.

La Situación Ambiental Argentina 2005

En cuanto a los costos de producción de corte y extracción, se obtuvieron los siguientes resultados: 2,2 $/m³ para la CIR y 3,77 $/m³ para la CC en corte, y 6,09 $/m³ para la CIR y 10,8 $/m³ para la CC en extracción. De esta manera, el costo del corte en la CC es un 41,64% mayor que en la cosecha de impacto reducido. De igual forma, en extracción se obtiene un costo 43,61% superior en la CC.

Nótese la importancia de la planificación de las actividades en la CIR, ya que se obtiene una reducción en el costo total de 6,28 $/m³. En consecuencia, se han obtenido mejoras en los rendimientos y disminuciones en el costo de producción, a través de la aplicación de las técnicas de cosecha de impacto reducido. Estas mejoras permiten sustentar la conveniencia de la implementación de la cosecha de impacto reducido en reemplazo de la convencional. Las técnicas empleadas basan su mejora en la capacitación del personal, la planificación a nivel operativo y la contribución de técnicas como los sistemas de información geográficos.

Indicadores económico-financieros del manejo forestal

El conocimiento general que existe en la región indica que los bosques nativos crecen a una tasa de 1 m³/ha/año. Existen, por otra parte, registros en las empresas que indican que una cosecha típica en un bosque ya intervenido obtiene alrededor de 5 m³/ha de especies comerciales cada veinte años. En experiencias particulares, y bajo el régimen del mínimo impacto, se hipotetiza que se pueden llegar a obtener rendimientos de 4 m³/ha/año.

En consecuencia, los bosques nativos de Misiones poseen turnos largos, crecimientos bajos y bajos retornos comparados, por ejemplo, con las plantaciones forestales. La tasa interna de retorno para bosques ya cosechados (degradados) es de 2% al año en el mejor de los casos, y existen valores negativos en forma muy frecuente. Las cosechas en bosques no degradados (prístinos o bien manejados) serán más atractivas financieramente, pero para ser sustentables necesitan de un muy buen manejo.

En un proyecto desarrollado por los autores, y bajo la técnica de mínimo impacto, se observó que al utilizar criterios de diámetro mínimo de corta entre 45 y 55 cm y turnos de corta de veinte años se obtenían valores de TIR (tasa interna de retorno) del orden del 6,3% y VAN (valor actual neto) negativos. En cambio, se obtuvieron mayores tasas de retorno y VAN positivos para DMC (diámetro mínimo de corta) de 45 cm o menos y para cualquier turno de corta (Tabla 2).

En cualquier caso, debe tenerse en cuenta que para los bosque nativos de los Estados Unidos se reportan tasas de retorno del orden del 4%. Tal vez estos pobres indicadores financieros sean la clave principal por la que los bosques subtropicales no tienen mucho manejo. Un mejor retorno en el caso de bosques bien manejados incentivaría la adopción de esta práctica que, además, no requiere mucho capital.

La Situación Ambiental Argentina 2005

Diámetro mínimo de corta (cm)	Turno de corta de 20 años		Turno de corta de 30 años		Turno de corta de 40 años	
	TIR	VAN ($)	TIR	VAN ($)	TIR	VAN ($)
>35	44,10	48.470	43,96	36.278	43,96	31.577
>45	21,24	23.204	18,36	13.193	18,36	9.333
>55	6,27	-13.478	3,33	-20.321	3,33	-22.959
>65	-2,10	-54.279		-57.599		-58.879
>73		-70.401		-72.329		-73.072
Proyecto	-0,87	-33.974	-0,01	-46.668	-0,01	51.605
Sin la tierra	6,31	35.708	6,31	30.604	6,31	28.636

Tabla 2. Escenarios de rentabilidad para un manejo forestal óptimo, con aprovechamiento de mínimo impacto. Fuente: ANR 10/02, FONTAR-Facultad de Ciencias Forestales, UNAM.

Conclusiones

En este contexto, es muy claro que no se puede hablar de manejo forestal sustentable en las condiciones actuales y que, por otra parte, la elaboración de este tipo de programas no debería basarse en parámetros exclusivamente madereros.

Por otro lado, se deben desarrollar tecnologías de manejo forestal adaptadas a bosques subtropicales, ya que los mismos son diferentes de los tropicales, debido a que poseen árboles más chicos y menores volúmenes de cosecha por hectárea. El manejo propuesto debe partir de la aplicabilidad del mismo y de considerar tanto indicadores ambientales y forestales como económicos.

PLANIFICACIÓN COMUNITARIA PARTICIPATIVA: TRABAJANDO POR EL USO Y LA CONSERVACIÓN DE LA SELVA PARANAENSE

Por: Manuel Jaramillo, Esteban Carabelli, Sofía Ferrari, Verónica Guerrero Borges, Laura Aréjola y Daniela Rode
Programa Selva Paranaense. Fundación Vida Silvestre Argentina (FVSA). vidasilvestre@arnet.com.ar

Quizás con sólo hacer referencia al paisaje majestuoso que ofrecen las Cataratas del Iguazú sea suficiente para acercar al lector a las características naturales y a la importancia de conservar el rico sistema viviente asociado a este Patrimonio de la Humanidad. Para ofrecer una evaluación objetiva del estado de amenaza de la Selva Paranaense o del Bosque Atlántico del Alto Paraná basta con mencionar que, entre los tres países que la comparten, Brasil, Paraguay y la Argentina, sólo se conserva un 7,4% de la cobertura original, que se distribuye en un paisaje altamente fragmentado (Di Bitetti *et al.*, 2003). La deforestación ha sido más severa en Brasil, donde sólo se mantiene el 3% de la cobertura forestal original, principalmente en AP. Mientras tanto, en Paraguay, la superficie conservada alcanza el 10%, pero con una muy alta fragmentación. Por el contrario, aproximadamente el 50% de la cobertura original se mantiene relativamente intacta en la provincia de Misiones (Holz y Placci, 2003), y constituye el remanente boscoso continuo más extenso de la Selva Paranaense.

En la Argentina, las principales fuentes de presión sobre la Selva Misionera están relacionadas con la expansión no planificada de la agricultura comercial; la ocupación de tierras privadas abandonadas por campesinos sin tierra que tumban y queman la selva para establecer plantaciones anuales, con la intención de asegurar así la subsistencia de sus familias; la construcción de infraestructura, principalmente represas y rutas; la caza ilegal de la fauna silvestre y el aprovechamiento no sustentable del bosque nativo (Di Bitetti *et al.*, 2003). Todas estas causas reconocen un mismo origen: la presencia y las actividades del hombre asociadas a necesidades de supervivencia, de desarrollo o comerciales. Además, algunas situaciones de uso sobredimensionan la capacidad de este tipo de ambientes para volver a la condición original que antecede a la alteración o para recuperarse de los impactos provocados.

Si bien la industria turística se encuentra en plena etapa de desarrollo, en la actualidad la distribución de los beneficios generados se encuentra muy concentrada y aquellos campesinos o colonos que disponen de predios pequeños, alejados de los circuitos turísticos tradicionales y que carecen de capacidad de inversión, encuentran su única alternativa económica en la sustitución de la selva para realizar agricultura intensiva (de yerba, té, tabaco, maíz, etc.) y, en algunos casos, ganadería, actividades que son permitidas y socialmente favorecidas. Esta tendencia esta conduciendo a la desaparición progresiva de la selva y su biodiversidad, más allá de las AP (Giraudo y Abramson, 2000). Si bien el sistema de AP nacionales y provinciales podría ampliarse, no existen demasiadas posibilidades de establecer nuevas zonas de conservación con exclusión de presencia humana, lo que plantea un nuevo y mayor desafío: encontrar fórmulas de convivencia entre el hombre y la selva (Chebez, 2000).

La restauración del paisaje forestal, un nuevo concepto de conservación y desarrollo

En el año 2001 WWF y UICN, junto a otras instituciones, han definido la Restauración del Paisaje Forestal (RPF) como: "...un proceso de planificación que apunta a recobrar la integridad ecológica y a mejorar la calidad de vida de las personas que viven en áreas desforestadas o en paisajes degradados" (Maginnis *et al.*, en prensa). Este concepto hace referencia a que es necesario tener en cuenta las problemáticas socio-económicas de las comunidades usuarias de las áreas forestales y trabajar para identificar y modificar las causas que dan origen a la deforestación (Mansourian, 2004). En este marco, la RPF es un proceso de largo plazo y, en muchos casos, costoso; en efecto, pueden pasar varios años antes de que se obtenga alguno de los beneficios esperados (Aldrich, 2005). Según Jackson y Maginnis (2005), la aplicación de este concepto requiere del desarrollo de tres fases: a) **investigación**, para determinar quiénes son los actores clave, así como también cuáles son los grupos de interés, el panorama geográfico del área, los servicios del ecosistema que la sociedad desea obtener y la capacidad del paisaje para proveer dichos servicios; b) **negociación**, por medio de enfoques participativos y sobre la base de la información obtenida durante la fase de investigación se acuerdan planes de uso de los recursos que permitan alcanzar el bienestar de la comunidad y la integridad ecológica en el paisaje y c) **implementación**, realizada principalmente por los actores clave identificados en la investigación y con los objetivos acordados en la negociación, esta implementación debe ser evaluada y, en caso de ser necesario, adaptada en posteriores instancias del proceso. Es importante destacar que estas fases no deben constituir un proceso lineal y pueden desarrollarse paralelamente.

El aporte a la implementación de este nuevo concepto

Siguiendo este marco conceptual, la FVSA, con el apoyo de WWF, inició, a principios de 2004, un proyecto de RPF en el Municipio de Andresito, una comunidad rural rodeada por dos Sitios Patrimonio de la Humanidad, el Parque Nacional Iguazú, en Argentina, y el Parque Nacional do Iguaçu, en Brasil; otras siete AP están incluidas o limitan con el municipio y, en total, representan alrededor de 360.000 ha de bosques continuos estrictamente protegidos. La conservación a largo plazo de este bloque forestal depende, en gran medida, del manejo sustentable del área de Andresito, que constituye un corredor que facilita el desplazamiento de animales y plantas a través de las mencionadas AP. El área Iguazú-Andresito ha sido identificada como un sitio altamente prioritario para focalizar acciones de conservación (Di Bitetti *et al.*, 2003). En este municipio sólo se mantienen 31.000 ha que representan un 40% de la cobertura original de los bosques nativos que existían en 1980. Desde 1997, los registros muestran una deforestación promedio de 650 ha por año (Guerrero Borges, 2004). El desafío en Andresito es diseñar e implementar gradualmente, con la comunidad local, un paisaje que integre en forma armónica las características y las necesidades ambientales, sociales y económicas, con la finalidad de promover un desarrollo sustentable. Este proceso implica desarrollar y poner en práctica estrategias que combinen tierras de cultivo, AP, zonas de uso sustentable del bosque nativo y zonas urbanas e industriales, para beneficiar a la población local y resguardar la biodiversidad.

Se han seguido las fases planteadas por Jackson y Maginnis (2005) durante dieciocho meses desde el inicio del proyecto y se han desarrollado las siguientes actividades:

De investigación. Inicialmente se identificaron los representantes clave de la comunidad que deberían ser convocados para participar en el proceso de planificación de usos de la tierra, con la intención de lograr que hubiese una representación balanceada entre diferentes intereses. El desarrollo de un Sistema de Información Geográfica (SIG) permitió elaborar mapas de tres de las principales amenazas: a) áreas con riesgo de erosión, b) áreas con riesgo de conversión del bosque y c) áreas con alto riesgo de contaminación con agroquímicos, vinculado principalmente con el cultivo del tabaco (Guerrero Borges, 2004). Estos mapas forman parte de un Sistema de Soporte de Decisiones para la planificación participativa que se encuentra en preparación. A esta fase fue incorporado un conjunto de áreas en proceso de restauración desde el año 2000, tales como 3 ha en antiguos campos de pastoreo, 14 ha en plantaciones de yerba mate con la finalidad de producir este cultivo bajo cubierta y 7 ha de rehabilitación de bordes de bosques invadidos por especies nativas agresivas. Estas áreas forman parte del esfuerzo de la FVSA para contribuir a restaurar ambientes deforestados o degradados (Holz, 2004) mediante investigaciones que evalúan diferentes técnicas de restauración forestal. La suma de estas experiencias permitió elaborar en diciembre de 2004 una serie de recomendaciones que incluyen: a) las especies, las épocas de plantación y las estrategias más apropiadas para iniciar las restauraciones; b) los métodos para remover las malezas en diferentes situaciones de restauración; c) un análisis de la regeneración natural cuando las especies nativas invasoras son removidas y d) un análisis del costo de cada tratamiento. Se puso también en evidencia que no habrá un solo método para ser aplicado en todo Andresito y que la selección de la técnica de restauración más apropiada dependerá de las características ecológicas de cada área en particular (Holz, 2004; Holz y Placci, en prensa).

De negociación. Como parte de esta fase, se organizó el "Primer curso-taller sobre desarrollo local y planificación participativa". Durante tres días, representantes de la comunidad y miembros de los equipos técnicos de organizaciones de conservación y desarrollo nacionales y provinciales se familiarizaron con estas temáticas. Como resultado, se constituyó la Comisión de Acción Local (CAL), con el objetivo de promover y diseminar la iniciativa del proceso de planificación participativa de Andresito. En un segundo taller, convocado por la CAL, se estableció una zonificación preliminar del municipio, y se definieron siete zonas de uso de la tierra; se elaboró un diagnóstico de las organizaciones de la comunidad con potencial para desarrollar este proceso y se logró un consenso sobre el perfil del desarrollo deseado para Andresito. Además, se acordó la necesidad de desarrollar actividades de educación ambiental en las escuelas del municipio (Scalerandi, 2004).

El proyecto de RPF promovió también la creación de la Cooperativa Agroecológica de Península Andresito, cuya principal actividad sería la cosecha y el envasado de palmito (*Euterpe edulis*) y otros productos de las chacras. El uso sustentable de esta especie nativa de la Selva Paranaense constituye un importante aspecto del proyecto, pues para su producción es necesario mantener un alto porcentaje de la cubierta forestal. En este momento, el proceso se halla en la fase de diseño y negociación del plan de manejo de los palmitales de cada productor asociado.

De implementación. Ante las necesidades identificadas en el segundo taller de planificación participativa, un grupo de maestros, guardaparques, voluntarios y miembros de ONG ambientalistas comenzó a organizar actividades de educación ambiental en cinco escuelas de Andresito, mediante la utilización de técnicas diversas como títeres, imágenes y charlas. El propósito de esta actividad ha sido promover en los niños una actitud responsable y activa hacia la protección de la naturaleza e incrementar su conocimiento sobre el impacto de las actividades humanas en el ambiente.

Por otra parte, el equipo técnico del proyecto se encuentra completando el Sistema de Soporte de Decisiones que, en breve, permitirá definir criterios para establecer un modelo de planificación territorial que será puesto a discusión en un tercer taller a desarrollarse durante el corriente año.

Los productores asociados en la Cooperativa de Península de Andresito se encuentran explorando alternativas propias y provenientes de la cooperación internacional para obtener los recursos financieros que permitan la construcción de una planta envasadora. Además, estos productores han recibido, por parte del equipo técnico del Programa de Refugios de Vida Silvestre, una capacitación inicial en el envasado de diversos productos y en normas básicas de bioseguridad. Con la asistencia del mismo programa, que identificó un mercado internacional para este tipo de producto, un productor local ha obtenido y comercializado su primera cosecha de yerba orgánica, por la que puede obtener un precio mayor que el obtenido por la yerba de producción tradicional (Perez Blanco, 2004).

Un proceso en marcha

Las actividades descriptas, sin duda, son sólo el comienzo de un proceso a largo plazo que debe ser hábilmente asistido con la finalidad de generar el marco apropiado para que, llegado el momento, pueda comenzar a funcionar sin la participación de quienes las han impulsado. De esta manera, se podrán aprovechar las lecciones aprendidas a fin de iniciar este trabajo en alguna otra de las tantas zonas prioritarias para la conservación de la Selva Misionera (Jaramillo *et al.*, 2005).

La Situación Ambiental Argentina 2005

La Situación Ambiental Argentina 2005

Bibliografía

• Aldrich, M., "Beneficios de la Restauración del Paisaje Forestal para las personas, medios de vida y servicios ambientales", Taller Global para la Implementación en Restauración del Paisaje Forestal, Petropolis, 2005.

• ANR 10/02 FONTAR-Facultad de Ciencias Forestales (UNAM), Informe técnico del Proyecto "Aprovechamiento Forestal de impacto Reducido en la Reserva de Biósfera Yabotí".

• Bennett, E. L., H. Eves, J. Robinson y D. Wilkie, "Why is eating bushmeat a biodiversity crisis?", *Conservation in Practice*, 3, 2002, pp. 28-29.

• Bertonatti, C. y J. Corcuera, *Situación Ambiental Argentina 2000*, Buenos Aires, Fundación Vida Silvestre Argentina, 2000, 440 pp.

• Chalukian, S. C., "Cuadro de situación de las Unidades de Conservación de la Selva Paranaense", Informe para Fundación Vida Silvestre Argentina, 1999.

• Chevez, J. C., "Un corredor verde para salvar a la selva", en: Bertonati, C y J. Corcuera (eds.), *Situación Ambiental Argentina 2000*, Buenos Aires, Fundación Vida Silvestre Argentina, 2000.

• Chebez, J. C. y H. Casañas, "Áreas claves para la conservación de la biodiversidad de la provincia de Misiones, Argentina. (Fauna Vertebrada)", Informe para la Fundación Vida Silvestre Argentina, 2000.

• Chebez, J. C. y N. Hilgert, "Brief history of conservation in the Paraná Forest", en: Galindo Leal, C. e I. De Gusmao Camara (eds.), *The Atlantic Forest of South America: Biodiversity Status, Threats, and Outlook (State of the Hotspots, 1)*, Washington DC, Center for Applied Biodiversity Science at Conservation International, Island Press, 2003, pp. 141-159.

• Cinto, J. P. y M. P. Bertolini, "Conservation capacity in the Paraná Forest", en: Galindo Leal, C. e I. De Gusmao Camara (eds.), *The Atlantic Forest of South America: Biodiversity Status, Threats and Outlook (State of the Hotspots, 1)*, Washington DC, Center for Applied Biodiversity Science at Conservation International, Island Press, 2003, pp. 227-244.

• Clay, R. P., H. Del Castillo, A. Madroño y M. Velázquez, "Colección de datos para una Visión Biológica del Bosque Atlántico del Interior en Paraguay", Informe para el WWF, Guyrá Paraguay: Conservación de Aves, 2000.

• Colcombet, L. y C. Noseda, "Sector agrario de la provincia de Misiones", Informe para Fundación Vida Silvestre Argentina, 2000.

• Crawshaw, P. G. Jr., "Comparative ecology of ocelot (*Felis pardalis*) and Jaguar (*Panthera onca*) in a protected subtropical forest in Brazil and Argentina", Tesis doctoral, Universidad de Florida, 1995.

• Cullen, L. Jr., R. E. Bodmer y C. Valladares-Pádua, "Ecological consequences of hunting in Atlantic Forest patches, São Paulo, Brazil", *Oryx*, 35, 2001, pp. 137-144.

• Cullen, L. Jr., R. E. Bodmer y C. Valladares-Pádua, "Effects of hunting in habitat fragments of the Atlantic Forests, Brazil", *Biological Conservation*, 2000, 95: pp. 49-56.

• Di Bitetti, M. S., "Seasonal patterns of arthropod abundance in the subtropical forest of Iguazú National Park, Argentina", Manuscrito inédito.

• Di Bitetti, M. S. y Janson, C. H., "Reproductive socioecology of tufted capuchins (*Cebus apella nigritus*), in northeastern Argentina", *International Journal of Primatology*, 22, 2001, pp. 127-142.

• Facetti, J. y W. Stichler, "Analysis of Concentration of Environmental Isotopes in Rainwater and Groundwater from Paraguay", International Seminar of Isotopic Hydrology, Vienna, IAEA, 1995.

• Fahey, C. y P. F. Langhammer, "The effects of dams on biodiversity in the Atlantic Forest", en: Galindo Leal, C. e I. De Gusmao Camara (eds.), *The Atlantic Forest of South America: Biodiversity Status, Threats, and Outlook (State of the Hotspots, 1)*, Washington DC, Center for Applied Biodiversity Science at Conservation International, Island Press, 2003, pp. 413-425.

• Fernández, R., A. M. Lupi y N. M. Pahr, "Land aptitude for forest plantations. Province of Misiones", Informe para Fundación Vida Silvestre Argentina, 2000.

• Fundación Vida Silestre Argentina, "La represa de Corpus Christi y otras obras en la cuenca del Plata", Informe de Fundación Vida Silvestre Argentina, Buenos Aires, 1996, 60 pp.

• García Fernández, J., "El Corredor Verde de Misiones: una experiencia de planificación a escala bio-regional", en: Burkart, R., J. P. Cinto, J. C. Chébez, J. García Fernández, M. Jager y E. Riegelhaupt (eds.), *La Selva Misionera: Opciones para su Conservación y Uso Sustentable*, Buenos Aires, FUCEMA, 2002, pp. 17-71.

• Giraudo, A. R., H. Povedano, M. J. Belgrano, E. Krauczuk, U. Pardiñas, A. Miquelarena, D. Ligier, D. Baldo y M. Castelino, "Biodiversity status of the Interior Atlantic Forest of Argentina", en: Galindo Leal, C. e I. De Gusmao Camara (eds.), *The Atlantic Forest of South America: Biodiversity Status, Threats and Outlook (State of the Hotspots, 1)*, Washington DC, Center for Applied Biodiversity Science at Conservation International, Island Press, 2003, pp. 160-180.

• Giraudo, A. R. y R. R. Abramson, "Diversidad cultural y uso de la fauna silvestre por los pobladores de la Selva Misionera, ¿una alternativa de conservación?", en: Bertonati, C y J. Corcuera (eds.), *Situación Ambiental Argentina 2000*, Buenos Aires, Fundación Vida Silvestre Argentina, 2000.

• Giraudo, A. R. y R. R. Abramson, "Usos de la fauna silvestre por los pobladores rurales en la Selva Paranaense de Misiones: tipos de uso, influencia de la fragmentación y posibilidades de manejo sustentable", Boletín técnico N°42 de Fundación Vida Silvestre Argentina, 1998.

• Guerrero Borges, V., II Reporte técnico interino, contrato de consultoría (mis-8f000 3.01-03/04), Programa Selva Paranaense, Fundación Vida Silvestre Argentina, 2004.

• Hodge, S. S., M. Hering de Queiroz y A. Reis, "Brazil´s National Atlantic Forest policy: a challenge for state-level environmental planning. The case of Santa Catarina, Brazil", *Journal of Environmental Planning and Management*, 1997, 40: pp. 335-348.

• Holz, S. C., "Restauración del Bosque Atlántico del Alto Paraná: resultados obtenidos en el período 2001-2004, conclusiones y recomendaciones para seguir avanzando en esta línea de trabajo", Reporte técnico de subsidio, Programa Selva Paranaense, Fundación Vida Silvestre Argentina, 2004.

• Holz, S. y L. G. Placci, "Socioeconomic roots of biodiversity loss in Misiones", en: Galindo Leal, C. e I. De Gusmao Camara (eds.), *The Atlantic Forest of South America: Biodiversity Status, Threats and Outlook (State of the Hotspots, 1)*, Washington DC, Center for Applied Biodiversity Science at Conservation International, Island Press, 2003, pp. 207-226.

La Situación Ambiental Argentina 2005

• Holz, S. C. y L. G. Placci, "Stimulating Natural Regeneration", en: Vallauri, D., N. Dudley y S. Mansourian (eds.), *Beyond Planting Trees: Forest Restoration in Landscape*, WWF International.

• Hosokawa, R., *Manejo e economía de florestas*, Organização de Alimentação e Agricultura das Nações Unidas (FAO), 1986.

• Huszar, P., P. Petermann, A. Leite, E. Resende, E. Schnack, E. Schneider, E. Francesco, G. Rast, J. Schnack, J. Wasson, L. García Lozano, M. Dantas, P. Obrdlik y R. Pedroni, *Hechos o Ficción: Un Análisis de los Estudios Oficiales de la Hidrovía Paraguay-Paraná*, Toronto, Fondo Mundial para la Naturaleza (WWF), 1999, 45 pp.

• Instituto Provincial de Estadísticas y Censos (IPEC), [en línea], <http://www.misiones.gov.ar/ipec>.

• Jackson, W. J. y S. Maginnis, "Restaurando bienes y servicios de los ecosistemas a través de la Restauración del Paisaje Forestal", Taller Global para la Implementación en Restauración del Paisaje Forestal, Petropolis, 2005.

• Jaramillo, M., V. Scalerandi, V. Guerrero Borges y G. Placci, "FLR in the Misiones Province, Argentina, a participatory planning of natural resources", Taller Global para la Implementación en Restauración del Paisaje Forestal, Petropolis.

• Johnson, A. E., *Las orquídeas del Parque Nacional Iguazú*, Buenos Aires, Literature of Latin America (LOLA), 2001, 282 pp.

• Laclau, P., "La conservación de los recursos naturales y el hombre en la Selva Paranaense", Boletín Técnico N°20 de Fundación Vida Silvestre Argentina, 1994.

• Ligier, H. D., "Caracterización geomorfológica y edáfica de la provincia de Misiones", Informe para Fundación Vida Silvestre Argentina, Instituto Nacional de Tecnología Agropecuaria (INTA), Corrientes, 2000.

• Mac Donagh, P., O. Gauto, L. Lopez Cristóbal, N. Vera, S. Figueredo, R. Fernández, J. Garibaldi, M. Alvez, H. Keller, M. Marek, J. Cavalin y S. Kobayashi, "Evaluation of forest harvesting impacts on forest ecosystems", en: Kobayashi, S., J. W. Turnbull, T. Toma, T. Mori y N. M. N. A. Majid (eds.), *Rehabilitation of Degraded Tropical Forest Ecosystems*, Indonesia, Center for International Forestry Research, 2001, pp. 69-79.

• Maginnis, S., J. Rietbergen-McCracken, S. Alastair y W. Jackson, "Restoring Forest Landscapes", An introduction to the art and science of forest landscape restoration.

• Mansourian, S., "Challenges and Opportunities for WWF´s Forest Landscape Restoration Programme", Forest for Life Target Driven Program, 2004.

• Ministerio de Ecología, Recursos Renovables y Turismo (MERNRyT), [en línea], <http://www.misiones.gov.ar/ecologia>.

• Mittermeier, R. A., G. A. B. da Fonseca, A. B. Rylands y C. G. Mittermeier, "La Mata Atlántica", en: Mittermeier, R. A., N. Myers, P. Robles Gil y C. G. Mittermeier (eds.), *Biodiversidad Amenazada: Las Ecorregiones Terrestres Prioritarias del Mundo*, México, Conservation International - CEMEX, 1999, pp. 136-147.

• Mittermeier, R. A., N. Myers, J. B. Thomsen, G. A. B. da Fonseca y S. Olivieri, "Biodiversity hotspots and major tropical wilderness areas: approaches to setting conservation priorities", *Conservation Biology*, 1998, 12: pp. 516-520.

• Myers, N. *et al.*, "Biodiversity hotspots for conservation priorities", 403, *Nature*, 2000, pp. 853-858.

• Olson, D. M., E. Dinerstein, R. Abell, T. Allnutt, C. Carpenter, L. McClenachan, J. D'Amico, P. Hurley, K. Kassem, H. Strand, M. Taye y M. Thieme, "The Global 200: A Representation Approach to Conserving the Earth's Distinctive Ecoregions", Conservation Science Program, World Wildlife Fund-US, 2000.

• Pereira Leite Pitman, M. R., T. Gomez de Oliveira, R. Cunha de Paula y C. Indruciak, *Manual de Identificação, prevenção e controle de predação por Carnívoros*, Brasilia, Ediciones IBAMA, 2002.

• Pérez Blanco, M., Reporte Interno de consultoría, Programa de Refugios de Vida Silvestre, Fundación Vida Silvestre Argentina, 2004.

• Placci, L. G., "El desmonte en Misiones: impactos y medidas de mitigación", en: Bertonatti, C. y J. Corcuera, *Situación Ambiental Argentina 2000*, Buenos Aires, Fundación Vida Silvestre Argentina, 2000, pp. 349-354.

• Placci, L. G., S. I. Arditi, y L. E. Cioteck, "Productividad de hojas, flores y frutos en el Parque Nacional Iguazú, Misiones", *Yvyraretá*, 5, 1994, pp. 49-56.

• Placci, L. G. y P. Giorgis, "Estructura y diversidad de la selva del Parque Nacional Iguazú, Argentina", VII Jornadas Técnicas sobre Ecosistemas Forestales Nativos: Uso, Manejo y Conservación, El Dorado, 1994, pp.123-138.

• Protomastro, J., "A test for pre-adaptations to human disturbances in the bird community of the Atlantic Forest", en: Alburquerque, J. L. B., J. F. Cândido, F. C. Straube y A. L. Roos (eds.), *Ornitología e Conservação: Da Ciência às Estratégias*, Editora Unisul, Tubarão-SC, 2001, pp. 179-198.

• Putz, F. E., K. H. Redford, J. G. Robinson, R. Fimbel y G. M. Blate, "Biodiversity Conservation in the Context of Tropical Forest Management", Environment Department Papers, Biodiversity Series - Impact Studies, The World Bank, Paper N°75, 2000, 80 pp.

• Rice, R. E., C. A. Sugal, S. M. Ratay y G. A. B. da Fonseca, "Sustainable Forest Management: A Review of Conventional Wisdom", *Advances in Applied Biodiversity Science*, Washington DC, CABS / Conservation International, 2001, 3: pp. 1-29.

• SAGPyA, Propuesta de plan estratégico para el desarrollo de las pequeñas y medianas industrias madereras de la provincia de Misiones y noreste de Corrientes, Proyecto Forestal de desarrollo, 2003.

• Saibene, C, M. Castelino, N. Rey, J. Calo y J. Herrera, *Relevamiento de aves del Parque Nacional Iguazú*, Buenos Aires, Literature of Latin America (LOLA), 1993.

• Scalerandi, Reporte Interno de consultoría, Programa Selva Paranaense, Fundación Vida Silvestre Argentina, 2004.

• Schiaffino, K., "Una experiencia de participación de productores rurales en un proyecto de conservación de yaguareté en Misiones", en: Bertonatti, C. y J. Corcuera (eds.), *Situación Ambiental Argentina 2000*, Buenos Aires, Fundación Vida Silvestre Argentina, 2000, pp. 269-271.

• SEPA, "Bosque Atlántico Interior, Visión Biológica", Informe del sector socio-económico para el WWF, 2000.

• The World Bank, "Project Appraisal Document", Informe N°16770 PA, 6 de agosto de 1997.

• University of Maryland Global Land Cover Facility, *Change in the Subtropical Forest of Eastern Paraguay in the 1990s*, [en línea], Altstatt, A., S. Kim, O. Rodas, A. Yanosky, J. Townshend, C. Tucker, R. Clay y J. Musinsky, 15 de mayo de 2003, <http://glcf.umiacs.umd.edu/library/pMaterials/posters/Paraguay_east.ppt> [Consulta: 19 de mayo de 2003].

• Valladares-Padua, C., S. M. Padua y L. Jr. Cullen, "Within and surrounding the Morro do Diabo State Park: biological value, conflicts, mitigation and sustainable development alternatives", *Environmental Science and Policy*, 2002, 5: pp. 69-78.

• WWF, *The Global 200 Ecoregions: A User´s Guide*, Washington DC, World Wildlife Fund, 2000, 33 pp.

• Zuloaga, F., O. Morrone y M. Belgrano, "Características biogeográficas de la provincia de Misiones", Instituto de Botánica Darwinion, Informe para Fundación Vida Silvestre Argentina, 2000.

La Situación Ambiental Argentina 2005

Ecorregiones Monte de Sierras y Bolsones y Monte de Llanuras y Mesetas

Paraguay

Chile

SAN SALVADOR DE JUJUY

SALTA

FORMOSA

SAN MIGUEL DE TUCUMAN

SANTIAGO DEL ESTERO

RESISTENCIA

POSADAS

CORRIENTES

SAN FERNANDO DEL VALLE DE CATAMARCA

LA RIOJA

CORDOBA

SAN JUAN

MENDOZA

SAN LUIS

SANTA ROSA

NEUQUEN

VIEDMA

RAWSON

N

☐ Monte de Sierras y Bolsones
☐ Monte de Llanuras y Mesetas

● Áreas de Biodiversidad Sobresaliente
(Situación Ambiental Argentina 2000)
1. Algarrobales del Salar de Pipanaco y pie de la Sierra de Velasco
2. Bañados y lagunas de Guanacache
3. Reserva Provincial Telteca
4. Parque Nacional Sierra de las Quijadas y alrededores
5. Ñacuñán
6. Reserva Natural Laguna de Llancanelo
7. Parque Nacional Lihué Calel y alrededores

Áreas protegidas (Administración de Parques Nacionales. Sistema de Información de Biodiversid.
☐ Nacionales
8. Parque Nacional Los Cardones
9. Parque Nacional Talampaya
10. Parque Nacional Sierra de las Quijadas
11. Parque Nacional Lihué Calel
☐ Provinciales
12. Parque Prov. Ischigualasto
13. Res. de Uso Múltiple Valle Fértil
14. Monumento Nat. Cerro Alcazar
15. Paisaje Protegido Dique Quebrada de Ullum
16. Res. Prov. de Flora y Fauna Telteca
17. Res. Nat. Quebracho de la Legua
18. Res. Nat. Divisadero Largo
19. Res. Total La Payunia (El Payen)
20. Res. Nat. Prov. La Humada
21. Res. de Uso Múltiple Auca Mahuida
22. Res. Nat Casa de Piedra
23. Res. Nat. Prov. Salitral Lavalle
24. Res. Nat. Prov. Pichi Mahuida
25. Res. Prov. de Uso Múltiple El Mangrullo
26. Área Nat. Protegida Bahía San Antonio
☐ Internacionales
27. Res. de Biosfera Ñacuñan
28. Sitio Ramsar Lagunas de Guanacache

0   500   1000 Km

SITUACIÓN AMBIENTAL EN LA ECORREGIÓN DEL MONTE

Por: Rodrigo G. Pol, Sergio R. Camín y Andrea A. Astié

Grupo de investigación en Ecología de Comunidades de Desierto (ECODES), Instituto Argentino de Investigaciones de las Zonas Áridas (IADIZA), Consejo Nacional de Investigaciones Científicas y Técnicas (CONICET), Mendoza. rcamin@lab.cricyt.edu.ar

"Algarrobal, algarrobal,
qué gusto me dan tus ramas
cuando empiezan a brotar..."

Panferrada Rec. Lia Espinoza

Descripción física y biológica

La región del Monte se extiende latitudinalmente en forma de faja al este de la cordillera de los Andes, comienza en Salta y Jujuy, y se ensancha hasta el Océano Atlántico en Río Negro y Chubut, de modo que recorre más de 2.000 km. Dentro de esta gran extensión se han descrito dos ecorregiones que se diferencian principalmente por sus características geomorfológicas: el **Monte de Sierras y Bolsones**, que abarca la zona norte hasta el sur de San Juan, y el **Monte de Llanuras y Mesetas**, que comprende desde el sur de San Juan hasta Chubut (Burkart *et al.*, 1999). La aridez y la composición florística y faunística son bastante homogéneas en toda su extensión. El clima es cálido y seco, con gran variedad térmica diaria y entre estaciones, aunque es notable la isotermia a lo largo del gradiente latitudinal, si se considera que abarca 20°C y la temperatura media anual sólo varía entre 13,4°C en Trelew y 17,5°C en Tinogasta (Cabrera, 1976). Las precipitaciones muestran un marcado gradiente este-oeste y son muy variables: entre 80 mm y alrededor de 300 mm anuales (con algunos registros excepcionales), aunque en pocos lugares superan los 200 mm. La estación seca dura hasta un máximo de nueve meses y las lluvias están restringidas al verano, excepto en el sur, donde tienden a distribuirse más regularmente a lo largo del año (Lopez de Casenave, 2001).

El tipo de vegetación predominante es la estepa arbustiva alta, caracterizada mayormente por la comunidad del jarillal, con presencia de cactáceas columnares o cardones y bosques de algarrobos en algunas zonas. La cobertura herbácea es muy variable y depende fuertemente de las precipitaciones y del impacto de la ganadería. La fauna, en la porción norte, posee especies en común con la Selva Paranaense, con la llanura chaqueña y con las Yungas, mientras que la región sur comparte algunas especies con la Estepa Patagónica.

Monte de Sierras y Bolsones. La geografía de esta zona presenta gran variedad de estructuras geomorfológicas y de altitud. Hacia el oeste limita con la Puna y los Altos Andes, y ocupa bolsones y laderas bajas. Entre los 24° 35' y los 27° de latitud sur se observan exclusivamente valles longitudinales que se continúan hacia el sur por cuencas cerradas (bolsones) y por valles intermontanos. El área de los bolsones es una franja relativamente angosta, pero muy extendida en sentido latitudinal, y se caracteriza por no contar con una red de agua permanente. Dentro de cada bolsón se distinguen distintos paisajes con vegetación y suelos característicos como huayquerías, barriales, medanales y salares (Morello, 1958).

Monte de Llanuras y Mesetas. Desde Mendoza hacia el sur, el paisaje es más homogéneo, prevalecen los paisajes de llanura y extensas mesetas escalonadas con alturas que oscilan entre los 0 y los 1000 msnm (Morello, 1958; Cabrera, 1976; Burkart *et al.*, 1999). Las mesetas se distribuyen discontinuamente y asocian algunos cerros-mesa, cuerpos rocosos colinados, depresiones, llanuras aluviales y terrazas de ríos. Tres ríos principales atraviesan esta región: el Desaguadero-Salado, el Colorado y el Negro (Burkart *et al.*, 1999).

Historia y socio-economía

Según Sarasola (1992), las comunidades que ocupaban el Monte en el siglo XVI eran los diaguitas en la ecorregión del Monte de Sierras y Bolsones, y los huarpes y los tehuelches en la ecorregión del Monte de Llanuras y Mesetas. "En el panorama indígena del actual territorio argentino la cultura diaguita fue la que alcanzó mayor complejidad en todos los aspectos. Los diaguitas eran agricultores sedentarios, poseedores de irrigación artificial para sus productos principales: maíz, zapallo y porotos. Criaban llamas, recolectaban algarroba y chañar, y ocasionalmente cazaban...". Los huarpes cultivaban maíz, quinua y recolectaban algarroba. Cazaban liebres, ñandúes, guanacos y vizcachas. En las lagunas de Guanacache, las comunidades huarpes pescaban con balsas construidas con tallos de juncos atados con fibras vegetales. El extremo sur del Monte estaba habitado por los tehuelches septentrionales, una cultura nómada basada en la recolección y en la caza de guanacos, ñandúes, maras y zorros. Como resultado de la colonización de 1536 a 1895, la población indígena se redujo a menos de un 5% (Sarasola, 1992). Entre 1850 y 1940 llegaron a la Argentina unos 6.600.000 inmigrantes, predominantemente de origen español e italiano, e importantes cifras de franceses, británicos, alemanes, rusos, polacos, sirios y de otros países sudamericanos. En esta etapa, la Argentina ingresó en la división internacional del trabajo como productora de lanas, carnes y cereales. Así se implementaron las primeras agroindustrias modernas, con características semejantes a las que presentan en la actualidad las agroindustrias multinacionales (Brailovsky y Foguelman, 1991). En la porción septentrional del Monte se sustituyeron los cultivos tradicionales por vides, olivos y frutales, en tanto que en la parte meridional se sustituyó la caza de ganado salvaje por la cría extensiva en grandes estancias. Las Tablas 1 y 2 muestran el panorama social y económico actual de la región del Monte.

La Situación Ambiental Argentina 2005

Ecorregión	Agricultura	Minería	Ganadería	Industria	Destino de exportaciones
Monte de Sierras y Bolsones	Vid, trigo, maíz, nogal, olivo, frutales, hortalizas, plantas aromáticas y algodón	Oro, plata, cobre, litio y calizas	Bovina y caprina	Fruticultura, horticultura, industria textil, producción de vino	Unión Europea, MERCOSUR, otros países de América Latina, Canadá, Asia y el Pacífico
Monte de Llanuras y Mesetas	Vid, olivo, hortalizas, frutales, forestales, forrajeras y cereales	Petróleo, gas, uranio, caolines y arcillas	Ovina, caprina y bovina	Elaboración de alimentos y bebidas, producción de vino, energía hidroeléctrica, refinado de petróleo, fruticultura, horticultura, silvicultura, productos químicos, turismo, industria lanar	Unión Europea, MERCOSUR, otros países de América Latina

Tabla 1. Panorama económico de la región del Monte. Fuente: Biblioteca de Consulta Microsoft Encarta 2005.

Ecorregión	Superficie Km²	Población total	Habitantes por Km²	Población urbana (%)	Población con necesidades básicas insatisfechas (%)	Tasa de analfabetismo (%)	Hogares con servicio de agua y saneamiento adecuado (%)
Monte de Sierras y Bolsones	116.664	407.695	3,49	81	20,89	2,7	32,95
Monte de Llanuras y Mesetas	353.744	2.678.338	7,57	84	15,28	2,4	42,49

Tabla 2. Información socio-económica de la región del Monte. Fuente: Instituto Nacional de Estadísticas y Censos (INDEC), Informe Geo-Argentina 2004.

Principales especies, comunidades y ecosistemas de interés

La comunidad más característica, y que le otorga unidad fito-sociológica a la región del Monte, es el jarillal o la estepa de *Larrea* (jarilla). Se trata de matorrales de entre 1,5 y 3 m de altura, con arbustos de follaje permanente y ramas inermes, entre los que predominan *Larrea divaricata* y *L. cuneifolia*. Otra comunidad importante en el Monte son los "algarrobales" de *Prosopis flexuosa* y *P. chilensis*. Estos bosques son comunidades edáficas que se presentan en márgenes de ríos o en zonas de subsuelo húmedo con napa freática poco profunda. En ambos casos los árboles tienen agua a disposición de sus raíces durante todo el año. Estudios en especies del género *Prosopis* han demostrado que estas plantas pueden modificar las condiciones ambientales bajo su dosel, pues concentran agua y nutrientes, y brindan protección contra las altas temperaturas y la irradiación. De esta manera, los algarrobos pueden facilitar el establecimiento de otras especies como los cactus, las hierbas y los arbustos perennes, de modo que aumentan, así, la biodiversidad total del sistema y disminuyen los efectos erosivos del viento y el agua sobre los suelos del Monte (Rossi y Villagra, 2003). A pesar de este papel ecológico esencial, los algarrobales del Monte han sido explotados de manera no sustentable, principalmente durante el último siglo (ver "Principales problemas...").

El Monte tiene varias especies de flora y fauna endémicas y otras caracterizadas como vulnerables, según los criterios de la UICN (Unión Internacional para la Conservación de la Naturaleza, ver Tabla 3). Entre las plantas se pueden mencionar *Romorinoa girolae* y *Gomprhena colosacana* del Parque Nacional Sierra de las Quijadas, y la verdolaga (*Halophytum ameghinoi*), una hierba suculenta que crece en lodazales (Morello, 1958). La fauna de insectos es bien conocida en la parte norte del Monte, donde existe una alta proporción de géneros y especies endémicas pertenecientes a diferentes familias (Roig-Juñent *et al.*, 2001).

Entre los reptiles más representativos se encuentran la iguana colorada (*Tupinambis rufescens*), la falsa yarará (*Pseudotomodon trigonatus*), la yarará ñata (*Bothrops ammodytoides*), la falsa coral (*Lystrophis semicinctus*), *Liolaemus darwinii*, *L. gracilis* y *Cnemidophorus longicaudus*. Entre los anfibios se encuentra *Pleurodema nebulosa*.

Las aves incluyen gauchos (*Agriornis sp.*), dormilonas (*Muscisaxicola sp.*), la martineta común (*Eudromia elegans*), la monterita canela (*Poospiza ornata*), el inambú pálido (*Nothura darwinii*) y el loro barranquero (*Cyanoliseus patagonus*). Por otra parte, en los pastizales salobres habita el burrito salinero (*Laterallus jamaicensis*).

Los mamíferos están representados por especies de tamaño grande como el guanaco (*Lama guanicoe*) y el puma (*Felix concolor*); por especies de tamaño mediano como la vizcacha (*Lagostomus maximus*), el zorro colorado (*Pseudalopex culpaeus*) y el zorro gris (*P. griseus*); y por especies de tamaño pequeño como los cuises (*Microcavia australis*, *Galea musteloides*), los tuco-tucos (*Ctenomys mendocinus*), el zorrino chico (*Conepatus castaneus*) y el huroncito (*Lyncodon patagonicus*). Algunos mamíferos se destacan por su distribución, que se restringe a hábitat de salares y médanos; varios de ellos están incluidos en la lista roja de mamíferos amenazados de la Argentina, con categoría de "vulnerable" (ver Tabla 3).

Principales problemas, amenazas, presiones y usos

La perturbación más habitual en el Monte es el sobrepastoreo de ganado, seguido por los incendios y la tala de árboles y arbustos.

Aunque la introducción de ganado comenzó hace aproximadamente doscientos años, aún no se han realizado estudios a gran escala para conocer el efecto de este disturbio a nivel regional. Algunos estudios locales en la provincia de Mendoza muestran la forma en que el

La Situación Ambiental Argentina 2005

Taxa	Especies	Fuente
Reptiles	Tortuga terrestre (*Chelonoidis chilensis*), lampalagua (*Boa constrictor*)	Chebez, 1988; Bertonatti y González, 1992; Chebez, 1994; García Fernández *et al.*, 1997
Aves	Águila coronada (*Harpyhaliaetus coronatus*), cardenal amarillo ( )	*Libro Rojo de Mamíferos y Aves amenazados de la Argentina*, 1997
Mamíferos	Gato del pajonal (*Oncifelis colocolo*), mara (*Dolichotis patagonum*), *Octomys mimax*, tuco-tuco de Guaymallén (*Ctenomys validus*)*, rata vizcacha colorada (*Tympanoctomys barrerae*)·, *Andalgalomys roigi*·, rata de los salares (*Salinomys delicatus*)·, pichiciego menor (*Chlamyphorus truncatus*)·	*Libro Rojo de Mamíferos y Aves amenazados de la Argentina*, 1997 - *Libro Rojo de Mamíferos amenazados de la Argentina*, 2000

Tabla 3. Lista de especies de vertebrados del Monte categorizados como "vulnerables", según los criterios de la UICN. *El Libro Rojo de Mamíferos amenazados de la Argentina* 2000 ha categorizado a esta especie en peligro crítico. ·Estas especies habitan en salares y médanos.

pastoreo extensivo puede afectar las comunidades naturales. La cobertura vegetal basal disminuye significativamente en zonas con mayor carga de ganado y sin rotación periódica. Algunas especies de pastos se ven más afectadas que otras, aspecto que depende, en parte, de las preferencias del ganado (Guevara *et al.*, 1996). A su vez, éstos y otros cambios en la vegetación influyen sobre la fauna autóctona. Así, por ejemplo, la disminución de la cobertura vegetal puede favorecer el aumento de la abundancia de algunos roedores.

Los incendios disminuyen la cobertura tanto de hierbas como de especies leñosas. Entre 1993 y 2003 hubo más de mil incendios que afectaron cerca de 9.000.000 de ha del Monte (Informe Geo-Argentina 2004).

La tala y la recolección de leñosas se ha realizado en toda la región desde hace un siglo y ha afectado principalmente los bosques de algarrobos. La explotación más antigua del algarrobal fue realizada por los indígenas con fines alimentarios. Luego, durante las primeras décadas del siglo XX, con el auge ferroviario, los algarrobales fueron intensamente explotados como fuente de durmientes, leña y carbón para la producción de gas pobre (elaborado mediante la destilación destructiva de carbón bituminoso). Finalmente, durante las décadas del 40 y del 60 se los utilizó como guías de conducción de la vid y, posteriormente, se los taló para la industria del mueble.

La expansión de la frontera agropecuaria, por otro lado, ha traído aparejada una serie de consecuencias para los ambientes naturales, tales como la pérdida de la biodiversidad natural, la degradación y la salinización de los suelos. A su vez, el control y la redistribución del agua para el riego a través de la construcción de diques y embalses ha tenido como consecuencia la desertificación de amplias regiones y el secado de lagunas, como ocurrió con las Lagunas del Rosario en el límite entre Mendoza y San Juan.

La Situación Ambiental Argentina 2005

El avance de la frontera urbana ha producido un proceso de fragmentación de los ecosistemas naturales, proceso caracterizado por la introducción de especies exóticas (Informe Geo-Argentina 2004).

La minería, una actividad tradicional en el Monte (ver Tabla 1), es considerada como una de las causas más importantes de la degradación ambiental, por estar asociada con la contaminación de tierras y cursos de agua. Por ejemplo, las explotaciones intensivas de metales preciosos en el norte y de petróleo en el centro-sur constituyen importantes focos de contaminación en la región.

Por último, es de destacar que las zonas desérticas suelen ser consideradas como ambientes de bajo valor ecológico y económico, por lo cual se las utiliza como receptáculo de residuos peligrosos. Un ejemplo actual de este problema se encuentra en el departamento de Malargüe, al sur de la provincia de Mendoza, con uno de los peores pasivos ambientales en materia nuclear que hay en el país, constituido por un área de residuos de uranio, procedentes de la actividad minera, que aún no han sido tratados.

Estado de conservación y áreas protegidas

En el Monte existen alrededor de 1.880.000 ha incluidas dentro del Sistema de Áreas Naturales Protegidas, lo que representa menos del 4% de la superficie de esta región de más de 47.000.000 de ha. De las veintiséis áreas protegidas en el Monte, cinco constituyen territorios de jurisdicción nacional gestionados por la Administración de Parques Nacionales. Las restantes presentan diferentes tipos de dominios (públicos y provinciales, universitarios y municipales, privados y comunitarios) y están sujetas a distintos tipos de gestión. A su vez, varían ampliamente en su grado de implementación. Existen desde reservas en las que sólo se generó la normativa para su creación, hasta áreas en donde hay presencia de personal de asesoramiento, control y vigilancia, equipos de investigación, planes de manejo e integración de la población en la gestión. De acuerdo con la meta propuesta para el 2010 por "2010 - The Global Biodiversity Challenge", es necesario preservar al menos un 10% de la superficie de cada ecorregión. En consecuencia, el Monte de Llanuras y Mesetas se encuentra gravemente "subrepresentado", con apenas un 2% de su superficie protegida. A su vez, el Monte de Sierras y Bolsones cuenta con más del 9% de su área protegida, que principalmente se encuentra concentrada en la provincia de San Juan y su límite con La Rioja. Otro dato preocupante es que, de las veintiséis AP (Áreas Protegidas), quince presentan un grado de control insuficiente o nulo, lo que pone en duda la dimensión real del área "efectivamente protegida" dentro del Monte.

Un avance a favor de la resolución de esta situación requiere, por un lado, incorporar urgentemente al sistema de áreas protegidas una serie de sitios de alto valor de conservación, ya sea por los servicios ecológicos que brindan o por ser sitios con biodiversidad sobresaliente, como es el caso de, por ejemplo, los algarrobales del Salar de Pipanaco y pie de la Sierra de Velasco (Bertonatti y Corcuera, 2000). Sin embargo, debe tenerse en cuenta que una adecuada conservación de la biodiversidad en la región del Monte no podrá alcanzarse únicamente mediante el incremento de la superficie de áreas protegidas, sino que debe ser acompañada por una política y una acción educativa que incentiven la conservación y la práctica de actividades sostenibles en toda la región.

Por último, el éxito de la conservación en esta región depende, en gran parte, de una acabada comprensión de los procesos socio-económicos y ecológicos que guían los cambios en la biodiversidad y en los sistemas de producción y explotación de recursos naturales, que debe ir acompañada de un programa de investigación sólido que garantice que las políticas de desarrollo y extensión cuenten con el debido respaldo científico.

Propuestas, oportunidades, necesidades y perspectivas

La situación ambiental del Monte presenta desde alteraciones y degradación de ecosistemas, con su consecuente pérdida de biodiversidad, hasta procesos de contaminación relacionados con los asentamientos humanos y las actividades de explotación de recursos. A esta situación hay que sumarle los efectos negativos de los desastres naturales, que se ven incrementados por los inadecuados manejos antrópicos que se practican. La situación socioeconómica de la región del Monte no fue ajena a las vicisitudes sufridas por el país como erráticas políticas económicas; esto y la adopción de un modelo de economía de mercado no regulado dieron lugar a la desestructuración y el achicamiento del sistema productivo, la pérdida de puestos de trabajo y el desarrollo de crisis recesivas e hiperinflacionarias. Así, los problemas ambientales están estrechamente relacionados con la agudización de la crisis socio-económica. Por lo tanto, no hay mejor estrategia de política ambiental que aquélla que concurra simultáneamente a resolver los problemas ambientales y los socio-económicos con la insustituible acción del Estado.

La región del Monte se caracteriza por una relativa abundancia de recursos naturales estratégicos que pueden agotarse si no media un aprovechamiento sustentable. Asimismo, en determinadas provincias de la región del Monte existe un nivel de educación y capacitación que, si bien amerita los resultados de un largo siglo de escuela y enseñanza amplia y de buena calidad, requiere una profunda reformulación de sentidos y contenidos para acompañar un proceso de desarrollo sustentable. Por todo esto, es necesario diseñar políticas que incluyan:
• La persecución de objetivos de conservación y uso sustentable por parte del Estado mediante políticas a largo plazo.
• El incremento del conocimiento mediante la investigación y la experimentación (ver Milesi, F., en este volumen).
• La educación ambiental mediante la introducción de criterios *ad hoc* en la enseñanza formal.
• La participación comunitaria en la discusión y la resolución de los problemas.

Agradecimientos

Los autores agradecen al Dr. Luis Marone por sus valiosos aportes y sugerencias. Contribución Nº43 del grupo de investigación en Ecología de Comunidades del Desierto del IADIZA, CONICET, Mendoza.

RELACIÓN AVES-VEGETACIÓN: IMPORTANCIA DE LOS ALGARROBALES PARA LA AVIFAUNA DEL DESIERTO DEL MONTE

Por: Víctor R. Cueto, Javier Lopez de Casenave, María Cecilia Sagario y Jimena Damonte
Grupo de investigación en Ecología de Comunidades de Desierto (ECODES), Departamento de Ecología, Genética y Evolución, Facultad de Ciencias Exactas y Naturales (FCEyN), Universidad de Buenos Aires (UBA).
vcueto@ege.fcen.uba.ar

Las aves muestran una estrecha relación con las características estructurales y florísticas de la vegetación cuando seleccionan el hábitat donde residir. Numerosos estudios han demostrado que la estructura física de la vegetación y la composición florística son dos componentes del hábitat que influyen marcadamente en la composición y la abundancia de los ensambles de las aves, en gran medida por su asociación con recursos críticos (como el alimento y los sitios de nidificación) y con la protección contra climas adversos, la predación o el parasitismo de las nidadas (Cody, 1985). Si se considera que la explotación de los recursos naturales por parte del hombre (e.g., el uso del bosque nativo, la agricultura, la ganadería) suele tener importantes efectos sobre las comunidades de plantas, es de suma importancia identificar qué características de la vegetación usan las aves como guías para determinar su selección de hábitat, ya que ésta constituye una de las bases para implementar estrategias de conservación y manejo de las poblaciones (ver Milesi en este volúmen).

Desde hace más de veinte años el grupo de investigación en ECODES estudia la avifauna de la porción central del desierto del Monte, principalmente en la Reserva de Biosfera de Ñacuñán (centro-este de Mendoza). El paisaje de la reserva está compuesto en su mayor parte por el algarrobal y por anchas franjas de jarillales que se intercalan en la matriz general. El algarrobal es un bosque abierto cuyo estrato arbóreo está representado por el algarrobo dulce (*Prosopis flexuosa*) y el chañar (*Geoffroea decorticans*). El estrato arbustivo está dominado por la jarilla *Larrea divaricata*, acompañada de otros arbustos (*Condalia microphylla, Capparis atamisquea, Atriplex lampa*), y también puede distinguirse un estrato subarbustivo caracterizado por *Lycium spp., Verbena aspera* y *Acantholippia seriphioides*. En el estrato herbáceo predominan las gramíneas perennes (*Pappophorum spp., Trichloris crinita, Setaria leucopila, Sporobolus cryptandrus, Digitaria californica, Aristida spp.*) y numerosas especies de dicotiledóneas anuales (*Chenopodium papulosum, Phacelia artemisioides, Sphaeralcea miniata, Parthenium hysterophorus, Glandularia mendocina, Plantago patagonica* y *Descurainia spp.*), aunque su presencia y cobertura varían mucho a lo largo de los años. El jarillal es una estepa arbustiva biestratificada dominada por la jarilla (*Larrea cuneifolia*). Allí, el algarrobo y el chañar tienen densidades muy bajas, mientras que el estrato herbáceo es similar al del algarrobal, con predominio de *Sporobolus cryptandrus* y *Trichloris crinita*. Desde una perspectiva regional, la Reserva de Ñacuñán es representativa de uno de los principales algarrobales del desierto del Monte (Villagra *et al.*, 2004), pero no de la fisonomía característica de este bioma, ya que a lo largo del Monte son los jarillales las comunidades más representativas (Morello, 1958).

Parte de los estudios realizados sobre la avifauna de Ñacuñán han estado dirigidos a conocer los patrones de uso del hábitat del ensamble de aves y los efectos del uso de la tierra sobre los mismos. Durante la estación reproductiva, la riqueza de especies de aves es mayor en el algarrobal que en el jarillal (aproximadamente en un 30%). Al analizar la abundancia de aves en los dos hábitat, se puede encontrar que tanto las aves residentes como las migratorias son más abundantes en el algarrobal durante la primavera y el verano (18,5% y 37%, respectivamente). Lo mismo sucede cuando se considera la abundancia de aves granívoras e insectívoras, los principales grupos tróficos en la reserva. Si bien estos resultados destacan la importancia que tienen los algarrobales para el ensamble de aves, no identifican las causas de esos patrones. La utilización de una aproximación mecanística que evalúe cómo usan realmente las aves sus hábitat puede ayudar a la comprensión de las características del ambiente que actúan en la determinación de los patrones. En los últimos años se ha estudiado el comportamiento de nidificación y de alimentación de las aves y se obtuvieron algunos resultados muy auspiciosos para entender los patrones de uso de hábitat. Se comprobó que las aves prácticamente no utilizan las jarillas como pie vegetal donde nidificar, mientras que el chañar es la especie más seleccionada (Mezquida, 2004). Entre las aves granívoras, varias especies seleccionan los algarrobos y evitan las jarillas para realizar sus despliegues territoriales durante la estación reproductiva (Sagario y Cueto), mientras que entre las aves insectívoras, los individuos seleccionan los algarrobos y evitan la jarilla *L. cuneifolia* para buscar y capturar a sus presas (Damonte y Cueto). Los resultados obtenidos sugieren que los algarrobales proveen una mayor disponibilidad de sitios adecuados para las actividades reproductivas y de alimentación, por lo cual las aves serían más abundantes en este tipo de hábitat.

Aunque las observaciones del grupo de investigación fueron realizadas a escala local, es de esperar que los patrones sean aún más marcados a escala regional. Los jarillales de Ñacuñán se encuentran dentro de una matriz de algarrobal; esto implica que, dada la movilidad de las aves, se puede producir un "efecto rescate" de sus poblaciones en esos ambientes. Este efecto actuaría haciendo menos marcadas las diferencias entre los ensambles del algarrobal y del jarillal adyacente. A escala regional, lejos de la influencia de los algarrobales, es probable que los ensambles de aves de los jarillales (las comunidades características del Monte) posean una menor riqueza de especies y menores densidades. Sería de gran importancia ampliar la escala de los estudios para incluir diferentes condiciones, tanto en relación con el tipo de matriz de paisaje como con el tipo de uso de la tierra. Esto permitiría incrementar el grado de generalidad de las observaciones sobre la importancia de los algarrobales para la avifauna del desierto del Monte.

Los algarrobales del Monte también constituyen un recurso importante para el hombre (Villagra *et al.*, 2004). En tiempos precolombinos, las comunidades indígenas utilizaban los frutos del algarrobo como recurso alimenticio. A partir de las primeras décadas del siglo XX se produjo una gran explotación extractiva del algarrobo bajo el concepto minero, es decir, sin ajustar la velocidad de extracción con la velocidad de renovación del recurso (ver Pol, R. *et al.*, en este volumen). Lamentablemente, no se cuenta con datos acerca de la composición y la abundancia de la avifauna del Monte con anterioridad a los intensos cambios que produjo el hombre sobre los algarrobales, como para poder determinar el grado de impacto de las actividades mencionadas. Sin embargo, si se consideran las tendencias actuales en el uso de la tierra en el desierto del Monte y la relación de las aves con los algarrobales de estas zonas áridas, es de esperar que estén encarando un escenario complejo para su conservación en este ecosistema.

Agradecimientos
A Luis Marone, Fernando A. Milesi y Eduardo T. Mezquida, por compartir con nosotros su entusiasmo y dedicación por tratar de entender la estructura y la organización de la avifauna del Monte. El trabajo de campo fue parcialmente financiado por MAB-Unesco, Association of Field Ornithologists, el Museo Argentino de Ciencias Naturales, el CONICET, la Universidad de Buenos Aires y ANPCYT (PICT 01-03187 y 01-12199). Contribución Nº41 del grupo de investigación en Ecología de Comunidades de Desierto (ECODES), IADIZA y FCEyN, UBA.

LOS RIESGOS DE LAS HERRAMIENTAS BARATAS: INDICADORES, AGRUPAMIENTOS Y LA RESPUESTA DE LAS AVES A PERTURBACIONES DEL HÁBITAT EN EL MONTE

Por: Fernando A. Milesi
Grupo de investigación en Ecología de Comunidades de Desierto, Departamento Ecología, Genética y Evolución, Facultad de Ciencias Exactas y Naturales, Universidad de Buenos Aires. fer@ege.fcen.uba.ar

Cuando el objetivo de generar conocimiento ecológico es que sea útil para administrar los sistemas naturales, una preocupación central debe ser la de plantearse si la manera en que ese conocimiento es adquirido y "procesado" resulta apropiada para tal meta. En este sentido generalmente se utilizan ciertos organismos o agrupamientos de organismos como indicadores de la presencia o la abundancia de otros organismos o del "estado general del ambiente".

El grupo de investigación en ECODES se interesó en conocer la respuesta de las aves a las perturbaciones más frecuentes en los alrededores de la Reserva de Biosfera Ñancuñán: los incendios y el pastoreo por ganado. El objetivo "aplicado" ha sido caracterizar el impacto de los incendios y el pastoreo sobre las aves y explorar cuán adecuadas resultan las aves para generar una herramienta de manejo sobre la base de los conceptos de agrupamiento e indicadores.

El número total de especies de aves y la densidad de aves respondieran de manera casi paralela a la importancia del cambio en la vegetación: cuanto más alterada se vio la cobertura de la vegetación, menores fueron la abundancia total de aves y el número de especies. Este resultado sugiere que las aves (como grupo taxonómico) se ven perjudicadas por estas perturbaciones. Pero ¿es esa conclusión algo que nos pueda proveer una herramienta útil a futuro?

Como estas perturbaciones involucraron una alteración de las estructuras y de los recursos disponibles para las aves, se agruparon las especies en función del tipo de alimento que consumen, los microhábitat que usan para conseguirlo y los sustratos que utilizan para hacer sus nidos. Esta aproximación de agrupamiento fue sugerida en varias ocasiones en la literatura como la manera apropiada de generar herramientas útiles para el manejo y el monitoreo. Su aplicación posterior sería que, si se conociera la modificación en uno o todos esos grupos, se podría inferir sobre las perturbaciones o la calidad del ambiente para todos los organismos o para otros grupos (es decir, se los podría usar como indicador). A pesar de la importancia de los cambios en la vegetación y, presuntamente, de los recursos asociados, no todos los grupos de aves respondieron igual. En este caso, el grupo que siguió más estrechamente las modificaciones en la vegetación fue el de las aves que comen insectos sobre el follaje. El punto a tener en cuenta es que este resultado no aporta nada como herramienta más que para confirmar una relación trivial: si se saca la vegetación, se irán las aves que se alimentan sobre ella. No tendría sentido estimar la abundancia de aves insectívoras de follaje (algo no muy sencillo) como indicador de la cobertura de la vegetación (algo bastante más simple de medir) o de la ocurrencia de incendios o de pastoreo. Este ejemplo resulta excesivamente ingenuo al plantearlo concretamente, pero encierra el mismo tipo de razonamientos que otros casos presentados de manera menos directa. Sostiene que considerar que los riesgos asociados a la simplificación (como usar un grupo en lugar de estudiar los componentes, o usar un indicador en lugar de estudiar el indicado) deben, como mínimo, compensarse con el hecho de que aquello que se intente conocer sea inobservable de manera directa, o al menos bastante más difícil de medir.

Sin embargo, el principal problema del uso de esta relación perturbación-aves es que otros grupos no respondieron (como grupo) de la misma manera, o incluso algunos no respondieron de ninguna manera significativa: las aves (en total) o el grupo de los insectívoros de follaje **no los indican**.

El desarrollo de una herramienta ecológica debe partir de su objetivo, de sus necesidades prácticas y lógicas. A partir de ese objetivo, es mucho más adecuado decidir qué simplificaciones son razonables y qué alternativas están vedadas porque conspiran contra el producto a lograr. Por ejemplo, si bien no es una aproximación libre de problemas y las aves no parecen ser los organismos más apropiados, resulta mucho más adecuado agruparlas en función de su respuesta a la perturbación estudiada (e.g., por causas y tolerancias similares) y no por su presunta respuesta dadas sus características en otras condiciones (e.g., cierto grado de similitud en el uso de algún recurso). De hecho, si se agrupan a aquellas especies de aves que respondieron de manera similar, no será evidente que usualmente hagan un uso de recursos parecido o distinto al de aquellas otras que respondieron de la manera contraria. Sin embargo, antes de recomendar esos grupos como una herramienta de manejo o monitoreo, se debe poner a prueba esa respuesta conjunta varias veces para evaluar qué tan consistente es la respuesta y cuáles son sus límites de extrapolación. No resulta apropiado el planteo contrario, que consiste en ver qué "parches" de información se tienen, independientemente de por qué o cómo se adquirieron, y ver qué se puede hacer con lo que hay. Tampoco es adecuado usar a las aves, por ejemplo, porque son atractivas o porque es lo que ya se sabe hacer. Evitar el costo del desarrollo de tecnología ecológica tiene justificaciones como la urgencia o la economía, pero muy probablemente esta herramienta "barata" no será eficiente e involucrará limitaciones no deseadas o desconocidas y, por lo tanto, será más bien una demora y un gasto inútil.

Agradecimientos

Agradezco a mis coautores en el trabajo que originó esta discusión: Luis Marone, Javier Lopez de Casenave, Víctor Cueto y Eduardo Mezquida; en particular al primero, que también aportó la "inspiración" para escribir este manuscrito. Y a Lali Guichón, que lo revisó y corrigió. Ésta es la contribución N°42 del grupo de investigación en Ecología de Comunidades de Desierto.

Bibliografía

• Bertonatti, C. y F. González, "Lista de Vertebrados Argentinos Amenazados de Extinción", Boletín Técnico N°8, Buenos Aires, Fundación Vida Silvestre Argentina, 1992, 32 pp.

• Bertonatti, C. y J. Corcuera, *Situación Ambiental Argentina 2000*, Buenos Aires, Fundación Vida Silvestre Argentina, 2000, 440 pp.

• Biblioteca de consulta Microsoft® Encarta® 2005. Microsoft Corporation.

• Brailovsky, A. E. y D. Foguelman, *Memoria verde: historia ecológica de la Argentina*, Buenos Aires, Editorial Sudamericana, 1991, 375 pp.

• Burkart, R., N. Bárbaro, R. O. Sánchez y D. A. Gómez, *Ecorregiones de la Argentina*, APN, PRODIA, 1999, 43 pp.

• Cabrera, A. L., "Regiones Fitogeográficas de Argentina", *Enciclopedia Argentina de Agricultura y Jardinería*, Tomo II, Fascículo I, Editorial ACME S.A.C.I., 1976, p. 85.

• Chebez, J. C., "El deterioro de la Fauna", *El deterioro del Ambiente en la Argentina (suelo, agua, vegetación, fauna)*, FECIC, 1988, 497 pp.

• Chebez, J. C., *Los que se van. Especies argentinas en peligro*, Buenos Aires, Editorial Albatros, 1994, 604 pp.

• Cody, M. L., *Habitat selection in birds*, Nueva York, Academic Press, 1985.

• Cueto, V. R., J. Lopez de Casenave y L. M. S. Marone, *South American migrant land birds: population trends and habitat use in central Monte desert*, Argentina.

• Damonte y Cueto, inédito.

• Díaz, G. B. y R. A. Ojeda, *Libro Rojo: Mamíferos amenazados de la Argentina, 2000*, p. 106. *Environments*, N° 47, 2001, pp. 77-94.

• García Fernández, J. J., R. A. Ojeda, R. M. Fraga, G. B. Díaz y R. J. Baigún, *Libro Rojo: Mamíferos y Aves amenazados de la Argentina*, 1997, 221 pp.

• Guevara, J. C., C. R. Stasi y O. R. Estevez, "Effect of cattle grazing on range perennial grasses in the Mendoza plain, Argentina", *Journal of Arid Environment*, N°34, 1996, pp. 205-213.

• Lopez de Casenave, J. y L. Marone, "Efectos de la riqueza y de la equitatividad sobre los valores de diversidad en comunidades de aves", *Ecología*, 1996, 10, pp. 447-455.

• Lopez de Casenave, J., "Estructura gremial y organización de un ensamble de aves del desierto del Monte", Tesis doctoral, Universidad de Buenos Aires, 2001.

• Marone, L., "Ensambles de aves en la Reserva de la Biosfera de Ñacuñán: patrones y procesos de organización espacio-temporal", Tesis doctoral, Universidad Nacional de San Luis, 1990.

• Marone, L., "Habitat features affecting bird spatial distribution in the Monte desert, Argentina", *Ecología Austral*, 1991, 1, pp. 77-86.

• Marone, L., "Modifications of local and regional bird diversity after a fire in the Monte desert, Argentina", *Revista Chilena de Historia Natural*, N° 63, 1990, pp. 187-195.

• Marone, L., "Seasonal and year-to-year fluctuations of bird populations and guilds in the Monte desert, Argentina", *Journal of Field Ornithology*, N° 63, 1992, pp. 294-308.

• Marone, L., J. Lopez de Casenave y V. R. Cueto, "Patterns of habitat selection by wintering and breeding granivorous birds in the central Monte desert, Argentina", *Revista Chilena de Historia Natural*, N° 70, 1997, pp. 73-81.

• Martínez Sarasola, C., *Nuestros paisanos los indios. Vida, Historia y destino de las comunidades indígenas en la Argentina*, Buenos Aires, Editorial EMECÉ, 1992.

• Mezquida, E. T. y L. Marone, "Microhabitat structure and avian nest predation risk in an open Argentinean woodland: an experimental study", *Acta Oecologica*, 2002, 23, pp. 313-320.

• Mezquida, E. T., "Nest site selection and nesting success of five species of passerines in a South American open *Prosopis* woodland", *Journal of Ornithology*, N° 145, 2004, pp. 16-22.

• Milesi, F. A., L. Marone, J. Lopez de Casenave, V. R. Cueto y E. T. Mezquida, "Gremios de manejo como indicadores de las condiciones del ambiente: un estudio de caso con aves y perturbaciones del hábitat en el Monte central, Argentina", *Ecología Austral*, 2002, 12, pp. 149-161.

• Morello, J., *La provincia fitogeográfica del Monte*, Opera Lilloana 2, 1958, p. 155.

• "Perspectivas del medio ambiente de la Argentina", *Informe Geo-Argentina 2004*.

• Roig-Juñent, S., G. Flores, S. Claver, G. Debandi y A. Marvaldi, "Monte desert (Argentina): insect biodiversity and natural areas", *Journal of Arid*.

• Rossi, B. E. y P. E. "Villagra, Effects of Prosopis flexuosa on soil properties and the spatial pattern of understory species in arid Argentina", *Journal of Vegetation Science*, N° 14, 2003, pp. 543-550.

• Sagario y Cueto, inédito.

• Villagra, P. E., M. A. Cony, N. G. Mantován, B. E. Rossi, M. M. González Loyarte, R. Villalba y L. Marone, "Ecología y manejo de los algarrobales de la Provincia Fitogeográfica del Monte", en: Arturi, M. F., J. L. Frangi y J. F. Goya (eds.), *Ecología y manejo de bosques nativos de Argentina*, La Plata, Editorial Universidad Nacional de La Plata, 2004, pp. 1-32.

La Situación Ambiental Argentina 2005

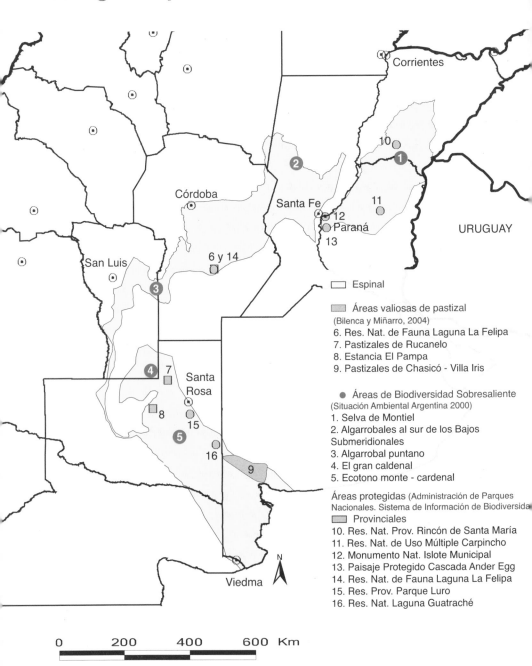

Ecorregión Espinal

Corrientes

Córdoba

Santa Fe

10
1

11

12
Paraná
13

URUGUAY

6 y 14

San Luis

3

4 7 Santa
Rosa

8

15

5

16

9

Viedma

N

☐ Espinal

▨ Áreas valiosas de pastizal
(Bilenca y Miñarro, 2004)
6. Res. Nat. de Fauna Laguna La Felipa
7. Pastizales de Rucanelo
8. Estancia El Pampa
9. Pastizales de Chasicó - Villa Iris

● Áreas de Biodiversidad Sobresaliente
(Situación Ambiental Argentina 2000)
1. Selva de Montiel
2. Algarrobales al sur de los Bajos
Submeridionales
3. Algarrobal puntano
4. El gran caldenal
5. Ecotono monte - cardenal

Áreas protegidas (Administración de Parques
Nacionales. Sistema de Información de Biodiversida
▨ Provinciales
10. Res. Nat. Prov. Rincón de Santa María
11. Res. Nat. de Uso Múltiple Carpincho
12. Monumento Nat. Islote Municipal
13. Paisaje Protegido Cascada Ander Egg
14. Res. Nat. de Fauna Laguna La Felipa
15. Res. Prov. Parque Luro
16. Res. Nat. Laguna Guatraché

0   200   400   600 Km

SITUACIÓN AMBIENTAL EN LA ECORREGIÓN ESPINAL

Por: Marcelo Arturi

Laboratorio de Investigación de Sistemas Ecológicos y Ambientales, Facultad de Ciencias Agrarias y Forestales, Universidad Nacional de La Plata. talares@ceres.agro.unlp.edu.ar

Analizado desde el punto de vista de las especies arbóreas, el Espinal está caracterizado por el género *Prosopis* (algarrobos, ñandubay, caldén), aunque incluye asociaciones de especies muy diferentes entre sí. El Espinal rodea a la región pampeana por el norte, el oeste y el sudoeste. Está en contacto con los bosques paranenses, los bosques fluviales del Paraná y el Uruguay, el Chaco Oriental y Occidental, el Chaco Árido y el Monte. En cada una de esas diversas regiones se encuentran vegetaciones transicionales con el Espinal, por lo que resulta fácil imaginar la diversidad de situaciones incluidas en esta ecorregión. Gran parte del Espinal se localiza en tierras de alto desarrollo agrícola y urbano, motivo por el cual su superficie se ha visto fuertemente reducida desde hace décadas.

Algunas situaciones características del Espinal son los ñandubayzales de la Mesopotamia y los caldenares al oeste y al sudoeste de la región pampeana, que están dominados por especies arbóreas endémicas de esas áreas. En cuanto a los algarrobales de Santa Fe y Córdoba, su composición arbórea es similar a la de algunos bosques del Chaco Oriental. Algo similar ocurre con los talares, ya que no son muy diferentes de algunos parches de bosque en áreas de contacto Chaco-Yungas y Chaco-Paranense. Estas similitudes entre el Espinal y el Chaco fueron resumidas por Cabrera (1971), quien indicó que el Espinal podía considerarse como un Chaco empobrecido. Lo que resulta particular de los talares es su localización en el noreste de la Pampa Oriental, donde las leñosas están absolutamente subordinadas a los pastos. Las fisonomías boscosas del Espinal facilitan el desplazamiento de muchas especies animales asociadas a ambientes arbolados. Desde el centro de San Luis hasta el sur de La Pampa y Buenos Aires, el Espinal constituye un corredor arbolado entre los pastizales pampeanos y los arbustales del Monte. Muchas especies de aves propias de los boques chaqueños, paranenses y de las Yungas bordean los pastizales pampeanos asociados al Espinal. En los talares del noreste de Buenos Aires se demostró que muchas de esas especies se asocian a sectores con alta proporción de bosque, por lo que serían sensibles a los procesos de fragmentación y reducción de la superficie boscosa (Horlent *et al.*, 2003).

Por otra parte, el Espinal constituye el hábitat utilizado por muchas especies de animales introducidos. Un ejemplo conspicuo lo representan las poblaciones de jabalíes y chanchos asilvestrados que se encuentran en Entre Ríos (por ejemplo, en el interior del palmar de Yatay), en los caldenares y su ecotono con el Monte, y en los talares, a través de la costa rioplatense y atlántica. Algo similar sucede con los ciervos introducidos, como en el caso del colorado, en los caldenares, y el ciervo axis en Entre Ríos y en los talares bonaerenses.

Muchas especies animales pampeanas, afectadas por la caza y la transformación del hábitat, son más frecuentes o se hallan solamente asociadas a remanentes de bosques del Espinal. El caso más emblemático es el ciervo de las pampas, ya que dos de sus poblaciones relictuales se localizan en los pastizales con caldenares, en San Luis, y en los pastizales con talares, en el noreste de Buenos Aires. Otros ejemplos, aunque no tan categóricos, son el gato montés, el zorro gris y el ñandú. La asociación entre estos animales y los bosques del Espinal puede estar más relacionada con una historia de uso que con una afinidad ecológica entre ambos. Tanto los bosques como las poblaciones animales se mantienen en los sitios con menor transformación por actividades humanas. El Espinal representa, en casi toda su extensión, una fisonomía en la que se combinan parches de bosque con pastizales y, en ocasiones, con comunidades palustres. Esta combinación de leñosas y herbáceas podría orientar el establecimiento de criterios a nivel del paisaje en cuanto a la situación deseable para las tierras del Espinal.

El uso de la tierra en el Espinal

Existen registros de hace más de trescientos años sobre importantes procesos de degradación en los talares y los algarrobales del Espinal cercanos a la ciudad de Buenos Aires (Morello, 2004). Actualmente, sólo pueden encontrarse fragmentos de dichos bosques asociados a las barrancas del Paraná en sitios menos afectados por la expansión urbana y agropecuaria.

Las variaciones internas en las características físicas del Espinal determinan diferencias en la aptitud de uso de la tierra. El grado de transformación de un área es, en gran medida, función de su aptitud de uso para otra actividad. Es muy improbable que las regiones boscosas permanezcan como tales si se asientan sobre tierras aptas para la agricultura de secano. La gran diferencia de rentabilidad inmediata entre mantener tierras forestales con ganadería extensiva y convertirlas a la agricultura en general empujó a los propietarios hacia esta última opción. Este proceso eliminó una alta proporción de bosques de algarrobo en Santa Fe y Córdoba. El desmonte recrudeció recientemente con la rápida expansión de los cultivos de soja. Esta expansión afectó tierras del Espinal que habían permanecido bajo un uso ganadero extensivo en Entre Ríos y Corrientes. Además, en estas provincias, los bosques del Espinal han sido y siguen siendo reemplazados por plantaciones de *Eucalyptus* que se encuentran en expansión. Gran parte de los bosques que pasan a tener un uso agrícola o forestal se encuentran fuertemente afectados en su estructura por la extracción de los productos forestales más valiosos y de leña, y permanecen por años bajo uso ganadero.

Los caldenares ocupan áreas con menores precipitaciones y, en consecuencia, con menor aptitud agrícola. Allí, los principales procesos de degradación y retracción de los bosques estuvie-

La Situación Ambiental Argentina 2005

ron relacionados con el aprovechamiento forestal (Lell, 2004). Las áreas de caldenares degradados fueron sometidas al uso ganadero con la utilización del fuego para reducir la cobertura de especies leñosas. La combinación del fuego y el pastoreo aumentó la dispersión y el establecimiento del caldén, el algarrobo, el chañar y varias especies arbustivas (Lerner, 2004). Como consecuencia de la expansión de las leñosas y el pastoreo, disminuyó la calidad forrajera de las tierras (Fernández, 2003).

Entre la década del 90 y la actualidad, la agricultura se expandió hacia el oeste en el este de La Pampa y el sur de Buenos Aires, como consecuencia de los cambios en los regímenes de las precipitaciones. Esta expansión afectó tierras ocupadas por caldenares en diferentes estados de degradación, así como también sitios en situaciones transicionales entre el Espinal y el Monte. Los cultivos provocaron grandes cambios en el paisaje con la desaparición de las formaciones leñosas en parches continuos de cientos de hectáreas.

Los talares de la provincia de Buenos Aires fueron principalmente afectados por procesos de urbanización. Además, en las cercanías de Madariaga, los talares se establecen sobre terrenos utilizados para el cultivo de papa, por lo que son eliminados por la expansión de esta actividad. Entre la localidad de La Plata y la Bahía de San Borombón, los talares fueron utilizados principalmente para leña, sin que eso haya reducido su área. El proceso de rebrote de cepa hizo que los mismos se recuperaran aun después de fuertes intervenciones (Arturi y Goya, 2004). Su permanencia hasta el día de hoy en tierras ganaderas probablemente refleja un bajo interés de los propietarios por el desmonte. Esto podría deberse a alguna combinación de las siguientes razones: 1) no se extraen productos de alto valor; 2) el bosque no representa un gran estorbo para las actividades realizadas; 3) el productor percibe al bosque como un elemento beneficioso por el refugio que le brinda al ganado. Esta tendencia presentó algunos cambios desde la década del 90 en la que, por razones económicas, hubo una subdivisión de campos y un recambio de propietarios. En alguna medida aumentaron los desmontes para la extracción de calcáreo en aquellas áreas donde los talares se asientan sobre cordones de conchilla.

En síntesis, en la actualidad, los bosques del Espinal se encuentran inmersos en un mosaico formado por cultivos anuales, plantaciones forestales, tierras ganaderas, explotaciones mineras y áreas urbanas.

El uso y los cambios a nivel del paisaje

Dada la alta proporción de superficie bajo uso, la conservación del Espinal no podría concentrarse exclusivamente en el establecimiento de áreas protegidas. Además, la no utilización de los recursos no puede considerarse como una estrategia aceptable para el desarrollo de la sociedad. Si se parte de esta base, los cambios experimentados por el paisaje dependerán, entonces, de la tendencia del uso de la tierra, y esta última depende de la actitud de los productores (sobre todo cuando no existe una intervención del Estado mediante estrategias productivas y de desarrollo). Si, en el caso de los talares, la actitud de los productores ganaderos fue favorable para el bosque por la toma de conciencia sobre sus beneficios, ésa es una importante lección para la producción y la conservación. La conclusión es que podría plantearse una forma estable de coexistencia entre sistemas naturales y productivos a través de la integración de ambos. En la medida en que el productor no perciba al bosque como una fuente de recursos (bienes y/o servicios), entonces existirá una tendencia a su reemplazo.

Probablemente, los agricultores que se establecieron en los algarrobales de Córdoba y Santa Fe recibieron muchos beneficios de los bosques, debido a la buena estructura y fertilidad de los suelos. Ambas fueron, en parte, un legado de los bosques que enriqueció los suelos y evitó su erosión. Además, aquellos agricultores dispusieron de madera y animales silvestres para cazar. Parte de estos beneficios habrían podido mantenerse hasta la actualidad si los algarrobales siguieran formando parte del paisaje, integrados a los sistemas productivos. El hecho de que los productores no se hayan ocupado de la persistencia de esta situación podría relacionarse con una falta de percepción de los beneficios. La filosofía de las ciencias plantea que la observación está condicionada por la teoría (Olivé y Pérez Ransanz, 1989). Un productor que conociera los beneficios de la diversidad vegetal sobre la incidencia de algunos insectos plaga en los cultivos podría ver como "bueno" cierto grado de enmalezamiento. Contrariamente, aquéllos que desconocieran la relación entre la diversidad y el control de plagas podrían considerar la misma situación como "mala". La diversidad y las características de "paisaje natural" son beneficios tangibles en términos ambientales, económicos, culturales y estéticos, hecho que resulta indiscutible para ciertos sectores de la sociedad actual. No obstante, esta valoración era infrecuente hace unas décadas y, en la actualidad, probablemente depende de ciertas condiciones socio-económicas y culturales. Muchos podrán estar en desacuerdo con un planteo tan relativista respecto de lo que ellos mismos consideran como valores indiscutibles. Sin embargo, ya sea porque se los acepta como valores absolutos o porque se los elige mediante un acto voluntario, existe un consenso sobre los valores asociados a la diversidad y las características "naturales" de los paisajes, valores que deberían formar parte de la base de la formulación de estrategias de desarrollo.

En sitios que, como en el ejemplo de los algarrobales, presentan condiciones de alta transformación debido a las actividades humanas recientes, podría pretenderse que se mantenga e incremente la presencia de sus especies vegetales y animales. No sólo debería importar el mantenimiento de las áreas bien conservadas, pues también deberían plantearse cambios a nivel del paisaje que permitieran el aumento de la diversidad vegetal y la disponibilidad de hábitat fuera de las áreas protegidas, a fin de mejorar la conexión entre esas áreas. En la mejora del paisaje juegan un papel importante las áreas de bosques degradados y en recuperación. Los bosques secundarios pueden ser fuentes importantes de recursos y pueden constituir hábitat multiplicadores para las poblaciones de plantas y animales (Finegan, 1992). Las áreas degradadas, pequeños parches de bosque e incluso ejemplares arbóreos aislados, mediante un arreglo espacial estratégico pueden contribuir a disminuir el contraste entre la vegetación más o menos poco transformada de las áreas protegidas y su entorno bajo cultivo. Algunas especies de aves que requieren grandes superficies de bosques para su alimentación y reproducción pueden sobrevivir en paisajes fragmentados, con alta proporción de cobertura arbórea, aun cuando los parches sean inferiores a 1 ha (Andrén, 1994). La disminución del contraste permitiría ampliar las áreas potencialmente utilizables por algunas especies como alimentarias, reproductivas o de tránsito, para favorecer así la conectividad entre relictos. Entonces, podría plantearse que una estrategia de mejora a nivel del paisaje debe basarse en: 1) el establecimiento de áreas protegidas; 2) disminuir la transformación paisajística en las tierras que cambian de uso y 3) mejorar paisajísticamente las áreas altamente transformadas. Esto último implica incorporar elementos del Espinal en tierras bajo cultivo tanto en vinculación con la producción como sin esa vinculación. En otras palabras, podría aumentarse la densidad de árboles (algarrobos, espinillos, talas, coronillos, caldenes, chañares) que podrían brindar beneficios a la actividad ganadera y, tal vez, productos madereros. Aun cuando estos elementos no se relacionen específicamente con la actividad productiva, su incremento en el paisaje presentaría beneficios perceptibles por la sociedad en términos ambientales y estéticos. En algunos casos, la conectividad aún puede estar favorecida por especies exóticas. Esto es especialmente claro en los talares del noreste de Buenos Aires, donde la faja costera que los mismos formaron alguna vez se encuentra ampliamente interrumpida por urbanizaciones. En este corredor, los espacios verdes urbanos y suburbanos, públicos y privados son utilizados por muchas especies de aves propias de bosques subtropicales. En los montes de árboles exóticos de los establecimientos rurales, estas especies suelen ser más frecuentes que en los bosques adyacentes dominados por el tala y el coronillo (Juárez, com. pers.). Las formaciones vegetales dominadas por exóticas deberían considerarse como una estrategia de diversificación del paisaje en áreas muy modificadas. En cuanto a la fauna exótica que, como se mencionó, es un elemento importante en el Espinal, no puede negarse la necesidad de su manejo como el recurso económico que constituye y, como tal, merece un espacio en una estrategia de desarrollo.

Una propuesta de compromiso

Los desmontes recientes en el Espinal del sur de Buenos Aires y su ecotono con el Monte constituyen un ejemplo de la importancia de la actitud de los productores. En numerosos campos fueron eliminados arbustales, montecitos de chañar y caldenes aislados para el cultivo de trigo. En muchos casos los campos tienen nuevos propietarios, ya que las tierras se valorizaron y fueron vendidas debido a la reciente potencialidad agrícola ganada por el incremento de las precipitaciones. ¿Por qué el productor no dejó pequeños parches y corredores de vegetación leñosa, en lugar de convertir cientos de hectáreas en un trigal ininterrumpido? Las posibilidades de conexión entre relictos no cultivados son reducidas por las grandes superficies de cultivo. ¿Realmente los productores se resistirían a sacrificar pequeñas porciones de superficie productiva? Sin duda, la permanencia de parches y corredores establecería una gran diferencia a nivel del paisaje, desde el punto de vista de la diversidad vegetal y de la oferta de hábitat y recursos para la fauna. Probablemente, los propietarios nuevos y ajenos a la zona, en especial, no tuvieron la iniciativa de hacerlo ni recibieron sugerencias en ese sentido. ¿No deberían existir restricciones legales en cuanto a cómo proceder con los recursos naturales? Independientemente de la respuesta a esta pregunta, el problema podría plantearse en términos de "compromiso", antes que como una deficiencia legal. Sobran ejemplos de leyes sin efecto sobre los problemas que atienden. El compromiso debería ser del productor con la sociedad en cuanto al trato relativo a los recursos y el ambiente, y de la sociedad, para facilitar y controlar una actitud comprometida por parte del productor. No cabe duda de que, en este papel de facilitador, existen distintas responsabilidades para diferentes sectores de la sociedad. En particular, resulta muy importante la vinculación entre los productores y las fuentes de información acerca de cómo implementar algunas medidas de mejora a nivel del paisaje. Además, tales acciones podrían contar con la participación de la comunidad. Pero, tal vez, el punto crucial de la implementación de muchas estrategias de conservación sea el interés social y su materialización en una forma de "presión pública" sobre los productores. Sería deseable que, en lugar de basarse en la "presión", las estrategias asociaran a los productores y convirtieran la "presión" en "compromiso". Las organizaciones intermedias tendrían un papel importantísimo en esta red de facilitación, que podría concretar pasos importantes a favor de muchos paisajes del Espinal.

Agradecimientos

Deseo agradecer a muchas personas que, a través de conversaciones constructivas y entretenidas, contribuyeron a darle forma a muchas ideas volcadas en este artículo. Entre ellos, agradezco a Jorge Frangi, Alejandro Brown, Juan Goya y Bruno Carpinetti, Gustavo Tito y Marcos Juárez; también agradezco a Carolina Pérez por sus comentarios sobre este artículo.

LOS TALARES DE LA PROVINCIA DE BUENOS AIRES

Por: Silvia S. Torres Robles[I y II] y Nuncia M. Tur[I]

[I]*División de Plantas Vasculares, Facultad de Ciencias Naturales y Museo, Universidad Nacional de La Plata.*
[II]*Becaria de postgrado del Consejo Nacional de Investigaciones Científicas y Técnicas (CONICET).*
storresr@fcnym.unlp.edu.ar

Los talares de la provincia de Buenos Aires son bosques xéricos en donde el tala (*Celtis tala* Guillies ex Planch) se asocia con otras especies arbóreas. Se distribuyen desde San Nicolás de los Arroyos, por las barrancas del río Paraná; a lo largo de la ribera del Río de la Plata y la costa atlántica, hasta la laguna de Mar Chiquita. Están vinculados a situaciones de relieve y suelos particulares tales como barrancos, suelos compactos con tosca, médanos muertos y depósitos de conchilla (Parodi, 1940).

Existe una variación en la composición y la riqueza de plantas vasculares en relación con la latitud: en los bosques del norte de la provincia el tala se asocia con el chañar (*Geoffroea decor-*

ticans), el chucupí (*Porlieria microphylla*), el algarrobillo (*Schaefferia argentinensis*) y, aunque en forma muy escasa, con el algarrobo (*Prosopis alba*). Sobre la ribera platense y la costa atlántica se pueden observar asociaciones de tala y coronillo (*Scutia buxifolia*); ambas especies coexisten o una domina sobre la otra. También es común encontrar en toda el área de distribución el sauco (*Sambucus australis*), el ombú (*Phytolacca dioica*), la sombra de toro (*Jodina rhombifolia*), el espinillo (*Acacia caven*) y los molles o inciensos (*Schinus fasciculata* -var. *arenicola* y *Schinus longifolia* var. *longifolia*).

Los talares están relacionados con otras formaciones vegetales tales como bosques ribereños, juncales, pajonales, espartillares y pastizales, de modo que así forman un mosaico de ambientes de alta biodiversidad y valor paisajístico.

Talares de las barrancas del Río Paraná

Si bien han reducido considerablemente su área de extensión, todavía se pueden observar importantes fragmentos de bosques sobre las barrancas, desde San Nicolás de los Arroyos hasta Campana. La cercanía con otras comunidades relacionadas con el Espinal y los bosques paranaenses del delta lo hacen florísticamente mucho más rico y diverso en número de especies que el resto de los talares.

El aspecto de estos bosques también es muy diferente a los que se encuentran más al sur: talas y ombúes de gran porte soportan una gran cantidad de epífitas, lianas y trepadoras que, en algunas zonas, apenas dejan pasar la luz del Sol. El sotobosque está formado por numerosas hierbas y arbustos que, muchas veces, dificultan las caminatas por el bosque.

Limitan con esta comunidad los campos altos (Cabrera, 1976), antiguamente ocupados por pastizales pampeanos, hoy prácticamente reemplazados por áreas de cultivo. En algunos sectores (como en la localidad de Ramallo), aún quedan restos de estos pastizales. Al pie de la barranca se encuentran los bajíos ribereños, constituidos por pastizales halófitos, vegas de cyperáceas, pastizales de inundación (pajonales y canutillares) y bosques de albardón costero (Giacosa, *et al.*, 2004), que aumentan aún más el valor paisajístico del norte bonaerense.

Talares de la ribera del Río de la Plata y de la costa atlántica

A lo largo de la ribera platense, los bosques de tala se disponen sobre cordones de conchilla paralelos a la costa, entre 1 y 2 m por encima de las áreas adyacentes (Arturi, 1997). La conchilla está compuesta por restos de valvas de moluscos que se depositaron durante las sucesivas ingresiones de la costa del mar, hace aproximadamente diez mil años. Sobre este material se desarrollan suelos más sueltos y permeables que los de los pastizales circundantes, por lo que permiten el establecimiento de los talares. En algunos casos, estos suelos pueden estar parcialmente cubiertos por mantos de arena o limos y arcillas (loess) de espesor variable (León *et al.*, 1979).

Los talares pueden establecerse también sobre dunas muertas, las cuales corren paralelas a la costa del mar y llegan hasta la cercanía de Mar Chiquita. Entre las fajas de talar se disponen lagunas y bajos o intercordones de pastizales estacionalmente húmedos, pastizales de inundación (pajonales, juncales) y pastizales halófitos (Torres Robles *et al.*, 2004).

En los últimos sesenta años, estos bosques han sido explotados mediante tala rasa. De los tocones de tala y coronillo pueden surgir nuevos brotes (de dos a cinco). Esta particularidad ha permitido la subsistencia del bosque, aunque con una fisonomía marcadamente distinta a la original. Si bien este aspecto es el dominante en la mayoría de los bosques, todavía se pueden observar algunos relictos que no han sido talados en la Estancia El Destino (partido de Magdalena), Juan Gerónimo (partido de Punta Indio) y Rincón de López (partido de Castelli), con individuos de fuste principal bien definido y alturas superiores a los 8 m.

Historia de uso

Los talares bonaerenses constituían una angosta línea de bosques más o menos continuos que limitaban con la vasta llanura pampeana, desprovista de árboles. Las sociedades aborígenes que frecuentaban la zona eran nómades y de baja densidad de población. Su economía estaba basada, principalmente, en la caza y, en menor medida, en la recolección. Por ello es posible que no introdujeran modificaciones marcadas en el talar y en el resto de las comunidades bonaerenses (Delucchi y Correa, 1992).

A partir del siglo XVI, con la instalación de los primeros pobladores de origen europeo en la zona, comenzó el deterioro de los talares. Sus árboles constituían la principal (y, a veces, la única) fuente de madera, lo que motivó su sobreexplotación y, en ciertas zonas, su eliminación. Durante esta época se introdujo el ganado doméstico (caballos y vacas), que rápidamente se multiplicó sin presiones. Así, su presencia modificó la dinámica ecológica de la llanura pampeana y, probablemente, también los talares hayan sido afectados, aunque en menor medida.

A mediados del siglo XVIII, se organizó la repartición de tierras, con el fin de ordenar la posesión y la cría de ganado; así, los campos lindantes a los talares comenzaron a utilizarse como campos de pastoreo. A partir de fines del siglo XIX, a la influencia del pastoreo se sumó, en algunos sectores, la de la agricultura. Dado que los talares son una de las pocas comunidades que crecen en suelos altos, flojos y fértiles, se talaron para sembrar pasturas o campos de cultivo. Hacia 1880, con el trazado de las vías férreas para favorecer las actividades agrícolas, se agregó un elemento más de disturbio de la flora de los talares y las comunidades asociadas: la inmigración masiva y la consecuente urbanización.

En la actualidad, a estos factores de presión sobre los bosques se suman el uso de herbicidas y pesticidas en los campos de cultivos, el sobrepastoreo, la extracción de material calcáreo del suelo y la introducción de especies exóticas.

A pesar de todos estos problemas, muchos fragmentos de bosque han sobrevivido y han quedado muestras representativas de todos los tipos de talares. Algunos de ellos están protegidos bajo la categoría de reserva municipal, provincial o nacional; otros se encuentran en propiedades privadas:

• Partido de San Nicolás de los Arroyos: Parque Regional, Forestal y Botánico Rafael de Aguiar (reserva municipal).
• Partido de Ramallo: Reserva Municipal Ramallo. Área de 4.700 ha propuesta para la creación de una reserva provincial privada (Giacosa *et al.*, op.cit.; Voglino *et al.*, 2000).
• Partido de San Pedro: Refugio Histórico y Natural Vuelta de Obligado (reserva municipal).
• Partido de Baradero: Reserva Barranca Norte. Área propuesta para la creación de una reserva provincial privada (Giacosa *et al.*, op.cit.).
• Partido de Campana: Reserva Natural Estricta Otamendi.
• Partido de Ensenada: Reserva Natural Integral de Selva Marginal de Punta Lara.
• Partidos de Magdalena y Punta Indio: Reserva de la Biosfera Parque Costero del Sur.
• Partido de Castelli: Estancia Rincón de López (propiedad privada).
• Partido de General Madariaga: Reserva Natural Laguna Salada Grande.
• Partido de Mar Chiquita: Estancia Nahuel Rucá (propiedad privada).

Propuestas de conservación

La preservación de los talares está amenazada por problemas que se entrecruzan y generan una situación muy compleja. Son muy pocas las personas que viven cerca de los talares y saben qué son, dónde se encuentran y cuáles son sus problemas. Al respecto, no se pueden proyectar acciones de conservación si la gente no conoce lo que se quiere conservar.

La mejor manera de superar esta dificultad es generando acciones de educación ambiental con personal capacitado en las localidades y trabajando junto a la comunidad (educadores, alumnos, productores, políticos, operadores de turismo, etc.). Este trabajo se facilitaría aún más en las localidades pequeñas, tales como la mayoría de las poblaciones cercanas a los talares. Otro de los problemas que también contribuye a que la población desconozca la existencia de estos bosques es que son muy pocas las áreas de talares protegidas bajo la categoría de reservas dependientes del Estado, ya sean municipales, provinciales o nacionales (APN); por lo tanto, el acceso del público a ellas, en general, es limitado. Muchos talares se encuentran en terrenos privados y, si bien la mayoría de sus dueños conocen la importancia de conservar sus bosques y comunidades asociadas, no cuentan con los medios o desconocen las acciones adecuadas para desarrollar un manejo sustentable de los mismos. Los resultados del trabajo educativo abrirían el camino para la concreción de otras acciones importantes para promover la conservación de estas áreas; por ejemplo, la creación de "reservas urbanas". Actualmente, las universidades y las organizaciones no gubernamentales contribuyen con la conservación de estas áreas al desarrollar programas de divulgación, gestión e investigación, y al estimular la interacción con las poblaciones circundantes (por ejemplo, el Programa "Vuelta al Pago" de la Universidad Nacional de La Plata, 2000).

Son varios los actores que pueden contribuir a la conservación de los últimos bosques bonaerenses; en la medida en que se actúe en conjunto hacia el mismo fin, se podrá legar a las generaciones venideras un paisaje natural digno de ser contemplado y disfrutado.

FAUNA DE LOS TALARES DEL EXTREMO NORTE DE LA PROVINCIA DE BUENOS AIRES

Por: Damián Voglino, Fernando G. Maugeri, Raúl A. Herrera y Jorge Liotta

Fundación Óga. Sitio Web: http://www.fundacionoga.org.ar. info@fundacionoga.org.ar

Los talares del extremo norte de la provincia de Buenos Aires (partidos de San Nicolás, Ramallo, San Pedro y Baradero) se encuentran como relictos confinados a las barrancas del río Paraná, y forman parte del anillo de bosques semixerófilos que rodea la región pampeana. Limitan por uno de sus bordes con los agroecosistemas de la Pampa Ondulada y, por el otro, con los humedales que establecen los bajíos ribereños y el río Paraná. Los talares de esta parte de la provincia han recibido cierto énfasis en cuanto al estudio de su flora (ver Torres Robles *et al.*, este volumen). Sin embargo, su composición faunística ha pasado inadvertida, con la salvedad de los numerosos trabajos sobre aves, abordados por la organización Aves Argentinas/Asociación Ornitológica del Plata. Un hecho que debe tenerse en cuenta a la hora de evaluar su fauna es la verdadera dimensión de estos bosques. En su conjunto, forman una angosta faja con un ancho de entre 10 y 100 m (en general, no supera los 50 m; con máximos extraordinarios de 600 m), e integran pequeños parches sobre los bordes de las barrancas. Pese a esta estrecha configuración, se encuentran sectores de desarrollo excepcional, que constituyen valiosos sitios para obtener un pertinente conocimiento sobre los animales que conforman estos ambientes (*i.e.* núcleos subcirculares de más de 10 ha y formaciones continuas de varios kilómetros de extensión, con escasa vegetación exótica). Su particular configuración espacial es la causa de que numerosos animales, propios de los ambientes contiguos, se encuentren dentro de los talares. Por esta razón, la fauna de la región ha sido clasificada de acuerdo con la probabilidad de ser hallada en las interdigitaciones establecidas entre el talar (bosque semixerófilo), el humedal (bajíos ribereños, arroyos y lagunas pam-

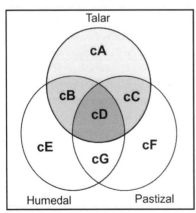

Figura 1. Categorías de especies de acuerdo con la posibilidad de hallarlas en diferentes ecosistemas.

La Situación Ambiental Argentina 2005

peanas) y el pastizal (pastizal pampeano y agroecosistema, ver Figura 1). De
esta manera, el ambiente del talar queda comprendido en cuatro categorías:
cA) especies fuertemente asociadas a
esta formación boscosa; cB) especies
que pueden ser halladas tanto en el talar
como en los humedales aledaños; cC)
especies que pueden ser halladas tanto
en el pastizal como en el talar; cD) especies que pueden hallarse en los tres
tipos de ambientes (Figura 2). Es necesario considerar una categoría cB+cG,
que incluye especies que se vinculan
fuertemente a los humedales de los bajíos ribereños y del pastizal, pero que
también se encuentran dentro del talar.

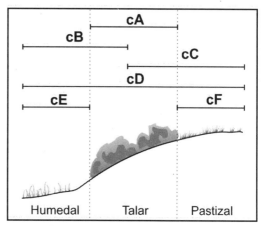

Figura 2. Esquema de localización de las diferentes categorías de especies.

Desde el año 1998 se han realizado trabajos puntuales, con el fin de evaluar la diversidad faunística dentro de estos talares. Del total de vertebrados tetrápodos con registros propios para el extremo norte de la provincia (287 spp.), el 6,6% corresponde a anfibios (19 spp.), el 6,9% a reptiles (20 spp.), el 78,1% son aves (224 spp.) y el 8,4%, mamíferos (24 spp.). Debido a su necesaria disponibilidad de ambientes húmedos, todos los anfibios asociados al talar se encuentran dentro de la categoría cB+cG, donde el bosque es utilizado sólo como refugio. Las ranas trepadoras (*Scinax nasicus* e *Hyla pulchella*) y el sapo cavador (*Bufo fernandezae*) son los anuros más frecuentes. Otros hílidos (*H. Nana, H. Sanborni, S. squalirostris* y *S. berthae*) excepcionalmente se encuentran restringidos a las cardas o a los pajonales periféricos al talar o próximos a sus estanques.

Se han incluido cuatro reptiles en la categoría cC: el teyu (*Teius oculatus*), la víbora de dos cabezas (*Leptotyphlops sp.*), la víbora ciega (*Amphisbaena darwini ssp.*) y la víbora de cristal (*Ophiodes intermedius*); ésta última es una reciente novedad biogeográfica para la provincia de Buenos Aires. Algunos de sus ejemplares fueron colectados en los talares de los partidos de San Nicolás y Ramallo (Herrera *et al.*, 2001). Han sido incluidas ocho especies en la categoría cD (la mayoría, serpientes). Dentro de los bosques, se destacan el lagarto overo (*Tupinambis merianae*) y la tortuga de laguna (*Phrynops hilarii*; cuando busca sitios apropiados para el desove). No existen reptiles en la categoría cA.

La riqueza ornitológica de los talares disminuye gradualmente hacia el sur (Haene y Krapovic-kas, 1991, Narosky y Di Giacomo, 1993) en correspondencia con un empobrecimiento de la diversidad del bosque (Moschione y Barrios, 2004), situación que afecta a muchas aves de origen paranense, mesopotámico o chaqueño (Horlent *et al.*, 2003). En la categoría cA han sido incluidas seis especies, como por ejemplo el suirirí común (*Suiriri suiriri*). El carpintero del cardón (*Melanerpes cactorum*), recientemente detectado en el extremo norte bonaerense (Maugeri y Montenegro, 2002) aunque probablemente accidental, es un típico representante de los ambientes chaqueños. El cacholote castaño (*Psudoseisura lophotes*), accidental en el norte de la provincia (Narosky y Di Giacomo, 1993), fue observado recurrentemente en talares de San Pedro (Bodrati y Sierra, 2003; Maugeri, obs. pers.). Dentro de las setenta y dos especies de la categoría cB, se destaca la nidificación de la golondrina cabeza rojiza (*Stelgidopterix fucata*) en las barrancas de Ramallo. El carpinterito común (*Picumnus cirratus*), si bien está presente en los bosques ribereños, es más frecuente en el talar. Otras aves halladas en los bosques de Baradero y Ramallo, como el carpintero blanco (*Melanerpes candidus*; Bodrati, 2001; Maugeri, obs. pers.) y el charrúa (*Gnorimopsar chopi*; Maugeri y Liotta, 2002) son potenciales habitantes del talar. También fue registrada la presencia del frutero negro (*Tachyphonus rufus*), fundamentalmente dentro del bosque. Seis especies se asignaron a la categoría cC. La categoría cD está representada por treinta y seis especies, entre las cuales se pueden mencionar el benteveo común (*Pitangus sulphuratus*) y el tordo renegrido (*Molothrus bonariensis*). Finalmente, para la categoría cG+cB se reconocieron nueve formas, entre las que se incluyen las tres especies de martín pescador (una de las cuales, *Megaceryle torquata*, fue hallada con un nido en la barranca).

No existen mamíferos en la categoría cA. Tres especies se relacionan con la cB, que pueden ser atraídas ocasionalmente por los estanques que forman las cárcavas, como por ejemplo la comadreja colorada (*Lutreolina crassicaudata*) y la rata de pajonal (*Scapteromys aquaticus*). Cuatro formas han sido incorporadas a la categoría cC: el zorrino (*Conepatus chinga*), el peludo (*Chaetophractus villosus*) y dos roedores cricétidos (*Calomys* spp., *Necromys benefactus*), que en los bosques encuentran sectores de refugio ante las actividades agroganaderas. Finalmente, la categoría cD es compartida por once especies. La comadreja overa (*Didelphis albiventris*), el gato montés (*Oncifelis geoffroyi*), el zorro gris pampeano (*Lycalopex gymnocercus*) y el hurón menor (*Galictis cuja*) son reconocidos con frecuencia dentro del talar, ya sea por observación directa o por el registro de sus rastros (han sido citados también para los talares de la Reserva Natural Otamendi; Pereira y Haene, 2003). Los quirópteros *Myotis levis*, *Lasiurus borealis* y *Desmodus rotundus* se encuentran asociados al bosque, debido a la presencia de importantes cavernamientos naturales en las barrancas, donde estas especies establecen pequeñas colonias.

Si bien no se han realizado esfuerzos para describir la diversidad de invertebrados, algunas especies merecen citarse ya que, además de ser muy conspicuas, son exclusivas de la categoría cA y, por lo tanto, representan importantes indicadores del estado de conservación de los talares. La gran hormiga *Pachycondyla striata* es una forma conocida para las provincias del norte argentino (Kusnezov, 1978), y ha sido observada con frecuencia en el sustrato del interior de los ta-

La Situación Ambiental Argentina 2005

lares mejor conservados. Las barrancas vegetadas proporcionan hábitat adecuados para los caracoles del género *Bulimulus*. Parodiz (1946) señaló que la distribución de estos moluscos estaba fuertemente correlacionada al factor edáfico y, por lo tanto, asociada a una determinada formación fitogeográfica (que, en esta parte de la provincia, coincidía con los talares). Actualmente, estos bulimúlidos se hallan también en buena parte de la estepa herbácea bonaerense, probablemente debido al intenso tráfico antropocórico que acompaña a la forestación artificial (Miquel, 1991). Otro caracol del género *Drymaeus* (recientemente descubierto en Ramallo) podría constituir una población relictual con una distribución más amplia en períodos prepleistocénicos. Las arañas sociales de la especie *Parawixia bistriata*, si bien ocasionalmente suelen hallarse en los bajíos ribereños, prefieren desarrollar sus grandes telas, de varias decenas de metros cuadrados, sobre las barrancas. También se ha reconocido una notable diversidad de mariposas diurnas en el interior y en la periferia del bosque, que alcanza, en los talares de Vuelta de Obligado (San Pedro), al menos cuarenta especies (para el noreste de la provincia han sido citadas ciento veinticinco especies; Canals, 2000).

La fauna de esta formación boscosa no ha variado en forma sustancial en, aproximadamente, medio millón de años (Voglino y Pardiñas, 2005): en la localidad de Ramallo se identificó un yacimiento donde fue reconocida, junto a una estructura florística propia de los talares, una fauna similar a la actual (*Cavia sp.*, *A. azarae*, *Calomys sp.*, *N. benefactus*, *O. flavescens*; insectos y bulimúlidos). Dentro del conjunto faunístico recuperado, fue identificado el pericote común (*Graomys* cf. *G. griseoflavus*), cuya actual ausencia en la región puede responder a la degradación del anillo de bosques ocasionado por el impacto antrópico, más que por la incidencia de factores climáticos.

Del total de vertebrados registrados propios del ambiente del talar, dieciséis se encuentran con algún grado de amenaza (*e.g.*, *Cyanocompsa brissonii*, *O. geoffroyi*, *Gracilinanus agilis*). La captura de aves canoras con fines comerciales afecta frecuentemente a paseriformes semilleros como el cardenal común (*Paroaria coronata*) y el pepitero de collar (*Saltator aurantiirostris*). La vizcacha (*Lagostomus maximus*), roedor del cual se tiene la certeza que habitó los talares, ha desaparecido del norte de la provincia de Buenos Aires y del sur de Santa Fe: uno de los últimos núcleos conocidos, asentado en la desembocadura del arroyo de la Cruz en Ramallo, fue exterminado durante la década del 60. Próximos a los asentamientos humanos pueden observarse gorriones (*Passer domesticus*), palomas domésticas (*Columba livia*), perros (*Canis lupus familiaris*), gatos (*Felis catus*), ratas (*Rattus spp.*) y ratones domésticos (*Mus domesticus*). Una población del ciervo axis (*Axis axis*) es mencionada con frecuencia por los lugareños, dentro de los talares frente a las Islas de Obligado en Ramallo (el último avistaje fue realizado en el año 1998). Especies que aún no se han detectado en los talares del extremo norte bonaerense, pero que podrían invadirlos, son el estornino crestado (*Acridotheres cristatellus*), el pinto (*Sturnus vulgaris*), el verderón común (*Carduelis chloris*) y la ardilla de panza roja (*Callosciurus erythraeus*).

La Situación Ambiental Argentina 2005

La región ha sufrido la temprana sobreexplotación de sus bosques nativos, la alteración del paisaje por actividades agroganaderas, la extracción de material calcáreo del subsuelo, el asentamiento de industrias y la influencia de la expansión de dos de los núcleos urbanos más importantes del país. Por otra parte, la estrecha configuración geográfica de los talares hace particularmente difícil su conservación, y les concede una sensibilidad extrema frente a la reducción de sus hábitat por distintos usos; favorece la fragmentación, la introducción de especies exóticas, la afectación por erosión y contaminación, entre otros riesgos. De continuar estos niveles de daño ambiental, es improbable que estos relictos persistan en las próximas décadas. En este contexto, es imposible pensar en la supervivencia de la fauna de los talares sin contemplar, además del propio bosque, el estado de los ambientes contiguos. En la región no existe una adecuada gestión de las áreas protegidas con presencia de talares (Parque Regional Forestal y Botánico Rafael de Aguiar de San Nicolás; Reserva Municipal Ramallo; Reserva Natural Vuelta de Obligado) que garantice la perdurabilidad de su fauna. Propuestas de reservas privadas como las de Baradero (50 ha) y Ramallo (4.500 ha. cuya gestión tuvo su origen en el año 1999) aún esperan la decisión del Estado para su inclusión en el Sistema Provincial de Áreas Protegidas. No obstante, aunque se garantizase la funcionalidad de todas las áreas protegidas mencionadas (1500 ha) y se promulgasen otras nuevas, incluso las de mayor tamaño serían insuficientes para sostener, a largo plazo, su propia diversidad faunística. Sólo su consideración como eslabones de una cadena de reservas (a modo de corredor biológico), bajo un plan de dirección común para toda la región, tiene un sentido funcional para la conservación de las especies. Este hipotético sistema de áreas protegidas no sólo preservaría la biodiversidad, sino que también podría revertir las consecuencias y moderar el avance de la huella paisajística que ocasiona la pérdida de tierras agrícolas productivas y de ecosistemas naturales. Su implementación debería considerar tanto las oportunidades económicas que ofrecería para el poblador local como el uso racional de los recursos naturales –persistentes sólo con la integridad de las áreas (e.g., extracción de animales, posibilidades turísticas y recreativas). El desarrollo de actividades educativas y de difusión a distintos niveles, junto con la creación de espacios de interacción comunitaria que incentiven la actitud de compromiso frente a los problemas socio-ambientales, tendientes a fortalecer el sentimiento de pertenencia de cada localidad, se consideran prioritarios para garantizar la conservación de los talares y su fauna.

LOS REMANENTES DE BOSQUES DEL ESPINAL EN LA PROVINCIA DE CÓRDOBA

Por: Juan Pablo Lewis[I], Darién E. Prado[II] e Ignacio M. Barberis[I]

[I]*Cátedra de Ecología Vegetal, Facultad de Ciencias Agrarias, Universidad Nacional de Rosario.*

[II]*Cátedra de Botánica, Facultad de Ciencias Agrarias, Universidad Nacional de Rosario.*

dprado@fcagr.unr.edu.ar

Hasta antes de la llegada del hombre blanco a las Américas, en la periferia de la estepa pampeana existían extensos bosques formados por árboles y arbustos espinosos, fundamentalmente leguminosas de los géneros *Acacia* (espinillos y aromitos) y *Prosopis* (algarrobos). El área ocupada por estos bosques fue delimitada por Roveretto (1914), a la que luego Frenguelli (1941) denominó Monte Periestépico (un bosque espinoso que rodea la estepa pampeana). Más tarde, Cabrera (1953) lo incluyó como Provincia del Espinal en el Dominio Chaqueño. El este y el sudoeste de la provincia de Córdoba estaban cubiertos por grandes extensiones de bosques del Espinal Periestépico pero, al expandirse la agricultura hacia el oeste, el área se redujo marcadamente. Actualmente, se pueden encontrar varios relictos de extensión variable, algunos de los cuales se transforman en fachinales al ser invadidos por chañares (*Geoffroea decorticans*) o por los renovales de otras especies.

En su reseña general del Espinal, Lewis y Collantes (1973) distinguen seis distritos para la provincia de Córdoba. Éstos son: a) Distrito Cordubense, que abarca los bosques y los relictos situados hacia el noroeste de la provincia, con varias especies del género *Prosopis* y donde es muy frecuente el quebracho blanco (*Aspidosperma quebracho-blanco*); b) Distrito Central, que incluye algunos de los relictos más extensos de la provincia, con creciente abundancia de tala hacia el sur; c) Distrito Entrerrianense (así llamado por su similitud fisonómica a los bosques del Espinal en Entre Ríos), que comprende grandes relictos de bosques caracterizados por la presencia de la palmerita *Trithrinax campestris*; d) Distrito Sanctafidense, que comprende pastizales con isletas de árboles y bosques en galería cerca de los cursos de agua; e) Distrito Psamofítico, región de médanos fósiles con isletas de chañar (*G. decorticans*) en los casquetes; y finalmente f) Distrito Pampense, que abarca los bosques abiertos de caldén (*P. caldenia*).

Durante los últimos años (2003, 2004 y 2005), se evaluó el estado de fragmentación y conservación de los remanentes de bosques de extensos sectores de Córdoba correspondientes a lo que fuera la Provincia del Espinal. Se observó que estos bosques están prácticamente desapareciendo y que su área está muy fragmentada y tiene una intensidad variable, según los distintos distritos.

Distrito Central: aproximadamente a 15 km al sud-sudoeste de la localidad de Tío Pujio (departamento de General San Martín) se encuentra la Estancia "El Yucat", perteneciente a la Orden de La Merced. Los relictos del Espinal Periestépico se componen por un lote mayor de unas 300 ha cercano al casco de la estancia y luego por cejas de montes que siguen el curso de los ríos Ctalamochita y Cabral. Si se agregan las superficies de los bañados, se podría extender el área a unas 1.000 ha. Los montes se han usado para ganadería y se han talado algunos árboles para madera. En general, dominan los algarrobos (grandes *Prosopis alba*, en su mayor parte), luego domina el tala (*C. tala*) en otros sectores y muy dentro del monte hay un sitio con grandes individuos de morera (*Morus alba*), especie exótica introducida. El estrato arbóreo es, en general, denso y casi continuo, pero hay lugares donde el bosque es más abierto y hay algunos claros importantes de probable origen antrópico. Entre las especies arbóreas se encuentran: el algarrobo (*P. alba*), el tala (*C. tala*), la sombra de toro (*Jodina rhombifolia*), el chañar (*G. decorticans*), el espinillo (*A. caven*), la morera (*M. al-*

ba), *Porlieria microphylla* (especie rara en este bosque), etc. También se observan el molle (*Schinus sp.*) y arbustos (*Aloysia* o *Lippia*). Los remanentes de bosques cercanos a Cintra (departamento de Unión), al nororeste de esta región, consisten, en cambio, en un fachinal con pocos algarrobos grandes y una acentuada invasión de chañar.

Distrito Entrerrianense: se estudiaron varios *stands* de bosques nativos con abundantes palmeras (*T. campestris*) entre las localidades de Noetinger, El Fortín y Chilibroste (departamento de Unión). Probablemente, los relictos más importantes del Espinal de toda la provincia de Córdoba son los de las estancias "Montes Grandes", "Monte Chico" y "El Chañar", cercanas a Noetinger, con una superficie de alrededor de 500 ha. El área boscosa está algo fragmentada y los fragmentos más pequeños están bastante deteriorados, mientras que los fragmentos de mayor tamaño están muy bien conservados. Estos bosques se pueden segregar según la abundancia relativa de talas y de palmeras *T. campestris* (Noetinger *et al.*, 2004). Aquellos lugares que parecen haber sufrido incendios más recientes muestran mayor abundancia de palmeras. Se encuentran también los algarrobos (*P. alba* y *P. nigra*), el espinillo, el chañar y la sombra de toro (*J. rhombifolia*). Existe, además, un estrato importante de arbustos y renovales, y un estrato graminoso de muy alta cobertura. Los individuos de especies exóticas invasoras, tales como el paraíso (*Melia azedarach*) y la morera, son muy escasos, salvo en fragmentos muy pequeños o en los que están cerca del casco y de los bretes. Los relictos cercanos a la localidad de Chilibroste son semejantes, pero de menor superficie.

Distrito Sanctafidense: se visitaron algunos pequeños remanentes de bosques que se diferencian de los relictos del distrito anterior por carecer de la palmera *T. campestris*. En el casco del establecimiento "El Monte", ubicado sobre la margen sur del río Carcarañá-Ctalamochita, cerca de Inriville (departamento de Marcos Juárez), se observan grandes algarrobos relictuales mezclados con algunos individuos de eucaliptos (*Eucalyptus sp.*) y moreras. La vegetación en galería del río Carcarañá-Ctalamochita tiene las arbóreas usuales del Espinal con algunos sauces (*Salix humboldtiana*) y además de algunas especies exóticas. El bosque visitado comienza a unos 400 m del río Carcarañá y tiene un estrato arbóreo de densidad variable, a veces discontinuo. Las especies leñosas que se encuentran son: los algarrobos (*P. alba* y *P. nigra*), el tala, el molle (*Schinus sp.*), la sombra de toro y el chañar. Hay un estrato arbustivo o de renovales de las especies arbóreas y un estrato herbáceo graminoso. Se observa la invasión de especies exóticas, particularmente de la morera. Los relictos de lo que ha sido la Reserva de Cárcano (próxima a la localidad de Ramón J. Cárcano, departamento de Unión) y el lugar de referencia histórica denominado Cabeza del Tigre (cercano a Los Surgentes, departamento de Marcos Juárez) tienen pocos algarrobos, y las especies nativas han sido reemplazadas por especies exóticas como la morera, la acacia negra (*Gleditsia triacanthos*), la morera de papel (*Broussonetia papyrifera*), el ligustro (*Ligustrum lucidum*) y la ligustrina (*Ligustrum sinense*).

Distrito Psamofítico: en el sur de Córdoba (departamentos de General Roca y Río Cuarto) restan sólo algunos médanos con isletas de chañar y herbácea olivillo (*Hyalis argentea*) sobre el

La Situación Ambiental Argentina 2005

casquete. Estos bosquetes, que hoy se ven como relativamente grandes y ralos, probablemente son los que hace más de treinta años se veían como infranqueables isletas en el casquete del médano (Lewis y Collantes, 1973).

Distrito Pampense: cerca de Huinca Renancó (departamento de General Roca) se ha visitado la Estancia "La Lejana", en la cual se mantiene aún un sector con caldenal en razonable estado de conservación, cuya fisonomía varía del bosque a la sabana. Está dominado por caldén y acompañado por chañar, sombra de toro, tala, *Schinus spp.*, y muestra una muy restringida invasión de acacias negras y olmos europeos (*Ulmus procera*).

En la provincia de Córdoba, los remanentes de bosques del Espinal enfrentan, fundamentalmente, cuatro grandes amenazas: a) el desmonte; b) la tala selectiva; c) la carga ganadera excesiva o la ausencia de ganado; d) la invasión de especies leñosas exóticas. La creciente demanda de tierras para la agricultura y su alta rentabilidad ponen en peligro a los remanentes de bosques de esta región. El desmonte implica una reducción dramática de la biodiversidad y, consecuentemente, un aumento de la degradación de los recursos naturales. Afortunadamente, algunos productores son conscientes de este problema y, a pesar de las ventajas económicas de la agricultura, procuran mantener a largo plazo los montes de sus establecimientos. La tala selectiva de las especies dominantes, sobre todo de algarrobos, favorece el aumento de algunas especies arbustivas como el chañar, por lo cual el bosque se transforma en un fachinal. La ausencia de ganado, paradójicamente, no favorece la preservación del bosque, sino que estimula el crecimiento de enredaderas que terminan cubriendo totalmente la vegetación e impiden su regeneración (Lewis *et al.*, 2004). La excesiva carga ganadera también tiene un efecto perjudicial sobre la regeneración del bosque, debido al pisoteo y el ramoneo por la hacienda. La invasión de especies leñosas exóticas y el consecuente reemplazo de las especies nativas probablemente es, en la actualidad, el problema más grave. Algunos remanentes de bosques (v.g., el Distrito Sanctafidense) han sido prácticamente sustituidos por la morera, el ligustro y otras. En cambio, los bosques de Noetinger y Tío Pujio están mejor conservados y, si bien hay signos de invasión por especies exóticas, éstas están todavía muy lejos de comprometer a estas comunidades. Sin embargo, dado el peligro de que la invasión pueda ser relativamente rápida, es importante determinar la tasa de invasión para tomar medidas de conservación adecuadas.

Resulta llamativa la absoluta ausencia de áreas naturales protegidas en lo que fue la gran extensión del Espinal cordobés, con la sola excepción de la Reserva Forestal Natural Ralicó, conformada por bosques de caldén, dentro del Corredor Biogeográfico del Caldén (ver mapa en p. 23, Anónimo, 2004). Se debe hacer un llamado urgente a la preservación de los últimos relictos de estos notables bosques del Espinal Periestépico en la provincia de Córdoba, sobre todo de aquéllos próximos a las localidades de Noetinger, Tío Pujio y Huinca Renancó, debido a su extensión razonable y a su relativo buen estado de conservación. Estos bosques, hoy, se mantienen sólo por la visión y la buena voluntad de sus respectivos propietarios.

Agradecimientos

A las señoras Alma Rossi, Renée Marcote de Noetinger y Julia Viale de Nazar, por los permisos para ingresar a sus propiedades, así como también al R. P. Carlos Diez, de la Orden de La Merced y al CONICET, por su apoyo económico.

Bibliografía

• Andrén, H., *Effects of habitat fragmentation on birds and mammals in landscapes with different proportions of suitable habitat: a review*, Oikos, 1994, 71: pp. 355-366.

• Anónimo, *Áreas naturales protegidas, Provincia de Córdoba, República Argentina*, Ediciones del Copista, Córdoba, 2004, 122 pp.

• Arturi, M. F. y J. F. Goya, "Estructura, Dinámica y Manejo de los talares del NE de Buenos Aires", en: Arturi, M. F., J. L. Frangi y J. F. Goya (eds.), *Ecología y manejo de los bosques de Argentina*, La Plata, Editorial de la Universidad Nacional de La Plata, 2004.

• Arturi, M. F., "Regeneración de *Celtis tala* y su relación con el pastoreo, la cobertura herbácea y arbórea en el NE de la provincia de Buenos Aires, Argentina", *Ecología Austral*, 1997, 7: pp. 3-12.

• Bodrati, A., "Notas sobre aves infrecuentes o poco conocidas para la provincia de Buenos Aires, Argentina", *Nuestras Aves*, 2001, 41: pp. 13-17.

• Bodrati, A. y E. Sierra, "Situación actual del Cacholote castaño (*Pseudoseiura lophotes*) en el norte de la provincia de Buenos Aires", *Nuestras Aves*, 2003, 46: pp. 41-43.

• Cabrera, A. L., "Fitogeografía de la República Argentina", Boletín de la Sociedad Argentina de Botánica, 1971, 14: pp. 1-42.

• Cabrera, A. L., "Regiones fitogeográficas argentinas", *Enciclopedia Argentina de agricultura y jardinería*, Buenos Aires, Editorial ACME S.A.I.C., 1976, 85 pp.

• Cabrera, A. L., "Regiones fitogeográficas argentinas", *Enciclopedia Argentina de agricultura y jardinería*, Buenos Aires, Editorial ACME S.A.I.C, 1994.

• Cabrera, A. L., "Esquema fitogeográfico de la República Argentina", *Revista del Museo de La Plata (Nueva Serie), Botánica*, 1953, 8: pp. 87-168.

• Canals, G. R., *Mariposas bonaerenses*, Buenos Aires, Editorial LOLA, 2000, 347 pp.

• Darrieu, C. A. y A. R. Camperi, *Nueva lista de las aves de la provincia de Buenos Aires*, COBIOBO 3, PROBIOTA 2, 2001, 56 pp.

• Delucchi, G. y R. Correa, "Las especies vegetales amenazadas de la Provincia de Buenos Aires", en: López, H. L. y E. P. Tonni (eds.), *Situación ambiental de la Provincia de Buenos Aires. Recursos y Rasgos Naturales en la Evaluación Ambiental*, 1992, 2 (14): pp. 1-39.

• Fernández, O. A., "Los pastizales naturales del Caldenal", Conferencia, Academia Nacional de Agronomía y Veterinaria, 2003, 57: pp. 67-91.

• Finegan, B., "The management potential of neotropical secondary lowland rainforest", *Forest Ecology and Management*, 1992, 47: pp. 295-321.

• Frenguelli, J., "Rasgos principales de Fitogeografía Argentina", *Revista del Museo de La Plata (Nueva Serie), Botánica*, 1941, 3: pp. 65-181.

• Giacosa, B., R. A. Herrera, J. R. Liotta, G. F. Maugeri, S. S. Torres Robles, D. Voglino y M. Wagner, "Bajíos ribereños y corona de barranca del río Paraná", en: Bilebianca, D. y F. Miñarro (eds.), *Identificación de Áreas Valiosas de Pastizal (AVPs) en las pampas y campos de Argentina, Uruguay y sur de Brasil*, Buenos Aires, Fundación Vida Silvestre Argentina, 2004, 352 pp.

• Haene, E. y S. Krapovickas, "Ramallo: historia de talares. Nuestras Aves", Boletín de la Asociación Ornitológica del Plata, 1991, 9 (26): pp. 16-17.

• Haene, E. y J. Pereira (eds.), "Fauna de Otamendi. Inventario de los animales vertebrados de la Reserva Natural Otamendi (Campana, Provincia de Buenos Aires, Argentina)", *Temas de Naturaleza y Conservación*, Buenos Aires, Aves Argentinas/AOP, 2003, 3: pp. 1-192.

• Herrera, R., D. Voglino y J. Liotta, "*Ophiodes intermedius* Boulenger, 1894 (*Sauria: Anguidae*). Novedades Zoogeográficas", Cuadernos de Herpetología. A. H. A., 2001, 15 (2): p. 144.

• Horlent, N., M. C. Juarez y M. Arturi, "Incidencia de la estructura del paisaje sobre la composición de especies de aves de los talares del noreste de la provincia de Buenos Aires", *Ecología Austral*, 2003, 13: pp. 173-182.

• Kusnezov, N., "Hormigas Argentinas. Clave para su identificación", *Miscelánea 61*, Fundación Miguel Lillo, Ministerio de Cultura y Educación, 1978.

• Lell, J. D., "El caldenal: una visión panorámica enfatizando en su uso", en: Arturi, M. F., J. L. Frangi y J. F. Goya (eds.), *Ecología y manejo de los bosques de Argentina*, La Plata, Editorial de la Universidad Nacional de La Plata, 2004.

• León, R., S. Burkart y C. Movia, *Relevamiento fitosociológico del pastizal del norte de la Depresión del Salado*, INTA, Serie Fitogeográfica, 1979, 17: pp. 1-88.

• Lerner, P. D., "El Caldenar: dinámica de poblaciones de caldén y procesos de expansión de leñosas en pastizales", en: Arturi, M. F., J. L. Frangi y J. F. Goya (eds.), *Ecología y manejo de los bosques de Argentina*, La Plata, Editorial de la Universidad Nacional de La Plata, 2004.

• Lewis, J. P. y M. B. Collantes, "El Espinal Periestépico", *Ciencia & Investigación*, 1973, 29: pp. 360-377.

• Lewis, J. P., S. Noetinger, D. E. Prado e I. M. Barberis, "Los remanentes de bosques del Espinal en el este de la provincia de Córdoba", *Agromensajes*, Facultad de Ciencias Agrarias, Universidad Nacional de Rosario, 2004, 13: pp. 23-27.

• Maugeri, F. G. y M. J. Montenegro, "Tres nuevas citas de aves para la provincia de Buenos Aires, Argentina", *Nuestras Aves*, 2002, 43: pp. 21-22.

• Maugeri, G. y Liotta J., "Primer registro de *Carduelis atrata* (Aves: *Fringillidae*) y nueva cita de *Gnorimopsar chopi chopi* para la provincia de Buenos Aires (Aves: *Icteridae*)", *Neotrópica*, 2002, 48: pp. 83-84.

• Miquel, S. E., "El género *Bulimulus* Leach, 1814, (*Mollusca, Gastropoda, Stylommatophora*) en la República Argentina", *Studies on Neotropical Fauna and Environment*, 1991, 26 (2): pp. 93-112.

• Morello, J., "El conocimiento sobre los bosques de Argentina, su manejo y su conservación: ¿Llegamos a tiempo?", en: Arturi, M. F., J. L. Frangi y J. F. Goya (eds.), *Ecología y manejo de los bosques de Argentina*, La Plata, Editorial de la Universidad Nacional de La Plata, 2004.

• Moschione, F. y I. Barrios, "Aportes de los 'talares de barranca' y 'de albardón' a la riqueza de la avifauna bonaerense", Resúmenes de la I Jornada para la Conservación de los Talares, Buenos Aires, 25 al 27 de marzo de 2004.

• Narosky, T. y A. G. Di Giacomo, *Las aves de la provincia de Buenos Aires, distribución y estatus*, Buenos Aires, AOP, Vázquez Mazzini Editores y LOLA, 1993, 127 pp.

• Noetinger, S., I. M. Barberis, D. E. Prado, J. P. Lewis, "Relictos de bosques en el centro-este de la provincia de Córdoba (Argentina)", XXI Reunión Argentina de Ecología, Mendoza, 31 de octubre a 5 de noviembre de 2004.

• Olivé, L. y A. R. Pérez Ransanz, *Filosofía de la ciencia: teoría y observación*, México, Coedición Siglo XXI Editores y UNNAM, 1989.

• Parodi, L., *Distribución geográfica de los talares de la Provincia de Buenos Aires*, Darwiniana, 1940, 4: pp. 33-56.

• Parodiz, J., "Los géneros de *Bulimulinae* argentinos", *Revista del Museo de La Plata (nueva serie), Zoología*, 1946, 4 (30): pp. 303-377.

• Programa Vuelta al Pago, "Un espacio para el acercamiento y la construcción de vínculos entre nuestra unidad académica y las localidades de origen de sus estudiantes y graduados", Documento del Programa, Expediente 1000/40229/2000, Unidad de Didáctica, Facultad de Ciencias Naturales y Museo, Universidad Nacional de La Plata, 2000.

• Roveretto, G., *Studi di Geomorfologia argentina*, IV, La Pampa, Bull. Soc. Geol. Ital., 1914, 33: pp. 75-128.

• Torres Robles, S. S., G. Delucchi y A. M. Ribichich, "Reserva de Biosfera 'Parque Costero del Sur'", en: Bilebianca, D. y F. Miñarro (eds.), *Identificación de Áreas Valiosas de Pastizal (AVPs) en las pampas y campos de Argentina, Uruguay y sur de Brasil*, Buenos Aires, Fundación Vida Silvestre Argentina, 2004, 352 pp.

• Voglino, D. y U. F. J. Pardiñas, "Roedores sigmodontinos (*Mammalia*: *Rodentia*: *Cricetidae*) y otros micromamíferos pleistocénicos del norte de la provincia de Buenos Aires (Argentina): reconstrucción paleoambiental para el Ensenadense cuspidal", *Ameghiniana*, 2005, 42 (1): pp. 143-158.

• Voglino, D., M. Montenegro y G. Maugeri, "Los bosques nativos del Espinal y bajíos ribereños del Partido de Ramallo", Informe técnico para la creación de un Área Natural Protegida en el Norte de la Provincia de Buenos Aires, Dirección de Recursos Naturales, Ministerio de Agricultura, Ganadería y Alimentación de la provincia de Buenos Aires, 2000.

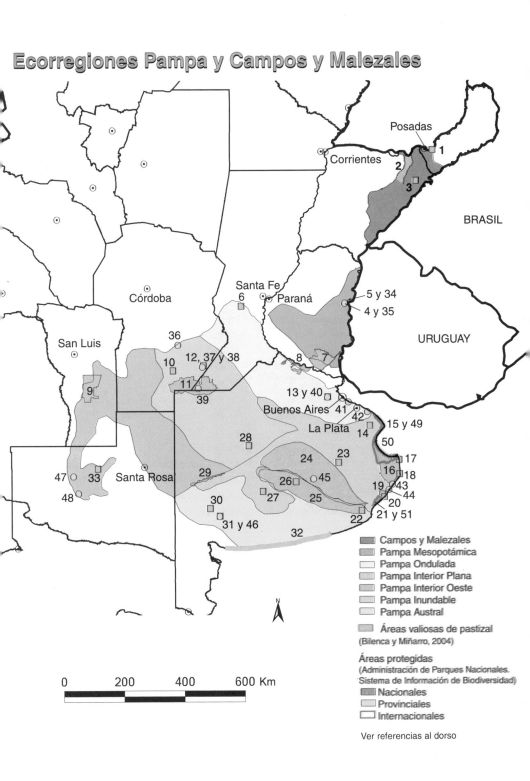

Ecorregiones Pampa y Campos y Malezales

Posadas
1
Corrientes
2
3
BRASIL

Santa Fe
6
Paraná
5 y 34
4 y 35

URUGUAY

Córdoba

San Luis
36
10
12, 37 y 38
11
39
8
7
13 y 40
Buenos Aires 41
42
15 y 49
La Plata 14
50

28
24
23
17
16
18
19 43
44
47 33 Santa Rosa
29
26 45
48
27 25
20
30
22 21 y 51
31 y 46
32

Campos y Malezales
Pampa Mesopotámica
Pampa Ondulada
Pampa Interior Plana
Pampa Interior Oeste
Pampa Inundable
Pampa Austral

Áreas valiosas de pastizal
(Bilenca y Miñarro, 2004)

Áreas protegidas
(Administración de Parques Nacionales.
Sistema de Información de Biodiversidad)
Nacionales
Provinciales
Internacionales

Ver referencias al dorso

N

0   200   400   600 Km

Referencias Pampa y Campos y Malezales

Áreas valiosas de pastizal (Bilenca y Miñarro, 2004)

1. Campo San Juan
2. Aguapié
3. Mora Cué (Caza Pava)
4. Ref. de Vida Silvestre La Aurora del Palmar
5. Parque Nacional el Palmar
6. Res. de Uso Múltiple Federico Wildermuth
7. Porción no insular del bajo delta del río Paraná
8. Bajíos ribereños y corona barranca del río Paraná
9. Pastizales pampeanos semiáridos del sur de San Luis
10. Sistema de grandes lagunas del sureste de Córdoba
11. Pampa interior plana
12. Estancia Las Dos Hermanas
13. Res. Municipal Los Robles
14. La Viruta
15. Res. de Biosfera Parque Costero del Sur
16. Ref. de Vida Silvestre Samborombón y Laguna Salada Grande
17. Franja costera San Clemente – Las Toninas
18. Punta Médanos
19. Estancia Medaland
20. Faro Querandí
21. Res. de Biosfera Parque Atlántico Mar Chiquito
22. Estancia Paititi
23. Pastizales de Casalins
24. Pajonales de paja colorada de la pampa deprimida
25. Cerrilladas – Llanura periserrana del sistema de Tandilla
26. Res. Nat. Boca de la Sierra
27. Laprida – Campo Perhuil
28. Estación Ordoqui
29. Sistema de lagunas encadenadas del oeste bonaerense
30. Cuenca superior de Chasicó
31. Parque Prov. Ernesto Tornquist
32. Dunas del sureste bonaerense
33. Estancia San Eduardo

Áreas protegidas (Administración de Parques Nacionales, Sistema de Información de Biodiversidad)

Nacionales
34. Parque Nacional el Palmar

Provinciales
35. Ref. de Vida Silvestre La Aurora del Palmar
36. Res. Nat. Las Tunitas
37. Ref. de Vida Silvestre Las Dos Hermanas
38. Res. Nat. Las Tunas
39. Res. Ecológica Laguna la Salada
40. Res. Municipal Los Robles
41. Res. Nat. Selva Marginal Hudson
42. Res. Fund. E. S. de Pearson
43. Res. Nat. Integral Dunas Atlántico Sur
44. Res. Municipal Faro Querandí
45. Res. Nat Sierra de Tigre
46. Parque Prov. Ernesto Tornquist
47. Res. Nat. Prov. Limay Mahuida
48. Res. Nat. Prov. La Reforma

Internacionales
49. Res. de Biosfera Parque Costero del Sur
50. Sitio Ramsar Bahía de Samborombón
51. Res. de Biosfera Parque Atlántico Mar Chiquito

SITUACIÓN AMBIENTAL EN LAS ECORREGIONES PAMPA Y CAMPOS Y MALEZALES

Por: Ernesto F. Viglizzo, Federico C. Frank y Lorena Carreño

Instituto Nacional de Tecnología Agropecuaria (INTA), Área de Gestión Ambiental. evigliz@cpenet.com.ar

Breve descripción bio-física de las ecorregiones

Ecorregión de las Pampas

Por su extensión, las Pampas constituyen el más importante ecosistema de praderas de la Argentina, y suman en total unos 540.000 km². Poseen un relieve relativamente plano, con una suave pendiente hacia el Océano Atlántico. Una buena parte de la pradera pampeana está expuesta a anegamientos permanentes o cíclicos. Existen suelos aptos para la agricultura y la ganadería, aunque esta aptitud declina acompañando un gradiente de isohietas anuales que varía entre los 1.000 mm al noreste y los 400 mm al sudoeste. En los últimos ciento veinte años estas isohietas han tenido desplazamientos en esta dirección, con avances y retrocesos que coincidieron con las fases húmedas y secas del ciclo pluviométrico (Viglizzo *et al.*, 1997). La mayor parte de las lluvias se concentra en primavera y verano. Las temperaturas medias oscilan entre los 14 y los 20ºC. La región pampeana puede subdividirse en seis regiones relativamente homogéneas: Pampa Ondulada, Pampa Central, Pampa Semiárida, Pampa Austral, Pampa Deprimida y Pampa Mesopotámica (Figura 1).

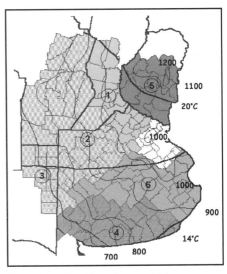

Figura 1. Localización de áreas ecológicas homogéneas en la pradera pampeana: Pampa Ondulada (1), Pampa Central Subhúmeda (2), Pampa Central Semiárida (3), Pampa Austral (4), Pampa Mesopotámica (5) y Pampa Deprimida (6).

La flora nativa de las Pampas comprende unas mil especies de plantas vasculares (León, 1991). Las praderas estuvieron originalmente dominadas por gramíneas, entre las que predominaron los géneros *Stipa, Poa, Piptochaetium* y *Aristida*. Aunque disminuida en la actualidad, la fauna nativa de la pradera pampeana incluía abundantes mamíferos y aves (Krapovickas y Di Giacomo, 1998; Real *et al.*, 2003). Entre ellos, cabe citar especies como el venado de las pampas (*Ozotoceros bezoarticus*), el ñandú (*Rhea americana*), las perdices (*Rynchotus rufescens, Nothura sp., Eudromia elegans*) y el "puma" (*Puma concolor*). De las cuatrocientas tres especies de aves registradas en la zona, unas trescientas habitan regularmente en las Pampas.

Ecorregión Campos y Malezales

Esta ecorregión comprende unos 30.000 km² entre el sudeste de la provincia de Misiones y el noreste de Corrientes. Está limitada por las isohietas de 1.800 mm al noreste y la de 1.300 mm al sudoeste. Las temperaturas medias oscilan entre los 20 y los 22°C. Hacia el norte es una continuación del paisaje misionero, con lomas, llanuras y humedales, donde prevalecen los suelos ácidos aptos para plantaciones forestales, yerba mate, té y arroz. Hacia el sur predomina una sabana tropical con planicies anegables, bañados, esteros longitudinales y pajonales. En buena parte de la región sobresale la ganadería extensiva de bovinos, desarrollada sobre pastizales naturales, en los que se utiliza el fuego como herramienta de manejo.

Comparte con las Pampas numerosos taxones vegetales y animales (Krapovickas y Di Giacomo, 1998; Real *et al.*, 2003; Bilenca y Miñarro, 2004). Los pastos predominantes incluyen los géneros *Andropogon*, *Aristida*, *Briza*, *Erianthus*, *Piptochaetium*, *Poa*, *Stipa*, *Paspalum*, *Axonpus* y *Panicum* (León, 1991). Pequeños parches de bosque abierto surgen de la sabana, entre los que se destacan los géneros *Syagrus*, *Acacia*, *Alagoptera* y *Diplothemium*.

Durante los últimos cuarenta años, las ecorregiones que integran la baja cuenca del Río de la Plata en la Argentina han estado expuestas a una creciente intervención humana, marcada por un aumento considerable en la proporción de la superficie cultivada (Figura 2). La ecorregión pampeana ha experimentado los cambios de mayor envergadura, debido a la expansión de la superficie destinada a cultivos anuales. Por otro lado, la Ecorregión Campos y Malezales no ha experimentado una transformación de magnitud equivalente (Tabla 1). Por lo tanto, desde esta perspectiva, la tendencia ambiental de las Pampas es la que requiere especial atención.

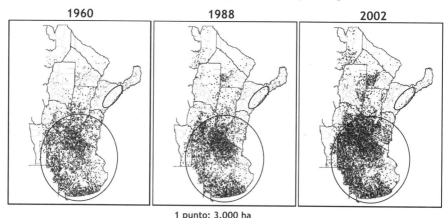

1960 **1988** **2002**

1 punto: 3.000 ha

Figura 2. Evolución de la superficie de cultivos anuales en las ecorregiones Pampa (círculo) y Campos y Malezales (óvalo) entre 1960 y 2002.

La Situación Ambiental Argentina

264

Intervención humana y presiones de uso

Trayectoria ambiental a escala regional

Los biomas de la pradera pampeana son los que más transformaciones han sufrido a causa de la intervención humana. Los sistemas agrícolas y ganaderos de la región han co-evolucionado en el tiempo. En general, la agricultura extensiva de principios del siglo XX fue acompañada por una ganadería extensiva, de baja productividad y bajo impacto ambiental. A mediados de aquel siglo, proliferó una agricultura más tecnificada, en estrecha rotación con una ganadería semi-intensiva. Esto dio lugar al tradicional planteo mixto agrícola-ganadero integrado, que se impuso en gran parte de la pradera pampeana. La situación cambió a fines del siglo XX y principios del XXI: aquel sistema fue sustituido, en parte, por uno en el cual la agricultura y la ganadería se desacoplaron y se especializaron individualmente, dentro un planteo aún más intensivo (Viglizzo *et al.*, 2001). La agricultura se adecuó a un paquete tecnológico simplificado y de alta productividad, integrado por cultivos transgénicos, siembra directa, mayor uso de fertilizantes y plaguicidas y, en menor medida, agricultura de precisión (Satorre, 2005; Martínez-Ghersa y Ghersa, 2005). La ganadería también se intensificó (particularmente, en la Pampa Ondulada) y siguió patrones y esquemas de producción más cercanos a los industriales que a los agropecuarios tradicionales. No es sorprendente, entonces, que los *feed-lots* y otros sistemas ganaderos intensivos tengan una presencia creciente en áreas agrícolas. Este sistema simplificado no incluye el concepto de manejo integrado de plagas y malezas, el cual tiene un fuerte sustento en la diversificación y la rotación de cultivos, en la diversidad genética y en las labores culturales. El impacto negativo de estos sistemas más intensivos sobre el ambiente es inevitable, ya que acarrean un uso creciente de insumos potencialmente contaminantes como fertilizantes, plaguicidas, alimentos concentrados, combustibles fósiles, etc.

La fauna regional ha resultado significativamente afectada a raíz de estos cambios. En una evaluación de gran alcance geográfico, Zaccagnini (2005) reportó treinta y seis casos graves de mortandad de aves desde 1997. Al menos veintinueve especies silvestres resultaron afectadas en incidentes vinculados al uso de plaguicidas, cuyos principios activos incluyeron *monocrotofós*, *clorpirifós*, *metamidofós*, *dimetoato*, *endosulfán* y *carbofurán*. La autora encontró el mayor impacto en áreas de frontera agrícola, donde ocurre un reemplazo acelerado de tierras (ocupadas por la ganadería tradicional) por soja.

Por otro lado, en la región de Campos y Malezales la agricultura ha tenido un bajo impacto sobre el ambiente, a excepción de algunas zonas en las que la superficie destinada al cultivo de arroz pudo llegar al 40%. Las mayores amenazas para la preservación del ambiente en esta región corresponden a las plantaciones de pinos (que han reemplazado los montes nativos), a la captura y el comercio ilegal de especies de fauna silvestre, a la utilización del fuego como práctica ganadera y, en menor medida, al drenado y la canalización de humedales para el cultivo de arroz.

Ecorregión	Área ecológica	% cultivos anuales			% pastizales anuales			% pasturas cultivadas			% bosques naturales		
		1960	1988	2002	1960	1988	2002	1960	1988	2002	1960	1988	2002
Pampa	Pampa Ondulada	36,5	44,1	57,6	29,7	27,8	24,1	22,9	19,9	12,5	0,8	1,4	1,4
	Pampa Central	38,3	42,4	52,1	24,3	17,6	15,9	25,2	20,6	15,9	2,1	3,2	1,3
	Pampa Semiárida	35,1	35,6	42,2	28,9	11,9	12,3	11,1	18,0	16,8	19,7	29,8	27,8
	Pampa Austral	35,0	39,9	44,6	51,6	36,8	35,1	3,7	14,8	14,3	1,4	1,0	0,8
	Pampa Mesopotámica	18,1	15,8	26,5	52,2	53,4	45,2	3,1	8,5	5,5	15,0	10,6	13,6
	Pampa Deprimida	13,6	10,0	12,9	70,1	60,5	68,1	4,6	10,0	9,8	0,5	0,5	0,3
	Promedio General	29,5	31,3	39,3	42,8	34,7	32,6	11,8	15,3	12,5	6,5	7,7	7,5
Campos y Malezales	Promedio General	1,6	0,7	1,3	82,9	79,6	81,5	---	0,6	1,0	5,1	2,6	1,8

Datos extraídos de los Censos Nacionales Agropecuarios de los años correspondientes.
Porcentajes referidos al total de la superficie de las unidades censadas.

Tabla 1. Cambios relativos en el uso de la tierra entre 1960 y 2002 en las ecorregiones Pampa y Campos y Malezales.

Sustentabilidad de los agro-ecosistemas

Cuando se proyectan en un mapa de la pradera pampeana los cambios que ocurrieron durante los últimos cuarenta años, se puede apreciar que varios de los indicadores que comúnmente se utilizan para este fin evolucionaron de manera distinta (Viglizzo *et al.*, 2003). A una escala ecorregional, y en un contexto de productividad creciente, algunos indicadores de sustentabilidad han presentado mejoras y otros, no (Figura 3 a y 3 b). Los datos disponibles indican un aumento en el consumo de energía fósil, en el riesgo de contaminación por plaguicidas, en la pérdida de fósforo y en la intervención del hábitat. En paralelo –y en respuesta principalmente al cambio tecnológico positivo (por ejemplo, la siembra directa)–, disminuyó el riesgo de erosión, la pérdida de carbono orgánico en suelos y la emisión de gases invernadero.

La oferta de servicios ecológicos

Desde una perspectiva científica novedosa, se puede suponer que una menor prestación de servicios ecológicos es el precio que se debe pagar por una mayor producción agropecuaria (Figura 4). Los servicios ecológicos son aquellas funciones esenciales del ecosistema que, cuando son afectadas o destruidas, afectan la calidad de vida de la gente (Millennium Ecosystem Assessment, 2003). Los servicios ecológicos provistos por los ecosistemas son numerosos, pero no todos los ecosistemas ofrecen la misma cantidad de servicios. Aunque sus tierras tienen un bajo valor actual de mercado, algunos ecosistemas tienen la capacidad de ofrecer muchos servicios de alto valor ecológico (Costanza *et al.*, 1997). Por otro lado, las tierras de cultivo tienen un alto valor de mercado, pero un bajo valor ecológico. Lo contrario ocurre con los humedales, los océanos y los bosques naturales.

La Situación Ambiental Argentina 2005

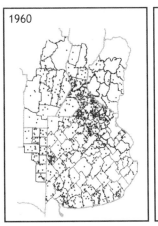  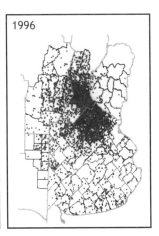

1960   1988   1996

Figura 3 a. Patrones geográficos que muestran el comportamiento del riesgo relativo de contaminación por plaguicidas. Fuente: Viglizzo *et al.*, 2003.

Dentro de los servicios más importantes, cabe citar los ambientales (la regulación del clima, el control de la erosión, la prevención de inundaciones, el reciclado de nutrientes, la conservación de especies naturales, etc.), los culturales (las costumbres, los idiomas y los dialectos, las comidas típicas, las creencias, etc.) y los vinculados con la estética de la naturaleza y el paisaje (tales como la recreación y el turismo). Pese a su baja o nula valoración de mercado, algunos de estos servicios ya han empezado a adquirir un valor económico y comercial, como ocurre con el caso del agroturismo y el ecoturismo, la preservación del paisaje, el secuestro de carbono atmosférico o la certificación ecológica de productos y procesos de producción.

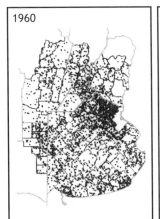 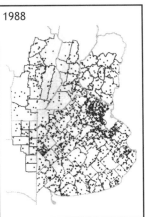 

1960   1988   1996

Figura 3 b. Patrones geográficos que muestran el comportamiento de las pérdidas de carbono en el suelo (cada punto = 0,05 t/ha/año). Fuente: Viglizzo *et al.*, 2003.

La Situación Ambiental Argentina 2005

De este modo, a medida que la agricultura se expande y aumenta la rentabilidad de las tierras, se afecta la provisión de servicios ecológicos. Esto es visible en estimaciones realizadas sobre ecosistemas de la pradera pampeana que han sufrido distintos grados de intervención agrícola en desmedro de sus pastizales naturales (Viglizzo y Frank, 2005). Sin embargo, el impacto no es igual en todos los ecosistemas. Cuando se convierte un bosque o un humedal en un campo de agricultura, el impacto sobre los servicios ambientales suele ser muy alto (Figura 5), y el perjuicio potencial a terceros por la pérdida de servicios ecológicos puede no justificar la rentabilización de esas tierras a través de la agricultura (Viglizzo y Frank, 2005).

Oportunidades y campos de acción

Existen tres campos concretos de acción en los cuales hay oportunidades para mejorar la condición ambiental de estas dos ecorregiones: 1) la expansión de áreas protegidas (AP) para preservar la diversidad biológica, 2) el ordenamiento del espacio rural y 3) la adopción de tecnologías y prácticas conservacionistas.

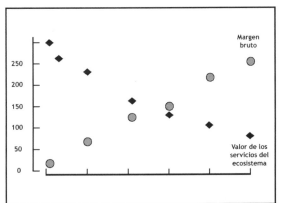

Figura 4. Relación estimada entre el margen bruto económico y el valor de los servicios aportados por el ecosistema en la pradera pampeana durante la década del 90.

La **expansión de AP** debería ser parte de una política necesaria para elevar el nivel de protección de las especies de la flora y la fauna nativas, a fin de favorecer la preservación del hábitat que las contiene. Debe incluirse la preservación de áreas poco intervenidas, la restauración de hábitat degradados y la aplicación de buenas prácticas de manejo tanto en AP como en áreas no protegidas. En esta iniciativa deben participar todos los grupos y los sectores de interés involucrados.

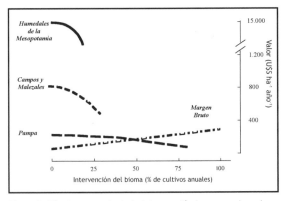

Figura 5. Efecto esperado de la intervención humana sobre el valor de los servicios del ecosistema en distintos biomas de la baja cuenca del Río de la Plata.

La Situación Ambiental Argentina 2005

El **ordenamiento del espacio rural** debería ser una estrategia internalizada por la sociedad, con el fin de prevenir usos y prácticas degradantes para el ambiente. El eje ordenador tendría que partir de una evaluación meticulosa de los bienes y los servicios ambientales que ofrecen distintas unidades ecológicas homogéneas (ecosistemas, paisajes, cuencas, etc.). De esta manera, todas las actividades económicas y sociales de alto impacto deberían ser localizadas fuera de los núcleos de alta provisión de estos bienes y servicios, para que se puedan concentrar, en cambio, en áreas de menor vulnerabilidad. La acción concertada entre grupos sociales de interés resulta vital para lograr una estrategia de largo plazo que sea efectiva.

La **adopción de tecnologías y prácticas conservacionistas** en los sectores rural, forestal y agro-industrial contribuye a cerrar el trípode de oportunidades y acciones posibles. Dentro de este marco, cabe mencionar la siembra directa, el uso adecuado de plaguicidas de bajo impacto, el uso de cultivos resistentes a plagas (que minimizan el uso de plaguicidas) y la fertilización estratégica. Aunque con menor desarrollo, en tiempos recientes se está expandiendo la agricultura de precisión como una herramienta con un interesante potencial para optimizar el uso de insumos y mejorar la sustentabilidad ambiental de los planteos agrícolas.

LAS ÁREAS VALIOSAS DE PASTIZAL, UN PASO HACIA UNA VISIÓN ECORREGIONAL DE LA CONSERVACIÓN DE LOS PASTIZALES PAMPEANOS

Por: Fernando Miñarro[I], Mario Beade[I] y David Bilenca[I, II]

[I]*Programa Pastizales, Fundación Vida Silvestre Argentina (FVSA). conosur@vidasilvestre.org.ar*

[II]*Departamento de Ecología, Genética y Evolución, Facultad de Ciencias Exactas y Naturales (FCEN), Universidad de Buenos Aires (UBA). Consejo Nacional de Investigaciones Científicas y Técnicas (CONICET).*

La pérdida generalizada de pastizales naturales y el bajo porcentaje de AP dedicadas a su conservación observado en las ecorregiones Pampa y Campos y Malezales (ver Viglizzo *et al.*, y Burkart en este volumen) motivaron a la FVSA a trabajar en los primeros pasos de una visión ecorregional de la conservación de los pastizales naturales.

De este modo, con el apoyo de The J. M. Kaplan Fund, se inició en octubre de 2002 la coordinación de una iniciativa transfronteriza, con el objetivo de identificar las Áreas Valiosas de Pastizal (AVP) que aún se conservan en los pastizales templados de América del Sur, en la región conocida también con el nombre de los Pastizales del Río de la Plata (Soriano *et al.*, 1992). Las principales preguntas a responder por medio de este esfuerzo fueron: ¿cuántas áreas remanentes de pastizales naturales existen todavía?, ¿dónde están localizadas? y ¿cuáles son sus tamaños y condiciones presentes?

La Situación Ambiental Argentina 2005

Los Pastizales del Río de la Plata cubren más de 750.000 km² y abarcan dos grandes ecorregiones: 1) las Pampas en la Argentina y 2) las Sabanas de Uruguay, que incluyen todo el Uruguay, parte del estado de Rio Grande do Sul en Brasil y la zona correspondiente a los Campos y Malezales en las provincias argentinas de Corrientes y Misiones (Dinerstein *et al.*, 1995).

En términos operativos, un AVP puede definirse como "una superficie considerable de pastizales naturales en buen estado de conservación", cuya extensión puede variar desde unas pocas hectáreas (por ejemplo, cuando se trata del relicto de una especie endémica), hasta áreas de gran tamaño en las que extensos pastizales naturales y seminaturales con una biodiversidad relevante constituyen el tipo de parche claramente dominante en la matriz del paisaje, aun cuando pueden contener también en su interior numerosos parches destinados a otros usos. Entre los principales criterios que se adoptaron para la selección de las AVP, se encuentran el tamaño y los elementos del paisaje contenidos en el área, su biodiversidad, el estatus de dominio y uso de la tierra, así como también las amenazas, las oportunidades de conservación y la relevancia cultural que ofrece el sitio.

De los métodos disponibles para el relevamiento de las AVP y en consideración de, por un lado, tanto las restricciones de tiempo y recursos como la extensión del área a relevar y, por otro lado, el gran número de expertos y centros de investigación dedicados al estudio de los pastizales y agroecosistemas con los que cuenta la región, se optó finalmente por desarrollar una convocatoria a informantes calificados, un método que ha demostrado ser muy eficiente en situaciones similares (TNC, 2000; ver también Herrera y Martinez Ortiz en este volumen).

Como resultado del proyecto, del cual participaron más de ciento cuarenta expertos y un total de cincuenta y seis instituciones de los tres países involucrados, se obtuvieron un diagnóstico y un inventario de las áreas de pastizales naturales mejor conservadas en la región. Se identificaron en total sesenta y ocho AVP, de las cuales cuarenta y ocho corresponden a los Pastizales del Río de la Plata, y las veinte restantes están distribuidas en su periferia. En la Argentina se identificaron treinta y tres en la Ecorregión de las Pampas, y tres en la Ecorregión de los Campos y Malezales. Si se analizara más en detalle lo que ocurre en las Pampas, se podría ver que las treinta y tres AVP identificadas cubren en total una superficie superior a las 1.440.000 ha, lo que equivale a un 3,4% de dicha ecorregión. Esta superficie es al menos unas once veces superior al 0,3% que cubren actualmente las AP presentes en la ecorregión (Burkart, 1999), y más del 60% de las AVP se superpone total o parcialmente con alguna de las AP existentes. Todo esto permite tener buenas expectativas respecto del potencial que ofrecen las Pampas, ya sea para gestionar la creación de nuevas AP o la ampliación de algunas de las ya existentes, así como también para llevar a cabo programas, a fin de conservar la biodiversidad a escala ecorregional. Por otro lado, el 47% de las AVP identificadas en las Pampas y en los Campos y Malezales se encuentra en tierras de dominio privado, lo que resalta el importante papel que le cabe a la comunidad de productores agropecuarios en el desarrollo de estrategias para la conservación de pastizales naturales en tierras privadas.

En las Pampas, el número de AVP se encuentra distribuido en forma relativamente homogénea por las diferentes subdivisiones de la ecorregión, aunque la mayor superficie de las AVP se concentra en la Pampa Interior (61%) y en la Pampa Deprimida (35%), y corresponden en su mayoría a sitios de baja o nula aptitud agrícola, al igual que ocurre con las AVP de los Campos y Malezales, donde se encontraron pastizales bajos. De acuerdo con la opinión de los expertos, la invasión de especies vegetales exóticas, las actividades de caza furtiva y el comercio ilegal constituyen las amenazas que con mayor frecuencia se presentan en las AVP, a las que acompañan, en orden de importancia, otras amenazas cuyos efectos se expresan sobre grandes extensiones, tales como la expansión de la frontera agrícola o la sustitución de pastizales naturales por plantaciones forestales.

Concluida esta etapa de diagnóstico y mapeo de las AVP (Bilenca y Miñarro, 2004), el Programa Pastizales de la FVSA organizó una serie de talleres nacionales con el objetivo de conformar los lineamientos para una estrategia de conservación transfronteriza de las AVP de los Pastizales del Río de la Plata. Los talleres se realizaron durante los meses de octubre y noviembre de 2004 en las ciudades de Porto Alegre (Brasil), Montevideo (Uruguay) y Buenos Aires (Argentina). Las metas propuestas para estos talleres fueron: 1) presentar y distribuir el mapa y el libro entre los actores e instituciones clave en la Argentina, Uruguay y Brasil, a fin de que sirvieran como documentos determinantes para la discusión de la estrategia de conservación de los pastizales naturales en la región y 2) elaborar en cada país una agenda de acciones de conservación de los pastizales naturales para el período 2005-2006.

El resultado obtenido a partir de los talleres fue la elaboración de una agenda de más de cuarenta acciones para la región, enfocadas principalmente en dos temas: a) **protección de las AVP identificadas:** proponer la creación de AVP como nuevas AP, o bien ampliar algunas de las AP ya existentes con AVP lindantes ya identificadas y b) **conservación de pastizales naturales en tierras privadas:** integrar los objetivos de conservación dentro de las actividades productivas; evaluar posibles incentivos y políticas de conservación para una producción amigable con el ambiente.

Uno de los puntos más importantes señalados para lograr la conservación de los pastizales naturales en el largo plazo fue la necesidad de enfatizar el trabajo colaborativo con los productores privados. Esto tiene que ver no sólo con que buena parte de las AVP son de dominio privado, sino también con la necesidad de trabajar más allá de los límites de las áreas identificadas (sean públicas o privadas), de forma tal que se asegure su conservación.

La Situación Ambiental Argentina 2005

Paralelamente, se resaltó la importancia de desarrollar herramientas que sostuvieran a la ganadería extensiva como una alternativa productiva sustentable por ser ésta la actividad que posee mayor compatibilidad con la conservación de la biodiversidad presente en los ambientes de pastizal natural. En este sentido, entre muchas de las acciones de la agenda propuestas para la Argentina, desde el Programa Pastizales se ha iniciado en 2005 un proyecto en la Ecorregión de las Pampas en la AVP "Refugios de Vida Silvestre Bahía Samborombón y Laguna Salada Grande", ubicada en la provincia de Buenos Aires, cuyo objetivo es promover acciones para desarrollar una producción ganadera eficiente y que sea,

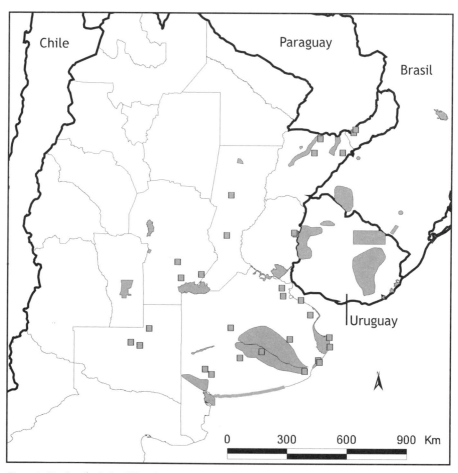

Figura 1. Distribución de las AVP en los Pastizales del Río de la Plata.
Fuente: Bilenca y Miñarro (2004).

a su vez, compatible con la conservación de la vida silvestre, en general, y de las poblaciones de venado de las pampas (*Ozotoceros bezoarticus*), en particular. Al mismo tiempo, en lo que respecta a la creación de nuevas AP, se está trabajando dentro de esta misma AVP para lograr que la Reserva de Vida Silvestre Campos del Tuyú se convierta en el primer parque nacional dedicado, exclusivamente, a conservar el pastizal pampeano (ver Beade *et al.*, en este volumen). Allí se conserva una amplia muestra de pastizal natural que contiene una de las últimas cuatro poblaciones de venados de las pampas de la Argentina, así como también un gran número de aves amenazadas como el tordo amarillo (*Xanthopsar flavus*).

De esta forma, se ha iniciado el camino en la generación de información que será clave para comenzar a trabajar en el ordenamiento ambiental del territorio y el uso sustentable e integral de los recursos naturales presentes en la región, a fin de alcanzar, así, una visión ecorregional de la conservación de los pastizales naturales. Para ello, será fundamental involucrar en este proceso a las autoridades nacionales y provinciales responsables de los recursos naturales, así como también a los sectores productivos y demás actores que participan en la toma de decisiones.

LA CONSERVACIÓN DE ÁREAS PROTEGIDAS EN LA ECORREGIÓN PAMPEANA: EL CASO DE LA RESERVA DE VIDA SILVESTRE CAMPOS DEL TUYÚ

Por: Mario Beade[I], Fernando Miñarro[I] y David Bilenca[I, II]

[I]*Programa Pastizales, FVSA.*

[II]*Departamento de Ecología, Genética y Evolución, FCEN, UBA. CONICET.*

pastizal@vidasilvestre.org.ar

La historia de la Reserva de Vida Silvestre Campos del Tuyú (CDT) se remonta a los orígenes mismos de la FVSA cuando, a fines de la década del 70, el biólogo y especialista en cérvidos John Jackson solicitó apoyo a la misma para darle continuidad al "Proyecto 1.303" de la Unión Mundial para la Conservación de la Naturaleza (UICN) y del Fondo Mundial para la Naturaleza (WWF), que tenía como objetivo la conservación de una de las últimas poblaciones del venado de las pampas (*Ozotoceros bezoarticus*). Fue así que se estableció contacto en la Bahía Samborombón con los propietarios de la estancia "Linconia", perteneciente a la familia Quiroga Leloir, con la intención de crear allí una reserva privada dedicada a conservar una porción del pastizal pampeano y de su especie más emblemática. El lugar elegido de la propiedad fue la zona costera, en el potrero llamado "Rincón Grande", que albergaba una docena de venados. La FVSA, gracias al valeroso gesto que tuvo entonces la familia Quiroga Leloir al firmar un contrato de cesión gratuita de las tierras por diez años, inició un compromiso histórico, con la creación de la primera reserva privada con una estructura de guardaparques para la Argentina.

Muchas cosas han sucedido desde entonces, que comprendieron desde la compra misma de las tierras que integran CDT (primero en 1985, con la adquisición de unas 2.000 ha con fondos de una campaña organizada junto a la tarjeta de crédito Diners; a las que se le agregaron en 1989 otras 1.000 ha, con fondos aportados por la Sociedad Zoológica de Nueva York), hasta la realización de numerosas acciones concretas para la conservación del área.

Una de las actividades que ha procurado sostener la FVSA a lo largo de los años ha sido la realización de censos aéreos para estimar la abundancia y la distribución de venados a lo largo de la Bahía Samborombón, a fin de dar así continuidad a una actividad que iniciaron funcionarios de la provincia de Buenos Aires en la década del 80 y que luego fue discontinuada.

Los resultados indican que, si bien a lo largo de las últimas décadas el número de venados en la bahía se ha mantenido relativamente estable (alrededor de los doscientos y los trescientos individuos), la distribución de venados muestra una retracción en la zona norte y una mayor concentración de animales en la zona sur de la bahía, donde se encuentran CDT y donde es más evidente la presencia de los agentes de conservación. En tal sentido, es necesario realizar nuevos estudios, con el fin de establecer si este cambio en la distribución de la especie está asociado a cambios en la disponibilidad de hábitat o si obedece, en realidad, a las mayores presiones de caza furtiva y especies exóticas (chanchos cimarrones, perros abandonados, cérvidos exóticos) a las que pueden estar sometidos los venados ubicados al norte de la bahía.

A los estudios sobre la abundancia y la distribución de venados se han sumado muchos otros, como los destinados a conocer aspectos de su dieta y los estudios de radiotelemetría orientados a conocer los patrones de actividad, comportamiento y organización social de los venados o los primeros trabajos sobre el estado sanitario de la población (Beade *et al.*, 2000; Bilenca y Beade, 2004; Uhart *et al.*, 2003; Vila y Beade, 1997; Vila *et al.*, 1998). En lo que respecta a los estudios sobre el área, merecen destacarse los relevamientos de flora y fauna, los estudios arqueológicos, el análisis de los efectos de fuegos prescriptos sobre la estructura y la producción del pastizal, los ensayos piloto para el control de chanchos cimarrones y los censos sobre perros abandonados, entre muchos otros trabajos (Beade, 1996; Bilenca y Beade, 2004; Cagnoni y Faggi, 1993; Merino *et al.*, 1993; Nasca, 2001; Vila y Beade, 1996; Vuillermoz y Sapoznikow, 1998). Varios de estos estudios se han traducido en el desarrollo de tesis de grado y postgrado de diversas universidades (Giménez Dixon, 1991; Merino, 2003; Nasca, 2001; Vuillermoz, 2001).

Igualmente relevantes han sido las tareas educativas y de difusión de las actividades de conservación llevadas adelante por la FVSA, tanto en CDT como en el resto de la Bahía Samborombón, que incluyen la reapertura en 1980 del Museo Regional *"Santos Vega"* de General Lavalle (con una sala dedicada a la naturaleza local montada por la FVSA), la confección y la distribución de materiales educativos (pósters, folletos), charlas en escuelas, talleres de educación ambiental para docentes o la difusión de avisos radiales en los medios locales, entre muchas otras.

La síntesis de estos estudios y acciones se vio plasmada en 2004 con la confección del primer Plan de Manejo de la Reserva de Vida Silvestre Campos del Tuyú (Fernández *et al.*, 2004), especialmente orientado a desarrollar una estrategia de conservación y recuperación del venado de las pampas. Algunas de las actividades prioritarias detectadas por este estudio incluyen: 1) el desarrollo de un sistema efectivo y regular para la prevención y el control de la caza furtiva en cooperación con distintos organismos provinciales y nacionales (Policía, guardaparques provinciales, Prefectura Naval Argentina), 2) continuar con las actividades de educación y difusión acerca de la problemática del venado de las pampas, la introducción de especies exóticas y la tenencia responsable de mascotas, 3) promover el desarrollo de investigaciones científicas y ejecutar los planes de evaluación y monitoreo ambiental de las acciones implementadas y 4) gestionar la efectivización del área de amortiguación en áreas adyacentes a CDT, en colaboración con los productores vecinos. En cuanto a este último propósito, se ha iniciado en 2005 un proyecto conjunto con investigadores del Instituto de Clima y Agua del INTA, que tiene por objeto desarrollar una herramienta para estimar la productividad vegetal de los campos, a partir de la utilización de imágenes satelitales. Esta herramienta –que fue concebida como un instrumento de aplicación sencilla para mejorar el manejo y la conservación de los campos ganaderos de la zona de Bahía Samborombón– será difundida entre los productores en colaboración con los extensionistas del Grupo Operativo de Trabajo Salado Sur del INTA Maipú. El proyecto se complementa con una evaluación del estado sanitario de los rodeos vacunos vecinos a CDT, con el objeto de tratar de minimizar el riesgo sanitario para los venados y de apuntar a elaborar a mediano plazo un plan sanitario para toda la Bahía Samborombón. De este modo, se trabaja para que en el país se desarrolle una ganadería compatible con el sostenimiento a largo plazo de la vida silvestre y de los servicios ambientales que proveen los pastizales naturales, y que sea, a su vez, productiva y eficiente (desde lo agronómico) y rentable (desde lo económico). Todos estos objetivos pueden ser alcanzados simultáneamente, en la medida en que los pastizales naturales sean valorados nuevamente.

Tras más de veinticinco años de actividad ininterrumpida en CDT, el interés local, provincial, nacional e internacional por la conservación del área y de los venados ha ido progresivamente en aumento, y esto se ha traducido, entre otras acciones, en la declaración de la Bahía Samborombón como humedal de importancia internacional (Sitio Ramsar, 1997), la creación de diversas AP provinciales (Reserva Natural Integral Rincón de Ajó, en 1997; Reserva Natural Integral

Bahía Samborombón, en 1997; Refugio de Vida Silvestre Bahía Samborombón, en 1997), la declaración del venado de las pampas como un monumento natural en la provincia de Buenos Aires (1995) y la declaración en el año 2000 por el Concejo Deliberante de General Lavalle como Capital del venado de las pampas.

Más recientemente, en septiembre de 2004, el Consejo de Administración de la FVSA aprobó la idea de evaluar un pedido de la Administración de Parques Nacionales (APN) de donación de los CDT para la creación en la reserva de un parque nacional. Con esta iniciativa, que ha sido también declarada de interés municipal por la Municipalidad de General Lavalle, se abrió un proceso que podría derivar en la creación del primer parque nacional dedicado a la conservación de pastizales naturales en la Ecorregión Pampeana.

Bibliografía

• Beade, M. S., en colaboración con alumnos de E. E. M. Nº1 Gral. Manuel Belgrano, Gral. Lavalle, "Relevamiento de perros y sus dueños en el partido de Gral. Lavalle", Buenos Aires, Fundación Vida Silvestre Argentina, Informe inédito, 1996.

• Beade, M. S., H. Pastore y A. R. Vila, "Morfometría y mortalidad de venados de las pampas (*Ozotoceros bezoarticus celer*) en la Bahía Samborombón", Boletín Técnico Nº50, Buenos Aires, Fundación Vida Silvestre Argentina, 2000.

• Bilenca, D. y F. Miñarro, *Identificación de Áreas Valiosas de Pastizal (AVP) en las Pampas y Campos de Argentina, Uruguay y sur de Brasil*, Buenos Aires, Fundación Vida Silvestre Argentina, 2004.

• Bilenca, D. y M. S. Beade, "Estado del venado de las Pampas en el área de Bahía Samborombón y acciones en curso para su conservación", Informe interno, Buenos Aires, Fundación Vida Silvestre Argentina, 2004.

• Burkart, R., "Conservación de la biodiversidad en bosques naturales productivos del subtrópico argentino", en: Mateucci, S. D., O. T. Solbrig, J. Morello y G. Halffter (eds.), *Biodiversidad y Uso de la Tierra. Conceptos y ejemplos de Latinoamérica*, Buenos Aires, Eudeba, 1999.

• Cagnoni, M. A. y A. Faggi, "La vegetación de la Reserva de Vida Silvestre Campos del Tuyú", *Parodiana*, 1993, 8: pp. 101-112.

• Costanza, R., R. d'Arge, R. de Groot, S. Farber, M. Grasso, B. Hannon, K. Limburg, Shahid, Naeem, R. O'Neill, J. Paruelo, R. Raskin, P. Sutton y M. van den Belt, "The value of the world's ecosystem services and natural capital", *Nature*, 1997, 387: pp. 253-260.

• Dinerstein, E., D. M. Olson, D. J. Graham, A. L. Webster, S. A. Primm, M. P. Bookbinder y G. Ledec, *A Conservation Assessment of the Terrestrial Ecoregions of Latin America and the Caribbean*, Washington D. C., The World Bank & WWF, 1995.

• Fernández, J. F., M. S. Beade, E. M. Pujol y M. E. Mermoz, Plan de Manejo de la Reserva de Vida Silvestre "Campos del Tuyú", Estrategias para la conservación y recuperación del venado de las pampas en la Reserva de Vida Silvestre "Campos del Tuyú", Buenos Aires, Fundación Vida Silvestre Argentina, 2004.

• Giménez Dixon, M., "Estimación de parámetros poblacionales del venado de las pampas (*Ozotoceros bezoarticus celer*, Cabr., 1943 - Cervidae) en la costa de la Bahía Samborombón (Prov. Buenos Aires) a partir de datos obtenidos mediante censos aéreos", Tesis Doctoral, Facultad de Ciencias Naturales y Museo, Universidad Nacional de La Plata, 1991.

• Krapovickas, S. y A. Di Giacomo, "Conservation of pampas and campos grasslands in Argentina", *Parks*, 1998, 8: 53 pp.

• León, R., "Vegetation", en: Soriano, A. y R. Coupland (eds.), *Natural Grasslands: Introduction and Western Hemisphere*, Ámsterdam, Elsevier, 1991, pp. 380-387.

• Martínez-Ghersa, M. y C. Ghersa, "Consecuencias de los recientes cambios agrícolas", en: Oesterheld, M. (ed.), La Transformación de la Agricultura Argentina, *Ciencia Hoy*, 2005, 15: pp. 37-45.

• Merino, M. L., "Dieta y uso de hábitat del venado de las pampas, *Ozotoceros bezoarticus celer* Cabrera 1943 [Mammalia - Cervidae] en la zona costera de Bahía Samborombón, Buenos Aires, Argentina. Implicancias para su conservación", Tesis Doctoral, Facultad de Ciencias Naturales y Museo, Universidad Nacional de La Plata, 2003.

• Merino, M. L., A. Vila y A. Serret, "Relevamiento biológico de la Bahía Samborombón, provincia de Buenos Aires", Boletín Técnico N°16, Buenos Aires, Fundación Vida Silvestre Argentina, 1993.

• Millennium Ecosystem Assessment, "Ecosystems and Human Well-being: A Framework for Assessment", *Island Press*, Washington DC, 2003, 245 pp.

• Nasca, P. B., "Fuego prescripto: efecto sobre la estructura y dinámica del espartillar de *Spartina densiflora* y su uso como herramienta de manejo para la conservación del venado de las pampas", Tesis de Licenciatura, Facultad de Ciencias Exactas y Naturales, Universidad de Buenos Aires, 2001.

• Real, R., A. Barbosa, D. Porras, M. Kin, A. Márquez, J. Guerrero, L. Palomo, E. Justo y J. Vargas, "Relative importance of environment, human activity and spatial situation in determining the distribution of terrestrial mammal diversity in Argentina", *Journal of Biogeography*, 2003, 30: pp. 939-947.

• Satorre, E., "Cambios tecnológicos en la agricultura argentina actual", en: Oesterheld, M. (ed.), La Transformación de la Agricultura Argentina, *Ciencia Hoy*, 2005, 15: pp. 24-31.

• Soriano, A., R. J. C. León, O. E. Sala, R. S. Lavado, V. A. Deregibus, M. A. Cahuepé, O. A. Scaglia, C. A. Velazquez y J. H. Lemcoff, "Río de la Plata grasslands", en: Coupland, R. T. (ed.), *Ecosystems of the world 8A. Natural grasslands*, New York, Elsevier, 1992, pp. 367-407.

• TNC, *Diseño de una Geografía de la Esperanza: Manual para la planificación de la conservación ecorregional*, Volúmenes I y II, Segunda Edición, The Nature Conservancy, 2000.

• Uhart, M. M., A. R. Vila, M. S. Beade, A. Balcarce y W. Karesh, "Health evaluation of Pampas deer (*Ozotoceros bezoarticus celer*) at Campos del Tuyú Wildlife Reserve, Argentina", *Journal of Wildlife Disease*, 2003, 39: pp. 887-893.

• Viglizzo, E., A. Pordomingo, M. Castro y F. Lértora, "Environmental assessment of agriculture at a regional scale in the pampas of Argentina", *Environmental Monitoring and Assessment*, 2003, 87: pp. 169-195.

• Viglizzo, E., F. Lértora, A. Pordomingo, J. Bernardos, Z. Roberto y H. Del Valle, "Ecological lessons and applications from one century of low intensity farming", *Agriculture, Ecosystems and Environment*, 2001, 81: pp. 65-81.
• Viglizzo, E. y F. Frank, "Land use options for Del Plata Basin in South America: Tradeoffs analysis based on ecosystem service provision", *Ecological Economics*, 2005.
• Viglizzo, E., Z. Roberto, F. Lértora y E. López Gay, "Climate and land-use change in field-crop ecosystems of the Argentine Pampas", *Agriculture, Ecosystems and Environment*, 1997, 66: pp. 61-70.
• Vila, A. R., M. S. Beade y H. Pastore, "Patrones de actividad del venado de las Pampas en `Campos del Tuyú´", Boletín Técnico Nº43, Buenos Aires, Fundación Vida Silvestre Argentina, 1998.
• Vila, A. R. y M. S. Beade, "Control de chanchos (*Sus scrofa*) y perros cimarrones (*Canis familiaris*) en el área de Campos del Tuyú", Informe Interno, Buenos Aires, Fundación Vida Silvestre Argentina, 1996.
• Vila, A. R. y M. S. Beade, "Situación de la población del venado de las pampas en la Bahía Samborombón", Boletín Técnico Nº37, Buenos Aires, Fundación Vida Silvestre Argentina, 1997.
• Vuillermoz, P. A., "Dieta estacional y selección de presas del gato montés (*Oncifelis geoffroyi*) y zorro pampeano (*Pseudalopex gymnocercus*) en la Reserva de Vida Silvestre 'Campos del Tuyú' (Bahía Samborombón)", Tesis de Licenciatura, Facultad de Ciencias Exactas y Naturales, Universidad de Buenos Aires, 2001.
• Vuillermoz, P. y A. Sapoznikow, "Hábitos alimenticios y selección de presas de los carnívoros medianos en la Reserva de Vida Silvestre 'Campos del Tuyú'", Boletín Técnico Nº44, Buenos Aires, Fundación Vida Silvestre Argentina, 1998.
• Zaccagnini, M., *¿Por qué el monitoreo eco-toxicológico de diversidad de aves en sistemas productivos?*, Buenos Aires, Ediciones INTA, 2005.

Ecorregión Bosque Patagónico

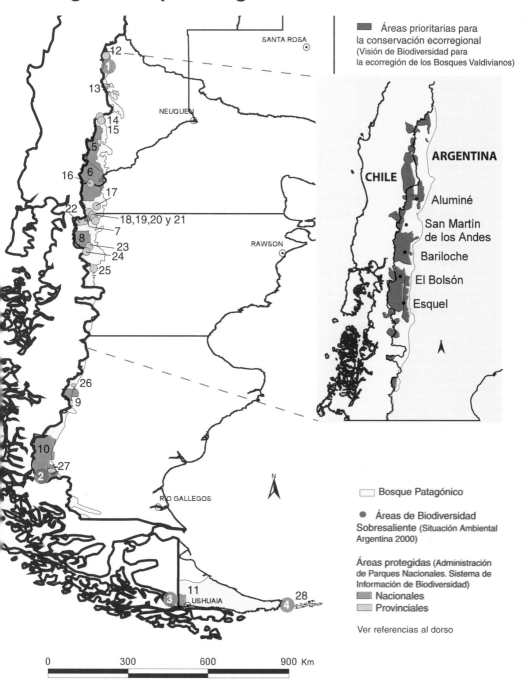

Áreas prioritarias para la conservación ecorregional (Visión de Biodiversidad para la ecorregión de los Bosques Valdivianos)

SANTA ROSA

NEUQUEN

ARGENTINA

CHILE

Aluminé

San Martín de los Andes

Bariloche

El Bolsón

Esquel

RAWSON

RIO GALLEGOS

USHUAIA

☐ Bosque Patagónico

● Áreas de Biodiversidad Sobresaliente (Situación Ambiental Argentina 2000)

Áreas protegidas (Administración de Parques Nacionales. Sistema de Información de Biodiversidad)

Nacionales

Provinciales

Ver referencias al dorso

0   300   600   900 Km

Referencias Bosque Patagónico

Áreas de Biodiversidad Sobresaliente (Situación Ambiental Argentina 2000)

1. Relictos de bosques de Nothofagus y Austrocedrus
2. Bosques de Guindo y Península Magallanes
3. Pque. Nac. Tierra del Fuego y alrededores
4. Península Mitre e Isla de los Estados

Áreas protegidas (Administración de Parques Nacionales, Sistema de Información de Biodiversidad)

Nacionales
5. Pque. Nac. y Res. Nat. Lanín
6. Pque. Nac. y Res. Nat. Nahuel Huapí
7. Pque. Nac. y Res. Nat. Lago Puelo
8. Pque. Nac. y Res. Nat. Los Alerces
9. Pque. Nac. y Res. Nat. Perito Moreno
10. Pque. Nac. y Res. Nat. Los Galciares
11. Pque. Nac. Tierra del Fuego

Provinciales
12. Res. Prov. Lagunas del Epulafquen
13. Pque. Prov. Copahue – Caviahue
14. Res. Ftal. Batea Mauhida
15. Res. Ftal. Chañy
16. Pque. Municipal Llao Llao
17. Res. Ftal. Los Repollos
18. Res. Ftal. Loma del Medio
19. Res. Ftal. Cerro Currumahuida
20. Res. Ftal. Cuartel Lago Epuyen
21. Pque. Prov. Cerro Pirque
22. Pque. Prov. y Res. Ftal. Río Turbio
23. Res. Ftal. Trevelín
24. Área Nat. Prot. Lago Baggilt
25. Res. Ftal. Lago Guacho
26. Estancia Rincón Ira Hiti
27. Res. Prov. Península de Magallanes
28. Res. Ecológica, Histórica y Turística Isla de los Estados

SITUACIÓN AMBIENTAL DE LOS BOSQUES PATAGÓNICOS

Por: Andrea C. Premoli, Marcelo A. Aizen, Thomas Kitzberger y Estela Raffaele

Laboratorio Ecotono, Universidad Nacional del Comahue. apremoli@crub.uncoma.edu.ar

Descripción física y biológica

La Ecorregión de los Bosques Valdivianos y los bosques y ecosistemas asociados se ubican entre los paralelos 35° y 48° de latitud sur en la Argentina, y abarcan las provincias de Neuquén, Río Negro y Chubut, entre el límite con Chile y el meridiano de 70° de longitud oeste. Esta región se encuentra limitada naturalmente por el Océano Pacífico al oeste y sur, y una serie de ecosistemas áridos o semiáridos al este y al norte, por lo que es considerada como una isla biogeográfica (Armesto *et al.*, 1995). Los bosques húmedos más cercanos se encuentran a casi 2.000 km en el noroeste y el noreste de la Argentina. Por otra parte, el Bosque Templado de Sudamérica Austral (BTSA), dentro del cual se incluye esta ecorregión, mantenía fuertes conexiones biogeográficas antes del levantamiento de los Andes y del enfriamiento de Sudamérica Austral hace unos 20.000.000 de años (Aizen y Ezcurra, 1998).

La Ecorregión de los Bosques Valdivianos es altamente heterogénea en términos de ambientes. La influencia de los vientos húmedos del Pacífico y el efecto sombra que produce la Cordillera de los Andes sobre las vertientes orientales en la Argentina determinan un marcado gradiente de precipitación longitudinal. Así, a latitudes medias de 40° de latitud sur y a lo largo de escasos 80 km, la precipitación varía de 3.000 mm en los Andes a menos de 500 mm en la estepa patagónica. Existe también un marcado gradiente térmico no solamente latitudinal a escala de paisaje, sino también a escalas reducidas de cientos de metros a lo largo de gradientes altitudinales. Esta heterogeneidad en el medio físico alberga distintos tipos de bosque, y éstos, de norte a sur, son: 1) el bosque templado cálido, cuyos elementos característicos son las especies caducifolias roble pellín y raulí (*Nothofagus obliqua* y *N. alpina*), juntamente con la araucaria o pehuén (*Araucaria araucana*); 2) la selva valdiviana, que alberga la mayor riqueza de especies y que consiste en elementos neotropicales y australes; por ejemplo las cupresáceas longevas como el alerce y el ciprés de las guaitecas (*Fitzroya cupressoides* y *Pilgerodendron uviferum*) son dos elementos arbóreos característicos; 3) el bosque templado, dominado principalmente por la siempreverde coihue (*Nothofagus dombeyi*) en áreas más húmedas, mientras que en zonas ecotonales con la estepa y los bosques abiertos coexiste con el deciduo ñire (*Nothofagus antarctica*) y el ciprés (*Austrocedrus chilensis*); 4) el bosque magallánico, cuyos elementos característicos son el siempreverde (*Nothofagus betuloides*) y las deciduas (*Nothofagus pumilio* y *N. antarctica*).

La ecorregión valdiviana ha sido afectada por diferentes eventos históricos. En particular, las glaciaciones ocurridas durante el Pleistoceno impactaron sobre las especies, modificaron las presiones de selección y los rangos de distribución, y produjeron, en algunos casos, la extinción local de sus poblaciones. Ciertos datos de polen fósil indican que en el sur de Chile habrían existido zonas libres de hielo en las que especies valdivianas habrían sobrevivido durante el UMG –Último Máximo Glaciar– (Villagrán, 1991). Además, el uso de marcadores genéticos facilitó el análisis de patrones de distribución de la variación genética en poblaciones naturales y, a partir de ellos, la posibilidad de reconstruir la huella de procesos ocurridos en el pasado. Así, áreas de elevada diversidad genética son reconocidas como potenciales refugios durante las glaciaciones. Por otro lado, aquéllas empobrecidas genéticamente marcan rutas de desplazamiento postglaciario, debido a "cuellos de botella genéticos" ocurridos durante el proceso migratorio. De esta forma, diferencias genéticas significativas encontradas entre poblaciones de alerces indican la existencia de refugios glaciarios ubicados sobre diferentes vertientes de los Andes (Premoli et al., 2000 a). Posteriormente, otros estudios que utilizaron variados marcadores genéticos han confirmado la existencia de refugios glaciarios que se distribuyen al oeste y al este de los Andes para distintas especies leñosas (Donoso et al., 2004).

Principales especies y comunidades

La ecorregión valdiviana (al igual que los restantes bosques andino-patagónicos) se caracteriza por poseer una biota altamente endémica (Aizen y Ezcurra, 1998). Cerca del 30% de los géneros de plantas leñosas son endémicos del BTSA, y en este bioma existen hasta dos familias de plantas vasculares que están presentes en esta región y en ningún otro lugar del mundo (*Aextoxicaeae* y *Misodendraceae*). Esta alta incidencia de endemismos es comparable a la que caracteriza a floras insulares oceánicas y es, posiblemente, el producto de la larga historia de aislamiento de este bioma boscoso. Los endemismos florísticos (e incluso algunos zoológicos –e.g., el marsupial *Dromiciops gliroides*, considerado un fósil viviente–) se pueden caracterizar como "paleoendemismos", es decir, como representantes de linajes que especiaron en un pasado lejano y que, hoy en día, están representados por una o pocas especies por género o familia. Muchos de estos endemismos se encuentran entre las plantas epífitas, parásitas o trepadoras, formas de vida muy bien representadas en la ecorregión valdiviana. Éstas son más características de biomas tropicales y, posiblemente, son parte de la herencia tropical que todavía se ve reflejada en la composición florística actual y en los procesos ecológicos que ocurren en estos bosques (Aizen y Ezcurra, 1998).

Esta herencia tropical también se puede observar en las altas incidencias de polinización biótica (particularmente, ornitofilia) y dispersión animal (particularmente, endozoocoria), que se encuentran entre las más altas registradas para cualquier bioma templado. En la ecorregión valdiviana, cerca del 20% de las especies leñosas son presumiblemente polinizadas en forma exclusiva o, al menos, altamente eficiente por el único colibrí endémico de estos bosques, *Sephanoides sephaniodes*, lo que constituye un tipo de interacción altamente asimétrica y que otorga a este polinizador la categoría de especie clave (Aizen y Ezcurra, 1998; Aizen et al., 2002). Esta asimetría también caracteriza las interacciones planta-dispersor, entre las que sólo dos especies de aves,

Elaenia albices y *Turdus falcklandii*, son las mayores responsables de la dispersión de un gran número de especies de plantas leñosas productoras de frutos carnosos (Aizen *et al.*, 2002). Este ecosistema también alberga interacciones únicas a nivel mundial, tales como la dispersión de semillas de la lorantácea *Tristerix corymbosus* por el marsupial *Dromicops gliroides*, probablemente una interacción muy antigua de origen gondwánico (Amico y Aizen, 2000). Las semillas de las demás especies estudiadas de esta familia que se encuentran mayormente en los trópicos y subtrópicos tienen dispersión mediante aves. En general, los estudios sobre redes de interacciones mutualistas planta-animal de la ecorregión valdiviana avalan la hipótesis de que la alta riqueza de plantas que son polinizadas o dispersadas por vertebrados depende de un ensamble extremadamente pobre de animales mutualistas. Por el contrario, en el caso de la polinización por invertebrados, trabajos recientes revelan que las flores entomófilas del BTSA interactúan con un ensamble insospechadamente diverso de insectos, rico en grupos taxonómicos exclusivos de este bioma (Aizen *et al.*, 2002; Aizen y Amico, 2005). Aunque muchos de estos mutualismos parecen ser resilientes, otros aparentan tener un alto grado de sensibilidad ante distintas formas de perturbación antrópica, como la invasión de especies exóticas. Por ejemplo, en muchas zonas del BTSA el único abejorro nativo, *Bombus dahlbomii*, otro polinizador clave, ha sido reemplazado por su congénere de origen europeo *B. ruderatus* (Morales y Aizen, 2004), lo que produjo consecuencias potenciales para la polinización de la flora nativa (Morales y Aizen, 2002 y 2005).

Principales problemas y usos
Cambios en la carga y la distribución de combustibles a escala de paisajes
Los cambios en la ocupación humana ocurridos en los últimos siglos dieron lugar a bruscas variaciones en el régimen de fuego. Éstos tuvieron una impronta significativa sobre los patrones de vegetación actuales, la carga y la distribución de combustibles del noroeste de la Patagonia, aspecto que provocó serias consecuencias sobre futuros regímenes de fuego y la resiliencia a fuego de los ecosistemas. Más de cien años con la virtual exclusión de los antes frecuentes fuegos encendidos por grupos aborígenes en el borde ecotonal con la estepa produjeron un importante aumento en la densidad de la conífera *Austrocedrus chilensis* (ciprés), a partir de refugios de fuego rocosos o de baja cobertura. Tanto el avance del bosque sobre la estepa (Veblen y Markgraf, 1988) como la tendencia regional de aumento en los tipos de vegetación dominados por especies arbóreas a expensas de los tipos dominados por herbáceas y arbustivas son procesos de largo plazo que han sido ampliamente documentados y cuantificados por medio de fuentes históricas y métodos dendroecológicos (Veblen *et al.*, 2003). En el bosque húmedo, el pico de frecuencia de fuego relacionado con el período de colonización indujo: 1) una masiva regeneración de especies arbóreas montanas (coihue, ciprés), lo que dio lugar a inmensas extensiones de rodales coetáneos de aproximadamente cien años de edad, con abundante auto-raleo y, por ende, altas cargas de combustibles secos (Veblen *et al.*, 2003); 2) un reemplazo de bosques dominados por especies sensibles al fuego (lenga) por especies adaptadas al fuego (matorrales) sobre la ladera media. Este reemplazo a gran escala es producto de la propagación de fuegos in-

tensos dentro de estos bosques, que dejaron poca cobertura y semilleros, además de la subsiguiente falta de regeneración de la lenga a expensas de la invasión de especies herbáceas y arbustivas (Kitzberger *et al.*, 2005).

En el extremo xérico aumentaron las cargas de combustibles gruesos y, posiblemente, la continuidad de combustibles finos. En los bosques húmedos montanos (por debajo de los 1000 m) se produjo un importante reemplazo de bosques maduros por bosques coetáneos posiblemente de mayor inflamabilidad por sus estadíos de auto-raleo. En las laderas medias, los matorrales aumentaron sus cargas de combustible, principalmente de material seco por la senescencia y la muerte de las copas. En altura, se produjo un reemplazo de ecosistemas relativamente inflamables (bosques de lenga) por matorrales más inflamables. Todos estos cambios en la calidad, la cantidad y la distribución de combustibles permiten anticipar una retroalimentación positiva fuego-paisaje (Mermoz, 2005) que conduce a regímenes de fuego más extensos e intensos en la región. Los recientes episodios de fuegos extremos ocurridos en la década del 90 son, quizás, los primeros indicios de este cambio de tendencia.

El otro mecanismo a partir del cual estarían cambiando los paisajes en términos de cargas y continuidad de combustible es la plantación de especies pirófilas de pináceas en áreas de estepa. La forestación con coníferas exóticas, particularmente *Pinus ponderosa*, se está realizando desde hace aproximadamente treinta años en estepas y matorrales de ecotono (en la zona de transición entre el bosque subantártico y la estepa patagónica), como recurso sustentable alternativo a la ganadería ovina. Actualmente, existen aproximadamente 4.000 ha plantadas en el Parque Nacional Nahuel Huapi, 3.800 ha en el Parque Nacional Lanín (Informe de la Delegación Regional Patagonia de la Administración de Parques Nacionales –APN–) y 50.000 ha plantadas fuera de los parques en campos privados. Se considera que el ritmo de forestación está aumentando a razón de 10.000 ha por año desde 1998 (Schlichter y Laclau, 1998).

Sin embargo, no todos los cambios en los combustibles son de origen antrópico. Algunos sistemas producen grandes cambios a nivel regional en la calidad y la disponibilidad de combustibles. Tal es el caso de los bosques dominados por la caña *Chusquea culeou*, que se reproduce cada cincuenta o setenta años en forma sincrónica, muere en forma masiva y produce sotobosques con altísimas cargas de materia seca muy combustible. Los bosques de *Nothofagus* se encuentran, en la actualidad, en una fase de reproducción de esta caña; al respecto, cabe destacar que ya se ha producido la floración masiva de unas 80.000 ha hacia el norte de su distribución en el año 2000, con perspectivas de que florezca en el resto de su rango en los próximos años. Esto se debe a que las fechas reportadas para la anterior floración masiva se remontan a las décadas del 30 y el 40 (Pearson *et al.*, 1984). Si bien se trata de una ciclicidad natural en los niveles de combustible de los bosques, la conjunción con una mayor presencia de ignición humana podría inducir eventos de fuego a gran escala.

Fluctuación climática

La alternancia de períodos bianuales extremadamente húmedos y extremadamente secos parece ser una receta ideal para la existencia de una alta frecuencia de fuego en la región. El fenómeno de El Niño Oscilación Sur (ENSO) es un fenómeno oscilatorio global, cuya frecuencia (de entre dos a seis años) coincide con los tiempos requeridos para los procesos de acumulación y desecación de los combustibles antes nombrados. Estudios recientes encuentran una sincronía en la frecuencia regional de fuego en distintos puntos del planeta, aparentemente controlada por cambios de largo plazo (décadas a siglos) en la actividad (frecuencia de eventos y amplitud) de ENSO (Kitzberger *et al.*, 2001). En particular, en la ecorregión valdiviana un aumento en la amplitud de la oscilación induciría a la desecación de combustibles en los bosques húmedos (occidentales y de altura) y en los relativamente sensibles al fuego, de modo que los haría más vulnerables y propensos al fuego. Las bruscas fluctuaciones detectadas en el clima no sólo han afectado el régimen de fuego, sino que también han afectado directamente la demografía de los árboles dominantes del bosque (Villaba y Veblen, 1998). Durante el verano transcurrido entre 1998 y 1999, más de 11.000 ha de bosques de coihue (aproximadamente, el 10% de estos bosques del Parque Nacional Nahuel Huapi) fueron afectados por una sequía extrema, lo que produjo la muerte total o parcial de su copa (Bran *et al.*, 2001). Aparentemente, si estos eventos fueran más frecuentes, aumentaría la susceptibilidad de especies arbóreas (Suárez *et al.*, 2004).

Cambio climático

Si bien es escasa la información sobre la vulnerabilidad de los ecosistemas de la ecorregión valdiviana frente a los cambios antropogénicos en el clima y la atmósfera, existen algunos estudios preliminares y una detección de tendencias que ayudan a avizorar posibles amenazas. Una de las tendencias climáticas detectables en el norte de la Patagonia es el aumento en las temperaturas medias de verano, a partir del año 1977, de aproximadamente 0,8°C, con respecto al período 1938-1976 (datos de Estación Aeropuerto Bariloche). Estos incrementos en la temperatura estarían relacionados con una más frecuente incursión de masas subtropicales en el norte de la Patagonia desde el noreste. Un análisis de los eventos de fuego iniciados por rayos en los cuatro parques nacionales del norte de la Patagonia indica que, si bien la ignición por rayos representa solamente el 16,4% del área quemada, el número de igniciones por rayo/década relacionadas a estas incursiones de masas húmedas e inestables se triplicó entre los períodos 1938-1976 y 1977-2004 (Kitzberger, 2003).

Estudios experimentales y dendroecológicos sugieren que los procesos de regeneración arbórea en áreas ecotonales podrían verse impedidos a causa de los veranos excesivamente cálidos. Se ha registrado una ausencia de regeneración del ciprés en áreas de estepa durante la década del 80 (Villalba y Veblen, 1997) y se ha señalado que los procesos de facilitación en el establecimiento del ciprés por arbustos no funcionarían en períodos cálidos y/o de sequía (Kitzberger *et al.*, 2000 a). También se ha demostrado experimentalmente que la regeneración post-fuego de especies arbóreas con reproducción obligada por semillas falla bajo condiciones de calentamiento de aproximadamente 2°C (Tercero-Bucardo *et al.*, Ms. inédito).

Pastoreo de herbívoros exóticos

Durante los últimos sesenta a cien años, los bosques andino-patagónicos han sido intensamente utilizados como áreas de pastoreo, particularmente en los hábitat más secos y en las áreas de mejor acceso (Veblen *et al.*, 2003). Estos ungulados han alterado significativamente la composición florística y la estructura de los rodales de los bosques nativos en la región de los parques nacionales (Veblen *et al.*, 1992; Relva y Veblen, 1998). En varios sitios el ganado ha impedido la recuperación post-fuego y, quizás, ha producido un impacto significativo sobre la calidad y la cantidad de los combustibles (Veblen *et al.*, 2003). Si bien las principales especies arbóreas son relativamente resistentes al pastoreo, una vez que alcanzaron la etapa de árbol joven, la alta presión del ganado vacuno durante la regeneración post-fuego temprana puede impedir localmente la regeneración de especies leñosas para, en su lugar, permitir la formación de estepas degradadas (con abundantes especies exóticas) o matorrales de arbustos espinosos y árboles bajos (Veblen *et al.*, 2003).

En experimentos de clausuras contra ganado instalados en matorrales mixtos post-fuego, se observó que, bajo una presión de pastoreo relativamente leve, se reduce significativamente la frecuencia y la cobertura de especies leñosas más comunes (Raffaele y Veblen, 2001). En estos matorrales existe más de una especie nodriza que favorece el establecimiento de otras especies con diferentes formas de vida. Es decir, el mecanismo de facilitación se observó entre varias especies simultáneamente. En consecuencia, una leve reducción inicial en la abundancia de especies clave de arbustos (especies nodrizas) crea potenciales reducciones más severas a mediano plazo en la biodiversidad (Raffaele y Veblen, 1998). La desaparición de algunos de estos arbustos significaría la ausencia de regeneración, en algunos casos, de otras especies, dentro de las cuales hay otros arbustos (e.g., *Ribes cucullatum*, *Relbunium richardianum*, *Ribes magellanica*, *Aristotelia chilensis*), enredaderas (e.g., *Mutisia decurrens*, *Mutisia spinosa*, *Loasa bergii*) y árboles (e.g., *Maytenus boaria*, *Austrocedrus chilensis*).

Plantaciones de coníferas exóticas

Un cambio más reciente en el uso de la tierra en la ecorregión valdiviana es la conversión de grandes áreas de estepa y matorral a plantaciones de coníferas introducidas. El reemplazo de especies nativas por especies exóticas (entre ellas, las coníferas de rápido crecimiento) puede considerarse como uno de los factores que propician la creación de mosaicos de vegetación y que, de esta manera, contribuyen al proceso de fragmentación de hábitat a nivel de paisaje. Las áreas forestadas con coníferas y eucaliptos en el hemisferio sur se incrementaron sustancialmente durante la segunda mitad del siglo XX, especialmente en Chile, Australia y Nueva Zelandia. Sin embargo, en los últimos años los extensos monocultivos de *Pinus spp.* han sido criticados (Lara y Veblen, 1993). Los aspectos ecológicos negativos más relevantes que se reconocen de los monocultivos, en particular en Chile, son: 1) su falta de sustentabilidad en relación con el suelo, 2) el aumento del riesgo de extensos daños por plagas y 3) la pérdida de la biodiversidad, por tratarse de un ambiente inhóspito para la biota nativa (Frank y Finckh, 1997). A pesar de esto, las políticas económicas empresariales y estatales aplicadas en la ecorregión valdiviana se orientaron, durante las últimas décadas, hacia la implantación de amplias extensiones de coníferas exóticas. Una de las razones que justificó esta actividad ha sido la existencia en esta región de extensas superficies con gran aptitud forestal, donde las especies cultivadas pueden alcanzar importantes crecimientos que, incluso, superan los de sus zonas de origen. Sólo en la provincia de Chubut se han identificado más de 500.000 ha de tierras que son desde moderadamente aptas a muy aptas para forestar (Irisarri *et al.*, 1995). En este sentido, las políticas de promoción vigentes apuntan a intensificar la actividad de plantación en la región (Díaz, 1997).

Las especies más utilizadas son el pino ponderosa (*Pinus ponderosa*), el pino oregón (*Pseudotsuga menziesii*), el pino radiata y el pino murrayana (*Pinus contorta*). Los mayores crecimientos ocurren hacia el oeste y se asocian a elevadas precipitaciones y una gran profundidad de suelo (Davel *et al.*, 1999; Diaz, 1997). Pino ponderosa y pino oregón son especies apreciadas por su buen crecimiento, sanidad y calidad maderera. Pino ponderosa es la especie con mayor superficie cultivada –aproximadamente, 50.000 ha–, mientras que la superficie plantada de pino oregón es relativamente pequeña, aunque ampliamente distribuida entre San Martín de los Andes, en Neuquén, y Corcovado, en Chubut.

A nivel de paisaje, el impacto del reemplazo de asociaciones vegetales autóctonas por plantaciones ha sido drástico. Recientes investigaciones indican que en la provincia de Chubut muchas áreas anteriormente ocupadas por el bosque nativo de ciprés han sido reemplazadas por plantaciones de coníferas exóticas (Carabelli *et al.*, 2003 a). Estudios realizados a una escala detallada demuestran que las condiciones ecológicas que generan las plantaciones densas de más de veinte años de *P. ponderosa* no permiten el desarrollo de la mayoría de las especies de las comunidades nativas –e.g., estepa, matorral mixto y bosque de ciprés– (Raffaele y Schlichter, 2000). Uno de los cambios más importantes se observa a nivel del suelo, por la acumulación de acículas de difícil descomposición que podrían estar actuando como una barrera mecánica e impidiendo el enterramiento de semillas en el suelo. La falta de luz y la desaparición de micrositios seguros (Fowler, 1986) para la germinación y el establecimiento de muchas especies nativas de la estepa podrían ser algunas de las causas que ocasionan la pérdida de especies en los pinares (Raffaele y Schlichter, 2000).

La invasión de coníferas exóticas en las comunidades naturales adyacentes a las plantaciones es otro de los grandes efectos que pueden producir las plantaciones, especialmente en las zonas de borde. Son múltiples los factores que interactúan para determinar la susceptibilidad de la vegetación nativa a la invasión de especies. En el caso de los pinos, existen antecedentes sobre la invasibilidad de los pinos en el hemisferio sur. Se encontraron dieciséis especies de pinos que resultaron invasoras en diferentes lugares (Richardson y Higgins, 1998). Entre ellas, figuran dos

La Situación Ambiental Argentina 2005

de las especies cultivadas en la región andino-patagónica (pino ponderosa y pino radiata). Si bien hay evidencias acerca del potencial efecto invasor del pino oregón en Isla Victoria, Parque Nacional Nahuel Huapi, se desconoce su comportamiento en el resto del área de distribución actual. También se desconoce el efecto de las plantaciones de pino oregón sobre la biodiversidad y las estrategias de control de esta especie (Simberloff *et al.*, 2002).

Adicionalmente, en las últimas décadas el número de plantaciones quemadas aumentó considerablemente. Teniendo en cuenta que las invasiones ocurren generalmente en hábitat disturbados (D´Antonio, 2000), se encontró que la invasión post-fuego de pinos varió de 74.000 a 84.000 pinos/ha dentro de las más antiguas plantaciones de pino que habían sido quemadas. El establecimiento de pinos fuera de las plantaciones quemadas sólo se registró en las plantaciones quemadas que tenían más de treinta años. Por el contrario, en las plantaciones más jóvenes que se quemaron no se registró establecimiento fuera del área de la plantación original. En resumen, si bien no existen muchas evidencias acerca de la invasión de pinos fuera de los lugares donde fueron plantados, existe una relación entre la edad de la plantación y su habilidad para invadir nuevas áreas, particularmente después de un incendio, como ocurre en otras partes del mundo (Nilsson y Raffaele, en revisión). Es probable que exista invasión de pinos a mediano plazo.

Pérdidas de diversidad genética

Numerosos estudios han demostrado que la mayor parte de la diversidad genética de las especies arbóreas se encuentra distribuida dentro de las poblaciones (Hamrick *et al.*, 1992). Esto implica que los niveles y la distribución de la variación genética de las poblaciones (*i.e.* estructura genética) son afectados por procesos, que ocurren a escalas espaciales reducidas, tanto demográficos (flujo génico de polen y semillas limitado) como ecológicos (selección por microhábitat). Los rodales post-fuego se establecen masivamente luego del incendio a partir de escasos individuos remanentes, lo que da como resultado una cohorte coetánea de individuos genéticamente emparentados entre sí. Se encontró que los rodales maduros poseen mayor diversidad genética y consisten en genotipos similares agrupados a escalas de menos de 20 m, mientras que los post-fuego poseen menor diversidad y una distribución aleatoria de genotipos en el espacio (Premoli y Kitzberger, 2005). Por lo tanto, los rodales que se establecen luego de perturbaciones a gran escala como incendios son más homogéneos y empobrecidos genéticamente, debido a "cuellos de botella genéticos" ocasionados por el escaso número de individuos remanentes que regeneran el rodal post-disturbio. Esto podría llevar la susceptibilidad a condiciones extremas, por ejemplo, la respuesta a condiciones de sequía que ha demostrado tener un comportamiento heterogéneo, es decir, que afecta diferencialmente a distintos individuos en rodales de coihue (Suárez *et al.*, 2004).

En conservación, uno de los objetivos es preservar el acervo genético de las especies, ya que de ello depende el potencial evolutivo de las especies de adaptarse a condiciones cambiantes particularmente en un escenario de cambio climático. Por lo tanto, a fin de desarrollar prácticas de conservación tendientes a lograr la persistencia a largo plazo, es necesario conocer los patrones de distribución de la variación genética a escala de paisaje (Premoli, 1998). Así, por ejemplo, especies que presentan poblaciones grandes y continuas mantendrán mayor polimorfismo dentro de sus poblaciones y su flujo génico interpoblacional que aquéllas con poblaciones pequeñas y aisladas. Estas últimas son más afectadas por la deriva génica y la endogamia, por lo que resultan ser poblaciones empobrecidas genéticamente. También la presencia de centros de alta diversidad genética y/o que poseen variantes genéticas únicas pueden aportar al diseño de prácticas de conservación, particularmente de especies amenazadas o de aquellas especies para las que se dificulta la realización de estudios experimentales (e.g., especies con extenso tiempo generacional y/o lento crecimiento). Tal es el caso de las coníferas endémicas amenazadas de la ecorregión valdiviana, como el alerce y el ciprés de las guaitecas. Ambas especies pertenecen a géneros monotípicos y, dada su longevidad, son valiosas para los estudios dendrocronológicos.

El alerce es el segundo árbol más longevo del mundo, y su datación de anillos de crecimiento ha permitido realizar reconstrucciones climáticas de más de 3.000 años (Lara y Villalba, 1993). Mientras la distribución de este árbol presenta poblaciones grandes y continuas con mayor polimorfismo y flujo génico (Premoli *et al.*, 2000 b), la mayoría protegidas dentro de parques nacionales (Kitzberger *et al.*, 2000 b), el ciprés de las guaitecas posee poblaciones pequeñas con mayor aislamiento genético entre sí y menor diversidad (Premoli *et al.*, 2001), algunas de las cuales se encuentran sin protección (Rovere *et al.*, 2002). El diseño de nuevas AP en la Patagonia podría valerse de criterios genéticos y tender a la protección de las poblaciones aisladas de ciprés de las guaitecas. Asimismo, es necesario evaluar la efectividad de las AP, ya que la mera existencia de las mismas puede no garantizar la permanencia de las poblaciones y especies a largo plazo. Por ejemplo, pese a que la mayoría de las masas boscosas de alerce se encuentran dentro de áreas de conservación, las mismas no protegerían eficientemente el núcleo de variabilidad genética de las poblaciones ubicadas sobre las vertientes orientales de los Andes, las cuales han sido interpretadas como evidencia de distintos refugios glaciarios para la especie durante las últimas glaciaciones (Premoli *et al.*, 2000 a). Si bien se han realizado estudios genéticos en especies arbóreas como el pehuén, el ciprés, el alerce y el ciprés de las guaitecas (Donoso *et al.*, 2004), es necesario conocer la relación entre determinadas variantes genéticas y su valor adaptativo, a fin de poder evaluar la viabilidad de las poblaciones a largo plazo.

Estado de conservación

De las cuatro especies de plantas que se encuentran listadas en el Apéndice I de CITES (Convention on International Trade in Endangered Species of Wild Fauna and Flora) para la Argentina, tres son coníferas endémicas de la Patagonia, cuya conservación resulta fundamental: el alerce, el ciprés de las guaitecas y el pehuén. Las dos primeras (*Fitzroya cupressoides* y *Pilgerodendron uviferum*) son géneros monotípicos, es decir, especies únicas en sus géneros respectivos. El tipo forestal alerce posee un 82% de su área bajo protección. Sin embargo, cabe destacar que un estudio de variación genética indica que poblaciones de la especie con elevada variación genética se encuentran fuera de AP (Premoli *et al.*, 2000 b; Kitzberger *et al.*, 2000 b). Los bosques de pehuén y ciprés (*Araucaria araucana* y *Austrocedrus chilensis*) poseen porcentajes de protección de 36 y 38%, respectivamente. Estas dos especies son las que, en la actualidad, se encuentran mayormente amenazadas por plantaciones de especies maderables exóticas y por fuego. Si bien la mayoría de las poblaciones de ciprés de las guaitecas descriptas en la Argentina se encuentran dentro de AP, existen algunas que se encuentran sin protección. Tal es el caso de la población ubicada en el Cordón Serrucho. Esta área posee gran valor desde el punto de vista de la conservación. Allí coexisten las tres coníferas longevas: el alerce, el ciprés y el ciprés de las guaitecas, lo cual no es común a lo largo de sus respectivos rangos de distribución. Este sitio representa, además, el límite más oriental de la distribución del alerce y el ciprés de las guaitecas. Estudios genéticos que utilizaron marcadores isoenzimáticos en este sitio indican que las poblaciones de ambas especies se encuentran empobrecidas genéticamente y presentan un reducido polimorfismo y heterocigosis (Premoli *et al.*, 2000 b; Premoli *et al.*, 2002). Se requieren estudios que analicen los efectos que esta escasa variabilidad podrían tener sobre la viabilidad de dichas poblaciones. Esta población se encuentra en mal estado de conservación, fundamentalmente por la presencia de ganado (Rovere *et al.*, 2002), se halla bajo la jurisdicción de la provincia de Río Negro y ha sido propuesta como área protegida, si bien no ha sido aún formalizada legalmente (Kitzberger *et al.*, 2000 b).

Necesidades y perspectivas

• No sólo la destrucción y la alteración del hábitat, sino también la invasión de especies exóticas aparecen como un factor disruptivo importante que puede afectar mutualismos.

• Legados de regímenes pasados de fuego determinan cambios en la carga y la continuidad horizontal de combustibles y, por ende, también establecen mejores condiciones para la ignición, la propagación y la alta intensidad de fuego.

• La implantación de pináceas a gran escala aumentaría la probabilidad de ignición, el tamaño de los eventos de fuego, la severidad y la vulnerabilidad de los bosques nativos sensibles al fuego (e.g., bosques de lenga).

• Otros efectos de la implantación de amplias extensiones de coníferas exóticas se relacionan con la reducción en la superficie original de bosque, el aumento del número de parches de bosque nativo y la disminución en la biodiversidad debido a la falta de luz en el sotobosque y de sitios seguros para el establecimiento de especies endémicas.

• Los futuros incrementos en las tasas de ignición natural promovidos por tendencias de calentamiento deben ser tenidos en cuenta, en particular, en áreas remotas donde el potencial impacto del fuego es mayor y el combate es más dificultoso.

• La dinámica de bosques ecotonales (aún en ausencia de fuego y, particularmente, de especies cuyo establecimiento es semilla-dependiente) podría verse más afectada ante tendencias crecientes de calentamiento de verano y favorecer, así, el reemplazo por sistemas dominados por arbustos.

La Situación Ambiental Argentina 2005

• El pastoreo reduce significativamente la frecuencia y la cobertura de especies leñosas arbustivas que facilitan el establecimiento de otras especies (efecto nodriza), algunas arbóreas, lo que impide la sucesión de matorral a bosque.

• Disturbios a gran escala como el fuego y la pérdida de bosques maduros de especies leñosas dominantes generan una homogenerización genética, lo que puede afectar la susceptibilidad ante, por ejemplo, condiciones extremas de sequía.

• Bajo un escenario de cambio climático en relación con el uso de la tierra, se necesitan medidas urgentes que protejan a largo plazo la viabilidad de poblaciones de especies clave, particularmente de aquéllas que se encuentran fuera de las AP.

¿QUÉ ESTAMOS CONSERVANDO DESDE LA PERSPECTIVA DEL HUEMUL?

Por: Alejandro Vila
Wildlife Conservation Society. vilaa@bariloche.com.ar

El huemul (*Hippocamelus bisulcus*; Molina, 1782) es un cérvido endémico de los bosques andino-patagónicos de Chile y la Argentina. En Chile, la distribución original de la especie se extendía desde el río Cachapoal hasta la Península de Brunswick, desde los 34 a los 54° de latitud sur (Osgood, 1943; Philippi, 1892; Díaz, 2000). En la Argentina se lo encontraba desde el sur de la provincia de Mendoza hasta el estrecho de Magallanes, de los 36 a los 52° de latitud sur (Osgood, 1943; Yepes, 1943; Roig, 1972; Díaz, 2000). Ocupaba zonas boscosas, ecotonales e, incluso, esteparias, según los registros históricos existentes (Lista, 1879; Hatcher, 1903; Skottsberg, 1911; Díaz, 1990, 1993 y 2000).

A pesar de que los bosques templados andino-patagónicos del Cono Sur muestran un alto grado de representación dentro del Sistema de Áreas Protegidas o SAP (Laclau, 1997), el diseño de estas AP no ha contemplado un enfoque basado en metas "clave" de conservación, como la representatividad de hábitat y la viabilidad futura de poblaciones de especies amenazadas. Tanto la Argentina como Chile tienen una antigua y exitosa trayectoria en cuanto a la creación de AP, cuya motivación ha ido evolucionando a través del tiempo. Históricamente, los pulsos de creación de AP estuvieron vinculados a motivos geopolíticos, de conservación de bellezas escénicas y paisajes y, más recientemente, de representación ecosistémica (Ardura *et al.*, 1998; Pauchard y Villaroel, 2002).

Dentro de este marco, es importante preguntarse qué se está conservando desde la perspectiva del huemul y otras especies en riesgo. Este ciervo está considerado como amenazado de extinción (Glade, 1988; Díaz y Ojeda, 2000; UICN, 2000). Sólo el 27,7% de las ciento una poblaciones de huemul identificadas en ambos países se encuentran completamente incluidas dentro del

SAP, mientras que las restantes muestran un grado de protección parcial o están fuera del mismo (Vila *et al.*, 2004). Además, la mayoría de ellas se ubican en la porción sur de la distribución histórica, XI y XII Región, en Chile, y en las provincias de Chubut y Santa Cruz, en la Argentina. A pesar de ello, tanto la XI Región como Chubut tienen la menor proporción de poblaciones bajo protección y presentan un alto grado de fragmentación (Vila *et al.*, 2004).

La distribución norte de la especie muestra evidencias de un gran número de extinciones locales y poblaciones aisladas relacionadas con el avance de la modificación y la fragmentación del hábitat. En la porción oriental de su rango de distribución, particularmente en áreas ecotonales entre el bosque andino y la estepa patagónica, casi no existen registros actuales de la especie (López *et al.*, 1998; Vila *et al.*, 2004), a pesar de que este ambiente habría jugado un rol importante en su distribución pasada y que, incluso, existirían registros puntuales para la estepa propiamente dicha (Díaz, 2000; Serret, 2001).

Desde el punto de vista de la representación del hábitat y el grado de implementación de las AP, si se quiere conservar al huemul para las generaciones futuras, aún resta mucho por trabajar. Por ejemplo, existen dos sub-ecorregiones de los Bosques Templados Valdivianos que presentan un bajo nivel de protección, menor al 7%: los bosques xéricos de ciprés de la cordillera y de *Nothofagus* sur sobre matriz esteparia (Tecklin *et al.*, 2002). Asimismo, la superficie bajo protección de estos bosques se encuentra dentro de categorizaciones menos restrictivas, como reserva nacional, y empujan a las porciones más orientales de estos ecosistemas a una situación desfavorable y con pocas chances de ser repobladas por huemules. Finalmente, en una evaluación reciente del grado de implementación efectiva de las AP de la porción argentina de la mencionada ecorregión, las AP provinciales han sido evaluadas con un grado insatisfactorio o mínimo de implementación, mientras que las nacionales fueron calificadas como medianamente satisfactorias en cuanto al nivel de efectividad de manejo (Rusch, 2002).

En síntesis, los bosques templados andino-patagónicos representan una componente crítica para la conservación de la biodiversidad global. Si bien existe un extenso y sólido SAP para garantizar su conservación futura, tal sistema muestra algunas deficiencias en cuanto al diseño de las AP, como la representación del hábitat y la viabilidad potencial de las especies amenazadas, como en el caso del huemul (Simonetti, 1995). En este sentido, los avances logrados interinstitucionalmente a nivel binacional, como la visión de biodiversidad de la ecorregión valdiviana, las recomendaciones de las Reuniones Argentino-Chilenas de Conservación del Huemul y los respectivos Planes de Acción Nacionales para la conservación de esta especie deberían potenciarse para mitigar estas deficiencias, establecer una red de AP interconectada por una matriz ambientalmente "amigable" y corredores ecológicos de integración con otros ecosistemas patagónicos (Walker *et al.*, 2005). A pesar de que no es una tarea sencilla, el primer paso ya ha sido dado y sólo es cuestión de comenzar a construir, para la planificación territorial, un camino conjunto sobre las bases de información ya existentes. Las oportunidades existen y están al alcance de todos, sólo es cuestión de integrar voluntades.

EVOLUCIÓN DE LAS VISITAS Y ESTUDIO DE LA DEMANDA TURÍSTICA EN LAS ÁREAS PROTEGIDAS DE LA JURISDICCIÓN DE LA ADMINISTRACIÓN DE PARQUES NACIONALES EN LA REGIÓN PATAGÓNICA

Por: Claudia B. Manzur

Delegación Regional Patagonia, APN. cmanzur@apn.gov.ar

Los parques nacionales de la región patagónica

La Patagonia se ha convertido en una marca como destino turístico en el mercado nacional e internacional, y constituye una oferta turística relevante que se caracteriza, principalmente, por una diversidad de áreas naturales silvestres. Por lo tanto, esta región reúne elementos más que suficientes para convocar a un importante flujo de visitantes que, año tras año, viene experimentando un notorio crecimiento, sobre todo en relación con el segmento de visitantes motivados por experimentar un mayor contacto con la naturaleza, actividad conocida como "ecoturismo". Según la Organización Mundial del Turismo (OMT), se trata del sector turístico que más está creciendo en la actualidad. De hecho, 50.000.000 de personas se mueven ya por motivos ecoturísticos, es decir, un 10%, aproximadamente, del volumen turístico mundial.

Según las estadísticas de visitantes de los parques nacionales patagónicos, se registró un incremento de visitas en la mayoría de las AP de dicha región, excepto en el Parque Nacional Laguna Blanca. Con respecto al Parque Nacional costero marino Monte León, recientemente creado, no se contó con información completa y sistemática relacionada con la cantidad de visitantes.

Cabe aclarar que las siguientes cifras constituyen una subestimación de la cantidad real, debido a que hay numerosas vías de ingreso a los parques donde no se cuenta con oficinas de control y registro de visitantes. Las estadísticas de visitantes en los parques nacionales Lihue Calel, Laguna Blanca, Lanín, Nahuel Huapi, Puelo, Los Alerces, Bosques Petrificados, Perito Moreno, Los Glaciares y Tierra del Fuego indican que en los últimos ocho años se recibieron aproximadamente 5.305.125 visitantes en total. Los parques más visitados fueron: Nahuel Huapi, con un 29,5% (1.562.085 personas); Los Glaciares, con un 19% (1.010.688 personas); Lanín, con un 16% (858.524 personas); Tierra del Fuego, con un 15% (811.563 personas) y Los Alerces, con un 13,6% (727.787 personas).

Asimismo, se observa una tendencia al aumento en el número de visitas entre los últimos ocho y diecinueve años, según el parque (Tabla 1). Los porcentajes de crecimiento que se registraron en la mayoría de las áreas son superiores al 100% y alcanzaron más del 500%, por ejemplo, en Los Glaciares y Tierra del Fuego. Laguna Blanca fue el único parque que no registró un crecimiento en los últimos ocho años (-29,5%, entre 1995 y 2003).

La Situación Ambiental Argentina 2005

Si se tienen en cuenta las estadísticas de los años 2002 y 2003, también se registró un incremento de visitas en **todas** las áreas protegidas de la Patagonia. El crecimiento promedio de 2003 con respecto a 2002 fue del 50,5% (Tabla 2).

Caracterización de los visitantes en los parques nacionales patagónicos

Sobre la base de la información obtenida a través de las encuestas realizadas a los visitantes de los distintos parques nacionales de la Patagonia, se analizó la demanda turística de los mismos.

Para la siguiente caracterización, las encuestas no se implementaron en el mismo período en todos los parques nacionales, pero se trató de reunir los últimos muestreos realizados en cada uno, con el fin de contar con información sobre las personas que visitan las AP patagónicas de la jurisdicción de la APN.

Excepto en Lihue Calel[1], Puelo[2] y Alerces[3], en el resto de las AP se implementaron las encuestas a visitantes en el marco del programa del Banco de Datos de Uso Público (Res. 93/98 HD de la APN). En Monte León no se ha llevado a cabo aún un estudio sistematizado para conocer el perfil del visitante y su nivel de satisfacción.

Los parques nacionales de la Patagonia son mayormente visitados durante

Área protegida	% de variación	Período
Lihue Calel	173%	1989/2003
Laguna Blanca	-29,5%	1995/2003
Lanín	199%	1990/2003
Nahuel Huapi	34%	1985/2003
Los Alerces	68%	95-96/03-04
Lago Puelo	182%	95-96/03-04
Bosques Petrificados	57,5% (61% nacionales) (36% extranjeros)	1996/2003
Perito Moreno	185% (97% nacionales) (520% extranjeros)	1996/2003
Los Glaciares	531%	1989/2003
Tierra del Fuego	577%	1990/2003

Tabla 1. Variación en la cantidad de visitantes a los parques nacionales en los últimos años.

Parque Nacional	Visitas año 2002	Visitas año 2003	Variación de % con respecto a 2002
Lihue Calel	5.401	6.310	16,8%
Laguna Blanca	3.152	4.415	40%
Lanín	109.071	128.692	17,9%
Nahuel Huapi	165.569	287.780	73,8%
Lago Puelo*	31.072	45.069	45%
Los Alerces*	108.794	116.047	6,6%
Bosques Petrificados	5.421	9.286	71,3%
Monte León**	0	7.000	-------
Perito Moreno	751	1.083	44,2%
Los Glaciares	153.529	290.484	89,2%
Tierra del Fuego	99.707	131.286	31,6%
Total	**682.467**	**1.027.452**	

*Temporadas estivales 02/03 y 03/04 respectivamente.
**Temporada 03/04. En la temporada 02/03 no hubo registros por camino de acceso cerrado.

Tabla 2. Evolución de las visitas a los parques nacionales de la Patagonia.

la temporada estival (enero, febrero y diciembre, en ese orden decreciente de visitas) que coincide con las vacaciones escolares de verano, excepto Lihue Calel, el cual es altamente frecuentado en el mes de octubre por numerosas instituciones educativas, mayoritariamente de nivel primario, procedentes de la provincia de La Pampa. Los visitantes son principalmente argentinos, la mayoría procedente de la provincia de Buenos Aires (incluida Capital Federal), excepto en el caso de Lihue Calel, que es frecuentado, en primer lugar, por residentes de La Pampa, y Laguna Blanca, que es visitado por los residentes de Zapala, la cual dista a 30 km de dicho parque. El otro segmento importante en estos dos últimos parques es el procedente de Buenos Aires.

El porcentaje de visitantes extranjeros es bajo en los parques nacionales del norte de la Patagonia pero, en dirección hacia el sur de dicha región, aumenta el número de este grupo de turistas. Esta cifra comienza a incrementarse significativamente a partir del Monumento Natural Bosques Petrificados. En general, entre los visitantes residentes en el exterior predominan los europeos, excepto en Lanín y Nahuel Huapi, donde los residentes en Chile ocupan el primer lugar, por la cercanía y la facilidad de acceso a través de varios pasos internacionales. La mayoría viaja en grupo y predomina el familiar. En Perito Moreno y Tierra del Fuego predominan también las parejas y los matrimonios sin hijos.

Si bien en los parques del norte de la región se destacan los grupos de personas cuyas edades rondan entre los diecinueve y los treinta y un años, en los parques nacionales ubicados al sur, son más numerosos aquellos grupos cuyas edades rondan entre los treinta y uno y los cuarenta y cinco años, mientras que en Tierra del Fuego se registraron con frecuencia intervalos de entre cuarenta y seis a sesenta años. En general, son parejos los porcentajes entre ambos sexos, pero siempre predomina por muy poca diferencia el masculino.

Dado que la mayoría visita los parques por primera vez, existe un gran interés por estar en contacto con la naturaleza y por conocer las AP, que constituyen las principales motivaciones de la visita. Las actividades que mayormente se realizan durante la estadía son las caminatas y también la observación y la fotografía de la vida silvestre que se encuentra en el lugar.

Con respecto al tiempo de permanencia, en Laguna Blanca, Bosques Petrificados y Tierra del Fuego se registran visitas cortas, de sólo algunas horas. Laguna Blanca y Bosques Petrificados se caracterizan por ser áreas de paso, ubicadas a pocos kilómetros del camino o de la ruta principal por donde circulan los visitantes. En el resto de los parques la estadía es más prolongada, y varía de uno a tres días.

En general, durante el viaje, los turistas suelen visitar otras AP tanto dentro de la jurisdicción de la APN como fuera de ella. Existe un profundo interés y conocimiento sobre este tipo de áreas que concentran una cantidad de atractivos naturales de gran jerarquía y en un buen estado de conservación.

También existe una alta coincidencia en las quejas realizadas por los visitantes, tanto a lo largo de los distintos períodos relevados como en los diferentes parques. Éstas se relacionan con el escaso mantenimiento de los caminos, la falta de baños públicos y de carteles en los caminos y los senderos, y la baja presencia de los guardaparques. De todas maneras, el nivel de satisfacción de los turistas tras realizar la visita es alto, pues manifiestan que han tenido una muy buena experiencia en el parque y que han encontrado, en general, en buen estado los sitios visitados; por ejemplo, destacan la limpieza de los mismos, la buena atención de los prestadores turísticos y del personal de los parques visitados.

Conclusión

Los parques nacionales argentinos viven un récord histórico de visitantes y de recaudación. En el año 2003, 1.800.000 turistas visitaron los principales parques del país, es decir, hubo un 50% más de turistas que en 2002. La mayor concentración de visitas fue en Iguazú, **Nahuel Huapi**, **Los Glaciares** y **Tierra del Fuego**, seguidos por **Lanín**, El Palmar, **Los Alerces** y Talampaya. La mayoría de estos parques nacionales está ubicada en la región patagónica (son los señalados en negrita).

Por lo tanto, las estadísticas de la APN perfilan un *boom* turístico que se atribuye al efecto de la devaluación del peso, lo cual atrajo a los turistas extranjeros, que eligen en su mayoría los parques de Tierra del Fuego, Los Glaciares e Iguazú. Como consecuencia de la fuerte devaluación cambiaria a partir del año 2002, entonces, este país se benefició con sus precios competitivos, por lo que logró mantener la tendencia positiva iniciada en ese mismo año. Mientras que en 1990 el número de visitantes del exterior que recibió el país fue de 1.930.000 turistas, en el 2003 esta cifra se elevó a 3.330.000 turistas, lo que representa un incremento del 19,6% con respecto al año 2002 y del 72,5% con respecto a 1990. Durante la temporada estival 2003/2004 las expectativas fueron superadas, ya que se esperaba un incremento del 5% para toda la temporada, y éste fue del 10% en relación con la temporada estival 2002/2003.

Los propios habitantes argentinos también experimentaron mejores posibilidades económicas y volvieron a elegir los destinos nacionales al elevarse el costo de los viajes al exterior. Según los datos que publicó la Secretaría de Turismo de la Nación, en 2003 crecieron las visitas a destinos no tradicionales, se extendió la estadía promedio, se elevó el gasto turístico y se estimó un movimiento económico de más de 8.500.000.000 de pesos.

Será muy importante considerar esta tendencia al aumento en las visitas en las AP de jurisdicción de la APN, ya que supondrá una mayor presión sobre estas áreas y los destinos turísticos cercanos a las mismas. El segmento de visitantes nacionales y extranjeros motivados por conocer y disfrutar las áreas naturales protegidas de este país crece año tras año. Por lo tanto, será primordial convocar a todos los especialistas para la implantación de una visión equilibrada de un turismo que pueda calificarse como **responsable**, es decir que tanto el turismo como las AP interactúen en beneficio mutuo y que se protejan, así, los recursos naturales y culturales que atraen a los visitantes.

La Situación Ambiental Argentina 2005

Se deberán tomar los recaudos necesarios para lograr un equilibrio entre la conservación de las áreas naturales y la calidad de la visita que experimenten los turistas, ya que pese a este creciente poder de convocatoria de los ambientes silvestres, los servicios e instalaciones para atender estas demandas no se están desarrollando de la forma adecuada como para prevenir efectos ambientales deteriorantes y asegurar niveles satisfactorios de calidad.

Algunos problemas relacionados con este *boom* turístico se pueden observar, por ejemplo, en las áreas de *camping* y en los senderos habilitados al uso público, que son muy sensibles a los cambios surgidos por el aumento en la cantidad de visitas. Estas dos actividades son las que más se practican en los parques nacionales andino-patagónicos, donde se observa la mayor cantidad y dispersión de basura y los mayores encuentros entre los visitantes, lo que deteriora la calidad de la experiencia recreativa e impide disfrutar de la tranquilidad de la naturaleza.

Otros problemas detectados son las dificultades de control ante el aumento del número y la gran dispersión de los visitantes; los diversos impactos ambientales, tales como la acumulación de residuos, la erosión, la apertura de sendas espontáneas, el aumento del riesgo de incendios, la contaminación por efluentes cloacales, la extracción no autorizada de leña y madera, la afectación de áreas frágiles, etc., amenazan con agravarse si no se toman las medidas necesarias.

Por todo lo expuesto, además de aumentar la asistencia técnica y la inversión pública en instalaciones, acciones preventivas y de mantenimiento, información y control, será una tarea importante involucrar a los prestadores de servicios turísticos en la conservación y el manejo del parque e implementar programas para la formación ambiental de los visitantes de las áreas silvestres, a través de centros de interpretación, de educación ambiental, folletería y medios de comunicación, de manera que se promueva la aplicación de "técnicas o prácticas de bajo impacto". El nivel de conocimiento y la actitud de los visitantes resulta esencial, entonces, para mantener la calidad ambiental de las áreas de uso público.

Notas

[1] *Resultados de las encuestas a visitantes elaboradas e implementadas por personal del Parque Nacional Lihue Calel entre noviembre de 2002 y diciembre de 2003.*
[2] *Resultados de las encuestas a visitantes implementadas por estudiantes de la Facultad de Turismo de la Universidad Nacional del Comahue en febrero de 2004.*
[3] *No se cuenta con información cualitativa sobre los visitantes de dicho parque nacional.*

Agradecimientos

A todos aquéllos que colaboraron desde cada parque nacional de la Patagonia al brindar las estadísticas de visitantes, y a los que implementaron las encuestas a visitantes y lograron así reunir información sobre la demanda turística de las AP de la región. Al Técnico Jorge Guasp, que siempre comparte generosamente sus conocimientos.

La Situación Ambiental Argentina 2005

La Situación Ambiental Argentina 2005

Bibliografía

• Aizen, M. A., D. P. Vázquez y C. Smith-Ramírez, "Historia natural de los mutualismos planta-animal del Bosque Templado de Sudamérica Austral", *Revista Chilena de Historia Natural*, 75, 2002, pp. 79-97.

• Aizen, M. A. y C. Ezcurra, "High incidence of plant-animal mutualisms in the woody flora of the temperate forest of southern South America: biogeographical origin and present ecological significance", *Ecología Austral*, 8, 1998, pp. 217-236.

• Amico, G. C. y M. A. Aizen, "Dispersión de semillas por aves en un bosque templado de Sudamérica austral: ¿quién dispersa a quién?", *Ecología Austral*, 2005.

• Amico, G. C. y M. A. Aizen, "Mistletoe seed dispersal by a marsupial", *Nature*, 408, 2000, pp. 929-930.

• Ardura F., R. Burkart, J. G. Fernández y A. Tarak, "Las áreas naturales protegidas de la Argentina", Buenos Aires, APN, UICN y RLCTPN, 1998, p. 44.

• Armesto, J. J., C. Villagrán, J. C. Aravena, C. Pérez, C. Smith-Ramirez y L. Hedin, "Conifer forests of the chilean Coastal Range", en: Enright, N. J. y R. S. Hill (eds.), *Ecology of the Southern Conifers*, Carlton, Victoria, Melbourne University Press, 1995, pp. 120-155.

• Bran, D., A. Pérez, L. Ghermandi y S. D. Barrios Lamunière, "Evaluación de poblaciones de coihue (*Nothofagus dombeyi*) del Parque Nacional Nahuel Huapi, afectadas por la sequía 98/99, a escala de paisaje (1:250.000)", Informe sobre mortalidad: distribución y grado de afectación, Bariloche, 2001.

• Carabelli, F., M. Jaramillo y S. Antequera, "Cambios en la heterogeneidad del bosque nativo en la Patagonia Andina de Argentina y su impacto sobre la biodiversidad en los sectores de borde", *Cuadernos de Biodiversidad*, Alicante, 14, 2003 a, pp. 10-15.

• D'Antonio, C., M. Fire, "Plant Invasion and Global Changes", en: Mooney, H. A. y R. J. Hobbs (eds.), *Invasive Species in a Changing World*, Washington DC, Island press, 2000.

• Davel, M., P. Burschel y A. Ortega, "Determinación de la productividad de sitio para pino oregón en la Patagonia Andina", Folleto de Divulgación CIEFAP GTZ, Esquel, 1999, 13: pp. 1-16.

• Díaz, A., "Forestar en Patagonia", Folleto de Divulgación CIEFAP GTZ INTA, Esquel, 1997, 10: pp. 1-8.

• Díaz, G. y R. Ojeda (eds.), *Libro rojo de mamíferos amenazados de la Argentina*, Buenos Aires, Sociedad Argentina para el Estudio de los Mamíferos, 2000, 106 pp.

• Díaz, N. I., "Changes in the range distribution of *Hippocamelus bisulcus* in Patagonia", Z. Säugetierkunde, 1993, 58: pp. 344-351.

• Díaz, N., *El huemul: Antecedentes históricos*, Buenos Aires, Edipubli S. A., 1990, 22 pp.

• Díaz, N. I., "El huemul (*Hippocamelus bisulcus* Molina, 1782): una perspectiva histórica", en: Díaz y Smith-Flueck (eds.), *El huemul Patagónico, un misterioso cérvido al borde de la extinción*, Buenos Aires, L.O.L.A., 2000, pp. 1-32.

• Donoso, Z. C., A. C. Premoli, L. Gallo y R. Ipinza (eds.), *Variación intraespecífica en las especies arbóreas de los bosques templados de Chile y Argentina*, Santiago, Editorial Universitaria, 2004, 420 pp.

• Fowler, N., "Microsite requirements for germination and establishment of three grass species", *American Midland Naturalist*, 1986, 115: pp. 131-145.

• Frank, D. y M. Finckh, "Impactos de las plantaciones de pino oregón sobre la vegetación y el suelo en la zona centro-sur de Chile", *Revista Chilena de Historia Natural*, 70, 1997, pp. 191-211.

- Glade, A. (ed.), *Libro rojo de los vertebrados terrestres de Chile*, Santiago, Corporación Nacional Forestal, 1988, 65 pp.
- Hamrick, J. L., M. J. W. Godt, S. L. Sherman-Broyles, "Factors influencing levels of genetic diversity in woody plant species", *New Forests*, 6, 1992, pp. 95-124.
- Hatcher, J. B., "Reports of the Princeton University Expeditions to Populations to Patagonia 1896-1899", 1903.
- Irisarri, J., J. Mendía, C. Roca, C. Buduba, F. Valenzuela, F. Epele, F. Fraseto, G. Ostertag, S. Bobadila y E. Andenmatten, "Zonificación de las tierras para la forestación", Provincia del Chubut-DGByP, 1995, 69 pp.
- IUCN, *IUCN Red List of Threatened Animals*, IUCN, Gland, 2000, 368 pp.
- Kitzberger, T., D. F. Steinaker y T. T. Veblen, "Effects of climatic variability on facilitation of tree establishment in northern Patagonia", *Ecology*, 81, 2000 a, pp. 1.914-1.924.
- Kitzberger, T., E. Raffaele, K. Heinemann y M. J. Mazzarino, "Direct and indirect effects of fire severity in north patagonian subalpine forests", *Journal of Vegetation Science*, 16, 2005, pp. 5-12.
- Kitzberger, T., G. Iglesias, A. Pérez, A. C. Premoli y T. Veblen, "Distribución y estado de conservación de alerce (*Fitzroya cupressoides*) en Argentina", *Bosque*, 21, 2000 b, pp. 79-89.
- Kitzberger, T., T. W. Swetnam y T. T. Veblen, "Inter-hemispheric synchrony of forest fires and the El Niño-Southern Oscillation", *Global Ecology and Biogeography*, 10, 2001, pp. 315-326.
- Kitzberger, T., "Regímenes de fuego en el gradiente bosque-estepa del noroeste de Patagonia: variacion espacial y tendencias temporales", en: Kunst, C. R., S. Bravo y J. L. Panigatti (eds.), *Fuego en los ecosistemas argentinos*, Santiago del Estero, INTA, 2003, pp. 79-92.
- Laclau, P., "Los ecosistemas forestales y el hombre en el sur de Chile y Argentina", Boletín Técnico FVSA N°34, Buenos Aires, 1997, p.147.
- Lara, A. y R. Villalba, "A 3620-year temperature record from *Fitzroya cupressoides* tree rings in southern South America", *Science*, 260, 1993, pp. 1.104-1.106.
- Lara, A. y T. T. Veblen, "Forest plantation in Chile: a successful model?", en: Mather, A. (ed.), *Afforestation: policies. Planning and progress*, London, Belhaven Press, 1993.
- Lista, R., *Viaje al país de los Tehuelches. Exploraciones en la Patagonia Austral*, 1879.
- López, R., A. Serret, R. Fáundez y G. Palé, Documento: estado del conocimiento actual de la distribución del huemul (*Hippocamelus bisulcus*, Cervidae) en Argentina y Chile, FVSA, WWF y CODEFF, 1998, p. 32.
- Martín, C., Uso Público en los Parques y reservas Nacionales de la Patagonia Andina Argentina, Delegación Regional Patagonia, Administración de Parques Nacionales, 1999.
- Mermoz, M., T. Kitzberger y T. T. Veblen, "Landscape influences on occurrence and spread of wildfires in Patagonian forests and shrublands", *Ecology*, 86, 2005, pp. 2.705-2.715.
- Morales, C. L. y M. A. Aizen, "Does invasion of exotic plants promote invasion of exotic flower visitors? A case study from the temperate forests of the southern Andes", *Biological Invasions*, 4, 2002, pp. 87-100.
- Morales, C. L. y M. A. Aizen, "Invasive mutualisms and the structure of plant-pollinator interactions in the temperate forest of NW Patagonia, Argentina", *Journal of Ecology*, 2005.

• Morales, C. L. y M. A. Aizen, "Potential displacement of the native bumblebee Bombus dahlbomii by the invasive Bombus ruderatus in NW Patagonia", en: Hartfelder, K. y D. De Jong (eds.), Proceedings of the 8th International Conference on Tropical Bees and VI Encontro sobre Abelhas, International Bee Research Association, 2004, pp. 70-76.

• Nilsson, J. y E. Raffaele, "Post-fire establishment of pines inside and outside plantations in northern Patagonia, Argentina", *Biological Invasions* (en revisión).

• Organización Mundial del Turismo, "Barómetro OMT del Turismo Mundial", [en línea] 2004, 2 (2): pp. 1-4 <http://www.world-tourism.org>.

• Organización Mundial de Turismo, "Datos esenciales", [en línea] 2003, <http://www.world-tourism.org>.

• Organización de Mundial del Turismo, "Marcado por el descenso, el crecimiento vuelve en 2004", [en línea] 2004, <http://www.world-tourism.org>.

• Osgood, W., *The mammals of Chile. Field Museum of Natural History*, Zoological Series 30, Chicago, 1943.

• Pearson, A. K., O. P. Pearson e I. A. Gomez, "Biology of the bamboo *Chusquea culeou* (*Poaceae: Bambusoideae*) in southern Argentina", *Vegetatio*, 111, 1984, pp. 93-126.

• Philippi, R., "El huemul de Chile", Anal. del Museo Nac. de Chile, Primera Sección Zoológica, 1892, pp. 4-10.

• Premoli, A. C., C. P. Souto, A. E. Rovere, T. R. Allnut y A. C. Newton, "Patterns of isozyme variation as indicators of biogeographic history in *Pilgerodendron uviferum* (D. Don) Florín", *Diversity & Distributions*, 8, 2002, pp. 57-66.

• Premoli, A. C., C. P. Souto, T. R. Allnutt y A. C. Newton, "Effects of population disjunction on isozyme variation in the widespread *Pilgerodendron uviferum*", *Heredity*, 87, 2001, pp. 337-343.

• Premoli, A. C., T. Kitzberger y T. T. Veblen, "Isozyme variation and recent biogeographical history of the long-lived conifer *Fitzroya cupressoides*", *Journal of Biogeography*, 27, 2000 a, pp. 251-260.

• Premoli, A. C., T. Kitzberger y T. T. Veblen, "Conservation genetics of the endangered conifer *Fitzroya cupressoides* in Chile and Argentina", *Conservation Genetics*, 1, 2000 b, pp. 57-66.

• Premoli, A. C., "The use of genetic markers to conserve endangered species and to design protected areas of more widespread species. Proceedings International Workshop 'Recent Advances in Biotechnology for Tree Conservation and Management'", Universidade Federal de Santa Catarina, Florianópolis, Santa Catarina, International Foundation for Science, 1998, pp. 157-171.

• Premoli, A. C. y T. Kitzberger, "Regeneration mode affects spatial genetic structure of *Nothofagus dombeyi* forests in northwestern Patagonia", *Molecular Ecology*, 14, 2005, pp. 2.319-2.329.

• Raffaele, E. y T. Schlichter, "Efectos de las plantaciones de pino ponderosa sobre la heterogeneidad de micrositios en estepas del noroeste patagónico", *Ecología Austral*, 10, 2000, pp. 151-158.

• Raffaele, E. y T. T. Veblen, "Effects of cattle grazing on early post-fire regeneration of matorral in Northwest Patagonia, Argentina", *Natural Areas Journal*, 21, 2001, pp. 243-249.

• Raffaele, E. y T. T. Veblen, "Facilitation by nurse shrubs on resprouting behavior in a post-fire shrubland in northern Patagonia, Argentina", *Journal of Vegetation Science*, 9, 1998, pp. 693-698.

• Relva, M. A. y T. Veblen, "Impacts of introduced large herbivores on *Austrocedrus chilensis* forests in northern Patagonia, Argentina", *Forest Ecology and Management*, 108, 1998, pp. 27-40.

• Richardson, D. M. y S. I. Higgins, "Pines as invaders in the souther hemisphere", en: Richardson, D. I. (ed.), *Ecology and Biogeography of Pinus*, United Kingdom, 1998, pp. 450-472.

• Roig, V., "Esbozo general del poblamiento animal en la provincia de Mendoza", Boletín Técnico de la Sociedad Argentina de Botánica, Vol. XII, Suplemento, 1972.

La Situación Ambiental Argentina 2005

• Rovere, A. E., A. C. Premoli y A. C. Newton, "Estado de conservación del ciprés de las Guaitecas (*Pilgerodendron uviferum* (Don) Flor.) en Argentina", *Bosque*, 23, 2002, pp. 11-19.

• Rusch, V., "Estado de situación de las áreas protegidas de la porción Argentina de la Ecorregión Valdiviana", San Carlos de Bariloche, FVSA y WWF, 2002, p. 98.

• Schlichter, T. y P. Laclau, Ecotono estepa-bosque y plantaciones forestales en Patagonia norte, *Ecología Austral*, 8, 1998, pp. 285-296.

• Serret, A., *El Huemul: Fantasma de la Patagonia*, Buenos Aires, Zagier & Urruty Publication, 2001, 129 pp.

• Simberloff, D., M. A. Relva y N. Nuñez, "Gringos en el bosque: introduced tree invasion in a *Nothofagus Austrocedrus* forest", *Biological Invasions*, 4, 2002, pp. 35-53.

• Simonetti, J. A., "Wildlife conservation outside parks is a disease-mediated task", *Conservation Biology*, 9, 1995, pp. 454-456.

• Skottsberg, C., *The Wilds of Patagonia. A narrative of the swedish expedition to Patagonia Tierra del Fuego and the Falkland Island in 1907-1909*, 1911.

• Suárez, M. L., L. Ghermandi y T. Kitzberger, "Factors predisposing episodic drought-induced tree mortality in *Nothofagus*: site, climatic sensitivity and growth trends", *Journal of Ecology*, 92, 2004, pp. 954-966.

• Tecklin, D., A. Vila y S. Palminteri (eds.), *A Biodiversity Vision for the Valdivian Temperate Rain Forest Ecoregion of Chile and Argentina*, Washington D C, WWF Working Draft, 2002.

• Tercero-Bucardo, N., T. Kitzberger, T. Veblen y E. Raffaele, "Effect of altered climate in the post fire regeneration of trees species from northwestern Patagonia, Argentina", Ms. inédito.

• Veblen, T. T., M. Mermoz, C. Martin y T. T. Kitzberger, "Ecological impacts of introduced animals in Nahuel Huapi National Park, Argentina", *Conservation Biology*, 6, 1992, pp. 71-83.

• Veblen, T. T., T. Kitzberger, E. Raffaele y D. C. Lorenz, "Fire history and vegetation changes in northern Patagonia, Argentina", en: Veblen, T. T., W. Baker, G. Montenegro y T. W. Swetnam (eds.), *Fire and Climatic Change in Temperate Ecosystems of the Western Americas*, Vol. 160, N.Y., Ecological studies, Springer Verlag, 2003.

• Veblen, T. T. y V. Markgraf, "Steppe expansion in Patagonia?", *Quaternary Research*, 30, 1988, pp. 331-338.

• Vila, A. R., R. López, H. Pastore, R. Faúndez y A. Serret, "Distribución actual del huemul en Argentina y Chile", Publicación técnica de WCS, FVSA y CODEFF, Concepción, Chile y S. C. de Bariloche, Argentina, 2004, p. 26.

• Villagrán, C., "Historia de los bosques templados del sur de Chile durante el tardiglacial y postglacial", *Revista Chilena de Historia Natural*, 64, 1991, pp. 447-60.

• Villalba, R. y T. T. Veblen, "Influences of large-scale climatic variability on episodic tree mortality in northern Patagonia", *Ecology*, 79, 1998, pp. 2.624-2.640.

• Villalba, R. y T. T. Veblen, "Regional patterns of tree population age structures in northern Patagonia: climatic and disturbance influences", *Journal of Ecology*, 85, 1997, pp. 113-124.

• Walker, S., A. Novaro, M. Funes, R. Baldi, C. Chehébar, E. Ramilo, J. Ayesa, D. Bran, A. Vila y N. Bonino, *Rewilding Patagonia*, Wild Earth, Fall/Winter 2004-2005, 2005, pp. 36-41.

• Yepes, J., *Importancia Científica y Económica de la Fauna de Mendoza*, Physis, T. XIII, 1943, pp. 77-87.

La Situación Ambiental Argentina 2005

Ecorregión Estepa Patagónica

☐ Estepa Patagónica

● Áreas de Biodiversidad Sobresaliente
(Situación Ambiental Argentina 2000)
1. Payunia
2. Meseta de Somuncurá
3. Cuenca de los lagos Musters, Colhué Huapí
y afluentes
4. Meseta del Lago Buenos Aires
5. Cuenca internacional Lago Belgrano - Río Mayer
Lago San Martín
6. Meseta del Strobel
7. Pastizales Magallánicos

Áreas protegidas (Administración de Parques
Nacionales. Sistema de Información de Biodiversidad)
▨ Nacionales
8. Parque Nacional y Res. Nacional Laguna Blanca
(Sitio Ramsar)
9. Monumento Nacional Bosques Petrificados
10. Parque Nacional y Res. Nacional Perito Moreno
11. Parque Nacional Monte León
☐ Provinciales
12. Res. Nat. de Fauna Laguna Llancanelo (Sitio
Ramsar)
13. Res. Provincial de Flora Domuyo
14. Parque Provincial El Tromen
15. Parque Público Turístico Laguna Carri Laufquen
16. Área Natural Protegida Meseta de Somuncurá
17. Res. Nat. Turística Objetivo Específico
Laguna Aleusco
18. Res. Nat. Turística Objetivo Integral
Península de Valdés
19. Res. Nat. Turística Punta Delgada
20. Res. Nat. Turística Objetivo Integral
Cabo Dos Bahías
21. Res. Nat. Cabo Blanco
22. Res. Nat. Provincial Ría de Puerto Deseado
23. Res. Provincial Península de San Julián
24. Res. Provincial Cabo Vírgenes

CHILE

Santa Rosa

Neuquen

Rawson

Río Gallegos

Ushuaia

N

0   300   600   900 Km

SITUACIÓN AMBIENTAL EN LA ESTEPA PATAGÓNICA

Por: José M. Paruelo[I], Rodolfo A. Golluscio[I], Esteban G. Jobbágy[II], Marcelo Canevari[III] y Martín R. Aguiar[I]

[I]*Instituto de Investigaciones Fisiológicas y Ecológicas Vinculadas a la Agricultura. Facultad de Agronomía, Universidad de Buenos Aires (UBA). Consejo Nacional de Investigaciones Científicas y Técnicas (CONICET).*
[II]*Universidad Nacional de San Luis y CONICET.*
[III]*Museo Argentino de Ciencias Naturales B. Rivadavia.*
paruelo@agro.uba.ar

Características físicas de la Patagonia

Las estepas y los semidesiertos patagónicos ocupan la mayor parte de las vastas llanuras, mesetas y serranías del extremo sur del continente americano, y cubren un área superior a los 800.000 km². Hacia el noreste, la región limita, en un amplio ecotono, con la Provincia Fitogeográfica del Monte y, hacia el oeste, las estepas limitan con los bosques subantárticos (Paruelo *et al.*, en prensa).

El clima patagónico está dominado por las masas de aire provenientes del Océano Pacífico y por los fuertes vientos provenientes del oeste (*westerlies*). El desplazamiento estacional de los centros de alta y baja presión sobre el Pacífico y las corrientes oceánicas costeras con dirección ecuatorial determinan los patrones estacionales de la precipitación (Paruelo *et al.*, 1998). En invierno, la alta intensidad de la zona de baja presión polar y el desplazamiento hacia el norte del anticiclón del Pacífico determinan un aumento de las precipitaciones invernales sobre la región. Casi la mitad de las precipitaciones ocurren en los meses más fríos del año. La Cordillera de los Andes ejerce una gran influencia sobre el clima patagónico, ya que constituye una importante barrera para las masas de aire húmedo provenientes del océano. Éstas descargan su humedad en las laderas occidentales de los Andes y, al descender en la vertiente oriental, se calientan y se secan (calentamiento adiabático). Esto determina un fuerte gradiente de precipitaciones que decrece exponencialmente de oeste a este. Las estepas y los semidesiertos de la Patagonia reciben entre 600 y 120 mm de precipitaciones. En este sentido, en la mayor parte del territorio las precipitaciones no superan los 200 mm (Paruelo *et al.*, 1998). La escasa precipitación y la distribución invernal de ésta determinan un fuerte déficit hídrico estival (Paruelo *et al.*, 2000). Sobre la base de la relación evapotranspiración potencial/precipitación anual media, más del 55% de la Patagonia es árida o hiperárida y sólo un 9%, subhúmeda (Paruelo *et al.*, 1998). Las isotermas tienen una distribución noreste-sudoeste debido al efecto combinado de la latitud y la altitud. Las temperaturas medias varían entre 3 y 12°C. Los fuertes vientos del oeste modifican sensiblemente la sensación térmica, y la reducen, en promedio, 4,2°C. Este efecto es más marcado en verano (Coronato, 1993), y genera veranos templados o aun fríos, una característica distintiva del clima patagónico.

Las mesetas de altura decreciente hacia el este constituyen uno de los rasgos geográficos más característicos de la Patagonia. En la parte norte y central, las sierras y las geoformas de origen volcánico pasan a ser un elemento importante del paisaje. Este paisaje resulta de una compleja interacción entre el volcanismo, la emergencia de los Andes y la actividad fluvioglacial. La red de drenaje regional consiste en una serie de ríos de curso oeste-este que drenan las húmedas laderas de los Andes y atraviesan las estepas y los semidesiertos en su camino al Atlántico.

Los detritos glaciales y los materiales volcánicos son los materiales parentales más importantes de los suelos patagónicos. En las porciones occidentales más húmedas y frías pueden desarrollarse suelos mólicos. Hacia el este y con el aumento de la aridez, los Aridisoles y los Entisoles dominan el paisaje. Éstos suelen presentar una gruesa capa calcárea cementada de entre 40 y 50 cm de profundidad (del Valle, 1998). Los "rodados patagónicos", asociados a los procesos fluvioglaciales, son una característica de los suelos patagónicos, tal como lo reconocieron los primeros naturalistas europeos que la visitaron (Darwin, 1842; Strelin *et al.*, 1999). La presencia de rodados es la responsable de la formación de "pavimentos de erosión" cuando la erosión eólica remueve los materiales más finos del suelo. En la región son frecuentes los paleosuelos, caracterizados por la presencia de "horizontes enterrados". Éstos reflejan la influencia de condiciones climáticas pasadas sobre los procesos pedogénéticos.

Principales unidades de vegetación de la Patagonia

La vegetación patagónica presenta una gran heterogeneidad tanto fisonómica como florística. Esta heterogeneidad contradice, en buena medida, la percepción de esta región como un vasto desierto en el fin del mundo. La Patagonia alberga desde semidesiertos a praderas húmedas con una gran variedad de estepas arbustivas y graminosas entre medio. Esta heterogeneidad en la vegetación refleja las restricciones que imponen las características climáticas y edáficas. Si bien las observaciones de la vegetación y la fauna patagónica comenzaron en el siglo XVIII, las primeras descripciones datan de principios del siglo pasado (Hauman, 1920, 1926; Frenguelli, 1941). La Provincia Fitogeográfica Patagónica es la prolongación austral del dominio florístico andino (Cabrera, 1976). La Patagonia se diferencia de las otras provincias de ese dominio (la Puneña y la Altoandina) por la presencia de endemismos de géneros tales como *Pantacantha, Benthamiella, Duseniella, Neobaclea, Saccaedophyton, Ameghinoa, Xerodraba, Lepidophyllum, Philipiella, Eriachaenieum* (Cabrera, 1947). Soriano (1956 a) describe por primera vez de manera comprehensiva e integral la heterogeneidad de la región, y da fin a una serie de controversias derivadas de una exploración incompleta y asistemática de la región. En su trabajo identifica seis distritos sobre la base de características fisonómico-florísticas: el Subandino, el Occidental, el Central, el de la Payunia, el del Golfo de San Jorge y el Magallánico. Más recientemente, otros autores (León *et al.*, 1998) avanzan sobre la descripción de Soriano y sintetizan los trabajos florísticos, fito-sociológicos y ecológicos generados a partir de 1970 por distintas instituciones y revisan los límites entre los distritos (Figura 1).

Las estepas graminosas caracterizan los distritos más húmedos de la región: el Subandino y el Magallánico. Ambos están dominados por gramíneas del género *Festuca* (*F. pallescens* y *F. gracillima*, respectivamente), acompañadas por otros pastos muy palatables para los herbívoros y algunos arbustos. En el distrito Subandino algunos arbustos (*Mulinum spinosum, Senecio filaginoides* y *Acae-*

na splendens) resultan indicadores de deterioro por pastoreo (León y Aguiar, 1985; Bertiller *et al.*, 1995). En el distrito Magallánico los arbustos son un componente de la estepa y difieren en cuanto a las especies, según se trate de estepas xéricas (*Nardophyllum bryoides*) o húmedas (*Chilliotrichum diffusum* y *Empetrum rubrum*) –Collantes *et al.*, 1999.

Las estepas arbustivo-graminosas ocupan la porción semiárida ubicada al este del distrito Subandino (distritos Occidental y de la Payunia). Esta unidad fisonómica domina también en buena parte del distrito del Golfo. Las estepas del distrito Occidental están dominadas por los arbustos *Mulinum spinosum*, *Senecio filaginoides* y *Adesmia volk-*

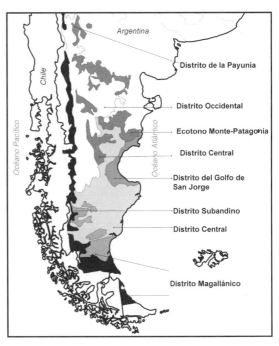

Figura 1. Principales subdivisiones de la región patagónica de acuerdo con León *et al.* (1998) y Soriano (1956).

manni, y también por las gramíneas *Stipa speciosa*, *S. humilis* y *Poa ligularis* (Golluscio *et al.*, 1982). Como en el caso del distrito Subandino, a lo largo del eje norte-sur sólo se modifican en este distrito las especies acompañantes. Por el contrario, el distrito de la Payunia es un intrincado mosaico de estepas arbustivas, cuyas dominantes varían de acuerdo con el tipo de sustrato, la elevación y la topografía. Además de las especies ya citadas para el distrito Occidental, la Payunia incorpora elementos florísticos de la Provincia Fitogeográfica del Monte.

El distrito del Golfo de San Jorge incluye dos unidades de vegetación dispuestas en un intrincado diseño espacial. Las laderas de las mesetas de Montemayor, Pampa del Castillo y Pampa de Salamanca están ocupadas por matorrales dominados por *Colliguaya integerrima* y *Trevoa patagonica*, dos arbustos leñosos que pueden alcanzar hasta 2 m de altura. En cambio, las partes planas de dichas mesetas están ocupadas por estepas arbustivo-graminosas similares a las del distrito Occidental (Soriano, 1956; Bertiller *et al.*, 1981).

Los sistemas más áridos de la provincia patagónica están incluidos dentro del distrito Central. Como las precipitaciones son escasas en todo el distrito, la vegetación varía de acuerdo con la topografía, la temperatura y los suelos. La unidad más extendida es un semidesierto dominado por arbustos enanos, entre los cuales se destacan *Nassauvia glomerulosa*, *N. ulicina* y *Chuquiraga aurea*. Estas comunidades, cuya vegetación es muy baja (su altura es inferior a los 30 cm) y con escasa cobertura (menor al 30%), están ubicadas, generalmente, sobre suelos muy arcillosos, con un balance hídrico muy desfavorable. El resto del distrito Central está ocupado por diferentes tipos de estepas arbustivas, que ocupan los suelos más profundos y/o arenosos. Las más importantes de estas estepas arbustivas son las dominadas por *Chuquiraga avellanedae* (cuya altura no supera los 50 cm y su cobertura es inferior al 50%), que puebla las mesetas planas del noreste del distrito; *Colliguaya integerrima* (con 150 cm de altura y un 65% de cobertura), ubicada sobre las lomadas basálticas del noroeste; *Nardophyllum obtusifolium* (con 60 cm de altura y un 50% de cobertura), que se encuentra en las serranías del centro-oeste y *Junellia tridens* (con 70 cm de altura y un 60% de cobertura), que está presente en las mesetas del sur del distrito (León *et al.*, 1998).

En todos los distritos de la Patagonia la vegetación muestra una heterogeneidad más fina que la descripta, asociada con la altura, la pendiente y la exposición (Jobbágy *et al.*, 1996; Paruelo *et al.*, 2004). Por toda la región se encuentran "mallines", praderas húmedas generalmente asociadas con los cursos de ríos o arroyos o con los fondos de los valles. En ellos, la alta disponibilidad de agua, debida a la redistribución local, determina una fisonomía enteramente diferente. La cobertura a menudo supera el 100%, y las dominantes son los pastos mesofíticos (*Poa pratensis*, *Deschampsia flexuosa*, etc.), los juncos (*Juncus balticus*) y las ciperáceas (*Carex spp.*). En las estepas más occidentales los mallines pueden ocupar hasta el 5% de la superficie y proveen un hábitat de crucial importancia para la fauna silvestre y, a su vez, un importante recurso forrajero (Paruelo *et al.*, 2004). La mayor parte de las especies actualmente presentes en los "mallines" son exóticas (europeas, en general) o cosmopolitas. La dominancia de especies exóticas es un hecho raro en las estepas patagónicas. La distribución de especies exóticas está restringida a áreas muy modificadas y a unas pocas especies; entre ellas, se destacan *Rosa rubiginosa* (rosa mosqueta, un arbusto europeo) y *Bromas tectorum* (una gramínea anual de origen euroasiático).

Los problemas ambientales de la Patagonia: la desertificación

La desertificación es un fenómeno complejo que involucra un conjunto de procesos asociados al deterioro de ambientes áridos, semiáridos y subhúmedos. Tal deterioro involucra la extinción local de especies, la erosión del suelo, la modificación de la estructura de la vegetación y la disminución de la productividad biológica del ecosistema. Todos estos procesos pueden ocurrir espontáneamente debido a la acción de agentes naturales y/o a la dinámica interna del ecosistema. Sin embargo, sólo se hablará de desertificación cuando los cambios tienen lugar por acción del hombre (Paruelo y Aguiar, 2003). La desertificación debe diferenciarse con claridad de la aridez. Esta última hace referencia a una condición ambiental promedio, mientras que la desertificación corresponde a un proceso de cambio direccional con una clara dimensión temporal. La aridez está determinada climáticamente y, como se señalaba anteriormente, se describe a partir de la relación entre la "demanda" de agua promedio anual de la atmósfera (la evapotranspiración potencial) y la "oferta" de agua promedio (la precipitación anual). El deterioro de los recursos como el agua, el suelo y la vegetación asociado al fenómeno de desertificación modifica, a corto y largo plazo, la capacidad del ecosistema para proveer servicios ecológicos tales como el mantenimiento de la biodiversidad, la moderación de fenómenos meteorológicos y de sus efectos, la purificación del agua y del aire, la formación del suelo, la regulación de la composición atmosférica, el ciclado de nutrientes y materiales, la recreación, el estímulo intelectual y el control de la erosión, entre otros.

Las principales actividades económicas en la Patagonia continental son la ganadería ovina y la explotación petrolera. Ambas actividades promueven cambios en la vegetación y los suelos. La primera consiste en el pastoreo selectivo de animales confinados por un alambrado que los obliga a pastorear siempre las mismas especies (las preferidas), hasta provocar la muerte de las plantas individuales. En este caso, el suelo queda descubierto y aumenta la probabilidad de erosión eólica o hídrica. En la actividad petrolera –el tráfico de maquinarias en caminos y playas de maniobras asociadas a los pozos petroleros– promueve no sólo la desaparición de la cubierta vegetal (total y no específica), sino que también genera cambios en el suelo, tales como la compactación y la erosión. El pastoreo en la Patagonia ha sido generalizado, a tal punto que, en la actualidad, no se conocen áreas remanentes no pastoreadas. La explotación petrolera está más concentrada en el espacio pero, al mismo tiempo, su impacto es de mayor intensidad (Paruelo y Aguiar, 2003).

La colonización de las estepas patagónicas con ganado ovino y vacuno ocurrió a fines del siglo XIX. Desde el momento de la colonización, la cantidad de ovejas ha mostrado dos fases: una creciente, hasta mediados del siglo XX, seguida por una fase decreciente (Golluscio et al., 1998). La caída del número total de ovejas ha sido interpretada como el resultado del progresivo deterioro de la productividad de las estepas patagónicas, es decir, de la desertificación. Esta interpretación no parece estar errada, debido a que se han detectado otros cambios; por ejemplo, la caída generalizada de la cobertura total, el aumento de especies poco pastoreadas (al tiempo que disminuían las preferidas por el ganado), el aumento de indicios de erosión eólica e hídrica, tales como la formación de cárcavas o médanos, etc. En conjunto, estos cambios sugieren que el sobrepastoreo ovino ha causado un progresivo proceso de desertificación (Soriano y Movia, 1986; Ares et al., 1990).

Sin embargo, el impacto del pastoreo varía ampliamente entre las diferentes unidades de vegetación. Las estepas graminoso-arbustivas del distrito Occidental muestran, en general, pocos cambios fisonómicos debidos al pastoreo y mantienen una estructura de dos estratos dominados por arbustos y gramíneas. Los principales cambios se verifican a nivel florístico (Perelman et al., 1997). Tanto los arbustos como las gramíneas incluyen especies que decrecen y crecen con el pastoreo. Las estepas graminosas del distrito Subandino, por el contrario, experimentan profundos cambios fisonómicos debidos al pastoreo. A medida que aumenta el impacto de esta perturbación, la cobertura de la gramínea dominante (*Festuca pallescens*) se reduce y la cobertura total cae de un 85% a menos del 40%. La arbustización es el estado final de la degradación por el pastoreo de las estepas graminosas originalmente dominadas por *Festuca* (León y Aguiar, 1985; Bertiller *et al.*, 1995). Los arbustos *Mulinum spinosum* o *Acaena splendens* se tornan dominantes. Estos cambios reducen la productividad primaria (Paruelo *et al.*, 2004) y modifican la dinámica del agua y la biomasa de herbívoros (Aguiar *et al.*, 1996). En ambos distritos la diversidad de especies vegetales es mayor en áreas no pastoreadas.

¿En qué se diferenciaba el pastoreo de los herbívoros nativos, como los guanacos y las liebres patagónicas, del pastoreo que realizan las ovejas? O, en otras palabras, ¿por qué el pastoreo ovino promueve la desertificación? Una diferencia fundamental es la selectividad. Los herbívoros nativos pueden seleccionar su dieta a distintas escalas espaciales, desde el paisaje a las plantas individuales. La capacidad migratoria de los animales silvestres permitiría reducir el efecto de los años secos o del frío a partir del movimiento hacia otras regiones para evitar el estrés alimentario o climático. Los herbívoros domésticos, por el contrario, están confinados por alambrados, lo que determina que las ovejas seleccionen las mismas plantas una y otra vez, y que las sometan al estrés de tener que reponer el tejido removido y de no poder asignar recursos a la formación de reservas o a la producción de flores y frutos. Por otro lado, los pastoreos confinados muchas veces mantienen las cargas animales constantes a lo largo de todo el año y en diferentes años. En momentos de mayor sensibilidad, como durante los períodos de sequía, las plantas son sometidas, en términos relativos, a una mayor presión extractiva.

Esta forma de pastoreo determina que la viabilidad demográfica y genética de las poblaciones preferidas por el ganado esté seriamente comprometida. La baja densidad –y, en algunos casos, la extinción local– que promueve el sobrepastoreo compromete las probabilidades de que al cambiar el manejo del pastoreo existan oportunidades de recuperar las poblaciones más afectadas. La reducción del tamaño de las poblaciones y su fragmentación han determinado una disminución de la diversidad genética, lo que compromete la capacidad de las poblaciones de afrontar cambios ambientales futuros o su normal evolución.

Probablemente la principal amenaza para los ecosistemas patagónicos es la falta de conocimiento de los que, finalmente, deciden cómo manejar los campos. En este sentido, existe un atraso marcado que es necesario revertir. Los técnicos e investigadores han descripto los procesos generales de desertificación a escala de comunidad o ecosistema, y poco se ha hecho para avanzar en comprender la biología de algunas de las especies que tempranamente fueron identificadas como decrecientes (Soriano, 1956 b). A escala de comunidad se ha propuesto la utilización diferencial de distintas comunidades –mallines y estepas– mediante el uso de alambrados. Esto claramente permite optimizar el uso y la conservación de mallines que, como se dijo anteriormente, constituyen un ecosistema clave. Por "ecosistema clave" se entiende un ecosistema que, en términos de la superficie que ocupa, es poco abundante, pero cumple un papel crítico en el funcionamiento del paisaje, tanto a nivel de la diversidad de las especies como de los procesos. Sin embargo, aún falta comenzar la tarea más ardua de mantener y recuperar las poblaciones de las especies más afectadas por el sobre y el subpastoreo. Bajar la carga animal, como se ha propuesto reiteradamente, no permitirá (y no ha permitido) lograr los objetivos generales de la lucha contra la desertificación. El problema básico es que, como se indicó anteriormente, los herbívoros son selectivos y su dieta se integra por un conjunto de especies con diferentes biologías. Disminuir la carga no asegurará que las especies vegetales no sean consumidas por el ganado o que la tasa de herbivoría disminuya. Comprender los cambios que ocurren a nivel de la comunidad vegetal es importante para entender lo que ocurre con otros niveles tróficos, ya que los cambios estructurales que se generan por pastoreo impactan de manera directa sobre las poblaciones animales al perderse o al degradarse el hábitat.

Principales especies animales y su estado de conservación

Distintos grupos taxonómicos de vertebrados se encuentran amenazados en la Patagonia, fundamentalmente por la pérdida y/o la degradación del hábitat y por la introducción de especies exóticas. Dentro de la fauna de vertebrados de la Patagonia, los reptiles son el grupo con mayor presencia de endemismos. Esto se da principalmente en los saurios de la familia *Iguanidae*, con géneros que tuvieron una amplia dispersión pliocénica o preglacial y que, posteriormente, quedaron aislados en reductos de diferente extensión y separados por barreras naturales, lo que dio lugar a una notable diversidad de formas adaptadas a ambientes de condiciones extremas. Existen, entre otras, al menos treinta formas del género *Liolaemus*, cuatro de *Phymaturus* y cuatro de *Diplolaemus*, que son endémicas de la región. Algunas de ellas mantienen la actividad con temperaturas cercanas a los 0°C (Cei, 1986; Scolaro, 2005). En la porción norte se encuentran reptiles con afinidades chaqueñas como una especie de tortuga, teidos, amfisbénidos, geckónidos y ofidios de las familias *Colubridae* y *Viperidae*. Dentro de esta última, la yarará ñata *Bothrops ammodytoides*, que llega hasta Santa cruz, es el ofidio de distribución más austral. La información sobre la conservación de reptiles es casi inexistente, pero teniendo en cuenta que muchas de las especies poseen una distribución restringida a pequeñas mesetas aisladas, deben considerarse sumamente vulnerables a procesos de desertificación. Por ejemplo, *Liolaemus exploratorum*, descubierta en 1896 en el norte del Lago Buenos Aires, nunca volvió a encontrarse (Cei y Williams, 1984; Williams y Bertonatti, 2003).

La fauna de anfibios tiene en la estepa escasos representantes de las familias *Leptodactylidae* y *Bufonidae*. La especie más adaptada a las condiciones de la estepa es *Pleurodema bufonina*, que llega hasta el sur del continente. Existen, además, varios endemismos circunscriptos a ambientes de lagunas basálticas o pequeños arroyos. Tal es el caso de *Atelognathus patagonicus*, que habita en el Parque Nacional Laguna Blanca y en pequeñas lagunas circundantes, de *Somuncuria somuncurensis* y *Atelognathus reverberii*, ubicados en la Meseta de Somuncurá, y de *Alsodes monticola*, que se encuentra en la región del Lago Nansen, dentro de la estepa del Parque Nacional Perito Moreno.

Los anfibios son muy vulnerables a los cambios en el ambiente; en este sentido, en todo el mundo ha ocurrido que el uso de agrotóxicos y la introducción de especies han causado extinciones puntuales o completas. En el año 1965 se introdujo de manera ilegal la perca criolla (*Percichtys colhuapiensis*) en la Laguna Blanca del parque nacional homónimo. La rana *A. patagonicus* era una especie común en las costas de la laguna. En este ambiente, este anfibio contaba con aguas transparentes y con un abundante fitoplancton y zooplancton para la alimentación de sus larvas y de sus individuos en estadios postmetamórficos. Hoy, la rana ha desaparecido de la laguna. Las percas provocan la turbidez de las aguas por la remoción del fondo y la recirculación de sedimentos y nutrientes, pero no es claro si la causa de la extinción ha sido la alteración del hábitat o la depredación directa de las larvas y los adultos por parte de la perca. La rana todavía existe en otros cuerpos de agua menores donde la perca no fue introducida (Cuello, com. pers.). El Arroyo Valcheta en Somuncurá cuenta con dos especies endémicas, la rana *Somuncuria somuncurensis* ya mencionada y la mojarra desnuda (*Gymnocharacinus bergi*), única especie de characiforme sin escamas. En el arroyo fueron introducidas truchas que parecen haber afectado de manera drástica las poblaciones de ambos endemismos. En la actualidad, la rana y la mojarra sólo se encuentran en los sectores del arroyo donde la trucha no tiene acceso (Canevari *et al.*, 1991). La continua introducción de especies de peces exóticos está afectando gravemente a las poblaciones nativas tanto en la estepa como en la región de los bosques de dos familias endémicas de peces: *Galaxiidae* y *Haplochitonidae*.

Aunque relativamente poco abundante en diversidad, cuando se compara con otras regiones de la Argentina, la ornitofauna cuenta con varios endemismos de alto interés. Hay varios passeriformes residentes permanentes de las familias *Furnaridae*, *Fringillidae* y *Tyrannidae*, entre otras. Otros ejemplos son la subespecie del ñandú petiso o choique (*Pterocnemia pennata pennata*) y el keú patagónico (*Tinamotis ingoufi*), aves caminadoras y bien adaptadas a la vida en la estepa. Muchas de las especies de aves que se crían en la región son migratorias y, durante los meses fríos, invernan en ambientes del centro o del norte de la Argentina, o bien en ambientes costeros. Ejemplos de estas aves son el macá tobiano (*Podiceps gallardoi*), el chorlito ceniciento (*Pluvianellus sociales*) o el chocolate (*Neoxolmis fufiventris*). También es migratoria una de las especies de aves más amenazadas de la Patagonia, el cauquén colorado (*Chloephaga rubidiceps*), que se cría en el sector chileno del extremo sur del continente y en el norte de la Isla Grande de Tierra del Fuego, y que migra en invierno a las localidades de Energía y Oriente, en Buenos Aires, con una población aproximada de novecientos individuos. Existe otra población no migratoria en las islas Malvinas que no tiene problemas de conservación.

La reducción de sus poblaciones parece estar ligada, en gran medida, a la predación de nidadas por el zorro gris (*Pseudalopex griseus*), que fue introducido en Tierra del Fuego; también influyen la modificación de los humedales donde se cría, el deterioro de la estepa por pastoreo, la caza deportiva y la caza de control, en el área de cría por parte de los ganaderos y, por agricultores, en el área de invernada (Blanco *et al.*, 2001). Desde hace poco tiempo, se han sembrado miles de salmónidos exóticos para la pesca comercial en la Laguna del Medio, donde se concentra el 40% de la población del macá tobiano. Los salmónidos constituyen una amenaza directa contra los pichones, pero también compiten por los invertebrados, que constituyen el alimento de las aves. A su vez, la explotación petrolera representa una seria amenaza para las aves. Las piletas de perforación a cielo abierto engañan a las aves acuáticas migratorias de diversos grupos, de modo que mueren con sus plumas cubiertas de petróleo. Por otro lado, las picadas de exploración crean nuevos caminos para cazadores que matan aves y mamíferos. Recientemente, Aves Argentinas ha editado una valiosa publicación sobre las Áreas Importantes para la Conservación de las Aves de la Argentina (AICAS), que incluye información de cada sitio seleccionado, lo que permitirá realizar acciones de monitoreo y definir nuevas áreas de conservación.

Son escasas las especies endémicas de mamíferos. Existe un pequeño marsupial, *Lestodelphis halli*, casi exclusivo de la estepa y del monte, cuya biología es poco conocida. Se trata de un predador de ratones y otros pequeños vertebrados que se ha capturado dentro de cuevas. Los dos principales herbívoros nativos son el guanaco (*Lama guanicoe*) y la mara (*Dolichotis patagonum*). Hay, además, varias especies cavadoras como el piche (*Zaedyus pichyi*), el peludo (*Chaetophractus villosus*) o los tuco tucos (*Ctenomys spp.*). Se encuentran, a su vez, varios mamíferos del orden Carnivora como el puma (*Felis concolor*), el gato de pajonal (*Felis colocolo*), el gato montés (*Felis geoffroyi*), el hurón (*Galictis cuja*) y dos especies de zorro, el gris, ya nombrado, y el colorado (*Dusicyon culpaeus*). La fauna nativa de mamíferos de la región fue severamente afectada por la introducción del ganado doméstico y por las actividades relacionadas con la misma: cambios en la estructura y el funcionamiento de la vegetación, el pisoteo y la destrucción de cuevas por el ganado, la caza por parte de puesteros, etc. La introducción de mamíferos exóticos como la liebre europea, el ciervo colorado y el jabalí también modificaron las condiciones naturales y crearon situaciones de competencia con las especies nativas.

Áreas protegidas en la Patagonia

Existen veinte áreas protegidas (AP) en la Ecorregión Estepa Patagónica, que abarcan una superficie total cercana a las 2.500.000 ha, lo que representa aproximadamente el 5% del total de la ecorregión. La superficie se considera insuficiente, situación que se agrava cuando se tiene en cuenta que, del total, sólo diez de las AP tienen un grado aceptable de control: El Payén, Cabo Dos Bahías, Bosque Petrificado Sarmiento y las áreas dependientes de la Administración de Parques Nacionales (APN). De hecho, si se limita la superficie efectivamente protegida a estas últimas, la cobertura se reduce a menos del 1%.

Aunque se reconoce que el objetivo de los espacios protegidos es preservar la estructura y el funcionamiento de los ecosistemas naturales, hasta el momento, los esfuerzos de conservación se han centrado principalmente en especies individuales. Los paradigmas contemporáneos de conservación enfatizan también sobre los procesos ecológicos y sus interacciones con las actividades humanas (gestión ecosistémica). Dado que, por un lado, la variabilidad es una característica de los ecosistemas y que, por otro lado, el impacto humano sobre los ecosistemas ha alcanzado una dimensión global, los programas de seguimiento requieren de metodologías que permitan determinar aspectos espaciales y temporales tanto de los regímenes de cambio naturales de los ecosistemas como de las perturbaciones inducidas por el hombre. El análisis de la dinámica estacional de índices espectrales derivados de imágenes de satélite (e.g., el índice verde normalizado, IVN) ha permitido caracterizar el funcionamiento de los parques nacionales argentinos (Garbulsky y Paruelo, 2005), y proporcionó una referencia sobre el estado del funcionamiento actual de los ecosistemas con el mayor nivel de protección, en el contexto de la heterogeneidad funcional total.

Puesto que se han identificado los cambios de uso del suelo, el cambio climático, la concentración de CO_2 atmosférico, la deposición de N_2 y los intercambios bióticos como los cinco principales determinantes de los cambios de la biodiversidad a nivel mundial (Sala *et al.*, 2000), el diseño de programas de seguimiento que incorporen la evaluación de estos factores permitiría, además, evaluar los impactos del cambio global a través de las AP, un aspecto que ha sido destacado en las conclusiones del V Congreso de Parques Nacionales de la Unión Internacional para la Conservación de la Naturaleza y los Recursos Naturales (UICN), en 2003 en Durban, Sudáfrica, y que también ha sido investigado por algunos autores (Garbulsky y Paruelo, 2005). La declaración de AP se basa, hasta el momento, en su valor estético y recreativo, en la diversidad de especies que albergan, en la presencia de hábitat exclusivos o de endemismos, en su representatividad, etc. Cualquiera de estas razones es suficientemente importante para preservar un área. Sin embargo, los cambios globales operados por la acción antrópica añaden una función importante a las AP: el hecho de constituirse como una situación de referencia que posibilite entender y cuantificar los efectos del uso y la transformación del suelo sobre distintos aspectos estructurales y funcionales de las poblaciones, las comunidades y los ecosistemas. Contar con una situación de referencia permitiría no sólo conocer los valores medios de las variables ecológicas, sino también su variabilidad intra e interanual, además de las eventuales tendencias temporales que puedan tener lugar en ellas. El impacto de una intervención humana particular sobre un ecosistema requiere ser evaluado como una desviación de su comportamiento bajo la ausencia de tal influencia.

La conservación de los recursos naturales en la Patagonia

Las alteraciones más importantes del ambiente patagónico llevadas a cabo por el hombre comenzaron hace menos de un siglo y, en la actualidad, cubren toda la región. Casi la totalidad del territorio está en manos privadas (menos del 1% es propiedad del Estado) y dedicada a actividades ganaderas, en su gran mayoría. Si bien hay algunas iniciativas privadas tendientes a promover usos sustentables de los recursos o la conservación de especies y hábitat, las regulaciones ambientales en propiedades privadas son de difícil implementación. Más aún, en muchos aspectos existen groseros vacíos reglamentarios en cuanto al uso y la conservación de los recursos. La mayor parte de los productores agropecuarios toman sus decisiones sobre la base de resultados económicos de corto plazo sin los debidos análisis del impacto ambiental de sus decisiones o sin planes sustentables a largo plazo. En países como la Argentina, donde la implementación efectiva de políticas ambientales por parte del Estado enfrenta serias restricciones económicas, políticas y sociales, es urgente sintonizar la conservación y la protección del ambiente con las necesidades de manejo y la sustentabilidad económica y social de los establecimientos productivos. El desarrollo de sistemas de producción sustentables aparece como la única alternativa para asegurar tanto la preservación de especies y ecosistemas naturales como la provisión de servicios ecosistémicos básicos. En la medida en que se logren acoplar intereses productivos y ambientales, podrán superarse las limitaciones en el accionar del sector público.

La capacidad económica y financiera de las explotaciones es clave para instrumentar manejos de restauración y producción. Por ejemplo, en el distrito Occidental en la provincia de Chubut, alrededor del 80% de las explotaciones tienen un tamaño menor a la unidad económica –tamaño que permite la subsistencia de una familia– (Aguiar y Román, inédito). En otras palabras, hay un número importante de familias con una dotación de recursos naturales que no alcanza a cubrir sus requerimientos. Mantener a estas familias en sus explotaciones, asegurarles una vida digna y lograr un manejo racional de los recursos es un enorme desafío. Claramente la actividad ganadera no puede ser la única entrada económica de estas familias y, en la medida en que la sociedad exija proteger y conservar la estepa, será necesario dotar a estas unidades económicas de los recursos económicos y financieros (además del conocimiento) para afrontar el cambio. La lógica del mercado determina que el único camino es el abandono de esos territorios y la concentración de la propiedad. Esto trae aparejados serios perjuicios sociales (tales como la migración de la población rural a los centros urbanos y la consecuente desaparición de las comunidades rurales, el aumento de la marginalidad, la pérdida de los valores culturales, etc.). Por otro lado, no existen garantías de que empresas con superficies mayores a la unidad económica (que, actualmente, ocupan alrededor del 65% de la superficie del área estudiada) sean capaces de implementar a largo plazo un manejo en el que se utilicen complementariamente criterios biofísicos y económicos para el manejo de los recursos naturales. Las claves para el desarrollo de los sistemas sustentables en las estepas patagónicas involucran: a) un mejor conocimiento de la estructura y el funcionamiento de sus poblaciones (nativas e invasoras) y ecosistemas; b) la comprensión de sus respuestas al pastoreo y a la creciente variabilidad climática y c) la articulación de esta información en políticas que promuevan de manera activa la complementariedad entre la explotación y la conservación de los recursos naturales. El Estado tiene, pues, un rol importante no sólo para promover el conocimiento y su difusión, sino también para generar marcos regulatorios y de control que impongan restricciones a las decisiones basadas exclusivamente en el costo-beneficio económico.

LA PARTICIPACIÓN POPULAR EN DEFENSA DEL MEDIO AMBIENTE: ESQUEL LE DICE NO A LA MINA

Por: Rosa Chiquichano

Diputada de la provincia de Chubut. esquel2005@yahoo.com.ar

Para aquel visitante que llegue a Esquel no pueden pasar inadvertidos los carteles en sus paredones y en las puertas de los comercios con leyendas: "**NO a la mina**"; "**11.065 veces no**"; "**Esquel y la comarca le dicen NO a la mina**"; "**La montaña está en pie gracias a su gente**"; "**NO es NO. Chubut Patagonia Rebelde NO a la Mina**". Son las expresiones y los testimonios de una comunidad que lucha por un proyecto de vida digna, por un derecho humano fundamental. Son el testimonio y el reflejo de la voluntad de un pueblo que despierta de un estado apacible y, tal vez, de resignación, un pueblo que –puede decirse– concebía al mundo desde la particular idiosincrasia de su historia, sus costumbres, sus propios dichos y modismos. Es como si los cerros que rodean nuestro bellísimo lugar fueran el límite geográfico y cultural entre Esquel y el mundo globalizado. Opino que el fenómeno Esquel amerita un estudio por especialistas en sociología pero, indudablemente, esta pecurialidad que describo es, sin duda, un factor que contribuyó a la determinación del movimiento popular en defensa de nuestro estilo de vida.

Figura 1. Tapa de una publicación de la Asamblea de Vecinos Autoconvocados de Esquel.

Transcurría el año 2002 cuando los funcionarios provinciales de la Dirección de Minas, conjuntamente con la empresa minera Meridian Gold –responsable del emprendimiento minero en el cordón Esquel–, organizaban reuniones en la ciudad para exponer charlas sobre temas relativos a la explotación de oro. La asistencia de los vecinos era importante, pero las escasas intervenciones y consultas no dejaban trascender cuál era la opinión de los asistentes sobre esta actividad. Íntimamente me asombraba la manera silenciosa de escuchar estos informes. Un día pregunté si se iba a respetar la decisión de los pueblos aborígenes sobre sus territorios ancestrales y no atendieron a mi consulta. Después de insistir me respondieron con evasivas; se esmeraban por contestar lo relativo al incentivo comercial que se iba a generar.

Desde hace mucho tiempo siento una gran preocupación por la contaminación que el mundo genera, muchas veces para producir elementos superfluos de los cuales los humanos podemos prescindir. Por mi condición de ser una mujer de sangre tehuelche (soy directa descendiente del Cacique tehuelche Chiquichano), me sentía muy dichosa de poder dejar un testimonio como expresión del sentimiento más profundo de mi espíritu.

En la fiesta del Esquí de ese año, un grupo de vecinos preocupados que venían organizándose por esta actividad minera distribuyeron panfletos. Después se programó un encuentro de organizaciones no gubernamentales (ONG) ambientalistas, que contó con la presencia de vecinos. Este encuentro fue el puntapié inicial de lo que serían las multitudinarias asambleas.

Al principio, se planteaba la posibilidad de implementar una "mina con control" pero, a medida que las asambleas crecían, se percibía cada vez una mayor oposición al proyecto minero. Los oradores nos anotábamos y exponíamos nuestros argumentos, y una hermosa tarde de primavera la asamblea estalló en un fervoroso "**¡No a la mina!**". Nacía, entonces, el Movimiento de Vecinos Autoconvocados por el "**No a la mina**". El movimiento generó una organización. A partir de este episodio histórico para nuestra comunidad, vivimos de asamblea en asamblea, elaboramos estrategias, buscamos y difundimos información, conformamos distintas comisiones en las que se llevaban libros de actas y se monitoreaban las acciones programadas, y se organizaron charlas-debates en distintos sectores de la ciudad. Cumplir con estos objetivos significaba un gran sacrificio, pero nadie claudicaba: estábamos convencidos de que solamente nosotros podíamos cambiar el rumbo de la historia. A esta altura, había una real confrontación con el gobierno y la empresa que, por su lado, promovían reuniones donde sus argumentos eran puestos en duda por la mayoría de los vecinos.

Un rol preponderante tuvieron dos profesoras de física y química al divulgar la verdad sobre la contaminación que genera la actividad minera. "Queremos devolver a la sociedad lo que el Estado (el pueblo) gastó para que nosotras tengamos un título universitario", decían. Y con sólidos fundamentos técnicos, mucha convicción y coraje, visitaban escuelas, organizaban charlas, concurrían a otras localidades.

El movimiento popular organizó conferencias invitando a especialistas en la materia. En cierta ocasión, un especialista internacional aseguró que la actividad minera siempre contamina; cabe destacar que en ese momento se encontraban presentes los directivos de la empresa y no refutaron estos argumentos.

Seguidamente, los vecinos iniciaron un proceso sistemático de divulgación sobre la actividad minera. Fue tal el nivel de información al que accedió la comunidad de Esquel que todos nos sentíamos un poco geólogos, un poco químicos, un poco abogados... y la palabra que estaba en la boca de todos era "amparo".

Este fenómeno social ejemplifica el carácter interdisciplinario del derecho ambiental y releva la importancia de la información y la participación que, en el proceso previo a la Audiencia Pública, son vitales. La pregunta es cómo se asegura en este proceso que la información sea fidedigna. ¿Qué podría pasar si en alguna comunidad, principalmente en las más pequeñas y alejadas –característica de muchas poblaciones de la Argentina y, en particular, de la Patagonia–, se indujera a la comunidad a tomar una determinación sobre la base de información falsa? Aquí está la responsabilidad del Estado. Porque en la Audiencia Pública está asegurada la presencia del Estado, y lo está porque deben existir las garantías que nos amparan; éste es el rol fundamental de los funcionarios del gobierno que, en la toma de decisiones, están obligados por mandato constitucional a propender al bienestar general. Lamentablemente, a veces la realidad es otra.

Mientras a los vecinos se les obstruía el acceso al informe del impacto ambiental presentado por la minera (y se les negaba el derecho a la información), el gobierno anunciaba la realización de la Audiencia Pública para el 4 de diciembre de 2002 y el corte de cintas al inicio de enero de 2003. Nada de esto sucedió. Ese mismo día hubo una gran marcha popular, a la vez que se avanzaba en la resolución de interponer una acción de amparo (Artículo N°43 de la Constitución Nacional, Artículo N°111 de la Constitución Provincial).

La violación a distintas normas jurídicas (como las leyes provinciales N°4.032, N°4.563, N°4.148) por parte de la empresa y el mal desempeño de los funcionarios públicos han sido manifiestamente evidentes. Se había autorizado el uso del agua de la zona –que era el punto más crítico y sensible– sin un estudio previo de la capacidad del caudal. Este acto tuvo fundadas oposiciones por parte de los vecinos, ONG y la Cooperativa de Servicio Público 16 de Octubre, que en un informe hidrogeológico de gran envergadura científica advertía que no se trataba de un simple permiso de uso de agua, sino de un neto trasvase de cuencas. Se había alterado, entonces, el sistema natural de las aguas subterráneas como fenómeno de transferencia de los distintos niveles de agua a través de las perforaciones (más de setecientas).

Las autoridades del gobierno habían aprobado el Estudio de Impacto Ambiental presentado por la empresa con los fundamentos de que contaminaba "poco". ¿Cuáles eran los parámetros? De eso nada se decía. La técnica extractiva con cianuro a cielo abierto, la utilización de aditivos, químicos y tóxicos en las tareas de perforación, la degradación del suelo que atenta contra la diversidad biológica y los ecosistemas, el impacto visual y la falta de estudio de disposición de los residuos generaron este rechazo popular. Estaba previsto utilizar 6 t diarias de cianuro. Aunque el informe de la empresa no lo consignaba en este ámbito geográfico, hubo movimientos telúricos.

En relación con lo eminentemente jurídico, la Meridian Gold violó la Ley Provincial N°4.032, que agrava la presentación del Estudio de Impacto Ambiental, por cuanto exige que sea en Audiencia Pública desde la prospección. En este caso, era inminente la explotación y no se había dado cumplimiento a la norma.

Muchos vecinos querían ser amparistas, pero evaluamos que uno representaba a todos; así, una joven perteneciente a una familia trabajadora plenamente comprometida con esta causa fue nuestra amparista. Los letrados patrocinantes fuimos el abogado Gustavo Macayo y quien escribe este artículo. Contamos con la ayuda de dos colegas amigos, uno de ellos el abogado Ricardo Gerosa Lewis, un geólogo, químicos, estudiantes y vecinos.

Las etapas más relevantes del proceso se informaban por el canal local de televisión. El proceso social continuó acrecentándose, se sumaron vecinos de otros pueblos de la comarca; por su parte, las ciudades de Puerto Madryn y Comodoro Rivadavia se opusieron al ingreso del cianuro por sus puertos. La participación popular exigió al Concejo Deliberante y al intendente la sanción de una ordenanza. En esta instancia, la comunidad superó los mecanismos de democracia semidirecta (artículos N°262, N°263 y N°264 de la Constitución de la provincia del Chubut) y se asimiló a una democracia directa, a tal punto que, en la redacción de la norma, los vecinos del Movimiento Autoconvocado fueron los verdaderos protagonistas en la sanción de la ordenanza que estableció a Esquel como "Municipio no tóxico y ambientalmente sustentable".

Se declaró boicot a los comerciantes que estaban por el "**Sí a la mina**" y, paralelamente, se conformó una organización paralela que nucleó a los comerciantes por el "**No a la mina**", que identificaban sus locales con un logo: la bandera argentina, el símbolo de prohibido en el medio y la leyenda: "**No a la mina**".

Las movilizaciones multitudinarias convocaban a todos los sectores sociales, culturales, religiosos y políticos. Todos participaban: los niños, los jóvenes, los abuelos, los padres con sus pequeños en brazos, personas minusválidas con muletas y en sillas de ruedas para decirle "**No a la mina**" y "**Sí a un Esquel sustentable**".

En las primeras manifestaciones callejeras íbamos al frente personas mayores pero, a medida que crecía el movimiento, los niños presidían estas movilizaciones. Las banderas argentinas y los colores celeste y blanco fortalecían el espíritu de unidad. Sentíamos que cada día la razón estaba de nuestro lado. Esta fortaleza popular fue determinante para que el gobierno convocase a una Consulta Popular por sí o no a la mina. El domingo 23 de marzo de 2003 llegó a conocerse el resultado de 81% (11.065 votos) por "**No a la mina**". La alegría desbordó nuestros corazones, nos concentramos en la plaza General José de San Martín y celebramos con lágrimas en los ojos.

Para esta fecha, el amparo había tenido sentencia favorable en primera y segunda instancia. La causa había ingresado al Superior Tribunal de Justicia, que se inclinó a favor de los vecinos. La nueva dimensión del derecho de la sustentabilidad nos conduce, inexorablemente, a revisar la legislación vigente y a promover los cambios en las normativas jurídicas, acorde con los preceptos constitucionales. En la Argentina, el desarrollo sustentable no es una opción, sino una obligación, un mandato constitucional consagrado en el Artículo Nº41 de la Constitución Nacional. Desde esta concepción, formulo mi duda sobre la constitucionalidad del Código de Minería, debido a que no asegura el desarrollo sustentable.

Es difícil de predecir cuál será el desenlace de esta compleja situación. Por el momento, los trabajos están suspendidos por la resolución judicial y por el protagonismo popular, pese a que los derechos de la empresa son a perpetuidad.

En la provincia está vigente la Ley Nº5.001, que prohíbe la actividad minera metalífera en la modalidad a cielo abierto y la utilización de cianuro en los procesos de producción minera. Nuestra provincia, hermana de Río Negro, sancionó el 21 de julio de 2005 la Ley Nº3.981 que establece: Artículo 1º. Prohibir en el territorio de la provincia de Río Negro la utilización de cianuro y/o mercurio en el proceso de explotación de minerales metalíferos; Artículo 2º. Las empresas y/o particulares que a la fecha de sanción de la presente posean la titularidad de concesiones de yacimientos minerales de primera categoría deberán adecuar sus procesos de explotación a las previsiones del artículo anterior.

Cada día crece una conciencia colectiva en defensa de una vida digna en Chubut, en la Patagonia, en el país. De algo estamos seguros: Esquel levantó la bandera de la **dignidad**, y desde este bellísimo lugar rodeado de cerros su conciencia ambiental y cívica traspasó las fronteras para erigirse como un ejemplo mundial. El **agua** es un elemento vital. Millones de seres humanos sufren por su escasez. El **agua** vale más que el oro. La vamos a defender... desde la racionalidad y con la fuerza de nuestro espíritu.

Vida

A todos los hombres y mujeres comprometidos con los principios de la Agenda Ambiental Patagónica.

Estoy con mi cuerpo dolorido,
mis pasos más cansados,
mis años madurando.
Estoy con mi pensamiento vivo,
mis ansias de luchar,
mis sueños reafirmando.
Miro a mi alrededor, siento la vida,
me proyecto en mi luz universal,
abrazando a mi lugar:
la Tierra Mía.
Me conmuevo, me sangra el corazón
por esta inmensa herida.
¡Qué delirio mundial,
herir a la humanidad,
destruir la Vida!
¡Cuántas sonrisas menos!
¡Cuántas lágrimas más
nos duelen!
Levantemos las almas
en un canto de amor
por la Vida.
Con mis pasos más lentos,
con mis sueños intactos,
con mi esperanza eterna
me sublevo.
¡No quiero más conquistas!
¡No quiero más miserias!
Hoy, con todas mis fuerzas,
te abrazo, Tierra Mía.
¡Te defiendo!
Hoy, con todas las fuerzas,
abracemos la Tierra,
defendamos la Vida,
¡juntos!

Rosa Chiquichano I Sesión Ordinaria del Parlamento Patagónico. Abril de 2005

Bibliografía

• Aguiar, M. R., J. M. Paruelo, O. E. Sala y W. K. Lauenroth, "Ecosystem consequences of plant functional types changes in a semiarid Patagonian steppe", *Journal of Vegetation Science*, 7, 1996, pp. 381-390.

• Aguiar, M. R. y M. E. Román. "Restoration of the natural capital in heavy grazed lands in Patagonia arid ecosystems", en: Milton, S. y J. Aronson (eds.), *Restoring natural capital*, Vol. 2, Views from the South, Society of Ecological Restoration International/Island Press book series "Science and Practice of Ecological Restoration", inédito.

• Ares, J., A. Beeskow, M. Bertiller, M. Rostagno, M. Irrisarri, J. Anchorena, G. Defosse y C. Merino, "Structural and dynamics characteristics of overgrazed lands of northern Patagonia, Argentina", *Managed Grasslands*, Amsterdam, Elsevier Science Publishers, 1990, pp. 149-175.

• Bertiller, M. B., A. Beeskow y P. Irisarri, "1: Sierra de San Bernardo", *Caracteres fisonómicos y florísticos de la vegetación del Chubut*, Contribución N°40, Puerto Madryn, Centro Nacional Patagónico, CONICET, 1981.

• Bertiller, M. B., N. Elissalde, M. Rostagno y G. Defosse, "Environmental patterns and plant distribution along a precipitation gradient in western Patagonia", *Journal of Arid Environments*, 29, 1995, pp. 85-97.

• Blanco, D. E., R. Matus, O. Blank, L. Benegas, S. Goldfeder, F. Moschine y S. Zalba, *Manual para la Conservación del Cauquén Colorado en Argentina y Chile*, Buenos Aires, Wetlands Internacional, 2001, 32 pp.

• Cabrera, A. L., "La estepa patagónica", *Geografía de la República Argentina*, Tomo VIII: pp. 249-273, Buenos Aires, Sociedad Argentina de Estudios Geográficos, GAEA, Coni Editorial, 1947, 346 pp.

• Cabrera, A. L., "Regiones fitogeográficas argentinas", *Enciclopedia Argentina de Agricultura y Jardinería* (2ᵈᵃ ed.) Tomo II, Fase 1 ACME, Buenos Aires, 1976, p. 85.

• Canevari, M., R. Chiesa y G. Lengua, "Relevamiento de la Meseta de Somuncurá", Informe, Fundación Vida Silvestre Argentina, 1991, p. 39.

• Cei, J. y J. Williams, "Las colecciones herpetológicas de la expedición patagónica del Perito Moreno (marzo-abril de 1896) y las formas argentinas de Liolaemus del grupo SK", *Revista del Museo de La Plata* (nueva serie), Zool., La Plata, 13, 1984, pp. 183-194.

• Collantes, M. B., J. Anchorena y A. M. Cingolani, "The steppes of Tierra del Fuego: Floristic and growth form patterns controlled by soil fertility and moisture", *Plant Ecology*, 140, 1999, pp. 61-75.

• Coronato, F. R., "Wind chill factor to Patagonian climatology", *International Journal of Biometeorology*, 37, 1993, pp. 1-6.

• Darwin, C., *On the distribution of the erratic boulders and on the contemporaneous unstratified deposits of South America. Transactions of the Geological Society*, London, 1842, 6: pp. 415-431.

• Del Valle, H., "Patagonian soils: a regional sintesis", *Ecología Austral*, 8, 1998, pp. 103-124.

• Frenguelli, J., "Rasgos principales de la Fitogeografía Argentina", *Revista del Museo de La Plata*, III Botánica, 13, 1941, pp. 5-181.

• Garbulsky, M. G. y J. M. Paruelo, "Remote sensing of protected areas. An approach to derive baseline vegetation functioning", *Journal of Vegetation Science*, 15, 2004, pp. 711-720.

• Golluscio, R. A., R. J. C. León y S. B. Perelman, "Caracterización fitosociológica de la estepa del oeste del Chubut: su relación con el gradiente ambiental", Boletín de la Sociedad Argentina de Botánica, 1982, 21: pp. 299-324.

• Golluscio, R. A., V. A. Deregibus y J. M.Paruelo, "Sustainability and range management in the Patagonian steppes", Ecología Austral, 8, 1998, pp. 265-284.

• Hauman, L., "Etude phytogéographique de la Patagonie", Bulletin de la Societé Royal Botanique Belgique, 1926, 58: pp. 105-180.

• Hauman, L., "Un viaje botánico al Lago Argentino", Anales de la Sociedad Científica Argentina, 89, 1920, pp. 179-281.

• Jobbágy, E. G., J. M. Paruelo y R. J. C. León, "Vegetation heterogeneity and diversity in flat and mountain landscapes of Patagonia (Argentina)", Journal of Vegetation Science, 7, 1996, pp. 599-608.

• León, R. J. C., D. Bran, M. Collantes, J. M. Paruelo y A. Soriano, "Grandes unidades de vegetación de la Patagonia extra andina", Ecología Austral, 8, 1998, pp. 125-144.

• León, R. J. C. y M. R. Aguiar, "El deterioro por uso pastoril en estepas herbáceas patagónicas", Phytocoenologia, 13, 1985, pp. 181-196.

• Paruelo, J. M., A. Beltrán, O. Sala, E. Jobbágy y R. A. Golluscio, "The climate of Patagonia general patterns and controls on biotic processes", Ecología Austral, 8, 1998, pp. 85-104.

• Paruelo, J. M., E. G. Jobbágy, M. Oesterheld, R. A. Golluscio y M. R. Aguiar, "The grasslands and steppes of Patagonia and the Río de la Plata plains", en: Veblen, T., K. Young y A. Orme (eds.), The Physical Geography of South America, The Oxford Regional Environments Series, Oxford University Press.

• Paruelo, J. M., O. Sala y A. Beltrán, "Long-term dynamics of water and carbon in semi-arid ecosystems: a gradient analysis in the Patagonia steppe", Plant Ecology, 150, 2000, pp. 133-143.

• Paruelo, J. M., R. Golluscio, J. Guerschman, A. Cesa, V. Jouve y M. Garbulsky, "Regional scale relationships between ecosystem structure and functioning: the case of the Patagonian steppes", Global Ecology and Biogeography, 13, 2004, pp. 385-395.

• Paruelo, J. M. y M. R. Aguiar, "El impacto humano sobre los ecosistemas: el caso de la desertificación en Patagonia", Ciencia Hoy, 13, 2003, pp. 48-59.

• Perelman, S. B., R. León y J. Bussacca, "Floristic changes related to grazing intensity in a Patagonian shrub steppe", Ecography, 20, 1997, pp. 400-406.

• Sala, O. E. et al., "Global biodiversity scenarios for the year 2100", Science, 287, 2000, pp. 1.770-1.774.

• Soriano, A., "Aspectos ecológicos y pastoriles de la vegetación patagónica, relacionados con su estado y capacidad de recuperación", Revista de Investigaciones Agropecuarias, 10, 1956 b, pp. 349-372.

• Soriano, A., "Los distritos florísticos de la Provincia Patagónica", Revista Investigaciones Agropecuarias, 10, 1956 a, pp. 323-347.

• Soriano, A. y C. Movia, "Erosión y desertización en la Patagonia", Interciencia, 11, 1986, pp. 77-83.

• Strelin, J. A., G. Reb, R. Kellerc y E. Malagninod, "New evidence concerning the Plio-Pleistocene landscape evolution of southern Santa Cruz region", Journal of South American Earth Sciences, 12, 1999, pp. 333-341.

• Williams, J. y C. Bertonatti, "Lagartija de los Exploradores", Revista de la Fundación Vida Silvestre Argentina, 85, 2003, pp. 35-36.

Ecorregión Mar Argentino

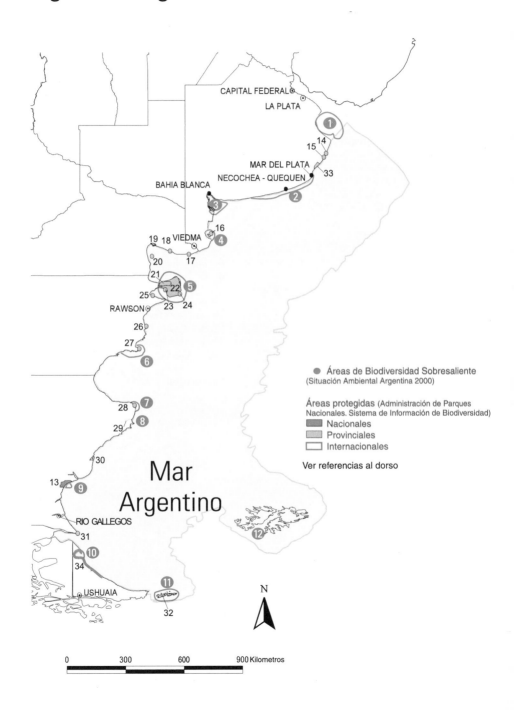

CAPITAL FEDERAL
LA PLATA
1
14
15
MAR DEL PLATA
NECOCHEA - QUEQUEN
33
2
BAHIA BLANCA
3
16
19 18 VIEDMA
4
20
17
21
25
22 5
RAWSON
23 24
26
27
6
28
7
8
29
30
13
9

Mar
Argentino

RIO GALLEGOS
31
10
34
11
USHUAIA
32
12

● Áreas de Biodiversidad Sobresaliente
(Situación Ambiental Argentina 2000)

Áreas protegidas (Administración de Parques
Nacionales. Sistema de Información de Biodiversidad)
▨ Nacionales
▨ Provinciales
▢ Internacionales

Ver referencias al dorso

N

0   300   600   900 Kilometros

Referencias Mar Argentino

Áreas de Biodiversidad Sobresaliente (Situación Ambiental Argentina 2000)

1. Estuario exterior del Río de la Plata – Bahía Samborombón
2. Costa Mar del Plata – Claromecó
3. Estuario de Bahía Blanca
4. Bahía San Blas
5. Península de Valdés
6. Cabo Dos Bahías y archipiélago asociado
7. Monte Loayza – Cabo Blanco
8. Estuario de la Ría Deseado
9. Isla Monte León
10. Bahía San Sebastián
11. Isla de los Estados
12. Pastizales Oceánicos

Áreas protegidas (Administración de Parques Nacionales. Sistema de Información de Biodiversidad)

Nacionales

13. Parque Nacional Monte León

Provinciales

14. Res. Nat. Integral Dunas del Atlántico Sur
15. Res. Municipal Faro Querandí
16. Res. Nat. De Objetivo Definido Bahía San Blas – Isla Gama
17. Res. Nat. de Fauna Punta Bermeja
18. Res. de Uso Múltiple Caleta de los Loros
19. Área Nat. Protegida Bahía San Antonio
20. Res. Prov. De Fauna Islote Lobos
21. Parque Marino Prov. Golfo de San José
22. Res. Nat. Turística Objetivo Integral Península de Valdés
23. Res. Nat Turística Punta Pirámides
24. Res. Nat Turística Punta Delgada
25. Res. Nat Turística Punta Loma
26. Res. Nat Turística Objetivo Específico Punta Tombo
27. Rs. Nat Turística Cabo Dos Bahías
28. Res. Nat. Cabo Blanco
29. Res. Nat. Prov. Ría de Puerto Deseado
30. Res. Prov. Península de San Julián
31. Res. Faunística Prov. Cabo Vírgenes
32. Res. Ecológica, Histórica y Turística Isla de los Estados

Internacionales

33. Reserva de Biosfera Atlántico Mar Chiquito
34. Sitio Ramsar Costa Atlántica de Tierra del Fuego

SITUACIÓN AMBIENTAL EN LA ECORREGIÓN DEL MAR ARGENTINO

Por: Claudio Campagna[I], Carlos Verona[II] y Valeria Falabella[III]

[I]*Investigador del Consejo Nacional de Investigaciones Científicas y Técnicas (CONICET) y de la Wildlife Conservation Society (WCS). Director del Proyecto Modelo del Mar (iniciativa conjunta del CONICET y la WCS).*

[II]*Profesor Titular de la Universidad Tecnológica Nacional (UTN) y consultor de la WCS. Director Asociado del Proyecto Modelo del Mar.*

[III]*Consultora de la WCS. Directora Adjunta del Proyecto Modelo del Mar.*

ccvz_puertomadryn@speedy.com.ar

Introducción

El Mar Argentino es "muchos mares". La paradoja se origina en la dificultad que supone entender al mar como un concepto unitario. Su fragmentación obedece a las dificultades que encierra conciliar las diversas dimensiones del mar con un estilo de gestión que refleje su unidad esencial. Dicha fragmentación viene impuesta por las diferentes modalidades de uso y la lógica que subyace en la delimitación de los espacios jurisdiccionales, que determinan que la perspectiva dominante acerca de la naturaleza del mar sea aquélla en la que prevalecen las capacidades y las limitaciones del hombre a la hora de administrarlo.

Bajo esta perspectiva del mar –signada por las jurisdicciones política y de hecho– se determinan la naturaleza y las consecuencias de la mayoría de las decisiones de relevancia sobre el uso y la gestión actuales del Mar Argentino, lo que representa un ejemplo del paradigma de ordenamiento espacial dominante a escala global. Una visión distinta surge cuando se mira el sistema bajo la óptica de la ciencia. Sólo desde la ciencia se alcanzan a percibir los fenómenos de gran escala que permiten explicar la unidad ecosistémica del Mar Argentino, tal como aparece cuando se intenta entender los factores que sostienen o condicionan sus ritmos y patrones, su biodiversidad y sus funciones ecológicas esenciales. Y todavía cabe incluir la apreciación estética del mar, en tanto escenario de incomparables espectáculos naturales que fueron forjados en la asombrosa fragua de la evolución.

El resultado de enfrentar estos puntos de vista tensa un conflicto entre discursos, el de los fenómenos naturales, por un lado, y el de los culturales, por otro. La confrontación con la realidad que propone la naturaleza debería ser el factor fundamental a la hora de dirimir la controversia. De allí que en este trabajo se presenta al Mar Argentino como un ecosistema que requiere un abordaje integrado bajo el principio de precaución. Este paradigma no es una alternativa, sino la única forma de garantizar la satisfacción a perpetuidad de necesidades, deseos y aspiraciones de las comunidades humanas, dependan o no del mar y sus recursos para su sustento. En el desarrollo de este ensayo se incluye una descripción sinóptica del ambiente oceánico y de las principales formas de vida que lo pueblan, y se trata de mostrar la naturaleza de su integración ecosistémica, su valor como escenario evolutivo y reservorio de biodiversidad y, de ser posible, reflejar algo de su incomparable belleza. Para finalizar, se reflexiona acerca del futuro, en términos de las amenazas que se ciernen sobre el Mar Argentino y las oportunidades que se avizoran para intentar una gestión sustentable que concilie los usos actuales y potenciales con los principios éticos y estéticos de la conservación. A tales fines, se esbozan presupuestos mínimos en procura de articular la integración de una agenda de conservación oceánica.

Topografía del fondo

El Mar Argentino integra un gran ecosistema oceánico que comprende aquella parte del margen continental del Atlántico sudoccidental expuesta a los efectos ecológicos de los frentes generados por las corrientes de Brasil y Malvinas. Este ambiente tiene como componentes geológicos principales una extensa plataforma continental, el talud adyacente y parte de la llanura abisal o cuenca oceánica patagónica (Figura 1). En su conjunto, este biotopo alberga uno de los mares templados más extensos y biológicamente más importantes del planeta.

Figura 1. La corriente de Malvinas, de aguas subantárticas ricas en nutrientes, fluye hacia el norte recostada sobre el talud continental y crea un sistema frontal de alta productividad.

La plataforma continental argentina constituye un ambiente excepcional dentro del Mar Argentino. Se trata de una planicie submarina de 1.000.000 km^2 de superficie, lo cual la convierte en la más extensa del hemisferio sur. La plataforma se amplía progresivamente de norte a sur, alcanza 850 km de ancho al sur de los 50° de latitud sur y conforma un gran ecosistema que se distingue de otros similares por sus características batimétricas y su régimen hidrográfico. Ambas características concurren a determinar un límite oriental ecológicamente distintivo a nivel del talud continental, que recorta abruptamente la plataforma y se sumerge hasta profundidades abisales. El talud, por su parte, se encuentra surcado por cañones transversales que crean una topografía con alta energía de relieve, donde tiene asiento una compleja dinámica hidrográfica con profundas consecuencias biológicas.

Las aguas del Mar Argentino

Mientras que desde el punto de vista batimétrico el talud, como elemento topográfico permanente, interrumpe abruptamente la plataforma continental, desde el punto de vista hidrográfico existe una fuerte variabilidad estacional impuesta por la circulación de dos corrientes: la de Malvinas –de aguas subantárticas, frías, de baja salinidad y ricas en nutrientes, que fluyen hacia el norte– y la de Brasil –de aguas subtropicales, cálidas y salinas, que fluyen hacia el sur. Las variaciones en la temperatura y la salinidad de las masas de agua muestran una relativa predictibilidad estacional y han permitido identificar una serie de regímenes oceanográficos (Figura 2).

Las corrientes de Malvinas y Brasil representan las columnas vertebrales o ejes que marcan los ritmos oceanográficos y biológicos del área en cuestión. La corriente de Malvinas, formada por aguas subantárticas, es fría (su temperatura superficial en invierno es menor a los 7°C) y de baja salinidad. Su origen se encuentra en la corriente circumpolar antártica, la cual –luego de atravesar el pasaje de Drake– rodea el banco Burdwood y conforma un patrón de circulación anticiclónica. A continuación, el flujo ascendente se separa en dos brazos, a la altura del archipiélago de Malvinas. La rama oeste, de aguas frías y de baja salinidad –debido al aporte de aguas continentales–, se desplaza hacia el norte sobre la plataforma continental. La rama este rodea las

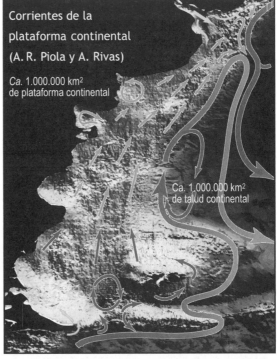

Corrientes de la plataforma continental
(A. R. Piola y A. Rivas)
Ca. 1.000.000 km² de plataforma continental

Ca. 1.000.000 km² de talud continental

Figura 2. Las variaciones en la temperatura y la salinidad de las masas de agua han permitido identificar una serie de regímenes oceanográficos de relativa constancia estacional.

islas Malvinas, también se desplaza hacia el norte, pero lo hace contorneando la topografía dibuja-da por el borde de la plataforma continental y sosteniendo importantes floraciones de fitoplancton (Figura 3). La corriente de Brasil fluye hacia el sur a lo largo del margen continental de América del Sur y constituye el límite oeste del llamado giro subtropical del Atlántico sur, cuyas aguas, de origen subtropical, son más cálidas (superan los 26°C en su superficie) y salinas que las aguas ad-yacentes. Ambas corrientes se encuentran cerca de los 38° de latitud sur y forman la zona de con-fluencia Brasil/Malvinas, una de las regiones de mayor concentración de energía de todos los océa-nos del mundo. En esta zona coexisten y se mezclan aguas subtropicales y subantárticas que deter-minan importantes gradientes físico-químicos y favorecen la presencia de altas concentraciones de nutrientes con importantes consecuencias biológicas para todo el ecosistema. Después de impactar con la corriente de Malvinas, la corriente de Brasil se bifurca y una de sus ramas –la más externa–forma la corriente del Atlántico sur. A estas latitudes –entre los 38° y los 40° de latitud sur–, el flu-jo principal de la corriente de Mal-vinas describe un brusco giro y for-ma el flujo de retorno de Malvinas que se dirige al sudeste. Este flujo de retorno genera la surgencia de aguas profundas que enriquecen el contenido de los nutrientes de las aguas superficiales.

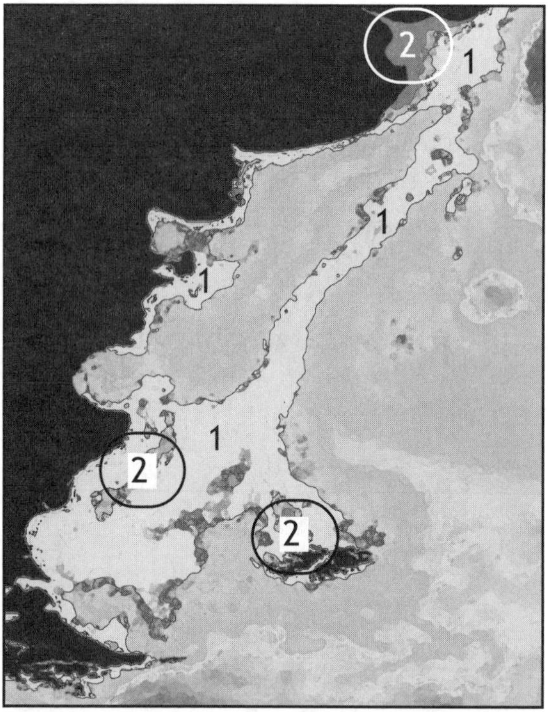

Figura 3. La alta concentración de clorofila muestra un sistema productivo que sostiene una gran biomasa y diversidad biológica en todos los niveles tróficos. 1. Áreas con alta concentración de clorofila. 2. Áreas con muy alta concentración de clorofila. Adaptado de SeaWIFS-NASA, http://oceancolor.gsfc.nasa.gov/seaWIFS

Las aguas de la plataforma resultan de la mezcla de distintos tipos de masas de agua: costeras, subantárti-cas y subtropicales. Sus proporcio-nes relativas y el grado de mezcla varían de acuerdo con el sector lati-tudinal en consideración. En el sur, la corriente patagónica, de baja sali-nidad, fluye hacia el norte a lo largo de la costa. En el estrecho de Maga-llanes se produce una intrusión de aguas de baja salinidad (dado el aporte de aguas continentales que drenan hacia el estrecho por impor-tantes cañadones). Estas aguas ge-neran un frente salino persistente que propicia condiciones locales de alta productividad[1]. Durante el verano, aguas subtropicales cálidas y salinas de la corriente de Brasil alcanzan el norte de la plataforma continental patagónica, entre los 40° y los 42° de latitud sur, e incluso pueden llegar hasta el golfo San Jorge. Más allá del impacto que produce la descarga de aguas continentales sobre las aguas de la plataforma, las mareas inciden significativamente en la dinámica de este sistema. En la Patagonia argentina la amplitud de las mareas se encuentra entre las más altas del mundo, pues generan fuertes corrientes e importantes variaciones en el nivel del mar. Aproximadamente el 10% de la energía global de la marea se disipa en áreas específicas de la plataforma, donde se detectan frentes de mareas de gran importancia ecológica.

De los nutrientes a la productividad primaria

Frentes oceánicos y de marea, surgencias y remolinos crean condiciones y definen áreas diferenciales en la disponibilidad de nutrientes que tienen un correlato en la productividad primaria (fitoplancton), tanto en la biomasa como en la diversidad de especies. Tres áreas bien definidas registran la mayor concentración de clorofila del Atlántico sudoccidental:
1. El sistema frontal de la zona de confluencia Brasil/Malvinas.
2. Los alrededores de las islas Malvinas (la plataforma y el borde de las mismas).
3. Las capas sub superficiales (alrededor de los 50 m) de las aguas antárticas en el pasaje de Drake, al sur del Frente Polar.

Estas regiones contrastan con las bajas concentraciones de fitoplancton propias de las aguas oligotróficas de la corriente de Brasil (en las que la escasez de nutrientes limita la presencia y el crecimiento de los productores primarios) y con las aguas de la corriente de Malvinas que, si bien son ricas en nutrientes, resultan demasiado turbulentas para sostener una alta fijación de carbono, debido a que la presencia de vientos permanentes profundiza las aguas de mezcla y limita la producción de fitoplancton.

La producción primaria en la zona de confluencia Brasil/Malvinas es de especial interés, dada la magnitud de su área de influencia. Por su parte, la alta concentración de clorofila no se limita sólo a los frentes mencionados, sino que alcanza también las aguas más homogéneas entre dichos frentes. Esto se diferencia de la mayoría de los frentes oceánicos del mundo, donde la acumulación de fitoplancton se observa sólo a lo largo de angostas franjas de la superficie del océano. La productividad se sustenta en el hecho de que ambas corrientes aportan elementos que favorecen el crecimiento y la concentración del fitoplancton. La corriente de Malvinas aporta aguas subantárticas ricas en nutrientes, y la de Brasil, la estabilidad requerida para el crecimiento del fitoplancton. Estudios de temperatura vertical en distintos puntos de esta zona muestran perfiles térmicos muy complejos y variables. La homogeneidad vertical de las aguas subantárticas se encuentra interdigitada por capas de aguas subtropicales más cálidas que la penetran, en dirección sur, a distintas profundidades. Como consecuencia, la columna de agua presenta distintos estratos de aguas cálidas intercalados a lo largo del perfil. Esto genera varias fases de discontinuidad en la densidad, por encima de los 100 m (zona fótica), que evitan el hundimiento del fitoplancton. De esta forma, las fértiles aguas de la corriente de Malvinas, mantenidas en superficie gracias a la estabilidad que genera la intrusión de aguas cálidas subtropicales, sustentan el importante crecimiento de biomasa de fitoplancton.

En los alrededores de las islas Malvinas, las condiciones que permiten una elevadísima productividad se asocian a una importante surgencia de aguas antárticas. Allí, el banco Burdwood y las islas del archipiélago de Malvinas interrumpen el flujo de aguas de la corriente circumpolar antártica en su desplazamiento hacia el norte. La topografía del fondo define los frentes y las surgencias, y genera circulaciones locales que rodean las islas Malvinas y el banco Burdwood. La consecuencia directa es una alta concentración de nutrientes y la saturación de oxígeno. La producción primaria resultante observada en los alrededores de las Malvinas se encuentra entre las más altas del Mar Argentino.

En cuanto a la distribución de las especies, los frentes constituyen una barrera de dispersión y definen los patrones biogeográficos de los organismos marinos. Por ejemplo, en las aguas cálidas cercanas a los frentes, el fitoplancton está dominado por flagelados y pocas especies de diatomeas. Las aguas de la confluencia Brasil/Malvinas están dominadas por diatomeas de zonas templadas (*Leptocylindrus*, *Pseudonitszchia*, *Rhizosolenia*, *Fragilariopsis* y pequeños *Chaetoceros* y *Odontella*). La población de dinoflagelados en esta zona está conformada por una mezcla de especies heterotróficas de aguas frías y subtropicales. También abundan unas pocas formas autotróficas que contribuyen al máximo de clorofila que se registra en estas aguas. En las aguas superficiales en las que los valores de clorofila son altos, entre los 38° y los 40° de latitud sur, se encuentran foraminíferos propios de aguas frías (*Globigerina bulloides*, *Neogloboquadrina pachyderma*) en mayor proporción que los observados al norte o al sur de dicha posición. La flora de diatomeas de la corriente de Malvinas, al sur del área de confluencia, es más diversa y se encuentra dominada por especies de aguas frías de los géneros *Pseudonitszchia*, *Rhysozolenia*, *Fragilariopsis* y *Thalassiosira*, entre otros.

Estacionalidad en la productividad del sistema

La producción de plancton en el Mar Argentino describe un ciclo bimodal anual, de ascenso y posterior declinación, típico de ecosistemas de aguas templado-frías, con termoclinas estacionales. El máximo de producción de fitoplancton ocurre en primavera, con el inicio –en el norte de la plataforma– de un explosivo crecimiento en los meses de octubre y noviembre, en aguas costeras de baja profundidad. La onda de producción se expande gradualmente hacia el sur y se aleja de la costa a medida que se ingresa en el período estival. Un máximo secundario de producción primaria se observa en los primeros meses de otoño.

En el norte de la plataforma, el ingreso de aguas del Río de la Plata también genera condiciones de alta productividad, la que se encuentra limitada por la turbidez. La diferencia de densidad y la progresiva mezcla con aguas de plataforma condicionan la formación de una "cuña salina", cuyas estabilidad y permanencia dependen de la intensidad de los vientos. En ocasiones, el flujo principal de este río alcanza el borde del talud e interactúa con aguas de las corrientes de Brasil y Malvinas, o con la mezcla de ambas, de modo que sus aguas luego son atrapadas por el flujo de retorno de la corriente de Malvinas. A fines de invierno y principios de primavera, cuando la corriente de Malvinas alcanza su máxima extensión latitudinal, esta intrusión crea un fuerte frente salino, con una alta concentración de nutrientes que intensifica la productividad del talud en dicha zona.

En el sur de la plataforma continental, el ingreso de aguas frías y ricas en nutrientes por parte de la rama oeste de la corriente de Malvinas se produce durante todo el año. Allí, el principal factor regulador del crecimiento del fitoplancton es la penetración de la luz, factor asociado con la estabilidad de la columna de agua. Por último, si bien la plataforma continental en los alrededores de Malvinas presenta una concentración de fitoplancton elevada durante todo el año, las máximas concentraciones de clorofila se suelen observar a fines de primavera y comienzos de verano.

Por lo general, después de los máximos de producción primaria primaveral se produce una reducción en la concentración de nutrientes, especialmente de silicatos, que limita el crecimiento de las diatomeas, por lo que se opera un cambio de elenco en la flora fitoplactónica a favor de los cocolitofóridos, los dinoflagelados y otros pequeños flagelados que tienen la capacidad de utilizar nutrientes a partir de la mineralización de compuestos orgánicos. Tanto el consumo del zooplancton como la mineralización de la materia orgánica particulada resultan de un incremento de la materia orgánica disuelta en las capas superiores del mar y dan lugar a la proliferación de bacterias heterotróficas que reincorporan estos compuestos a la trama trófica a través de protozoos, ciliados y flagelados que luego serán consumidos por los copépodos. A medida que se suma información sobre el tema, el ciclo microbiano descripto (*microbial loop*) aparece como un camino alternativo para el flujo de la energía mucho más importante de lo que se suponía, especialmente en aguas del extremo sur de la plataforma.

La construcción de la cadena trófica. Paso 1: zooplancton

En la cadena trófica del dominio pelágico, el zooplancton conecta a los productores primarios (fitoplancton) con los consumidores secundarios (peces e invertebrados, en diferentes estadios de desarrollo). Su estudio permite evaluar el potencial trófico de áreas de desove y cría de peces. En el Mar Argentino el ciclo de producción del zooplancton adopta patrones típicos de mares templado-fríos, con una variación estacional de su biomasa asociada al explosivo crecimiento primaveral de fitoplancton, que experimenta un progresivo corrimiento desde la costa hacia el talud y de norte a sur, de acuerdo con la abundancia de nutrientes y la estabilización de la columna de agua.

La producción varía dependiendo de la predominancia de aguas de las dos grandes corrientes participantes. Las áreas bajo el dominio de la corriente de Brasil muestran una reducida concentración de clorofila (entre 0,02 y 0,20 mg m^{-3}) y bajas densidades de zooplancton (entre 0,01 y

0,10 ml m⁻³). Donde predominan las aguas de la corriente de Malvinas, ricas en nutrientes, se observa alta concentración de clorofila (entre 0,20 y 2,25 mg m⁻³) y abundancia de zooplancton (entre 0,31 y 0,78 ml m⁻³). Nuevamente, los fuertes gradientes térmicos horizontales y una mayor circulación vertical en esta región frontal favorecen la productividad primaria y secundaria (por encima de 1,67 mg m⁻³ de clorofila y 0,76 ml m⁻³ de biomasa zooplanctónica).

En latitudes más australes, la importante producción primaria observada en los alrededores de las islas Malvinas sostiene las más altas densidades de zooplancton registradas, especialmente en verano, en el borde norte de la plataforma que rodea al archipiélago. En dicha zona, la plataforma y el correspondiente borde de talud constituyen áreas de alimentación para muchas especies de peces y moluscos, y la circulación de corrientes en los alrededores constituye el medio de transporte para la dispersión de sus larvas. En aguas costeras, entre los 50° y los 55° de latitud sur, también se registra un incremento de concentración de zooplancton. El ingreso de aguas de baja salinidad provenientes del estrecho de Magallanes –que colecta agua de lluvia y deshielo a través de cuencas locales– disminuye la salinidad de las aguas de la plataforma y genera un frente salino persistente.

Con respecto a la composición del zooplancton, la fracción que comprende a los organismos de menos de 5 mm de largo (mesozooplancton) se compone principalmente de copépodos (89%) y ocasionalmente de ostrácodos, pterópodos y formas juveniles de eufáusidos y anfípodos. Esta fracción aporta aproximadamente entre un 50 y un 60% de la biomasa total de zooplancton en otoño y en primavera, respectivamente. Las dos especies dominantes de copépodos calanoideos son: *Drepanopus forcipatus* (que se distribuye ampliamente en aguas de la plataforma) y *Calanus australis* (que se ubica en aguas de la plataforma interna y media). En general, el mesozooplancton muestra una leve tendencia a aumentar en aguas costeras (en proximidades de la isobata de 50 m), disminuye en aguas intermedias y vuelve a incrementarse en la zona del talud y aguas adyacentes.

El macrozooplancton –formado por organismos de más de 5 mm de largo– incluye eufáusidos (krill) y anfípodos. El grupo de anfípodos es prácticamente monoespecífico y está representado casi exclusivamente por *Themistho gaudichaudii*. Esta especie constituye un ítem alimentario clave para la mayoría de las especies de peces que se distribuyen en el área.

Alrededor de las Malvinas se encuentran altas densidades de eufáusidos macroplanctónicos y anfípodos hipéridos, especialmente en verano. Este "forraje" atrae y sustenta densas poblaciones de calamares pelágicos (*Illex argentinus*) y bento-pelágicos (calamarete = *Loligo gahi*), además de peces demerso-pelágicos, como la polaca (*Micromesistius australis*) o pelágicos, como la sardina fueguina (*Sprattus fuegensis*). Las especies mencionadas, junto al bacalao criollo (*Salilota australis*), liberan sus huevos sobre el talud de la plataforma que bordea las islas Malvinas. De esta manera, la plataforma que rodea el archipiélago constituye un área de cría para las larvas de las especies mencionadas, aunque los cañones submarinos que atraviesan el talud al norte de la Patagonia también son considerados potenciales zonas de desove y cría.

La materia orgánica particulada que no es ingerida por el zooplancton ni descompuesta por organismos heterotróficos en los estratos superiores de la columna de agua se deposita en el lecho marino o se convierte en alimento de organismos filtradores bentónicos, entre los que se destaca, en aguas de plataforma, la vieira patagónica (*Zygochlamys patagonica*).

La construcción de la cadena trófica. Paso 2: consumidores intermedios

Dos especies de peces consumidores de zooplancton forman el núcleo del estrato intermedio de la cadena trófica del Mar Argentino: la sardina fueguina y la anchoíta (*Engraulis anchoita*). La primera es una especie pelágica, principalmente zooplanctófaga, que se distribuye en aguas costeras en el sector austral argentino (entre los 43° y los 55° de latitud sur) y en los alrededores de las Malvinas. La dieta consiste en copépodos calanoideos como la presa más abundante de juveniles y adultos. En los sectores bonaerense y norpatagónico de la plataforma, una función ecológica similar la cumple la anchoíta. Esta especie se distribuye desde el sur de Brasil hasta los 48° de latitud sur, y desde aguas someras hasta el talud continental. El desove se inicia en septiembre y se extiende hacia el sur, hasta cubrir, en verano, toda la plataforma hasta los 47° de latitud sur.

La anchoíta, fundamentalmente planctófaga, es un componente clave en la dieta del calamar Illex y la merluza común (*Merluccius hubbsi*), dos de las especies que revisten mayor importancia para la industria pesquera en el Mar Argentino. La merluza común es una especie demersal-pelágica o mesopelágica, para la que se reconocen tres efectivos principales (uno restringido al golfo San Matías y otros dos en aguas de plataforma, al norte y sur del paralelo de 41° de latitud sur, respectivamente); tiene una amplia distribución sobre la plataforma continental y el talud, y cubre un área de aproximadamente 370.000 km², hasta los 800 m de profundidad. En el norte, la población está confinada al borde de la plataforma y al talud, y desova en invierno entre los 35° y los 37° de latitud sur. El efectivo del sur se encuentra sobre la plataforma y su desove se produce en primavera, en las aguas costeras patagónicas con epicentro en la región conocida con el nombre de isla Escondida, frente a las costas de Chubut. Los dos efectivos de plataforma presentan un patrón migratorio estacional y un comportamiento reproductivo con puestas durante casi todo el año, con episodios más marcados en los períodos mencionados. Es una especie carnívora, predadora y oportunista que integra a su dieta especies del meso y macrozooplancton, calamares, anchoítas y otros peces.

La diversidad íctica –de gran relevancia pesquera– se complementa con la merluza de cola (*Macruronus magellanicus*), la merluza negra (*Dissostichus eleginoides*) y el abadejo (*Genypterus blacodes*). Las tres, junto a la polaca, tienen una distribución asociada a las aguas frías de la corriente de Malvinas y ocupan, con las diferencias del caso, una posición trófica semejante a la merluza común. La distribución de algunas de estas especies (merluza negra, merluza de cola, polaca y abadejo) supera ampliamente el área analizada, pues llega hasta los sectores subantárticos de los océanos Pacífico e Índico.

Entre los invertebrados, el recurso más importante, especialmente por su abundancia, es el calamar argentino, una especie nerítico-oceánica que se concentra en zonas bajo la influencia de las aguas subantárticas, principalmente de la corriente de Malvinas. Asociado al borde de la plataforma continental y al talud, el calamar se encuentra entre los 23° y los 54° de latitud sur, y a profundidades de entre 80 y 400 m. Se han reconocido cuatro efectivos: el bonaerense-norpatagónico, al norte de los 43° de latitud sur; un efectivo de desove primaveral, que habita en aguas de plataforma intermedia; otro efectivo de desove estival, que sostiene las pesquerías en el borde de la plataforma entre los 42° y los 44° de latitud sur, y el efectivo principal en la plataforma patagónica sur. Todos los efectivos presentan una alta variabilidad interanual, pero el sudpatagónico ha mostrado en los últimos años un marcado decaimiento poblacional ligado a una excesiva mortalidad por pesca. El calamar Illex es una especie migratoria con un ciclo de vida anual. En junio ocurre el desove de los adultos en la plataforma norte, seguida por la muerte de las hembras desovantes. La zona de mezcla de aguas subtropicales y subantárticas, además de los remolinos de aguas cálidas que genera la corriente de Brasil, sostienen larvas y juveniles. Entre enero y marzo ocurre una migración hacia el sur, con una concentración máxima entre abril y mayo, particularmente en los alrededores de las islas Malvinas. En junio nuevamente se producen las migraciones hacia las áreas norte y hacia aguas más profundas sobre el borde de la plataforma, que siguen la corriente de Malvinas. En los primeros estadios de desarrollo se alimentan principalmente del anfípodo *T. gaudichaudii*.

Además del calamar argentino, el calamarete es una especie demersal de aguas frías de gran importancia pesquera. Los adultos se agrupan para alimentarse principalmente sobre la isobata de 200 m al sur y nordeste de las islas Malvinas.

La construcción de la cadena trófica. Paso 3: predadores tope

Para el Mar Argentino se ha citado la presencia de predadores tope correspondientes a distintos grupos taxonómicos, entre los que se incluyen especies de tiburones y rayas, de aves marinas costeras y pelágicas, además de mamíferos marinos, tanto cetáceos como pinnípedos. Una decena de estas especies son de gran interés conservacionista, entre ellas: el pingüino de Magallanes (*Sphenicus magellanicus*), la ballena franca austral (*Eubalaena australis*), el elefante marino del sur (*Mirounga leonina*), el lobo de un pelo (*Otaria flavescens*), el lobo de dos pelos (*Arctocephalus australis*), el albatros de ceja negra (*Thalassarche melanophrys*) y el petrel gigante del sur (*Macronectes giganteus*). Además, por su singularidad como superpredadora no se puede dejar de mencionar a la orca (*Orcinus orca*).

Mamíferos marinos

Un alto número de especies de cetáceos reside o visita el área. Las aguas costeras y oceánicas forman parte del área de distribución de catorce especies de delfines, dos de cachalotes y siete de las once especies de ballenas existentes. Entre ellas, una de las poblaciones de ballena franca –en estado vulnerable– elige las aguas costeras de la Península de Valdés para reproducirse y cuidar a sus crías durante las primeras semanas de vida. Tres especies amenazadas de ballenas del género *Balaenoptera* visitan las aguas de la plataforma y el talud durante sus migraciones hacia las áreas de alimentación antárticas: la ballena azul (*B. musculus*), la fin (*B. physalus*) y la sei (*B. borealis*), además de la ballena jorobada (*Megaptera novaeangliae*) y el cachalote (*Physeter catodon*), en estado vulnerable. En la región se han registrado trece especies de delfines picudos, delfines y marsopas, de las cuales por lo menos ocho tienen estatus poblacionales desconocidos.

La única agrupación continental de elefantes marinos del sur se encuentra en la Península de Valdés y congrega cerca de 50.000 individuos. Esta población se alimenta en el borde del talud, en las aguas profundas de la cuenca patagónica y sobre la plataforma. Algunos individuos extienden sus movimientos migratorios a las costas del sur de Chile.

Aproximadamente 70.000 lobos marinos de un pelo se distribuyen en cuarenta agrupaciones reproductivas a lo largo de la costa. Esta población se encuentra en lenta recuperación, luego de haber estado expuesta a una matanza de más de medio millón de individuos en las primeras décadas del siglo pasado. Menos comunes son los de dos pelos, con una población aproximada de 20.000 animales que se reproducen en unas pocas islas de la costa patagónica.

Aves marinas

En los 3.400 km de costa entre el sur de Buenos Aires y el estrecho de Magallanes se reproducen dieciséis especies de aves marinas (dos especies de pingüinos, el petrel gigante del sur, cinco especies de cormoranes, tres de gaviotas, tres de gaviotines y dos especies de skúas), distribuidas en aproximadamente doscientas sesenta colonias. La mayoría de ellas se alimenta en aguas costeras. Otras aves –el petrel gigante del sur y el pingüino de Magallanes– se internan mar adentro y pueden llegar hasta el borde de la plataforma continental.

Una población aproximada de un millón y medio de pingüinos de Magallanes se distribuye en sesenta colonias en la costa patagónica. Punta Tombo, la de mayor tamaño, congrega aproximadamente 200.000 parejas reproductivas que se alimentan principalmente de anchoítas (70%), calamares y merluzas. Se trata del ave marina más abundante y de mayor rango de distribución en la Patagonia.

Además de las especies residentes, numerosas especies de aves visitan estacionalmente el Mar Argentino. Estudios de telemetría satelital muestran que la proveniencia de estas especies puede llegar a ser de áreas tan distantes como las islas Georgias del Sur, Diego Ramírez, Tristan da Cunha y Gough, o incluso de Nueva Zelanda.

Desde las colonias reproductivas de las Georgias del Sur llegan predadores tales como el albatros errante (*Diomedea exulans*), el petrel barba blanca (*Procellaria aequinoctialis*), el petrel gigante del sur y el del norte (*Macronectes halli*), que se alimentan en aguas patagónicas en forma estacional o durante todo el año. El albatros errante visita el borde de la plataforma y las aguas adyacentes, a lo largo de todo el año; en efecto, se han hecho observaciones directas para ambos sexos y todas las clases de edad, entre los que se incluyen individuos reproductores y no reproductores. Esta especie no ingresa en aguas de la plataforma continental, excepto en las cercanías de las islas Malvinas. El petrel barba blanca también depende de las aguas de la plataforma continental durante prácticamente todo el año, excepto durante el cuidado de las crías, cuando se ve obligado a alimentarse en áreas más cercanas a las colonias reproductivas. Las hembras del petrel gigante del sur y del norte visitan la zona principalmente durante la incubación y la etapa posterior a su reproducción, y se las encuentra en áreas de surgencia alrededor de la zona del talud sur, desde el banco Burdwood, en el este, hasta las islas de los Estados y Diego Ramírez, en el oeste. Los machos de petrel gigante del norte, durante la incubación, y el lobo marino de dos pelos antártico, en invierno, alcanzan hábitat internos de la plataforma en el sector norte.

Desde la isla Diego Ramírez llegan albatros de cabeza gris (*Thalassarche chrysostoma*) y de ceja negra para alimentarse a lo largo del límite sudoeste de la plataforma patagónica. Otras especies de Diego Ramírez, como la pardela oscura (*Puffinus griseus*) y el petrel azulado (*Halobaena caerulea*), también visitan el Mar Argentino. Especies antárticas como el petrel damero (*Daption capense*) y el petrel plateado (*Fulmarus glacialoides*), que se reproducen tanto en la península antártica como en el interior del casquete polar, son visitantes comunes de las aguas patagónicas. El paíño común (*Oceanites oceanicus*), un migrador transecuatorial, posee una colonia reproductiva importante en la Antártida y una pequeña en las islas Malvinas. Es común observarlo en la plataforma continental durante la primavera y el otoño, pues utiliza esta zona como estación de parada durante las migraciones.

De las aves marinas que se reproducen en Tristan da Cunha y Gough, el petrel collar gris (*Pterodroma mollis*), el petrel cabeza parda (*Pterodroma incerta*), el petrel pizarra (*Aphrodroma brevirostris*) y la pardela grande (*Colenictris diomedea*) son típicos en la zona norte del ecosistema y están asociados con la corriente de Brasil, especialmente en invierno, aunque también visitan la zona sur de la plataforma continental, principalmente fuera de sus etapas reproductivas.

Varias especies de aves marinas, visitantes y residentes, requieren un especial esfuerzo de conservación. La gaviota de Olrog (*Larus atlanticus*), una especie amenazada de extinción, es endémica del ecosistema. Su área de reproducción está restringida al sur de Buenos Aires y al golfo San Jorge, con una población total de 2.300 parejas. El albatros de Tristan (*Diomedea dab-*

benea) y el petrel antifaz (*Procellaria conspicillata*) son dos de las especies más raras y amenazadas del Atlántico Sur; el primero, en peligro de extinción y el segundo, en estado crítico. El albatros real del norte (*Diomedea sanfordi*), especie amenazada que se reproduce en Nueva Zelanda, pasa el invierno principalmente en la plataforma patagónica y se distribuye ampliamente sobre las aguas costeras y de baja profundidad hasta la isobata de los 1000 m.

La descripción precedente presenta al Mar Argentino como una de las áreas de mayor importancia mundial para la diversidad y la abundancia de aves predadoras tope residentes y visitantes, algunas de las cuales pueden extinguirse a corto plazo, en caso de que no se implementen las acciones de conservación apropiadas.

Problemática conservacionista

Desde la perspectiva de la conservación oceánica y de la de sus especies dependientes, las amenazas pueden diferenciarse en directas e indirectas. Las causas directas guardan una relación inmediata con el empobrecimiento de la biodiversidad, tema que ocupa un lugar relevante en la preocupación de los conservacionistas, pero que también debería ser parte de una agenda pública en la materia que refleje las inquietudes de la sociedad y se estructure como un programa de acciones efectivas. Entre estas causas –actuales o potenciales– se incluyen:
• La falta de una visión ecosistémica del Mar Argentino.
• La carencia de un plan integral de manejo sustentable para la actividad pesquera.
• El exceso de capacidad de pesca.
• La captura incidental y el descarte.
• El decaimiento pesquero (*fishing down*) por el desarrollo de pesquerías sobre especies de niveles tróficos inferiores.
• La distorsión de la estructura de edades de los efectivos pesqueros por captura diferencial de adultos y juveniles.
• La contaminación por actividades de explotación y el transporte de hidrocarburos.
• La contaminación por asentamientos costeros.

Existen, además, amenazas indirectas que afectan el sistema a través de los efectos que se derivan de las limitaciones que una administración deficiente impone sobre el uso de los recursos. Entre estas limitaciones, se destacan las asociadas con la complejidad jurisdiccional y el estilo de administración a corto plazo basado en pesquerías uniespecíficas.

Contexto

En diversas revisiones realizadas por la FAO (Organización de las Naciones Unidas para la Agricultura y la Alimentación), se ha integrado la información mundial y se analizan anualmente el estado y las tendencias de la pesca. De esta información se desprenden datos elocuentes acerca de los límites que presenta el mar como proveedor de recursos vivos para la población mundial. Por ejemplo, en 1995, el 66% de los mayores caladeros del mundo con especies de valor comercial se encontraban sobreexplotados y al borde del colapso. La extracción pesquera mundial para 1996 se estimó en 87.000.000 de t anuales, con tendencia a superar las 100.000.000 en 2010. El uso no sostenido del recurso pesquero afecta por lo menos al 35% de las doscientas especies de peces más importantes en el mundo. El descarte pesquero por captura incidental de especies sin valor comercial se estima, a nivel global, en 29.000.000 de t anuales (aproximadamente el 30% de la captura comercial mundial).

Entre 1990 y 1995, la actividad pesquera argentina se incrementó en un 108%, como resultado de un aumento en la inversión destinada a la flota industrial, particularmente a la incorporación de buques con mayor capacidad de pesca. Durante el auge de la industria en los 90, el producto pesquero argentino se mantuvo en torno a 1.000.000 de t anuales, y llegó a superar los U$S 1.000.000.000 de exportación. Este panorama cambió radicalmente a fines del siglo pasado, al verse seriamente comprometidos los efectivos de merluza común, principal recurso del caladero. En la actualidad, aunque la biomasa de merluza Hubbsi sigue sosteniendo grandes volúmenes de captura, la disminución en la abundancia de individuos adultos en la población es una seria advertencia sobre el riesgo de colapso que se cierne sobre la especie. A este panorama se suma la alta variabilidad interanual en la disponibilidad de otros recursos de importancia económica. El calamar Illex, por su abundancia, y el langostino (*Pleoticus muelleri*), por su valor de mercado, son dos especies de ciclo anual que han venido experimentando fuertes oscilaciones de biomasa, las que, acopladas a una política pesquera oportunista, dieron lugar a reiterados ciclos de "auge/ruina", con severas secuelas económicas y sociales.

Perspectivas

Está claro que la sociedad argentina no cuenta con una agenda de conservación oceánica. Ésta es una limitación muy seria, debido a que la necesidad de concertar respaldo sobre una iniciativa de conservación oceánica subyace a cualquier intento por conferir sustentabilidad a la gestión del Mar Argentino. Por otra parte, tal como se analizó, el estilo actual de administración del mar trasunta dificultades verificables en la voluntad política para avanzar hacia una gestión basada en el principio de precaución, con el previsible costo ambiental y social que ello implica.

Frente a este panorama, cabe señalar que existen grupos de interés con diversas capacidades y vocación para evitar los efectos perjudiciales del estilo de desarrollo descripto y para fundamentar el manejo en normas ecosistémicas. Entre estos grupos deben tener cabida los usuarios que hoy protagonizan el aprovechamiento de los recursos del mar, inmersos en un escenario de problemas y preocupaciones, caracterizado por una compleja incertidumbre ambiental, política y de mercados. También existe interés por parte de organizaciones no gubernamentales (ONG), nacionales e internacionales por contribuir al manejo sustentable del Mar Argentino con recursos económicos, conocimiento experto y respaldo político.

Por lo anterior, y a modo de corolario, se proponen los presupuestos mínimos de una agenda de conservación oceánica que podrían incluir –entre otros– los componentes que se detallan a continuación:
• Un sistema de gestión basado en modelos ecosistémicos integrados con objetivos a largo plazo.

• Un plan estratégico sobre el manejo de recursos y la mitigación de impactos, que incorpore áreas protegidas (AP) cuando se requiera conservar espacios de crucial relevancia biológica.

• Un portafolio de opciones de financiación para fortalecer la capacidad de gestión, que incluya componentes de investigación, administración y control.

• Un protocolo de colaboración entre organizaciones gubernamentales, no gubernamentales e intergubernamentales, con participación del sector empresarial y científico que tenga intereses en el área.

• Un plan de educación ambiental centrado en la conservación oceánica.

Agradecimientos

Los autores agradecen la lectura y los comentarios recibidos sobre el manuscrito por parte de Pablo Filippo, Santiago Krapovickas y Vivian Lutz.

Notas

[1]*La expresión "producción primaria" o el término "productividad" se emplean en este trabajo en forma laxa y, en la mayor parte de los casos, significan "abundancia" o "biomasa" de fitoplancton; así, si hay abundante fitoplancton, habrá una alta producción primaria. Sin embargo, desde un punto de vista estricto, para el Mar Argentino son pocas las mediciones reales de "producción primaria" con las que se cuenta.*

LA PESQUERÍA DE MERLUZA COMÚN. ¿UN EJEMPLO?

Por: Guillermo Cañete
Programa Marino, Fundación Vida Silvestre Argentina (FVSA). gcmarino@vidasilvestre.org.ar

Evolución de la pesca en la Argentina

A fines del siglo XIX, encallaron en la playa Bristol de la costa marplatense algunos pescadores de la zona de la boca del Riachuelo de Buenos Aires. Aquellos inmigrantes europeos dieron origen a la flota costera que hoy caracteriza las postales de esta ciudad. Una vez construido un puerto de ultramar, la pesca de exportación inició una actividad febril con la captura del cazón entre 1930 y 1940. Con el ingreso de los primeros barcos de "altura", los años 60 vieron la diversificación de la flota. Los avances tecnológicos que importaron aquellas embarcaciones permitieron que se especializasen en la pesca de merluza común (Bertoloti *et al.*, 2001). El constante incremento de la demanda internacional propició la incorporación de grandes buques pesqueros y el inicio del desarrollo de los puertos patagónicos. En el marco de un convenio entre la Argentina y la Unión Europea, entre 1991 y 1995, se incorporaron a la flota sesenta barcos. Junto con el ingreso de aquellos "congeladores" (buques grandes con capacidad de procesamiento y congelado a bordo), se produjo el incremento del esfuerzo pesquero, se diversificaron las artes de pesca, las especies-objetivo y los tipos de barcos. En 1996, con el consecuente crecimiento de los desembarques, las exportaciones superaron por única vez los U\$S 1.000.000.000. Los desembarques alcanzaron su máximo en el año 1997 (1.341.000 t) y bajaron abruptamente en los dos años siguientes hasta alcanzar un valor algo superior a las 800.000 t que se mantienen hasta hoy.

La expansión de la pesca comercial en este país tuvo lugar sin una política gubernamental que tuviese en cuenta la sustentabilidad de los recursos. La maximización de beneficios se logró a costa de aumentar exageradamente la presión sobre el ecosistema y las consecuencias no se hicieron esperar. La merluza común debió ser declarada en emergencia a partir de 1997 con consecuencias sociales, económicas y políticas de amplia repercusión. Los efectos de la sobrepesca también se hicieron sentir sobre la polaca, la merluza austral, la merluza negra, la corvina, la pescadilla, el besugo y aquellas especies que forman parte de la captura acompañante de las especies comerciales, tales como las rayas y los tiburones.

Una mención especial merecen el calamar y el langostino. Por tratarse de especies con un ciclo de vida anual, alta capacidad reproductiva y una gran dependencia de las condiciones ambientales, sufren grandes fluctuaciones en su abundancia. El langostino cumple un rol destacado en el desarrollo económico, especialmente en los puertos patagónicos. En el año 2001 se alcanzó el récord de desembarque (76.000 t), que alcanzó a ocupar alrededor de un 50% de las exportaciones pesqueras (U$S 400.000.000). Como contrapartida, en el año 2005 las capturas estuvieron muy por debajo de las expectativas.

Lamentablemente, como resultado de esta expansión, quedó instalada la sobrecapitalización o el exceso de capacidad pesquera. El concepto es sencillo: hay muchos más barcos, empresas y gente que vive de la pesca de lo que el ecosistema puede soportar. Este exceso debe reducirse de alguna forma y, por ello, el sistema enfrenta grandes tensiones sociales, políticas y económicas que impiden implementar planes efectivos de recuperación y manejo sustentable.

La merluza común (*Merluccius hubbsi*)

Esta especie se distribuye ampliamente en la plataforma continental argentina, desde el sur de Brasil hasta los 55° de latitud sur, y entre los 80 y los 400 m de profundidad, en aguas templado-frías subantárticas (corriente de Malvinas). Los adultos toleran temperaturas de entre 3 y 18°C, y el rango óptimo se da entre los 5 y los 10°C. Las larvas y juveniles soportan un rango de temperatura más restringido (Angelescu y Prenski, 1987). Esta merluza realiza grandes movimientos migratorios, tróficos y reproductivos, y se desplaza desde la costa hasta el talud. Es un pez demersal que vive relacionado con el fondo, aunque efectúa movimientos verticales para alimentarse. Se trata de un animal carnívoro, con una dieta amplia que varía durante su ciclo vital en relación con la disponibilidad de especies-presa y su tamaño. Es, asimismo, un predador oportunista que consume ejemplares de su misma especie (canibalismo).

Las evidencias científicas han permitido identificar tres *stocks* que definen unidades de manejo independientes: uno al norte de los 41° de latitud sur, en la plataforma bonaerense compartida en parte con Uruguay; otro *stock* patagónico al sur de los 41° de latitud sur y un tercer grupo pequeño, limitado por el Golfo San Matías y administrado por la provincia de Río Negro (Figura 1). Las principales concentraciones reproductivas del *stock* sur ocurren en primavera y verano, en el área de Isla Escondida (entre los 43° y los 45° 30' de latitud sur) y a 50-70 m de profundidad (Pájaro y Macchi, 2001). Las concentraciones de juveniles tienen una amplia distribución al sur de los 43° de latitud sur y en el Golfo San Jorge. En el caso del *stock* del norte, las concentraciones reproductivas de invierno y las áreas de crianza se ubican en la zona común de pesca argentino-uruguaya entre los 34° y los 39° de latitud sur.

Figura 1. Ubicación geográfica de zonas de manejo para la merluza en el Mar Argentino.

La pesquería

La merluza es considerada como la columna vertebral del sector pesquero argentino y no es necesario remontarse muy atrás en el tiempo para verificarlo. Esta actividad se realizaba principalmente desde el puerto de Mar del Plata (allí se concentraba el 74% en el año 1988) por parte de la flota de buques fresqueros. Razones de tipo biológico y económico favorecieron la instalación de empresas en puertos patagónicos (incluso, algunas abrieron filiales o se trasladaron desde Mar del Plata). Aunque actualmente este puerto mantiene la supremacía en el desembarque de merluza (alcanzaba el 60% en 2004), se ha generado un factor de competencia regional con fuertes implicancias políticas.

Otro cambio importante en la pesquería de merluza fue el mencionado incremento del esfuerzo pesquero durante la década del 90. En el año 1987 los buques fresqueros desembarcaron el 70% de la merluza y los buques congeladores, algo más del 20%. Una década más

tarde los fresqueros de-
sembarcaron sólo el
35% y los congeladores,
alrededor del 53%. Ante
la falta de una adminis-
tración pesquera efecti-
va, fueron sistemática-
mente superadas las
Capturas Máximas Per-
misibles (CMP), a lo
cual cabe agregar las di-
ferencias entre lo captu-
rado en el mar y los de-
sembarques en puerto,

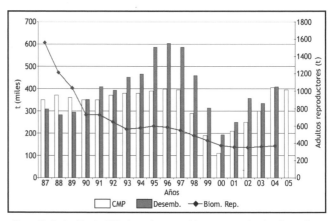

Figura 2. Evolución de CMP, desembarque y biomasa reproductiva de merluza.

debido a los descartes, la subdeclaración y la corrupción en los controles. Incluso el propio sector industrial admitió que en 1996 las capturas reales llegaron al millón de toneladas, un 250%
más de los recomendado (Figura 2).

Las evidencias de sobrepesca eran claras y fueron advertidas oportunamente ante las autoridades, quienes en el año 1997 decidieron finalmente declarar la crisis de la merluza común. El Instituto Nacional de Investigación y Desarrollo Pesquero (INIDEP) recomendó limitar las capturas y el esfuerzo pesquero al 50%, así como también el establecimiento de áreas y épocas de veda, a fin de propiciar la supervivencia de los juveniles. En julio de 1997 fue establecida una nueva área de veda permanente en la región patagónica (Figura 1). La experiencia ha demostrado
que esta extensa área es una de las pocas medidas de manejo que ha sido efectiva, siempre y
cuando cuente con los controles necesarios.

En el año 1998, se promulgó la Ley N°24.922, que establece el Régimen Federal de Pesca. En
su artículo N°27 se introduce el sistema de administración por Cuotas Individuales de Captura
por especie, por buque, zonas de pesca y tipo de flota. Éstas son concesiones temporales que le
asignan al permisionario un porcentaje determinado de la CMP y que, al ser transferibles, pueden tener valor de mercado. La primera especie que se intentó cuotificar fue la merluza, pero
una serie de factores jugaron en contra de este proceso. La marcada disminución de las capturas hizo eclosionar las tensiones entre los distintos sectores empresariales por los criterios de
asignación de cuotas. Para 1999, estos problemas actuaron como telón de fondo de un fuerte enfrentamiento entre sectores de la pesca: congeladores versus fresqueros; Mar del Plata versus
Patagonia; trabajo en tierra versus procesamiento a bordo. En este contexto de conflicto político, no exento de violencia, tuvo mayor peso la posición de los armadores de buques fresqueros
y se dictó la Emergencia Pesquera. La decisión incluía, entre otras cosas, que los buques conge-

ladores debían operar al sur de los 48° de latitud sur, lejos de las principales concentraciones de merluza, que quedaron reservadas para los buques fresqueros. El conflicto de fondo no fue solucionado por tratarse de una exclusión temporaria de uno de los sectores, lo que no disminuyó el esfuerzo pesquero sobre el conjunto del ecosistema.

Este relato histórico ilustra el complejo entramado de intereses, derechos y reclamos que dificulta arribar a una solución con el consenso de todos los sectores. Pese a los continuos anuncios oficiales, la implementación del sistema de cuotificación avanza muy lentamente y no se vislumbra hasta el presente una política pesquera con una visión a largo plazo que supere las limitaciones de las cuotas individuales de captura y que asegure un manejo sustentable de la pesquería.

Cómo está la merluza en 2005

La CMP creció de un mínimo de 110.000 t en 2000 hasta las 394.000 t en 2005. Sobre la base de estos valores, muchos piensan que la merluza ya se ha recuperado y que es innecesario mantener aquellas medidas de emergencia que se dispusieron. A continuación, se analiza lo que el INIDEP opina sobre el *stock* más importante (el correspondiente a los 41° de latitud sur).

Según Cordo (2005), sólo el desembarque de la flota argentina superó en 50.000 t la captura máxima permisible en 2004. La clase de edad 1 volvió a aumentar su participación en la captura e indicó una clara tendencia a desembarcar ejemplares cada vez más pequeños. El porcentaje de juveniles (de menos de 35 cm de largo) en el desembarque fue del 39,7% en 2004. Como resultado, la biomasa de adultos reproductores sigue manteniéndose en niveles muy bajos desde el año 2000 (300.000 t). Según lo recomendado enfáticamente por el INIDEP, la captura biológicamente aceptable en 2005 del efectivo sur de merluza debería ser de 261.000 t para la recuperación de la biomasa de reproductores en tres años; se debería minimizar la captura de juveniles y ampliar la zona de veda. Las autoridades pesqueras optaron por una opción de mayor riesgo para determinar la CMP, lo que significaría la recuperación de la biomasa de reproductores recién en veinticinco años.

Consideraciones finales

La pesquería de merluza es un buen ejemplo de las consecuencias de la sobrepesca sobre los recursos pesqueros. El objetivo de manejo para recuperar la biomasa de adultos reproductores no fue alcanzado debido a la elevada mortalidad por pesca sobre juveniles y adultos. Sólo la eventualidad de tres años consecutivos de reclutamientos muy abundantes permitió sostener el volumen de las capturas con un 30 a un 70% de juveniles según el *stock*. Esos juveniles no tuvieron oportunidad de crecer y reproducirse ni de aportar a la recuperación del recurso. El hecho de que la pesquería dependa de algo tan variable como el éxito del reclutamiento anual genera dudas sobre la sustentabilidad a largo plazo. La irresolución del exceso de capacidad pesquera mantiene latentes las tensiones y los conflictos en el sector, y dificulta la posibilidad de llegar a soluciones basadas en el consenso.

Campagna *et al.* (en este volumen) mencionan con acierto las amenazas directas e indirectas que afectan la biodiversidad y el uso sustentables del Mar Argentino. En este sentido, es necesario destacar que todo el ecosistema está en riesgo y no sólo la merluza. El exceso de buques y redes que barren el fondo tiene, sin duda, un gran impacto sobre todas las especies capturadas y sus hábitat. Es imperioso evitar que el efecto de "rascar el fondo de la olla" de tantos barcos que buscan salvar sus cuentas entregue un mar empobrecido por el descarte, la muerte innecesaria de la fauna acompañante y la pérdida de hábitat.

En un futuro no muy lejano, las condiciones actuales de la gestión pesquera probablemente conducirán a un colapso de los recursos con graves consecuencias ambientales, sociales y económicas. Por ello, ha llegado el momento de que todos los interesados –los usuarios, los administradores, los científicos y la sociedad civil en su conjunto– reflexionen sobre el uso sustentable de los ecosistemas marinos, un capital propio de las generaciones presentes y futuras. Es necesario desarrollar una estrategia a largo plazo que defina el modelo de gestión y explotación pesquera, basado en la consideración del ecosistema y en la aplicación del principio precautorio. Se requieren sistemas de gestión participativa que agreguen transparencia a los procesos de toma de decisiones y planes de manejo que utilicen la mejor ciencia y tecnología disponibles. Es preciso, también, fortalecer la capacidad de investigación científica y los componentes operativos (monitoreo, vigilancia y control), a fin de que aporten el conocimiento y la información necesarios para un manejo dinámico y efectivo del ecosistema.

Dentro de un esquema integrado de conservación y uso sustentable, la incorporación de Áreas Marinas Protegidas podría ser un aporte de vital importancia para estos objetivos. Cada vez hay más evidencias en el mundo de sus ventajas para administrar con mayor eficiencia aspectos clave de los recursos pesqueros, así como también las áreas, los procesos y los componentes de importancia para el ecosistema y la sociedad.

ELEMENTOS PARA EL DESARROLLO DE UNA PESQUERÍA SUSTENTABLE DEL CALAMAR ILLEX. SITUACIÓN ACTUAL

Por: Guillermo Jacob
Bahía Grande S.A., gjacob@bahiagrande.com.ar

La actividad pesquera comercial en la Argentina abarca una amplia gama de operaciones muy diversas que se desarrollan a lo largo del litoral atlántico en áreas cercanas entre sí, e incluso superpuestas, y que tienen como objetivo especies diferentes. Los recursos principales –merluzas, langostinos, calamares, polacas, merluzas de cola, vieiras, especies costeras, etc.– son capturados por flotas de distintas características y magnitudes, con estructuras de costos muy diferentes. Es, entonces, casi imposible referirse a la actividad pesquera en su conjunto, salvo que se lo haga mencionando parámetros muy generales, que sólo permiten tener una idea de la globalidad

La Situación Ambiental Argentina 2005

del negocio. Resulta claro que, para ahondar en problemáticas más específicas y sobre todo en lo que hace a conceptos de sustentabilidad, es necesario extraer, de ese conjunto de actividades, aquélla que se quiera examinar en profundidad. En este contexto se hace referencia al calamar Illex, que es una de las especies de mayor importancia comercial para la Argentina.

La pesquería de esta especie se ha desarrollado recientemente –a partir de la década del 80–, lo que generó, como en toda actividad nueva, que las operaciones comerciales y la investigación sobre el recurso se hicieran contemporáneamente. En alguna medida, los empresarios, además de adquirir los conocimientos que toda nueva tecnología requiere, se han visto forzados a entrar en el terreno del estudio de los aspectos biológicos de la especie y del ecosistema, para, sobre la base de esa información y los criterios de sustentabilidad, dimensionar sus inversiones.

Una de las consecuencias más interesantes de la forzada incursión de los empresarios en los terrenos reservados, en teoría, a los científicos, es que este ejercicio les ha permitido ver las marcadas similitudes que hay entre el mundo de las empresas, donde tratan de sobrevivir en un medio (el económico) de recursos escasos, como ha sido el caso de la Argentina en los últimos años, y el de las especies animales que en libertad luchan también por su supervivencia en un contexto de escasez similar. Hasta podría pensarse en un cierto paralelismo entre un ecosistema que sobrevive sobre la base de información biológica y una empresa que –en un sistema de libre mercado– subsiste basada en la información tecnológica. Conviene considerar cuáles son las condiciones básicas que se requieren para poder establecer el desarrollo de una pesquería sustentable.

Definición de políticas pesqueras a largo plazo (marco legal estable). Hasta el momento, las administraciones pesqueras no han definido políticas de desarrollo de la pesquería a largo plazo. El marco legal, en lo que respecta en particular al calamar Illex, se ha ido ajustando a medida que la pesquería se desarrollaba, y la flota, si bien se ha reducido en los últimos años, está alrededor de los niveles considerados como adecuados.

Un adecuado conocimiento del recurso, que permita dimensionar con la mayor precisión posible el tamaño de los *stocks* (investigación). La Argentina ha realizado desde los años 80 un trabajo encomiable para mejorar su conocimiento sobre la especie del calamar Illex y su comportamiento; se sigue trabajando intensamente y gracias a las contribuciones del gobierno de Japón, se cuenta con un instituto de investigación, el INIDEP, moderno y bien equipado, con dos buques de tecnología razonable y recursos humanos de buen nivel.

Definición de un modelo de manejo del recurso. El INIDEP ha definido, claramente, un modelo de manejo que consiste en preservar de cada reclutamiento una tasa de escape igual o mayor al 40% del *stock*. Podrá decirse, tal vez, que éste no es el modelo más adecuado pero, al menos, hay un modelo definido y, por el momento, parece funcionar aceptablemente.

Flota adecuada (tipo de buque). Esta especie es capturada, en su mayoría, por buques con tecnología desarrollada exclusivamente para esta pesca, los cuales son denominados *jiggers* o poteros. La flota tiene un promedio de edad alto pero, en los últimos años, se han incorporado unidades con tecnología de punta, lo que ha mejorado sensiblemente la media.

Tecnología adecuada (artes de pesca). Los poteros concentran los cardúmenes de calamar por medio de luces de gran intensidad, para luego atraerlos con señuelos que los capturan individualmente. La captura es, entonces, altamente selectiva, pues no se obtienen –a diferencia de lo que ocurre con los arrastreros, palangreros, cerqueros, etc.– especies acompañantes, lo que de hecho constituye una diferencia y una ventaja enorme respecto de los otros métodos de pesca. El sistema de poteros tiene, además, limitaciones operativas en relación con la profundidad; en efecto, la influencia de las luces disminuye a partir de los 150 m, lo que genera una protección natural, especialmente para las hembras, que instintivamente buscan las aguas profundas del talud continental para desovar.

Limitación del tiempo de operación (vedas temporales). La Subsecretaría de Pesca (SSP), a requerimiento del INIDEP, ha establecido vedas temporales tendientes a evitar la captura de ejemplares juveniles y, al mismo tiempo, permitir o bien una adecuada "tasa de escape" en términos de porcentaje sobre el *stock* de inicio de campaña o el volumen de *stock* que se pretende proteger, de modo que un número suficiente de hembras pueda llegar a las zonas de desove y así garantizar la reposición de los *stocks* futuros. En el año 1997 se dictó la resolución Nº973, que fijó la apertura de la temporada de pesca el 1 de febrero de cada año y el cierre de la misma el 31 de agosto.

Áreas sensibles protegidas (vedas en zonas de desove). Durante el transcurso de la temporada se han establecido vedas zonales para acompañar la evolución de las diferentes subpoblaciones, de modo que no se vean afectadas por la captura de la flota comercial.

Hasta aquí, todo parece estar razonablemente controlado; sin embargo, hay aspectos que requieren de acciones inmediatas para complementar las normas ya establecidas. En primer lugar, si se tiene presente que las hembras de esta especie buscan la profundidad fuera del talud y que éste se encuentra en una amplia zona, fuera de la ZEE, es imprescindible trabajar de inmediato en acuerdos con las flotas que operan en esa área para procurar que sus buques poteros disminuyan su actividad y, fundamentalmente, tratar de evitar que los buques arrastreros, propios y ajenos, capturen esas hembras que por su estado tienen muy poca movilidad y, por lo tanto, son una presa fácil de sus redes. Una posible solución para eliminar o, a lo sumo, atenuar este problema sería crear un área marina protegida a lo largo del talud continental que prohíba la captura de este tipo de buques, al menos durante una época del año. Éste es un objetivo muy ambicioso, difícil de conseguir, pero ya han comenzado a esbozarse alianzas entre ONG, empresarios y científicos que permiten tener optimismo en cuanto a la obtención de un resultado positivo.

En segundo lugar, existen cambios dramáticos en las condiciones ambientales en el océano, fundamentalmente en lo que hace al comportamiento de las corrientes y sus efectos sobre la temperatura del agua de mar. Estos cambios se han hecho notar al alterar el comportamiento del recurso, sus migraciones y áreas de desove. Esto obliga a redoblar los esfuerzos en la investigación y a establecer sistemas de conservación flexibles que acompañen la dinámica de los cambios ambientales que se enfrentan.

Un grupo importante de armadores, concientes de la necesidad de intensificar sin demora la investigación, ha puesto a disposición del Consejo Federal Pesquero sus mejores unidades sin costo alguno para poder colaborar con el INIDEP y así compensar la falta de recursos y equipos de los que puede disponer el Estado. El Consejo Federal Pesquero, por su parte, resolvió aceptar que los buques de la flota comercial puedan participar en campañas de prospección. Es una primera experiencia que se espera que pueda contribuir a dinamizar la investigación y a permitir, en consecuencia, efectuar las modificaciones a los modelos y la estructura legal vigente en plazos tan breves como las actuales circunstancias lo exigen.

En resumen, la situación de la pesca de calamar está razonablemente equilibrada y, de avanzarse en las medidas correctivas ya mencionadas y, sobre todo, en definiciones políticas de desarrollo a largo plazo, podrá lograrse una explotación comercial a gran escala en un contexto de sustentabilidad.

CAPTURA INCIDENTAL DE AVES MARINAS OCEÁNICAS DEBIDO A LA PESCA CON PALANGRES

Por: Alejandro Arias
FVSA. aamarino@speedy.com.ar

Las aves marinas oceánicas, representadas por los albatros, los petreles, las pardelas y los petreles de las tormentas, entre otras, son un grupo con características morfológicas muy particulares con las que pueden adaptarse perfectamente a la vida marina. Por ejemplo, presentan una contextura corporal con fuertes músculos y alas de gran envergadura (e.g., 3 m), que les permiten volar miles de kilómetros sobre el mar durante días sin la necesidad de posarse en la tierra. A diferencia de las especies costeras y terrestres, que utilizan las corrientes térmicas para elevarse y planear, las aves oceánicas sólo utilizan los fuertes vientos reinantes en los mares del sur para impulsarse y las turbulencias que produce el mismo al chocar contra las enormes olas para permanecer en el aire y, así, maximizar su vuelo con bajos consumos de energía.

Este comportamiento de vuelo tan particular resulta indispensable para garantizar los desplazamientos migratorios desde los sitios de nidificación a las zonas de alimentación. Muchos albatros y petreles tienen sus nidos sobre las costas acantiladas de islas subantárticas que, durante los meses de verano, usan para poner sus huevos y criar a los pichones hasta que aprenden a volar. Cuando el pichón eclosiona del huevo, los padres deben buscar su alimento y uno de los comportamientos más llamativos es que abandonan los nidos por semanas para volar miles de kilómetros mar adentro en busca de sus presas. Esta característica del ciclo biológico de las aves oceánicas hace que estos grupos enfrenten amenazas muy variadas, complejas y muy difíciles de resolver si se las trata con una visión local. Entre los problemas más destacados se pueden nombrar, por ejemplo, la sobreexplotación de sus recursos alimenticios, la contaminación, la degradación y la introducción de predadores en sus sitios de reproducción, entre otros. Dada la complejidad de los mismos, resulta muy difícil describirlos en pocas palabras. Por esta razón, esta sección del libro sólo estará enfocada en una de las problemáticas más importantes que sufren las aves marinas pelágicas, que es la captura incidental en la pesca con palangres.

El palangre o *long-line* es un arte de pesca compuesta básicamente por una línea madre que trabaja paralela al fondo, a la cual se fijan los anzuelos distribuidos a distancias determinadas para evitar que se enreden. Las puntas de la línea madre están fijadas al fondo por anclas marcadas por boyas en la superficie del agua (Figura 1).

De todas las artes de pesca que están vigentes, en términos generales, ésta es la menos perjudicial, porque no provoca impacto sobre el lecho marino y es muy selectiva por especie y tamaño. Sin embargo y a pesar de su selectividad, desde el punto de vista pesquero, es un arte que en alta mar –principalmente en la pesca de merluza negra (*Dissostichus eleginoides*) y abadejo del Atlántico Sur (*Genypterus blacodes*)– provoca una gran mortalidad incidental de aves pelágicas.

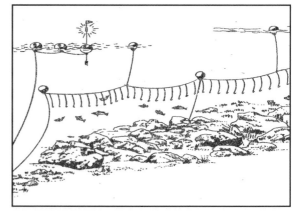

Figura 1. Esquema de un palangre.

Esta problemática ha sido descripta en muchas partes del mundo como la causa potencial de extinción de algunas especies de aves oceánicas, y se estima una captura incidental mundial anual de más de 100.000 aves por la flota palangrera que opera en el Atlántico Sur (Figura 2). Un trabajo realizado en conjunto con organismos gubernamentales, instituciones académicas y ONG, basado en la información del Proyecto de Observadores a Bordo del INIDEP, permitió estimaciones de mortalidad incidental de albatros y petreles por los barcos palangreros de bandera nacional que operan dentro de la ZEE argentina en busca de merluza negra y abadejo.

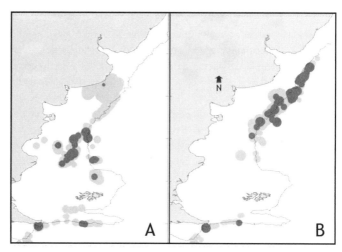

Figura 2. Mapa de la zona de pesca con palangre. En color gris se muestra la distribución de la flota palangrera argentina y los círculos negros indican dónde se produjeron capturas de aves. Fuente: Gómez Laich *et al.*, 2005.

La información analizada indica que en los últimos años se produjo una captura incidental de entre 0,03 a 0,04 aves cada 1.000 anzuelos calados, con valores máximos de 0,20 aves cada 1.000 anzuelos. Si se tiene en cuenta el esfuerzo anual de pesca de unos 30.000.000 de anzuelos calados, la mortalidad de albatros asociados a esta pesquería tendría valores de entre 2.000 y 4.000 individuos, para llegar a un máximo de 7.000 individuos por año (Favero *et al.*, 2003). También se identificaron al menos doce especies que fueron afectadas, entre las que el albatros de ceja negra (*Thalassarche melanophris*), el petrel barba blanca (*Procellaria aequinoctialis*) y el petrel gigante (*Macronectes giganteus*) han sido las especies con mayores tasas de mortalidad.

Si se compara la mortandad incidental que se produce en otros países como Brasil (0,09-1,35 aves/1.000 anzuelos, Olmos *et al.*, 2000) y Uruguay (1,7 aves/1.000 anzuelos, Stagi y Vaz-Ferreira, 2000), la mortandad incidental por la flota palangrera de bandera nacional es menor o, incluso, puede aparentar no ser tan importante. Pero se debe ver esta captura desde una visión holística y no con una visión local, dado que esta pesquería se realiza en el Atlántico Sur, en las mismas áreas de distribución de las aves donde operan flotas de países europeos y asiáticos.

Esta conjunción de factores hace que especies como el albatros ceja negra y el petrel de antifaz se encuentren amenazadas o en riesgo de extinción, lo que llamó la atención de convenciones internacionales, tales como la Convención para la Conservación de los Recursos Marinos Vivos Antárticos (CCAMLR) y el Acuerdo para la Conservación de Albatros y Petreles (ACAP), que

La Situación Ambiental Argentina 2005

se dedican a buscar soluciones que permitan disminuir la captura incidental de las aves pelágicas por la flota palangrera. Actualmente, toda la flota que pesca dentro del área del tratado de CCAMLR tiene la obligación de llevar observadores a bordo que cuantifican y clasifican las capturas de las aves, pero principalmente son los responsables de que se cumplan las medidas de mitigación impuestas, como por ejemplo el uso de la línea espantapájaros. Ésta consiste en un cable de varios metros de longitud del que cuelgan cintas de color distribuidas uniformemente y es arrastrada desde la popa del barco al mismo tiempo que se va tirando o recogiendo el palangre. El movimiento vibratorio de la línea, producto del movimiento del barco, asusta a las aves que revolotean alrededor del palangre y evita que se enganchen.

A nivel local también se embarcan observadores a bordo que cuantifican la mortandad de aves en la flota palangrera y se está trabajando, en conjunto con las empresas, los organismos académicos y las ONG, para buscar alternativas de mitigación como la línea espantapájaros o el lance y la recogida del palangre durante la noche. Estas medidas tomadas a nivel internacional y local pueden minimizar la captura de las aves marinas pelágicas en su área de distribución para posibilitar la recuperación de muchas de las especies que hoy están en peligro.

PARQUE NACIONAL MONTE LEÓN, PRIMER PARQUE NACIONAL COSTERO MARINO DE LA ARGENTINA. SU PROCESO DE CREACIÓN Y OBJETIVOS PENDIENTES

Por: Lic. Germán Palé
Áreas Protegidas (AP) - Programa Marino, FVSA.
geosistemas@vidasilvestre.org.ar

Proyecto inicial

A partir de la década del 80, se hizo más recurrente la mención de Monte León entre los sitios costeros prioritarios a proteger y, luego, como sitio a tener en cuenta para la creación del primer Parque Nacional costero-marino del país. En el año 1997 la Administración de Parques Nacionales (APN) incluyó a Monte León dentro del Proyecto Conservación de la Biodiversidad[1], financiado mediante una donación del Fondo para el Medio Ambiente Mundial (GEF) y recursos de la APN.

El proyecto inicial, aprobado en 1997, consistía en la creación de un parque nacional orientado fundamentalmente a la protección de una franja costera de aproximadamente 30 km de longitud, de alrededor de 7.000 ha de extensión sobre el sector terrestre, y un sector marino que se proyectaría sobre el mar hasta 3 millas náuticas de la costa.

En el mencionado proyecto GEF se incluyeron las inversiones necesarias para la implementación del parque, y se determinó un plazo de cinco años para la concreción del proyecto, con vencimiento en diciembre de 2003. Para crear el parque e implementar las inversiones propuestas, la APN debía ser propietaria del área terrestre, la cual formaba parte de una propiedad privada. Por diversos motivos, hacia mediados de 2000, la gestión para su adquisición no podía avanzar, con la consiguiente demora en el inicio de un proyecto que ya tenía plazos de ejecución estipulados.

Nuevos actores, cambios en el proceso de creación y ampliación de la superficie a conservar

En noviembre de 2000 la FVSA ofreció colaboración a la APN para concretar el proyecto. En mayo de 2001, adquirió (con fondos donados por Patagonia Land Trust) la estancia Monte León[2] en su totalidad, con el objetivo de donarla posteriormente a la APN. Asimismo, hizo pública su decisión y estableció como requisito previo la elaboración y la aprobación de un plan de manejo consensuado del área. Este nuevo escenario amplió la superficie prevista en el proyecto inicial, la cual se vio incrementada significativamente. Se daba comienzo, así, al proceso para la creación del primer parque nacional costero-marino del país, que incluía una extensión significativa de ambientes de la estepa patagónica.

Para llevar adelante este proceso la FVSA, ahora propietaria de la estancia Monte León, propuso conformar un comité de administración de la propiedad, que sería el encargado de definir las acciones a realizar en la misma durante la etapa de transición hasta hacer efectiva la donación y mientras se elaboraba el plan de manejo. Este comité, formado por representantes de la APN, de la provincia de Santa Cruz, FVSA, Patagonia Land Trust, un especialista en manejo de áreas costeras y uno de los ex-propietarios, mantuvo reuniones de trabajo a lo largo de un año en las localidades vecinas al parque. Durante dicho período y en sintonía con los objetivos previstos para el futuro parque nacional, se desarrollaron las siguientes acciones: se retiró el ganado de la propiedad; se elaboró un folleto informativo para los visitantes; la APN destinó dos guardaparques y un vehículo; se decidió mejorar el diseño perimetral (la forma) del futuro parque nacional, con el objetivo de disminuir el efecto de borde y facilitar el acceso a la costa. Para ello, se incorporaron los lotes de la estancia Dor-Aike, que se encuentran al sudoeste de la Ruta Nacional N°3[3]. Durante la temporada estival, la Municipalidad de Puerto Santa Cruz designó personal para que se desempeñara en tareas de control y atención a los visitantes, y FVSA destinó cuatro voluntarios para asistir las tareas de los guardaparques.

En julio de 2002, el comité de administración de Monte León aprobó por consenso el plan de manejo, elaborado por un equipo técnico integrado por personal de la APN y del Consejo Agrario de la Provincia de Santa Cruz. Cumplido este requisito, el 14 de noviembre de 2002 la FVSA donó al Estado nacional las 57.357 ha de la estancia Monte León, a las que se sumaron 4.811 ha de la estancia Dor-Aike (donadas por PLT). El cargo de la donación fue crear el Parque Nacional Monte León por ley del Congreso de la Nación, en un plazo de tres años.

Siendo la APN la propietaria del predio, restaba que la provincia de Santa Cruz transfiriera el dominio y la jurisdicción en su favor. En marzo de 2004 la provincia de Santa Cruz transfirió el dominio y la jurisdicción de las tierras a favor del Estado nacional[4] y amplió la superficie del AP al incorporar las playas y las zonas fiscales adyacentes, las islas y los islotes contiguos –con excepción de la Reserva Provincial Isla Monte León–, además de la franja intermareal hasta la línea de base normal[5]. El 20 de octubre de 2004, mediante la Ley Nº25.945, se creó el **Parque y Reserva Nacional Monte León**, con una superficie total de 62.169,26 ha.

Desde el momento de la donación de la propiedad, la APN ha avanzado en el acondicionamiento de Monte León. Estableció una base administrativa en Puerto Santa Cruz, donde reside el encargado del parque; completó la línea de base sobre biodiversidad y patrimonio arqueológico prevista en el plan de manejo; adquirió vehículos y equipamiento; incorporó personal residente en las localidades vecinas, de modo que ha quedado pendiente la ejecución de las obras de infraestructura previstas en el plan de manejo.

El vínculo con las comunidades vecinas

Los proyectos GEF destinados a la creación de nuevos parques incorporan como modalidad de trabajo la construcción de espacios de participación de los actores que residen en las zonas de amortiguamiento del parque. En el caso de Monte León, esta construcción se materializó a través de dos líneas de acción. La APN creó la Comisión Consultiva de Monte León, órgano de consulta y canal de comunicación formal entre la administración del parque nacional y la comunidad. Esta comisión está integrada por instituciones públicas provinciales, privadas, organismos técnicos y ONG. A su vez, convocó la presentación de propuestas en el marco de los subproyectos de uso sustentable para Monte León. Siete proyectos de investigación de base y de capacitación de recursos humanos han sido aprobados por un monto mayor a $300.000[6]. Estos proyectos tienen como objetivo principal multiplicar capacidades locales y potenciar la valoración del patrimonio natural y cultural de la región.

Paralelamente, durante 2003 y 2004 el personal de la Dirección de Interpretación y Extensión Ambiental de la APN, con el apoyo de la FVSA, realizó dos talleres participativos –uno en cada localidad– para definir los contenidos del Centro de Visitantes del Parque. Participaron de estos talleres representantes de organismos públicos provinciales, personal técnico de la APN, representantes de instituciones académicas y de investigación de la región, y ONG.

El área marina protegida

El Parque Nacional Monte León se vio enriquecido por la participación de organismos públicos y privados en el proceso de creación. Esto permitió la incorporación de una superficie significativa de estepa patagónica y del área intermareal. Sin embargo, a pesar de que tanto el proyecto inicial como el plan de manejo elaborado para Monte León establecieron entre sus objetivos específicos "...conservar los apostaderos o colonias reproductivas (...) y **sus áreas de alimentación** y descanso" y "...conservar una muestra representativa del ecosistema marino presente en el mar continental argentino", aún está pendiente avanzar en la incorporación de una porción específica de ecosistema marino. En consideración de estos objetivos y las características de historia de vida y la ecología alimentaria de las especies marinas que habitan el Parque Nacional Monte León, el establecimiento de un área marina protegida alrededor de Monte León constituiría una herramienta muy adecuada. Actualmente, sólo el 0,59% de los ecosistemas marinos de esto país son "áreas marinas protegidas" y ninguna de ellas es de jurisdicción nacional. Crear un área marina protegida de jurisdicción nacional en las aguas adyacentes a Monte León puede constituirse en un caso líder. El proceso iniciado con la creación del actual Parque Nacional Monte León –sector terrestre e intermareal– exhibe precedentes que permiten avanzar hacia un manejo del área marina adyacente basado en un fuerte marco interinstitucional nacional y provincial, al que también se deberían incorporar la participación activa de las comunidades y los sectores productivos de la región.

Notas

[1]*Como parte del subcomponente "Creación y consolidación de Áreas Protegidas".*
[2]*El 27 de abril de 2001 se suscribió un contrato de fideicomiso entre la Fundación The Patagonia Land Trust (PLT) y la FVSA, por el cual PLT aportó los fondos necesarios para que la FVSA adquiriera la totalidad de la Estancia Monte León para su futura donación a la APN, con el objeto de crear el primer parque nacional costero-marino de la Argentina.*
[3]*PLT adquirió la estancia Dor-Aike en 2002 con el objetivo de convertirla en un área silvestre, para donar los mencionados lotes al futuro Parque Nacional Monte León.*
[4]*Ley provincial N°2.671, sancionada el 11 de marzo de 2004 y decreto reglamentario N°789/04.*
[5]*Se entiende como línea de base normal la línea de bajamar a lo largo de la costa, según la definición establecida en el artículo 5° de la Convención de las Naciones Unidas sobre Derecho del Mar, ratificada por la Ley N°24.543.*
[6]*Los proyectos presentados están sometidos a tres instancias de evaluación. La primera, a cargo de la Comisión consultiva del parque, evalúa la pertinencia de los proyectos presentados con las necesidades e intereses de las comunidades vecinas al parque, y otras dos instancias de evaluación sobre la factibilidad técnica y financiera de las propuestas, a cargo de la APN/GEF.*

Bibliografía

• Administración de Parques Nacionales, "Resolución del Honorable Directorio de la Administración de Parques Nacionales N°165/2005", Buenos Aires, 1 de agosto de 2005, 4 pp.

• Agnew, D. J., "Critical aspects of the Falkland Island pelagic ecosystem: distribution, spawning and migration of pelagic animals in relation to oil exploration", *Aquatic Conservation: Marine and Freshwater Ecosystems*, 12: 2002, pp. 39-50.

• Bertolotti, M. I., G. Verazay y R. Akselman (eds.), "El Mar Argentino y sus recursos pesqueros", Tomo 3, *Evolución de la flota pesquera argentina, artes de pesca y dispositivos de selectividad*, Mar del Plata, Publicaciones especiales INIDEP, 2001, 165 pp.

• Bertolotti, M. I., N. E. Brunetti, J. I. Carreto, L. B. Brenski y R. P. Sánchez, "Influence of shelf break fronts on shellfish and fish stocks off Argentina", *International Council for the Exploration of the Sea*, CM 1996/S: 41, Theme Session S., 1996.

• Boletín Oficial de la República Argentina, "Parques y Reservas Nacionales. Ley N°25.945", Buenos Aires, Año CXII, N°30.526, 12 de noviembre de 2004, pp. 1-9.

• Brandini, F., D. Boltovskoy, A. R. Piola, S. Kocmur, R. Rottgers, P. Abreu y R. Mendes Lopes, "Multi-annual trends in fronts and distribution of nutrients and chlorophyll in the southwestern Atlantic", *Deep-Sea Research*, I (47), 2000, pp. 1.015-1.033.

• Campagna, C. y T. Fernández, "Más que siete mares, un océano", *Ciencia Hoy*, 11 (63), 2001, pp. 54-60.

• Catania, M., "Participación comunitaria y articulación interinstitucional en áreas protegidas. Estudio de caso", I Congreso Nacional de Áreas Protegidas. Resumen de presentaciones, Huerta Grande, Córdoba, Administración de Parques Nacionales, Proyecto de Conservación de la Biodiversidad GEF/BIRF, marzo de 2003.

• Constanza, R., "The ecological, economic and social importance of the oceans", *Ecological Economics*, 31, 1999, pp. 199-213.

• Constanza, R., F. Andrade, P. Antunes, M. van den Belt, D. Boersma, D. F. Boesch, F. Catarino, S. Hanna, J. Limburg, B. Low, M. Molitor, J. Gil Pereira, S. Rayner, R. Santos, J. Wilson y M. Young, "Principles of Sustainable Governance of the Oceans", *Science*, 281, 1998, pp. 198-199.

• Constanza, R., F. d´Arge, R. de Groot, S. Farber, M. Grasso, B. Hannon, K. Limburg, S. Naeem, R. V. O´Neil, J. Paruelo, R. G. Raskin, P. Sutton y M. van den Belt, "The value of the world´s ecosystem services and natural capital", *Nature*, 387: pp. 253-260.

• Corcuera, J., "Áreas Protegidas Marinas: tendencias y esfuerzos a nivel mundial y latinoamericano", Taller sobre Áreas Protegidas Marinas Una herramienta para el desarrollo regional. Oportunidades en relación a Monte León. Resumen de las presentaciones, Río Gallegos, 12 y 13 de junio de 2003.

• Cordo, H., "Evaluación del estado del efectivo sur de 41º S de la merluza (*Merluccius hubbsi*) y estimación de la captura biológicamente aceptable correspondiente al año 2005", INIDEP, Informe Técnico Interno N°37/05, 2005.

• Cousseau, M. B. y R. G. Perrota, *Peces marinos de Argentina. Biología, distribución, pesca*, Mar del Plata, INIDEP, 2000, 167 pp.

• Croxall, J. P. y A. G. Wood, "The importance of the Patagonian Shelf for top predator species breeding at South Georgia", *Aquatic Conservation: Marine and Freshwater Ecosystems*, 12, 2002, pp. 101-118.

• Favero, M., C. Khatchikian, A. Arias, M. P. Silva, G. Cañete y R. Mariano-Jelicich, "Estimates of seabird by-catch along the Patagonian Shelf by Argentine Longline Fishing Vessels, 1999-2001", *Bird Conservation International*, 13, 2003, pp. 273-281.

• Frere, E., "El rol de las áreas marinas protegidas en la conservación de los recursos. Su manejo y gestión", Taller sobre Áreas Protegidas Marinas. Una herramienta para el desarrollo regional. Oportunidades en relación a Monte León. Resumen de las presentaciones, Río Gallegos,12 y 13 de junio de 2003.

• Giaccardi, M.. "Situación actual de las Áreas Marinas Protegidas en Argentina", Taller sobre Áreas Protegidas Marinas. Una herramienta para el desarrollo regional. Oportunidades en relación a Monte León. Resumen de las presentaciones, Río Gallegos, 12 y 13 de junio de 2003.

• Glorioso, P. D., "Modelling the South West Atlantic", *Aquatic Conservation: Marine and Freshwater Ecosystems*, 12, 2002, pp. 27-37.

• Glorioso, P. D., "Patagonian Shelf 3D tide and surge model", *Journal of Marine Systems*, 24, 2000, pp. 141-151.

• Gomez Laich, A., M. Favero, R. Mariano-Jelicich, G. Blanco, G. Cañete, A. Arias, P. Silva Rodríguez, H. Brachetta, "Efecto de la variabilidad ambiental y operativa sobre la mortalidad incidental de Albatros de Ceja Negra *Thalassarche melanophris* asociados a la pesquería de palangre", XI Reunión Argentina de Ornitología, Buenos Aires, 2005.

• Harris, G., *A guide to the birds and mammals of coastal Patagonia*, Princeton University Press, 1998, 231 pp.

• Olmos, F., G. C. C. Bastos y T. Neves Da Silva, "Estimating seabird by-catch in Brazil", en: Flint, E. y K. Swift (eds.), *Second International Conference on the Biology and Conservation of Albatrosses and other Petrels*, Honolulu, Hawaii, USA, Marine Ornitology, 28, 2000, pp. 125-152.

• Pájaro, M. y G. J. Macchi, "Distribución espacial y estimación de la talla de primera maduración del *stock* patagónico de merluza (*Merluccius hubbsi*) en el período de puesta diciembre-abril 2000-2001:, Inf. Téc. Int., INIDEP N°100/01, 2001, 14 pp.

• Palé, G. y J. Corcuera, "Monte León, el primer parque nacional sobre la costa continental argentina. ¿Será el primer parque nacional marino?", I Congreso Nacional de Áreas Protegidas. Resumen de presentaciones, Huerta Grande, Córdoba, Fundación Vida Silvestre Argentina, marzo de 2003.

• Ramilo, E. (coord.), "Plan de manejo Parque Nacional Monte León", Administración de Parques Nacionales, Delegación Regional Patagonia, julio de 2002.

• Sabatini, M. E., J. Giménez y V. Rocco, "Características del zooplancton en el área costera de la plataforma patagónica austral (Argentina)", Boletín del Instituto Español de Oceanografía, 17, 2001, pp. 7-13.

• Saraceno, M., C. Provost, A. R. Piola, A. Gagliardini y J. Bava, "Brazil Malvinas Frontal System as seen from 9 years of advanced very high resolution radiometer data", *Journal of Geophysical Research*, 109, C05027, doi: 10.1029/2003JC002127, 2004.

• Stagi, A. y R. Vaz-Ferreira, "Seabird mortality in the waters of the Atlantic Oceans off Uruguay", en: Flint, E. y K. Swift (eds.), II International Conference on the Biology and Conservation of Albatrosses and other Petrels, Honolulu, Hawaii, USA, *Marine Ornitology*, 28, 2000, pp. 125-152.

• Waluda, C. M., P. G. Rodhouse, G. P. Podestá, P. N. Tratan y G. J. Pierce, "Surface oceanography of the inferred hatching grounds of *Illex argentinus* (Cephalopoda: Ommastrephidae) and influences on recruitment variability", *Marine Biology*, 139, 2001, pp. 671-679.

• Yorio, P., *Breeding Seabirds of Argentina: Conservation tools for a more integrated and regional approach*, Royal Australasian Ornithologists Union, 100, 2000, pp. 367-375.

• Yorio, P., E. Frere, P. Gandini y W. Conway, "Status and conservation of seabirds breeding in Argentina", *Bird Conservation International*, 9, 1999, pp. 299-314.

La Situación Ambiental Argentina 2005

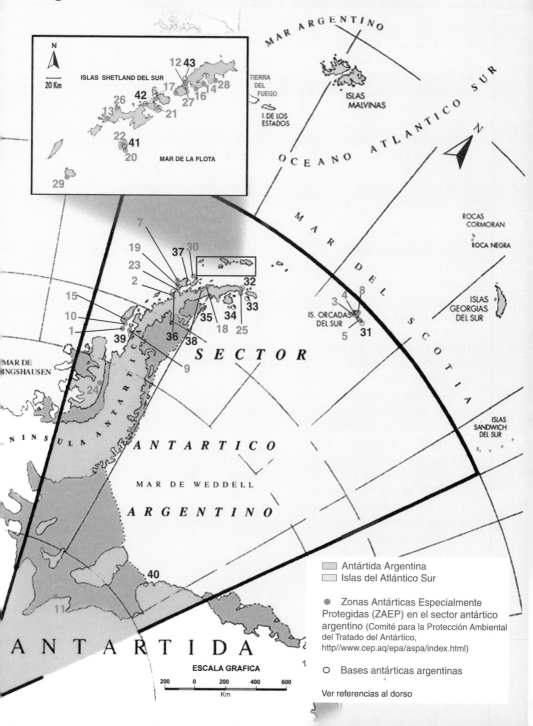

Ecorregiones Antártida e Islas del Atlántico Sur

N
20 Km

ISLAS SHETLAND DEL SUR

12 43
17
6 42
26
13
27 16 14 28
21
22 41
20
29

MAR DE LA FLOTA

MAR ARGENTINO

TIERRA
DEL
FUEGO

I. DE LOS
ESTADOS

ISLAS
MALVINAS

O C E A N O   A T L Á N T I C O   S U R

N

7
19
23
2
15
10
1
39
36
38
9

37 30

32
33
35 34
18 25

24

N I N S U L A   A N T Á R T I C

S E C T O R

A N T A R T I C O

MAR DE
INGSHAUSEN

MAR DE WEDDELL

A R G E N T I N O

ROCAS
CORMORAN
ROCA NEGRA

IS. ORCADAS
DEL SUR

3 4 8

5 31

ISLAS
GEORGIAS
DEL SUR

M A R   D E L   S C O T I A

ISLAS
SANDWICH
DEL SUR

40

11

A N T A R T I D A

ESCALA GRAFICA

200   0   200   400   600
Km

☐ Antártida Argentina
☐ Islas del Atlántico Sur

● Zonas Antárticas Especialmente
Protegidas (ZAEP) en el sector antártico
argentino (Comité para la Protección Ambiental
del Tratado del Antártico,
http://www.cep.aq/epa/aspa/index.html)

O Bases antárticas argentinas

Ver referencias al dorso

Zonas Antárticas Especialmente Protegidas (ZAEP). Comité para la Protección Ambiental del Tratado Antártico, http://www.cep.aq/aspa/index.html. (*: zonas propuestas por la República Argentina)

1. ZAEP N° 107 Islotes Dion
2. ZAEP N° 108 Isla Verde
3. ZAEP N° 109 Isla Moe
4. ZAEP N° 110 Isla Lynch
5. ZAEP N° 111 Isla Powell del Sur e islas adyacentes
6. ZAEP N° 112 Península Mina de Cobre
7. ZAEP N° 113 Isla Litchfield
8. ZAEP N° 114 Norte de la Isla Coronación
9. ZAEP N° 115 Isla Lagotellerie
10. ZAEP N° 117 Isla Avian
11. ZAEP N° 119 Laguna Forlidas y Lagunas del Valle Davis
12. ZAEP N° 125 Península Fildes
13. ZAEP N° 126 Península Byers
14. ZAEP N° 128 Costa Occidental de la Bahía Laserre / del Almirantazgo
15. ZAEP N° 129 Punta Hortera
16. ZAEP N° 132 Península Potter *
17. ZAEP N° 133 Punta Armonía *
18. ZAEP N° 134 Punta Cierva e islas adyacentes *
19. ZAEP N° 139 Punta Biscoe
20. ZAEP N° 140 Partes de Isla Decepción
21. ZAEP N° 144 Bahía Chile / Discovery
22. ZAEP N° 145 Puerto Foster
23. ZAEP N° 146 Bahía del Sur
24. ZAEP N° 147 Punta Ablación, Cumbres Ganymede
25. ZAEP N° 148 Monte Flora
26. ZAEP N° 149 Cabo Alvarado / Shirreff
27. ZAEP N° 150 Isla Ardley
28. ZAEP N° 151 Cabo Anca de León
29. ZAEP N° 152 Sector Occidental del Mar de la Flota (Estrecho Bransfield)
30. ZAEP N° 153 Sector Oriental de la Bahía Dallmann

Bases Antárticas Argentinas

31. Base Orcadas
32. Base Esperenza
33. Base Petrel
34. Base Marambio
35. Base Matienzo
36. Base Brown
37. Base Melchior
38. Base Primavera
39. Base San Martín
40. Base Belgrano II
41. Base Decepción
42. Base Cámara
43. Base Jubany

SITUACIÓN AMBIENTAL EN LA ANTÁRTIDA E ISLAS DEL ATLÁNTICO SUR

Por: Irina Izaguirre[I] y Rodolfo Sánchez[II]

[I]*Laboratorio de Limnología. Departamento de Ecología, Genética y Evolución de la Facultad de Ciencias Exactas y Naturales (FCEN), Universidad de Buenos Aires (UBA). irina@ege.fcen.uba.ar*
[II]*Dirección Nacional del Antártico.*

Aspectos geográficos

La ecorregión Antártida e Islas del Atlántico Sur comprende el Sector Antártico Argentino y las islas que, en conjunto, se conocen como Islas del Atlántico Sur: Georgias del Sur, Sandwich del Sur, Malvinas e Isla de los Estados.

El Sector Antártico Argentino alcanza una superficie aproximada de 5 millones de km², de los cuales 3/4 partes están ocupadas por mares y 1/4 corresponde a la superficie sólida (tierra firme y barreras de hielo). Este sector se encuentra delimitado por los meridianos de 25° y 74° de longitud oeste, y por el paralelo de 60° de latitud sur. La Península Antártica (también llamada "Tierra de San Martín", según la toponimia argentina) está rodeada por el mar de Weddell en su margen oriental, por el mar de Bellingshausen en la margen occidental y, al norte, por el Pasaje de Drake y el mar de Scotia. Hacia el interior, la Península Antártica constituye una meseta de unos 2.000 m de altura que se extiende hacia el norte de la masa continental antártica, y luego se desvía hacia el noreste. Una gran cantidad de glaciares se proyectan hacia el mar por ambas márgenes. La costa occidental de la península se diferencia de la oriental por ser mucho más recortada y por presentar gran cantidad de fiordos, canales, estrechos e islas. Por otro lado, la orografía de la margen occidental exhibe una configuración cordillerana que es una prolongación de la Cordillera de los Andes ("Antartandes").

Existen numerosas islas y archipiélagos que rodean el continente antártico, que se ubican a ambos lados de la Convergencia Antártica, un cinturón de agua de unos 40 km de ancho en el cual las aguas frías que circulan hacia el norte se hunden por debajo de capas de aguas más cálidas. En la costa occidental de la Península Antártica se destacan dos importantes islas (Alejandro I y Belgrano) que, juntas, determinan la Bahía Margarita. Dos grandes archipiélagos, el de Palmer y el de las Shetland del Sur, bordean la costa occidental de la península. Otro importante archipiélago subantártico es el de las islas Orcadas del Sur, un grupo de cuarenta islas e islotes que se extienden entre los meridianos 44° y 47° de longitud oeste y entre los paralelos de 60° y 61° de latitud sur.

Clima

La ecorregión Antártida e Islas del Atlántico Sur es la más fría y, hacia el interior de la masa continental antártica, se puede considerar también como la región más desértica del planeta, ya que a pesar de la gran disponibilidad de hielo, el agua en estado líquido es sumamente escasa. En esta ecorregión se diferencian dos zonas de gran contraste en relación con el clima: una de características marítimas y otra de características continentales.

La costa occidental de la Península Antártica y los archipiélagos presenta un clima marítimo y, por ende, de rasgos mucho más benignos. Estos sectores están incluidos en la zona denominada Antártida Marítima, que es notoriamente más húmeda que la zona continental y cuyas temperaturas medias anuales oscilan entre -10°C y -20°C. En verano, las costas de estas áreas son muy propicias para el establecimiento y la reproducción de fauna marina (aves y mamíferos), ya que las temperaturas medias estivales rondan los 0°C. En la región influenciada por el mar de Weddell, la temperatura suele ser de 4°C a 7°C más baja que en la margen influenciada por el mar de Bellingshausen y las islas del arco de Scotia; a su vez, los vientos son más fuertes y fríos, y el área también se caracteriza por las frecuentes las tormentas de viento blanco o *blizzards*. Hacia el interior del continente antártico, el clima se torna cada vez más frío y seco, como consecuencia del aumento de la latitud, la altura de la meseta polar y la mayor continentalidad. En la zona de la meseta antártica central, las temperaturas medias anuales varían entre -30°C y -50°C, y la precipitación anual es sumamente escasa (entre 30 y 70 mm).

Las Islas del Atlántico Sur poseen rasgos climáticos similares a los de la estepa de la Isla Grande de Tierra del Fuego. En las islas Malvinas las precipitaciones alcanzan los 700 mm anuales, la temperatura media anual es de 6°C, y un rasgo sobresaliente es la elevada humedad, debida a la frecuente presencia de brumas marinas.

Ecosistema de interés

Las marcadas diferencias climáticas y geográficas que muestran las zonas antártica continental y marítima determinan también grandes diferencias en su flora y fauna. Mientras que la zona continental antártica es muy pobre en especies animales y vegetales, los mares y las zonas litorales exhiben una gran biodiversidad. A su vez, comparados con los ecosistemas terrestres o de agua dulce antárticos, los ecosistemas marinos son mucho más diversos y complejos, pues albergan una gran cantidad de especies animales y vegetales.

En la trama trófica pelágica marina antártica, el fitoplancton (compuesto principalmente por diatomeas, dinoflagelados y silicoflagelados) sirve de alimento al zooplancton. Dentro de la comunidad zooplanctónica, se destaca el krill, que está compuesto por varias especies del grupo de los eufáusidos, siendo la más importante *Euphausia superba*. Si bien se encuentra distribuido en toda la zona antártica, sus mayores concentraciones poblacionales se registran en áreas de remolinos o de giros de la circulación antártica. A su vez, el krill sirve de alimento a moluscos cefalópodos, peces, ballenas barbadas, focas cangrejeras, pingüinos y otras aves marinas. Por su parte, las focas de Weddell y de Ross, así como también los peces más grandes, se alimentan principalmente de pequeños peces y calamares. Los pingüinos son predados fundamentalmente por la foca leopardo y por los skúas. Además de alimentarse de pingüinos, la foca leopardo puede atacar a otras focas para alimentarse. En el extremo superior de la cadena alimentaria, y sin depredadores naturales, se encuentra la orca, que se alimenta de los otros mamíferos marinos.

Los fondos marinos albergan una gran cantidad de macroalgas bentónicas y están poblados por diversas especies de invertebrados: estrellas de mar, erizos, anémonas de mar, anélidos, crustáceos y moluscos.

Los ecosistemas terrestres antárticos se caracterizan por la pobreza o ausencia de vegetación superior, y la fauna terrestre está limitada a microorganismos y pequeños invertebrados. La vegetación está compuesta, básicamente, por algas (centenares de especies), líquenes (más de cuatrocientas especies) y musgos (alrededor de ochenta especies). En cuanto a la vegetación superior, en la Antártida sólo se registran dos géneros de gramíneas (*Poa* y *Deschampsia*) y una cariofilácea (*Colobanthus quitensis*). La fauna asociada a la vegetación terrestre está representada por invertebrados, tales como tardígrados, ácaros y colémbolos.

En la zona subantártica la flora es notoriamente más rica e incluye numerosas plantas fanerógamas. Asimismo, en algunas islas subantárticas se registra una elevada biodiversidad de invertebrados, principalmente caracoles terrestres, numerosas especies de insectos, arañas y gusanos terrestres.

Principales especies

La fauna antártica marina se encuentra representada por numerosas especies de mamíferos, aves, peces e invertebrados.

Entre los mamíferos se destacan diversas especies de ballenas que pertenecen a dos órdenes diferentes: Odontoceti y Mysticeti. El orden Odontoceti incluye al grupo de las ballenas dentadas, que se alimentan de peces, calamares, pulpos, pingüinos, y se encuentra representado por la ballena esperma o cachalote (*Physeter macrocephalus*) y la orca (*Orcinus orca*). Por su parte, el orden Mysticeti incluye a las ballenas que carecen de dientes y que, en su lugar, poseen unas formaciones córneas, implantadas en el paladar, con bordes inferiores desflecados que sirven de filtro para retener krill, su principal alimento. Este grupo incluye a todas las demás especies de ballenas de la ecorregión: la ballena azul (*Balaenoptera musculus*), la ballena de aleta o rorcual común (*Balaenoptera physalus*), la ballena boreal (*Balaenoptera borealis*), la ballena franca o ballena del sur (*Eubalaena australis*), la ballena jorobada o yubarta (*Balaenoptera novaeangliae*) y la ballena minke o enana (*Balaenoptera acutorostrata*). La mayoría de estas ballenas se puede encontrar en aguas subpolares durante la época estival.

Otros exponentes importantes dentro de los mamíferos son el grupo de las focas. Entre ellas, una de las especies es el elefante marino austral (*Mirounga leonina*), que se encuentra tanto en islas antárticas como subantárticas; también está presente en las islas Malvinas y en el litoral patagónico. La foca cangrejera (*Lobodon carcinophagus*) es típica de la costa y las islas antárticas, aunque también se puede desplazar más al norte por el Océano Atlántico. La foca de Ross (*Ommatophoca rossi*) es un mamífero bastante raro, cuyos escasos registros antárticos se limitan a ejemplares aislados hallados sobre témpanos. Por su parte, el leopardo marino (*Hydrurga leptonix*) es un feroz carnívoro marino de

La Situación Ambiental Argentina 2005

amplia distribución en los mares antárticos, mientras que la foca de Weddell (*Leptonychotes weddelli*), típicamente antártica, ocasionalmente puede registrarse en las islas Malvinas y en Tierra del Fuego. El lobo marino antártico (*Arctocephalus gazella*), cuyas colonias reproductivas se asientan principalmente en las islas antárticas y subantárticas (tales como las Orcadas del Sur, las Georgias del Sur y las Sandwich del Sur), ha tenido registro de ejemplares aislados en la Península Antártica.

Entre las aves, los pingüinos son las especies más emblemáticas de la Antártida, pues llegan a constituir alrededor del 90% de la biomasa de aves de los mares del sur. Las colonias de pingüinos se encuentran ampliamente distribuidas en las islas antárticas y el continente antártico. Desde el punto de vista numérico, las colonias más importantes son la del pingüino adelia (*Pygoscelis adeliae*), la del pingüino barbijo (*Pygoscelis antarctica*) y la del pingüino papúa o de vincha (*Pygoscelis papua*). Las tres especies nidifican en la Antártida y en las islas subantárticas, aunque los pingüinos papúa son los únicos que también forman colonias en las islas Malvinas. Por su parte, el pingüino emperador (*Aptenodytes forsteri*) es el más corpulento y alto de todos los pingüinos antárticos, y se lo puede encontrar al pie de las barreras de hielo, en zonas más polares que los anteriores, mientras que el pingüino rey (*Aptenodytes patagonico*) es más abundante en las islas subantárticas. Por último, el pingüino macaroni (*Eudyptes chrisolophus*) y el pingüino de penacho amarillo (*Eudyptes crestatus*) son típicos en las islas cercanas a la convergencia antártica.

Los petreles constituyen otro de los más importantes grupos de aves de esta ecorregión. Algunas de las especies más representativas son el petrel antártico (*Thalassoica antarctica*), que nidifica en las islas antárticas y en invierno migra a las islas Malvinas, Tierra del Fuego y Georgias del Sur; el petrel gigante (*Macronectes giganteus*), que puede nidificar tanto en la Antártida como en las Islas del Atlántico Sur; el petrel de las tormentas o de Wilson (*Oceanites oceanicus*), de amplia distribución en la Antártida e islas subantárticas; el petrel damero (*Daption capense*), un ave migratoria que nidifica en las Islas del Atlántico Sur; el petrel azulado (*Halobaena caerulea*), presente en las islas Georgias del Sur y Malvinas; por último, el petrel blanco (*Pagodroma nivea*) y el petrel plateado (*Fulmarus glacialoides*) están presentes tanto en la Antártida como en las islas.

Los albatros, las aves pelágicas de mayor tamaño del océano, también son exponentes de esta ecorregión. En general, nidifican en las islas y no sobrepasan los 60° de latitud sur. Una de las especies más emblemáticas es el albatros errante (*Diomedea exulans*), que suele avistarse planeando en la zona del Pasaje de Drake. El cormorán de ojos azules (*Phalacrocorax atriceps*) también puede encontrarse en la Antártida, principalmente en la zona de la península, y es muy abundante cerca de Bahía Paraíso.

Otras especies de aves típicamente antárticas son el gaviotín antártico (*Sterna vittata*), la gaviota cocinera (*Larus dominicanus australis*), los skúas (*Catharacta lonnbergi* y *C. maccormicki*) y la paloma antártica (*Chionis alba*).

Los mares antárticos albergan también un centenar de especies de peces, en su mayoría pertenecientes al suborden Notothenioidea. Son especies que presentan notables adaptaciones fisiológicas para poder vivir en los mares helados.

Estado de conservación

La normativa ambiental vigente en la Antártida, el Protocolo de Madrid, establece la necesidad de producir informes periódicos sobre el estado del medio ambiente antártico. No obstante, la implementación práctica de este requisito no es tarea sencilla, conforme a la enorme extensión del continente, la escasa cantidad de datos disponibles (en comparación a otras áreas del planeta), la desigual distribución de estos datos y la falta de un lugar centralizado para llevar un registro de los cambios observados con el tiempo, si se tiene particularmente en cuenta que la administración efectiva del continente recae, en el marco del Tratado Antártico, sobre veintiocho naciones. Sin embargo, en este marco y desde 1997, se ha trabajado intensamente sobre este tema y, actualmente, se procura establecer un sistema basado en la *web* con la finalidad de informar regularmente sobre los principales indicadores ambientales presentes en la Antártida (véase http://www.cep.aq/default.asp?casid=5082). El propósito de este sistema es presentar, de la forma más exacta posible, la situación actual del medio ambiente antártico y el resultado de las medidas que se hayan tomado para reducir al mínimo las presiones que puedan ocasionar efectos adversos sobre él.

En cuanto a los grupos de especies en particular, la situación no difiere demasiado en lo relativo a la escasez de datos y su intercambio. Si bien varias especies de albatros y petreles exhiben caídas en los números de sus poblaciones antárticas y subantárticas, fundamentalmente vinculadas a las pesquerías en palangre, para otras especies los datos disponibles en la Antártida son todavía muy escasos y, debido a ello, es aún muy difícil poder trazar una tendencia poblacional. Pese a esta circunstancia, es posible afirmar que tres especies de albatros (*Diomedea exulans, D. chrysostoma* y *Phoebetria fusca*), el petrel gigante del sur (*Macronectes giganteus*), la pardela gorgiblanca (*Procellaria aequinoctialis*) y el pingüino macaroni (*Eudyptes chrysolophus*), aves cuyos rangos geográficos principales se encuentran en el Océano Austral, se hallan incluidas en la "Lista Roja de especies amenazadas" de la Unión Internacional para la Conservación de la Naturaleza (UICN) (http://www.redlist.org), bajo las categorías de "vulnerable", o bien bajo categorías de mayor riesgo. En cuanto a las focas, pueden detectarse algunas tendencias. Por ejemplo, el lobo marino de dos pelos (*Arctocephallus gazella*), luego de la intensa expoliación que sufrió entre fines del siglo XVIII y mediados del siglo XIX, se ha recuperado notablemente (aunque esta recuperación podría estar asociada a un exceso de krill, disponible luego de la gran explotación ballenera acaecida durante la primera mitad del siglo XX).

Principales amenazas que atentan contra la conservación

Las principales amenazas que atentan contra la conservación de especies presentes en la Antártida están asociadas al cambio climático global, el agujero de ozono, la introducción de especies no autóctonas y la pesca no regulada.

La Situación Ambiental Argentina 2005

El fenómeno del calentamiento global es particularmente importante para la Antártida porque su establecimiento puede tener consecuencias directas sobre la estabilidad de la gran calota de hielo, por un lado y, por otro, del hielo marino que se desarrolla alrededor del continente, lo cual podría conducir a profundas modificaciones en la estructura y la dinámica de los ecosistemas antárticos. Si se tiene en cuenta que la Antártida está rodeada de océanos, esos impactos podrían, incluso, trasladarse a ecosistemas vinculados, tales como los subantárticos y los patagónicos. En cuanto al agujero de ozono, la incidencia de la radiación UV sobre la superficie terrestre puede generar efectos importantes sobre la vida marina (en particular, si se considera que los efectos de la radiación UV-B sobre organismos vivos pueden detectarse hasta 20 m por debajo de la superficie marina).

La exposición a la radiación UV-B interfiere con una variedad de procesos básicos de los organismos marinos, tales como la asimilación de nutrientes. La mayor atención se centra en los impactos de la radiación UV sobre el fitoplancton, pues éste constituye la base de la cadena alimentaria antártica, y su merma en la productividad primaria puede conducir a efectos perjudiciales sobre los organismos que, directa o indirectamente, de él dependen (e.g., los crustáceos, los peces, las aves y los mamíferos). La introducción de especies no nativas y su establecimiento en la Antártida e islas subantárticas representa una de las amenazas más importantes que atentan contra la biodiversidad antártica, tanto para las especies individuales como para el funcionamiento y la estructura de los ecosistemas. Este riesgo es aún mayor si se tiene en cuenta que los hábitat antárticos (especialmente en la Península Antártica) y subantárticos hoy están sujetos a un aumento constante de temperatura y a un incremento de las actividades humanas en la región. En este sentido, el permanente tránsito de embarcaciones, pertenecientes tanto a los programas antárticos nacionales como al turismo y la pesca, puede resultar un vector muy efectivo para la introducción de especies no autóctonas en el continente antártico. Al respecto, los impactos relacionados con el turismo son analizados por Quintana (ver en este volumen).

Si bien históricamente la mayoría de las especies introducidas no lograron desarrollarse en estas latitudes, algunas de ellas se han establecido con éxito, especialmente en las islas subantárticas. Allí, los impactos más severos abarcan la predación de aves e invertebrados terrestres (que, a su vez, han impactado indirectamente sobre otras aves y sobre el funcionamiento de los ecosistemas terrestres), la destrucción de la vegetación por pisoteo e ingestión, la expansión de plantas no nativas por el transporte asociado al pisoteo y la destrucción de hábitat, debida a ciertos hábitos cavadores de las especies no nativas, entre las que se destacan las ratas, los ratones, los gatos y los conejos. La introducción de microbios y enfermedades es también objeto de preocupación, ya que existen evidencias que parecen indicar que algunos microorganismos han sido introducidos en la fauna antártica y se han extendido como consecuencia de las actividades humanas.

Las consecuencias ambientales de la pesca no regulada en el Océano Austral son severas, amenazan su integridad ecológica y están vinculadas, en primer lugar, al impacto sobre las poblaciones capturadas. Durante la época en la que la pesca careció de regulación (entre 1965 y 1982), algunas especies han sido objeto de severa sobreexplotación, tal como sucedió, por ejemplo, con *Notothenia rosii*, cuyas poblaciones, reducidas en más de un 90%, no se han recuperado desde entonces, a pesar de las medidas de conservación implementadas. En la actualidad, la pesca ilegal reduce drásticamente las perspectivas de sustentabilidad de las especies involucradas, tal como ocurre, en particular, con la merluza negra (*Dissostichus spp*), cuyo caso resulta alarmante por la rapidez e intensidad con la que se está produciendo su deterioro. Se estima que la magnitud de la pesca ilegal en el Océano Austral representa un porcentaje equivalente al de la pesca regulada. La inmensidad de este océano sumada a las condiciones inhóspitas de este entorno obstaculizan en gran medida la aplicación y el control de las medidas de conservación. Asimismo, la pesca en palangre no regulada en el Océano Austral ha sido responsable de altos índices de mortalidad incidental (*by-catch*) de aves. Con respecto al impacto sobre los organismos predadores de las especies capturadas, principalmente aves y focas, el mismo resulta difícil de estimar, dado que no existe una clara relación directa entre la distribución de pesquerías y la abundancia de predadores. Por último, el material de descarte de la actividad pesquera puede generar daños de diversa magnitud e, inclusive, puede provocar la muerte de las focas antárticas cuando éstas quedan enredadas en las redes y las líneas de pesca, o bien si ingieren material plástico.

Herramientas de protección

El primer instrumento legal que se negoció en el seno del Tratado Antártico fue la Convención para la Conservación de las Focas Antárticas (CCFA), firmada en Londres en 1972. Esta convención entró en vigencia en 1978 y protege, a través de la regulación o la prohibición de la captura, a seis especies de focas antárticas. Sin embargo, dado que la actividad de explotación comercial de focas en el ámbito antártico nunca se realizó desde la ratificación de la CCFA, no ha habido necesidad de que sus disposiciones sean puestas, efectivamente, en práctica.

La Convención para la Conservación de los Recursos Vivos Marinos Antárticos (CCRVMA, o CCAMLR, en idioma inglés) se acordó en 1980 y entró en vigencia en 1982, también como parte del Sistema del Tratado Antártico. El objetivo de la convención, cuyo ámbito de aplicación se extiende al sur de la Convergencia Antártica (sector marino que constituye una unidad biológica y oceanográfica reconocida), es la conservación de la vida marina del Océano Austral. Para ello, con el asesoramiento de un comité científico *ad hoc*, la CCRVMA ha establecido una serie de medidas de conservación. Entre ellas, se destacan las siguientes:

• Prohibición de pesca por especies, por zonas, por épocas del año e incluso en determinadas horas del día.

• Limitación del peso de capturas por especies y por zonas, y limitación del peso de capturas no intencionadas (*by-catch*).

• Restricciones en las artes de pesca. Por ejemplo, se ha prohibido el uso de redes de arrastre de fondo por sus efectos negativos sobre la vida de organismos bentónicos presentes en el sustrato marino, y se han establecido tamaños mínimos para las redes, a fin de evitar capturar individuos demasiado jóvenes.

• Establecimiento de un sistema internacional de observadores a bordo de buques pesqueros.

• Medidas para combatir el desarrollo de la pesca ilegal, entre las que se destacan, por un lado, un Esquema de Documentación de Capturas (Catch Documentation Scheme o CDS), que apunta a certificar las capturas de merluza negra en puertos de desembarco y, por otro lado, un Sistema de Seguimiento de Buques por satélite (Vessel Monitoring System o VMS), que tiende a corroborar en tiempo real las posiciones de los buques pesqueros que operan en el área establecida por la CCRVMA.

El Protocolo del Tratado Antártico sobre Protección del Medioambiente o Protocolo de Madrid fue firmado en 1991 y entró en vigencia con cuatro anexos en 1998. Un quinto anexo sobre áreas protegidas fue incorporado en 2002, y un sexto anexo sobre la responsabilidad surgida ante emergencias ambientales fue acordado en 2005. El protocolo establece que la toma e intromisión perjudicial de especies antárticas, así como también la introducción de especies no autóctonas al continente se encuentran prohibidas y requieren de una autorización previa otorgada por un país Parte del Tratado Antártico. Asimismo, el protocolo prevé que ciertas especies antárticas, cuya supervivencia o estabilidad pudieran estar en una situación particularmente comprometida, puedan gozar de un marco de protección adicional, a través de su designación como "especies antárticas especialmente protegidas". Desde la entrada en vigencia del protocolo, sólo la foca de Ross (*Ommatophoca rossii*) y los lobos marinos antárticos y subantárticos, pertenecientes al género *Arctocephallus* (*A. gazella* y *A. tropicalis*), gozaron de este estatus, aunque estos dos últimos ya han sido propuestos para ser excluidos de esta categoría, debido a la recuperación que han presentado sus poblaciones. Asimismo, a través del Protocolo de Madrid, se ha creado el Comité de Protección Ambiental del Tratado Antártico, un órgano asesor en materia ambiental de la reunión consultiva del Tratado Antártico, compuesto por representantes de los países signatarios.

Sistema de áreas protegidas

El Anexo V del Protocolo de Madrid, Protección y Gestión de Zonas, propone que algunas áreas, terrestres o marinas, que posean valores científicos, estéticos, históricos o naturales (o bien que estén vinculadas con investigaciones científicas en curso o previstas) puedan ser designadas como Zonas Antárticas Especialmente Protegidas (ZAEP), con el objeto de proteger dichos valores. Para hacer más efectiva esta protección, el Protocolo de Madrid ha establecido que está prohibido ingresar a una ZAEP (a excepción de que se cuente con un permiso expedido por una de las naciones Parte del Tratado Antártico) y que cada ZAEP debe poseer un Plan de Manejo, un documento en el cual se identifiquen los valores a proteger y donde se establezcan las medidas que garanticen su efectivo cumplimiento. Más de sesenta ZAEP protegen aproximadamente unos 2.800 km² de la Antártida, de los cuales casi 1.800 corresponden a áreas marinas y unos 1.000, a áreas terrestres. El total representa un 0,008% de toda el área al sur de los 60° de latitud sur, aunque si se considera que sólo unos 50.000

km² son áreas libres de hielo, las áreas protegidas terrestres constituirían un 0,02% de ese total. Las ZAEP suelen proteger grupos de especies, antes que a una especie individual de flora y/o fauna. En cuanto a la distribución geográfica, la mayor parte de las ZAEP se ubica sobre las costas del continente y los sectores insulares, y se concentra en dos grandes áreas: la Península Antártica y el mar de Ross, sitios en los cuales la actividad humana en la Antártida está más concentrada (en efecto, esta distribución geográfica desigual tiene en cuenta que un criterio fundamental para requerir protección adicional es, justamente, que el área en cuestión esté bajo riesgo de interferencia humana). De esta manera, un área que contenga valores importantes no necesariamente debe ser designada como una ZAEP. La mayoría de las áreas puede, entonces, no necesitar de protección adicional, puesto que el marco de protección general del protocolo ya provee protección suficiente. Asimismo, éste establece que un área en donde concurren diferentes actividades humanas de diversa naturaleza (logística, científica, de conservación, turística) pueda ser designada como una Zona Antártica Especialmente Administrada (ZAEA), con el objeto de contribuir al planeamiento y a la coordinación de diferentes tipos de actividades, evitar posibles conflictos, mejorar la cooperación entre las naciones Parte y reducir al mínimo los impactos ambientales adversos. Las ZAEA pueden comprender sectores marinos o terrestres y, a su vez, pueden albergar ZAEP en su interior. La entrada a estas zonas no está sujeta a permiso alguno pero, dado que dentro de una ZAEA pueden haber una o más porciones designadas como ZAEP, el ingreso a estas últimas debe cumplir con los requisitos de permiso ya mencionados. En la actualidad sólo existen cuatro ZAEA, de las cuales dos de ellas –Isla Decepción (islas Shetland del Sur) y Bahía del Almirantazgo (Isla 25 de Mayo e islas Shetland del Sur)– están situadas dentro de la ecorregión considerada. Las dos restantes están ubicadas fuera de ella, y es posible que, en un futuro cercano, se sumen nuevas ZAEA en diversos puntos de la Antártida, dado que ya se han presentado propuestas concretas para tal fin.

Conclusión

Dos de las principales amenazas que atentan contra la conservación de especies antárticas –el calentamiento global y el agujero de ozono– no provienen de actividades que se desarrollan en el ámbito antártico y su tratamiento deberá ser objeto de acuerdos internacionales, como el Protocolo de Montreal y el Protocolo de Kyoto. El resto de las amenazas (en particular, la introducción de especies no autóctonas y la pesca no regulada) son motivo de análisis en foros del Tratado Antártico, principalmente la CCRVMA (http://www.ccamlr.org) y el Comité de Protección Ambiental del Tratado Antártico (http://www.cep.aq), de cuyo seno han surgido medidas de protección y conservación, las cuales, empero, aún requieren avances en el conocimiento científico para generar un adecuado marco de protección. A pesar de ello y de no cambiar drásticamente el panorama de los recursos naturales del planeta, la situación presente indica que las actividades humanas en la Antártida parecen encaminarse hacia un marco regulatorio cada vez más estricto y que, de esa manera, es esperable que el estado de conservación de las especies antárticas al menos pueda mantenerse en los niveles actuales. La Argentina, como país signatario de todos los acuerdos ya mencionados, se ha comprometido en el cumplimiento de las medidas por ellos establecidas y contribuye –en la medida de los recursos disponibles, a través de la representación ante estos foros y mediante aportes de orden científico– con la efectiva implementación de estos acuerdos.

ACTIVIDADES TURÍSTICAS Y FRAGILIDAD DE LOS ECOSISTEMAS ANTÁRTICOS

Por: Rubén D. Quintana

Laboratorio de Ecología Regional de la Facultad de Ciencias Exactas y Naturales, Universidad de Buenos Aires. rubenq@ege.fcen.uba.ar

El número de personas que realizan viajes a sitios naturales y que buscan un acercamiento a la naturaleza (que difícilmente encuentran en sus lugares de residencia) se ha incrementado drásticamente en las últimas décadas. Este incremento se ha dado en concordancia con los procesos globalizadores y con el desarrollo de la industria de los denominados "ecoturismo" y "turismo de aventura". Uno de los ejemplos más esclarecedores es el de la cantidad de turistas que visitan el continente antártico, uno de los sitios que, hasta hace relativamente poco tiempo, se encontraba libre de esta actividad por su aislamiento y sus condiciones ambientales rigurosas. Los primeros turistas visitaron la Antártida en el año 1958 y, a partir de ese momento, su número se ha ido incrementando vertiginosamente (Hemmings y Roura, 2003). Actualmente, muchos visitantes llegan a este continente durante el verano austral en viajes que incluyen algunos de los sesenta lugares regularmente ofrecidos en los itinerarios turísticos, que combinan atractivos naturales y científicos, y relacionan aspectos tanto históricos como de investigación. El auge del turismo antártico ha sido tal que, entre el período que abarca desde 1984 y 1985 hasta 1999 y 2000, el número de visitantes se incrementó en un 2.509,19% (de 544 visitantes a 13.687). En el verano de 2004 y 2005 desembarcaron en este continente 22.297 turistas, casi todos a través de compañías que se encontraban localizadas en países miembro del Tratado Antártico, mientras que el resto lo hizo en veleros u otras embarcaciones privadas. Esto representó un incremento del 13% (19.669 turistas) sobre el flujo turístico en la estación anterior (IAATO, 2005). Para tener una idea de su magnitud, esta cantidad de turistas supera el total del personal destacado en todas las bases científicas del continente. Además de los barcos, muchas personas visitan este continente en aeronaves. Por ejemplo, la empresa aérea Qantas, de Nueva Zelanda, que en 1977 inauguró los sobrevuelos antárticos, transportó 3.146 pasajeros en el verano de 1997 y 1998 (http://antarctica.org.nz, 2004). Por su parte, Lan Chile realizó, durante el último verano, nueve vuelos a la Península Antártica en los que transportó 462 pasajeros, mientras que la empresa australiana Croydon Travel ha realizado sobrevuelos antárticos a partir del verano de 1994-1995, y ha llevado, desde entonces, un total de 27.857 pasajeros (IAATO, 2005). Esta actividad constituye un floreciente negocio, puesto que los viajes a esta región tienen un costo muy alto, a comparación de otros destinos turísticos. La mayoría de las agencias que operan estos viajes lo hacen con itinerarios que recorren la Península Antártica y que parten, fundamentalmente, de Ushuaia y, en menor medida, desde Punta Arenas, islas Malvinas, Valparaíso, Puerto Madryn, Buenos Aires y Río de Janeiro. Los costos de estos cruceros antárticos pueden oscilar entre los U\$S500 y los U\$S1.000 diarios, y cada viaje suele durar entre diez y veintiún días. Existen también grandes cruceros que pueden llevar más de 500 pasajeros. Dichos cruceros hacen travesías por la Península Antártica (que duran unas setenta y dos horas) y, en la última estación, han llegado a transportar a 5.027 turistas (IAATO, 2005). Otras actividades turísticas ofrecidas por las compañías especializadas en los últimos años incluyen campamento, escalada, canotaje, buceo y sobrevuelos en helicópteros (IAATO, 2005). Para el próximo verano (de 2005-2006) se calcula que, en función de las estimaciones de los operadores turísticos, arribarán a este continente alrededor de 32.637 visitantes, mientras que 4.700 contratarán cruceros sin desembarco y 2.350 harán sobrevuelos (IAATO, 2005); paralelamente, la tendencia indica un incremento acelerado en los años subsiguientes (Hemmings y Roura, 2003).

Ahora bien, la mayoría de las expediciones turísticas antárticas tienen lugar en sitios relativamente accesibles, poco hostiles desde el punto de vista climático y con alta riqueza de especies de fauna. Estos sitios se encuentran principalmente en la costa oeste de la Península Antártica, la cual representa la zona más visitada, mientras que el segundo lugar corresponde al mar de Ross. Hasta el presente, los viajes circumpolares son escasos y la industria del turismo de aventura dentro del continente antártico se encuentra aún muy poco desarrollada, aunque se está incrementando rápidamente (Hemmings y Roura, 2003). Por otra parte, una de las características fundamentales del turismo sostenible es su crecimiento lento y controlado a través de alguna forma de manejo activo (Bosselman *et al.*, 1999) y esto es, justamente, lo opuesto a lo que está ocurriendo en la Antártida, donde aún no existe un sistema establecido del manejo de la cantidad de visitantes y del crecimiento de la actividad misma.

¿Cómo puede afectar esta floreciente actividad turística a los ecosistemas antárticos?

En líneas generales, se considera que los ecosistemas antárticos son particularmente frágiles ante los disturbios y que poseen una muy baja resiliencia (capacidad natural de recuperación), ya que los tiempos necesarios para que recuperen su estado original luego de una alteración suelen ser muy extensos. Por ejemplo, en las zonas costeras antárticas que quedan libres de hielo durante el verano, se desarrollan importantes comunidades vegetales compuestas, básicamente, por briofitas (líquenes y musgos). Las briofitas, a pesar de ser muy resistentes al frío, el hielo y la sequía, son muy vulnerables al pisoteo y tardan muchos años en recuperarse debido a la bajísima tasa de crecimiento que experimentan. Así, el tiempo necesario para que un colchón de musgos vuelva a cubrir un sustrato rocoso de la Antártida Marítima puede ser de unos doscientos años, y una sola pisada puede destruir un talo del liquen *Usnea antarctica* cuya edad puede ser de unos seiscientos años (Kappen, 1984). Más aún, la formación de colchones de musgos de 3 m de profundidad presentes en algunas áreas demanda más de mil años. Debido a estas bajas tasas de recuperación, los impactos del pisoteo o la recolección de ejemplares sobre estas comunidades vegetales pueden permanecer casi inalterables por muchos años.

Estas áreas costeras, que también suelen ser de superficie reducida, concentran la mayor biodiversidad terrestre antártica. La influencia de un clima marítimo más "benigno" (a comparación de otras zonas más continentales) permite, además, que las mismas presenten una alta diversidad de artropofauna y que constituyan sitios de reproducción de gran número de especies de aves y mamíferos. Esto implica que el mayor número de especies terrestres se encuentra confinado en una franja relativamente estrecha, que se extiende a lo largo de la costa y llega a no más que unos pocos cientos de metros hacia el interior (Quintana *et al.*, 1995). En estos mismos sitios, que corresponden sólo al 2% de la superficie del continente, es donde, en general, se asientan las bases científicas y donde se lleva a cabo la mayor parte de las actividades humanas, entre las que se incluye el turismo. Esta concentración coincidente entre especies animales y vegetales, por un lado, y actividades humanas, por otro, constituye un punto conflictivo. Por ejemplo, en las zonas aledañas a la base norteamericana Mc Murdo, que concentra la mayor comunidad humana en la Antártida, la acción de unos pocos cientos de visitantes hizo desaparecer casi por completo la vegetación (Kappen, 1984). A su vez, la irrupción de grupos de visitantes en áreas de nidificación de aves y de cría de mamíferos marinos puede llevar a la interrupción temporal o permanente de los ciclos reproductivos. Tal es el caso de las colonias de pingüinos, que son poco tolerantes a la presencia de visitantes. Por ejemplo, la colonia de Cabo Royds se vio severamente afectada por la presencia de turistas, dado que disminuyó drásticamente su número de individuos, por lo que tuvo que ser cerrada a los visitantes.

Otras áreas sensibles al impacto del turismo son las islas antárticas y subantárticas. Históricamente, estas islas han sufrido el impacto de las actividades humanas ya sea por acciones directas (por ejemplo, la sobreexplotación de la fauna) o indirectas (tales como la introducción de especies exóticas que afectaron a las poblaciones de fauna y flora nativas). Además, dichas islas poseen especies endémicas que se encuentran ausentes en el territorio continental; en ellas también hay especies en peligro de extinción. Un ejemplo paradigmático del impacto de las actividades humanas en las islas de esta región lo representa la isla 25 de Mayo, en el archipiélago de las Shetland del Sur. En 1952 allí existía tan sólo un refugio naval argentino y hoy presenta la mayor concentración de bases científicas en la Antártida, con nueve bases activas durante todo el año y vuelos regulares a Sudamérica, realizados por la Fuerza Aérea Chilena desde Punta Arenas, que incluyen contingentes turísticos (al respecto, cabe destacar que se promocionan viajes de siete días y seis noches por U\$S6.350). Dado que más del 90% de la isla está constituida por zonas de glaciares, las zonas costeras libres de hielos representan pequeñas áreas fragmentadas (Antarctic Research IPG Freiburg, 2003) y, por lo tanto, el impacto al que se encuentran sometidas es muy severo. Por ejemplo, la construcción de la base coreana King-Sejong en la década del 90 produjo la destrucción de la mayor parte del suelo primigenio de Caleta Mariana y, con ello, la desaparición de la flora y la microfauna asociadas. A este tipo de impactos se suman el desplazamiento de vehículos y el pisoteo provocado tanto por el personal de las bases como de los contingentes de turistas que arriban a ésta. La Isla de Decepción, por otra parte, posee un ambiente marino muy singular asociado a condiciones extremas derivadas del vulcanismo, con temperaturas de más de 100°C y ph corrosivos por la presencia de dióxido de carbono y sulfuro de hidrógeno (Ramos, 1998). Este hecho la convierte en objeto de atención para la investigación científica, pero también para el turismo, ya que recibe más de 10.000 visitantes al año (British Antarctic Survey, 2004), los que pueden alterar las excepcionales condiciones de este singular medio.

Aunque no necesariamente sea una consecuencia directa de las actividades turísticas, la introducción de especies exóticas ha sido uno de los mayores problemas derivados de las acciones humanas en las islas subantárticas. Sin embargo, dada la creciente actividad humana en el continente, es factible que, en el futuro, nuevos invasores lleguen a esta región (situación que se ve facilitada, a su vez, por los procesos de cambio climático) y no se descarta que pequeños organismos y microorganismos ya se hayan establecido efectivamente. Por ejemplo, un estudio realizado sobre la fauna de artrópodos en Punta Cierva, en la Península Antártica (Convey y Quintana, 1997), mostró la presencia de una especie del orden Mecoptera (posiblemente de la familia Boeridae), la cual está ampliamente distribuida en las regiones boreales, pero no en la Antártida. Es probable que esta especie haya sido introducida por el hombre; pese a esto, sus características ecológicas y fisiológicas le han permitido sobrevivir en la Antártida Marítima. Otro ejemplo es el de la introducción en la base argentina Primavera, durante los años 50, de una gramínea de Tierra del Fuego del género *Poa*. Si bien, esta planta no se ha dispersado en la zona, aún se mantiene en su sitio original y ha sobrevivido hasta el presente en condiciones climáticas rigurosas (Agraz *et al.*, 1994). Es por este motivo que la llegada de grandes contingentes de turistas podría traer aparejada la dispersión de nuevos organismos que podrían acarrear consecuencias negativas para la biota nativa.

Los desechos derivados de la actividad turística representan otro problema de envergadura para la región. En un contexto ambiental de muy bajas temperaturas, la degradación de los residuos es extremadamente lenta y, por eso, estos permanecen casi intactos por muchas décadas. Los estudios de Lenihan (1992) y Miller *et al.* (1999) demostraron que las aguas de la Bahía Winter Quarters aún poseían un nivel de contaminación significativo debido a los contaminantes vertidos en sus aguas cuarenta años antes. Esto pone de manifiesto la alta fragilidad de este sistema ante la contaminación. Aunque en la actualidad el Protocolo para la Protección del Entorno Antártico contempla reglamentaciones rigurosas para el manejo de los residuos, aún resulta complicado poder llevar a cabo un efectivo sistema de control de residuos de las embarcaciones que surcan los mares antárticos, cuyo número se incrementa, además, de un verano al siguiente.

Otro tema que genera gran preocupación es el de los derrames de hidrocarburos, puesto que, al igual que los demás desechos, su degradación también es muy lenta. El incidente de derrame de hidrocarburos más importante en la Antártida tuvo lugar con el hundimiento del buque argentino Bahía Paraíso en 1989, que en ese momento transportaba a turistas y científicos. Como resultado, el combustible se expandió por 100 km^2 en los días subsiguientes. Aunque gran parte de este combustible fue colectado, el impacto fue importante para los organismos, ya que moluscos y aves –tales como los pingüinos adelia (*Pygoscelys adeliae*) y los cormoranes imperiales (*Phalacrocorax atriceps*)– fueron severamente afectados. Al menos trescientos cadáveres fueron recuperados aunque, debido a las malas condiciones meteorológicas, es probable que este número se encuentre subestimado. Esto pone de manifiesto que un aumento en el tráfico de grandes buques turísticos en los mares antárticos puede incrementar, a su vez, los riesgos de futuros vertidos de combustibles al medio debido a accidentes.

Ante la alta fragilidad de los ecosistemas antárticos y ante su notable sensibilidad frente a los disturbios antrópicos, las actividades humanas deberían estar fuertemente controladas, a fin de reducir al mínimo los efectos negativos de las mismas sobre el ambiente (Quintana *et al.*, 1995). En cuanto al turismo en particular, éste se está diversificando en relación con el modelo histórico, en función de las demandas del mercado y de una mayor competencia dentro de esta industria (Hemmings y Roura, 2003). En este contexto, se ha estado discutiendo en los últimos años si la mejor estrategia es la de concentrar toda la actividad turística antártica en unos pocos sitios que posean muestras representativas de los distintos paisajes antárticos (pero con la consiguiente concentración de los impactos en dichos puntos) o la de permitir una actividad más difusa, con mayor cantidad de sitios utilizados, pero con un impacto menor en cada uno de ellos. La definición de esta estrategia será crucial en los próximos años, dado que el auge del turismo antártico no disminuirá en el futuro, sino que, por el contrario, continuará incrementándose a medida que este continente se convierta en un destino cada vez más accesible para un mayor número de personas. Hemmings y Roura (2003) señalan que los países firmantes del Tratado Antártico deberían ser conscientes de la necesidad de establecer una estrategia de manejo adecuada para el turismo, a fin de encarar los problemas asociados con su crecimiento irrestricto. Entre dichos problemas, cabe destacar los impactos ambientales, los conflictos con otros usos y valores establecidos, además de una peculiar situación que consiste en que la actividad comercial a gran escala representa un riesgo para la estabilidad del débil y políticamente frágil régimen de gobierno antártico. Está claro que el principal problema del manejo del turismo en la Antártida es que esta actividad trasciende las fronteras de los países y que, por lo tanto, deberá ser encarado como una estrategia global, a fin de lograr que dicha actividad se desarrolle de manera sostenible y con el menor impacto posible sobre el ambiente. Esto representa uno de los grandes desafíos antárticos para los años venideros.

Bibliografía

• Acero, J. M., J. Agraz y R. D. Quintana, *Ecología de los ambientes terrestres de Punta Cierva, Costa de Danco, Península Antártica*, Contribución del Instituto Antártico Argentino, 1994, 439, 32 pp.

• Agraz, J. L., L. C. Borgo y R. D.Quintana, "Conservación de refugios de alta biodiversidad en ecosistemas terrestres antárticos y el desarrollo de las actividades humanas", *Ciencia Hoy*, 1995, 31: pp. 37-43.

• Antarctic Research IPG Freiburg, KGIS King George Island GIS Project, [en línea] 2003, <http://www.geographie.uni-freiburg.de/ipg/forschung/ap3/antarctica/>

• Bembo, D. G.; Evans, C. W.; Macdonald, J. A.; Miller, H. C. y Mills, G. N., "Induction of cytochrome P4501A (CYP1A)", *Trematomus bernacchii as an indicator of environmental pollution in Antarctica: assessment by quantitative RT-PCR. Aquatic Toxicology*, 1999, 44, pp. 183-193.

• Bergstrom, D. M.; Chown, S. L.; Convey, P.; Frenot, Y.; Selkirk, P. M.; Skotnicki, M. y Whinam, J., *Biological Invasions in the Antarctic: extent, impacts and implications*, Biol. Rev. 80, 2005, pp. 45-72.

• Bosselman, F.; McCarthy, C. y Peterson, C., "Managing tourism growth: issues and applications", *Island Press*, Washington DC, 1999.

• British Antarctic Survey, *About Antarctica*, [en línea] 2004, <http://www.antarctica.ac.uk>

• Convey, P. y Quintana, R. D, "The terrestrial arthropod fauna of Cierva Point SSSI, Danco COSAT, northern Antarctic Peninsula", *European Journal of Soil Biology*, 1997, 33, pp. 19-29.

• Cooper, J.; Croxall, J. P.; Fraser, W. J.; Kooyman, G. L.; Miller, G. D.; Nel, D. C.; Patterson, D. L.; Peter, H. U.; Ribic, C. A.; Salwicka, K.; Trivelpiece, W. H.; Weimerskirch, H. y Woehler, E. J., *A statistical assessment of the status and trends of Antarctic and Subantarctic seabirds*, SCAR, 2001.

• Dirección Nacional del Antártico, *Antártida Argentina*, Publicación de la Dirección Nacional del Antártico, Instituto Antártico Argentino, 1992, pp.18-96.

• Dirección Nacional del Antártico, *Argentina en la Antártida. Tomo I*, Dirección Nacional del Antártico, Instituto Antártico Argentino, Buenos Aires, 1997, 127 pp.

• Galimberti, D., *Antártida. Una guía introductoria*, Buenos Aires, Zagier & Urruty Publications, 1993, 158 pp.

• Gascón, V., "El problema de la Pesca en el Océano Austral", *Organización Red Científica*, [en línea] N°53, <http://www.redcientifica.org>.

• Gordon, J. E. y Hansom, J. D., *Antarctic Environments and Resources: A geographical Perspective*, Longman, 1998.

• Hemmings, A. y Roura, R., "A square peg in a round hole: fitting impact assessment under the Antarctic Environmental Protocol to Antarctic tourism", *Impact assess. & Project appraisal*, 2003, 21, pp. 13-24.

• IAATO, *IAATO overview of Antarctic tourism 2004-2005 Antarctic season*, [en línea] 2005, <http://www.iaato.org/tourismstatistics/>.

• Informes Finales, Documentos de Trabajo y Documentos de Información de las Reuniones del Comité de Protección Ambiental del Tratado Antártico, [en línea] 1998-2005, <http://www.cep.aq>.

• Izaguirre, I. y Mataloni, G., *Antártida. Descubriendo el continente blanco*, Buenos Aires, Editorial del Nuevo Extremo y Ediciones Caleuche, 2000, 190 pp.

• Kappen, L., "Ecological Aspects of Exploitation of the Non-Living Resources of the Antarctic Continent", en: Bockslaff, K. y Rudiger, W. (eds.), *Antarctic Challenge: Conflicting Interests, Cooperation, Environmental Protection, Economic Development*, Berlin, Duncker and Humbolt, 1984, pp. 211-216.

• Laws, R., *Antártida, la última frontera*, Barcelona, Ediciones del Serbal y RTVE, 1992, 179 pp.

• Lenihan, H. S., "Benthic marine pollution around Mc Murdo Station, Antarctica: A summary of findings", Marine Pollution Bulletin, 1992, 25, pp. 318-323.

• Lista Roja de Especies Amenazadas, [en línea] 2004, <http://www.redlist.org >.

• Marchant, Harvey J., "Biological Impacts of Seasonal Ozone Depletion", *Antarctic Science. Global Concerns*, en: Hempel, G. (ed.), Springer-Verlag, 1994.

La Situación Ambiental Argentina 2005

• May, J., *The Greenpeace book of Antarctica. A new view of the seventh continent*, London, Dorling Kindersley, 1988, 192 pp.

• Protocolo del Tratado Antártico sobre Protección del Medio Ambiente, Madrid, España, 1991.

• Ramos, M., "Active Layer in the vicinity of the Spanish Antarctic Station", *Terra Antartica*, 1998, 5, pp. 189-193.

• U.S. Department of State, *Handbook of the Antarctic Treaty*, Ninth edition, 2002.

• Wadham, P., "The Antarctic sea ice cover", *Antarctic Science. Global Concerns*, en: G. Hempel (ed.), Springer-Verlag, 1994.

• Ward, P., *Human Impacts on Antarctica and Threats to the Environment*, [en línea] 2004, <http://www.coolantarctica.com/Antarctica%20fact-%20file/science/human_impact_on_antarctica.htm>

LOS PROBLEMAS AMBIENTALES ARGENTINOS A ESCALA ECORREGIONAL

De los problemas ambientales que afronta el país, algunos son de escala ecorregional, es decir que tienen una magnitud tal que prácticamente cualquier sector de la ecorregión puede verse afectado por ellos. Los más importantes son:

Deforestación/transformación de ambientes naturales. Existe una importante controversia sobre cuál era la superficie "natural u original" forestal de la Argentina. Algunos autores señalan un total de 42.000.000 de ha de bosque y alrededor de 127.000.000 de arbustales y sabanas, es decir, un 60% de la superficie total del país (Morello y Matteucci, 1999). Sin embargo, estas estimaciones se basan en supuestos difíciles de corroborar hoy en día y son dependientes de lo que se consideró en distintos momentos históricos como "bosque". En la actualidad, persiste un total aproximado de 36.000.000 (Merenson, 1992) o 28.000.000 de ha de bosque (Morello y Mateucci, 1999). El Primer Inventario Nacional de Bosques Nativos, realizado en el año 2002, estimó una superficie total de 33.190.442 ha entre tierras forestales y bosques rurales (SAyDS, 2003). Estos bosques son transformados a una tasa aproximada de 250.000 ha anuales, principalmente en el Chaco Seco (70% del total), el Chaco Húmedo y la selva pedemontana de las Yungas (Gasparri y Grau, en este volumen). Algunos ecosistemas forestales, como la selva pedemontana de las Yungas o los "bosques de tres quebrachos" del Chaco Seco, están en una situación verdaderamente comprometida, dada la intensidad de los procesos de transformación para ampliar la frontera agropecuaria –principalmente, soja– (Brown *et al.,* en este volumen y Adámoli, en este volumen). Incluso, se habla de una "pampeanización del Chaco", que significa la imposición del modelo industrial agrícola pampeano en la ecorregión chaqueña (Morello *et al.*, en este volumen). De la ecorregión de la Selva Paranaense original que se comparte con Brasil y Paraguay, sólo resta un 7%, que se encuentra mayoritariamente en el sector argentino (Placci y Di Bitetti, en este volumen). También los sistemas de pastizal (ecorregiones de la Pampa y de Campos y Malezales) han sufrido importantes procesos de transformación. De los pastizales pampeanos en tiempos pasados, se transformó más del 60% de la ecorregión, y ésta ahora también está amenazada por el crecimiento de los espacios urbanos, que está alcanzando valores cercanos al 18% de la Pampa Ondulada (Morello *et al.*, en este volumen). La Ecorregión de Campos y Malezales, por otra parte, está sufriendo actualmente la presión de transformaciones por parte de plantaciones forestales de rápido crecimiento. Las demás ecorregiones, en cambio, presentan una superficie total muy cercana a la histórica.

El proceso de conversión de ecosistemas naturales en tierras de cultivo responde a una multitud de variables y necesidades socio-económicas, políticas, tecnológicas y hasta climáticas que inducen este comportamiento por parte de los productores agropecuarios. Ante esta situación, le corresponde al estado planificar planificar -consensuada e inteligentemente y respetando los derechos de propiedad- el desarrollo de estos procesos, a fin de no comprometer la provisión de bienes y servicios ambientales para las generaciones futuras. El conflicto suscitado por la desafectación de una reserva provincial en Salta para destinarla a la producción de soja y cítricos es, por un lado, una preocupante muestra de la forma en que gran parte de la sociedad (a través de sus gobernantes) dirime el falso conflicto entre ambiente y producción (Cruz *et al.*, en este volumen). Por otro lado, la resolución final de este mismo caso revela que también existe una parte importante de la sociedad que está preocupada por la sustentabilidad del crecimiento económico, y que a través del diálogo responsable es posible alcanzar soluciones en las que todas las partes obtengan un beneficio.

Sobreexplotación forestal/degradación. La sobreexplotación forestal y la consiguiente degradación de la estructura del bosque son procesos difíciles de medir en grandes extensiones. Esto se debe a la subestimación de los registros vinculados con la explotación forestal, a la falta de información sobre la superficie realmente afectada por la explotación y a la ausencia de un método confiable para estimar la degradación a partir de imágenes de satélite en la región. Sin embargo, la degradación es un proceso reconocido y muy extendido en gran parte de las ecorregiones con bosques, particularmente en aquellas accesibles al ser humano y al ganado. Los sistemas forestales están intervenidos en porcentajes muy elevados, y quedan muy pocos espacios sin intervenir fuera de las áreas protegidas (AP) e incluso dentro de las mismas, dado que es común la explotación previa a la expropiación para crear estas áreas. Un buen ejemplo de ello es el Parque Nacional Iguazú, que poseía mas de 200 km de caminos forestales internos antes de su expropiación. La excepción son, en gran medida, los bosques patagónicos, que presentan un buen estado general de conservación y un porcentaje elevado dentro de las reservas. Sin embargo, son susceptibles a los incendios vinculados, muchas veces, con períodos particularmente secos, a lo que se suman los eventos de igniciones por rayos, que se triplicaron en las últimas décadas debido a incursiones de masas húmedas e inestables (Premoli *et al.*, en este volumen). Por otro lado, la Selva Paranaense tiene más del 89% de sus bosques remanentes en niveles medianos a elevados de degradación y fragmentación, y sólo posee menos de 40.000 ha de bosques prístinos (Mac Donagh y Rivero, en este volumen). El sistema de explotación forestal convencional tiene un efecto severo sobre la biodiversidad de esta ecorregión (Placci y Di Bitetti, este volumen). Los ambientes áridos como el Chaco Seco, el Monte, la Estepa Patagónica y la Puna presentan una presión extendida y muy intensa de sobrepastoreo, actividad que, generalmente, está asociada a los incendios intencionales que contribuyen aún más al proceso de degradación (Ginzburg y Adámoli, este volumen; Torrella y Adámoli, este volumen). Tan sólo en la Ecorregión del Monte, en la última década, casi 10.000.000 de ha fueron afectadas por incendios (Pol *et al.*, este volumen) lo que representa cerca del 30% de la ecorregión. En el Chaco Húmedo, la superficie quemada de pastizales y sabanas asciende a un valor entre 2 y 4.000.000 de ha anuales (Ginzburg y Adámoli, este volumen).

Estos procesos de degradación asociados al sobrepastoreo aumentan inexorablemente la desertificación a escala ecorregional, como ocurre en la Estepa Patagónica (Paruelo *et al.*, en este volumen), y también son observables en ecorregiones húmedas como las Yungas y los bosques patagónicos. En estos últimos, el ganado ha alterado significativamente la composición florística y la estructura de los bosques nativos, incluso dentro de los parques nacionales, y en varios sitios el ganado ha impedido la recuperación postfuego (Premoli *et al.*, este volumen).

Explotación minera. Generalmente s una actividad de fuerte impacto ambiental, pero de una amplitud geográfica muy limitada. Las principales ecorregiones donde esta actividad es importante son la Estepa Patagónica (con explotación hidrocarburífera), la Puna y los Altos Andes (con explotación de minerales) y las Yungas (con explotación gasífera). En los ambientes desérticos como la Puna y los Altos Andes, la actividad minera genera un impacto importante en la utilización del agua, y compite severamente con las comunidades locales y la fauna que dependen de ella (Pol *et al.*, este volumen; Reboratti, este volumen). En las Yungas, las actividades de explotación de hidrocarburos están concentradas en el área de Tartagal, con explotaciones menores en Caimancito (Brown *et al.*, este volumen). Los impactos se reducen a la apertura de caminos, la construcción de infraestructura y el riesgo de contaminación de aguas superficiales. Aun así, inducen otros impactos como los de nuevas explotaciones forestales que nacen utilizando la importante red caminera que genera y mantiene las explotaciones de los yacimientos.

Interrupción de cursos de agua. La interrupción o modificación del régimen hidrológico es el principal impacto directo de la construcción de represas hidroeléctricas, las cuales pueden reducir el rendimiento pesquero y modificar la composición de la ictiofauna (Baigún y Oldani, en este volumen). La Argentina puede ser considerada como un país "pobre" en represas comparada con países de larga trayectoria en su utilización. Sin embargo, los principales ríos, como el Paraná y el Uruguay, presentan represas de considerable superficie. No obstante, todavía hoy, la mayoría de estas obras están en ambientes áridos, como las ecorregiones del Monte y del Espinal (Gabellone y Casco, en este volumen). También se ha indicado su potencial impacto sobre el régimen hidrológico de humedales vecinos, como es el caso de la Represa de Yacyretá y los Esteros del Iberá (Acerbi, en este volumen; Neiff y Poi de Neiff, en este volumen).

Comercio de fauna. La Argentina exportó durante el período 1976-1984 alrededor de 24.000.000 de coipos, 11.000.000 de iguanas, 5.000.000 de zorros, 500.000 felinos menores, 200.000 boas curiyú y más de 100.000 yacarés (Ramadori, en este volumen), todos provenientes del medio silvestre y, principalmente, de las ecorregiones del Chaco Seco, del Chaco Húmedo, los humedales de la Pampa y la Estepa Patagónica. En la década del 80, se exportaban anualmente más de 100.000 loros como mascotas. Actualmente, el comercio de fauna ha disminuido notablemente, debido a la disminución de la demanda, a las normativas locales e internacionales más restrictivas y, tal vez, a una mayor eficiencia de los controles. En algunas zonas (tales como la Selva Paranaense y el Chaco) la crisis económica y social a comienzos de este nuevo siglo ha obligado a sus pobladores a aumentar la caza de supervivencia, lo cual puede haber generado, en algunos casos, importantes procesos de "defaunación". Un buen manejo de la fauna puede ser una herramienta que permita llevar adelante acciones de conservación, tanto de especies en particular como de sus respectivos ambientes, y que genere, a la vez, opciones económicas para las comunidades locales (Ramadori, este volumen). En ese sentido, se están ejecutando interesantes proyectos de uso sustentable de especies silvestres (carpinchos, loros habladores, yacarés, etc.), y ha sido posiblemente el más emblemático: el de la esquila de poblaciones silvestres de vicuñas (Vilá, este volumen).

Pesca marítima y fluvial. Entre 1990-1995, la actividad pesquera argentina en la Ecorregión del Mar Argentino se incrementó en un 108%. Durante el auge de la industria en los años noventa, el producto pesquero argentino se mantuvo en torno al millón de toneladas anuales, y llegó a superar los U\$S 1.000.000.000 de exportación. Este panorama cambió radicalmente al verse seriamente comprometidos los efectivos de merluza común. Por otra parte, el calamar y el langostino han experimentado fuertes oscilaciones de biomasa que, acopladas a una política pesquera casi siempre oportunista, dieron lugar a reiterados ciclos "auge/ruina", con severas secuelas económicas y sociales (Campagna *et al.*, en este volumen; Cañete, en este volumen). Además, hay que considerar el impacto negativo de ciertas artes de pesca sobre otros componentes de la biodiversidad, como las aves pelágicas (Arias, en este volumen), incluso en el Mar Antártico (Izaguirre y Sánchez, en este volumen) y el efecto de las redes de arrastre sobre la fauna bentónica, que ocasiona la destrucción del hábitat.

Un panorama similar se observa en la pesca comercial en los grandes ríos de la cuenca del Plata, donde especies como el sábalo son extraídas a una tasa anual de entre 60 y 80.000 t, sin planes de manejo. Esto produce una disminución permanente de las existencias y, por consiguiente, un deterioro en la calidad de vida de los pescadores artesanales y de subsistencia, así como también una merma significativa en la economía de la Ecorregión del Delta e Islas del Paraná (Peteán y Cappato, en este volumen).

Turismo convencional y de aventura. La Argentina se ha transformado en un destino turístico internacional importante, particularmente vinculado con los espacios silvestres y, en especial, con las áreas protegidas (AP). Esto se evidencia principalmente en la Patagonia, donde se recibieron más de 5.000.000 de visitantes en los últimos ocho años, y se ha observado un incremento de visitas en todos los parques nacionales, particularmente en Santa Cruz y Tierra del Fuego. Dicho incremento también se registró en otras AP como Iguazú, El Palmar y Talampaya (Manzur, en este volumen). Sitios de gran valor por su biodiversidad están siendo utilizados en forma creciente como áreas de atractivo turístico; tal es el caso de los Esteros del Iberá (Neiff y Poi de Neiff, en este volumen). En este último caso, se debe mencionar que los esfuerzos desarrollados para la elaboración del plan de manejo de la Reserva Natural Iberá se han visto obstaculizados por la férrea oposición de diversos sectores de la sociedad correntina (Parera, en este volumen), lo cual evidencia la necesidad de incluir en la planificación de las AP las preocupaciones y los intereses de los diferentes sectores involucrados, antes de intentar adoptarlos.

Por otra parte, lugares muy distantes como la Antártida están siendo objeto de un flujo turístico en rápido crecimiento: en los últimos veinte años, aumentó más del 2.500%. Actualmente, se registra un incremento anual del 13%. Pero la Antártida es una ecorregión de muy lenta recuperación con respecto al disturbio antrópico. El tema merece más atención. Está claro que la principal barrera hacia un manejo sustentable del turismo en la Antártida es que esta actividad trasciende las fronteras reclamadas de los países y que, por lo tanto, deberá ser encarada en el marco de una estrategia global (Quintana, en este volumen).

Sin embargo, el turismo también aparece como un enorme aliado potencial para la conservación de los recursos naturales argentinos y, especialmente, para mejorar y crear más AP. Una encuesta realizada en 2005 entre operadores turísticos extranjeros muestra que las razones por las que un turista viene a la Argentina son, en primer lugar (19%) para visitar nuestros parques nacionales. Entre los otros primeros diez motivos se encuentran, además, el "turismo aventura" (16%, estrechamente asociado a ambientes naturales), el turismo en sitios designados como "Patrimonio de la Humanidad" por la Unesco (13%), el avistaje de flora y fauna (10%), y la visita de sitios de valor arqueológico (8%) –Secretaría de Turismo de la Nación, 2005. Con motivo de la declaración del 2002 como Año Internacional del Ecoturismo, la Organización Mundial de Turismo realizó estudios de mercado en los principales países emisores de turistas. Las encuestas demostraron que el entusiasmo por el turismo de naturaleza invariablemente va de la mano con el deseo de conocer y encontrar comunidades locales, y con el descubrimiento de distintos aspectos de su cultura (gastronomía, artesanías, costumbres, etc.). Algunos casos que ejemplifican la necesidad de mejorar servicios y ordenarlos en función del recurso natural que utilizan son los de Puerto Pirámides, en Península Valdés, Chubut, donde el turismo de avistaje de ballenas aumentó de 70.000 a 90.000 personas entre 2000 y 2005 (con una proporción creciente de turistas extranjeros), y el rápido e insuficientemente organizado crecimiento urbano en Calafate (Santa Cruz), Ushuaia (Tierra del Fuego) o Puerto Iguazú (Misiones).

El Plan Federal de Turismo Sustentable 2016 (Secretaría de Turismo de la Nación y Consejo Federal de Inversiones, 2005) establece el objetivo de pasar de más de 3.000.000 de turistas extranjeros que nos visitaron en 2004 a 5 o hasta 6.500.000 en 2016. Para que este incremento ocurra preservando los ambientes naturales, será necesario aumentar significativamente, por ejemplo, la inversión directa del sector turístico en la creación y la consolidación de AP.

Bibliografía

- Merenson, C., Desarrollo sustentable o deforestación "Plan forestal argentino", un legado para las generaciones venideras, Secretaría de Recursos Naturales y Ambiente Humano, Buenos Aires, Dirección de Recursos Forestales Nativos, 1992, 55 pp.
- Morello, J. y S. Matteuci, "Biodiversidad y fragmentación de los bosques en la Argentina", en: Mateucci, S., O. Solbrig, J. Morello y G. Halffter (eds.), *Biodiversidad y uso de la tierra: conceptos y ejemplos de Latinoamérica*, Colección CEA 24, Buenos Aires, Editorial Universitaria de Buenos Aires, Buenos Aires, 1999, pp. 463-498.
- Plan Federal de Turismo Sustentable 2016, Secretaría de Turismo de la Nación y Consejo Federal de Inversiones, 2005.
- SAyDS, *Atlas de los Bosques Nativos Argentinos*, Proyecto Bosques Nativos y Áreas Protegidas, BIRF 4085-AR, Buenos Aires, Dirección de Bosques, Secretaría de Ambiente y Desarrollo Sustentable, 2003, 243 pp.
- Secretaría de Turismo de la Nación, 2005, Encuesta a operadores turísticos extranjeros sobre la Argentina. Inédito.

UN ÚNICO PLANETA

Las cuestiones relacionadas con el medio ambiente pueden abordarse desde diferentes niveles de análisis. Si bien desde el punto de vista de la funcionalidad de los ecosistemas lo más indicado es el enfoque por ecorregiones, esta perspectiva no permite abarcar correctamente numerosos aspectos que se expresan a escala planetaria. La comprensión de la globalidad de estos problemas ambientales ha llevado a las naciones a constituir organismos internacionales bajo el paraguas de las Naciones Unidas. Así, se han establecido instituciones conocidas como la Convención sobre Cambio Climático, la Convención de Lucha contra la Desertificación y la Convención de Biodiversidad, entre otras. En esta sección, se discute la situación que plantean estos tres problemas globales (el cambio climático, la desertificación y la pérdida de biodiversidad) en el ámbito nacional.

Por otro lado, existen otros aspectos que, pese a que no han tenido la misma atención por parte de la comunidad internacional, poseen implicancias que también trascienden los límites de las ecorregiones y los países. Uno es el problema de las grandes obras de infraestructura, muchas veces necesarias para ciertos aspectos del desarrollo económico, pero vinculadas con el tipo y el grado de crecimiento urbano que adquiere una sociedad. En este sentido, se debe mencionar que, en los últimos años, han surgido planes regionales de grandes obras de infraestructura, especialmente en el ámbito energético y del transporte, que pueden conllevar impactos ambientales, a su vez, de escala regional.

Por último, en esta sección se discuten, además, otros aspectos que afectan transversalmente a todos los problemas ambientales, ya sea locales o globales. Uno de ellos es la globalización en sí misma, en relación con las reglas y las tendencias del comercio internacional. Los aspectos vinculados con la política ambiental y con la educación, de suma importancia para lograr un cambio de actitud y de comportamiento, son también abordados en esta sección.

La Situación Ambiental Argentina 2005

ASPECTOS CLIMÁTICOS DEL AMBIENTE. SITUACIÓN EN LA ARGENTINA

Por: Dr. Osvaldo F. Canziani

Co-Presidente del Grupo de Trabajo II, Panel Intergubernamental de Cambio Climático.
ocanz@ciudad.com.ar

El clima es un componente ambiental trascendente. Los valores medios y extremos de sus variables geofísicas (v.g., temperatura, humedad, precipitación, escorrentía, nubosidad, viento, insolación, evapotranspiración), la configuración geográfica, las características bioambientales y la acción humana definen las condiciones de desarrollo y eficiencia de los sistemas naturales, y determinan las características del paisaje y las condiciones de desarrollo de sus biomas. Recíprocamente, las características del entorno influyen sobre el clima, de manera que el clima local puede ser considerado como un estado de la biosfera (Bolin, 1990). El clima trasciende esta escala y se vincula con los demás componentes del ambiente global. La naturaleza geológica del entorno también juega su rol, aspecto que ha sido observado en los eventos conducentes a inundaciones, tal como ocurre en la pampa húmeda (Canziani *et al.*, 2002).

Consecuentemente, los requerimientos de información básica y procesada para encarar el estudio y la defensa de los recursos naturales, la expansión de la producción en general, la provisión de seguridad social y económica, además de la selección de trayectorias de desarrollo sostenible plantean la necesidad de disponer de observaciones geofísicas y biológicas. Lamentablemente, la falta de esta información, con la diversidad y la cobertura apropiadas, ha hecho difícil definir correctamente las distintas regiones y sub-regiones climáticas del país y conocer a fondo las características de las cuencas y otras particularidades hidrográficas (v.g., humedales).

La falta de esta información básica ha sido puesta en evidencia desde el inicio de las actividades geofísicas oficiales, con el establecimiento de la Oficina Meteorológica Argentina, en 1872, y ha repercutido en la falta de la identificación correcta de los climas regionales y sub-regionales del país. Diversos planes específicos, inclusive los originados en las recomendaciones internacionales –como las relativas a la densificación y la operación de las redes de observación de superficie y altura de la Organización Meteorológica Mundial (OMM)–, y los planes regionales de su Asociación Regional III (América del Sur) o los requerimientos para la realización de la vigilancia hidrometeorológica de cuencas y represas hidroeléctricas, o bien el programa del Sistema Mundial de Observaciones Climatológicas (SMOC) no han sido ejecutados cabalmente.

Los esfuerzos de las autoridades específicas no bastaron para alcanzar el desarrollo de las redes y de los sistemas de observación, varias veces planificados, aunque no siempre implementados. Mucha de la culpa recae en el desinterés de los grupos privados, culpables de esta situación inaudita en un país de fuerte economía agrícola-ganadera. Paradójicamente, a pesar de que el clima y el agua son factores trascendentes en la productividad del campo y la protección de los habitantes, solamente ante condiciones críticas (sequías, inundaciones u otros desastres ambientales) se puede observar la preocupación del sector privado, aunque, generalmente, para criticar a la administración pública.

En este contexto, la referencia de los requerimientos que plantea el SMOC de la OMM (del cual la Argentina forma parte) muestra los diferentes tipos de observaciones (Tabla 1) necesarias para monitorear el clima global, aunque no define todas las condiciones climáticas (Implementation Plan for the Global Observing System for Climate, 2004).

Dominio		Variables esenciales del clima
ATMOSFÉRICO (Corteza, mar y hielo)	Superficie	Temperatura del aire, precipitación, presión, radiación superficial, velocidad y dirección del viento, vapor de agua.
	Atmósfera alta	Balance de la radiación terrestre (incluye la irradiación solar), temperatura de (incluye las radiaciones MSU). Dirección y velocidad del viento, vapor de agua, propiedades de las nubes.
	Composición	Dióxido de carbono, metano, ozono, otros gases de efecto invernadero de larga vida[1], propiedades de los aerosoles.
OCEÁNICO	Superficie	Temperatura de la superficie marina, salinidad de la superficie marina, nivel del mar, estado del mar, hielo marino, corriente, color del océano (para la actividad biológica), presión parcial de dióxido de carbono.
	Bajo-superficie:	Temperatura, salinidad, corriente, nutrientes, carbón, marcadores oceánicos, fitoplancton.
TERRESTRE		Descarga de los ríos, uso del agua, nivel de los lagos, capas de nieve, glaciares y capas de hielo, permafrost y congelamiento temporal de la superficie, albedo, cobertura terrestre (incluye tipo de vegetación), fracción de la radiación fotosintéticamente absorbida (FAPAR), índice de área de hoja (LAI), biomasa, fuego.
[1]incluyendo óxido nitroso (N_2O), clorofluorocarbonos (CFC´s), hidrofluorocarbonos (HFC´s), hexafluoruro de azufre (SF_6) y perfluorocarbonos (PFC´s)		

Tabla 1. Variables esenciales del clima.

Los diferentes dominios hacen evidente la necesidad de realizar observaciones complementarias para la seguridad de la comunidad, la defensa de su salud y de las condiciones ambientales relativas a la producción agrícola, ganadera, pesquera y forestal.

Es claro que estos requerimientos resultaban necesarios e imprescindibles para vigilar las implicaciones ambientales, sociales y económicas del clima cuando éste era estable. Hoy, frente al cambio ambiental global, las situaciones emergentes del calentamiento terrestre obligan a la búsqueda inmediata de soluciones a las diversas falencias del SMOC y otras redes de observación complementarias. Habida cuenta de que el calentamiento global ya ha incrementado la frecuencia e intensidad de los eventos extremos (Canziani *et al.*, 2002), se hace urgente incrementar y mejorar las observaciones para su detección y monitoreo, además de complementar las observaciones terrestres con sistemas de radar meteorológico que dispongan de capacidad Doppler. Esta tecnología permitirá iniciar la vigilancia de las condiciones conducentes a tormentas intensas, líneas de turbonada, ciclones y tornados. Con respecto a estas tempestades giratorias de gran violencia, vale recordar que ellas se han observado antiguamente en varias regiones del país y países vecinos. Los tornados registrados en la Argentina, observados en toda la región subtropical del país, han sido intensos y han causado muertes y pérdidas materiales (Schwarzkopf, 1983 y 1984). Así mismo, el desarrollo de poblaciones urbanas y rurales define un escenario ambiental y socio-económico más vulnerable a las condiciones climáticas exacerbadas por el calentamiento terrestre, que se agravan en el caso de las comunidades más pobres (IPCC, 2001 b).

La intensificación de los procesos atmosféricos se debe a factores vinculados al Océano Atlántico, cuyas implicaciones climáticas, lamentablemente, han sido poco estudiadas. En las últimas décadas, el calentamiento terrestre, debido al efecto invernadero exacerbado, ha incrementado la energía disponible en la cuenca del Atlántico Sur en 3 x 1022 Joules y, comparada con la energía eléctrica total consumida en la Ciudad de Buenos Aires, en el año 2003, permitiría el suministro para 1.000 ciudades del mismo porte, durante 3.200 años (Barnett *et al.*, 2001; Informe Anual de la Secretaría de Energía, 2003). Tan enorme cantidad de energía no sólo ha aumentado notablemente la tasa de evaporación de agua de mar, sino que también ha incrementado marcadamente el contenido de agua precipitable y la inestabilidad de las masas de aire que, desde el océano, se desplazan sobre el litoral argentino. Los cambios en la circulación atmosférica, también debidos al calentamiento terrestre, hacen ahora más frecuente esta advección de aire húmedo sobre el litoral argentino. Por ello se hace necesario monitorear los eventos extremos, requerimiento que está indicando que es cada vez más urgente la instalación de la red de radares meteorológicos prevista hace años por el Servicio Meteorológico Nacional. En el mismo orden de prioridad se ubican las nuevas observaciones desde satélites meteorológicos, necesarias para monitorear los eventos extremos y sus efectos en las condiciones ambientales resultantes de las inundaciones. La Figura 1 sirve más que las palabras para mostrar la importancia de la observación satelital.

Las inundaciones que, con más frecuencia e intensidad, afectan a los núcleos urbanos, tales como las que se registraron en la Ciudad de Buenos Aires y su conurbano en las últimas décadas, son una consecuencia del calentamiento de los océanos. Un factor adicional resulta del aumento de la frecuencia y la persistencia de las sudestadas que afectan al litoral bonaerense cuando crece el nivel del mar y del estuario con importantes ondas de tormenta que inundan las costas bajas y originan un tapón hidráulico que impide el desagüe de arroyos y ríos. Estas condiciones implican la necesidad de mejorar las observaciones incluidas en el dominio oceánico.

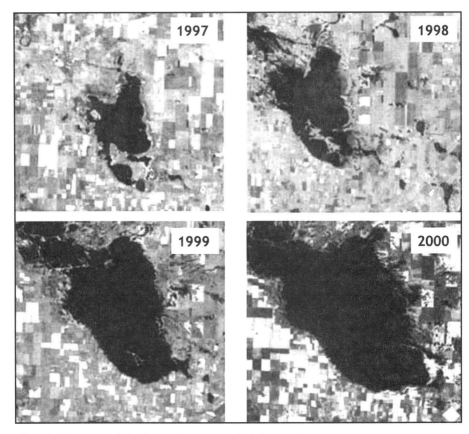

Figura 1. Efectos acumulados. Laguna Picasa, provincia de Buenos Aires.

Sin profundizar demasiado por razones ya conocidas, se puede decir sin eufemismos que, hasta hoy, las tareas de desarrollo (la expansión de áreas de cultivo e introducción de especies nuevas, los sistemas de riego y de desagüe, la ubicación y el desarrollo de represas hidroeléctricas, etc.) se han llevado a cabo sin disponer de toda la información necesaria, tanto climática como ambiental (a saber: la geológica, la geomorfológica, la edafológica y las derivadas de las obras de infraestructura). Esto se debe a las mismas falencias que han impedido la realización de tareas de monitoreo y vigilancia hidrometeorológica, necesarias para controlar y alertar sobre situaciones de desastre ambiental. Sin lugar a dudas, las pérdidas económicas y de vidas humanas que originan cuestan, económica y socialmente, mucho más que el desarrollo de los sistemas observacionales necesarios para su prevención. Además, tal falta de información pone en peligro a ecosistemas fundamentales para el mantenimiento de la diversidad biológica. Esto mismo ha ocurrido por la inexistencia de un sistema de observación, monitoreo y vigilancia hidrometeorológica en la zona afectada por la represa de Yacyretá, aspecto que se debió a la falta de la implementación completa del "Sistema de Vigilancia Hidrometeorológica para la operación de la Represa", desarrollado en 1994, por contrato con la Entidad Binacional Yacyretá (Entidad Binacional Yacyretá, 1993).

Ahora bien, si las falencias mencionadas son graves ahora, serán mucho más críticas ante un nuevo sistema climático resultante del calentamiento global por el efecto invernadero exacerbado. También serán más graves sus implicaciones regionales.

Estos antecedentes permiten afirmar que la falta de una política nacional de defensa de los ecosistemas naturales, seriamente afectados o definitivamente destruidos por la codicia de lograr beneficios inmediatos, sin internalizar las externalidades, constituye también una violación al Artículo N°41 de la Constitución Nacional. Esta violación, que incluye la carencia de un desarrollo apropiado de los sistemas de observación y monitoreo climatológicos, se debe a una grave ceguera administrativa que impide la protección efectiva de los recursos.

Esta situación impedirá definir proyecciones climáticas confiables; consecuentemente, será más difícil la adopción de estrategias de adaptación, razón por la cual los riesgos derivados de los eventos extremos serán mayores y aumentarán sus efectos adversos en el manejo de los recursos naturales, en las escalas locales y regionales. Esta situación es particularmente crítica debido a los intentos fallidos para reducir las emisiones mundiales de gases de efecto invernadero.

El desconocimiento del entorno y sus variables continuará influyendo negativamente en la seguridad ambiental inmediata y afectará gravemente a las generaciones futuras. Los nuevos flagelos ambientales (el aumento de la temperatura, el incremento del nivel medio del mar, la exacerbación de procesos climáticos extremos, la acidificación de aguas terrestres y marinas, etc.), previstos científicamente pero no comprendidos aún por los niveles de decisión oficiales y privados, generarán progresivamente condiciones ambientales más difíciles de controlar, en perjuicio de la producción (agrícola, ganadera, pesquera y forestal), la preservación de los ecosistemas naturales, la salud humana y las condiciones de sanidad de animales y plantas. Estos sistemas están afectados tanto por el calentamiento terrestre como por los reconocidos efectos ambientales adversos, resultantes de la deforestación a ultranza de bosques, florestas y montes, que también modifican las condiciones del clima local. El interés meramente económico por aumentar la frontera agrícola, desarrollar obras hidráulicas sin tomar en cuenta sus impactos e instalar industrias contaminantes se ha apoyado también en la carencia de datos climatológicos, sobre los cuales se deberían sustentar los estudios de impacto, prácticamente omitidos por las entidades privadas, poco o bastante mal controladas por la administración pública.

La falta de información básica y elaborada inhibe el desarrollo de criterios para el monitoreo ambiental (cuando debería apoyarse en valores críticos de variables determinadas). La

carencia de equipos de observación apropiados, como los radares meteorológicos mencionados, y la falta de un número suficiente de estaciones meteorológicas automáticas, que debieran estar instaladas en lugares inaccesibles, aspectos sumados a la urgencia por restablecer
la densidad de puestos de medición de precipitación, ahora con transmisión de datos en tiempo real, siguen constituyendo un freno para la seguridad de la comunidad y su desarrollo sostenible. Además, el mejor uso de los recursos, particularmente del agua, plantea la necesidad
de optimizar las redes de observación de evaporación y de radiación solar y terrestre, así como también la operación de limnímetros y lisímetros. También es necesario reiniciar observaciones agrometeorológicas que incluyan la temperatura y la humedad del suelo, además de
las observaciones biológicas, la determinación del espesor de la capa de nieve y las determi-
naciones pluvio-nivométricas en la cordillera –puesto que el rápido retraimiento de los glaciares andinos exige el monitoreo continuo de las nevadas y sus límites espaciales (Canziani *et al.*, 1998).

La realización de todas las observaciones que plantea el SMOC es una base para conocer mejor el clima de la Argentina. Cuando estén convenientemente completadas, también servirán
para definir las condiciones de seguridad de la comunidad nacional y sus trayectorias posibles para el desarrollo sostenible de su economía.

Al respecto, tal y como se deriva de los estudios de vulnerabilidad realizados en ocasión de la
Primera Comunicación Nacional a la Convención Marco de las Naciones Unidas sobre Cambio
Climático (PNUD, 1987) y los previstos para la Segunda Comunicación Nacional, el impacto
negativo que tendría el calentamiento terrestre en la producción agrícola, ganadera y de frutas,
incluidos los viñedos en sus actuales zonas de cultivo y desarrollo, podría no sólo paliarse mediante medidas de adaptación apropiadas, sino que también beneficiaría la producción si ésta
fuese trasladada a regiones donde las proyecciones del cambio climático aseguraran condiciones climáticas más propicias. Así lo muestran experiencias exitosas de países desarrollados (v.g.,
los viñedos en el sur de Inglaterra) y en otros, como ha sucedido con la producción de café en
Brasil. Estas posibilidades deberían ser estudiadas de manera inmediata.

Las trayectorias de desarrollo sostenible sólo se podrán definir con precisión mediante una acción conjunta de los niveles oficiales, los grupos privados y las personas que se benefician con la
explotación de los recursos naturales de la Argentina. A ellos deben sumarse los esfuerzos de los
estamentos que deben proveer la seguridad y la sanidad ambientales de la comunidad nacional.

Como lo mencionara Niels Bohr, en 1930, "nada existe hasta que es medido". En el caso grave
que enfrenta el futuro ambiental, social y económico de la Argentina, será necesario agregar que
"no se utilizará sistema natural o humano alguno hasta que sus componentes ambiental, social
y económico hayan sido cuidadosamente monitoreados e integralmente investigados".

IMPACTOS DEL CAMBIO CLIMÁTICO SOBRE LOS RECURSOS HÍDRICOS EN LA CORDILLERA DE LOS ANDES. UN CASO DE ESTUDIO: EVIDENCIAS, PRONÓSTICO Y CONSECUENCIAS EN LA CUENCA SUPERIOR DEL RÍO MENDOZA

Por: Juan Carlos Leiva

Centro Regional de Investigaciones Científicas y Tecnológicas (CRICyT). Consejo Nacional de Investigaciones Científicas y Técnicas (CONICET). jcleiva@lab.cricyt.edu.ar

Introducción

Los ríos Mendoza y Tunuyán dan origen al Oasis Norte de la provincia de Mendoza. Dicho oasis, ubicado en la región centro-oeste de la Argentina, posee una superficie de 2.700 km² y, en él, la precipitación media anual es del orden de los 200 mm. En la zona pedemontana y en el llano predominan las condiciones de aridez, mientras que en la zona cordillerana la precipitación nival hace que el balance hídrico sea positivo. Es por ello que la zona cordillerana del oasis constituye la única fuente de suministro de agua a través de los flujos superficiales y subterráneos para las zonas habitadas (Morabito, 2003). El limitado recurso hídrico del Oasis Norte es, no obstante, un factor indispensable para la producción agrícola de la provincia que, junto con la agroindustria, genera aproximadamente el 20% del producto bruto geográfico, el 50% de las exportaciones y el 23% de los empleos de la población económicamente activa (Gervasi, 2001).

El área irrigada por el río Mendoza es la más importante de la provincia y en ella se encuentra asentada la mayor parte de la población (Morabito, 2003); cuenta con un gran desarrollo industrial y el recurso hídrico es utilizado intensivamente (para consumo humano, uso industrial, agrícola, recreativo y para la generación de energía hidroeléctrica).

Los distintos escenarios planteados por el Panel Intergubernamental sobre Cambio Climático (IPCC) han llevado a estimar que la temperatura media de la superficie de la Tierra aumentará en el período 1990-2100 entre 1,4 y 5,6°C (IPCC, 2001 a). Los cambios climáticos acontecidos durante el siglo XX ya han alterado el ciclo del agua en las cuencas andinas. El cambio más visible está dado por los glaciares de montaña, que han disminuido su espesor, han perdido parte de su masa y han retrocedido sustancialmente durante los últimos cien años. Este proceso de retracción de los glaciares se ha visto enormemente acelerado durante las últimas décadas (Warrick *et al.*, 1996) y es consistente con un calentamiento en las zonas montañosas de 0,6 a 1,0°C (Oerlemans, 1994).

Se trata de un proceso global que afecta a toda la Cordillera de los Andes y que ha sido investigado y documentado en los Andes Centrales de Mendoza y San Juan, y en los Andes Patagónicos (Leiva *et al.*, 1989; Villalba *et al.*, 1990; Skvarca *et al.*, 1995; Aniya *et al.*, 1997; Luckman y Villalba, 2000). Dicho proceso está asociado, en muchos casos, con tendencias negativas en el escurrimiento de los ríos cordilleranos. Este trabajo describe las evidencias del fenómeno en la región de los andes de Mendoza, muestra en forma sintética los resultados de las investigaciones efectuadas y, finalmente, establece cuáles son las posibles consecuencias en la región.

Evidencias en la cuenca superior del río Mendoza

Los datos de las estaciones climáticas de Chile central revelan un calentamiento de 0,3 a 0,7°C durante los últimos cien años. Este calentamiento es mayor en invierno que en verano (Escobar y Aceituno, 1998; Cassasa *et al.*, 2003). El análisis de la altura de la isoterma de 0°C en la estación de Quintero, Chile (32°47' de latitud sur, 71° 33' de longitud oeste; 8 msnm) muestra que

la misma se ha elevado 150 m en invierno y 250 m en verano durante los últimos veinticinco años. Esto sugiere que la línea de nieve se habría desplazado del mismo modo en la zona central de Chile. Al mismo tiempo, ha aumentado la frecuencia de las precipitaciones invernales por debajo de la media durante las últimas décadas.

Figura 1. Plano de ubicación de la cuenca superior del río Mendoza.

Como evidencias de lo que está ocurriendo en toda la cuenca se describen a continuación: a) las fluctuaciones de los glaciares del río Plomo desde 1914 y b) los resultados del estudio del balance de masa del glaciar Piloto en las nacientes del río Cuevas. La Figura 1 muestra un plano de ubicación de los glaciares mencionados.

Los glaciares del río Plomo

El río Plomo es el principal afluente del río Tupungato que, a su vez, junto con el río Vacas y el Cuevas originan el río Mendoza, que nutre al Oasis Norte de la provincia. El sistema de glaciares del río Plomo fue estudiado inicialmente por R. Helbling y F. Reichert a partir de 1908. Uno de los resultados de dichas investigaciones es la cartografía 1:25.000 que Helbling publicó en 1919. La comparación de dichos

Figura 2. Imagen satelital que muestra la variación de la superficie de los glaciares del río Plomo entre 1914 y 2005

mapas con los realizados por la restitución de las fotografías aéreas tomadas en 1974 permitió calcular la pérdida de masa que sufrieron dichos glaciares en el período 1914-1974 (Leiva *et al.*, 1989). La misma fue del orden de 1.500 x 106 m³ de hielo, valor que puede ser comparado con el derrame medio anual del río Tupungato, que es de 600 x 106 m³ de agua. La Figura 2 muestra las variaciones de los glaciares del río Plomo desde 1914. Este sistema glaciario es el más importante de toda la cuenca del río Mendoza.

El glaciar Piloto en las nacientes del río Cuevas

El glaciar Piloto es un pequeño glaciar de aproximadamente 1,5 km², ubicado al norte de los 32° 27' de latitud sur; los estudios de su balance de masa comenzaron en el año 1979. Dos modelos digitales del terreno (DTM), creados a partir de fotografías aéreas de 1963 y 1974, se usaron para calcular la variación del nivel de la superficie de hielo durante ese período (Leiva *et al.*, 1986).

El balance de masa de los glaciares es uno de los mejores indicadores de su estado de salud. La determinación del balance de masa anual del glaciar Piloto se inició en el año 1979 (Leiva, 1982, 1986, 1996, 1999). La Tabla 1 muestra los resultados de las mediciones del balance de masa del glaciar Piloto Este.

	c_n	a_n	b_n	Σb_n		c_n	a_n	b_n	Σb_n
1979-80	100	0	100	100	1991-92	180	116	64	-151,6
1980-81	30	116	-86	14	1992-93	70	119	-49	-200,6
1981-82	20	127	-107	-93	1993-94	105	79	26	-174,6
1982-83	270	119	151	58,2	1994-95	25	106	-81	-255,6
1983-84	95	116	-21	36,8	1995-96	50	200	-150	-405,6
1984-85	215	200	15	51,8	1996-97	0	230	-230	-635,6
1985-86	129	200	-71	-19	1997-98	80	200	-120	-755,6
1986-87	135	125	10	-9,4	1998-99	40	150	-110	-865,6
1987-88	143	124	19	9,3	1999-00	75	100	-25	-890,6
1988-89	111	200	-89	-79,8	2000-01	46	85	-39	-929,6
1989-90	140	200	-60	-140	2001-02	65	95	29	-900,6
1990-91	124	200	-76	-215,6	2002-03	50	200	-150	-1050,6

c_n: acumulación media, a_n: ablación media, b_n: balance medio anual = a_n - c_n y Σb_n: balance de masa acumulado en centímetros de equivalente en agua (modificada de Leiva, 2004)

Tabla 1. Balance de masa del glaciar Piloto Este.

A pesar de que el período de tiempo de las observaciones contiene episodios ENSO (El Niño Southern Oscillation) importantes (que están asociados a altas precipitaciones de nieve en los Andes de Mendoza), el balance de masa acumulado es altamente negativo. Esto confirma la tendencia generalizada de recesión glaciar que se observa desde principios del siglo XVIII.

La Situación Ambiental Argentina 2005

Estudios realizados que utilizaron los datos del inventario de glaciares (Corte y Espizúa, 1981) muestran que, en años con escasa o nula precipitación nival en la cordillera de Mendoza, la importancia de la contribución de los cuerpos de hielo al derrame anual del río Cuevas es del 70 al 80% (Leiva *et al.*, 2003). La contribución de los cuerpos de hielo al derrame anual de los ríos Mendoza y San Juan, en años de escasa precipitación nívea, es del mismo orden (Leiva, 2003; Milana, 1997, 1998).

Conclusiones y pronósticos

Las fluctuaciones de los glaciares del río Plomo confirman el hecho actual y ampliamente conocido por la comunidad científica de que los glaciares de la Cordillera de Los Andes se hallan en este proceso de deterioro, al menos desde principios del siglo XX. El balance acumulado del glaciar Piloto Este muestra que dicho proceso de recesión glacial no sólo continúa, sino que también parece haberse acelerado en los últimos años.

Se ha establecido la importancia de la contribución de los cuerpos de hielo al derrame anual del río Cuevas en años de escasa precipitación nival en la cordillera; dichos resultados pueden ser extrapolados a otras cuencas de las provincias de Mendoza y San Juan. Esta tendencia climática, de aumento de la temperatura y disminución de las precipitaciones de nieve en cordillera, incrementará la velocidad de la pérdida de masa de los glaciares de la Cordillera de los Andes, como ya se viene evidenciando con los notables retrocesos (y desapariciones) medidos por diversos autores en el último siglo.

En las provincias de Mendoza y San Juan la disminución de los glaciares hará que los caudales de los ríos sean mucho más dependientes de la precipitación nívea en la cordillera como consecuencia de la menor importancia del aporte glacial a los mismos. Los 2.000.000 de habitantes de estas provincias se hallan distribuidos en ocho oasis[1] urbanos, suburbanos y productivos que colonizan una pequeña fracción del territorio desértico, cuya regulación hídrica se hace por nueve embalses[2] y una compleja red de riego que, hoy, se han hecho indispensables. La mitad de esos habitantes se sitúa en el Oasis Norte-Este de Mendoza, donde la irrigación agrícola se produce por turnos semanales que, como en el resto del territorio, son muy sensibles a la cantidad de agua de deshielo disponible. Cada año es más la cantidad de cauces que deben ser impermeabilizados, y está en proyecto la entubación completa de la parte terminal de la red, que se encuentra al nivel de los usuarios. Todas estas actividades y obras intentan mejorar el aprovechamiento del recurso hídrico para mitigar su alta variabilidad y su escasez, que serán cada vez más agudas como consecuencia del impacto del aumento de la población y del cambio climático sobre las cuencas cordilleranas.

Notas

[1] *Iglesia-Jachal, San Juan, Caucete-9 de Julio, Mendoza, San Martín, Valle de Uco, San Rafael-Alvear, Malargüe.*

[2] *Cuesta del Viento, Ullúm, Potrerillos, El Carrizal, Agua del Toro, Los Reyunos, El Tigre, Valle Grande, El Nihuil, más otras menores en Medrano y Malargüe, además de futuras obras en proyecto.*

CAMBIO CLIMÁTICO Y ENERGÍA

Por: Carlos G. Tanides

Proyecto Recursos Energéticos Alternativos, Fundación Vida Silvestre Argentina (FVSA).
energia@vidasilvestre.org.ar

La información sobre el cambio climático (CC), que emerge de estudios científicos tales como el tercer informe del Intergovernmental Panel on Climate Change (IPCC, 2001 b) y de otras numerosas publicaciones científicas, señala cada vez con más contundencia el desalentador panorama del impacto que tendrá sobre la naturaleza este fenómeno, por un lado, y su fuerte conexión con la actividad antrópica, por el otro. En muchos casos, la información advierte los impactos ya producidos sobre los ecosistemas y, en un futuro, acerca de los cambios y la extinción que provocará en un gran número de especies.

El incremento de temperaturas, previsto dentro de un rango que abarca entre los 1,4 y los 5,8°C, amenaza enormemente la biodiversidad, los ambientes naturales y al ser humano. Concretamente, las consecuencias del CC en el planeta pueden ser muy serias: pérdidas de ecosistemas, temperaturas máximas y mínimas más elevadas, episodios de precipitaciones más intensos, mayor cantidad de eventos meteorológicos extremos (entre los que se incluyen tormentas, tornados, huracanes, etc.), mayores riesgos de inundaciones y sequías, reducción de glaciares y hielos polares, aumento del nivel del mar, etc.

A partir de estos estudios, también surge con claridad que existe un límite de 2°C de sobreelevación de temperatura –con respecto a los niveles preindustriales–, a partir del que los impactos ambientales se tornan extremadamente adversos, razón por la cual la WWF, la Unión Europea (UE) y otros países han aceptado este valor como un marco de referencia para definir la meta de emisiones máximas y la profundidad que deberán tener los programas de mitigación y de adaptación.

Concretamente, en la Argentina la temperatura media anual ha aumentado aproximadamente 1°C, y la década del 90 ha sido la más calurosa de este siglo; 1995 fue el año que ha registrado las temperaturas más elevadas. El norte del país se calentará considerablemente más rápido que el sur. La tendencia en la precipitación anual ha sido el incremento en alrededor de un 10%. Los cambios futuros en la precipitación anual diferirán entre las regiones del este y del oeste: declinará sobre los Andes (en las regiones de Cuyo y Comahue) y se incrementará en el oriente del país (en la región baja de la cuenca del Río de la Plata).

Los cambios en la precipitación tienen efectos sobre los caudales de los ríos argentinos. Dado que muchas regiones dependen en gran medida de los ríos y los deshielos de los Andes para satisfacer sus requerimientos de agua (para beber, para las actividades de irrigación y de producción de energía hidroeléctrica), los escenarios sugieren un peligro real derivado de la reducción de los flujos fluviales y, por lo tanto, un suministro inferior de agua en la región. Menos precipitaciones y temperaturas en ascenso conducirán a deshielos tempranos y a una mayor evaporación en las partes bajas de las cuencas. Este pronóstico representa una preocupación, debido a la ya limitada disponibilidad de agua potable en las regiones del centro y del occidente de la Argentina.

El sector energético

En orden de importancia, los gases de efecto invernadero (GEI) más destacables son el dióxido de carbono (CO_2), que se produce al quemar combustibles fósiles (carbón, petróleo y gas) y al talar y quemar bosques; el metano, producto de las actividades agropecuarias y los basurales; y el óxido nitroso, generado principalmente por la fertilización en la agricultura.

La historia del aprovechamiento de los combustibles fósiles comienza comercialmente con el carbón desde el siglo XVII, y prosigue con el petróleo desde 1850 y el gas aproximadamente por la misma época. Desde ese entonces, su consumo ha sido acompañando por la industrialización y el crecimiento de la población, que alcanza actualmente los 6.500.000.000 de habitantes. En la actualidad, cada ser humano consume, en promedio, ocho veces más energía que la consumida hace pocos cientos de años. El 88% de toda esta energía empleada por la humanidad proviene de los combustibles fósiles. Su utilización abarca varias actividades: generación de electricidad, procesos industriales, transporte (terrestre, acuático o aéreo), cocción y conservación de alimentos, climatización ambiental e infinidad de otras aplicaciones.

Para respetar el tope de los 2°C de sobreelevación de temperatura mencionado anteriormente, la concentración de los GEI no deberá superar las 400 ppmv (partes por millón en volumen), lo cual se traduce en que las emisiones deberán alcanzar un máximo y luego declinar fuertemente en el término de los próximos veinte años. Esta exigencia, dadas las actuales estructuras energéticas y el camino que siguen las emisiones, representa un tremendo desafío para nuestra sociedad, que puede ser superado, no sin dificultad, a partir de una fuerte convicción y un compromiso de todos los sectores involucrados.

Más aún, lamentablemente, los últimos informes técnicos señalan que las emisiones de CO_2 del mundo, lejos de estar deteniéndose, han aumentado un 4,5% en el año 2004 (el aumento más importante desde el año 2000). En la actualidad, las emisiones mundiales son un 26% más grandes que en 1990.

El futuro

Si se parte de que el CC ya está ocurriendo y que, por más medidas efectivas que se tomen, éste no podrá retrotraerse rápidamente, existen dos formas para contrarrestar sus efectos. Una de ellas es la **adaptación**, que busca promover las modificaciones necesarias en el manejo de las ecorregiones, la infraestructura, los comportamientos humanos y las pautas económicas para que las zonas afectadas se ajusten a la nueva realidad y se asista a una transición menos traumática en términos sociales y económicos, y con pocos impactos sobre la biodiversidad. La segunda forma es la **mitigación**, que sostiene que –frente a los actuales ritmos y tendencias de emisiones– los cambios seguirán avanzando más acentuadamente, por lo que urge detener el proceso minimizando las causas. Para ello, deben tomarse acciones decisivas en políticas y educación pública, en el desarrollo de nuevas tecnologías y en la promoción de la eficiencia energética y la utilización de energías más limpias.

La mitigación ofrece muchas oportunidades para la Argentina. Si se tiene en cuenta que el crecimiento del Producto Bruto Interno (PBI) va acompañado de un supuesto aumento de las emisiones, ahora más que nunca se debe encarar un desarrollo limpio que evite futuros problemas ambientales. Para ello, es necesario hacer lo que hasta ahora no se ha hecho: planificar.

Las evaluaciones ecorregionales, la certificación forestal o el ordenamiento territorial son claros ejemplos que contribuyen a un desarrollo planificado que minimiza los efectos sobre el CC. Las alternativas para minimizar las emisiones en el sector energético, que en 2000 representaban el 44% del total del país, son fundamentalmente dos: actuar sobre los consumos para evitar el derroche y utilizar las fuentes energéticas limpias y renovables.

El lado del consumo: uso eficiente de la energía

El **uso eficiente de la energía (UEE)** es el estudio del consumo energético y de la manera en que éste puede ser optimizado, si se obtienen los mismos servicios a partir de una menor cantidad de energía. Entre los servicios más comunes que la energía provee, se encuentran el **transporte** (por automóviles, aviones, barcos, etc.), la **fuerza motriz** (por medio de motores de combustión interna, eléctricos, etc.), la **iluminación** (mediante lámparas incandescentes, de descarga, etc., o con luz natural), la **conservación de alimentos** (heladeras, *freezers*, etc.), la **cocción de alimentos**, la **climatización** (estufas a gas, electricidad y equipos de aire acondicionado), etc. Para todos los artefactos existen alternativas tecnológicas eficientes, que emplean menos energía y, en definitiva, brindan el mismo servicio ¡sin contaminar y a un menor costo durante su vida útil!

La promoción de la eficiencia energética requiere, entre otros elementos, de programas integrales de educación, información, desarrollo de tecnologías y financiamiento de las medidas de eficiencia. Estas acciones requieren, por un lado, programas de estudio específicos en todos los niveles educativos

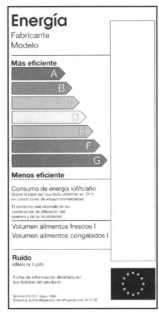

Figura 1. Modelo de etiqueta de eficiencia energética a ser aplicada en la Argentina a partir de 2006

La Situación Ambiental Argentina 2005

y campañas de información a los consumidores y, por otro lado, el uso de sistemas de etiquetado que incentiven la adopción de tecnología eficiente en el uso de energía. Las **etiquetas de eficiencia energética** (Figura 1) son etiquetas informativas que se adosan a los productos manufacturados para describir su desempeño energético; su objetivo es mostrar al público consumidor cuál es la eficiencia del producto que están comprando. Muchos países del mundo han adoptado con mucho éxito estas etiquetas desde hace por lo menos veinte años. En la Argentina comenzarían a aplicarse en forma obligatoria, en un principio para heladeras y *freezers*, en abril de 2006.

El lado de las fuentes de energía: energías renovables

Las fuentes de energía tradicionales son los combustibles fósiles, las grandes centrales hidroeléctricas, las centrales termonucleares, etc., y las opciones a estas fuentes se denominan energías renovables, energías limpias o energías no convencionales.

Básicamente, las fuentes renovables transforman la energía radiante solar en la forma de energía deseada: calor, electricidad, energía mecánica, etc. Utilizar la energía del Sol tiene enormes ventajas, pues no sólo es una fuente gigantesca e inagotable, sino que, además, está distribuida de manera más amplia que cualquier otra forma de energía y, bien empleada, es una energía no contaminante.

Las fuentes renovables más convenientes son, en este momento, la eólica (que consiste en el aprovechamiento del viento), la biomasa, las micro y miniturbinas hidráulicas, las solares térmicas (que captan la energía solar para calentar agua, aire, etc.), las fotovoltaicas (que generan electricidad a partir del Sol), etc. La energía eólica ha sido, en el mundo, la que más se ha difundido en la última década, y se estima también que, en breve, la biomasa ocupará un lugar destacado.

En la Argentina, el Grupo CAPSA (Compañía Argentina de Petróleo Sociedad Anónima) está trabajando en el desarrollo de un interesante proyecto para generar hidrógeno a gran escala a partir de la energía eólica, como una opción más que permitiría aprovechar este enorme recurso que posee el país, el viento, con fines energéticos.

Situación en la Argentina y posición de la FVSA

La situación argentina en el tema de la adaptación y la mitigación al CC está, en términos prácticos, bastante lejos de lo óptimo. Se podría decir que, si bien existe algún trabajo desarrollado, todavía no se cuenta con una fuerte política en estos temas. En este sentido, la FVSA invita a todos los actores involucrados con este problema global a aunar esfuerzos para una mayor integración de sus actividades en los objetivos globales del desarrollo sustentable, por medio de:

• El estudio y la incorporación responsable de las oportunidades que surgen de la Convención Marco de Naciones Unidas sobre cambio climático (suscripta por la Argentina en 1993 y adoptada a través de la Ley Nacional Nº25.438; Protocolo de Kyoto aprobado por la Ley Nacional Nº24.295).

- El uso eficiente de la energía y la promoción de artefactos domésticos eficientes.
- La inversión creciente en el uso de fuentes de energía no contaminantes.
- El desarrollo local de tecnologías para usar el hidrógeno del agua como combustible, así como también para generarlo en base a energía eólica, solar y geotérmica. Este país está en condiciones de posicionarse en la punta de estas tendencias.
- La promoción de una estructura legal y regulatoria que impulse vigorosamente los aspectos anteriores.

Si bien la Argentina representa un pequeño emisor de GEI en el contexto mundial, la característica del problema del CC requiere, como ningún otro, del aporte de todas las contribuciones que puedan realizarse en todas partes del mundo, en la medida de las posibilidades que cada país tenga.

Bibliografía

- Aniya, M. *et al.*, "Recent glacier variations in the Southern Patagonia Icefield, South America", *Arctic and Alpine Research*, 29, 1997, pp. 1-12.
- Barnett, T. P., D. Pierce, R. Schnuur, "Detection of Anthropogenic Climate Change in the World´s Oceans", *Science*, 292, 13 de abril de 2001.
- Bolin, B., "Climatic Change and their effects on the Biosphere", WMO, N°542, 1990.
- Canziani, O. F. y J. C. Gimenez, "Study of Change in Climate during the 20th century in Argentina", Impacts study, Section Hydrology, EPA, 2002.
- Canziani, O. F., R. Quintela y M. Prieto, "Vulnerabilidad de los Oasis comprendidos entre 29° y 36° S ante condiciones más secas en los Andes altos", Proyecto Arg/95/G31-PNUD-SECYT, 1998.
- Casassa, G., A. Rivera, F. Escobar, C. Acuña, J. Carrasco y J. Quintana, "Snow line rise in Central Chile in recent decades and its correlation with climate", *Geophysical Research Abstracts*, Vol. 5, 2003.
- Corte, A. E. y L. E. Espizua, "Inventario de glaciares de la cuenca del Río Mendoza", IANIGLA-CONICET, 1981, 62 páginas y 19 planos.

- Entidad Binacional Yacyretá, Contrato entre la Entidad Binacional Yacyretá y el Dr. Osvaldo F. Canziani, Buenos Aires, 15 de abril de 1993.
- Escobar, F. y P. Aceituno, "Influencia del fenómeno ENSO sobre la precipitación nival en el sector andino de Chile central durante el invierno", *Bulletin de l'Institute Français d'Etudes Andines*, Vol. 27, 1998, 3, pp. 753-759.
- Gervasi, D. "Sustainable Water management model for agricultural sector of the north oasis in Mendoza province, Argentina", *International Symposium on Irrigation and Water Relations in Grapewine and Fruit Trees*, Mendoza, 2001.
- Helbling, R., "Beitrage zur Topographischen Erschliessung der Cordilleras de los Andes zwischen Aconcagua und Tupungato", Sonderabdruck aus dem XXIII Jahresbericht des Akademischen Alpenclub, Zürich, 1919.
- Implementation Plan for the Global Observing System for Climate, in support of the UNFCCC, WMO/TD, N° 1.244, octubre de 2004.
- Informe Anual de la Secretaría de Energía, 2003.

• IPCC, *Climate Change 2001: Synthesis Report*, A contribution of Working Groups I, II and III to the Third Assessment Report of the Intergovernmental Panel on Climate Change, Cambridge, Cambridge University Press, 2001 a, 398 pp.

• IPCC, *Climate Change 2001: Impacts, Adaptation and Vulnerability*, Contribution of Working Group II to the Third Assessment Report of the Intergovernmental Panel on Climate Change, Cambridge, Cambridge University Press, 2001 b, 1.032 pp.

• Leiva, J. C., "Comparison of the Climate Change impacts on mass balance behavior of two small glaciers of the Central Andes of Argentina and Chile", enviado para su publicación a *Hydrological Sciences Journal*, 2004.

• Leiva, J. C., G. A. Cabrera y L. E. Lenzano, "20 years of mass balances on the Piloto glacier, Las Cuevas river basin, Mendoza, Argentina", enviado para su publicación a *Global and Planetary Change*, 2003.

• Leiva, J. C., G. A. Cabrera y L. E. Lenzano, "Glacier mass balances in the Cajón del Rubio, Andes Centrales Argentinos", *Cold Regions Science and Technology*, Amsterdam, Elsevier Science Publishers B. V., 13, 1986, pp. 83-90.

• Leiva, J. C., L. E. Lenzano, G. A. Cabrera y J. A. Suarez, "Variations of the río Plomo glaciers, Andes Centrales Argentinos", en: Oerlemans, J. (ed.), *Glacier Fluctuations and Climatic Change*, Kluwer Academic Publishers, 1989, pp. 143-151.

• Leiva, J. C., "Le glacier Piloto du Cajón del Rubio, Andes Centrales Argentinos", Tesis de 3eme. Cycle, Universidad Científica y Médica de Grenoble, 1982, inédito.

• Leiva, J. C., "Recent fluctuations of the argentinian glaciers", *Global and Planetary Change*, 22, 1999, pp. 169-177.

• Leiva, J. C. y G. A. Cabrera, "Glacier Mass Balance Analysis and Reconstructions in the Cajón del Rubio, Mendoza, Argentina", *Zeitschrift für Gletscherkunde und Glazialgeologie*, 31, 1996, pp. 1-7.

• Luckman, B. H. y R. Villalba, "Assessing synchroneity of glacier fluctuations in the western cordillera of the Americas during the last millennium", en: Markgraf, V. (ed.), *Interhemispheric Climate Linkages*, Academic Press, 2000, pp. 119-140.

• Milana, J. P., "Predicción de caudales de ríos alimentados por deshielo mediante balances de energía: Aplicación en los Andes Centrales, Argentina", *Revista de la Asociación Argentina de Sedimentología*, 5 (2), 1998, pp. 53-69.

• Milana, J. P. y A. Maturano, "Modelling fluvial runoff using energy balance on glaciers, Arid Andes of Argentina", Symposium: Glaciers of the Southern Hemisphere, Melbourne, IAMAS-IAPSO Congress: Earth-Ocean-Atmosphere Forces for Change, 1997.

• Morábito, J. A. "Desempeño del riego por superficie en el área de riego del río Mendoza. Eficiencia actual y potencial. Parámetros de riego y recomendaciones para un mejor aprovechamiento agrícola en un marco sustentable." *Tesis de Magíster Scientiae. Maestría de Riego y Drenaje*, Facultad de Ciencias Agrarias – Universidad Nacional de Cuyo, 2003, 91 pp.

• Oerlemans, J., "Quantifying global warming from the retreat of glaciers", *Science*, 264, 1994, pp. 243-245.

• PNUD, "Estudios de Vulnerabilidad y Adaptación", Proyecto PNUD ARG/95/G31, PNUD-SECYT, 1987.

• Schwarzkopf, M. L., *Tormentas Severas y Tornados*, Vol. 1 y 2, Departamento de Meteorología, FCEN, UBA, 1983/1984.

• Skvarca, P., K. Satow, R. Naruse y J. C. Leiva, "Recent thinning, retreat and flow of Upsala Glacier, Patagonia", *Bulletin of Glacier Research*, 1995, 13, pp. 11-20.

• Villalba, R., J. C. Leiva, S. Rubulis, J. A. Suarez y L. Lenzano, "Climate, tree rings and glacier fluctuations in the Frías valley, Río Negro, Argentina", *Arctic and Alpine Research*, 22, 1990, pp.150-174.

• Warrick, R. A., C. Le Provost, M. F. Meier, J. Oerlemans y P. L. Woodworth, "Changes in Sea Level", en: Houghton, J. T., L. G. Meira Filho, B. A. Callander, N. Harris, A. Kattemberg y K. Maskell (eds.), *Climate Change 1995, The Science of Climate Change*, Cambridge, Cambridge University Press, 1996, 572 pp.

LAS ÁREAS PROTEGIDAS DE LA ARGENTINA

Por: Rodolfo Burkart

Administración de Parques Nacionales (APN). rburkart@apn.gov.ar

Hay en la Argentina trescientas sesenta Áreas Protegidas (AP), entre las que cuentan los parques nacionales, otras unidades a cargo de la Administración de Parques Nacionales (APN) y un número mucho mayor de áreas a cargo de otros órganos de gobierno –nacionales, provinciales o municipales–, de ONG y particulares. Estas áreas protegen sitios silvestres que son muestras donde se conservan la diversidad de vida y los recursos naturales, así como también los recursos culturales asociados.

Al presente, las trescientas sesenta AP comprenden 18.936.000 ha, una extensión casi tan grande como la Mesopotamia, un 6,78% del territorio nacional, según la base de datos actualizada en 2004 del Sistema de Información en Biodiversidad (SIB) de la APN. De esas AP, treinta y cuatro son de jurisdicción nacional, a cargo de la APN, y abarcan 3.668.400 ha, es decir, un 1,31% del territorio argentino.

Si bien en el último lustro (2000-04) la superficie total de las AP creció en 3.429.000 ha, lo que representa un 18% de incremento, la citada proporción territorial actual es aún insuficiente, pues en ámbitos internacionales se recomienda un 10% de superficie protegida de cada país o región (o más de un 15%, si se considera toda la gama de categorías de protección) y el promedio mundial terrestre se ubica actualmente en torno al 11% (COP 7-CDB, 2004). A ello se suma que esta cobertura media es de distribución sumamente desigual entre ecorregiones donde varias de aquéllas adolecen una extrema insuficiencia (tienen menos del 5% protegido) como la Pampa, el Espinal, los Campos y Malezales (Corrientes), el Chaco Húmedo, el Chaco Seco y el Monte (Tabla 1).

Además, se debe considerar que ese 6,78% de AP comprende una gama de distintas categorías de manejo en que se clasifican. Más de tres cuartas partes de su extensión (78%) pertenecen a categorías llamadas "de protección parcial", como las reservas de uso múltiple y partes de las reservas de biosfera. Este tipo de protección permite la presencia de población y el aprovechamiento ordenado de los recursos naturales –ganadería, uso forestal, caza (UICN, 1994). Son pocos los casos en que tales usos están ordenados efectivamente, lo que supone distintos grados de deterioro del capital natural, aun dentro de las AP. Las áreas de protección total o estrictas son casi, en su totalidad, de dominio estatal, sin población ni uso extractivo, y comprenden apenas algo más del 1% del territorio (es decir, el 22% del área protegida total).

Por otro lado, la protección efectiva que reciben las áreas es, en gran parte, deficiente. Si se toma en cuenta un indicador muy elemental de efectividad como el control de terreno, el banco de datos del Sistema Federal de Áreas Protegidas (SIFAP) que opera la APN registra que un 44% de toda la superficie declarada bajo protección no posee control de terreno alguno, que un 37% tiene control insufi-

Ecorregión	Superficie total (ha)	Área protegida (ha)	Porcentaje correspondiente a cada superficie (%)
Bósques Patagónicos	7.000.000	2.498.600	35,69
Esteros del Iberá	3.793.000	1.233.200	32,51
Selva de Yungas	4.661.000	1.480.900	31,77
Puna	8.640.000	2.244.500	25,98
Delta e Islas del Paraná	4.825.000	1.011.300	20,96
Selva Paranaense	2.686.000	478.200	17,80
Altos Andes	14.300.000	2.360.500	16,51
Monte Serrano	11.710.000	1.008.200	8,61
Estepa Patagónica	53.446.000	2.735.800	5,12
Monte Llano	35.331.000	1.299.300	3,68
Chaco Seco	49.298.000	1.809.200	3,67
Chaco Húmedo	11.850.000	286.400	2,42
Pampa	39.133.000	411.900	1,05
Espinal	29.740.000	78.000	0,26
Campos y Malezales	2.768.000	300	0,01
TOTALES	**279.181.000**	**18.936.300**	**6,78**

Fuente: Datos SIFAP. Sistema de Información de Biodiversidad (SIB) de la APN.

Tabla 1. Cobertura de área protegida por ecorregiones en la Argentina.

ciente y que sólo el 19%, un control mínimo aceptable. Entre estas últimas se cuenta la mayoría de los parques y de las reservas nacionales que son, en general, las AP –relativamente– mejor cuidadas, aunque eso no supone autosuficiencia a largo plazo ni una garantía de viabilidad ecológica para los ecosistemas que protegen.

Los sistemas provinciales de AP tienen, en general, carencias muy fuertes en su administración, tanto en lo que se refiere a presupuesto, equipamiento, recursos humanos y capacidades como en lo que respecta a lo jurídico y regulatorio. Son muy pocas las administraciones provinciales que cuentan con cierto desarrollo institucional para el control y el manejo de sus AP, como en el caso de Misiones y Chubut.

Este débil panorama institucional en nada ha mejorado en los años recientes, mientras las amenazas que atentan contra la biodiversidad se agravaron a ritmos vertiginosos en varias regiones del país. El fenómeno, quizá, más prepotente es la deforestación en regiones boscosas o, en general, la conversión de hábitat naturales con destino a la agricultura (Chaco, Selva Paranaense, Selva Pedemontana de las Yungas, Espinal, Pampa) y a las plantaciones forestales (Selva Paranaense, Campos y Malezales, Espinal Mesopotámico).

Este proceso, que se da sin planificación alguna, tiene dos consecuencias graves para la conservación de la naturaleza. Por un lado, avanza en muchos casos hasta los límites mismos de las AP, como está ocurriendo en parques nacionales como Copo, Chaco o Iguazú. Si llegan a quedar aislados, dado su tamaño chico o mediano, esos parques perderán con el tiempo una parte importante de su biodiversidad. Por el otro lado, la irregular fragmentación del hábitat silvestre fuera de las AP anula la oportunidad para crearlas en el futuro. Los remanentes de un cierto tipo de bosque que en un momento determinado hayan podido sobrevivir al desmonte suelen quedar en fragmentos de tamaño y formas tan irregulares, que son inservibles para crear en ellos AP viables.

Estos cambios vertiginosos en el uso del territorio, ligados al cambio climático que se registra a nivel planetario, han obligado a repensar la todavía necesaria estrategia de ampliación del sistema de AP. Se entiende que el procedimiento de crear nuevas AP dispersas en diferentes sitios de una región –aunque seleccionadas por su valor de conservación– no asegura a largo plazo la conservación de la biodiversidad. Hoy se cuenta con categóricos fundamentos científicos (Bennett, 1998; Fahrig, 2003) acerca de la pérdida de la biodiversidad en áreas silvestres aisladas. Cuando una de estas AP, por un determinado disturbio (natural o provocado) sufre la extinción de una o varias especies de su elenco, nunca será repoblada por individuos de la misma especie provenientes de las vecindades si el espacio a sortear constituye una barrera infranqueable, como lo son las rutas, las zonas de cultivos o las zonas urbanas.

La estrategia con la que se intenta superar esta circunstancia se basa en dos criterios principales: de "amortiguamiento" y de "conectividad biológica". El primero privilegia la conformación de agrupamientos espaciales de AP de distinta categoría, complementarias entre sí, de modo tal que las de protección estricta gocen del efecto amortiguador de un entorno de áreas de protección parcial (modelo Reserva de Biosfera). A su vez, con este criterio se pretende que aquéllas sirvan de fuente de recolonización de las fracciones que sufren la extinción local de las especies por disturbios antrópicos. El segundo criterio procura configurar corredores ecológicos entre AP separadas como franjas de territorio en las que se adopten medidas de especial concertación y fomento respecto de sus propietarios u ocupantes, para que reduzcan la conversión del hábitat y lo manejen a niveles compatibles con la supervivencia y la movilidad de las poblaciones silvestres.

La V Conferencia de las Partes del Convenio de Diversidad Biológica adoptó el llamado "enfoque ecosistémico" (COP 5- CDB, 2000), que avala aquella estrategia y concibe la conservación *in situ* como una gestión de las AP estrictas integrada a la de amplias extensiones del paisaje del que es parte integrante.

Inevitablemente, la aplicación de aquella estrategia sobre la base de este enfoque hace necesario buscar las formas de extender la conservación a tierras privadas u ocupadas por pobladores rurales, e implica adoptar criterios de gestión "más allá de los límites" de las AP, más complejos y ambiciosos que los tradicionales, pero con perspectivas mucho mayores de inserción y consenso dentro de la comunidad (nacional y local). Entre estas premisas podemos destacar:

• Gestión territorial mixta o concertada y apertura a la participación social.
• Mejora y fomento de modelos y prácticas de uso de los recursos locales.
• Distribución compartida de los costos y los beneficios de la conservación con la población involucrada.
• Planificación biorregional como parte del ordenamiento territorial.
• Coordinación y cooperación entre jurisdicciones y otros ámbitos de gestión.

A continuación, se hace referencia a una breve fundamentación de estos criterios y los avances que hubo en el último lustro acerca de su aplicación en diversos casos concretos.

Gestión territorial mixta o concertada y apertura a la participación social. Lograr objetivos de conservación en amplios territorios de entorno y conexión ligados a AP requiere de acciones e instancias de participación, concertación y capacitación, tanto con pobladores y propietarios como con autoridades y representaciones locales y regionales. A título de ejemplos, la APN ha reactivado en los últimos años el funcionamiento de las Comisiones Asesoras Locales (CAL) de los parques, con la participación de representaciones de gobiernos provinciales y municipales, no gubernamentales, sectoriales y sociales. Varias de las reservas de biosfera (RB) del país han constituido su comité de gestión como ente administrador mixto, entre las autoridades y las representaciones locales involucradas. En la RB Yungas, la de más reciente creación (2002), el comité se organizó con anterioridad y participó en el proyecto de constitución de la misma. Dada su gran extensión (1.350.000 ha), hoy funcionan cuatro comités zonales en las provincias de Salta y Jujuy (ver Lomáscolo y Malizia en este volumen).

Mejora y fomento de modelos y prácticas de uso sustentable. La inserción de objetivos de conservación en el manejo de tierras productivas comprometidas en las funciones de amortiguación y conectividad supone poner un esmero considerable en ordenar el uso de los recursos naturales. El frecuente deterioro de su productividad y "habitabilidad" (para la vida silvestre) se debe a la sobreexplotación sin manejo alguno que se hace de ellos. Aplicar buenas prácticas de manejo detiene el deterioro y mejora la renta agregada de la oferta múltiple de bienes y servicios de la biodiversidad (incluido el ecoturismo), y reduce la brecha que la separa de la rentabilidad de los cultivos. Los modelos y las técnicas del manejo de ecosistemas (trátese de bosques, matorrales, pastizales o humedales), con uso múltiple y sustentable de sus productos y el procesado local de éstos, representan una tecnología especializada de escaso desarrollo al presente. Debe promoverse la investigación sobre la dinámica y el manejo de los ecosistemas y de sus componentes útiles, a fin de mejorar los ingresos del poblador o propietario rural y, además, para consolidar y perfeccionar su patrimonio cultural tradicional de conocedor y usufructuario de los recursos de la naturaleza (en vez de desplazarlo, como hace en muchos casos el modelo agrícola intensivo). En los últimos años, la APN emprendió proyectos de "actividades sustentables" para pobladores de las zonas de amortiguación de varios parques, en particular de los vinculados al Proyecto GEF (Global Environment Facility)de Conservación (Quebrada del Condorito, San Guillermo, Copo); zonas que las respectivas provincias declararon reservas de categoría no estricta (Reserva de uso múltiple, Reserva hídrica, etc.). La Fundación Vida Silvestre Argentina (FVSA) ha orientado en muchos casos su programa de Refugios de Vida Silvestre a experiencias de uso sustentable de recursos silvestres (ver Moreno *et al.* en este volumen). La Fundación Hábitat & Desarrollo de Santa Fe impulsa la creación de reservas privadas con manejo silvopastoril de montes y sabanas en el Espinal y el Chaco Húmedo.

Distribución compartida de los costos y los beneficios de la conservación con la población involucrada. La cobertura de los costos de la conservación no radica en la mera voluntad política de la autoridad de asignarle el adecuado presupuesto a las AP, sino en reconocerles a las mismas –sean públicas o privadas– un derecho conceptual o, si se quiere, "doctrinario" a percibir una remuneración por los servicios ambientales que brindan. Se trata de servicios recreativo-turísticos, de protección de las cuencas y de las fuentes de agua potable y de riego, de protección de la biodiversidad, de sumidero de carbono (no emisión de gases de efecto invernadero), etc. El pago por la prestación de estos servicios ambientales tiene un carácter muy diferente al de un subsidio, dado que es la forma en que la sociedad toda comparte con el particular el lucro cesante o diferido que "le cuesta" mantener y ordenar el uso de tierras en su condición silvestre. Es una herramienta clave a la que debe darse la correcta forma jurídica para que pueda ser aplicada en tierras privadas de AP no estrictas. Cierta legislación provincial sobre AP de reciente sanción, como la de Chubut, Misiones y Salta, ha introducido incentivos a la constitución de reservas privadas, pero hasta hoy ha sido aplicada a casos muy contados o directamente no ha sido aplicada. Sin embargo, el concepto de servicios ambientales se está introduciendo en la estrategia de conservación de varios países del continente (e.g., Costa Rica, México, Colombia).

Planificación biorregional como parte del ordenamiento territorial. Sobre la base de lo visto anteriormente, es evidente que la necesaria expansión del sistema de AP debe gestarse en el marco de una planificación biorregional, así definida cuando incorpora la valoración de la biodiversidad como elemento de decisión determinante en el ordenamiento del territorio. Recientemente se han hecho estudios de identificación de áreas prioritarias para la conservación, en el país y en las ecorregiones amenazadas, en particular, que sirven de base informativa para la planificación de nuevas AP y corredores. La FVSA impulsó y coordinó, con el apoyo de ONG internacionales, estudios de este tipo sobre el Gran Chaco y los Pastizales templado-subtropicales (ver Herrera y Martínez Ortiz, y Miñarro *et al.* en este volumen). Aves Argentinas los hizo para la identificación de Áreas de Importancia para la Conservación de Aves (AICA) en todo el país. Entretanto, han avanzado en el último lustro gestiones de creación de grandes espacios protegidos en algunas provincias: Reserva de Biosfera Yungas (2002) en Salta y Jujuy, Reserva de Recursos del Impenetrable Chaqueño (2004, casi 1.000.000 ha aún sin delimitar) en Chaco, los Sitios Ramsar (humedales) como Jaaukanigas (2001, 492.000 ha) en Santa Fe y los humedales del Chaco (2003, 508.000 ha) en Chaco. Se trata de AP declaradas, cuya instrumentación efectiva es incipiente o no se inició aún. La APN impulsa la iniciativa de los "corredores chaqueños", junto con algunas provincias de la región, y busca coordinar territorialmente (instancia integradora aún faltante) la referida base de información, los proyectos de nuevas AP y los proyectos de desarrollo regional (e.g., el Plan Estratégico de Acción del Río Bermejo).

Coordinación y cooperación entre jurisdicciones y otros ámbitos de gestión. A partir de 2003 se ha comenzado a estructurar, con la firma de un convenio tripartito entre la Secretaría de Ambiente y Desarrollo Sustentable SAyDS, la APN y el COFEMA (Consejo Federal de Medio Ambiente, como representante de las provincias), el **Sistema Federal de Áreas Protegidas** (SIFAP), cuyo funcionamiento como ente federal articulador entre las administraciones provinciales y nacionales en esta competencia se encaminó bajo la dirección de un comité ejecutivo, coordinado en un primer período por la APN. Tiene previsto incorporar aportes de la sociedad civil en un futuro cercano. Este ente federal retomó las funciones de coordinación, cooperación y planificación conjunta entre jurisdicciones (cuyo antecedente fue en los años 80 la Red Nacional de AP), totalmente faltantes en el país (motivo, en parte, por las deficiencias arriba analizadas), y sumó sinergia a los esfuerzos individuales en marcha.

LOS CORREDORES ECOLÓGICOS EN LA ARGENTINA

Por: Andrea Frassetto, Claudio Daniele, Daniel Somma y Lía Bachmann
Programa de Investigación y Desarrollo en Reservas de la Biosfera, Instituto de Geografía, Facultad de Filosofía y Letras, Universidad de Buenos Aires (UBA). andrefrassetto@yahoo.com.ar

Las estrategias de conservación de la biodiversidad pueden implementarse a través de diferentes instrumentos como las Áreas Naturales Protegidas (públicas o privadas), los corredores ecológicos y el ordenamiento territorial, entre otros. Una de las herramientas de conservación aplicadas en la actualidad es la gestión de corredores ecológicos, los cuales representan formaciones naturales con características singulares que cumplen una función de conectividad de hábitat para una gran variedad de especies[1].

El concepto de corredor ecológico es reconocido a nivel mundial. Su carácter flexible permite establecer en su interior distintas categorías de manejo aplicadas a través de zonas de protección de la naturaleza (como son los parques nacionales, provinciales, municipales o las reservas privadas) y áreas donde se desarrollan actividades productivas. Está formado por un mosaico de tierras con variados usos que son manejadas de manera integrada para garantizar la supervivencia a largo plazo del mayor número posible de especies, a través de la continuidad de sus hábitat y procesos ecológicos y del mantenimiento o la restauración de la conectividad ecológica de sus ecosistemas.

La idea de corredor ecológico se fundamenta, principalmente, en que la mayoría de las áreas naturales protegidas en sí mismas constituyen áreas pequeñas para conservar poblaciones viables y procesos ecológicos a largo plazo. Sin un adecuado ordenamiento territorial, las AP pueden quedar sujetas a un aislamiento progresivo (insularización) por la conversión de hábitat en sus entornos (expansión agrícola o urbana).

En la Argentina, la Estrategia Nacional de Diversidad Biológica (SAyDS, Resolución 91/03) se refiere a los corredores en el punto referido al fortalecimiento del sistema de AP, cuando menciona como objetivo "Fomentar estrategias biorregionales para la implementación de corredores ecológicos que aseguren la mayor conectividad posible entre las áreas protegidas, disminuyendo sus riesgos de insularización"; y en el punto referido a las medidas de prevención o mitigación de la pérdida de diversidad biológica en los agroecosistemas, se menciona como objetivo "Compatibilizar espacialmente el desarrollo de agroecosistemas con la recuperación y mantenimiento de áreas silvestres y corredores biológicos". La APN en su Plan de Gestión (Plan de Gestión, 2001) incorporó dentro de los objetivos y metas institucionales "Integrar las unidades del Sistema Nacional de Áreas Protegidas entre sí y con otras de diferente jurisdicción, respondiendo a criterios de planificación biorregional que aseguren niveles de conectividad adecuados y criterios o estándares de conservación homologados". En relación con la representatividad y las prioridades del sistema de Áreas Naturales Protegidas, el Plan de Gestión (2001) consigna que "Cuando no sea posible ampliar la superficie de esos ENP (Espacios Naturales Protegidos), se iniciarán gestiones para que se establezcan, adyacentes a ellos, áreas protegidas provinciales o privadas, corredores de biodiversidad u otras alternativas, estableciendo pautas de manejo complementarias con dichas áreas".

Existen en el país varias iniciativas de corredores ecológicos. El objetivo de este trabajo es presentar una síntesis de la experiencia de los últimos años, en especial el Corredor Verde (en la provincia de Misiones), el Corredor de las Yungas (en las provincias de Salta y Jujuy), el Corredor Andino Norpatagónico (en las provincias de Neuquén, Río Negro, Chubut) y otras áreas con potencialidades para aplicar la estrategia de corredores.

Corredor Verde

Este corredor involucra veintidós municipios de la provincia de Misiones y se extiende sobre una superficie aproximada de 1.108.000 ha, de las cuales 412.259 corresponden a áreas naturales protegidas. Es el primero legalmente constituido en el país por la Ley Provincial N°3.631 del año 1999, por medio de la cual se creó el "Área Integral de Conservación y Desarrollo Sustentable", denominada "Corredor Verde de la Provincia de Misiones". Su finalidad es garantizar la conectividad de la Selva Paranaense de Misiones. Se extiende sobre un mosaico de paisajes que incluyen áreas naturales protegidas, propiedades privadas que poseen diversos usos, colonias agrícolas y comunidades indígenas. Entre las áreas naturales protegidas que contiene, se encuentran el Parque Nacional Iguazú, los Parques Provinciales Yacuy, Urugua-í, Guardaparque Horacio Foerster, Esperanza, Piñalito, Cruce Caballero, de la Araucaria, Valle del Arroyo Cuña Piru, Esmeralda y Moconá, la Reserva de Biosfera Yabotí, la Reserva de Uso Múltiple Universidad Nacional de Misiones (UNAM), la Reserva Natural Cultura Papel Misionero y algunas reservas privadas. Este corredor alberga aproximadamente 2.000 especies de plantas vasculares y más de un millar de especies de vertebrados (Unidad Especial de Gestión del Corredor Verde, 2005). La Selva Paranaense es identificada como uno de los *hotspot* de biodiversidad a nivel mundial y forma parte de la Selva Atlántica (Conservation International, 2005). La ley del Corredor Verde no reemplaza la legislación sobre el uso y la conservación de los recursos naturales, sino que la integra en una unidad territorial sobre la base de planeamiento biorregional, plantea la limitación de los incentivos económicos del gobierno que promueven la conversión de bosques y también la creación de

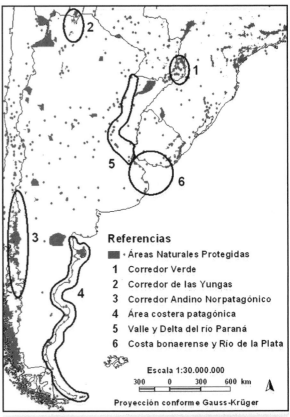

Figura 1. Corredores ecológicos en desarrollo o potenciales en la Argentina. Elaborado en base a: Instituto de Geografía - UBA y World Wildlife Fund. 2003 "Protected areas of Latin America and the Caribbean: Development of an spatial databank for conservation. Analysis and preparation for the WDPA Consortium concerning the V World Parks Congress. Durban 2003

un fondo de incentivos para actividades sostenibles implementadas a partir de la gestión municipal. La iniciativa del Corredor Verde tomó escala trinacional cuando la FVSA y la WWF junto con más de cien instituciones desarrollaron la Visión de Biodiversidad para el Bosque Atlántico del Alto Paraná (ver Placci y Di Bitetti en este volumen). Resta, ahora, trabajar en la elaboración e implementación de un plan de conservación para toda la ecorregión.

Corredor de las Yungas

La Ecorregión de las Yungas, junto con la Selva Paranaense, constituye una de las regiones de más alta biodiversidad del país y es identificada como el *hotspot* de biodiversidad más rico y diverso del mundo (Conservation International, 2005). La importancia de implementar un corredor ecológico en las Yungas ha sido reconocida a través de dos iniciativas. Una es el Proyecto de Corredor Ecológico del Alto Bermejo, ejecutado por la Fundación Proyungas con el apoyo del Fondo Francés para el Medio Ambiente Mundial (FFEM). La otra iniciativa es el Proyecto de Corredor de las Yungas de la Comisión Binacional para el Desarrollo de la Alta Cuenca del Río Bermejo y el Río Grande de Tarija, implementada a través del Programa Estratégico de Acción de la Cuenca del Río Bermejo, con el apoyo del Programa de Naciones Unidas para el Medio Ambiente (PNUMA), la Organización de Estados Americanos (OEA) y el Fondo para el Medio Ambiente Mundial (FMAM). El Corredor de las Yungas se extiende a lo largo de las provincias de Salta y Jujuy en la Argentina y el departamento de Tarija, en Bolivia. Su finalidad es proteger la Ecorregión de la Selva de las Yungas. El corredor posee una superficie en la Argentina de aproximadamente 1.300.000 ha y comprende en Bolivia la Reserva Nacional de Flora y Fauna Tariquía y, en la Argentina, el Parque Nacional Baritú, el Parque Nacional Calilegua, el Parque Provincial Laguna Pintascayo y la proyectada Reserva Natural El Nogalar, y se integra con la Reserva de Biosfera de las Yungas. Esta iniciativa incorpora un proceso participativo en la identificación de necesidades y proyectos piloto. En la Argentina, el corredor se extiende sobre áreas que incluyen más de 300.000 ha de suelos aptos para la agricultura, que aún tienen cobertura boscosa, por lo cual resulta crucial ubicar y resguardar aquellos "parches clave" de bosque nativo que permitan mantener la conectividad entre los sitios de hábitat y, particularmente, entre las AP (ver capítulo sobre la Ecorregión de las Yungas). En particular, deben priorizarse las conexiones y el esfuerzo de conservación sobre aquellos parches de mayor aporte individual, tanto por su tamaño como por su posición. Mientras tanto, se verifica una tendencia creciente del proceso de deforestación a expensas del bosque nativo –en 1973 se verificaba un 5,5% de uso agrícola a expensas del bosque nativo en el sector argentino del corredor; esta superficie fue luego duplicada, y alcanzó un 11% en 2000 (Somma, 2005). La existencia de dos iniciativas de corredores en el área de las Yungas es una muestra de la importancia de la conservación de esta ecorregión. Resulta necesario, entonces, coordinar ambos proyectos de conservación, a fin de potenciar sus esfuerzos y de consolidar sus resultados.

Corredor Andino Norpatagónico

Se trata de una iniciativa para el manejo de la formación de los Bosques Templados Valdivianos de la Argentina y Chile. Esta ecorregión también es identificada como un *hotspot* de biodiversidad (Conservation International, 2005) a nivel mundial. El corredor comprende los bosques de Chile que se extienden desde la costa hasta la cordillera y los bosques de la Argentina desde la zona de distribución de la araucaria hasta el fin de la zona de distribución del coihue al sur (SAyDS, Informe Temático sobre Áreas Protegidas). En la Argentina, el corredor abarca los Parques Nacionales Lanín (Neuquén), Nahuel Huapi (Neuquén y Río Negro), Lago Puelo y Los Alerces (Chubut), el Paisaje Protegido Río Limay (Río Negro), la Reserva Provincial Río Turbio y las reservas forestales Lago Epuyén, Lago Guacho, Las Horquetas y Río Hielo (en Chubut). Se han firmado convenios de trabajo entre instituciones gubernamentales y no gubernamentales de ambos países y la WWF. En la Argentina, se logró el fortalecimiento del acuerdo de trabajo conjunto de los municipios dentro del corredor para temas de turismo y comercio, a través del reconocimiento de la importancia del corredor por parte del parlamento de legisladores patagónicos y la promoción, desde este ámbito, de algunas reuniones con representantes de municipios chilenos que forman parte del corredor.

Otros corredores

Se puede considerar que otras áreas con potencialidades para la adopción de una estrategia de corredor ecológico son la costa patagónica, el valle y Delta del Río Paraná, la costa bonaerense y el Río de la Plata.

Se ha planteado una estrategia de corredor para la franja costera de las provincias de Río Negro, Chubut, Santa Cruz y Tierra del Fuego. La región se caracteriza por sus extensas playas y su rica fauna marina. Se ha elaborado un Plan de Manejo Integrado de la Zona Costera Patagónica (Fundación Patagonia Natural, con el apoyo de Wildlife Conservation Society –WCS– y financiado por el FMAM), a fin de proteger la biodiversidad de esta zona en el marco del manejo sustentable de los recursos. En la fase de implementación del plan se prevé establecer una red de Áreas Protegidas Patagónicas e iniciar subprogramas de adopción de prácticas productivas coherentes con la conservación.

En el valle aluvial del río Paraná, cabe destacar la iniciativa del "Corredor de humedales del litoral fluvial argentino", llevada a cabo por la Fundación Proteger (ver Peteán y Cappato en este volumen); también se busca fortalecer la conectividad y el desarrollo sustentable de los asentamientos y las actividades humanas involucradas a través de la declaración de un conjunto de Sitios Ramsar, ensamblados desde Formosa hasta el Delta. El río Paraná integra la cuenca del Plata, la cuarta cuenca más grande del mundo y una de las mayores reservas mundiales de agua dulce, con una rica biodiversidad. Actualmente, la cuenca registra importantes modificaciones antrópicas; a la vez, la expansión de la frontera agrícola y el uso de una tecnología inadecuada están conduciendo a su simplificación ecosistémica.

En la franja costera bonaerense y el Río de la Plata existe una iniciativa conjunta entre la Argentina y Uruguay, el proyecto FREPLATA de "Protección Ambiental del Río de la Plata y su Frente Marítimo: Prevención y Control de la Contaminación y Restauración de Hábitat" con el apoyo del Programa de las Naciones Unidas para el Desarrollo (PNUD) y el FMAM. Como parte del Plan de Acción Estratégica se están elaborando planes consensuados para la conservación de la biodiversidad a lo largo de sus costas y en el mismo Río de la Plata, continuidad natural del río Paraná, a fin de fortalecer así los corredores biogeográficos naturales.

Tal como se observa en los párrafos precedentes, el país está desarrollando valiosas experiencias en relación con los corredores ecológicos, con diferentes modalidades y grados de avance. Como estrategia de conservación, los corredores constituyen una herramienta amplia y flexible

La Situación Ambiental Argentina 2005

para la gestión y el ordenamiento del territorio, a fin de conservar la continuidad de hábitat y procesos ecológicos para la supervivencia del mayor número posible de especies.

Notas

[1]Según Noss (1991), pueden distinguirse tres tipos de corredores para la vida silvestre a distintas escalas espacio-temporales. El corredor local, que conecta parches de hábitat próximos entre sí (e.g., los parches de bosque que usan franjas estrechas de hábitat adecuado como cortinas de árboles o arbustos para permitir desplazamientos de pequeños mamíferos); estos corredores son exclusivamente hábitat de borde y resultan útiles para especies de hábitat interior. El corredor zonal, que funciona a escala del mosaico de paisaje, permite desplazamientos diarios, estacionales y/o permanentes de especies de borde y de hábitat interior e integra un mosaico de reservas a nivel de paisaje; este tipo de corredor incluye franjas anchas de bosque que conectan reservas separadas, bosques fluviales o hábitat que siguen gradientes topográficos. Finalmente, el corredor regional es la mayor escala para un corredor y conecta reservas en redes regionales.

CONSERVACIÓN EN TIERRAS PRIVADAS EN LA ARGENTINA. LA VISIÓN DEL PROGRAMA REFUGIOS DE VIDA SILVESTRE

Por: Mariano Codesido, Diego Moreno y Alejandra Carminati
Programa Refugios de Vida Silvestre. FVSA.
relevamientos@vidasilvestre.org.ar

La Argentina cuenta con una superficie limitada de AP. Ocho de las quince ecorregiones reconocidas por la APN en el territorio nacional poseen una superficie menor al 10% recomendado a nivel internacional. Muchas de las áreas existentes se encuentran inmersas en procesos de insularización debido al desarrollo de actividades productivas basadas en el reemplazo de los ambientes naturales (actividades agrícolas y forestales, entre otras) que ocurren en su entorno (ver Burkart en este volumen).

Una de las herramientas para mejorar esta situación, que ha sido ensayada con éxito en varios países de Latinoamérica, es la creación de áreas protegidas privadas (Chacón, 2005). Este país tiene un importante potencial para explorar esta opción, ya que la mayor parte de su territorio se encuentra dividido en propiedades privadas que, en muchos casos, contienen ambientes naturales en buen estado de conservación. Sin embargo, sólo el 1,3% de la superficie de las AP corresponde a la categoría de reserva privada (Burkart *et al.*, 1997). El rol de las administraciones provinciales y del estado nacional en este tema fue resaltado en el Foro de Áreas Protegidas Privadas, llevado a cabo en el Primer Congreso de Áreas Protegidas Privadas, realizado en Córdoba en 2003.

Sólo unas pocas provincias argentinas contemplan la figura de la reserva privada en su legislación (Castelli, 2001). Tal es el caso de Río Negro (Ley N°2.669/93), Misiones (Ley N°3.242/95), Entre Ríos (Ley N°8.967/95, aún sin reglamentar), San Juan (Ley N°6.911/99), Buenos Aires

(12.459/00), Chubut (Ley Nº4.617/00) y Salta (Ley Nº7.107/00), a las que se sumaron más recientemente Catamarca (Ley Nº5.070/02) y Santa Fé (Ley Nº12.175/03). A excepción de Misiones, que cuenta con diecisiete reservas privadas, en varias de estas provincias aún no existen AP privadas con reconocimiento oficial.

Probablemente esto responda a que los requerimientos solicitados para declararlas son confusos, a que los incentivos y los beneficios ofrecidos son insuficientes para asumir las restricciones al uso de la tierra que implica este régimen e incluso a que las propuestas no han tenido suficiente difusión. Otro factor que ha incidido en su desarrollo es la falta de alternativas productivas que permitan, desde lo económico, dar sustento a las AP privadas. Actualmente, las pocas alternativas tradicionales de producción generan, en muchos casos, una degradación de los ambientes naturales y, en otros casos, su total reemplazo. Existen muy pocos ejemplos de manejo sustentable de los recursos nativos, por lo que el productor normalmente encuentra en el bosque, el estero o el pastizal (ambientes naturales que muchas veces permanecen al margen de las actividades productivas) una barrera para lograr el desarrollo de su emprendimiento productivo. Por ello, se hace prioritario encontrar alternativas que sean sostenibles en el tiempo, no sólo desde la perspectiva ambiental, sino también desde la socio-económica.

La experiencia de la FVSA

Distintas ONG conservacionistas promueven y asesoran reservas privadas en el país. La FVSA coordina, desde 1987, el Programa Refugios de Vida Silvestre, un sistema de reservas privadas de carácter voluntario. El programa tiene un alcance nacional e intenta compatibilizar el uso de los recursos naturales y su conservación (Moreno, 2000).

Los Refugios de Vida Silvestre (RVS), que actualmente cubren una superficie mayor a las 100.000 ha, funcionan como reservas de uso múltiple. Los principales incentivos para los propietarios que integran el programa son la asistencia técnica en aspectos relacionados con la conservación y el manejo de los recursos naturales, el patrocinio institucional y la gestión ante organismos estatales y de financiamiento para el desarrollo de proyectos de manejo y conservación de los recursos. Al mismo tiempo, se realiza una evaluación anual del funcionamiento de cada refugio, con un método objetivo que permite, incluso, promover la desafectación de las áreas que no cumplan con un estándar mínimo (Parera y Moreno, 1998). En estas propiedades se busca, en conjunto con sus propietarios, minimizar el impacto de las actividades productivas tradicionales como la ganadería y la agricultura. Además, se exploran nuevas alternativas como el aprovechamiento de recursos naturales nativos. Por ejemplo, en el RVS El Cachapé, en la provincia de Chaco, se ha puesto a punto la técnica para el aprovechamiento del cuero y la carne de yacaré, basada en la conservación de 80.000 ha de ambientes naturales (Prado *et al.*, 2001). Por su parte, el ecoturismo es otra actividad productiva que, planificada y desarrollada con criterios ambientales y sociales, permite revalorizar los ambientes naturales en buen estado de conservación, como ocurre en el RVS La Aurora del Palmar (Entre Ríos) y en el RVS Yacutinga (Misiones).

La Situación Ambiental Argentina 2005

El programa es, también, un complemento de las AP estatales. Algunos refugios son parte de la zona de amortiguación de áreas naturales protegidas por el Estado como el RVS El Yaguareté, lindante con el Parque Nacional Iguazú en Misiones o el RVS La Aurora del Palmar con el Parque Nacional El Palmar. Al mismo tiempo, el programa incluye áreas en ecorregiones y provincias con poca superficie bajo protección. Tal es el caso del RVS Santa Teresa, que protege 75.000 ha de Monte y Estepa Patagónica, el RVS Las Dos Hermanas con un poco más de 1.000 ha en el Pastizal Pampeano, una de las ecorregiones más amenazadas del país, o Merced de Allpatauca, una de las pocas reservas de la provincia de Catamarca.

El programa incluye, además, un servicio para propietarios de campos interesados en conocer los valores ambientales de su propiedad y las alternativas productivas compatibles con la conservación de los recursos naturales. A través del Sistema de Relevamientos Ecológicos Rápidos se evalúan las actividades productivas de la propiedad, su grado de manejo en relación con la conservación de sus recursos naturales y sus problemas de conservación. Finalmente, se propone una zonificación de la propiedad, que incluye recomendaciones de manejo para mejorar el estado de conservación del área (Moreno, 2000). Para llevar a cabo los relevamientos, se cuenta no sólo con un grupo de profesionales dentro del programa, sino también con vínculos con instituciones académicas y de desarrollo tecnológico en las diferentes regiones del país. En los últimos años, la realización de más de veinte relevamientos en diferentes ecorregiones (cuyas propiedades abarcaron una superficie mayor a 400.000 ha) demuestran el interés creciente de los propietarios de campos por este tipo de iniciativas.

Las posibilidades de desarrollo

La Argentina presenta aún un escenario muy propicio para desarrollar una estrategia de conservación de sus recursos naturales que incluya a propietarios de campos. El rol de las reservas privadas es relevante en la conservación de ecorregiones insuficientemente representadas en el sistema estatal de AP y, para integrarse a las estrategias de conservación regionales, pueden conformar áreas de amortiguación y corredores ecológicos (ver Frassetto *et al.* en este volumen). A su vez, podrían constituir una herramienta en el marco de un ordenamiento territorial que permita identificar los sitios más adecuados para la producción, el desarrollo, la conservación y el uso sustentable de los recursos naturales. Resulta evidente que existe un interés en el sector productivo en este tipo de propuestas y, a pesar de su potencial e importancia, las experiencias argentinas se encuentran en un estado incipiente de desarrollo.

Ante esta situación, existen distintos desafíos que la Argentina debe enfrentar para lograr el desarrollo de la conservación en tierras privadas, entre los que se cuentan:
• Elaborar legislación específica en las jurisdicciones provinciales que aún no contemplan esta figura, reglamentar la normativa existente en la materia, incluir en las mismas incentivos apropiados para el sector privado y desarrollar objetivos comunes para integrarse a una estrategia nacional.

• Facilitar el acceso a la información técnica y científica orientadas a la resolución de problemas vinculados a la conservación y el uso sustentable en distintas ecorregiones, en particular mediante el desarrollo de alternativas productivas que sean compatibles con la conservación y el manejo de este tipo de áreas.

• Desarrollar mecanismos de comunicación entre las instituciones relacionadas y una coordinación y planificación conjunta (entre las administraciones nacionales, provinciales y el sector privado).

• Promover la participación del sector privado en la definición de las políticas de incentivos y de las estrategias de conservación.

Por último, es preciso considerar que, más allá de la importancia y el potencial de las reservas privadas, es necesario vincularlas con las necesidades de los planes de conservación a nivel regional. No se debe olvidar que resulta central el desarrollo de herramientas de planificación, tales como el ordenamiento territorial y la efectiva implementación del sistema de AP estatales, en el cual la conservación en tierras privadas podrá realizar su aporte complementario. Sólo de esta manera se lograría la conservación de la diversidad biológica del país, al optimizar los esfuerzos e incorporar al sector privado en la resolución de los conflictos que, hoy por hoy, enfrentan al desarrollo económico con los recursos naturales.

CONSERVACIÓN, USO SUSTENTABLE Y COMERCIO DE FAUNA SILVESTRE

Por: Daniel Ramadori

Director de Fauna Silvestre de la Nación, SAyDS, Ministerio de Salud y Ambiente.
dramador@medioambiente.gov.ar

En toda su historia, el hombre ha utilizado la fauna silvestre para cubrir necesidades básicas de alimentación, vestimenta y, en menor medida, para la construcción de refugios, recreación (como en el caso de las mascotas) e, incluso, con fines medicinales. En este continente, y desde la llegada de los europeos, son numerosos los ejemplos en los que la explotación de la fauna con fines comerciales ha provocado la disminución de las poblaciones de diversas especies y, en ciertos casos, hasta la extinción. En la Argentina, varias especies han sido cazadas en forma indiscriminada y sus productos han sido consumidos localmente o en el exterior, fundamentalmente durante el siglo XIX y la primera mitad del XX (Bertonatti y Corcuera, 2000). Cabe mencionar los millones de cueros de venados de las pampas (*Ozotoceros bezoarticus*), zorros (*Pseudolopex spp.*), gatos silvestres (familia *Felidae*), coipos (*Myocastor coypus*), zorrinos (*Conepatus spp.*), vizcachas (*Lagostomus maximus*), lobitos de río (*Lutra longicauda*), guanacos (*Lama guanicoe*), vicuñas (*Vicugna vicugna*), lobos marinos (*Otaria flavescens* y *Arctocephalus australis*), iguanas (*Tupinambis spp.*), yacarés (*Caiman spp.*) y boas (*Boa constrictor occidentalis* y *Eunectes notaeus*), entre los más importantes, que han sido acopiados y embarcados hacia Europa durante este período. Varias especies de aves autóctonas también han sido afectadas por el comercio. Entre ellas, cabe señalar a los ñandúes (*Rhea americana* y *Pterocnemia pennata*), las garzas (familia *Ardeidae*), cuyas plumas eran vendidas en el viejo mundo, y los pingüinos (*Spheniscus magellanicus*), de los cuales se extraía aceite.

En 1950 se promulgó la primera Ley Nacional de Protección de la Fauna Silvestre (Ley N°13.908). Durante esta década, este país era uno de los más importantes exportadores de productos de fauna silvestre del mundo. Desde entonces, y hasta fines de la década de los 80, el comercio de productos de fauna silvestre disminuyó en alguna medida, pero también ha implicado volúmenes considerables. Entre los años 1976 y 1984, la Argentina exportó en forma legal una gran cantidad de cueros de especies silvestres (Gruss y Waller 1988). Estos autores citan, entre los ejemplos más importantes: 24.165.330 coipos, 11.668.722 iguanas, 5.228.268 zorros, 520.905 felinos menores, 207.773 boas y 145.482 yacarés, entre otros. Según los mismos autores, estas cifras no contabilizan retazos, productos elaborados (cinturones, zapatos, tapados, etc.) ni el comercio ilegal, el cual seguramente duplicaba estos valores.

En cuanto a las aves vivas, su comercio fue muy importante durante la década del 80 y su destino casi exclusivo era su venta como mascotas. En este período se exportaba de la Argentina un promedio anual de 121.000 ejemplares de loros y cotorras (familia *Psitacidae*), que incluían diecinueve especies (Goldfeder, 1991), de las cuales las de mayor comercio resultaban ser respectivamente el loro hablador (*Amazona aestiva*), la cotorra de cabeza negra o ñanday (*Nandayus nenday*), la cotorra de cara roja (*Aratinga mitrata*), el calancate (*Aratinga acuticaudata*), la cotorra común (*Myiopsitta monachus*), la catita serrana (*Brotogeris versicolorus*) y el loro choclero (*Pionus maximiliani*). Desde el año 1986 rige la Resolución N°62 de la Secretaría de Agricultura, Ganadería y Pesca (SAGyP)[1]. Esta resolución (actualmente en vigencia) limitó la exportación de animales vivos sólo a aquéllos declarados como plaga, tanto a nivel provincial como nacional, o a aquéllos provenientes de operaciones de cría en cautiverio (criaderos).

El volumen de exportación de estos productos disminuyó en forma considerable entre fines de los años 80 y principios de los años 90 debido a diversos factores. Entre los más importantes, se pueden citar: a) la disminución de la demanda internacional de pieles y cueros, ya sea por la toma de conciencia de la sociedad a partir de campañas públicas como por cambios en la moda, b) normativas más restrictivas a nivel nacional que prohibieron, limitaron o reglamentaron la exportación y el comercio interno de fauna silvestre (Ley N°22.421), c) el aumento de los controles sobre el comercio por parte de los organismos de fiscalización, d) el aumento de las regulaciones y el control a nivel internacional por parte de la Convención sobre el Comercio Internacional de Especies de Fauna y Flora o Convención CITES (Ley N°22.344), que ha regulado de forma intensa el comercio internacional entre la mayoría de los países del mundo.

El comercio de fauna silvestre es cada vez menor, tanto a nivel nacional (implica alrededor de U$S 50.000.000 al año) como internacional, y la eficiencia de control es también creciente. No obstante, la mayoría de las poblaciones de especies de la fauna silvestre están en retracción y la tasa de extinción global sigue en aumento. Esto es así porque el problema crítico que afecta negativamente a la gran mayoría de especies de la fauna silvestre es la pérdida y la modificación de sus hábitat, más que la extracción de ejemplares.

La normativa vigente de la cual disponen las administraciones de fauna silvestre en la Argentina (leyes y decretos) tiene como objeto de regulación sólo a la fauna silvestre de manera aislada y está orientada, casi exclusivamente, a limitar o prohibir la extracción de ejemplares del medio silvestre. Al no poseer una visión ecosistémica, estas herramientas no son suficientes para que los organismos de aplicación puedan, por sí mismos, llevar adelante estrategias globales de conservación de fauna silvestre. No obstante, hacia principios de los 90 desde las diferentes administraciones de fauna, y en muchos casos en forma coordinada, comenzaron a plasmarse proyectos que no sólo diseñan y ponen a prueba mecanismos de aprovechamiento sustentable de fauna silvestre, sino que también implican acciones concretas de conservación y protección de los hábitat. Estos conceptos se incorporan en normativas de menor jerarquía (resoluciones y disposiciones) que hacen al marco legal de los mismos. Esto significa un cambio importante en la actitud de estos organismos pues, de sancionar normativas restrictivas y fiscalizar su aplicación, se pasa a generar políticas activas para el aprovechamiento de la fauna silvestre y la conservación de su hábitat.

Las principales misiones y funciones de la Dirección de Fauna Silvestre (DFS) podrían resumirse en los siguientes párrafos: a) acordar y consensuar con las autoridades provinciales las políticas de conservación de fauna silvestre, incluido su aprovechamiento; b) regular el aprovechamiento de productos a través del tránsito entre jurisdicciones, la comercialización en la jurisdicción federal, la exportación e importación y c) velar por el cumplimiento de los acuerdos internacionales en materia de exportación e importación. Para la DFS, además, de acuerdo con los criterios de aprovechamiento aplicados, el uso sustentable de una especie silvestre debe integrar los aspectos ambiental, social y económico.

Finalidad ambiental: se refiere a llevar adelante acciones tendientes a la conservación de especies o hábitat, tales como crear e implementar áreas naturales protegidas, inducir a la conservación de hábitat para asegurar un recurso, incrementar la población-recurso por subsidios de alimento o protección, disminuir la extracción al desalentar la captura ilegal o generar una percepción de valor para una especie silvestre.

Finalidad social: implica realizar acciones tendientes al mejoramiento de la calidad de vida de la sociedad. Éstas pueden ser, entre otras, favorecer una mejor distribución de beneficios en toda la cadena de producción y comercialización, evitar la degradación ambiental –y, por lo tanto, la pérdida de recursos para el futuro– y afianzar o recuperar pautas culturales del uso de la fauna.

Finalidad económica: se materializa a través de acciones tales como aumentar la renta de los pobladores locales sin aumentar la extracción del recurso (valor agregado), proteger las vías legales de comercialización, consolidar un esquema de producción previsible y sostenido.

Existen distintos factores que condicionan la aplicabilidad de estos criterios o la política de aprovechamiento sustentable: a) según la especie de la que se trate, no siempre se cuenta con el mismo nivel de información de base; por lo tanto, la generación de información previa a la formulación de cada proyecto en particular es distinta, no sólo por las características propias de una u otra especie, sino también por los antecedentes existentes; b) la historia de uso de una especie condiciona de forma considerable el desarrollo de un plan de manejo para la misma. Es muy distinto pensar el desarrollo de un plan de manejo para una especie cuyo comercio viene siendo importante desde hace mucho tiempo, que el desarrollo de pautas para el aprovechamiento de especies cuyo comercio estuvo prohibido y que, a partir de la implementación de determinadas pautas de uso, se pretende volver a autorizar. En los casos en que una especie está siendo utilizada, esta situación siempre implica toda una inercia de prácticas por parte de los diferentes actores. Estos, por diferentes razones que hacen a su conveniencia, son reticentes a modificar dichas prácticas. Muy a menudo las propias administraciones de fauna silvestre forman parte de esta inercia que dificulta la generación de nuevas propuestas para el manejo de este tipo de especies. En el caso de las especies cuyo comercio estuvo prohibido por diferentes razones, la implementación de un plan de manejo es mucho más sencilla, debido a que las pautas para su uso se fijan desde el comienzo sin el condicionamiento de intereses ya establecidos que, como se mencionó anteriormente, dificultan a menudo la aplicación de algunas medidas; c) el valor en el mercado de una especie, como es obvio, condiciona el planteo de la posibilidad de realizar o no un proyecto de uso sustentable, teniendo en cuenta los criterios de aprovechamiento de la DFS anteriormente mencionados. Esto implica que la comercialización de una especie debe ser rentable, además de que debe poder financiar estudios biológicos para el campo, medidas de control y fiscalización de su captura y comercialización, adecuadas medidas de manejo y, fundamentalmente, la generación de medidas de conservación a largo plazo.

Sobre la base del contexto presentado anteriormente desde la DFS, se llevan adelante diferentes tipos de acciones y proyectos: a) acciones tendientes a la protección y la conservación de especies amenazadas, tales como la coordinación de proyectos, la sanción de normativas o la participación en la elaboración consensuada de planes de manejo; b) proyectos de uso sustentable de especies de la fauna silvestre, llevados adelante exclusivamente por este organismo o en forma conjunta con otros organismos u organizaciones. Estos incluyen diferentes proyectos basados en planes específicos de manejo, y conjugan la gestión administrativa, comercial y los estudios biológicos correspondientes, con el fin de favorecer la conservación de estas especies, su hábitat y el beneficio de los pobladores locales (Bolkoviç y Ramadori, en prensa); c) proyectos de con-

La Situación Ambiental Argentina 2005

trol de especies exóticas invasoras, como por ejemplo el trabajo que se está desarrollando para el control del castor canadiense en conjunto con la APN, la provincia de Tierra del Fuego, Antártida e Islas del Atlántico Sur y la provincia de Santa Cruz.

Tal como se mencionó anteriormente, la DFS promueve proyectos experimentales piloto dentro de una estrategia para el aprovechamiento sustentable de especies de la fauna silvestre, inicialmente acotados y con pautas muy estrictas, con el objeto de ampliar gradualmente su escala en la medida en que se perciban resultados exitosos y puedan ajustarse las pautas de manejo iniciales. Por otra parte, para aquellas especies que no permiten un aprovechamiento de ningún tipo, debido a que se encuentran amenazadas o en peligro de extinción, la DFS promueve y coordina programas de protección, en conjunto con las provincias y con ONG.

Desde el año 1992, se ha mejorado sustancialmente la relación con las provincias en cuanto al manejo y la gestión coordinada de los recursos naturales, y se ha potenciado la implementación de valiosos foros de discusión federales como el Ente Coordinador Interprovincial de Fauna (ECIF), la Comisión Regional de Provincias Vicuñeras, el Consejo Asesor Regional Patagónico para la Fauna Silvestre (CARPFS), así como también su relación con el COFEMA, de los cuales se ha participado activamente. Todas estas acciones se inscriben en el marco de la Estrategia Nacional de Desarrollo Sustentable, que provee la base conceptual de la conservación y el manejo de la vida silvestre y, a la vez, propone medidas a tomar para asegurar los resultados buscados en un contexto más amplio. Entre las más importantes, en relación con el accionar de la DFS, podemos mencionar:

Proyecto Elé. A partir de 1995, se establecieron pautas de manejo uniformes en todo el ámbito de distribución del loro hablador (*Amazona aestiva*), basadas en una investigación permanente. Estas pautas fueron acordadas con las provincias participantes en el programa, actualmente cinco. Se aumentaron significativamente los ingresos para las comunidades locales (en el orden de siete veces respecto de la situación anterior), disminuyó al mismo tiempo la presión sobre la especie y se agregó valor a la preservación del hábitat. Hoy en día, el programa beneficia a más de doscientas familias, todas ellas de bajos recursos. Se generó un sistema de reservas de hábitat, autofinanciadas a partir de las mismas exportaciones y controladas por el programa y las provincias.

Proyecto *Tupinambis*. En el año 1993 y hasta el presente, se establecieron cupos anuales de exportación de las iguanas del género *Tupinambis spp.*, que venían soportando un nivel de extracción no sostenible en el pasado. También se coordinaron políticas provinciales para el manejo de la especie. A su vez, todos los años se realizan monitoreos poblacionales en once provincias, que se financian con aportes del sector privado. Se aumentaron las ganancias para las comunidades locales, y con los fondos del proyecto se implementarán reservas provinciales en la zona chaqueña.

Proyecto Guanaco. Desde el año 1993 se viene trabajando, en conjunto con las provincias patagónicas que comparten la distribución de la especie, en un plan de manejo para el uso sustentable del guanaco. El proyecto propuesto fue aprobado por el Comité Permanente de la Convención sobre Comercio Internacional de Especies Amenazadas de Fauna y Flora Silvestres (CITES) en 1995. Se acordaron pautas técnicas y administrativas con los productores y con los gobiernos provinciales involucrados. Se iniciaron algunas experiencias piloto en diferentes provincias. Desde el año 1998, se han realizado las primeras exportaciones de fibra de esta especie, provenientes de las esquilas experimentales. En agosto de 2005, luego de un trabajo de consenso entre distintas instituciones, tanto de los estados provinciales y nacional como del sector académico, se aprobó finalmente el Plan Nacional de Manejo del Guanaco.

Proyecto Yacaré Overo y Yacaré Negro. El trabajo con estas especies, yacaré negro (*Caiman crocodylus yacare*) y yacaré overo (*Caiman latirostris*), consiste en el monitoreo de las poblaciones silvestres con fines de manejo, bajo el sistema de cría en granjas (*ranching*). Comprende relevamientos poblacionales, experiencias de cría en granjas y la liberación de ejemplares al medio silvestre. En 1997, durante la Décima Reunión de la Conferencia de las Partes de la Convención CITES, se presentó y se aprobó la transferencia de la población argentina del yacaré overo del Apéndice I al Apéndice II, con fines de cría en granjas. En ambos casos se trabaja en conjunto con las provincias del área de distribución.

Proyecto Vicuña. La Argentina presentó dos propuestas a la CITES para el pasaje del Apéndice I al II de las poblaciones silvestres y en cautiverio de las provincias de Jujuy y Catamarca. Estas propuestas fueron aprobadas en diferentes reuniones de la conferencia de las Partes de dicha convención. Se generó la posibilidad del uso sustentable de dicha especie, mediante la obtención de fibra a partir de la esquila de animales vivos en cautiverio o en el ambiente silvestre, lo que representa una fuente potencial de ingreso adicional para las comunidades andinas de este país. Se han generado desde esta DFS diferentes acciones tendientes a revertir la caza furtiva y el tráfico ilegal sobre esta especie. Actualmente, la provincia de Jujuy y la provincia de Catamarca están haciendo uso de este recurso, bajo las pautas fijadas por el Convenio Internacional de la Vicuña.

Plan Nacional de Conservación del Venado de las Pampas (PNCVP). Se trabajó en conjunto con la FVSA en la elaboración de un plan nacional para la conservación de esta especie altamente amenazada. Se realizó en conjunto un taller sobre este tema, con la participación de provincias del área de distribución (Santa Fe, Corrientes, San Luis y Buenos Aires), ONG y especialistas en el tema. En dicho taller se discutieron y evaluaron lineamientos básicos para la elaboración de dicho plan.

Proyecto Tatú Carreta. El objetivo de este proyecto es la protección de esta especie amenazada y la conservación de su hábitat. Las acciones llevadas adelante fueron, entre otras: a) confección de material de divulgación (como la elaboración de un video educativo, un tríptico y mensajes radiales); b) creación de campañas de concientización en escuelas mediante charlas y lautilización de títeres; c) reuniones con pobladores en la zona y d) ubicación y registro de ejemplares silvestres y en cautiverio, con miras a su identificación y seguimiento a través de transmisores.

Proyecto Nutria. El objetivo de este proyecto es el diseño y la implementación de un plan de manejo integrado del coipo (*Myocastor coypus*) en las provincias del área de su distribución geográfica, además de la fijación de un cupo anual de exportación desde el año 1998. Se ha acordado con las provincias involucradas un estudio poblacional y un monitoreo de esta especie.

Plan de conservación del ciervo de los pantanos. Se está trabajando en forma conjunta con ONG, representantes provinciales, la APN y la Prefectura Naval Argentina en la conservación del ciervo de los pantanos (*Blastocerus dichotomus*). En el año 2000 fue aprobada por el MAB-Unesco (Programa El Hombre y la Biosfera) la creación de una Reserva de la Biosfera en el Bajo Delta del Paraná. Como parte de este emprendimiento, se ha iniciado una propuesta en conjunto con el Municipio de San Fernando, la Prefectura Naval Argentina, la Asociación para la Conservación y el Estudio de la Naturaleza (ACEN) y la DFS para la capacitación de agentes de control y concientización de los pobladores.

Proyecto para el uso sustentable de poblaciones de carpinchos. Este proyecto tiende a establecer las pautas para el uso sustentable de esta especie, a partir de estudios técnicos de las poblaciones silvestres y de la organización de un circuito de documentación adecuado, combinado con acciones de control y fiscalización. Actualmente se cuenta con un primer diagnóstico sobre la situación de la gestión de esta especie y con una metodología adecuada para la rápida evaluación de sus poblaciones. En una segunda etapa, que se implementará en breve, se profundizará en el estudio de la situación poblacional del carpincho y se fijarán definitivamente las pautas para su manejo en la Argentina.

Proyecto Curiyú. Este proyecto tiene los siguientes objetivos: a) realizar estudios preliminares sobre la biología y la ecología de la boa curiyu (*Eunectes notaeus*); b) sentar las bases para la elaboración de un programa de aprovechamiento sustentable de esta especie y c) establecer tanto un cupo experimental como un programa de monitoreo y retorno a la conservación. Actualmente ha finalizado la etapa experimental piloto de tres años de duración y se ha comenzado con la etapa de aprovechamiento comercial de esta especie a partir de las pautas de manejo fijadas. Paralelamente, se continúa con diferentes estudios y con el monitoreo poblacional.

Talleres de Recalificación de Fauna Silvestre (Patagonia, Reptiles y Aves). La DFS organizó y financió, con fondos propios, dos talleres de recalificación, según el estado de conservación, de la fauna silvestre. El primer taller, realizado durante el año 1997, abarcó la recalificación de la fauna patagónica (anfibios, reptiles, aves y mamíferos). El segundo taller, realizado en el año 1998, abarcó la recalificación de todos los reptiles de la República Argentina. Actualmente se prevé para el año 2005 realizar la recalificación de las aves de la Argentina, en colaboración con Aves Argentinas, con lo cual se finalizaría la recalificación total de vertebrados (a excepción de los peces) del país, dado que la parte correspondiente a los mamíferos ya fue realizada por la Sociedad Argentina para el Estudio de los Mamíferos (SAREM) con la misma metodología.

En todas estas acciones subyacen, como principio rector, los conceptos de manejo adaptativo y de principio precautorio. Fundamentalmente en relación con los proyectos de uso sustentable ha sido necesario un importante proceso integrador de distintos intereses, en algunos casos tanto nacionales como internacionales, siempre con la conservación como horizonte.

Gracias a estos proyectos, y a pesar de que el comercio de fauna silvestre es mucho menor en la actualidad que en épocas pasadas, se han podido generar algunas acciones de conservación que pueden considerarse relevantes, tales como la implementación de tres reservas de hábitat en las provincias de Jujuy (Las Lancitas), Salta (Pintascayoc) y Chaco (Loro hablador), que suman un total de alrededor de 52.000 ha y permiten el mejoramiento de la calidad de vida de numerosas familias rurales de este país, entre otras.

Todavía hay mucho por mejorar; no es fácil, pero tampoco imposible. Resulta indispensable trabajar más coordinadamente entre las distintas administraciones de fauna silvestre del país, las distintas fuerzas de seguridad y el Poder Judicial, en lo que respecta al control del comercio y el tráfico ilegal. Por otro lado, hace falta mejorar y hacer más eficientes los mecanismos de gestión de este recurso. Hoy en día, la antinomia entre la conservación de la biodiversidad y el uso sustentable de los recursos silvestres ha dejado de existir. La DFS considera al uso sustentable de la fauna silvestre como una herramienta que, si es bien utilizada, permite llevar adelante acciones de conservación, tanto de las especies en particular como de sus respectivos ambientes.

Notas

[1] *En esos años, la ex Dirección Nacional de Fauna Silvestre (DNFS) formaba parte de la estructura de dicha secretaría.*

MONUMENTO NATURAL NACIONAL EN PELIGRO: EL DESAFÍO DE CONSERVAR AL YAGUARETÉ EN LA ARGENTINA

Por: Mario S. Di Bitetti[I], Carlos De Angelo[I], Agustín Paviolo[I], Karina Schiaffino[II] y Pablo Perovic[III]

[I]*Consejo Nacional de Investigaciones Científicas y Técnicas (CONICET), Laboratorio de Investigaciones Ecológicas de las Yungas (LIEY), Universidad Nacional de Tucumán y Asociación Civil Centro de Investigaciones del Bosque Atlántico (CeIBA).*
[II]*Centro de Investigaciones Ecológicas Subtropicales (CIES), APN.*
[III]*Instituto de Bio y Geociencias (IBIGEO), Museo de Ciencias Naturales, Universidad Nacional de Salta.*
dibitetti@yahoo.com.ar

Introducción

El objetivo de este trabajo es presentar un panorama general de la situación poblacional del yaguareté (*Panthera onca*) en la Argentina y evaluar posibles escenarios y soluciones para la crisis que enfrenta esta especie. El conocimiento de su situación poblacional todavía es escaso y desparejo. Para las Yungas y el Chaco existen relevamientos de su presencia (Perovic y Herrán, 1998; Perovic y Gato, 1999; Perovic, 2002 a, 2002 b; Altrichter, Boaglio y Perovic, 2005), mientras que, para el Bosque Atlántico del Alto Paraná (BAAP) o Selva Paranaense, existe algo más de información poblacional como resultado de trabajos realizados en diversos fragmentos de Brasil, Misiones y Paraguay oriental (Crawshaw, 1995; Cullen, 2005; Paviolo *et al.*, 2005 a y b).

¿Por qué conservar al yaguareté?

Existen muchos argumentos por los cuales se debería asegurar la conservación de las poblaciones de yaguareté que habitan en el país (Miller y Rabinowitz, 2002). Primero, el yaguareté, también conocido como jaguar o tigre americano, es un símbolo con un alto valor cultural para los pueblos indígenas y demás habitantes del norte del país, donde se encuentra presente en la mitología, los cuentos y las leyendas tradicionales, así como también en el arte gráfico. Es una imagen fuerte que, en destinos turísticos como Misiones, Salta y Jujuy, ayuda a atraer a personas de todo el mundo. Perder al yaguareté puede significar perder una pequeña porción del mercado ecoturístico, costo que podría superar varias veces los de las ocasionales pérdidas de animales domésticos causadas por este felino. En términos ecológicos, su extinción significa perder un proceso ecológico clave de la selva: la depredación. Existe evidencia científica del importante rol que cumplen los depredadores en las comunidades donde habitan (Terborgh *et al.*, 1999, 2001). Además de su importancia económica y ecológica, el yaguareté, en combinación con otras especies, sirve como especie indicadora de ambientes en buen estado. También puede servir como especie focal o bandera para guiar esfuerzos de conservación. Por ejemplo, el Paisaje de Conservación de la Biodiversidad del BAAP (Di Bitetti *et al.*, 2003) fue diseñado considerando al yaguareté como una "especie paraguas" (ver recuadro "El yaguareté como 'especie paraguas'") y asumiendo que, al conservar esta especie, muchas otras, con menores requerimientos de espacio, podrían ser conservadas. Además de estos argumentos principalmente prácticos, hay razones éticas y estéticas por las cuales se deberían hacer mayores esfuerzos por conservar esta especie. Sin embargo, al analizar la situación de conservación del yaguareté, no se debe olvidar que en la percepción de algunos argentinos, especialmente pobladores rurales de áreas con presencia de este felino, el yaguareté es una plaga, un peligro que debería erradicarse, a pesar de que no hay evidencia sustancial de que así sea.

El yaguareté como "especie paraguas"

Las "especies paraguas" son aquéllas que, por su gran tamaño o su dieta (depredadores), requieren de grandes espacios para cumplir su ciclo vital. Al asegurar la supervivencia de una o varias especies con estas características en su ambiente natural, se estaría asegurando la de muchas otras especies con menores requerimientos de espacio. Estas otras especies quedan protegidas bajo el "paraguas" de la primera. ¿Por qué el yaguareté podría ser considerado una "especie paraguas"? El yaguareté ocupa la cúspide de la pirámide ecológica en los bosques neotropicales. Requiere de una buena base de presas grandes (pecaríes, tapires, venados, etc.). Un individuo de jaguar requiere alrededor de 1.460 kg de carne al año, lo cual se traduce en unos 2.200 kg de presas vivas o un equivalente a setenta u ochenta pecaríes al año. Por ello, el territorio de un yaguareté debería comprender muchos territorios de varias de sus presas. Esto explica por qué este animal sirve como "especie paraguas" o focal para planificar la conservación de las ecorregiones. De todas formas, esto implica no olvidar los requerimientos de hábitat de algunas especies muy especializadas que pueden no caer bajo el paraguas del yaguareté. También hay que tener en cuenta que el concepto es sólo válido si se lo usa para conservar porciones del hábitat natural original, ya que el yaguareté, como otras especies generalistas, podría sobrevivir en porciones de hábitat muy degradado (v.g., si se alimentara de ganado). Idealmente se debería utilizar no uno, sino un lote de "especies paraguas", de modo que los requerimientos de hábitat del conjunto fueran considerados en una estrategia de conservación.

La situación del yaguareté en la Argentina

El yaguareté se distribuye actualmente desde el norte de México hasta el norte de la Argentina (Medellín *et al.*, 2002). En tiempos históricos, ocupó la mayor parte del centro y el norte de la Argentina y, hoy en día, ocupa sólo entre un 10 y un 15% de su distribución histórica (Perovic, 2002), como consecuencia de una drástica reducción poblacional que ocurrió en los dos últimos siglos. En la actualidad sobrevive en pequeñas poblaciones en el extremo norte del país, en las provincias de Salta, Jujuy, Formosa, Chaco, Santiago del Estero y Misiones. En la Argentina, la especie está categorizada como en peligro de extinción (Díaz y Ojeda, 2000).

La situación del yaguareté en las Yungas

Desde 1991 se desarrollaron diversos estudios en esta región, inicialmente para establecer la distribución del yaguareté y la magnitud del daño que éste ocasionaba sobre las actividades humanas en el noroeste argentino (Perovic 1993, 1998). Posteriormente, estos estudios se ampliaron y comprendieron trabajos sobre dieta, ecología, manejos alternativos, biología de la conservación y ecología de la comunidad de félidos (Perovic y Gato, 1999; Perovic, 2002 a y b). Como resultado de los datos obtenidos durante estos trabajos sobre la base de huellas y avistajes en el Parque Nacional Calilegua y alrededores, se estimó que el territorio de la especie abarcaba, aproximadamente, entre 140 y 145 km^2 (Perovic y Gato, 1999). Sin embargo, estudios posteriores con datos obtenidos a través del monitoreo de un individuo hembra con un collar satelital estimaron un territorio de 180 km^2 (Perovic, datos no publicados). Estos grandes requerimientos territoriales, comparados con estudios en ambientes similares (e.g., Crawshaw, 1995), indican que la densidad es muy baja y evidencian una situación poco alentadora para la conservación de la especie en las Yungas.

Las causas por las que se llegó a esta situación son diversas y varían regionalmente, aunque resultan similares a las de toda su área de distribución y se pueden reconocer, entre las principales, la pérdida y/o la conversión del hábitat, la caza (por diferentes motivos) y la falta de implementación de las leyes vigentes. Tal vez, la principal causa de la disminución de la especie sea la pérdida y/o la conversión del hábitat. Por ejemplo, en los alrededores del Parque Nacional Calilegua, la conversión del hábitat natural a tierras bajo explotación agrícola removía alrededor de 1.000 ha por año hasta, aproximadamente, 1998 y 1999 (Somma, com. pers.). Sin embargo, esta actividad se vio fuertemente incrementada en los últimos años, ya sea para sumar nuevas tierras para la agricultura (principalmente, para el cultivo de caña de azúcar, citrus y soja) o para emprendimientos mineros (principalmente, gasoductos). La caza es otro de los factores que impactan fuertemente sobre la especie en las Yungas. Aunque es realizada por diferentes motivos, la de mayor incidencia es la realizada por los ganaderos a los que el yaguareté les depreda el ganado. En las Yungas, la remoción de individuos fue, entre 1995 y 1999, de seis a siete animales por año (Perovic, 1999), tasa superior a la de la repoblación de la especie.

En las Yungas existen alrededor de 200.000 ha protegidas entre los Parques Nacionales Calilegua y Baritú, y varias reservas provinciales y privadas donde se encuentra la especie; sin embargo, esto no alcanza para mantener una población viable. Recientemente se creó la Reserva de Biosfera de las Yungas, con alrededor de 1.300.000 ha por lo que, con esta iniciativa, existe una buena disponibilidad de hábitat para esta especie. Sin embargo, sin la implementación de las leyes vigentes la población del yaguareté de las Yungas está en serio riesgo de desaparecer en los próximos años.

La situación del yaguareté en el Chaco

Los estudios sobre la especie en la región chaqueña aún son escasos. Para la región del Chaco Húmedo u Oriental, se estima que no existe actualmente ninguna población de yaguareté residente y estable, aunque existen avistajes (o capturas) ocasionales, probablemente de individuos en tránsito desde otras regiones.

El estado de conservación de la población del yaguareté del Chaco Seco u Occidental es crítica. Esta población se encuentra aislada de las poblaciones argentinas potencialmente viables, como podrían ser las de las Yungas y la Selva Paranaense (Altrichter *et al.*, en prensa). Esta situación se incrementa, en particular, en las provincias de Salta, Santiago del Estero y Chaco, por ser el Chaco el ambiente que está sufriendo la mayor pérdida y/o transformación de hábitat por la expansión de la frontera agropecuaria en los últimos años (Torrella *et al.*, 2004). A pesar de esta situación, existe una importante superficie de bosque chaqueño (alrededor de 440.000 ha), formada por parques nacionales, reservas provinciales, privadas o territorios indígenas con baja densidad poblacional humana. La falta de políticas de conservación y de diseño e implementación de estas áreas hace que este sistema de AP sea poco apto para la conservación de poblaciones de yaguareté a largo plazo.

Aunque las causas de riesgo para el yaguareté son similares a las de otras regiones, en el Chaco toma mayor importancia la pérdida y la transformación del hábitat. La caza es otro factor importante; cabe destacar que, en esta región, aún se caza al yaguareté con fines comerciales, y ésta, tal vez, es una causa de mortalidad de mucho mayor impacto que la realizada por los ganaderos como medida de control del daño por depredación (Perovic, obs. pers,; pobladores, com. pers.). Aunque el conflicto yaguareté-ganado tendría que ser importante en esta región, de acuerdo con los resultados obtenidos en el campo, éste es minimizado u ocultado por los pobladores por diversas causas, lo que hace difícil evaluar el daño real (Perovic, 2003).

La situación del yaguareté en Misiones

El biólogo brasilero Peter Crawshaw (1995) realizó el primer estudio de la ecología del yaguareté en el BAAP, en los Parques Nacionales Iguazú de Brasil y la Argentina. Su trabajo aportó una valiosa información sobre el uso del hábitat y la dieta. Así, este estudioso estimó una densidad de 3,7 individuos adultos cada 100 km², y que los machos ocupaban territorios de aproximadamente 89 km², mientras que

las hembras ocupaban territorios menores. La principal presa de los jaguares en esta región eran, según el autor, los pecaríes, especialmente el pecarí labiado (*Tayassu pecari*). Lamentablemente, al final de su estudio, Crawshaw pudo documentar cómo casi el 90% de los jaguares que estudió fueron muertos por cazadores, envenenados o atropellados en las rutas.

Figura 1. Fotografía de un yaguareté hembra obtenida en el Parque Nacional Iguazú, Misiones, con trampas-cámara. Éstas son cámaras fotográficas que se disparan automáticamente cuando se activa un detector de radiación infrarroja que capta la presencia de un animal de sangre caliente. El patrón exclusivo de manchas de los individuos permite identificarlos y estimar la densidad con el uso de métodos de captura-recaptura.

En el año 2003 se ha iniciado, con el apoyo de la FVSA y de la WWF, un estudio poblacional del yaguareté en el BAAP, que apunta a establecer un sistema de monitoreo a largo plazo de esta población y un análisis de viabilidad poblacional que contribuya a la elaboración de un plan de manejo de la misma (De Angelo, Paviolo y Di Bitetti, 2005). Con este trabajo se ha obtenido un mapa actualizado y detallado de la presencia del yaguareté en toda esta ecorregión, gracias al trabajo de una red de colaboradores que aportan información; así, se recopilaron estimaciones de densidad absoluta, por medio del empleo de trampas-cámara (ver Figura 1). Los resultados del trabajo indican que la población de jaguares del BAAP se encuentra en un estado muy comprometido. Sólo queda un 7% de la superficie original de selvas en esta ecorregión, que comprende gran parte de Misiones, el este de Paraguay y una porción importante de varios estados del sur de Brasil. De esta superficie, una gran parte está constituida por pequeños fragmentos de bosque aislados, degradados y defaunados (sin alimento suficiente para el yaguareté, lo que incrementa la depredación de estos sobre el ganado), debido a la extracción de madera y la caza no sustentables (Paviolo, 2002). Muy pocos de los fragmentos de selva remanentes del BAAP aún tienen presencia de yaguaretés (menos de diez fragmentos). Alrededor de un 3% de la superficie original del BAAP constituye un hábitat real o potencial para este animal. El fragmento del BAAP más grande y con mayor potencial para mantener una población de esta especie en el largo plazo es el Corredor Verde de Misiones y las áreas adyacentes de Brasil; cabe destacar que la población de esta área se encuentra aislada de otras poblaciones de yaguareté del Bosque Atlántico. Algunas estimaciones recientes obtenidas con trampas-cámara (para detalles sobre este método de censado, ver Karanth y Nichols, 1998) indican que la densidad del yaguareté en el Corredor Verde es extremadamente baja (menos de un individuo cada 100 km^2) y ha disminuido entre cinco y nueve veces en los últimos diez años (Paviolo, De Angelo y Di Bitetti 2005 a y b, ver Figura 2). Esto significa que, para conservar un número dado de individuos en Misiones, se necesitaría una superficie muchas veces mayor que la necesaria para conservar ese mismo número en cualquier otro sitio donde habitase la especie.

Algunas estimaciones indican que quedan mucho menos de cien individuos en todo el Corredor Verde y, con seguridad, no más de doscientos en todo el BAAP. En las Yungas, la población del yaguareté difícilmente supere este número, mientras que, en el Chaco, si bien los estudios de presencia-ausencia de la especie recién están comenzando de una manera sistemática, la información preliminar no es muy alentadora y la población total difícilmente sea mayor a la de las otras regiones. Estos números, aún imprecisos (ya que es imposible contar a todos los individuos y tener un número exacto), son preocupantes, pues marcan una dramática tendencia a la desaparición de la especie en el país. Estudios recientes indican que, para asegurar la supervivencia a largo plazo (cien generaciones) de poblaciones de vertebrados terrestres, es necesario mantener al menos 5.000 individuos (Reed *et al.*, 2003). Poblaciones de pocas decenas a pocos cientos de individuos podrían preservarse durante muchas generaciones en caso de que se facilitara la conexión de poblaciones pequeñas con otras mayores, si se piensa en el funcionamiento de una metapoblación

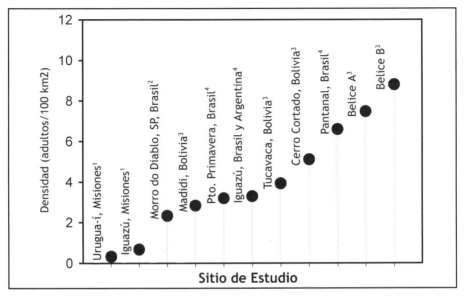

Figura 2. Densidad de jaguares estimada para diversos sitios del Neotrópico. La densidad de jaguares del Corredor Verde de Misiones (ver dos primeros puntos del gráfico) es varias veces menor a la estimada para otros sitios. La densidad del yaguareté del Corredor Verde ha disminuido en varios órdenes de magnitud en los últimos diez años (comparar con el sexto punto que corresponde al estudio de Crawshaw en Iguazú, previo a 1995).
Referencias para los puntos del gráfico: 1) Paviolo, De Angelo y Di Bitetti, 2005 a y b, 2) Cullen *et al.*, 2005, 3) Silver *et al.*, 2004, 4) Crawshaw, 1995.

(ver recuadro "¿Qué es y cómo funciona…"). Otras alternativas posibles, como el manejo activo de las mismas (e.g., translocación de individuos, inseminación artificial de individuos silvestres, etc.), podrían aumentar las posibilidades de supervivencia, pero esto implicaría grandes costos económicos y perdería sentido si no se mantuviera el hábitat adecuado para la especie.

Otro problema que enfrentan todas las poblaciones de jaguares de la Argentina es su persecución, por ser considerados como una plaga, o su caza por parte de cazadores "deportivos" que constituyen, probablemente, la causa más frecuente de mortalidad de esta especie. Reducir el conflicto yaguareté-pobladores rurales, que se suscita como resultado de la ocasional tendencia de este felino a atacar animales domésticos, es parte de la solución a este problema. Estas cuestiones han sido abordadas en Misiones (Schiaffino, 2000; Schiaffino *et al.*, 2002), así como en las Yungas (Perovic, 1993) y el Chaco (Perovic, 2003), donde se analizaron las características de este conflicto y se han desarrollando metodologías que permiten minimizar el ataque del yaguareté a los animales domésticos. Sin embargo, las medidas de mitigación propuestas en esos trabajos no están siendo implementadas a escala regional. El gobierno de Misiones y los legisladores de esta provincia impulsan leyes y medidas de resarcimiento económico a los productores que sufren pérdidas de animales domésticos, medidas que, en principio, son necesarias, aunque de complicada aplicación. Una experiencia piloto de resarcimiento económico fue emprendida en las Yungas entre 1991 y 1993 (Perovic, 1993), y los resultados de la misma fueron buenos, a pesar de la dificultad de implementar este tipo de manejo. Sin embargo, cabe destacar que este tipo de manejo no es recomendable a largo plazo, sino que puede funcionar bien como una "medida de choque" por un tiempo determinado, hasta que se encuentre una medida de manejo del ganado o del yaguareté acorde con las exigencias locales, ambientales y sociales (Perovic y Gato, 1999).

¿Qué es y cómo funciona una metapoblación?

A veces es difícil pensar en conservar una superficie de hábitat continuo lo suficientemente grande como para proteger especies como el yaguareté, que necesita enormes superficies para sobrevivir. Sin embargo, muchas especies subsisten naturalmente distribuidas en porciones de hábitat de diferente tamaño, y conforman "subpoblaciones" o "poblaciones locales" que interactúan a través de la migración de individuos entre ellas. Algunas subpoblaciones pueden ser pequeñas y llegan a extinguirse, pero a corto o mediano plazo el hábitat "desocupado" es nuevamente colonizado por individuos de áreas vecinas. Este conjunto de subpoblaciones y áreas disponibles relacionados mediante la dispersión de individuos es lo que se llama "metapoblación". La continua fragmentación de los ambientes naturales ha llevado a la aplicación de la idea de metapoblación en la biología de la conservación como una alternativa para especies de grandes requerimientos, a través del mantenimiento de un número suficiente de parches de hábitat en buenas condiciones y de gran tamaño (de manera que las posibles extinciones de algunas subpoblaciones sea poco probable), a fin de garantizar la conexión entre los parches de hábitat y lograr tanto un permanente intercambio de individuos como una rápida colonización de hábitat desocupados (Hanski, 1996).

En definitiva, la población del yaguareté del BAAP ha sido reducida a menos del 1% de su tamaño original. Ha ocurrido una dramática retracción del área ocupada por jaguares debido, sobre todo, al rápido avance de la frontera agropecuaria en toda la región. A esto se suma una drástica reducción en la abundancia de las presas, debido a la caza incontrolada (Paviolo, 2002) y, posiblemente, a enfermedades (como puede haber ocurrido con el pecarí labiado en el norte de Misiones). La disminución conjunta de presas y del área hace que no sólo haya menos yaguaretés, sino que una mayor proporción de sus individuos posean territorios que limitan con zonas rurales vecinas y que, por ello, tengan un mayor riesgo de ser eliminados por cazadores o pobladores rurales. La caza ilegal de jaguares, aun en AP, sigue siendo otro grave problema difícil de resolver.

¿Qué debemos hacer?

El yaguareté no sobrevivirá las próximas décadas en la Argentina si no se revierten algunos factores importantes que afectan sus poblaciones negativamente. Para revertir la situación actual, es necesario: 1) asegurar grandes áreas efectivamente protegidas o bien manejadas. Por ejemplo, la Reserva de Biosfera Yabotí, en Misiones, y la Reserva de Biosfera de las Yungas, en el noroeste argentino, deberían alcanzar un mejor nivel de protección y manejo. 2) Controlar efectivamente la caza ilegal de las presas y del jaguar en AP y no protegidas para, así, aumentar la capacidad de carga del hábitat y la densidad del yaguareté. 3) Asegurar la conexión, por medio de corredores biológicos, de las pequeñas poblaciones que habitan fragmentos de hábitat pequeños y relativamente aislados, para garantizar que el conjunto de ellas actúe como una metapoblación. 4) Reducir la muerte (o quita) innecesaria de jaguares que depredan ganado ("animales problema"), mediante un trabajo activo que permita minimizar el conflicto yaguareté-ganado-pobladores rurales. 5) Establecer programas de monitoreo de las poblaciones de jaguares en el país y del daño real de éstos sobre el ganado, para conocer sus tendencias poblacionales y poder actuar donde y cuando sea necesario. 6) Finalmente, mantener informado al público sobre la situación poblacional de la especie y los beneficios que aporta su supervivencia, para cambiar percepciones erróneas, desmitificar su peligrosidad y poner los conflictos reales que genera la especie en una dimensión más amplia.

¿Qué podemos hacer?

Lograr que el yaguareté llegue al siglo XXII en la Argentina parece una meta inalcanzable, debido a los grandes requerimientos de hábitat de la especie y a las circunstancias adversas que se describieron anteriormente. Sin embargo, hay numerosos ejemplos de poblaciones animales que se han recuperado después de haber pasado por situaciones más críticas (osos y lobos en los EE.UU. y Europa, tigres asiáticos en varios sitios de ese continente, guepardos en varias reservas africanas, etc.). Un ejemplo local es el de la vicuña, cuyas poblaciones se han recuperado recientemente gracias al esfuerzo y la cooperación entre provincias y países de la región andina. La preservación del yaguareté en la Argentina es posible, pero lograrlo requiere del interés y del esfuerzo de todos. El yaguareté es una de las pocas especies de la fauna argentina que ha sido declarada como Monumento Natural Nacional por la Ley N°25.463 del año 2001. Esta ley establece que la APN y la DFS de la Nación deben desarrollar e implementar un plan de manejo que asegure la supervivencia de la especie en el territorio nacional. En junio de 2004, la APN y la Dirección de Fauna organizaron en Resistencia, Chaco, un primer taller para empezar a desarrollar un plan de manejo del yaguareté en la Argentina. Éste fue un buen inicio. En julio de 2005 se organizó, en Brasilia, conjuntamente con personal científico del Lincoln Park Zoo de Chicago, EE.UU., y con el Instituto de Pesquisas Ecológicas de Brasil (IPE), un taller para desarrollar un análisis de viabilidad poblacional y de hábitat de la población de yaguareté del Corredor Verde de Misiones y áreas cercanas de Brasil. Se espera contar con los resultados de este análisis a mediados de 2006, los cuales serán de vital importancia para desarrollar un plan de manejo de esta población. Varias provincias (Misiones, Chaco y Salta) han declarado a la especie como Monumento Natural Provincial y han establecido leyes que la protegen. En Misiones, el gobierno provincial impulsa la Comisión Yaguareté, un foro integrado por instituciones gubernamentales y ONG, que busca soluciones a la problemática del yaguareté. Más allá de los gestos de buena voluntad de los gobiernos, tanto el estado nacional como los gobiernos provinciales no son efectivos a la hora de implementar las leyes, y el yaguareté sigue sin protección efectiva en todo el país. Todos los argentinos deberían preocuparse por el futuro del yaguareté, en lugar de dejar los esfuerzos exclusivamente en manos del Estado. Informarse es un primer paso, pero también se puede actuar. Existen varias iniciativas de personas, ONG y centros académicos que impulsan la investigación y la conservación de esta especie y apoyan las iniciativas estatales. La FVSA y Greenpeace están apoyando diferentes trabajos y mantienen constantemente informado al público sobre los problemas que enfrenta el yaguareté. La Red Tigrera tiene una página web (http://www.jaguaresdeargentina.com) con información sobre iniciativas de conservación de la especie en la Argentina. A nivel internacional, la Wildlife Conservation Society tiene un programa que apoya específicamente la conservación del jaguar (http://www.savethejaguar.com) y está apoyando investigaciones sobre la temática.

Agradecimientos

M. Di Bitetti, A. Paviolo y C. De Angelo agradecen el apoyo de la FVSA, la APN y su Centro de Investigaciones Ecológicas Subtropicales (CIES) y el Ministerio de Ecología, Recursos Naturales Renovables y Turismo de Misiones, y a todas las personas y voluntarios que colaboran con su trabajo. Este proyecto está siendo implementado gracias al apoyo financiero del CONICET, la FVSA, WWF, Lincoln Park Zoo, Wildlife Conservation Society, Idea Wild, Rufford Foundation y Fundación Antorchas.

K. Schiaffino agradece el apoyo de la Fundación ESSO que, desde 1997, se interesa por la conservación del yaguareté, de la FVSA, que demostró especial entusiasmo en la búsqueda de soluciones al conflicto entre el yaguareté y los colonos, y de la Wildlife Conservation Society, así como también a Adrián Georgópulos, Walter Maciel, Omar Cañete, Pedro Moreyra, Martín Morales y Javier Cerutti, guardaparques participantes del proyecto.

Pablo Perovic ha recibido apoyo de la Fundación para la Conservación de las Especies y el Medio Ambiente (FUCEMA), CONICET, Idea Wild, la APN, la Fundación Proyungas, Wildlife Conservation Society, Greenpeace Argentina y Pan American Energy.

Bibliografía

- Administración de Parques Nacionales - Sistema de Información de Biodiversidad (SIB), Datos-SIFAP, [en línea] <http://www.parquesnacionales.gov.ar>.
- Altrichter, M., G. Boaglio y P. G. Perovic, "The status of jaguar (*Panthera onca*) in the Argentina Chaco", *Oryx*, 2005.
- Bennett, A., *Linkages in the Landscape: The Role of Corridors and Connectivity in Wildlife Conservation*, IUCN, Gland & Cambridge, 1998.
- Bertonatti, C. y J. Corcuera, *Situación Ambiental Argentina 2000*, Buenos Aires, Fundación Vida Silvestre Argentina, 2000.
- Bolkoviç, M. L. y D. Ramadori (eds.), *Manejo de Fauna Silvestre en Argentina*, Dirección de Fauna Silvestre (SAyDS-MSyA).
- Burkart, R., J. García Fernández y A. Tarak, "Las áreas protegidas de la Argentina", Primer Congreso Latinoamericano de Parques Nacionales y Áreas Protegidas, Buenos Aires, APN, 1997.
- Castelli, L., *Conservación de la Naturaleza en Tierras de Propiedad Privada*, Buenos Aires, Fundación Ambiente y Recursos Naturales, 2001.
- Chacón Marín, C. M., *Desarrollando áreas protegidas privadas. Herramientas, criterios e incentivos*, San José, Asociación Conservación de la Naturaleza, 2004.
- Comisión Binacional para el Desarrollo de la Alta Cuenca del Río Bermejo y el Río Grande de Tarija, PNUMA, OEA, FMAM, Proyecto de Corredor de las Yungas, Programa Estratégico de Acción de la Cuenca del Río Bermejo, [en línea] 2005 <http://www.cbbermejo.org.ar>.
- Conservation International, [en línea] 2005 <http://www.biodiversityhotspots.org>.
- Convenio sobre Diversidad Biológica, [en línea] <http://www.biodiv.org/convention>.
- COP 5 - CDB, Decisión V/6, Nairobi, [en línea] 2000 <http://www.biodiv.org/decisions>.
- COP 7 - CDB, Decisión VII/28, Áreas Protegidas, Programa de Trabajo, Decisión VII/30, Plan Estratégico: Metas para evaluar el programa logrado en el futuro, Kuala Lumpur [en línea] 2004, <http://www.biodiv.org/decisions>.
- Crawshaw, P. G. Jr., "Comparative ecology of ocelot (*Felis pardalis*) and Jaguar (*Panthera onca*) in a protected subtropical forest in Brazil and Argentina", Tesis doctoral, Universidad de Florida, 1995.
- Cullen, L., K. Cachuba Abreu, D. Sana y A. Ferreira Dales Nava, "As onças-pintadas como detetives da paisagem no corredor do Alto Paraná, Brasil", *Natureza & Conservação*, 3, 2005, pp. 43-58.
- De Angelo, C., A. Paviolo y M. Di Bitetti, "Assessing the population status of jaguars, pumas and ocelots in the Green Corridor of Misiones, Argentina", Resúmenes de International Conference and Workshop Status and Conservation of the Neotropical Felids, organizada por IUCN, IBAMA, SACCA y WCN, San Francisco de Paula, 2005.
- Di Bitetti, M. S., G. Placci y L. A. Dietz, *Una Visión de Biodiversidad para la Ecorregión del Bosque Atlántico del Alto Paraná: Diseñando un paisaje de conservación para la biodiversidad y estableciendo prioridades para acciones de conservación*, Washington DC, World Wildlife Fund, 2003.
- Díaz, G. B. y R. A. Ojeda, *Libro rojo de mamíferos amenazados de la Argentina*, Sociedad Argentina para el Estudio de los Mamíferos, 2000.
- Fahrig, L., *Effects of Habitat Fragmentation on Biodiversity, Annual Reviews of Ecology, Evolution and Systematics*, 2003, 34: pp. 487-515.
- FREPLATA, [en línea] 2005 <http://www.freplata.org>.
- Fundación Patagonia Natural, "Consolidación e implementación del PMZCP para la Conservación de la Biodiversidad", [en línea] 2005 <http://www.patagoniacostera.org.ar>.

La Situación Ambiental Argentina 2005

- Fundación Proteger, [en línea] 2005 <http://www-proteger.org.ar>.
- Fundación ProYungas, [en línea] 2005 <http://www.proyungas.org>.
- Goldfeder, S., "Exportaciones de Psitaiformes de la República Argentina (Período 1985/1989)", Informe Técnico Dirección Nacional de Fauna Silvestre, 1991.
- Gruss, J. X. y T. Waller, Diagnóstico y recomendaciones sobre la administración de recursos silvestres en Argentina: la década reciente (un análisis sobre la administración de la fauna silvestre), Buenos Aires, WWF, TRAFFIC Sudamérica y CITES, 1988.
- Hanski, I., "Metapopulation Ecology", en: Rhodes, O., R. Chesser y M. Smith (eds.), *Population Dynamics in Ecological Space and Time*, The University of Chicago Press, 1996, pp. 13-43.
- Karanth, K. U. y J. D. Nichols, "Estimation of tiger densities in India using photographic captures and recaptures", *Ecology*, 1998, 79: pp. 2.852-2.862.
- Medellín, R. A. *et al.*, *El Jaguar en el nuevo milenio*, México, Fondo de Cultura Económica, Universidad Nacional Autónoma de México, Wildlife Conservation Society, 2002, 647 pp.
- Miller, B. y A. Rabinowitz, "¿Por qué conservar al jaguar?", en: Medellín, R. A. *et al.* (eds.), *El Jaguar en el nuevo milenio*, México, Fondo de Cultura Económica, UNAM, Wildlife Conservation Society, 2002, pp. 303-315.
- Ministerio de Ecología, Recursos Naturales Renovables y Turismo, Unidad Especial de Gestión del Corredor Verde, [en línea] 2005 <http://www.misiones.gov.ar/ecologia>.
- Moreno, D., "La conservación en tierras privadas: la alternativa del Programa Refugios de Vida Silvestre", en: Bertonatti, C. y J. Corcuera (eds.), *Situación ambiental argentina 2000,* Buenos Aires, Fundación Vida Silvestre, 2000.
- Noss, R. F., "Landscape connectivity: Different functions at different scales", en: Hudson, W. E.(ed.), *Landscape Linkages and Biodiversity*, Washington DC, Island Press, 1991.
- Parera, A. y D. Moreno, *Manual de Bases, criterios y procedimientos del Programa Refugios de Vida Silvestre*, Buenos Aires, Fundación Vida Silvestre Argentina, 1998.
- Paviolo, A. J., "Abundancia de presas potenciales de yaguareté (*Panthera onca*) en áreas protegidas y no protegidas de la Selva Paranaense, Argentina", Tesis de grado, Universidad Nacional de Córdoba, 2002.
- Paviolo, A. J., C. De Angelo y M. S. Di Bitetti, "Estado de la población de yaguareté (*Panthera onca*) en el Bosque Atlántico de Misiones y las posibles causas de su declinación", Libro de resúmenes, XX Jornadas Argentinas de Mastozoología, Buenos Aires, 2005 b.
- Paviolo, A. J., C. De Angelo y M. S. Di Bitetti, "Jaguar (*Panthera onca*) population decline in the Upper Paraná Atlantic Forest of Brazil and Argentina", Libro de resúmenes, 19th Annual Meeting of the Society for Conservation Biology, Brasilia, 2005 a.
- Perovic, P. G., "Conservación del jaguar en el noroeste de Argentina", en: Medellín, R. A. *et al.* (eds.), *El Jaguar en el nuevo milenio*, México, Fondo de Cultura Económica, UNAM, Wildlife Conservation Society, 2002 a, pp. 465-475.
- Perovic, P. G., "Diagnóstico del estado de conflicto jaguar/puma-actividades humanas en el Parque Nacional Copo y zona de amortiguamiento", Biodiversity Conservation Project-BIRF/GEF TF 028372-AR, Administración de Parques Nacionales, 2003, p. 49.
- Perovic, P. G., "Evaluación del daño sobre la ganadería por actividad del overo (*Panthera onca*) en un área de las Yungas, Departamento Palpalá, Provincia de Jujuy", Series Técnicas, Fundación para la Conservación de las Especies y el Medio Ambiente (FUCEMA), 1993.

La Situación Ambiental Argentina 2005

• Perovic, P. G., "La comunidad de félidos de las selvas nubladas del noroeste de argentino", Tesis Doctoral, Universidad Nacional de Córdoba, 2002 b, p. 145.

• Perovic, P. G. y J. Gato, *El tigre* (Panthera onca) *en la Alta Cuenca del Río Bermejo*, Fundación Proyungas, 1999, 48 pp.

• Perovic, P. G. y M. Herrán, "Distribución del jaguar *Panthera onca* en las provincias de Jujuy y Salta, Noroeste de Argentina", *Mastozoología Neotropical*, 5, 1998, pp. 47-52.

• Prado, W., E. Boló Bolaño, A. Parera, D. Moreno y A. Carminati, "Manejo de yacarés overo (*Caiman latirostris*) y negro (*Caiman yacare*) en el Refugio de Vida Silvestre El Cachapé", Boletín Técnico 55, Buenos Aires, Fundación Vida Silvestre Argentina, 2001.

• Reed, D. H., J. J. O'Grady, B. W. Brook, J. D. Ballou y R. Frankham, "Estimates of minimum viable population sizes for vertebrates and factors influencing those estimates", *Biological Conservation*, 113, 2003, pp. 23-34.

• Schiaffino, K., "Una experiencia de participación de productores rurales en un proyecto de conservación del yaguareté en Misiones", en: Bertonatti, C. y J. Corcuera (eds.), *Situación Ambiental Argentina 2000*, Buenos Aires, Fundación Vida Silvestre Argentina, 2000, pp. 269-271.

• Schiaffino, K., L. Malmierca y P. G. Perovic, "Depredación de cerdos domésticos por jaguar en un área rural vecina a un parque nacional en el noreste de Argentina", en: Medellín, R. A. *et al.* (eds.), *El Jaguar en el nuevo milenio*, México, Fondo de Cultura Económica, UNAM, WCS, 2002, pp. 251-264.

• Secretaría de Ambiente y Desarrollo Sustentable, Dirección Nacional de Recursos Naturales y Conservación de la Biodiversidad, Coordinación de Conservación de la Biodiversidad, "Convenio de Diversidad Biológica, Argentina", Informe temático sobre áreas protegidas, [en línea] <http://www-.medioambiente.gov.ar/biodiversidad>.

• Secretaría de Ambiente y Desarrollo Sustentable, Resolución 91/03, Estrategia Nacional sobre Diversidad Biológica - Su adopción, 2003.

• Silver, S. C., L. E. T. Ostro, L. K. Marsh, L. Maffei, A. J. Noss, M. J. Kelly, R. B. Wallace, H. Gómez y G. Ayala, "The use of camera traps for estimating jaguar *Panthera onca* abundance and density using capture/recapture analysis", *Oryx*, 38, 2004, pp. 148-154.

• Somma, D., "Diagnóstico sobre la conectividad biológica y propuestas de ordenamiento territorial en la Ecorregión de Yungas (prov. de Salta y Jujuy)", Programa CANON de Ciencia en Parques Nacionales para las Américas, 2005.

• Terborgh, J., J. A. Estes, P. Paquet, K. Ralls, D. Boyd-Heger, B. J. Miller y R. F. Noss, "The role of top carnivores in regulating terrestrial ecosystems", en: Soulé, M. E. y J. Terborgh (eds.), *Continental Conservation: Scientific Foundations of Regional Reserve Networks*, The Wildlands Project, Washington DC, Island Press, 1999, pp. 39-64.

• Terborgh, J., L. Lopez, P. Nuñez, M. Rao, G. Shahabuddin, G. Orihuela, M. Riveros, R. Ascanio, G. H. Adler, T. D. Lambert y L. Balbas, "Ecological meltdown in predator-free forest fragments", *Science*, 294, 2001, pp. 1.923-1.926.

• Torrella, S., P. Herrera y J. Adámoli, "Sostenibilidad de la expansión agraria en la región chaqueña: condiciones favorables y factores limitantes", XXX Jornadas Agrarias, Sociedad Argentina de Botánica, Rosario, 2004.

• UICN, Directrices para las Categorías de Manejo de Áreas Protegidas, CPNAP, IUCN, Gland & Cambridge, 1994.

La Situación Ambiental Argentina 2005

LA DESERTIFICACIÓN EN LA REPÚBLICA ARGENTINA

Por: Octavio Perez Pardo

Dirección de Conservación del Suelo y Lucha contra la Desertificación, Secretaría de Ambiente y Desarrollo Sustentable, Ministerio de Salud y Ambiente de la Nación. desersuelo@medioambiente.gov.ar

Análisis de la situación

La República Argentina ocupa más del 80% de su territorio con actividades agrícolas, ganaderas y forestales, y genera un impacto importante en la base de sus recursos naturales, que se expresa en la actualidad con más de 60.000.000 de ha sujetas a procesos erosivos de moderados a graves. Cada año se agregan 650.000 ha, con distintos grados de erosión.

Esta situación es particularmente aguda y crítica en las zonas áridas y semiáridas, donde la pérdida de productividad se traduce en el consiguiente deterioro de las condiciones de vida y la expulsión de población. La población urbana y rural establecida en esta región árida/semiárida es aproximadamente un 30% del total nacional (9.000.000 de habitantes).

Muchos de los estados provinciales de la región presentan ingresos *per capita* promedio inferiores a la media nacional, y los porcentajes de hogares con necesidades básicas insatisfechas duplican la media nacional.

La dramática disminución de las formaciones boscosas de la Argentina ha acompañado el proceso de desertificación. En los últimos setenta y cinco años la reducción de la superficie forestal natural –por efecto de la explotación con fines madereros y energéticos, del sobrepastoreo y del desmonte para la ganadería y la agricultura– alcanzó el 66% (mayoritariamente en las zonas secas) de su superficie original.

Asociada con la ocupación del territorio y la modificación de los ecosistemas, la pérdida de biodiversidad se expresa en el peligro de la

Figura 1. Siembra de cebolla (*onion set*) con pequeños productores del Gran Chaco. Gentileza Proyecto PAS Chaco Americano.

desaparición del 40% de las especies vegetales y animales en todas las regiones marginales y, en especial, en las más expuestas a la desertificación.

Las deficiencias en la tenencia de la tierra son un factor que contribuye a agravar los procesos de deterioro. Tanto el latifundio como el minifundio, la ocupación de tierras fiscales y los problemas de títulos llevan a una creciente degradación del suelo, del agua y de la vegetación, lo que provoca la disminución y la anulación de su productividad, y también sume a los pobladores en la pobreza o los obliga a migrar.

El deterioro de los recursos en las tierras secas o la propia incapacidad para incrementar la productividad del sistema agrícola generan permanentes flujos migratorios hacia los centros urbanos. Estas migraciones desestructuran a las familias rurales, generan una importante pérdida cultural y, por sobre todo, incrementan la pobreza extrema en los centros urbanos.

Acciones de lucha contra la desertificación

La República Argentina se ha suscripto en 1994 en adhesión a la Convención de las Naciones Unidas de Lucha Contra la Desertificación (UNCCD), ratificada por el Congreso de la Nación mediante la Ley N°24.701.

Esta herramienta normativa es un instrumento de singular importancia para prevenir, combatir y revertir los graves procesos de desertificación que sufre este país. Para ello, la implementación del Programa de Acción Nacional de Lucha contra la Desertificación (PAN), llevada adelante por la Secretaría de Ambiente y Desarrollo Sustentable de la Nación como órgano de coordinación nacional, permite desarrollar numerosos estudios y proyectos de intervención, a fin de conservar, preservar y rehabilitar los recursos naturales de las tierras áridas, semiáridas y subhúmedas secas.

El PAN es ejecutado en coordinación con una amplia red de instituciones y organismos públicos nacionales, provinciales, municipales, con organizaciones no gubernamentales (ONG) y asociaciones de productores relacionadas con la problemática.

Este proceso participativo cuenta con cinco áreas estratégicas de intervención:
1. Programas de acción provinciales, interprovinciales y regionales, cuyo objetivo específico es contar con mecanismos institucionales de coordinación, participación y acción, a nivel provincial y municipal, del sector público y privado, en la lucha contra la desertificación.
2. Una red nacional de información de lucha contra la desertificación, cuyo objetivo específico es disponer de un diagnóstico acabado de la situación, que pueda ser actualizado sistemáticamente y que permita evaluar los avances en la lucha contra la desertificación y la mitigación de los efectos de la sequía.

434

3. La educación, la capacitación y la concientización pública, cuyo objetivo específico es alcanzar un nivel de sensibilización y educación que posibilite una eficaz participación de todos los estamentos estatales.

4. El fortalecimiento del marco institucional, jurídico y del marco económico-financiero, cuyo objetivo específico es disponer de instrumentos legales, económicos e institucionales que permitan optimizar los esfuerzos en la lucha contra la desertificación.

5. La inserción del programa nacional en el marco regional e internacional, cuyo objetivo específico es armonizar y complementar los programas nacionales, así como también incrementar su eficacia, por lo que la Convención de las Naciones Unidas de Lucha contra la Desertificación y Mitigación de los Efectos de la Sequía expresamente exhorta a que los países se consulten y cooperen para preparar, con arreglo a los anexos regionales, programas de acción subregionales y regionales.

Entre las principales actividades en ejecución dentro de estos lineamientos, se encuentran:

Figura 2. Microemprendimiento y trabajo comunitario en la Puna. Gentileza del Convenio SAyDS/INTA/GTZ.

• El Proyecto de Manejo Sustentable de Ecosistemas Áridos y Semiáridos para el control de la Desertificación en la Patagonia (Proyecto GEF).

• La evaluación de la Degradación de Tierras en Zonas Áridas (Proyecto LADA).

• Las actividades de rescate de tecnologías tradicionales.

• Las actividades de difusión y sensibilización con los actores sociales.

• La inclusión de la perspectiva de género en la lucha contra la desertificación.

• La coordinación de la Comisión Asesora Nacional del PAN.

• Los convenios interinstitucionales de cooperación, como el Convenio SAyDS/INTA/GTZ.

• El Programa Subregional de Desarrollo Sostenible del Gran Chaco Americano.

• El Programa Subregional de Desarrollo Sostenible de la Puna Americana.

• El Programa Temático Regional en indicadores y puntos de referencia.

El proceso participativo, esencial para una efectiva implementación del PAN, se basa en la concertación con los actores locales, quienes cumplen un papel activo en el impulso de acciones concretas, de modo que así se establece un acuerdo, un consenso y un alto grado de compromiso de los diferentes actores, sumados a la creciente presencia y apoyo de diversas agencias y fondos de cooperación multilaterales y bilaterales (Mecanismo Mundial de la UNCCD, PNUD, PNUMA, Cooperación Alemana GTZ, GEF, AICD-OEA, etc.).

PROBLEMAS AMBIENTALES DE LA AGRICULTURA EN LA REGIÓN CHAQUEÑA[1]

Por: Jorge Adámoli

Facultad de Ciencias Exactas y Naturales (FCEN), Universidad de Buenos Aires (UBA) y Consejo nacional de Investigaciones Científicas y técnicas (CONICET). jorge@ege.fcen.uba.ar

[1]*Basado en el Proyecto "Sustentabilidad de la expansión de la frontera agrícola" UBACyT G059*

El gran crecimiento de la agricultura en el país generó una fuerte expansión de la frontera agrícola en la región chaqueña, proceso que seguramente continuará. La agricultura chaqueña, desde sus orígenes en el pasaje del siglo XIX al XX, fue protagonizada por innumerables colonias de pequeños productores, con campos de pocos cientos de hectáreas cada uno. Actualmente, la mayor parte de la expansión agrícola está integrada por campos que pertenecen a grandes y medianos productores con miles de hectáreas por establecimiento. Esto en sí no es un problema, porque además de ser protagonistas legítimos, muchos de ellos están contribuyendo a la incorporación de nuevas tecnologías. Si bien este trabajo se centrará en factores bióticos y abióticos, debe tenerse en mente el grave contexto social, ya que la ausencia de políticas específicas para los pequeños productores, así como también de políticas para fijar a los trabajadores que están siendo desplazados por las nuevas tecnologías generan la expulsión de la población rural hacia los cinturones de pobreza de los grandes centros urbanos.

Riesgo de reversión de las actuales tendencias climáticas

La frontera agrícola se localiza en el deslinde del Chaco Semiárido con el Chaco Subhúmedo. Esto genera preocupación porque, en caso de revertirse la actual tendencia de mayor pluviosidad, aumentaría el riesgo de pérdida de cosechas y de desertificación.

ESTACIÓN	Lluvias 2003/2004	Media 1956 a 2004	Diferencia %
Tres Isletas	673	949	-29,1%
Quitilpi	667	1.083	-38,4%
Avia Terai	396	967	-59,0%
Campo Largo	536	977	-45,1%
Pte. R. Sáenz Peña	582	1.043	-44,2%
Corzuela	625	948	-34,1%
Las Breñas	661	970	-31,9%
Charata	668	968	-31,0%
General Pinedo	599	926	-35,3%
Hermoso Campo	454	879	-48,4%
Gancedo	327	873	-62,5%
Los Frentones	349	846	-58,7%
Pampa del Infierno	482	893	-46,0%
Concepción del Bermejo	468	956	-51,0%

Sequía del año hidrológico 2003-2004. Fuente: Administración Provincial del Agua (APA), Chaco.

La Situación Ambiental Argentina 2005

En el período de 1921 a 1950 la isohieta de 900 mm pasaba ligeramente al este de Sáenz Peña (Chaco). En el período de 1956 a 2001 la isohieta de 900 mm se desplazó 100 km hacia el oeste, y pasó a abarcar casi la totalidad de las áreas de expansión agrícola actual, en la frontera entre las provincias de Chaco y Santiago del Estero. Ésta es un área de gran variabilidad interanual de precipitaciones y no se puede descartar la posibilidad de que vuelva un ciclo seco.

En la década del 30 hubo una prolongada sequía, que alcanzó valores extremos entre 1936 y 1937 y, en especial, en 1933, cuando todo el territorio provincial quedó por debajo de 900 mm. Estos valores son comparables con la gran sequía registrada en el año hidrológico 2003-2004. En las localidades que son el epicentro de la expansión de la frontera agrícola, llovió la mitad de los valores medios. Es importante tener presente que la evapotranspiración potencial es del orden de 1.500 mm anuales. Más allá de las cuestiones ambientales involucradas, un elemental sentido de prudencia y de buenas prácticas sugieren que el modelo productivo debería tener una base mixta con un componente forestal, otro ganadero y uno agrícola, preferentemente con agricultura de doble propósito.

Riesgo de pérdida de biodiversidad por desaparición de ambientes únicos

La superficie actualmente ocupada por cultivos en toda la región chaqueña es del orden del 12 al 15% de la superficie total. En la provincia de Chaco es del 13,5%. ¿Por qué, entonces, existe preocupación por las implicancias de la expansión de la frontera agrícola en la biodiversidad? La respuesta es que la mayor parte de la superficie regional está ocupada por ambientes semiáridos o por extensos humedales, es decir, en ambos casos, en tierras no aptas para la agricultura convencional.

El grueso de la agricultura se concentra en las dos porciones subhúmedas de la región:
• Chaco Subhúmedo Occidental: angosta faja localizada en la transición Chaco Semiárido-Yungas (este de Salta, Tucumán y Catamarca, y oeste de Santiago del Estero).
• Chaco Subhúmedo Central: cruza el centro de la provincia de Chaco, el este de Santiago del Estero y el noroeste de Santa Fe.

Ambas zonas presentan la mayor proporción de tierras cultivadas de la región y la casi totalidad de la expansión agrícola actual. Virtualmente no existen tierras fiscales y no existen áreas protegidas (AP), salvo la Reserva Provincial Lotes 32 y 33, que el gobierno de Salta intentó vender recientemente. En este contexto, las posibilidades de preservar muestras representativas de ambos tipos de bosque son muy reducidas. **Conocer esto y no actuar afectará seriamente la credibilidad acerca de la sustentabilidad del modelo agrícola implantado.**

Existe consenso en que los bosques deben ser conservados, pero ¿qué bosques, cómo y cuánto conservar de ellos? Los mejores suelos agrícolas del Chaco Subhúmedo Central coinciden con el bosque de tres quebrachos (colorado santiagueño, colorado chaqueño y blanco). La intensidad de avance de la frontera agrícola en el área originalmente ocupada por este bosque es muy alta. En los alrededores de las localidades de Las Breñas, Charata y Pinedo, en el sudoeste de la provincia del Chaco, se ha estudiado un área de 73.317 ha con fotografías aéreas del año 1957 y con imágenes satelitales del año 2002. La agricultura que en 1957 ocupaba un 63% del área se extendió hasta un 79% en 2002 (Figura 1). En las áreas de ocupación agrícola más antiguas como el Departamento Comandante Fernández (Sáenz Peña), las imágenes satelitales de 2002 muestran que la agricultura ocupa un 85% de la superficie estudiada. En ambos casos, la mayor parte de la vegetación remanente no es el bosque de tres quebrachos, sino que corresponde a comunidades herbáceas o leñosas típicas de suelos anegables o salobres (razón por la cual perduran). La pregunta, entonces, es: ¿cuál es el límite mínimo e indispensable por debajo del cual seguir deforestando implica la desaparición de especies que quedan sin espacio vital suficiente? De acuerdo con diversos especialistas, el mínimo a conservar debería estar entre el 15 y el 25% de la cobertura original.

El bosque de tres quebrachos presenta tal nivel de fragmentación, sobreexplotación y ritmo de deforestación que, si no se adoptan medidas urgentes, en unos pocos años será posible que ya no queden masas disponibles con número, tamaño y conectividad mínimos como para asegurar la protección. Por ello, debería formarse una red de AP para poder conservar muestras representativas de la diversidad ecológica de este tipo de bosques.

Estudios realizados acerca de la tasa de extinción de especies sobre la base de diversos escenarios de deforestación demuestran que no existe una relación lineal, ya que para una pérdida del 11% de la superficie se prevé una pérdida del 2% de las especies, mientras que con un 44,8% de pérdida de la superficie, se calcula que las pérdidas de las especies llegarían a un 35%.

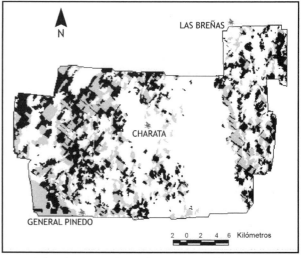

Figura 1. Área Las Breñas-Charata-General Pinedo. Negro: remanentes de vegetación en 2002; gris: áreas convertidas entre 1957 y 2002; blanco: agricultura.

En el área del bosque de tres quebrachos, las pérdidas estimadas son del orden del 85% de la superficie original. Los cambios climáticos podrían exacerbar esta pérdida potencial. Estos bosques se están perdiendo y fragmentando, pero si se controlan tanto el patrón espacial como la localización de los fragmentos y si se asegura que sigan existiendo áreas relativamente grandes de hábitat naturales y semi-naturales, la pérdida de especies podría reducirse sensiblemente. **Éste es un gran desafío que debe asumirse en la región chaqueña.**

Riesgo de pérdida de materia orgánica de los suelos por falta de rotaciones

La agricultura chaqueña siempre tuvo como gran protagonista el algodón, con un área sembrada del orden de 300.000 ha. Debido a los altos precios registrados a mediados de los 90, el área sembrada creció hasta 712.000 ha en la campaña 1997-1998. Las intensas precipitaciones del evento de "El Niño" de 1998, junto con la caída de precios en 2001, provocaron un marcado descenso en el área sembrada, que alcanzó un mínimo de 85.500 ha en 2002-2003.

La soja, que en los años 70 era casi una rareza, fue ganando posiciones hasta estabilizarse en torno a 50.000 ha a principios de los 90. La liberación de la soja transgénica en 1996, junto con la debacle del algodón, permitió expandir el área sembrada hasta 650.000 ha sembradas en 2002-2003.

En la FCEN de la UBA se mapeó la evolución de las áreas agrícolas de la provincia de Chaco. El total de áreas cultivadas pasó de 946.055 ha en 1992, a 1.399.426 ha en el año 2002. Esto significa que las áreas cultivadas pasaron del 9,5% de la superficie provincial en 1992 al 14% en 2002 (Figura 2).

Los seis cultivos principales responden al 90% de la superficie sembrada total. Los datos del Ministerio de la Producción de la Provincia de Chaco indican que los principales cultivos en la campaña 2002-2003 fueron: La mayor parte de la agricultura en la provincia de

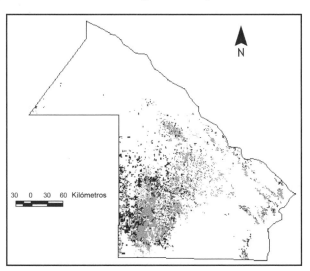

Figura 2. Gris: áreas con cultivos en 1992 (946.055 ha); negro: p expansión agrícola período 1992-2002 (453.371 ha). Total cultivado en 2002: 1.399.426 ha.

La Situación Ambiental Argentina 2005

CULTIVO	Superficie en ha	Porcentaje
Algodón	85.500	6,9%
Girasol	280.000	22,5%
Soja	650.000	52,2%
Subtotal	1.015.500	81,6%
Maíz	100.000	8,0%
Sorgo	65.000	5,2%
Trigo	65.000	5,2%
Subtotal	230.000	18,4%
Total	1.245.500	100%

Chaco utiliza masivamente equipos de siembra directa, aunque está lejos de cumplir con uno de los requisitos elementales del sistema de siembra directa, que es el de las rotaciones de cultivos. Hay una débil participación de especies con amplia relación carbono/nitrógeno (C/N) como el maíz, el sorgo o el trigo, cuyos rastrojos se descomponen lentamente. Por el contrario, predominan las especies con estrecha relación C/N (soja, girasol y algodón), que se descomponen rápidamente, por lo que dejan muy poco rastrojo para cubrir el suelo. Si se analiza la proporción entre los cultivos estivales, puede observarse que sólo el 13,2% de la superficie está cubierta con maíz y sorgo, muy lejos del porcentaje considerado como indispensable para mantener una rotación adecuada.

El panorama es más crítico en el noroeste argentino, de acuerdo con los datos del INTA (ProRe-NOA), ya que el maíz y el sorgo, con 156.650 ha, no llegan siquiera al 10% del área cubierta por la soja, el algodón, el poroto y el maní (que ocupan 1.764.210 ha), con el agravante de que estos dos últimos cultivos se hacen con siembra convencional y con fuerte remoción del suelo. En el mismo documento aparecen los datos de siembra desglosados, lo que permite ver en detalle los del Departamento Moreno (Santiago del Estero), lindante con las áreas de mayor expansión agrícola de la provincia de Chaco. Allí la desproporción es aún mayor, ya que la soja y el algodón totalizan 211.410 ha, contra sólo 11.140 ha de maíz y sorgo, lo que apenas sí representa un 5,2% del área total.

Balance negativo de emisión/captación de CO_2

Uno de los beneficios de la siembra directa bien realizada es la fijación de carbono en la materia orgánica del suelo, lo que le permite actuar como sumidero de CO_2, clave entre los gases del efecto invernadero. Esto abre la posibilidad de acceder en el futuro a los bonos de carbono, que se negocian a través del Mecanismo de Desarrollo Limpio.

En la región pampeana, los incrementos de materia orgánica comienzan a notarse entre los cinco y los diez años de siembra directa continua. Por las condiciones climáticas de la región chaqueña, con altísimas temperaturas, los incrementos en la materia orgánica de los suelos tienen un ritmo más lento. Un productor que cumpliera con todos los requisitos de la siembra directa, y que trabajara en un campo con una historia previa de setenta años de algodón, podría demostrar que, al cabo de cierta cantidad de años, fijaría un volumen determinado de carbono en el suelo. Por el contrario, un productor que comenzara su actividad desmontando un área forestal sería un generador neto de emisiones, con valores ampliamente superiores a las posibilidades de fijación que el suelo pudiera alcanzar, por lo que no podría bajo ningún concepto acceder a los posibles beneficios del Mecanismo de Desarrollo Limpio.

En un informe de la Dirección de Bosques Nativos (SAyDS, 2004), se estima que la superficie deforestada en la región chaqueña en el período acontecido entre 1998-2002 alcanzó las 740.487 ha. La madera del bosque alcanza las **139,31 t/ha**. Si se considera que el contenido de carbono es del 50% del valor de la biomasa, la madera del bosque tiene **69,66 t/ha de C**, a lo que se deben agregar 2,8 de la hojarasca y 38,0 del suelo, para totalizar 110,46 t/ha de C. A esto se le debe agregar el hecho de que, luego de la quema, los suelos son removidos generalmente con rastras pesadas para poder hacer el despalado, lo que genera una fuerte mineralización de la materia orgánica del suelo. En el mismo trabajo, se presentan datos del Inventario de gases de efecto invernadero de la Argentina de 1997, en el que se demuestra que las emisiones de CO_2 resultantes de la deforestación y la consiguiente quema de bosques en la región chaqueña (casi 50 Gg) superan el consumo de combustibles (40 Gg) de todos los medios de transporte del país.

Conclusiones

El escenario internacional demanda un alto incremento en la producción de alimentos. Esto es una gran oportunidad para que la Argentina obtenga fuertes ingresos. El tema central es si esos recursos van a servir para aumentar la brecha entre pobres y ricos, o si serán destinados a disminuir las enormes desigualdades sociales y económicas generadas en los últimos años.

La región chaqueña tiene un inmenso potencial de tierras y gente, que puede y debe contribuir con este esfuerzo. Dicho en otros términos, es posible incrementar significativamente la frontera agrícola, pero el actual proceso muestra diversos indicadores ambientales y sociales que cuestionan severamente la sustentabilidad de dicha expansión. Hay una situación de descontrol que encierra altos riesgos potenciales, inclusive para la rentabilidad económica futura.

Hace falta un nuevo marco para pensar la producción, que contemple que:
• No son suficientemente buenas las prácticas tranqueras adentro, si en el nivel regional se provoca la desaparición de bosques únicos.
• No se pueden exhibir los incrementos de materia orgánica de un suelo cultivado, si para ello –antes– se quemó un bosque.
• No se puede apostar a un planteo 100% agrícola en zonas de alto riesgo climático.
• No se deben cultivar los campos sin rotaciones.
• Todos estos aspectos deben quedar en el pasado.

Como todo proceso de cambio, la gran expansión agrícola en la región chaqueña está generando problemas. Frente a los problemas, la solución no es volver a lo arcaico, sino profundizar la modernización. Deben incorporarse nuevos paradigmas, entre los cuales es preciso saltar del análisis de la sustentabilidad tranqueras adentro hacia una visión regional.

Para los productores, la planificación de sus actividades a nivel predial es elemental. Lo mismo debe hacerse a nivel regional, al introducir el ordenamiento territorial, donde los diversos actores sociales, junto con el Estado, tienen que programar un futuro realmente sustentable.

PATRONES REGIONALES DE DEFORESTACIÓN EN EL SUBTRÓPICO ARGENTINO Y SU CONTEXTO ECOLÓGICO Y SOCIO-ECONÓMICO

Por: Ignacio Gasparri y Ricardo Grau

Laboratorio de Investigaciones Ecológicas de las Yungas, CONICET. Universidad Nacional de Tucumán. nigvpc@tucbbs.com.ar

Introducción

La percepción de la deforestación como problema ambiental en la Argentina ha crecido notablemente en los últimos años. Sin embargo, el proceso de reemplazo de bosques no es reciente en la Argentina, un país con una fuerte base económica y cultural asociada a la agricultura y la ganadería. Por ejemplo, la actividad cañera se desarrolló sobre los bosques pedemontanos del noroeste desde fines del siglo XIX; el cultivo de algodón, acompañado de los planes de colonización en la actual provincia de Chaco, ocurrió entre 1910 y 1925; en Misiones, la yerba mate se expandió durante la misma época y, desde la década del 60, se expandieron las plantaciones de pinos. En las últimas tres décadas, la acelerada difusión del cultivo de soja proporcionó un nuevo impulso al avance de la frontera agrícola, y el rol preponderante de este cultivo en la economía argentina ha propiciado que la deforestación se generalice (Grau *et al.*, 2005 a) en áreas más extensas que los procesos históricos mencionados.

La disponibilidad de la tecnología satelital ha permitido que, en los últimos años, se realicen las primeras estimaciones rigurosas de tasas de deforestación (Montenegro *et al.*, 2005; Grau *et al.*, 2005 b; Zak *et al.*, 2004). La cartografía de los bosques de la Argentina realizada por la UMSEF (la primera estimación con metodología y definiciones rigurosas) indica que entre 1998 y 2002 se deforestaron casi 200.000 ha/año en el norte del país. Las características de la deforestación varían de acuerdo con los contextos ambientales y socio-económicos de cada región. Al respecto, en este trabajo, se sintetizan los patrones actuales de deforestación (Tabla 1) y se discute su relación con el contexto regional.

Deforestación en los distintos biomas del norte argentino

I) Selvas pedemontanas de las Yungas. La deforestación ocurre en las tierras planas ocupadas por bosques para la expansión de soja y, en menor medida, para otros granos, caña de azúcar y citrus. Este ecosistema posee una biodiversidad intermedia y se encuentra poco representado en la Argentina, aunque se continúa en extensas áreas de Bolivia. La deforestación es realizada por grandes propietarios o empresas agropecuarias. El área más activa de deforestación es en la alta cuenca del río Bermejo (noreste de Salta y parte de Jujuy), donde se deforestan actualmente más de 10.000 ha anuales, tasa que provocaría la desaparición de las selvas pedemontanas en tierras planas entre los cincuenta y los cien próximos años. Debido a que se trata de agricultura tecnificada de gran escala, esta deforestación se restringe a situaciones con poca pendiente, por lo que buena parte de la Selva Pedemontana (más de 1.000.000 de ha en zonas de baja montaña), en sentido biogeográfico, no se encuentra amenazada por este proceso.

II) Chaco Semiárido. La deforestación actualmente se localiza en áreas cercanas al umbral de precipitaciones para la agricultura de secano (600 mm), favorecidas por el aumento regional de las lluvias ocurridas durante el siglo XX (Grau *et al.*, 2005 b; Minetti y Vargas, 1997). Esta deforestación se ha acelerado independientemente de las fluctuaciones en la economía nacional y se ha favorecido por la incorporación de cultivares transgénicos de soja que reducen costos de producción y, posiblemente, favorecen la economía hídrica del cultivo. Las provincias donde ocurre este proceso son Salta (38.000 ha/año), Santiago del Estero (50.000 ha/año), el norte de Córdoba (30.000 ha/año), Catamarca (estimativamente, 5.000 ha/año) y Tucumán (5.000 ha/año). Al igual que la deforestación en la Selva Pedemontana, la deforestación del Chaco Semiárido ocurre en grandes superficies y es realizada por grandes y medianos propietarios junto a empresas agropecuarias. Más de la mitad de la deforestación argentina ocurre en este bioma, aunque es también el bioma de mayor superficie remanente en la Argentina, el de menor biodiversidad y el que históricamente ha sido más degradado por el sobrepastoreo y el aprovechamiento forestal selectivo (Bucher y Huszar, 1999). Los sectores que probablemente albergan la mayor biodiversidad son los menos afectados hasta el momento (el este de Salta, el norte de Santiago del Estero y el oeste de Formosa y Chaco), situación también compartida por los extensos sectores de este bioma en Bolivia y Paraguay. La superficie de AP del bioma es menor al 1%.

III) Chaco Húmedo. La deforestación se localiza en el sudeste y el centro de Chaco (32.000 ha/año), en Formosa (5.000 ha/año) y en el norte de Santa Fe (5.000 ha/año). Este bioma se extiende en Paraguay, donde también sufre una intensa deforestación. En esta región, las propiedades en general son de menor extensión que en la Selva Pedemontana y el Chaco Semiárido. La principal limitante agrícola es la aptitud de los suelos (por textura o por napa freática a baja profundidad), que alterna en un mosaico heterogéneo. La combinación de estos factores produce un patrón de unidades pequeñas y medianas que forman un paisaje de parches de bosque muy fragmentado (Bono *et al.*, 2004). Aquí también la deforestación la realizan propietarios y/o empresas agropecuarias, y así se afecta un tipo de ambiente de diversidad intermedia, con poca superficie remanente en el país y con poca superficie incluida en AP.

IV) Selva Misionera. Se caracteriza por usos singulares del suelo en la Argentina, aunque semejantes a otras áreas tropicales. Es el bioma de más alta biodiversidad del país y cuenta con una buena proporción de la superficie remanente incluida en las AP. Dado que estos bosques han sido casi totalmente destruidos en Brasil y Paraguay, la Selva Misionera representa la mayor área de Bosque Atlántico Austral y, como tal, es una prioridad global de conservación (Mittermeier *et al.*, 2002). La deforestación es típicamente realizada por colonos que, en ocasiones, no respetan el estatus de AP. El tipo de cultivo es variado, la deforestación se realiza sin tecnificación y las tierras transformadas entran en un ciclo de producción basado en la agricultura migratoria. La deforestación ocurre muchas veces en áreas serranas y está asociada espacialmente con caminos y cursos de agua que actúan como vías de comunicación. Este tipo de transformación produce bosques fragmentados compuestos por un mosaico de bosques secundarios de distintas edades (*capueras*), bosques primarios con distinto estado de degradación y parcelas agrícolas. Lamentablemente, la tasa de deforestación no se ha podido calcular debido a dificultades metodológicas, pero puede afirmarse que alrededor del 50% de los bosques son secundarios y/o muy fragmentados (Primer Inventario Nacional de Bosques Nativos, 2002). En este mismo ambiente se suma el reemplazo de selvas por forestaciones con pinos realizadas por grandes empresas papeleras en el noroeste de la provincia. Todas estas interacciones implican una situación mucho más compleja en términos socio-económicos, dado que incluye la participación de una gama más variada de actores sociales, importantes procesos de migración y patrones económicos vinculados a la proximidad con Brasil y Paraguay.

Conclusiones e incertidumbres

En las Yungas, la deforestación se restringe sólo a las áreas planas de la Selva Pedemontana sin afectar el grueso de este bioma, por lo cual su biodiversidad y sus principales servicios ecológicos no están amenazados directamente por la deforestación. En las áreas de las selvas pedemontanas con pendiente tampoco hay expansión agrícola, aunque podría haber procesos significativos de degradación causados por el aprovechamiento forestal, los incendios y el sobrepastoreo, procesos que deberían evaluarse. Por otra parte, sería útil evaluar si la potencial eliminación de las selvas pedemontanas en tierras planas afecta el funcionamiento de estos biomas –por ejemplo, a través de su potencial influencia en las migraciones altitudinales de la fauna (Brown y Malizia, 2004)– o si existen consecuencias biogeográficas si se eliminara la transición entre Chaco y las Yungas.

En el Chaco Semiárido la deforestación alcanza su mayor magnitud absoluta. En este sentido, efectos a gran escala como las emisiones de carbono alcanzan una magnitud mayor y, posiblemente, adquieren relevancia continental, de modo que su cuantificación es un objetivo prioritario de investigación. Por otro lado, dado que se trata también del bioma donde el área remanente es mayor, deben evaluarse las tendencias de transformación a largo plazo. Distintas hipótesis pueden proponerse al respecto: a) que los cambios tecnológicos producirán la deforestación de gran parte del Chaco Semiárido (Dros, 2004); b) que las áreas remanentes sufrirán una mayor presión ganadera, debido al desplazamiento de esta actividad desde las áreas más productivas (Dros, 2004; Paruelo *et al.*, 2005); c) que los cambios socio-económicos pueden producir una desintensificación de uso de los ambientes marginales y favorecer, así, la recuperación de vastas áreas de bosques actualmente muy degradados (Grau *et al.*, 2005 c). El estudio de la dinámica e importancia relativa de estas tendencias, así como también la exploración de los factores que gobiernan su evolución son los objetivos de investigaciones con gran potencial de impacto para entender y manejar el mayor frente de deforestación en la Argentina.

En el Chaco Húmedo, las tasas absolutas de deforestación son menores, pero este ambiente ha sido fuertemente reducido y fragmentado, por lo cual la importancia ecológica de esta destrucción y fragmentación requiere mucha mayor atención.

Los cambios de uso del suelo en Misiones probablemente son el proceso de mayor impacto en la biodiversidad y los servicios ecológicos, proceso que, a su vez, presenta mayores complejidades e incertidumbres tanto en la metodología de los análisis con sensores remotos como en los procesos sociales involucrados. Superar estas dificultades con una investigación rigurosa es un desafío mayor que debe enfrentarse.

Epílogo: mediatización e intereses sectoriales

Lamentablemente, en la discusión sobre la deforestación y el uso de la tierra se mantienen, en muchos casos, posturas extremas y visiones parciales. Por ejemplo, en el sector agrícola se fijan metas como la producción de 100.000.000 de t (*Clarín*, 2003) de granos (a partir de las 84.000.000 actuales) que tienen implícita la habilitación de millones de hectáreas de nuevas tierras, sin evaluar los costos ecológicos de la deforestación asociada. Por otra parte, las iniciativas que proponen limitar la expansión agrícola a favor de la conservación pueden representar importantes frenos para el crecimiento de algunas economías regionales y una reducción de una fuente significativa de impuestos estatales que son derivados a ayuda social. El foco en la soja como motor de deforestación puede hacer desmerecer procesos tal vez más urgentes desde el punto de vista conservacionista, como los cambios actuales en la Selva Misionera.

La difusión mediática del problema de la deforestación en los últimos años, promovida por las ONG de conservación y por los organismos estatales del sector forestal, ha estado dominada por sobreestimaciones de porcentajes de deforestación de la superficie original, que señalan una pérdida de entre un 70 y un 82% durante el siglo XX. La primera cifra (basada en una estimación de 105.000.000 de ha en 1914) implicaría que las tasas de deforestación durante el siglo XX han sido cuatro veces mayores que las actuales, lo que es totalmente improbable. Estas cifras y otras similares persisten en los medios de mayor difusión (Parera, 2003; *La Nación*, 2005), pese a que se contradicen con el informe técnico de la propia Dirección de Bosques (Montenegro *et al.*, 2004), cuya mejor estimación indica una pérdida de menos de 7.000.000 de ha entre 1937 y 2002, lo que equivale a alrededor de un 15% en los últimos sesenta años.

Tal vez más importante que el porcentaje de bosque remanente sea estimar cuánto bosque es necesario para que cumplan con sus servicios ecológicos, un aspecto que ha sido prácticamente ignorado en la difusión mediática, en parte por el desconocimiento que se tiene sobre el tema. Este trabajo pretende ejemplificar el gran valor de contar con información cuantitativa y rigurosa para evaluar los patrones, los procesos y las consecuencias de la deforestación. El país ha hecho significativas inversiones para disponer de estas primeras evaluaciones. Las incertidumbres mencionadas implican que son necesarias más inversiones para poder entender las complejidades del proceso (idealmente, predecir y, eventualmente, influir en el futuro). Pero de poco vale la información generada si es usada para promover intereses sectoriales y no es transferida objetiva y honestamente a la sociedad.

	Selva Pedemontana	Chaco Semiárido	Chaco Húmedo	Selva Paranaense
Superficie aproximada en la Argentina (millones de ha)	1,7 (0,5 en tierras planas)	19	4,5	2 (0,6 de bosques fragmentados y 0,4 de capueras)
Tasa actual de deforestación (ha/año)	Menos de 15.000	130.000	42.000	Sin datos
Biodiversidad	Media	Baja	Media	Alta
Representatividad en AP	Baja	Muy baja	Muy baja	Alta
Actores sociales	Grandes y medianos propietarios; empresas agropecuarias	Grandes y medianos propietarios; empresas agropecuarias	Pequeños y medianos propietarios; empresas agropecuarias	Colonos; pequeños y medianos propietarios; empresas forestales
Fragmentación	Mediana-baja	Baja	Alta	Mediana-alta

Tabla 1. Características del proceso de deforestación en los cuatro biomas boscosos principales del subtrópico argentino (las selvas montanas de las Yungas no se incluyen por no tener procesos activos de deforestación de escala significativa). Estimaciones sobre la base de datos de la Unidad de Manejo del Sistema de Evaluación Forestal (UMSEF).

Dirección de Bosques de la Secretaría de Ambiente y Desarrollo Sustentable, período 1998-2002, [en línea], <http://www.medioambiente.gov.ar/bosques/umsef/default.htm>.

MIRANDO AL REVÉS: LA CIUDAD DESDE EL CAMPO. EL CASO DE LA LLANURA CHACO-PAMPEANA ARGENTINA

Por: Jorge Morello, Andrea F. Rodríguez y Walter Pengue

Grupo de Ecología del Paisaje y Medio Ambiente (GEPAMA), Facultad de Arquitectura Diseño y Urbanismo (FADU), UBA. info@gepama.com.ar

Cada día resulta más evidente para planificadores, administradores, geógrafos y ecólogos que una división rígida entre campo y ciudad dificulta no sólo el planeamiento, sino también la gestión de un territorio, porque sobresimplifica y distorsiona la realidad (Tacoli, 2003). Igualmente evidente es el hecho de que siempre existió una compleja red de interacciones o sinergias entre el campo y la ciudad, aunque raramente se analizan las influencias rurales en el diseño, la evolución y el funcionamiento de la ciudad. Hoy se ha comenzado a tomar conciencia de que tanto el paisaje periurbano como ciertos rasgos y comportamientos del espacio amanzanado y aun del centro de una ciudad tienen el sello de la ecorregión donde están ubicados y del recurso natural más valioso del entorno. Manaos es la ciudad del caucho y la selva, por su teatro, sus plazas, por su muelle que "sube" y "baja" acompañando las crecidas, así como también por sus barrios populares sobre pilotes de troncos de 15 a 20 m de altura, sólo obtenibles en ecosistemas de selva pluvial tropical. En el Gran Chaco, los aglomerados de Puerto Tirol, Comandante Fontana y La Escondida, con su arquitectura de barrios de ejecutivos, empleados jerarquizados y obreros, reflejan la estratificación social rígida de asentamientos tanineros, donde la distancia a la materia prima es el factor de interacción más importante entre el campo y el centro urbano.

En las últimas dos décadas, se han hecho progresos interesantes en el análisis e identificación de las influencias del campo en el diseño del periurbano y en la distribución espacial de elementos urbanos de articulación con el campo, tales como la estructura física de acopio; la red de accesos portuarios; los centros de relaciones entre productores; los centros de comercialización, de investigación agrícola, de finanzas; las oficinas gubernamentales; las empresas exportadoras; las inmobiliarias; los bancos; la industria de procesamiento de materias primas rurales, etc.

Todavía hay una concepción sectorial donde el habitante del campo es considerado solamente como agricultor y el de la ciudad como vinculado a la industria y los servicios. Esto dificulta el reconocimiento de no sólo la **urbanización** de la economía y el empleo en el campo de la llanura chaco-pampeana, sino también de la **ruralización** en los aglomerados tanto de inversores y ahorristas que arriesgan sus capitales en la producción agrícola sin conocer demasiado del campo como de los pobres que producen sus alimentos en lotes vacantes del periurbano. Hay, además, crecientes núcleos familiares ricos y muy pobres que pueden considerarse como **multi-espaciales**, con algunos miembros que viven en la ciudad, pero que están involucrados en actividades rurales, mientras que otros están en el campo trabajando en actividades no agrícolas.

Los programas de ajuste estructural y las nuevas modalidades de producción agrícola a gran escala y ahorradora de mano de obra han profundizado la polarización social e incremento de la pobreza, lo que hace imprescindible incorporar a la planificación urbana un enfoque del entorno rural para bajar su nivel de incertidumbre y evitar las sorpresas que están ocurriendo en la ocupación del espacio público.

Rosario es, probablemente, el ejemplo más dramático de la polarización social en una ciudad cada vez más asociada al monocultivo de la soja. Por un lado, respecto del polo aceitero, cuyas inversiones previstas o en ejecución sumaron en el 2004 alrededor de U\$S 470.000.000, se construirán dos centros de compras por U\$S 245.000.000 y hay ciento ochenta edificios en construcción (Sainz, 2004). Por otro lado, el Gran Rosario tiene una tasa de desempleo superior a la media nacional, el 42% de su población está por debajo de la línea de pobreza y el hambre ha producido hechos únicos como la apropiación instantánea de camiones volcados que conducían alimentos (por ejemplo, un camión-jaula con ganado).

En este trabajo se analiza la ciudad desde una perspectiva rural y se trata de balancear lo que se ha llamado el sesgo o prejuicio de la visión urbana (Allen, 2003). Este caso es el de la Pampa Ondulada y el Gran Buenos Aires, y se eligieron aquellos elementos y procesos que influyen en el desarrollo urbano y son muy dinámicos en el tiempo.

La interacción Pampa-ciudades portuarias

En la década del 80, el tamaño mínimo crítico de las propiedades susceptibles de sobrevivir como unidades de producción en el modelo tecnológico de la llamada agricultura de altos insumos aumentó considerablemente. En el Partido de Pergamino, en 1988, las propiedades de menos de 50 ha constituían el 33,5% y en 1999 disminuyeron al 25%. Esta disminución del 8,5% corresponde a los chacareros con poca tierra, candidatos a ingresar tarde o temprano a algún cinturón periurbano. En este período intercensal se pasa de un promedio de tamaño de propiedad de 133 ha a 192. Por otro lado, el promedio del tamaño de aquellas propiedades que utilizaban siembra directa, un indicador de incorporación tecnológica reciente, era de 394 ha en 1999 (Blanco, 2003).

En la llanura chaco-pampeana se está dando una concentración y un aumento de la superficie de las explotaciones agropecuarias asociadas a un alarmante éxodo rural y congestión urbana (Di Castri, 2001; Pengue, 2005). Lo anterior prueba que la agricultura industrial monoproductora tiene, hasta hoy, una capacidad económica muy importante que le ha permitido revitalizar determinados sectores de la actividad urbana, pero que también demuestra que no posee ninguna capacidad destinada a generar empleo suficiente como para limitar el éxodo rural a las grandes ciudades.

A pesar de la consolidación de la red de centros urbanos de distinta jerarquía en el interior, el campo pampeano sigue dependiendo de los grandes puertos de ultramar, lo que consolida la jerarquía de aglomerados portuarios tradicionales (Buenos Aires, La Plata, San Nicolás, Miramar, Rosario, Bahía Blanca, Santa Fe, Barranqueras); también se van incorporando ejes portuarios fluviales nuevos como los del conglomerado del Gran Rosario que, en conjunto, exportaba en 2004 el 85% del total de los aceites que se producían en el país. Por los planes de obras que incluyen un anillo ferroviario y vial entre Villa Gobernador Galvez y San Lorenzo, el acceso directo de cuatro líneas de ferrocarriles, un centro de investigación y transferencia de biotecnología y la profundización del dragado en Rosario de 22 a 40 pies, es previsible que, alrededor de 2010, el Gran Rosario asuma una centralidad industrial, científico-tecnológica y comercial-portuaria casi absoluta (Bertello, 2005). Ya es un hecho que ese territorio históricamente llamado "zona núcleo maicera" o zona ROSAFE (corredor productivo-portuario entre Rosario y Santa Fe) fortalece sus conexiones de todo tipo con Rosario y es, en la práctica, la "zona núcleo sojera", ya que en la campaña 2004-2005 tenía apenas el 10,6% de su superficie cultivada con maíz, contra el 68,9% cubierto con soja de primavera y el restante 20,5% que va a ser destinado a la secuencia trigo/soja (Bertello, 2005). Es el momento, entonces, de asumir la **centralidad de Rosario en las relaciones urbano-pampeanas**.

Actualmente, en países jóvenes como la Argentina y con la colección de incertidumbres que caracterizan la ausencia de un plan nacional de desarrollo, las relaciones campo-ciudad no son lineales y las tendencias históricas y actuales no tienen carácter predictivo. Nadie sabe exactamente qué consecuencias tendrá la monoproducción agroindustrial chaco-pampeana actual, la homogeneización de los usos del suelo, la concentración de la propiedad de la tierra rural y su correlato, la urbanización descapitalizada en barrios precarios donde se concentran los pobres del campo y los hijos urbanos de pobres del campo. El enfoque sectorial por el cual la ciudad es patrimonio intelectual del urbanista y el campo, de los biólogos y agrónomos ha fertilizado la idea de que lo urbano y lo rural son temas que se piensan separados y se manejan separados.

El recurso del suelo y la interfase campo-ciudad

En la Argentina, las estimaciones de pérdida de suelos por erosión están siendo monitoreadas constantemente no sólo por la Secretaría de Ambiente y Desarrollo Sustentable de la Nación, sino también por el Instituto Nacional de Tecnología Agropecuaria (INTA); pero faltan controles periódicos estandarizados y estimaciones confiables de la conversión de tierra agrícola en urbana y periurbana, tanto a nivel regional como nacional.

Con respecto a los tipos de suelo, la ignorancia sobre el soporte edáfico urbano surge del hecho de que en la cartografía nacional y regional de suelos que prepara el INTA, tanto los aglomerados como un amplio cinturón externo, donde en el momento de preparar la cartografía de suelos se estimaba que avanzaría el amanzanado, no son estudiados y aparecen en los mapas como áreas "misceláneas".

Hace menos de diez años (Morello *et. al.*, 2000 a, 2000 b, 2001 a y b) que se conocen los grandes grupos de suelos del Gran Buenos Aires y el Municipio de Rosario (Godagnone y Casas, 1998 y 2000). En estos inventarios se determinan, en cada caso, la evolución de la "superficie agrícola útil" (entendida como el área utilizable para la producción); la "superficie improductiva no ocupada" (que son las tierras con serias limitantes por anegamiento, salinidad, alcalinidad, rocosidad, movilidad del sustrato médanos, canteras) y la "superficie ocupada" por infraestructura construida (caminos, aeropuertos, autopistas, casas, ingenios, industrias, basurales, cavas, humedales, riberas de uso común).

En países con larga trayectoria de planificación como Francia y los Estados Unidos, se monitorea el conjunto del territorio nacional y se establecen propuestas respecto de dónde puede crecer una ciudad con un mínimo impacto sobre la tierra fértil de muy alta calidad, donde no es aconsejable la conversión a usos no agrícolas o donde dicho uso debe hacerse muy parcialmente y con consenso público vinculado a la construcción de grandes obras de infraestructura.

La extracción de suelos y las tierras en promoción

En los espacios periurbanos del Gran Buenos Aires, los usos que muestran mayor dinamismo son: a) las **canteras**, entendidas como excavaciones para extraer material del subsuelo (calcáreo en forma de tosca y conchilla), b) las **extracciones** o decapitaciones, que abarcan todos los tipos de retiro de material de suelo (es decir, desde la resaca, la hojarasca o el mantillo, hasta los horizontes A y B) y c) los llamados **suelos en promoción**. El **suelo en promoción** es definido como el conjunto del territorio que es el fruto de las expectativas del negocio inmobiliario de los barrios privados o residenciales; se reconocen dos tipos: de **promoción ejecutada**, es decir, el barrio residencial en cualquier etapa de desarrollo, y el de **promoción en sentido estricto**, que incluye las parcelas de cualquier uso rural ya compradas o reservadas y en espera para ser ocupadas por infraestructura industrial y, sobre todo, residencial.

La estructura del paisaje de esta **frontera inmobiliaria** es la de un mosaico con una matriz agrícola extensiva que aloja parches o manchones de aglomerados de tamaño intermedio, que funcionan como centros de servicios rurales y manchas de agricultura intensiva, donde aparecen perforaciones de estructuras habitacionales dispersas (los *countries*), adecuadamente conectadas con el sistema vial urbano.

En general, los suelos en **promoción en sentido estricto** siempre poseen una matriz de paisaje de cobertura vegetal que es un mosaico de antiguos potreros, estructuras rurales en desuso y fragmentos de ecosistemas naturales. Estas áreas en reserva cubren superficies mucho mayores que las que van a ocuparse en forma efectiva. La teledetección permite identificar los *countries* en cualquier estado de desarrollo, pero sin un intenso control del terreno se hace difícil calcular la tierra en espera que, en general, cubre superficies mayores que los manchones residenciales.

Es imprescindible agregar que casi nunca se tienen en cuenta las superficies que reclaman los grandes aglomerados urbano-industriales para destinarlos a embalses, basurales, villas de emergencia, escombreras, canteras, extracciones, chatarra en desuso, las cuales llegan a comprometer, en conjunto, el 17% de la superficie ocupada, por ejemplo, en Madrid (Lopez Linaje, 1987).

Las exigencias de los suelos que reclaman los aglomerados para usos no habitacionales raramente son estudiadas como subsistema y tampoco suelen ser relacionadas con las demandas de materiales que crea la densificación (crecimiento en altura) de los cascos urbanos. Siempre se piensa que el crecimiento en altura ahorra la ocupación de tierras, pero no se considera que esto va asociado a una alta demanda de materiales de construcción que se extraen del entorno cercano y ni que esos espacios de cavas y canteras nunca más tendrán potencial agrícola. El bendito proceso de densificación y concentración, como mecanismos de ahorro de tierras rurales, sólo puede analizarse si se tiene en cuenta que estos fenómenos son los que impulsan a la segunda residencia o a "irse a vivir al campo".

En cuanto a los usos industriales e institucionales –fuerzas armadas y de seguridad, clubes deportivos, etc.–, en el caso del Gran Buenos Aires, son los únicos que han disminuido sensiblemente en la superficie ocupada. El verde en sentido amplio, las tierras en espera, la agricultura intensiva, los parques y el verde deportivo han disminuido en el casco urbano y han aumentado en los cinturones periurbanos desde 1980 a 1991, pero no se disponen de datos desde 1991 a 2004. La concentración y la densificación de los centros de las ciudades en la llanura chaco-pampeana no ahorran tierra, porque simultáneamente con el crecimiento vertical se estimula el fenómeno de vivir en el campo como primera o segunda residencia. La tierra en promoción es la que resta los más altos porcentajes de suelo agrícola y a ella le siguen los barrios populares donde se alojaron en los 80 y los 90 los migrantes de las regiones pauperizadas, particularmente de la Ecorregión del Chaco, las Yungas y la Selva Paranaense, y de Perú, Bolivia y Paraguay.

En el Gran Buenos Aires y en el municipio de Rosario, el crecimiento de la mancha urbana desde 1980 hasta hoy no se debe a la ampliación del casco urbano, al desarrollo industrial, al crecimiento del verde deportivo ni a los espacios institucionales, sino, por el contrario, a los grandes galpones y a la industria, que constituyen espacios ociosos en casi todo el territorio de la RMBA (Región Metropolitana de Buenos Aires) –a excepción de Campana y Zárate–; en relación con esto, mucha tierra institucional se privatizó, los centros históricos crecieron en altura y hubo un desarrollo en la congestión vehicular y demográfica.

Los usos de tierra para escombreras, canteras, así como también para la extracción y la disposición de basura aumentaron de un 17 a un 20% del total de incremento en la RMBA (Morello, 2003) y todos estos usos tienen un halo de villas de emergencia que los rodea, cuya dimensión total no se conoce. La importancia de las canteras de conchilla bajo los únicos fragmentos de bosques de la RMBA y la costa atlántica bonaerense explica la casi total desaparición de los talares de la Ecorregión del Espinal (ver Torres Robles en este volumen).

Quita urbana de suelo fértil en la Pampa Ondulada

La importancia de la ocupación del suelo agrícola y de fragmentos de ecosistemas naturales por el proceso de urbanización en la RMBA puede resumirse en las siguientes cifras: la Pampa Ondulada tiene 3.800.000 ha de tierra agrícola, y un 70% de las aglomeraciones y sus periurbanos están ubicados en ella, entre los que se incluyen la RMBA, Gran La Plata, Gran Rosario, San Nicolás, Campana, Zárate, Baradero, Luján, San Pedro, Ramallo, San Lorenzo, Puerto San Martín, Pergamino, Granadero Baigorria. La tierra agrícola ocupada por el crecimiento urbano de este conjunto de ciudades cubre una superficie de 162.319 ha; los fragmentos de ecosistemas naturales sustituidos por la urbanización suman 69.413 ha y los barrios residenciales ubicados fuera de los aglomerados suman 190.389 ha. Lo anterior significa una quita del espacio rural de 422.118 ha, es decir, poco más de un 11% del total de tierra agrícola disponible en la Pampa Ondulada (Morello, *et al.*, 2001 a). No obstante, este cálculo es engañoso porque no se computan ni las canteras ni las áreas de extracción ubicadas en la tierra rural. Si se agrega la superficie ocupada por los periurbanos que son el amplio ecotono entre la ciudad y el campo que cubren 251.600 ha, se puede llegar a valores más cercanos a la realidad con 673.710 ha ocupadas por las ciudades y sus bordes, que hacen un 17,7% de la superficie agrícola de la Pampa Ondulada, una de las subregiones de mayor fertilidad de la Ecorregión de la Pampa, con una red de caminos pavimentados y unidades de acopio y conservación de muy alta densidad. Lo más importante es que uno de los bordes más extensos de la Pampa Ondulada es fluvial, el Paraná-Plata, que posee el sistema portuario de ultramar más denso, moderno y diversificado del país, contiguo a una poderosa industria agroalimentaria, aspectos que raramente se tienen en cuenta cuando se analiza el significado de la ocupación urbana de las tierras de esta subregión.

Los fenómenos ya indicados condicionan fuertemente la evolución de las disponibilidades del suelo agrícola para el territorio de la Pampa Ondulada y debe ser un tema fundamental de discusión en cuanto a la fijación de políticas de avance de las aglomeraciones (no sólo de aquellas pertenecientes al eje portuario industrial, sino también de las ciudades del interior como Chascomús, Pergamino, Junín, etc.). Por otro lado, los fragmentos de tierras considerados como no agrícolas por pertenecer a las escarpas que conducen a los paleovalles de tributarios de los grandes colectores representados por el Paraná y el Estuario del Río de la Plata tienen un valor patrimonial natural y ecológico enorme. Escarpas y paleovalles conservan una mezcla de biodiversidad pampeana, chaqueña, uruguayense y paranaense deltaica única y a punto de extinguirse.

La Situación Ambiental Argentina 2005

Bibliografía

• Alberto, J. y D. Bruniard, *Atlas geográfico del Chaco*, Instituto de Geografía, Facultad de Humanidades, UNNE, 1987.

• Allen, A., "Environmental planning and management; the peri-urban interface perspectives on an emerging field", *Environment & Urbanization*, London, Vol. 15, 1, 2003, pp. 135-148.

• APA, "Administración Provincial del Agua, provincia de Chaco 2004", Informe sobre la sequía de 2003-2004, [en línea], <http://www.corebe.org/ar>.

• Bertello, F., "La Gran apuesta", *La Nación*, 27 de agosto de 2005, Campo.

• Blanco, M., G. Neiman, S. Bardomás y D. Jiménez, "Al campo siempre lo ayudo con otra cosa. La pluriactividad entre los productores familiares de la provincia de Buenos Aires", Documento de trabajo 40, CEIL-PIETTE, CONICET, 2003.

• Bono, J., G. Parmuchi, N. I. Gasparri, E. Manghi y C. Montenegro, "Análisis del proceso de fragmentación del bosque nativo en la provincia de Chaco en el período 1998-2002", XXI Reunión Argentina de Ecología, Mendoza, 31 de octubre al 5 de noviembre de 2004.

• Brown, A. D. y L. Malizia, "Las selvas pedemontanas de las Yungas. En el umbral de la extinción", *Ciencia Hoy*, 83, 2004.

• Bucher, E. H. y P. C. Huszar, "Sustainable management of the Gran Chaco of South America. Ecological promise and economic constraints", *Journal of Environmental Management*, 57, 1999, pp. 99-108.

• Burkart, R., "Conservación de la biodiversidad en bosques naturales productivos del subtrópico argentino", en: Matteucci, S., O. T. Solbrig, J. Morello y G. Halffter (eds.), *Biodiversidad y uso de la tierra. Conceptos y ejemplos de Latinoamérica*, EUDEBA, 1999.

• Convención de Naciones Unidas de Lucha contra la Desertificación, [en línea], 1994, <http://www.unccd.int/text/convention.php>.

• Di Castri, F., "¿Adónde vamos? Escenarios alternativos. La información en la agricultura y el espacio rural", DRCLAS-Harvard, AAPRESID, II Seminario de Biotecnología, Mar del Plata, 2001.

• Dros, M. J., *Manejo del boom de la soja: dos escenarios sobre la expansión de la producción de soja en América del Sur*, Amsterdam, AIDEnvironment, 2004, 75 pp.

• Gasparri, N. I. y E. Manghi, *Estimación de volumen, biomasa y contenido de carbono de las regiones forestales argentinas*, UMSEF, SAyDS, 2004.

• Godagnone, R. L. y R. R. Casas, "Los Suelos del Conurbano Bonaerense", Informe de Investigación, INTA, Instituto de Suelos, Castelar, Inédito, 1998, p. 27.

• Godagnone, R. L. y R. R. Casas, "Los Suelos del Gran Rosario", Informe de Investigación, INTA, Instituto de Suelos, Castelar, Inédito, 2000, p. 20.

• Grau, H. R., T. M. Aide y N. I. Gasparri, "Globalization and soybean expansion into semiarid ecosystems of NW Argentina", *Ambio*, 34, 2005 a, pp. 267-268.

• Grau, H. R., N. I. Gasparri y T. M. Aide, "Agriculture expansion and deforestation in seasonally dry forests of NW Argentina", *Environmental Conservation*, 22, 2005 b.

• Grau, H. R., N. I. Gasparri y T. M. Aide, "Cambios ambientales y responsabilidad de los científicos. El caso del noroeste argentino", *Ciencia Hoy*, 87, 2005 c, pp. 16-17.

• Lopez Linage, G., "Crecimiento urbano y suelo fértil. El caso de Madrid en el período 1956-1989. Pensamiento Iberoamericano, *Revista de Economía*, 12, 1987, pp. 259-274.

La Situación Ambiental Argentina 2005

La Situación Ambiental Argentina 2005

• Minetti, J. y W. M. Vargas, "Trends and jumps in the annual rainfall in Southamerica, south of 15 S", *Atmosfera*, 11, 1977, pp. 205-221.

• Mittermeier, R. A., C. Goettsch, P. Mittermeier, P. Robles-Gil, J. Pilgrim, G. Fonseca, T. Brooks y W. R. Konstant, *Áreas silvestres, las últimas regiones vírgenes*, México DF, CEMEX, 2002.

• Montenegro, C., N. I. Gasparri, E. Manghi, M. Strada, J. Bono y M. G. Parnuchi, Informe sobre deforestación en Argentina, Buenos Aires, Unidad de Manejo del Sistema de Evaluación Forestal, 2004, p. 8.

• Morello, J. y A. F. Rodriguez, "Relaciones ambientales entre la ciudad y el campo: parasitismo y mutualismo entre Buenos Aires y la Pampa", *Encrucijadas*, 10, agosto de 2001.

• Morello, J., G. Buzai, C. Baxendale, A. F. Rodriguez, S. Matteucci, R. Godagnone y R. Casas, "Urbanization and the cosumption of fertile land and other ecological changes: the case of Buenos Aires", *Environment & urbanization*, Vol. 12, 2, octubre de 2000 b, pp. 119-132.

• Morello, J., G. Buzai, C. Baxendale, S. Matteucci, A. Rodriguez, R. Godagnone y R. Casas, "Urbanización y consumo de tierra fértil", *Ciencia Hoy*, Vol. 10, 55, 2000 a.

• Morello, J. H. y J. Adámoli, "Las grandes unidades de vegetación y ambiente del Chaco argentino. Segunda parte: Vegetación y ambiente de la provincia del Chaco", Buenos Aires, INTA, Serie fitogeográfica N°13, 1974, p. 130.

• Morello, J. y S. Matteucci, "Biodiversidad y fragmentación de los bosques en la Argentina", en: Matteucci, S., O. T. Solbrig, J. Morello y G. Halffter (eds.), *Biodiversidad y uso de la tierra. Conceptos y ejemplos de Latinoamérica*, EUDEBA, 1999.

• Morello, J., S. Matteucci, y A. F. Rodriguez, "Sustainable development and urban growth in the Argentine Pampas Region", en: Fernando, J. L. (ed.), *The Annals of the American Academy of Political and Social Science (AAPSS), Rethinking Sustainable Development*, London, Sage Publications, Vol. 590, 2003, pp. 116-130,

• Morello, J., S. D. Matteucci y G. Buzai, "Urban sprawl and landscape perturbation in high quality farmland ecosystems. The case of Buenos Aires metropolitan region", en: Solbrig, O. T., C. Palmberg y F. Di Castri (eds.), *Globalization and the Rural Environment, Cambridge*, DRCLAS-Harvard University Press, 2001.

• Myers, N., "Threatened biotas: 'hotspots' in tropical forests", *Environmentalist*, 8 (3), 1988, pp. 1-20.

• "Nuestros bosques siguen muriendo", *La Nación*, 21 de julio 2005, Editorial.

• "Objetivo: 100 millones", *Clarín*, Argentina, 8 de marzo de 2003, Editorial.

• Parera, A., "Lo que queda del bosque", *Revista Fundación Vida Silvestre*, 84, 2003, [en línea], <http://www.vidasilvestre.org.ar/bosques/lo-que-queda-bosque.asp>.

• Paruelo, J., J. P. Guerschman y S. R. Veron, "Expansión agrícola y cambios de uso de suelo", *Ciencia Hoy*, 87, 2005, pp. 14-23.

• Pengue, W., Environmental and socio economic impacts of transgenic crops in Argentina and South America: An ecological economics approach en Risk Hazard Damage Procced ings, Schriftenreihe Landschaftspflege NaturschutzBundesamt für Naturschutz, Bonn, Federal Agency for Nature Conservation, 2004, pp. 49-61.

• "Primer Inventario nacional de Bosques Nativos", Informe regional Selva Misionera, Proyecto Bosques Nativos y Áreas Protegidas Préstamo BIRF 4085-AR, 2002.

• ProReNOA, Proyecto de relevamiento de cultivos del NOA, Salta, INTA, EEA, 2005.

• Reid, W. R., "How many species will there be?", en: Whitmore, T. C. y J. A. Sayer (eds.), *Tropical deforestation and species extinction*, New York, Chapman and Hall, 1992.

• Reid, W. y K. Miller, *Keeping options alive. The scientific basis of conserving biodiversity*, Washington DC, World Resources Institute, 1989.

• Sainz, A., "El *boom* de Rosario", *La Nación*, 17 de octubre de 2004, Economía y Negocios.

• SAyDS/INTA/GTZ, "Experiencias de trabajo conjunto en zonas áridas y semiáridas de Argentina", *Alternativas*, 5, 2004.

• Secretaría de Ambiente y Desarrollo Sustentable, Dirección de Conservación del Suelo, Programa de Acción Nacional de Lucha Contra la Desertificación, [en línea], 2000, <http://www.medioambiente.gov.ar/areas/dcs>.

• Tacoli, C., "The links between urban and rural development", *Environment & Urbanization*, Vol. 15, 1, 2003, pp. 3-12.

• Tomasini, D. y O. Perez Pardo, "Desarrollo rural en las tierras secas", Conferencia Desarrollo de las Economías Rurales en América Latina y Caribe: Manejo Sostenible de Recursos Naturales, Acceso a Tierras y Finanzas Rurales Fortaleza, [en línea], Brasil, 7 de marzo de 2002, <http://www.iadb.org/sds/doc/RUR-DesarrolloRuralenZonasSecas.pdf>.

• Torrella, S., P. Herrera y J. Adámoli, "Sostenibilidad de la expansión agraria en la región chaqueña: condiciones favorables y factores limitantes", III Jornadas Interdisciplinarias de Estudios Agrarios y Agroindustriales, UBA, 2003.

• Wilson, E. O., "The current state of biological diversity", en: Wilson, E. O. y Peter F. M. (eds.), *Biodiversity*, Washington DC, National Academy Press, 1988, pp. 3-18.

• Zak, M. R., M. Cabido, J. G. Hodgson, "Do subtropical seasonal forests in the dry Chaco, Argentina, have a future?", *Biological Conservation*, 120, 2004, pp. 589-598.

La Situación Ambiental Argentina 2005

IMPACTO Y RIESGO DE LA EXPANSIÓN URBANA SOBRE LOS VALLES DE INUNDACIÓN EN LA REGIÓN METROPOLITANA DE BUENOS AIRES

Por: Claudio Daniele[I, II], Diego Ríos[I, III], Malena De Paula[II] y Andrea Frassetto[I].

[I]*Instituto de Geografía, Facultad de Filosofía y Letras, Universidad de Buenos Aires (UBA).*
[II]*Programa de Formación en Planificación Urbana y Regional (PROPUR), Facultad de Arquitectura, Diseño y Urbanismo (FADU), UBA.*
[III]*Becario doctoral Consejo Nacional de Investigaciones Científicas y Técnicas (CONICET). cdaniele@ciudad.com.ar*

Durante los últimos años, la Región Metropolitana de Buenos Aires (RMBA) ha experimentado una intensa transformación del territorio y de los usos dominantes, aspecto reflejado en el pasaje significativo de amplios sectores de la franja periurbana y de numerosos espacios intersticiales de un uso rural a otro urbano, especialmente residencial, recreativo y comercial. Algunos sectores de los valles de inundación de los ríos Luján, Reconquista y Paraná de las Palmas son un ejemplo de ello.

Es posible identificar diferentes razones que han impulsado esta nueva forma de organización del territorio y la modificación de las expectativas

Figura 1. Imagen satelital de las urbanizaciones ubicadas en zonas inundables.

y los estilos de vida. A partir de mediados de la década del 90, el desarrollo o la adecuación de nuevas infraestructuras viales y los cambios producidos en la accesibilidad, principalmente en las autopistas urbanas, parecen haber sido uno de los principales inductores de este proceso en la RMBA.

La incorporación a la oferta residencial de espacios históricamente marginales, vacantes o "desaprovechados" –desde la lectura del habitante de la *city*– y revalorizados por su mayor accesibilidad ha sido fuertemente promovida tanto por parte de actores económicos privados como gubernamentales.

Estos procesos, entre otros, han generado una fuerte expansión del mercado inmobiliario dirigido a sectores medios y medio-altos, donde la necesidad de poner en valor las diferentes aptitudes de cada sitio y la urgencia por conquistar rápidamente a los consumidores han llevado al desarrollo

La Situación Ambiental Argentina 2005

de diferentes modalidades de productos inmobiliarios. Así, barrios cerrados, clubes de campo –o *country clubs*–, clubes de chacra, clubes náuticos y mega-emprendimientos son algunas de las figuras que se ofrecen en empresas y medios especializados[1]. Este tipo de productos inmobiliarios han sido denominados por la bibliografía académica como "urbanizaciones cerradas".

Según un trabajo de Szajenberg (2000), de las cuatrocientas cuarenta y nueve urbanizaciones cerradas relevadas hacia fines de 1999 en la RMBA, el 59% corresponde a la tipología de barrios cerrados; el 29%, a clubes de campo y el 12% restante, a clubes de chacra, clubes náuticos y mega-emprendimientos. Si se analiza la superficie de suelo consumida por las urbanizaciones cerradas en la RMBA (casi 400 km²), la tipología de clubes de chacra absorbe el 45%; la de clubes de campo, el 30%; la de barrios cerrados, el 14,5%; la de mega-emprendimientos, el 8% y la de clubes náuticos, el 3%. Las urbanizaciones cerradas se localizan primordialmente en el eje norte de la RMBA (Autopista Panamericana) y absorben un 72% del total; en el oeste (Autopista del Oeste), el 13%; en el sudoeste (Autopista Ricchieri-Ezeiza-Cañuelas), el 9,5% y en el sur (Autopista Buenos Aires-La Plata), el 5,5%.

Una observación a simple vista de los incipientes resultados de este proceso muestra un "visible crecimiento económico", que es percibido por numerosos actores gubernamentales y económicos privados como una respuesta salvadora a la urgente necesidad de generar fuentes de trabajo y de mostrar resultados concretos a corto plazo. En este marco general, un análisis más detallado pone en evidencia importantes diferencias asociadas a la localización de los diferentes proyectos sobre el espacio geográfico de la RMBA.

La ocupación residencial de sectores tradicionalmente agrícolas de la Pampa Ondulada difiere de la ocupación sobre los valles de inundación y otras áreas deprimidas de las cuencas hídricas. Si bien en ambos casos se produjo un fuerte cambio del paisaje y una pérdida de la biodiversidad original, la habilitación de sectores bajos, históricamente inundables, requiere de la aplicación de otras tecnologías que implican una masiva transformación del relieve y del drenaje superficial, con una destrucción y un reemplazo total de los ecosistemas originales, a fin de alcanzar la cota de seguridad frente a los periódicos procesos de

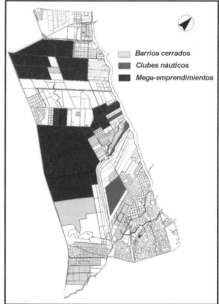

Figura 2. Urbanizaciones cerradas en áreas inundables del Partido de Tigre (2002). Fuente: Elaborado por Lic. Diego Ríos en base a mapa catastral de laSecretaría de Obras Públicas de la Municipalidad de Tigre (1996)

inundación. El cálculo de las superficies afectadas y del volumen total de suelo relocalizado no está disponible ni es de fácil conocimiento. Sólo para dar un ejemplo, entre 1991 y 2001 la superficie ocupada por las urbanizaciones cerradas en las áreas inundables en el partido de Tigre creció alrededor de veinte veces, y pasó de 166 ha a 3.313 ha, lo cual se ejemplifica en las Figuras 1 y 2 (Ríos, 2005).

La limitada experiencia local y la urgencia por obtener resultados promovió la adopción de criterios, modalidades y proyectos de ocupación de otros países. Esta condición implica un riesgo ambiental potencial por dos razones principales. Por un lado, la importación y el transplante de "probadas" y "exitosas" fórmulas de desarrollo no siempre tuvieron un proceso de revisión y un ajuste a la luz de la realidad local apropiados, tanto por el conocimiento de los especialistas nacionales como por las restricciones y las potencialidades ambientales específicas del medio receptor del proyecto. Por otro lado, la aplicación por parte del sector gubernamental de los requerimientos tradicionalmente vigentes podría resultar insuficiente, pues éstos han sido generados sobre una experiencia diferente, que dominó sobre el escenario de la Pampa Ondulada. No hay, entonces, experiencia sobre el manejo sustentable de las zonas bajas (humedales) y de toda su complejidad ambiental para la escala de transformación que se observa en la RMBA.

En la mayoría de los casos, el movimiento de los suelos, la intensa modificación del relieve, la afectación irreversible del drenaje superficial, la desaparición o la transformación de los cuerpos de agua naturales y la creación de nuevos lagos, lagunas y reservorios se han realizado solamente bajo la lógica de alcanzar la cota de seguridad y de disponer de un máximo posible de parcelas en contacto con el agua. Es necesario, entonces, analizar la necesidad de adecuar la normativa en relación con las cotas límite permitidas para el uso residencial en la construcción de nuevas urbanizaciones. La comparación de los requerimientos para la habilitación (desde el punto de vista hidráulico) de un proyecto residencial en la provincia de Buenos Aires con los registros de niveles hidrométricos recientes indicaría que los niveles considerados como "seguros" pueden ser sobrepasados. Debido al cambio climático global y regional se han observado cambios en aspectos variables del clima (respecto de los valores promedio de precipitaciones y de la altura del nivel del mar), que deben ser considerados en el nuevo escenario reglamentario.

En otras palabras, las autoridades gubernamentales, los actores económicos privados y los nuevos propietarios han tomado toda una cadena de decisiones sobre un saber incompleto y fragmentario, sin un conocimiento adecuado de la respuesta del sistema ambiental y de los riesgos que implica tanto para los habitantes internos del proyecto como para los externos, así como también para la viabilidad ambiental del proyecto en general.

Esto se traduce en que a las incertidumbres tradicionales sobre los proyectos de este tipo deben agregarse los impactos posibles sobre la sustentabilidad ambiental de las obras, la aparición de incrementos no previstos en sus costos de mantenimiento, la disminución de la vida útil de las obras y, especialmente, la externalización de costos ambientales, sociales e incluso económicos sobre la sociedad del entorno. Se desconoce si en los balances económicos considerados por los sectores gubernamentales locales, además del efecto multiplicador de la industria de la construcción y de la actividad residencial posterior, se han incluido los costos de la respuesta y la mitigación de los impactos ambientales que pudieran producirse, fundamentalmente sobre los sectores más vulnerables de la población.

Lo que sí puede percibirse es que la transformación del espacio y de los usos se ha dado a una mayor velocidad que las respuestas del sector gubernamental en relación con el marco legal, institucional y de planificación. Como consecuencia, se genera una expansión ordenada según las expectativas de rentabilidad económica del emprendimiento y no de las necesidades de ordenamiento territorial de los municipios involucrados del periurbano de la RMBA, lo que ha determinado la aparición de problemas ambientales nuevos que, si no son identificados, evaluados y resueltos correctamente, debilitarán la sustentabilidad del proyecto y su entorno.

Otros sectores identifican diferentes conflictos actuales o potenciales: desde especialistas que interpretan esta modalidad urbana como una amenaza de ruptura del tejido social, hasta el habitante local que adjudica al relleno de las urbanizaciones cerradas la potenciación de las inundaciones recurrentes en la zona (Piotto, 2000).

Es evidente que los valles de inundación presentan restricciones, potencialidades y factores de control hidrológicos y ecológicos diferentes de los de los ambientes de la Pampa Ondulada. Los valles suelen ser sitios de alta biodiversidad y de un valioso patrimonio natural, que prestan servicios ambientales de importancia, como por ejemplo ser reservorios de los excedentes hídricos estacionales y extraordinarios. Los suelos presentan una serie de limitantes que condicionan su uso, como la anegabilidad, la capa freática alta, la salinidad y la alcalinidad (SAGyP CFA, 1995), e incluso limitaciones en su capacidad portante. El conocimiento de la dinámica, la disponibilidad y la calidad de los recursos hídricos superficiales y subterráneos es imprescindible para evaluar correctamente los impactos del proyecto y la evolución futura del mismo. Las actuales tendencias de crecimiento, irreversibles a corto plazo, presentan oportunidades y amenazas, tanto en lo económico como en lo social y ambiental. Sin embargo, los proyectos de nuevas urbanizaciones se consideran en forma aislada y no existe una decisión para evaluar sus consecuencias ambientales en forma integrada, a fin de identificar los impactos acumulados a lo largo de todo el valle de inundación.

Tanto los actores gubernamentales como los económicos privados deben tener un conocimiento más completo e integrado sobre el funcionamiento de los procesos naturales y de la respuesta a las intervenciones, aspecto que resulta imprescindible para tomar las decisiones correctas y asegurar la viabilidad del proyecto a largo plazo.

Notas

[1] *La denominación de "club de campo" y "barrio cerrado" son las únicas definidas en la normativa vigente: Decreto-Ley Provincial N°8.912/77 de Ordenamiento Territorial y uso del suelo, para el primero, y Resolución N°74/97 de la Secretaría de Tierras y Urbanismo de la provincia de Buenos Aires, para el segundo (Ríos, 2002).*

LA CONTAMINACIÓN SIGUE ENTRE NOSOTROS

Por: Antonio Elio Brailovsky

Profesor Titular de Ecología, Facultad de Arquitectura, Universidad de Belgrano; Profesor Titular de Sociedad y Estado, Ciclo Básico Común (CBC), UBA. antonioeliobrailovsky@yahoo.com.ar

Lalo tiene setenta y cinco años, pero aparenta muchos menos. Tal vez la vida al aire libre o el diario ejercicio del remo desmientan por una vez la insalubridad en la que vive. Lalo vive en Wilde y tiene una choza y un bote junto al arroyo Sarandí. Llegamos hasta él con las cámaras de Canal 13 después de que alguna autoridad le prohibiera a la Prefectura llevar civiles a navegar por los arroyos contaminados. "Lo único que hacen con la contaminación es esconderla", me dijo el periodista con el que fuimos.

Para llegar a lo de Lalo bordeamos el Polo Petroquímico del Dock Sud, en medio de los olores agresivos de decenas de chimeneas que arrojaban al aire diferentes sustancias tóxicas. Atravesamos Villa Inflamable, llamada así porque este barrio fue construido encima del basural de residuos de petróleo de la vieja destilería de Yacimientos Petrolíferos Fiscales (YPF). Aseguran los entendidos que allí uno no debe hacer un asado apoyando el fuego directamente sobre la tierra porque pueden surgir llamaradas. No nos quedamos a confirmarlo.

En ese lugar un estudio financiado por la Agencia Japonesa de Cooperación (JICA) encontró niños intoxicados con metales pesados en la sangre. ¿La respuesta oficial? Se negaron a que continuaran haciéndose estudios epidemiológicos sobre salud ambiental. Hay una interpretación posible a esta voluntad explícita de no querer conocer la verdad: mientras la contaminación afecte solamente los recursos naturales, estamos ante un problema estético o, a lo sumo, económico. Pero cuando la contaminación daña la salud humana, estamos ante conductas que las leyes califican como delitos. Y, entonces, la obligación del Estado es hacer cesar el daño a la salud y perseguir a los delincuentes. Se comprende, pues, que haya un interés especial en no descubrir si se están cometiendo estos delitos.

Dejamos atrás Villa Inflamable y llegamos hasta un arroyo cuyo olor a podrido se mezclaba con los olores de las chimeneas. Como en una postal de la India, pasaban unas cuantas vacas con las ubres colgando y varios caballos flacos. Detrás de ellos venían unas grandes ovejas de cuernos retorcidos; pastaban juntos en medio de un basural.

La Situación Ambiental Argentina 2005

Subimos al bote con el periodista y el camarógrafo, y Lalo comenzó a remar hacia el Río de la Plata. Infinidad de plásticos y masas oscuras obstruyeron la navegación. "Eso es la grasa que tiran del frigorífico", decía Lalo. "Eso otro es el líquido que chorrea del relleno del CEAMSE", agregaba, y el líquido que atravesábamos tenía más aspecto de descarga cloacal que de cualquier otra cosa. "Cuando la marea está baja, hay como explosiones de burbujas", me decía. "Es el metano", le aclaré.

Un perro nadaba junto a la pequeña embarcación. "Cuando lo recogí estaba sarnoso", decía Lalo. "Lo tiré al arroyo hasta que se curó. Ese agua mata todo". "Efectivamente", dije yo. "La sarna son parásitos".

Lalo remaba a impulsos regulares y llegamos al Río de la Plata. Era una mañana magnífica y hacia el horizonte el río relucía con toda su belleza. Pasamos un banco de barro con peces muertos. "Llegan con la crecida", decía Lalo. "Cuando el agua baja se quedan sin aire y se mueren a montones". Nuevamente, las chimeneas, los olores, las torres de quema de gases. Pasamos junto a los tanques de varias empresas. "La Shell larga una cosa de un color blanco", contaba Lalo, quien iba describiendo los diversos colores del efluente de cada una de las empresas.

"Allá, como a quinientos metros, tengo el espinel y el trasmallo", agregaba. "Saco bogas, patí, dorados, de todo. Para comer y para vender". "¿Se puede comer lo que saca acá?", preguntaba el periodista. "Depende", dice Lalo, "Si cuando lo cocinás tiene mucho olor a kerosén, mejor no lo comas".

Éste es apenas un ejemplo de la negligencia con la que se está tomando hoy el tema de la contaminación en la Argentina. Durante muchos años se ha dejado que el problema crezca, hasta que adquirió un volumen tal que parece inmanejable. A partir de este momento, hay tanto para hacer que nadie parece estar dispuesto a dar el primer paso, ni siquiera para delinear una estrategia de saneamiento pensada para resolver los problemas a largo plazo.

A la vuelta, mientras pasábamos sobre el Riachuelo, recordé que hace muy poco tiempo tuvimos un préstamo del Banco Interamericano de Desarrollo (BID) para comenzar su saneamiento. Ese dinero no se utilizó, por lo cual hubo que pagarle intereses punitorios al BID por pedir un préstamo y no usarlo. Suena difícil de entender: nos pasamos años diciendo que no hacíamos nada con el Riachuelo por falta de dinero y, cuando lo tuvimos, no lo usamos. En cambio, parece que nos sobra la plata como para darnos el lujo de pagar esos intereses punitorios.

Entretanto, algún organismo oficial construyó varios *monoblocks* de "vivienda social" en la propia orilla del Riachuelo, en uno de los sitios más contaminados del mundo. Basta con ir a Avellaneda por la continuación de la Avenida 9 de Julio para preguntarse por la insensibilidad social de quien tomó esa decisión.

Pero la cuestión es si tanta distracción no esconde una concepción de fondo, una manera de ver el futuro del país como un receptor de la contaminación. De hecho, algunos organismos internacionales pretendían esto antes de la Conferencia de las Naciones Unidas para el Medio Humano (Estocolmo, 1972), al igual que los funcionarios del Banco Mundial antes de la Cumbre de la Tierra (Eco 92, Río de Janeiro, 1992). Veamos unos pocos indicios preocupantes.

En primer lugar, hubo un convenio firmado con Australia para tratar en la Argentina los combustibles gastados de una central atómica que nuestro país les vende. Para hacerlo, no sólo hubo que cambiar la definición legal de residuo radiactivo (ya que nuestro país prohíbe la importación de este tipo de residuos), sino que además hubo que subestimar los riesgos ambientales en la zona en la cual se haría ese reprocesamiento. Tenemos el Centro Atómico en Ezeiza, en el interior del Área Metropolitana de Buenos Aires. No deberíamos tener una actividad de alto riesgo en un área densamente poblada ni mucho menos ampliarla para hacer frente a las nuevas obligaciones contraídas con Australia. Agreguemos que, para poder competir internacionalmente, se han reducido los costos de tratamiento de los residuos radiactivos. Simplemente se los deja filtrar en el suelo, con el riesgo de que lleguen a una napa de agua utilizada por cientos de miles de personas que podrían beberla. En este contexto, es casi ociosa la discusión sobre cuáles deben ser los niveles admisibles de uranio en el agua potable o cuál es la mejor metodología para medirlos. Simplemente, una napa de agua utilizada por la población no es un lugar adecuado para descargar residuos radiactivos. Si esos residuos no están hoy amenazando la salud de la población, lo harán en los próximos años, cuando el movimiento del agua subterránea los lleve hasta las bombas de extracción. Agreguemos que el problema de fondo no es el pequeño volumen de residuos australianos a tratar en Ezeiza, sino que este convenio abre la puerta para recibir en el futuro los residuos radiactivos de más de ciento cincuenta centrales atómicas que existen en el mundo y que no saben qué hacer con ellos. Todo indica que se intenta especializar a la Argentina en una actividad tan peligrosa que nadie quiere realizarla en su propio territorio.

Otro indicio es el modo en que se están enfocando algunos grandes proyectos mineros. Parecen hechos aislados, pero una mirada de conjunto les da otra significación. Hace poco tiempo, la comunidad de Esquel rechazó masivamente un proyecto minero por el que se pretendía utilizar el método de lixiviación con cianuro a apenas 5 km de esa ciudad y sobre un arroyo que desemboca en el Parque Nacional Los Alerces (ver Chiquichano en este volumen). Fue la primera vez en que la acción social contra la contaminación alcanzó a una comunidad entera y no sólo a grupos minoritarios. No se trata de un hecho aislado. El proyecto Pascua-Lama, en el límite cordillerano entre la Argentina y Chile, implica la voladura de un glaciar. Nadie sabe lo que puede pasar con el régimen hídrico en una zona tan seca, ya afectada por el cambio climático global, si la empresa minera dinamita un glaciar. Los riesgos son tan altos que no parece conveniente intentarlo. A su vez, se pretende llevar a cabo un proyecto semejante en Calingasta, en la cuenca del principal curso de agua de la provincia de San Juan. El río San Juan abastece de agua para riego y bebida a casi la totalidad de sus habitantes. ¿Y si un accidente llegara a contaminarlo? Recordemos la forma de trabajo de esta gran minería. Se trata de un mineral de baja ley (es decir, que se encuentra muy disperso), por lo cual no es rentable construir galerías subterráneas. Se lo explota a cielo abierto y se mezcla la piedra con enormes cantidades de cianuro. Después se recupera el oro y se envían los líquidos contaminados a lo que se llama un "dique de colas", que es un enorme lago artificial donde se juntan todos los residuos tóxicos. Ante esto, es preciso considerar que San Juan es una zona sísmica y que cada terremoto ha llevado a ampliar los mapas de riesgo sísmico; por lo tanto, poner un dique de colas lleno de agua con cianuro encima del único río de la provincia es sentarse a esperar a que un terremoto lo rompa y ocasione un desastre. En este caso, ¿nos atreveríamos a hablar de una "catástrofe natural"?

Éstos son unos pocos ejemplos aislados que no autorizan a decir que éste es el modelo de país que se nos ofrece para los próximos años. Sin embargo, son lo suficientemente significativos como para servirnos de advertencia. Nos indican que hay entre nosotros personas dispuestas a hacernos correr grandes riesgos sanitarios y ambientales para poder ganar un poco de dinero.

ESCENARIO AMBIENTAL DE LOS RÍOS NAVEGABLES DE LA ARGENTINA: PROBLEMÁTICAS ACTUALES E INICIATIVAS PARA SU ANÁLISIS Y SOLUCIÓN

Por: Diego Murguía[I], Claudio Daniele[I, II, III], Marcela Dabas[IIII]y Andrea Frassetto[I]
[I]Instituto de Geografía, UBA.
[II]Programa de Formación en Planificación Urbana y Regional (PROPUR), UBA.
[III]Escuela de Graduados en Ingeniería Portuaria, UBA. cdaniele@ciudad.com.ar

El escenario ambiental que se presenta a lo largo de las vías navegables de la Argentina y su área de influencia se ha transformado progresivamente en los últimos treinta años, en respuesta a la evolución del modelo económico nacional dominante. El proceso de reconversión económica y productiva nacional ha generado una transformación estructural en las actividades productivas, y ha pasado de situar a la industria como motor del crecimiento económico a una situación actual en la que el modelo agroexportador vuelve a aparecer como el principal generador de divisas y capitales. Durante los años 90, este modelo se potenció y se produjo una reconversión o expansión agropecuaria, con un crecimiento extraordinario de las exportaciones de granos. Como una de las respuestas al nuevo escenario surgieron, a mediados de los años 90, dos proyectos de transporte fluvial: la Hidrovía Paraná-Paraguay y la profundización y el mantenimiento de la Ruta Troncal de Santa Fe al océano.

El proyecto de la Hidrovía Paraná-Paraguay involucra a los cinco países de la cuenca del Plata (Brasil, Bolivia, Paraguay, la Argentina y Uruguay) a lo largo de los dos ríos mencionados, y atraviesa ecosistemas complejos y frágiles, cuya sustentabilidad ambiental y factibilidad están siendo analizadas hoy en día.

En cambio, las obras de profundización y mantenimiento del canal troncal de navegación, desde Santa Fe hasta el océano a través del río Paraná y el Río de la Plata, han sido concesionadas por el gobierno argentino desde hace diez años y se han convertido en un instrumento de reactivación económica para el país. Esta obra ha mejorado las condiciones de seguridad y navegación, ha reducido los costos de flete, ha respetado las conclusiones de los estudios ambientales encargados por el sector gubernamental y ha monitoreado periódicamente la calidad de las aguas y los sedimentos a lo largo de la vía navegable.

Los ríos Paraguay, Paraná y el Río de la Plata se presentan como las principales vías de transporte de las exportaciones argentinas y regionales en los años venideros, y se extienden a lo largo de diversos escenarios naturales, sociales y económicos, cuyas complejas problemáticas ambientales se señalan a continuación.

El escenario ambiental actual en las vías navegables

El escenario ambiental presente y proyectado presenta una alta complejidad, debido a la fuerte presión que las actividades humanas provocan en los ecosistemas terrestres, costeros y fluviales. Esta situación ha promovido la atención y la acción de diferentes estudios nacionales e internacionales.

El Proyecto GIWA (Global International Water Assesment, http://www.giwa.net) ha realizado una evaluación ambiental a escala de la Región 38 Plataforma Patagónica, con un especial foco en la problemática de la cuenca del Plata. Como resultado, en ella se destaca una transformación y una degradación significativas de los ecosistemas fluviales y de la ictiofauna como consecuencia de la construcción de represas hidroeléctricas, de la contaminación puntual y lineal a causa de las industrias y las aglomeraciones urbanas, los derrames, las prácticas selectivas de pesca y sobreexplotación, la inserción de especies exóticas, entre otros (Mugetti *et al.*, 2004).

El río Paraná

Debido a su importancia en la cuenca del Plata, el Paraná evidencia en su extensión muchos de los problemas mencionados en el informe de GIWA. El primero se debe a los efluentes cloacales e industriales que son volcados al cauce principal del río y a los focos de contaminación terrestre en algunos puertos (al respecto, cabe destacar que la zona del puerto de Rosario está especialmente contaminada). Superpuesta a la contaminación de fuentes terrestres, existe otra de origen fluvial (que consiste en derrames, accidentes, etc.). Sin embargo, los tramos medio e inferior del río Paraná y el río Paraná de las Palmas aún no presentan un alto grado de contaminación en cuanto a la calidad del agua o de los sedimentos.

A diferencia de ello, uno de los conflictos de mayor escala es la crisis pesquera que se viene registrando desde hace varios años, ocasionada fundamentalmente por la disminución del sábalo como recurso pesquero. Más allá de la influencia de las represas hidroeléctricas localizadas río arriba (en la alta cuenca del Paraná), las causas del deterioro del recurso son principalmente la pesca comercial o industrial a gran escala, particularmente crítica en el Paraná Medio, alentada por frigoríficos que exportan el sábalo masivamente. Dentro de este escenario conflictivo se encuentran afectados directamente los pescadores tradicionales de subsistencia de las localidades ribereñas, quienes históricamente han dependido del sábalo como principal recurso (ver Peteán y Cappato en este volumen).

El Río de la Plata

Según el Proyecto FREPLATA (http://www.freplata.org) y en consonancia con las problemáticas resumidas por Mugetti *et al.* (*op.cit.*) para toda la cuenca, los principales problemas ambientales del Río de la Plata, su frente marítimo y sus costas son la sobreexplotación de los recursos vivos y la contaminación de origen puntual y regional, que modifica tanto los hábitat como las comunidades biológicas y genera consecuencias en los asentamientos humanos ribereños.

El principal conflicto ambiental que se presenta es la contaminación de origen industrial y cloacal, especialmente en la Franja Costera Sur del tramo Río de la Plata Interior y Medio, que recibe los aportes del Área Metropolitana de Buenos Aires y el Gran La Plata, así como también los aportes de contaminantes y sedimentos del río Paraná (Carsen, 2003). La denominada Franja Costera Sur, que se extiende desde San Fernando hasta Magdalena (provincia de Buenos Aires), presenta preocupantes niveles de contaminantes. La calidad del agua se encuentra muy comprometida generalmente desde los 1,5 hasta los 4 km de la línea de costa, debido a la presencia de no sólo altas concentraciones de sustancias consideradas como residuos peligrosos en la columna de agua, sino también de sedimentos provenientes de actividades industriales y/o vertidos clandestinos, lo cual es un riesgo para la población que se abastece fundamentalmente de este curso.

En cuanto a la biota, en esta franja costera se ha detectado la presencia de plaguicidas organoclorados y PCB (bifenilos policlorados) en el tejido comestible de los peces, y de hidrocarburos aromáticos polinucleares (PAH) y metales pesados, ambos en niveles superiores a los máximos permitidos para el consumo humano y para la protección de la biota acuática. Los sábalos presentan un ejemplo de contaminación de la biota acuática por bioacumulación de sustancias tóxicas persistentes. Para "...[los] sábalos capturados a lo largo de 1.500 km del río Paraná y Río de la Plata (...) se ha observado una distribución espacial consistente entre los sábalos contaminados y aquellos puntos de mayor desarrollo urbano e industrial, lo que también es coincidente con la distribución espacial de los sedimentos y almejas asiáticas contaminadas con compuestos orgánicos" (Carsen, 2003).

Esta situación representa un serio riesgo para la salud de la población que consume el pescado. Sin embargo, fuera de la Franja Costera Sur, el Río de la Plata presenta una situación de contaminación con un grado menor, pues hay solamente algunas concentraciones altas de hidrocarburos en sus tramos superior, intermedio y exterior.

Otro conflicto ambiental se genera a partir de la aparición de organismos exóticos invasores en los ríos de la cuenca del Plata y, en particular, en el Río de la Plata, lós que representan una amenaza para la biodiversidad, el medio abiótico y las propias infraestructuras humanas. Entre algunos de los efectos causados por estos organismos, se pueden mencionar las alteraciones de la red de interacciones biológicas, la exclusión competitiva de la fauna nativa y los efectos sobre las tomas de agua y la infraestructura subacuática. Estas invasiones biológicas tienen como protagonistas a cuatro moluscos (*Limnosperna fortunei*, *Corbicula fluminea*, *Rapana venosa* y *Crassostrea gigas*) y otros invertebrados como el gusano poliqueto (*Ficopomatus enigmaticus*), entre otros (Penchaszadeh, 2005).

Otro escenario complejo a mediano plazo surge del inexorable avance del frente del Delta del Paraná sobre el Río de la Plata y la consiguiente afectación de los usos costeros y de los canales de navegación. Este avance se debe principalmente a los aportes de sedimentos de la cuenca del río Bermejo, que provoca una tasa de avance lineal del Frente del Delta, estimada entre unos 50 y unos 100 m anuales (Pittau *et al.*, 2005). Esto significa, a mediano plazo, un costo creciente para mantener la vía navegable por la traza actual con una profundidad adecuada para el tráfico naviero internacional.

Proyectos, instituciones e iniciativas frente al escenario planteado

Frente a estos problemas ambientales, un conjunto de instituciones y proyectos están sumando importantes iniciativas y aportes académicos, técnicos y profesionales para responder a la creciente demanda de información para el diseño de estrategias y la búsqueda de soluciones. Entre ellos, se pueden citar:

• El proyecto "Protección Ambiental del Río de la Plata y su Frente Marítimo: Prevención y Control de la Contaminación y Restauración de Hábitat", conocido como "FREPLATA", que es un proyecto gubernamental binacional elaborado entre la Argentina y Uruguay, ejecutado por un consorcio formado por la Comisión Administradora del Río de la Plata (CARP) y la Comisión Técnica Mixta del Frente Marítimo (CTFM), con el apoyo financiero del PNUD/GEF, que involucra una numerosa lista de reconocidas instituciones y profesionales por cada área temática.

• El proyecto GIWA, cuyo objetivo fue producir una evaluación global amplia e integral de las aguas internacionales con foco sobre las problemáticas ambientales; en la Argentina, este proyecto contó con la participación del Instituto Argentino de Recursos Hídricos (IARH).

• Las iniciativas gubernamentales, de las cuales es importante destacar el accionar de la Prefectura Naval Argentina en la protección del medio ambiente.

• Un conjunto de iniciativas de conservación de la naturaleza como son los Sitios Ramsar, las Áreas Naturales Protegidas nacionales, provinciales y municipales, y las Reserva de Biosfera Delta del Paraná y Parque Costero del Sur sobre el río Paraná y el Río de la Plata (Bonamy *et al.*, 2003).

• Diversos proyectos académicos y de investigación implementados por las universidades nacionales del Litoral, Buenos Aires y La Plata, el ILPLA, el Instituto Nacional de Limnología (INALI) y el Instituto Nacional de Investigación y Desarrollo Pesquero (INIDEP).

• Diversos proyectos actualmente implementados por la Fundación PROTEGER.

Las iniciativas vigentes deben resolver el desafío de incorporar progresivamente al conjunto de actores sociales gubernamentales y de la sociedad civil, a fin de que permitan construir e implementar a mediano y largo plazo las soluciones para las problemáticas anteriormente mencionadas.

CAUSAS DE LA CONSTRUCCIÓN DE EMBALSES Y SUS CONSECUENCIAS ECOLÓGICAS EN LA ARGENTINA

Por: Néstor A. Gabellone y Adela Casco.
Consejo Nacional de Investigaciones Científicas y Técnicas (CONICET). Universidad Nacional de La Plata.
nagabel@lpsat.com

La ecología y los embalses

La construcción de embalses acompaña la historia del hombre, desde un pequeño azud sobre un arroyo hasta enormes embalses como el Volta o el Nasser. Los embalses, esa transición entre un lago y un río (Margalef, 1983 a), a diferencia de la mayoría de las intervenciones del hombre sobre la naturaleza, son los únicos que producen modificaciones en el sentido de la sucesión ecológica. Además, en la naturaleza existen muchos ejemplos de sistemas naturales donde el flujo es impedido (lagos glaciares, lagunas de meandros, lagos sobre el cauce de ríos *flushing lakes*, represas construidas por castores, etc.), cuyas características son similares a las de estos lagos artificiales construidos por el hombre. Los embalses muestran una clara dirección en la organización de sus comunidades biológicas, relacionadas con la asimetría del vaso y del flujo del agua que refleja la superposición del río sobre el lago.

Claramente la construcción de embalses produce disturbios ambientales (Tabla 1), pero estos pueden ser muy diferentes de acuerdo con las características de los embalses y de las regiones geográficas en que estén ubicados. No tienen el mismo impacto los construidos en zonas tropicales o subtropicales respecto de aquéllos ubicados en zonas áridas o semiáridas.

Las evaluaciones o anticipaciones del impacto ambiental de la construcción de un embalse sobre los sistemas naturales en general son limitadas, y lo que realmente importa muy pocas veces se anticipa (Margalef, 1983 b). En muchas de las evaluaciones de impacto ambiental, aunque se cumpla con todo lo requerido por la legislación vigente o por las organizaciones internacionales otorgadoras de créditos como el Banco Mundial, no se tienen en cuenta aspectos ecológicos básicos, como son los efectos producidos sobre aquellos procesos ecológicos caracterizados por escalas de tiempo (e.g., la sucesión) o sobre las principales variables "forzantes" que estructuran las comunidades (no sólo la diversidad ecológica, sino también la diversidad química), fundamentales para las capacidades de homeostasis y amortiguación de los ecosistemas. Todo debe ser analizado desde la escala de la cuenca y respecto de la afectación a la integridad del ecosistema (dada por cambios en las principales características estructurales y funcionales). El deterioro de la calidad del agua de muchos embalses (eutrofización, contaminación, turbidez) está directamente relacionado con el uso de la tierra en la cuenca.

Efectos	Ejemplos en la Argentina
Pérdidas de ambientes naturales o seminaturales y pérdidas de suelos fértiles (en relación con el uso que podría haberse hecho de ese suelo).	Embalses establecidos en la región de las Yungas, en el Noroeste. Yacyretá, con pérdida de selva subtropical. Alicura, con pérdida de bosque subantártico.
Barrera para peces migradores.	Ya sea porque son insuficientes, como Salto Grande, en Entre Ríos, o porque no poseen estructuras de paso, como los construidos sobre el río Limay.
Pérdida de la biodiversidad de peces nativos.	En general, está relacionada con la imposibilidad de paso de peces migradores o se debe a la proliferación de especies introducidas.
Modificación de las características de las redes de drenaje natural.	Todos los embalses, por definición, modifican el drenaje natural.
Problemas sanitarios por la propagación de especies vectores de enfermedades (principalmente en las áreas tropicales y subtropicales).	Yacyretá, en Misiones, es el ejemplo más evidente, con ambientes propicios para el desarrollo de mosquitos y caracoles.
Problemas sanitarios por la propagación de especies vectores de enfermedades (principalmente en las áreas tropicales y subtropicales).	Yacyretá, en Misiones, es el ejemplo más evidente, con ambientes propicios para el desarrollo de mosquitos y caracoles.
Proliferación de especies plaga.	Por ejemplo, los bivalvos en Yacyretá.
Traslado de poblaciones.	Yacyretá (barrios de Posadas y Encarnación) y Salto Grande (Federación) son ejemplos de poblaciones que se pierden. Ezequiel Ramos Mexía (Villa El Chocón) es un ejemplo de una villa permanente originada por la construcción de la presa. Piedra del Águila es un ejemplo del traslado de una población aborigen.
Eutrofización.	Anzulón, en La Rioja. El Cadillal, en Tucumán. Río Hondo, en Santiago del Estero. San Roque, en Córdoba. Paso de las Piedras, en Buenos Aires.
Pérdida de valores culturales y estéticos.	En todos los casos hay pérdida y modificación del paisaje y, en el caso de las poblaciones preexistentes, también se modifica su relación con el río, debido a la construcción del embalse (por ejemplo, en la zona de los saltos del río Uruguay, ciudad de Concordia). Además, puede suponerse que quedaron bajo el agua restos arqueológicos en el noroeste argentino y restos fósiles en la región patagónica.
Mortandad por sobresaturación de gases en el agua producidos por el diseño del vertedero.	Yacyretá, en Misiones.

Tabla 1. Efectos negativos de la construcción de embalses y ejemplos en la Argentina.

Los embalses proveen una excelente oportunidad para la gestión ambiental de cuencas (Calcagno, 1994; Straskraba y Tundizi, 2000). Además, pueden considerarse como experimentos a gran escala en la naturaleza, que brindan la valiosa oportunidad de realizar investigaciones ecológicas de largo plazo (Likens, 2001), como por ejemplo sobre Río Tercero, en Córdoba (Casco *et al.*, 2002). También ofrecen la posibilidad de analizar la naturaleza con distintos enfoques en un marco concreto de intervención humana. La toma de decisiones es uno de los factores que más afecta la biodiversidad, y está directamente relacionada con la **valoración de la naturaleza**. En general, cuando se asume la construcción de embalses, se tiene una valoración funcional de la naturaleza que es fuertemente antropocéntrica y que consiste en considerar a la naturaleza como un recurso económico fundamental para la supervivencia del hombre. Esta visión se contrapone con la silvestre, en la que sólo se permiten actividades que no perturben seriamente la naturaleza, mientras que la visión arcadiana plantea un equilibrio entre la naturaleza y la cultura (Swart *et al.*, 2001). El éxito de los programas de gestión de los recursos naturales bióticos está muy relacionado con un equilibrio entre estas distintas valoraciones de la naturaleza. La Ecología como disciplina científica y el ecólogo como profesional técnico tienen la función de evaluar las mejores alternativas para un uso sensato de los recursos naturales, a fin de evitar consecuencias socio-económicas negativas.

Los embalses se construyen con diferentes objetivos (Tabla 2), y más recientemente se los puede considerar ejemplos de intervenciones del hombre con diversos usos, que son susceptibles de gestión ambiental. Debe tenerse en cuenta que, como cualquier otra obra humana, implican una relación entre costos y beneficios ambientales. Actualmente, la construcción de embalses destinados a la generación de hidroelectricidad es una alternativa para el suministro energético y, aunque la inversión inicial puede ser elevada una vez en funcionamiento, es una fuente de energía renovable limpia y de bajo costo. En estos embalses, cuyo principal objetivo es la generación de electricidad, se debe plantear cuál es el costo de sus alternativas, las que al momento actual son principalmente el uso de combustibles fósiles o las centrales atómicas. Resulta evidente que todo lo referente a fuentes de energía es estratégico para el desarrollo de un país y que su planificación debe incluir un gran número de consideraciones, desde la factibilidad técnica y económica hasta sus efectos ambientales.

Los embalses en la Argentina

La Argentina no es un país de embalses. Si, por ejemplo, se la compara con España, que tiene una superficie territorial semejante a 1,6 veces la provincia de Buenos Aires y más de 1.100 embalses, la Argentina –con aproximadamente ciento treinta embalses, según el Organismo Regulador de Seguridad de Presas (ORPEP)– tiene una subutilización de sus recursos hídricos. La mayoría de los embalses se encuentran en regiones áridas y semiáridas. La principal región biogeográfica en cuanto a la construcción de embalses es la provincia del Monte (Cabrera y

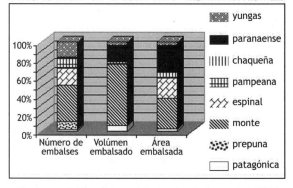

Figura 1. Agrupación de los embalses en las regiones biogeográficas de la Argentina, expresada en porcentaje: según su número, según la superficie inundada y según el volumen embalsado.

Objetivos	Ejemplos en la Argentina
Control de inundaciones	Embalses sobre los ríos Neuquén y Limay, donde el caudal puede alcanzar de unos 3.000 a 5.000 m3.s-1. Portezuelo Grande, en Neuquén. Frías, en Mendoza. Los Alisos, en Jujuy. Ingeniero Roggiero, en Buenos Aires.
Riego	Coronel Moldes y Las Lomitas, en Salta. Ya sea al derivar parte del caudal del río (con ejemplos en la cuenca del Río Negro) o al retener agua de lluvia en zonas áridas (por ejemplo, en Mendoza y el noroeste argentino, se trata de numerosísimas obras de pequeño tamaño y de otras de gran magnitud, como el complejo Cabra Corral-El Tunal, que irriga tierras de Salta y Santiago del Estero, o el dique Florentino Ameghino, en Chubut).
Almacenamiento para agua potable	Los Alazanes, San Jerónimo, La Quebrada y El Cajón, en Córdoba. Paso de las Piedras, en Buenos Aires. Piedra Blanca, en San Luis.
Acuicultura	Embalses de pequeño tamaño en la región de Cuyo.
Generación de hidroelectricidad	Son ejemplos las presas construidas sobre el río Limay (Alicura, Piedra del Águila, El Chocón, Arroyito), las grandes presas sobre el río Paraná (Yacyretá) y el Uruguay (Salto Grande), y Urugua-i, en Misiones. La presa Futaleufú, en Chubut, abastece a la empresa productora de aluminio Aluar.
Refrigeración (de centrales atómicas e industrias)	Sólo se registra el embalse Río Tercero, construido con otros fines en 1936, que comenzó a funcionar con la Central Nuclear Embalse en 1983.
Recreación y navegación	La mayoría de los embalses con buena calidad de agua (preferentemente no destinados al abastecimiento de agua potable) y que tienen fácil acceso son usados para actividades de recreación.
Multipropósito	Son ejemplos de buen funcionamiento las represas construidas sobre los ríos Limay y Neuquén para riego, destinadas a generar energía y contener las crecidas. Así mismo, paulatinamente están valorizándose como sitios turísticos, lo que es un uso perfectamente compatible con los anteriormente citados. Como caso particular, la presa de Arroyito, además, abastece de agua a una planta productora de agua pesada, única en el mundo. El embalse Río Tercero, en Córdoba, se utiliza para generar electricidad, para riego, para abastecer de agua al sistema de enfriamiento de una central nuclear y, además, es un sitio turístico con poblaciones en sus orillas. También en Córdoba, el embalse San Roque, destinado, en principio, al abastecimiento de agua potable, actualmente recibe un alto impacto antrópico debido a la densidad de población circundante que lo utiliza como sitio turístico, lo que determina la mala calidad de su agua.

Tabla 2. Principales objetivos de la construcción de embalses y ejemplos en la Argentina.

Willink, 1973), tanto con respecto al número de embalses como al volumen embalsado y a la superficie de los lagos (Fig. 1). Sin embargo, cabe destacar que la provincia paranaense tiene una superficie embalsada similar a la del Monte, debido al embalse de Yacyretá, que es un embalse somero realizado sobre el río Paraná, con una gran área de inundación (1.600 km^2).

Del total de embalses, treinta y uno son del Estado nacional. En éstos, desde 1993, la operación es responsabilidad de concesionarias, que actúan bajo la regulación del ENRE (en lo atinente a la generación de energía), del ORSEP (con respecto a la seguridad de presas) y de las autoridades de cuencas y los gobiernos provinciales (en cuanto al manejo del agua y al cuidado del medio ambiente). Dos de ellos son binacionales: Yacyretá, construida en conjunto con la República de Paraguay, y Salto Grande, compartida con la República de Uruguay. Las demás grandes presas pertenecen a los estados provinciales. Existen, además, una gran presa minera (del tipo *tailing dam*) en construcción en la explotación privada Bajo de la Alumbrera, en la provincia de Catamarca, y una gran cantidad de pequeñas presas, muchas de las cuales no se encuentran registradas.

Cada embalse, de acuerdo con sus características y con su uso, representa un caso particular. Desde los embalses más pequeños y, en general, más antiguos con fines de acumular agua para riego o para consumo humano, usualmente ubicados en zonas áridas o semiáridas, hasta aquéllos más recientes de mucha mayor superficie, cuyo objetivo principal es el de producir energía hidroeléctrica. Existen notables diferencias entre ambos. Dentro de estos últimos, los embalses ubicados sobre grandes ríos en zonas subtropicales con escasos tiempos de retención del agua (Yacyretá, Salto Grande) son muy diferentes a los de las regiones semiáridas, que tienen mayor tiempo de retención del agua y regímenes hidrológicos pluvionivales (Complejo Chocón-Cerros Colorados).

Las características de un embalse, en lo que se refiere a su evolución como ecosistema, su tiempo de vida útil y las diferentes posibilidades de uso no pueden estar separadas ni de las características de la cuenca, tanto físicas (hidrológicas y geológicas) como ecológicas, ni del uso de la tierra. Por ejemplo, los embalses construidos como fuentes de agua para consumo humano, riego y también generación de energía, en cuencas con originariamente bajo uso de la tierra, se convirtieron, con el correr del tiempo, en embalses con graves problemas en la calidad de sus aguas, debido a un uso más intenso de la tierra (por la agricultura y el crecimiento de las áreas urbanas), sin control de los vertidos, con afluentes con cargas importantes de fósforo, nitrógeno, otros agroquímicos y sedimentos. Estos embalses desarrollaron importantes procesos de eutrofización con disminución de la calidad de su agua y la necesidad de mayores inversiones para su tratamiento. Inconvenientes de este tipo, como los producidos en los embalses San Roque, Paso de las Piedras, El Cadillal, Río Hondo, Potrero de los Funes, La Florida, etc., implican mayores costos económicos y revelan la inexistencia de programas de gestión de las cuencas. De treinta embalses estudiados por Quirós (1986), al menos diecinueve registran problemas de eutrofización de acuerdo con sus niveles de fósforo en el agua. Por el contrario, embalses construidos en cuencas con un uso prácticamente nulo como la del Limay, con un río con un nivel de nutrientes indetectable, con bajos sólidos en suspensión y bajo grado de mineralización del agua, mantienen una elevada calidad del agua para cualquier uso. Por último, la calidad del agua de los embalses construidos en la cuenca del Plata no depende sólo de lo que ocurra en la Argentina, sino también de lo que realicen los países limítrofes involucrados.

Además de los impactos que se producen durante la construcción de la presa y el llenado del embalse, también se producen impactos durante su operación. Se crean zonas semejantes a deltas en la cola del embalse y se producen efectos de remanso, así como también se afectan el río y su valle aguas abajo. Esto es más notable en los casos en los cuales el principal objetivo de uso es la generación de energía, ya que el agua que pasa por las turbinas (que constituye el caudal del río aguas abajo) está relacionada con el consumo de energía y no necesariamente con el ciclo hidrológico. Esto es particularmente evidente en los embalses con una mayor capacidad de retención del agua. Las que habitualmente se denominan normas de manejo del agua establecen las pautas de operación del embalse relacionadas con los requisitos que se deben cumplir para la erogación de los caudales, incluido algo que se llama "caudal ecológico". El caudal ecológico muchas veces es establecido simplemente como un caudal mínimo sin considerar el régimen hidrológico natural del río y la adaptación de sus comunidades a estas condiciones. En los embalses ubicados en regiones con una estacionalidad hídrica marcada, como son los de la región árida del río Limay, la existencia de caudales durante los períodos de estiaje ocasiona cambios significativos en las zonas del valle con mayor heterogeneidad espacial (zonas de cauces anastomosados), y se producen aumentos en la productividad primaria, debido a la inundación de áreas del valle que habitualmente permanecían secas en verano, y aumentos en la diversidad específica, debido a la incorporación de nuevas comunidades (Gabellone y Sarandón, 1996; Sarandón, et al., 1997 y 2000).

Finalmente, la construcción de embalses –principalmente los destinados a la generación de energía, subvencionados con créditos internacionales que exigen estudios ecológicos– ha dado la oportunidad de financiar investigaciones no sólo sobre los embalses, sino también respecto de toda su cuenca, inclusive en los casos de aquellos proyectos que aún no fueron realizados, como el Paraná Medio. Estos estudios produjeron un importante caudal de conocimientos, principalmente en el área de la limnología. La exigencia actual a muchos operadores de embalses de realizar monitoreos periódicos de la calidad del agua y de las características del plancton sigue brindando información de valor para la gestión de estos cuerpos de agua. La creación de autoridades de cuenca, tales como la Autoridad Interjurisdiccional de las Cuencas (AIC), sobre la base de ese conocimiento ha permitido la formación de especialistas en la gestión de embalses debido a la experiencia acumulada.

Conclusiones

Como cualquier otra obra humana, la construcción de embalses implica una relación entre costos y beneficios ambientales. En la Argentina puede construirse un mayor número de presas para solucionar problemas energéticos actuales y futuros, y debe tenerse en cuenta que significan, en general, un saldo positivo entre costos y beneficios. En el caso de aquellos embalses cuyo principal objetivo es la generación de electricidad, se debe plantear cuál es el costo de sus alternativas, las que al momento actual son principalmente el uso de combustibles fósiles o las centrales atómicas. Es evidente que todo lo referente a fuentes de energía resulta estratégico para el desarrollo de un país y que su planificación debe incluir un gran número de consideraciones en cuanto a la factibilidad técnica, económica y ambiental. La construcción de embalses, como otras obras de infraestructura, debe estar incluida necesariamente en programas y actividades de gestión de recursos naturales de escala regional y nacional, y debe ser evaluada en etapas previas a la del proyecto, instancia donde la decisión ya está tomada.

En el país hay abundante información limnológica generada a partir del estudio de los embalses, pero lamentablemente gran parte de esta información está en informes técnicos no disponibles y, además, no se ha hecho aún una recopilación exhaustiva de ella. Este trabajo no pretende hacerlo, sino que intenta brindar una aproximación al conocimiento integral de los embalses de la Argentina, y pretende crear inquietudes e identificar necesidades en lo que se refiere a la inserción de los embalses dentro de un programa de desarrollo estratégico-energético del país, tomando en consideración el punto de vista ambiental, en lugar de las características particulares de la construcción de cada embalse.

Notas

Para mayor información sobre embalses de la Argentina se puede consultar el catálogo de lagos y embalses en la página de la Subsecretaría de Recursos Hídricos de la Nación: http://hidricos.obraspublicas.gov.ar/prog_sn_lagos.htm y del Organismo Regulador de Seguridad de Presas: http://www.orsep.org.ar. Para embalses en particular, Yacyretá: http://www.eby.org.ar, Salto Grande: http://www.Saltogrande.org.ar. Para información técnica general se puede consultar la página de la secretaría de energía http://energia.mecon.gov.ar.

Bibliografía

• Bonamy, J. I., C. Daniele, J. Trueba y D. Verdeil, "Proyecto Protección Ambiental del Río de la Plata y su Frente Marítimo: Prevención y Control de la Contaminación y Restauración de Hábitat. Fundamentos Económicos y Principales Consecuencias", Informe Final, CSI Ingenieros, SOGREAH Consultants, Serman & asociados, Proyecto FREPLATA, julio de 2003.

• Cabrera, A. L. y A. Willink, "Biogeografía de América Latina", Serie de Biología, Monografía N°13, Organización de los Estados Americanos, 1973.

• Calcagno, A., "A review of Reservoir development in Argentina and the environmental aspects of the Corpus Christi Proyect", *Environmental and Social Dimensions of Reservoir Development and Management in the La Plata River Basin*, Research Report Series N°4, Nagoya, United Nations Centre for Regional Development, 1994, pp. 97-111.

• Carsen, A., "Aportes de contaminantes y sedimentos al Río de la Plata interior. Franja Costera: calidad de agua, sedimentos y presencia de contaminantes en biota" (primer y segundo borrador), Documento de Trabajo, Proyecto FREPLATA-PNUD/GEF RLA/99/G31, junio de 2003.

• Casco, M. A., M. E. Mac Donagh y M. Claps, *Long-term study of plankton in Río Tercero reservoir (Argentina) related to a nuclear power plant operation*, Verh. Internat. Verein. Limnol., 2002, 28: pp. 1027-1031.

• Clarín digital, "El drama de un pueblo bajo el agua", [en línea], Piotto, A., 12 de julio de 2000 <http://www.clarín.com.ar/2000-07-12/s-03904.htm>.

• Daniele, C. y M. De Paula, "Ocupación residencial en los valles de inundación: ¿Conflicto u oportunidad?", *Construir a nivel*, 27, 2000.

- Facultad de Ciencias Sociales, Universidad de Buenos Aires, Jornadas de Sociología "Taller Urbano", "Guettos de ricos en Buenos Aires. De la producción de la 'ciudad de masas' al consumo de la 'ciudad carcelaria'", Szajenberg, D., Buenos Aires, 7 de noviembre de 2000, [CD-ROM].
- Gabellone, N. A. y R. Sarandón (coord.), "Estudio del impacto ambiental de la flexibilización en las normas de manejo de agua de la presa Piedra de Águila (río Limay; Neuquén, Río Negro)", Informe final, Autoridad Interjurisdiccional de las cuencas de los ríos Limay, Neuquén y Negro (AIC), 1996.
- Likens, G. E., "Biogeochemistry, the watershed approach: some uses and limitations", *Frontiers of Catchment Biogeochemistry*, Marine Freshwater Research, 2001, 52: pp. 5-12.
- Margalef, R., "El Proyecto de Paraná Medio y su incidencia sobre la Ecología Regional", *Revista de la Asociación de Ciencias Naturales del Litoral*, 14, 1983 b, pp. 29-46.
- Margalef, R., *Limnología*, Editorial Omega, 1983 a, p. 1010.
- Mugetti, A. C., A. T. Calcagno, C. Brieva, M. S. Giangiobbe, A. Pagani y S. Gonzalez, "Aquatic habitat modifications in La Plata River Basin, Patagonia and Associated Marine Areas", *AMBIO*, Vol. XXXIII, Estocolmo, 2004, pp. 78-87.
- Penchaszadeh, P. E. (coord.), *Invasores. Invertebrados exóticos en el Río de la Plata y Región Marina aledaña*, Buenos Aires, EUDEBA, 2005.
- Pittau, M., A. Sarubbi y A. Menéndez, "Análisis del avance del Frente y del incremento areal del Delta del Río Paraná", XX Congreso Nacional del Agua, Mendoza, 9 al 13 de mayo de 2005.
- Quirós, R., *Relationships between air temperature, depth, nutrients and chlorophyll in 103 Argentinian lakes*, Verh. Int. Ver. Limnol, 1986, 23: pp. 647-658.
- Ríos, D., "Planificación urbana privada y desastres de inundación. Las urbanizaciones cerradas polderizadas en el municipio de Tigre, provincia de Buenos Aires, Argentina", *Revista EST Economía, Sociedad y Territorio*, N°17, Vol. V, enero-junio de 2005.
- Ríos, D., "Vulnerabilidad, urbanizaciones cerradas e inundaciones en el Partido de Tigre, durante el período 1990-2001", Tesis de Licenciatura en Geografía, Departamento de Geografía, Facultad de Filosofía y Letras, Universidad de Buenos Aires, Mimeo, Buenos Aires, 2002.
- SAGyP y CFA, *El deterioro de las tierras en la República Argentina. Alerta Amarillo*, Buenos Aires, 1995.
- Sarandón, R., N. A. Gabellone y M. A. Casco, "Evaluación del Impacto Ecológico de diferentes Normas de manejo del agua de una Central Hidroeléctrica", Actas de la VII Conferencia Internacional sobre Conservación y Gestión de Lagos, Lacar 97, 1997, p. 4.
- Sarandón, R., N. A. Gabellone, M. Gaviño, M. A. Casco y S. Bassani, "Monitoreo ambiental en la operación de una Central Hidroeléctrica: estrategia, síntesis y conclusiones", Actas del IV Seminario Internacional Ingeniería y Ambiente "Instrumentos de Gestión Ambiental", Documento del Departamento de Hidráulica N°1, Serie Gestión Ambiental, 2000, pp. 127-136.
- Straskraba, M. y J. G. Tundizi, Diretrizes para o gerenciamento de lagos, Volume 9, Gerenciamento da Qualidade da Água de Represas, International Lake Environment Committee, International Institute of Ecology, 2000, p. 285.
- Swart, J. A. A., H. J. Van der Windt y J. Keulartz, "Valuation of Nature in Conservation and Restoration", *Restoration Ecology*, 2001, 9 (2): pp. 230-238.

EL COMERCIO INTERNACIONAL Y SUS IMPLICANCIAS PARA EL DESARROLLO SUSTENTABLE: DESAFÍOS Y OPORTUNIDADES

Por: Juan Rodrigo Walsh

Abogado especializado en derecho ambiental y derecho de los recursos naturales.
juanrodrigowalsh@estudiowalsh.com.ar

Hace tiempo que la relación entre el comercio internacional y sus implicancias para el ambiente suscita controversias y una dura polémica a raíz del contrapunto de visiones ideológicas en pugna (Cosbey, 2004). Para algunos, la apertura de las economías nacionales al comercio global es el corolario inevitable de un proceso de liberalización económica que trae consecuencias devastadoras, no sólo para la calidad ambiental, sino también para el bienestar y la equidad de los pueblos que la impulsan. Para otros, el fenómeno de globalización e integración de la economía mundial representa una oportunidad sin paralelo para impulsar el desarrollo económico imprescindible y, así, mejorar la calidad de vida de las naciones menos favorecidas del planeta e impulsar, a su vez, modelos de crecimiento económico más sostenibles desde las perspectivas ambiental y social.

Es posible analizar sintéticamente estas visiones contrapuestas:

• Desde la perspectiva "antiglobalizadora", existe escepticismo y rechazo expresados por diferentes sectores de la sociedad civil, en cuanto a que la apertura económica y la liberalización del comercio traen aparejados efectos sociales y ambientales negativos, tales como el aumento de la pobreza, el desempleo y la degradación de los recursos naturales que afectan de manera más aguda a las naciones menos desarrolladas del mundo. Estas consecuencias negativas eclipsan cualquier beneficio potencial que pudiese generar la liberalización del comercio internacional para algún país en particular[1]. El comercio internacional, según esta perspectiva, es el disparador de una presión irresistible para las economías de los países en vías de desarrollo, los que deberán explotar sus recursos naturales y su biodiversidad de modo no sustentable, en aras de satisfacer la demanda del mercado global. Esta presión sobre los recursos naturales se vuelve aún más acuciante ante la necesidad de obtener divisas a partir de la exportación de materias primas y *commodities*, situación exacerbada en muchos casos por el fuerte nivel de endeudamiento que afecta a muchos países en vías de desarrollo[2].

• Por el contrario, desde una óptica más bien liberal o "pro-mercado", la globalización de la economía mundial (a través de la reducción de aranceles, la liberalización del comercio, la inversión directa extranjera y la integración de los mercados) ha sido el motor de un crecimiento económico inusitado en el mundo a lo largo de los últimos años. Aun cuando el proceso de apertura de la economía pueda conducir a situaciones de inequidad en algunos casos puntuales, la evidencia abrumadora de los últimos tiempos constituye la prueba elocuente de que la apertura comercial y la integración económica son los caminos más certeros para el desarrollo sustentable de la humanidad.

Claramente, ambas visiones señaladas representan posiciones ideológicas extremas que difícilmente se compadecen con la complejidad de la realidad del mundo actual, donde la integración económica es un hecho que avanza día a día y donde tanto la apertura como la liberalización de los mercados traen aparejada, junto a las oportunidades de crecimiento y desarrollo, la amenaza de consecuencias ambientales y sociales negativas. En algunos casos, estas consecuencias son efectos no deseados de la integración económica, pero asumidos en cierta forma por el conjunto de la sociedad como el "precio" a ser pagado por ingresar al mercado global. En otros casos, estas consecuencias negativas sencillamente no han sido previstas ni tomadas en cuenta por los agentes públicos que toman las decisiones y los actores del mercado. En los dos escenarios, sea por elección, sea por imprevisión, se omite la adopción de recaudos y medidas preventivas para mitigar los efectos incidentales que trae aparejados la apertura comercial.

Junto a estas dos concepciones opuestas respecto de la apertura comercial y sus efectos sobre el entorno, se plantean otros dilemas que atraviesan de modo transversal la compleja estructura institucional del comercio internacional. Desde los años posteriores a la Segunda Guerra Mundial, la comunidad internacional ha venido construyendo un esquema de reglas internacionales destinado a reducir las distorsiones en el comercio global, a partir de la eliminación de las prácticas proteccionistas que tanto contribuyeron a las conflagraciones bélicas de la primera mitad del siglo XX.

Sin embargo, ¿hasta dónde puede una nación establecer barreras comerciales al libre tránsito de bienes y servicios, con sustento en razones de política pública interna, encaminadas a proteger la salud y el bienestar de su pueblo? ¿Cuál es el límite de las medidas sanitarias que puede adoptar un país para proteger, por ejemplo, a sus productores agrícolas de la introducción de especies foráneas? ¿En qué momento se convierten estas llamadas "barreras técnicas al comercio" –aceptadas, en principio, por el derecho comercial internacional– en excusas proteccionistas encubiertas bajo el manto de una medida sanitaria? En síntesis: ¿hasta dónde puede un país encarar políticas de protección de su ambiente o de las condiciones sociales de su gente en forma legítima y sin caer en medidas que distorsionen el comercio internacional?

El comercio internacional: los marcos institucionales

El proceso de apertura comercial, tal como se conoce en la actualidad, se inició en 1947 con la adopción, por parte de la comunidad internacional, del Acuerdo General sobre Aranceles y Comercio o GATT, por sus siglas en inglés. A lo largo de las décadas subsiguientes, el sistema del GATT fue promoviendo, en forma paulatina y mediante largas "rondas" de negociaciones internacionales, rebajas en los aranceles y las tarifas aplicables al comercio, además de acuerdos tendientes a reglamentar las denominadas "barreras técnicas al comercio", tales como las medidas sanitarias, las fitosanitarias y las regulaciones destinadas a proteger el ambiente de los estados miembros del GATT.

A partir de la denominada "Ronda Uruguay", concluida en 1994, la comunidad internacional decidió fortalecer el sistema comercial internacional con la constitución de la Organización Mundial de Comercio (OMC), en 1995, en reemplazo del esquema adoptado por el GATT originalmente en 1947[3].

Durante los últimos años, han surgido cada vez con mayor frecuencia las interacciones entre el régimen de la OMC para el comercio internacional y los diferentes acuerdos internacionales de índole ambiental, tales como el Convenio sobre Diversidad Biológica o el Convenio Marco sobre Cambio Climático. Con el fin de sortear las potenciales contradicciones entre la protección del ambiente y la promoción del comercio global, la OMC planteó el desarrollo sustentable y la protección del ambiente como ejes centrales de la última ronda de negociaciones multilaterales iniciadas en Doha, en 2001. Junto con la cuestión de la apertura comercial y las implicancias para la sustentabilidad de los países menos desarrollados del planeta, la "Ronda Doha" también amplió la agenda de negociaciones internacionales para incluir una cuestión de importancia crucial para este país: la liberalización del comercio agrícola y la eliminación del sistema distorsivo de subsidios a la producción agropecuaria[4].

Irónicamente, los países más desarrollados del planeta y quienes más han bregado por un comercio mundial más abierto son, en materia agrícola, los adalides del más crudo proteccionismo, a contrapelo de la concepción liberal impulsada por estos mismos países a favor de un comercio global más abierto y sin restricciones distorsivas del mercado. La protección de la agricultura es un denominador común en las políticas económicas de casi todos los países desarrollados, como es el caso de los miembros de la Unión Europea, los Estados Unidos y Japón, que actúan en desmedro de aquellas naciones, tales como la Argentina, que cuentan con claras ventajas comparativas en el campo de la producción agropecuaria[5].

Integración de la República Argentina a la economía global

Frente al panorama complejo que presenta el comercio internacional, con la coexistencia de iniciativas multilaterales de apertura en el seno de la OMC –como es el caso de la "Ronda Doha"– y diferentes iniciativas regionales o bilaterales –como son los casos del Área de Libre Comercio de las Américas (ALCA) o el Acuerdo Unión Europea-MERCOSUR–, la Argentina deberá, en forma urgente, elaborar estrategias de negociación y políticas de estado para afrontar los desafíos y las oportunidades que representa la integración comercial a la economía global.

El escenario de liberalización del comercio –y, en particular, del comercio agrícola– ofrece una oportunidad excelente para el posicionamiento del complejo agroindustrial argentino, a partir de sus ventajas comparativas, y un fuerte impulso hacia la calidad de sus productos como elemento diferenciador. Aquí también existe el desafío de construir un valor agregado adicional a las exportaciones argentinas, sobre la base de la calidad ambiental como una verdadera característica identificatoria de los productos argentinos en el mercado global.

La apertura al comercio global conlleva, además, dos desafíos institucionales importantes. Por un lado, la necesidad de evaluar los potenciales efectos e impactos, ya sean positivos o negativos, de los acuerdos de integración comercial en el orden interno y, por otro lado, perfeccionar los mecanismos de participación ciudadana y sectorial en la etapa de formulación de las políticas comerciales.

En el primer caso, la evaluación de los impactos ambientales y sociales de los acuerdos comerciales permite la adopción anticipada de las medidas de mitigación ante potenciales alteraciones inducidas por dichos acuerdos, así como también la preparación de aquellos sectores más afectados por los cambios macroeconómicos para hacer frente a los nuevos escenarios.

En el segundo caso, el diseño de mecanismos institucionales que permitan integrar las diferentes áreas del sector público en la elaboración de políticas comerciales de cara al escenario internacional es una condición básica para la formulación de estrategias de desarrollo sustentable con miras a largo plazo. En este nuevo modelo institucional para la formulación de las políticas públicas también resulta clave lograr el involucramiento activo de la sociedad civil y de los sectores productivos que, en definitiva, serán los beneficiarios y los perjudicados por las decisiones que adopte el país en materia de política comercial internacional.

La evaluación de sostenibilidad como herramienta para la formulación de la política comercial

A raíz de la creciente importancia que han cobrado las implicancias ambientales y sociales de los acuerdos de integración comercial, los últimos años han visto el desarrollo de una herramienta novedosa para la evaluación y la cuantificación de los efectos ambientales que traen aparejados las políticas de apertura comercial: la evaluación de sostenibilidad o EISOS.

Las evaluaciones de sostenibilidad de los acuerdos comerciales son un ejercicio de predicción basado, en cierta forma, en las experiencias de la Evaluación de Impacto Ambiental (EIA), tendiente a evaluar los impactos ambientales generados a partir de diferentes hipótesis o escenarios de variación en más o en menos de los flujos comerciales, consecuencia de las políticas comerciales. Las EISOS comienzan a cobrar importancia a partir de su desarrollo conceptual en el ámbito académico y de su posterior utilización por parte de actores como los Estados Unidos o la Unión Europea, en los procesos de negociación de los acuerdos de integración comercial regional[6]. Su utilización constituye una novedad para la Argentina, aún cuando existen experiencias llevadas a cabo por organizaciones de la sociedad civil o instituciones académicas (Walsh *et al.*, 2003).

La incorporación de las EISOS no ha estado en la agenda de los negociadores comerciales argentinos; en gran medida, esto se debe a que, en el pasado, las cuestiones ambientales estuvieron explícitamente excluidas de las negociaciones comerciales regionales, tales como el ALCA. Sin embargo, no se puede desconocer la tendencia internacional al plantear estas cuestiones en términos cada vez más ligados al desarrollo económico y a su relación con el comercio internacional.

La reciente Declaración de Doha sobre Comercio y Desarrollo es una prueba contundente de este fenómeno, al igual que la decisión de la Unión Europea de realizar evaluaciones de sostenibilidad como requisito adicional para la negociación de acuerdos comerciales con terceros países[7].

La sanción en 2002 de la Trade Promotion Act por parte del congreso norteamericano, en virtud de la cual el Poder Legislativo ha delegado en el Poder Ejecutivo la facultad de suscribir acuerdos comerciales internacionales, exige, por ejemplo, que la política comercial externa a los Estados Unidos sea consistente con otros objetivos, tales como la protección del ambiente, los derechos laborales y de la niñez[8].

Desde una visión, quizás, más estratégica, parece razonable imaginar que la tendencia a incluir las cuestiones ambientales y sociales en las negociaciones comerciales irá *in crescendo* con el transcurso del tiempo. Aun cuando la "cuestión ambiental" no esté formalmente incorporada a la agenda del ALCA, por ejemplo, no existe un impedimento para que la misma se introduzca, en el futuro, como un acuerdo o protocolo adicional al acuerdo comercial, tal como ha sucedido con otros acuerdos de integración comercial (por ejemplo, con los acuerdos suscriptos entre Chile con Canadá y los Estados Unidos).

Estar preparada para enfrentar el debate en torno a las implicancias ambientales de la apertura comercial le permitirá a la Argentina lograr un mejor posicionamiento estratégico, en anticipación al momento futuro en que exista la intención de introducir la cuestión ambiental a la agenda de negociación (¡y no haya más remedio que aceptarla!).

Conclusiones

Más allá de la retórica que acompaña a las diferentes posturas ideológicas respecto de la integración de la economía global, la liberalización del comercio es un fenómeno propio de los tiempos actuales, difícil de ser ignorado. Frente a esta realidad yace el desafío de afrontar el contexto global con un análisis objetivo, mediante la evaluación de las amenazas externas y las oportunidades del mercado de acuerdo con las circunstancias económicas de cada país.

Algunas de las naciones más exitosas en el escenario de comercio global integrado son, casualmente, aquéllas –como Chile, Nueva Zelanda o Malasia– que han formulado políticas de estado por las cuales los diferentes actores del sector privado, académico y de la sociedad civil interactúan fluidamente, a través de canales institucionales abiertos y transparentes, con el sector público en la definición de metas estratégicas comunes a largo plazo.

Los factores ambientales pueden ser, además, componentes clave en la formulación de estrategias de posicionamiento competitivo de la economía de un país en el comercio global. La exportación de productos orgánicos o productos forestales certificados conforme a normas FSC (Forest Stewardship Council) son sólo algunos de los ejemplos más emblemáticos de las oportunidades que puede brindar un perfil de calidad ambiental como factor de competitividad. En el campo de los servicios, el turismo es, también, un rubro en el que la calidad ambiental puede representar un importante factor de competitividad en el marco de la integración económica al resto del mundo.

En esta definición de las políticas públicas orientadas a definir cómo, cuándo y bajo qué condiciones económicas se integra un país al resto del mundo, las consideraciones referidas al medio ambiente y la sostenibilidad económica y social cobran una creciente importancia, atenta a la envergadura que poseen las variables ambientales en el sendero del desarrollo humano.

Notas

[1] Ver *"The Case for Globalization"*, The Economist, *octubre de 2001; ver también "Lula's Message for Two Worlds"*, The Economist, *1 de febrero de 2003, p. 32.*

[2] *Un ejemplo de este fenómeno, visto en términos puramente negativos, es el caso de la pérdida de ecosistemas naturales ante el avance de las fronteras agrícolas, a causa del incremento en la demanda global de "commodities", tales como la soja o el maíz. Ver, para el caso del maíz en México, Nadal, A., "The Environmental & Social Impacts of Economic Liberalization on Corn production in Mexico", OXFAM y WWF, Gland, 2000.*

[3] *La OMC resume los acuerdos generales sobre comercio y tarifas (GATT) sobre tarifas en las actividades de servicios (GATS) y el acuerdo sobre aspectos de la propiedad intelectual relacionados con el comercio (TRIPS). La República Argentina aprobó el acta constitutiva de la OMC por medio de la Ley N°24.425. A diferencia del GATT, la OMC establece reglas obligatorias para las Partes, e incluyen mecanismos para la resolución de disputas comerciales. Ver Hoekman, B., "The WTO: Functions and Basic Principles",* Development, Trade and the WTO: a Handbook, *Banco Mundial, Washington, 2002, p. 41.*

[4] *Ver Declaración Ministerial de Doha, 14 de noviembre de 2001; ver también* Puentes, *Edición Post Cumbre Ministerial de Doha, Año 5, N°9, noviembre y diciembre de 2001, ICTSD y Fundación Futuro Latinoamericano.*

[5] *Con la finalidad de enfrentar las políticas de proteccionismo agrícola en el escenario global, se conformó el denominado "Grupo Cairns", integrado por países con fuerte perfil agroexportador. Sus integrantes incluyen países desarrollados, tales como Australia, Nueva Zelanda y Canadá, junto a otras naciones emergentes, tales como la Argentina y Brasil.*

[6] *Ver, por ejemplo, "Sustainability Impact Assessment of proposed WTO Negotiations: Preliminary Overview of Potential Impacts of the Doha Agenda", Institute for Development Policy and Management, Universidad de Manchester, enero de 2003; "Sustainability Impact Assessment of WTO Negotiations in the Major Food Crops Sector", Informe Final, Stockholm Environment Institute, mayo de 2002; "Negociaciones entre el Mercosur y la Unión Europea", WWF, abril de 2002.*

[7] *Ver Declaración Ministerial de Doha, parágrafos 31 y 51; ver también* Puentes, *Centro Internacional para el Comercio y Desarrollo Sustentable, Año 6, Nº6.*

[8] *La Sección 2.102 de la Trade Promotion Act de 2002 exige a la administración federal, entre otros objetivos, que los socios comerciales de los Estados Unidos aseguren el cumplimiento estricto de sus normas ambientales para evitar, así, situaciones de ventaja económica injusta de sus empresas frente a otras que observen estrictamente la legislación ambiental. Ver Audley, J.,* Environment's New Role in Trade Policy, Washington, Carnegie Endowment for International Peace, *septiembre de 2002.*

LA EXPANSIÓN AGRÍCOLA Y EL AMBIENTE EN EL CONTEXTO GLOBAL

Por: Javier Corcuera[I] y Ulises Martinez Ortiz[II]
[I]*Director General de la Fundación Vida Silvestre Argentina (FVSA).*
[II]*Área de agricultura sustentable, FVSA.*
agrisust@vidasilvestre.org.ar

Desde fines del siglo XIX, el desarrollo económico de la Argentina ha estado fuertemente vinculado a la evolución del sector agropecuario. Luego de la organización institucional del país, la generación del 80 se dedicó a implementar con decisión un plan para el crecimiento de la nación, lo cual, entre otras cosas, transformó a la Argentina en un país agroexportador. Casi medio millón de km² con condiciones agroecológicas inmejorables y un conjunto de políticas públicas claramente definido (que implicaba política inmigratoria, la conquista del desierto, el régimen legal de la tierra, inversiones en infraestructura, la apertura económica, etc.) hicieron que hacia 1930 la Argentina fuera conocida como "el granero del mundo" (Reca y Parellada, 2001).

El contexto internacional cambió drásticamente a partir de la crisis financiera de 1929 y el estallido de la Segunda Guerra Mundial. Como consecuencia de estos hechos, en este período se generalizaron en el mundo políticas proteccionistas. Ante esta situación, la Argentina adoptó un modelo de sustitución de importaciones orientado a fomentar el desarrollo de la industria como el camino genuino para el crecimiento de la economía (Reca y Parellada, 2001). En este período comenzó el auge de las economías regionales proveedoras de insumos industriales o de bienes de consumo para el mercado interno. Así se amplió el mapa productivo del país al expandirse diferentes cultivos en cada una de las zonas extrapampeanas (algodón en el Chaco Húmedo, la yerba mate y el té en la Selva Paranaense, la caña de azúcar y el tabaco en las Yungas, la vid en Cuyo, etc.).

Luego de sucesivas y cada vez más severas crisis institucionales, políticas y económicas, hoy prevalece nuevamente un período de crecimiento económico sustentado en un modelo agroexportador con tendencia a industralizarse: en efecto, hay un crecimiento de las manufacturas de origen agropecuario en la composición de las exportaciones agroindustriales, que pasaron de

59% en 1996 a 64% en el 2004, mientras que los productos primarios disminuyeron su participación de un 41 a un 36% en el mismo período. Esto indica que la composición de las exportaciones agroindustriales argentinas se encaminan hacia un nivel de mayor grado de procesamiento, con mayor valor agregado (Bolsa de Cereales, 2006). Una fuerte inversión privada en nuevas tecnologías en las últimas décadas nos ha llevado a este nuevo escenario. El sector de los agronegocios se convirtió en impulsor de la recuperación económica nacional. Claro está, los cultivos con destino a los mercados externos –en un mundo que demanda más y más alimentos- no sólo ocupan sus tradicionales áreas geográficas: también avanzan sobre las regiones extrapampeanas, esta vez con un modelo tecnológico intensivo, mucho más productivo, pero también con nuevos problemas asociados a la pérdida de ambientes naturales, así como al uso de insumos químicos y biotecnológicos.

En este proceso, las transformaciones ligadas al desarrollo agroganadero han generado profundas modificaciones en los pastizales de la región pampeana, en los bosques chaqueños y del Espinal, en las selvas paranaense, en las Yungas del NOA y en la Estepa Patagónica. Hoy es evidente que el modelo de producción agropecuaria predominante en esas regiones no ha sido sustentable: la erosión del suelo en la Argentina afecta a unas 60.000.000 de ha, y cada año se agregan a esta cifra 650.000 ha más, con distintos grados de erosión (ver Perez Pardo en este volumen). Cabe señalar que, en materia de conservación del suelo, la expansión de la práctica de siembra directa, ha permitido una evidente mejora de las condiciones edáficas en algunas regiones, pero el panorama a escala nacional sigue siendo deficitario.La superficie erosionada alcanza entre el 45 y el 50% de las provincias de Cuyo, el 45% de Formosa, el 41% de San Luis, el 30% de Entre Ríos, el 28% de Buenos Aires y Santa Cruz, y el 25% de Río Negro y Chubut (Naumann y Madariaga, 2003). En algunas regiones como la Estepa Patagónica, los procesos de desertificación debidos al sobrepastoreo son prácticamente irreversibles. La superficie con cobertura de bosques nativos se redujo de aproximadamente 100.000.000 de ha a principios del siglo XX, a poco más de 33.000.000 de ha (SAyDS, 2003; SAyDS y PNUMA, 2004) y cada año se deforestan unas 200.000 ha más (Montenegro et al., 2004).

Con la pérdida de bosques, pastizales y humedales por el avance de la agricultura, desaparecen las funciones ecológicas que esos ambientes naturales proveen, incluso, para la producción agrícola, tales como la regulación del clima y de las inundaciones, la protección y la regeneración del suelo, la circulación de nutrientes, la transformación y el reciclado de desechos, la calidad del agua, la estabilidad de los ecosistemas (incluidos los agroecosistemas) ante eventos extremos. Por otra parte, estos ambientes naturales constituyen el hábitat de una riquísima biodiversidad, con un potencial económico muy poco conocido y no aprovechado.

Pese a la evidencia, en general, la sociedad argentina no ha percibido el conflicto entre medio ambiente y agricultura. Por un lado, prevalece la imagen del ámbito rural asociado a un entorno natural no "contaminado" en contraste con el ámbito urbano en el que vive el 89% de la población. Por otro lado, existe la arraigada (y justificada) percepción del sector agropecuario como motor del crecimiento del país. Esta valoración positiva se acentuó en los últimos años luego de la crisis económica de 2001 y la posterior devaluación. En el 2003, el sector agroindustrial aportó el 16% del producto bruto interno (SAGPyA, 2003) y el 55% de las exportaciones (http://www.indec.mecon.ar). No caben dudas acerca del impacto de estas cifras en la balanza comercial, el equilibrio fiscal, la política monetaria, el cumplimiento de los compromisos internacionales y el acceso al financiamiento externo. En esta situación confluyen los intereses de los actores económicos, los decisores políticos y la opinión pública para priorizar la recuperación económica a través de la expansión e intensificación de la producción agrícola, a expensas de la conservación de los recursos naturales.

¿Hacia dónde va el agro?

En los últimos quince años la Argentina duplicó su producción agrícola. Ya se ha dicho que este espectacular incremento se debió, en parte, al aumento en el uso de insumos tecnológicos y químicos: en la década del 90 el consumo de fertilizantes químicos creció un 463% y el de agrotóxicos, un 172% (Reca y Parellada, 2001). Otro factor que permitió duplicar la producción de granos fue la expansión de la superficie cultivada, que aumentó un 43% desde 1990 (Tabla 1).

El desafío de la mejora ambiental del agro empieza a ser entendido, de hecho, por sus mismos líderes. En el año 2003, Jorge Ingaramo, director de estudios económicos de la Bolsa de Cereales de Buenos Aires, planteó con claridad el objetivo productivo del sector: alcanzar una producción de 100.000.000 de t de granos (en ese momento se alcanzaba el récord de 70.000.000 de t y sólo dos campañas después se alcanzaron las 84.000.000 de t). Se ha estimado que, para cumplir este objetivo, serían necesarias entre 5 y 12 millones de ha adicionales para actividad agropecuaria. En una publicación más reciente, Ingaramo y Sierra (2006) estiman que el mayor impacto, en términos de "apropiación" de otras áreas, ocurrirá por parte de la ganadería desalojada por el agro, que ocupará entre 4 y 8 millones de ha.

El documento citado define formalmente una nueva preocupación para el sector: la ambiental. Allí se expresa: *"Las próximas décadas pondrán a la Argentina frente al desafío de lograr altas tasas de crecimiento de la producción nacional de granos, similares a las obtenidas durante los años precedentes. Se tratará de un desafío de envergadura, para el cual es importante contar con un espíritu innovador. Los factores necesarios para dar el salto productivo (recursos naturales y tecnológicos) están presentes. La voluntad de darlo, está firmemente instalada y se cuenta con la capacidad técnica y empresarial necesaria. La gran oportunidad del agro argentino pasará por lograr un crecimiento de la producción de granos y carnes.*

Pero ello deberá hacerse en forma sustentable, a fin de conservar el capital productivo y de satisfacer la creciente preocupación por el equilibrio ambiental que predomina en la opinión pú-

blica mundial. Los dos grandes componentes del incremento nacional de la producción de granos durante la década pasada, el aumento de los rindes y la incorporación a la agricultura de nuevas tierras, algunas de las cuales eran anteriormente ganaderas, ofrecen riesgos ambientales, tanto en lo que hace al deterioro de los suelos, como a la emisión de gases de invernadero: metano, proveniente de la fermentación ruminal; óxido nitroso, proveniente del uso de fertilizantes nitrogenados; y dióxido de carbono, proveniente de la pérdida de materia orgánica de los suelos sometidos a agricultura permanente.

En ausencia de un plan estratégico que modere el avance no integrado de la agricultura, la mayor rentabilidad de ésta frente a la ganadería, hará que, durante los próximos 10 años, se apropie de entre 4 y 8 millones de ha ganaderas. Esto determinará que la ganadería continúe adaptándose a través de dos mecanismos, cuya sinergia conlleva riesgos ambientales: a) el incremento de la carga, con el consiguiente riesgo de sobrepastoreo; y b) el pasaje a zonas marginales, en las que el sobrepastoreo se hace cada vez más crítico."

Se plantea, entonces, un desafío cuya resolución requiere articular los intereses de los distintos sectores a favor de una planificación estratégica del uso del territorio, para lo cual es imprescindible, más allá de la voluntad de lograrlo por parte del sector productivo y del ambiental, el papel de otros sectores y, especialmente, el del Estado.

En busca de nuevos horizontes y agendas comunes

En noviembre de 2003, la Bolsa de Cereales de Buenos Aires fue el escenario del seminario "La sustentabilidad ambiental de la cosecha de los 100 millones", organizado por la FVSA y la Asociación Argentina de Agronegocios y Alimentación (que corresponde al capítulo argentino de la *International Food & Agribusiness Management Association o IAMA*). Esta reunión, ideada por Héctor Laurence, presidente en ese momento de ambas instituciones, fue motorizada en gran parte por Héctor Ordóñez, un prestigioso académico y referente del sector productivo. Sin duda, las reuniones para debatir sobre estos temas han sido numerosas, pero ésta fue la primera oportunidad en que se lograba reunir a líderes del sector ambiental, del agro, de instituciones científico-técnicas y de gobierno dispuestos a iniciar un diálogo constructivo. Los participantes de aquel seminario entendieron la importancia del encuentro y decidieron crear un espacio de discusión y trabajo para proponer conjuntamente respuestas concretas, por ejemplo, al problema de la expansión agropecuaria en áreas críticas para la conservación de la biodiversidad y de sus servicios ambientales.

Un caso de ordenamiento territorial a nivel predial

En la región de la selva pedemontana de las Yungas (una de las más amenazadas del país) se encuentra la finca Sauzalito/Yuto, propiedad de la empresa Ledesma y lindante con el Parque Nacional Calilegua. Ante la posibilidad de que la empresa habilite nuevas tierras agrícolas en esa finca, un grupo de ONGs ambientales (entre las que se encontraban Greenpeace, ProYungas y la Fundación Vida Silvestre Argentina) solicitaron a la empresa detener su plan de desmonte, debido al valor ambiental del sitio por tratarse de un área de selva pedemontana en suelos profundos, ubicada en una zona que mantiene la conectividad entre el Parque Nacional Calilegua y la Sierra de Santa Bárbara. El pedido era detener todo desmonte en esa propiedad, hasta que tuviera lugar una planificación del uso del espacio teniendo en cuenta la necesidad de preservar los valores antes citados.

Tras algunas idas y vueltas, la empresa presentó una propuesta alternativa, consistente en detener momentáneamente el plan de desmonte en la finca Sauzalito/Yuto, con el fin de permitir el desarrollo de un plan integral de ordenamiento territorial en la zona, y trasladar su plan de producción de caña a un sector cercano, denominado "Finca el Talar", compuesto por tierras que también son de su propiedad. Ante esta propuesta, la FVSA solicitó al Dr. Alejandro Brown, Presidente de su Consejo Científico asesor, la inspección de la zona alternativa. De ese análisis surgió que también en la finca El Talar existían zonas con alto valor de conservación y posibilidades de integrarlas en el ordenamiento territorial de la finca Sauzalito/Yuto.

Posteriormente, la empresa solicitó al equipo del Dr. Brown la elaboración de un plan de ordenamiento del territorio para todas sus propiedades. El plan –que ya fue presentado al estado y a la organizaciones que seguimos el tema- genera un interesante precedente de cómo se pueden integrar la necesidades productivas con las ambientales, usando herramientas del ordenamiento territorial para incorporar la escala predial a una visión ecorregional sostenible. Este es, justamente, el primer punto acordado en el espacio de diálogo que nació con el nombre de "Foro por los 100 Millones Sustentables".

En este caso, se trata de un plan voluntario de una gran empresa del NOA, desencadenado por el pedido de las ONGs. Más allá del ejemplo que significa para otras empresas e instituciones, es deseable que sea el estado quien convoque y lidere estas iniciativas. Las ventajas de planificar el uso del suelo teniendo en cuenta diversos intereses son muchas más que las de invertir esfuerzos para resolver un conflicto tras otro.

Así se conformó el Foro por los 100 Millones Sustentables, integrado originalmente en el 2004 por representantes del sector productivo (AAPRESID, AACREA, la Bolsa de Cereales de la República Argentina y la Fundación Producir Conservando), del sector ambiental y social (Fundación Ambiente y Recursos Naturales, Greenpeace, Fundación ProYungas y Fundapaz), el sector científico-técnico (las facultades de Agronomía y de Ciencias Exactas y Naturales de la Univ. de Buenos Aires, el INTA y el CONICET) y del sector gubernamental (la Secretaría de Ambiente y Desarrollo Sustentable de la Nación, la Secretaría de Agricultura, Ganadería, Pesca y Alimentación de la Nación y la Secretaría de Ciencia y Técnica de la Nación).

Posteriormente, algunos de sus miembros han propuesto, entre otros cambios, que adopte el nombre de "Foro por el Desarrollo Agropecuario y Forestal Sustentable", ampliando su espectro temático y temporal. Cualquiera sea el destino hacia el que evolucione este espacio de diálogo, configura un precedente inédito que ha dejado instalado un mensaje importante: en vez de seguir confrontando públicamente sin conocer ni entender las aspiraciones y realidades del otro sector, llega la hora de buscar con madurez un plan estratégico que reúna las diversas visiones y preocupaciones en torno del tema.

Los procesos de diálogo entre sectores históricamente aislados entre sí suelen llevar tiempo y tienen una dinámica muy variable. En este caso, varias instituciones han logrado gracias a él mantener canales de comunicación fluida y una agenda común, que originalmente fue definida con los siguientes temas:

• Contribuir a la definición de una política de ordenamiento territorial a través del desarrollo de proyectos piloto.

• Medir la sustentabilidad de la agricultura en base a sus tres ejes: el económico, el ambiental y el social.

• Realizar un análisis de la expansión prevista de la superficie para la actividad agropecuaria, tanto en su dimensión ambiental como social.

• Realizar una evaluación acerca del papel de los agrosistemas en el balance de carbono.

La agricultura global

En un contexto internacional globalizado y de apertura de los mercados, el impulso a una política agroexportadora con un tipo de cambio devaluado promueve un modelo productivo en el cual las decisiones de los agricultores están directamente ligadas a la evolución de los mercados internacionales. Esto explica, por un lado, el avance de la agricultura pampeana (de exportación y altos insumos) sobre las economías regionales y las zonas de vegetación natural extrapampeanas y, por otro lado, el vertiginoso avance del cultivo de soja sobre los demás productos agrícolas y ganaderos. Entre 1990 y 2005, la superficie cultivada de soja aumentó un 190% y pasó a constituir más de la mitad de la superficie cultivada en el país (Tabla 1). Se han planteado diversas preocupaciones acerca de los riesgos ambientales, sociales y económicos derivados de este proceso de concentración de la producción agrícola en un monocultivo en el que casi la totalidad corresponde a una única variedad transgénica.

Tal como se mencionó anteriormente, el crecimiento de la soja en la Argentina se explica por un aumento semejante en la demanda de soja a nivel internacional. En los últimos cuarenta años del siglo XX, el comercio internacional de soja aumentó un 1.492%. Este incremento se debe, en primer lugar, a la adopción generalizada de un modelo de producción animal basado en la soja como componente principal de las raciones. Con una producción mundial de 161.000.000 de t., la soja representa el 53% de la producción de oleaginosas y provee el 28% de los aceites vegetales y el 56% de las harinas oleaginosas utilizadas para la alimentación

La Situación Ambiental Argentina 2005

	Campaña 90-91		Campaña 04-05		Variación
	ha	%	ha	%	
Soja	4.966.600	24,8	14.399.998	50,3	190%
Otras oleaginosas	3.159.850	15,8	2.069.339	7,2	-35%
Cereales	11.931.900	59,5	12.168.902	42,5	2%
Total	20.058.350		28.638.239		43%

Tabla 1. Cambios en la superficie cultivada entre 1990 y 2005. Fuente: Dirección de Coordinación de Delegaciones, Secretaría de Agricultura, Ganadería, Pesca y Alimentación [en línea], <http://www.sagyp.mecon.ar/new/0-0/agricultura/otros/estimaciones/basestima.php>.

animal (Clay, 2004). Se estima que la demanda de soja continuará creciendo en los próximos años y que llegará a los 300.000.000 de t en el año 2020. Se ha calculado que esta tendencia provocará la conversión de 16.000.000 de ha de sabanas y 6.000.000 de ha de bosques tropicales en Sudamérica (Dros, 2004).

En este marco, el Fondo Mundial para la Naturaleza (WWF) ha comenzado a trabajar junto con los actores que intervienen en la cadena de producción y comercialización de la soja a nivel global, a fin de promover la discusión y la adopción de métodos de cultivo social y ambientalmente responsables. Este proceso dio su primer paso en marzo de 2005 con la realización de la primera conferencia de la Mesa Redonda sobre Soja Responsable en Foz do Iguaçú, Brasil. Allí, más de doscientas veinte personas representantes de pequeños agricultores familiares; grandes productores; organizaciones sociales, indígenas y ambientalistas; industrias procesadoras; proveedores de insumos y empresas comercializadoras reconocieron *"...que la cadena de producción de la soja genera beneficios y problemas sociales, económicos, ambientales e institucionales..."* y acordaron *"...llevar adelante un proceso para enfrentar estos problemas y desarrollar y fortalecer la cadena productiva de soja responsable..."*, con el compromiso de *"...que este proceso sea transparente, abierto, multisectorial, participativo y descentralizado"* (ver http://responsiblesoy.org).

Actuar localmente, pensando globalmente

Suele depositarse sobre la globalización la responsabilidad de las asimetrías crecientes en el sistema internacional, el desempleo, la concentración del ingreso y otras tendencias negativas del desarrollo económico y social. Sin embargo, el problema radica, a veces, en la aplicación de políticas inadecuadas en este contexto internacional globalizado (Ferrer, 1997). Sin perjuicio de las políticas necesarias para reconstruir la demanda interna como motor del desarrollo y para resguardar al país de las oscilaciones de los mercados internacionales (y de sus efectos sobre el ambiente y la sociedad), es evidente que el sector agrícola argentino se encuentra ante una gran oportunidad para generar ingresos genuinos sobre la base de sus recursos naturales, humanos y tecnológicos. El desafío es hacerlo en forma cada vez más sustentable, sin comprometer, entre otros recursos, los múltiples servicios de los ecosistemas, fuente de bienestar y de opciones de desarrollo para el país.

Para ello, urge profundizar los procesos de diálogo en marcha entre el sector productivo y el ambiental. Sobre la base del acuerdo y la planificación multisectorial, la Argentina se encontrará en mejores condiciones para enfrentar los desafíos y aprovechar las oportunidades que plantea el contexto global. Ya hemos dicho que el Estado es un actor esencial en este proceso: se requieren marcos regulatorios, políticas e incentivos para instrumentar la planificación y los acuerdos a los que se arriben. En este sentido, el ordenamiento territorial es una necesidad urgente para regular una expansión de la frontera agropecuaria hasta ahora incontenible.

El contexto global ofrece la oportunidad de satisfacer una demanda de alimentos que cada vez expresa mayor preocupación por cuestiones relacionadas con la calidad, el origen, los procesos de producción, la conservación de la naturaleza y la responsabilidad social empresaria. El desarrollo de sistemas de certificación y trazabilidad de productos y procesos es un mecanismo suficientemente probado, que permitiría generar una corriente de beneficios que incentivaría la adopción de buenas prácticas agrícolas. Afortunadamente, la Argentina cuenta con los recursos naturales, humanos y tecnológicos necesarios para posicionarse en los mercados como productora de alimentos sustentables. Resta saber si la energía de los actores relevantes en este problema seguirá encaminándose hacia la búsqueda de los acuerdos que permitan llegar a ese horizonte, o si cada uno tomará, una vez más, el más fácil camino: el autista, el que nos dicta exclusivamente nuestra visión unisectorial.

LOS ESCENARIOS GLOBALES Y LA SIEMBRA DIRECTA COMO MECANISMO PARA ALCANZAR UNA PRODUCCIÓN RESPONSABLE

Por: Roberto A. Peiretti

Productor agropecuario, miembro de la Comisión Directiva de la Asociación Argentina de Productores en Siembra Directa (AAPRESID), presidente de la Confederación de Asociaciones Americanas para una Agricultura Sustentable (CAAPAS). sdrob@idi.com.ar

Introducción

Si bien los procesos de globalización han estado presentes a largo del desarrollo de la historia humana, en la actualidad la misma se ha intensificado y aparece muchas veces como una corriente dominante dentro de los escenarios mundiales. Dicha corriente genera y emite constantes "señales" que, potenciadas por la conectividad, alcanzan los más remotos confines del planeta y, según cómo se las interprete, pueden ser vistas como desafíos o como oportunidades.

Uno de los mayores retos para la humanidad en el siglo XXI es poder producir cada vez más alimentos y otros bienes derivados del proceso agro-productivo con recursos cada vez más limitados y en forma eficiente, competitiva y sustentable. Al momento de diseñar y llevar a cabo procesos agro-productivos que sean capaces de aportar una adecuada solución a este importante desafío del siglo que corre, los productores agropecuarios desempeñan un rol central y de alta relevancia.

Por otro lado, al mismo tiempo que la producción y la oferta de alimentos no paran de crecer, surgen líneas de acción que intentan establecer normas y límites dentro de los cuales el aumento de la producción debería desarrollarse.

Tal cual ha ocurrido en el pasado, tanto el desarrollo de la ciencia y las tecnologías como la creciente capacidad del ser humano para comprender el funcionamiento del mundo en su conjunto y reaccionar en consecuencia serán herramientas clave para poder salir airosos del gran desafío del siglo XXI y lograrlo, además, en forma sustentable.

El presente ensayo trata de reflexionar someramente sobre éstas y otras cuestiones íntimamente relacionadas que tienen que ver con el diario accionar de los productores agropecuarios como piezas centrales del aparato agro-productivo de un mundo que funciona más globalmente que nunca antes en su historia.

Las señales del mundo global. Desafíos y oportunidades

Uno de los aspectos clave para poder tener éxito en el manejo de los campos dentro del escenario global consiste en aprender a reconocer y actuar apropiadamente frente a las señales del medio. La diferenciación entre los desafíos y las oportunidades, en general, no responde a un molde categorizador rígido, sino más bien a una combinación entre la naturaleza de la señal y la actitud personal con que se enfrente a las mismas. De acuerdo con lo anterior, en muchos casos los desafíos pueden llegar a transformarse en oportunidades y viceversa. Para transformar desafíos en oportunidades, la capacidad reactiva (es decir, la reacción frente a un estímulo y la disposición a los cambios) junto con una actitud pro-activa (aquélla que tiene que ver con auto-generar los estímulos que lleven a cambiar y a anticipar los hechos) poseen una importancia central para mejorar la adaptación y el funcionamiento dentro del mundo globalizado.

El dinamismo de los escenarios globales y su relación con la capacidad reactiva y pro-activa

El reconocimiento y la aceptación de que los productores agropecuarios viven y actúan dentro de un mundo fuertemente globalizado –y altamente interactivo– constituye el primer e indispensable paso para poder insertarse apropiadamente dentro del mismo. Para lograrlo, a partir de la ocupación de un "espacio individual y local" se deberá tener la capacidad de proyectarse hacia un "espacio global, compartido y competitivo". Para tener éxito en la producción de alimentos del mundo, se deberá asumir un papel reactivo que permita actuar oportuna y adecuadamente frente a los cambios para intentar, de este modo, llenar espacios existentes; pero también se deberá ir más allá y asumir aun un papel pro-activo que otorgue cierta capacidad de anticipación a los cambios, a fin de llegar, incluso, a crear espacios donde antes no existiesen.

En el futuro, muy probablemente los cambios se producirán aun con mayor velocidad y profundidad que en la actualidad. Por lo tanto, antes de revisar si gustan o no, dentro de ciertos límites los mismos deberían ser aceptados lo más rápidamente posible y ser comprendidos como un fenómeno intrínseco a la realidad dentro de la cual se encontrarán el espacio y los caminos para poder actuar y mejorar.

El gran desafío del siglo XXI: "aumentar la producción con recursos más escasos"
El gran crecimiento que la población humana experimentó durante los últimos dos siglos –y especialmente dentro de los últimos cincuenta años, potenciado por un crecimiento económico global– ha hecho que la demanda de alimentos y otros bienes y servicios producidos por la agricultura no haya parado de crecer y, probablemente, no lo haga por bastante tiempo. En respuesta a este crecimiento de la demanda, la oferta tampoco ha parado de crecer durante el mismo período. En el pasado, este crecimiento de la oferta se logró a través de la combinación de los dos únicos mecanismos conocidos hasta hoy: el crecimiento del área cultivada y el de la productividad. Conseguir acompañar el crecimiento de la demanda con recursos naturales cada vez más escasos y lograrlo, además, sustentablemente constituye el gran desafío humano del siglo XXI.

Durante los últimos años, han sido ideados y puestos en práctica nuevos y más evolucionados modelos agro-productivos, basados en la ciencia, la tecnología y toda la gama de conocimientos humanos y, además, con la utilización de la siembra directa y de los principios de una AMSAP (Agricultura Moderna Sustentable de Alta Productividad) como brazos operativos y marcos referenciales. Los mismos han conseguido aumentar significativamente la productividad, la producción total y la sustentabilidad de aquellos países o regiones que los han adoptado en un grado relevante. Dentro de este nuevo modelo agro-productivo, la maximización de la eficiencia y de la productividad conseguida en forma responsable contribuye a disminuir el ritmo de expansión de las fronteras agropecuarias como medio para conseguir una mayor producción total.

Paralelamente a este proceso, también han ido surgiendo "normas de procedimiento y reglas globales" que, de alguna manera, tienden a establecer "límites de acción", dentro de los cuales los modelos agro-productivos (y otras acciones del hombre tendientes a satisfacer sus necesidades) deberían operar y ajustarse de ahora en más.

Naturaleza de las "reglas de procedimiento globales" y de los "límites de acción"
Dentro del conjunto de reglas globales se encuentra una amplia gama que va desde aquéllas que se instauran con carácter de adhesión voluntaria (frecuentemente impulsadas por ONG y grupos

de afinidad menos institucionalizados) hasta las que poseen un perfil más formal y llegan a funcionar como mandatarias (impulsadas por organismos más formales, como por ejemplo las Naciones Unidas, la OMC, etc.).

Para comprender mejor el espíritu, el dinamismo y la evolución de estas reglas, se debe tener en cuenta que en su modelado intervienen las más diversas voluntades, deseos, necesidades e intereses que, a su vez, se originan en una gran diversidad de realidades ecológicas, socio-económicas, políticas, históricas, culturales, religiosas, etc. Cuando las ideologías, el juego de intereses y una falta de visión global se combinan y prevalecen sobre la ciencia y la adecuada comprensión de la problemática humana, el establecimiento de las reglas llega a tomar un sesgo que hace que las mismas dejen de tener utilidad global y sólo reconozcan intereses parciales que, generalmente, responden a grupos humanos que poseen sus necesidades básicas ampliamente satisfechas. En estos casos, es común que se llegue a otorgar más importancia a la conservación del "ambiente natural" que a la propia posibilidad de satisfacer las necesidades básicas del hombre en su conjunto. En muchos casos, las reglas derivadas de este tipo de postura deberían estar reorientadas y renegociadas por las partes interesadas, con el propósito de otorgarles más sensatez y una conveniente adecuación a las necesidades globales del mundo actual. A tal fin, deberá considerarse que el hombre y su accionar son partes integrantes y modeladoras del ambiente y que, por lo tanto, deben ser tenidos en cuenta apropiadamente al momento de pretender normar y orientar sus acciones.

Tampoco resultan apropiadas las reglas que surgen de una visión netamente productivista que prioriza la satisfacción de las necesidades y los deseos actuales sin tener debidamente en cuenta las ideas de sustentabilidad y de balance.

Finalmente, todo productor agropecuario del mundo global, bajo una visión balanceadora que tienda a satisfacer las necesidades a corto plazo y que posea una adecuada consideración de las ideas de sustentabilidad, de ahora en más deberá participar activamente de estas "negociaciones". Con sus acciones, entonces, el productor debe tratar de evitar la aparición de "desvíos importantes en las reglas globales" que, a la postre, más que conseguir beneficios para todos entorpezcan la posibilidad de que se desarrolle "adecuada y sustentablemente" su rol de productores y proveedores de alimentos y de otros bienes y servicios básicos derivados de la actividad agro-productiva. A medida que estos objetivos se consigan, estarán colaborando significativamente para enmarcar y orientar los procesos de producción hacia metas congruentes con la posibilidad de resolver el gran desafío del siglo XXI.

El rol de la siembra directa y del modelo AMSAP

El diseño de modelos agro-productivos sustentables que mejoren la eficiencia, la rentabilidad y la competitividad del productor orienta al mismo hacia el abandono de los modelos agrícolas tradicionales que, en general, se sustentan en criterios mineros, extractivos y, por lo tanto, "desbalanceadores". La ciencia y toda la gama del conocimiento humano –y no las ideologías– deberán ser los pilares sobre los que se asienten el diseño y la difusión de estos nuevos modelos capaces de cumplir con los requerimientos que demanda la era en la que se vive y se actúa.

Si los límites impuestos por la sustentabilidad no son respetados, se conseguirá satisfacer las demandas actuales sobre la base de algún grado de "liquidación o venta" del capital del propio productor, más que a partir de la renta del mismo capital, lo que constituye una situación no sustentable.

La adopción de la siembra directa y de un modelo productivo basado en los conceptos de la AMSAP como partes centrales del "nuevo paradigma agro-productivo", fuertemente promovidos desde AAPRESID y desde CAAPAS, ha significado un importante paso al frente hacia la obtención simultánea de mayor productividad con rentabilidad y sustentabilidad. A través de los resultados de millones de hectáreas que hoy se manejan en el mundo bajo este nuevo paradigma, ha quedado demostrado que el mismo constituye un significativo avance hacia la posibilidad concreta de enfrentar con éxito el gran desafío de responder adecuadamente a las demandas actuales sin disminuir las posibilidades de continuar lográndolo en el futuro.

La implementación de un protocolo de acción y un mecanismo de certificación para los productos agropecuarios obtenidos bajo este nuevo paradigma productivo puede constituir un método válido para obtener un reconocimiento de la sociedad global que, eventualmente, podrá transformarse en un incentivo adicional para impulsar su adopción más allá de lo que hasta hoy se ha conseguido.

La sustentabilidad como negocio

Dentro de este nuevo paradigma, la mejora en el nivel de sustentabilidad no proviene de un uso menos intenso del agro-ecosistema y, en consecuencia, de una productividad y una producción total menores. Por el contrario, la mejora en el nivel de sustentabilidad se consigue en forma conjunta si aumentan la productividad y la producción total. Lo anterior, básicamente, se obtiene mejorando las condiciones del suelo, en particular, y del ambiente de producción, en general. Frente a una determinada combinación de los diferentes factores de producción, el sistema aumentará la cantidad de biomasa que es capaz de producir. Si se devuelve al suelo parte de esta mayor cantidad de biomasa generada y, además, se realiza un balanceado manejo del agro-ecosistema bajo la siembra directa y los principios de la AMSAP, se podrá acceder a un "círculo virtuoso", por el cual la mayor producción pueda ser obtenida dentro de un marco sustentable, lo que, a su vez, retroalimentará el proceso que continuará creciendo. Desde este punto de vista, es perfectamente válido interpretar la sustentabilidad como potenciadora no sólo de las posibilidades futuras, sino también del proceso productivo y operatorio a corto plazo. En otras palabras, se puede mirar la sustentabilidad como un "negocio a corto plazo".

Como un ejemplo de este tipo de mecanismo, se puede analizar el proceso de evolución que ocurre en el caso de un manejo mejorado del recurso del suelo. Si, además de generar las producciones del año, paralelamente se logra controlar los procesos de erosión y degradación, agregar materia orgánica, nutrir balanceadamente al suelo (al aplicar, al menos, un criterio de reposición de los nutrientes extraídos), hacer crecer la biodiversidad en el contenido, etc., se estará incrementando su fertilidad potencial y, por lo tanto, su aptitud para producir. Una vez alcanzado este estado, se dará con un escenario que posee una mejor reactividad frente a los estímulos productivos y una mayor capacidad para amortiguar los impactos negativos externos. A partir de este estado de cosas, el proceso podrá retroalimentarse positivamente y, con un buen nivel de sustentabilidad, permitirá un acercamiento cada vez mayor al techo productivo conocido para la combinación de factores que conforman un determinado ambiente productivo.

Los mercados globales y la necesidad de ser competitivos

La creación de espacios (mercados) donde la oferta, la demanda y la competencia encuentren un equilibrio sin distorsiones demasiado relevantes colaborará con la obtención de mayores niveles de eficiencia global a través de una mejor asignación de los recursos necesarios para llevar a cabo el proceso productivo.

Sean cuales fueren las características del mercado en el que se actúe, para poder desempeñar adecuadamente el rol del productor –e, inclusive, para ganar nuevos espacios dentro del escenario mundial– irremediablemente se debe lograr un adecuado nivel de competitividad. De no ser así, sería difícil mantenerse dentro del proceso –y menos aun conseguir crecer–, a no ser que alguien pague las ineficiencias del productor agropecuario y "artificialmente le otorgue la competitividad no conseguida por medios genuinos". Precisamente éste es caso de los productores subsidiados del mundo.

En el proceso del aumento de la competitividad, la existencia de "ventajas comparativas naturales", como en el caso de los suelos y del ambiente agro-productivo de la Argentina, facilita el camino. Sin embargo, el desarrollo de las estrategias que las transformen en ventajas competitivas reales será un imperativo. La permanente adquisición de conocimiento y de capacidad de acción (*empowerment*), la visión sistémica, la correcta planificación y ejecución de los procesos, la conectividad y el trabajo en redes, la toma de escala, además de la debida priorización de inversiones públicas que provean la infraestructura necesaria que permita materializar la eficiencia de los procesos y las adecuadas políticas impositivas constituyen sólo algunos ejemplos de herramientas útiles para mejorar las ventajas competitivas a un nivel mayor que aquél que pueda obtenerse a partir de ventajas comparativas naturales.

Conclusión

Los productores que siguieron los principios promovidos por AAPRESID y por otras instituciones pertenecientes a CAAPAS sin ninguna duda se encuentran entre aquéllos que más han avanzado en la mejora de sus procesos agro-productivos tendientes a ser adaptados a las necesidades de la hora actual. Esta posición, que hasta puede ser considerada de vanguardia, los enfrenta al desafío y el compromiso de continuar avanzando por este camino y en la difusión de estas ideas hacia un mundo que las necesita más que nunca como un mecanismo para satisfacer adecuadamente las demandas humanas del presente y del futuro.

Las "reglas de procedimiento global", discutidas someramente en este ensayo, deberían considerar al hombre y sus necesidades en el centro de la escena pero, a su vez, también deberían establecer claramente la conveniencia de minimizar los impactos negativos de sus acciones y de obtener un adecuado grado de sustentabilidad para las mismas. A fin de alcanzar este objetivo, la ciencia deberá ser el pilar y la base de las decisiones.

Ojalá que el nivel de inteligencia que posee la especie humana alcance para hacer comprender cabalmente al hombre que sólo tiene un planeta tierra. En consecuencia, y hasta tanto se descubra otro en el que pueda habitar, el aprender a satisfacer las demandas dentro de un marco de "equilibrio y sustentabilidad" es el camino más sensato para garantizar la continuidad de la especie.

HERRAMIENTAS DE MERCADO PARA EL USO SUSTENTABLE DE LOS BOSQUES

Por: Pablo Yapura

Coordinador del Programa Forest Stewardship Council (FSC). FVSA. fsc@vidasilvestre.org.ar

Los problemas de los bosques

Desde tiempos inmemoriales, el hombre construye sus hogares, los provee de calefacción, elabora sus muebles y cocina sus alimentos usando la madera que los bosques producen. Y en los últimos siglos, la madera se ha convertido en la principal materia prima para elaborar papel, un producto indiscutiblemente ligado a las necesidades básicas de comunicación y educación. En la actualidad, se consumen unos 1.600.000.000 de m³ anuales de madera en todo el mundo, y un estudio reciente encargado por WWF ha estimado que el consumo actual proviene de no más de 800.000.000 de ha, lo que apenas representa un 20% del patrimonio forestal actual (WWF, 2001). Aunque la innovación tecnológica seguirá sustituyendo este material en muchos usos, contrariamente a lo que se creía un par de décadas atrás, hoy se acepta que la demanda de madera seguirá incrementándose y las previsiones más razonables indican que, para el año 2050, se necesitarán entre 2.000.000.000 y 3.000.000.000 de m³ anuales. La sustitución de la madera por otros materiales, una mayor eficiencia en los procesos industriales y una mayor proporción de reciclado pueden ayudar a que la necesidad futura se encuentre más próxima al límite inferior del rango, aunque aún se seguirá necesitando un 25% más que en el presente. Para cubrir esta necesidad, la FAO –Food and Agriculture Organization– (2000) ha estimado que las plantaciones forestales con especies de rápido crecimiento estarán ofreciendo unos 1.500.000.000 de m³ anuales hacia el año 2050, lo que representaría entre el 50 y el 75% del total.

Si se consolidan estas cifras, es razonable afirmar que las necesidades futuras de madera podrán ser satisfechas con no más de un 25% de las tierras forestales actuales, lo que ofrece excelentes oportunidades para disponer otros usos (conservación, bosques comunitarios) en las tres cuartas partes restantes. Resulta claro que los bosques pueden abastecer las necesidades humanas de madera en el futuro y que ello no constituye el problema principal. Sin embargo, la actividad forestal tiene condicionantes para realizar su contribución al desarrollo económico y social, entre los que se puede destacar la deforestación y la degradación ambiental de las tierras forestales como los más importantes. La deforestación para habilitar tierras agropecuarias, un proceso generalizado en el hemisferio sur, disminuye la base de tierras aptas para la producción y/o la conservación, mientras que la degradación ambiental, un fenómeno global causado por la tala clandestina y la sobreexplotación, afecta la productividad y el valor de conservación de las tierras remanentes. Las consecuencias principales de estas actividades son el cambio climático, la erosión de los suelos, la modificación del ciclo hidrológico, la pérdida de la biodiversidad y del patrimonio cultural, y el empeoramiento de las condiciones de vida de las poblaciones que dependen de los bosques.

El desafío evidente para la actividad forestal en este siglo es evitar estas consecuencias y satisfacer las necesidades crecientes de bienes y servicios que el bosque provee, en un contexto cada vez más limitante. Por sí misma, la actividad forestal no puede evitar la deforestación, ya que no es su causante principal, aunque sí puede mejorar el valor y la utilidad de las tierras forestales para que no resulte tan conveniente su cambio de uso. Por otra parte, la actividad forestal juega un papel central para evitar la degradación de los bosques, dado que sí es una de sus principales causantes. En ambos casos, lo que se requiere es mejorar las prácticas del manejo forestal y difundirlas en todo lugar donde estén notoriamente ausentes. En otras palabras, lo que se requiere es implementar un tipo de manejo forestal que sea sustentable, lo que plantea directamente la necesidad de precisar los alcances de la sustentabilidad en esta actividad.

Los alcances de la sustentabilidad

Quizás por su visión a largo plazo, el manejo forestal está familiarizado con la idea de la sustentabilidad desde hace largo tiempo. De hecho, el primer uso explícito del término se puede trazar hasta mediados del siglo XIX en un estudio de manejo forestal francés (Schlaepfer y Elliott, 2000). Pero el término ha sido usado, principalmente, para describir la provisión continua de madera bajo la denominación de "rendimiento sostenido". En este período de preeminencia de la madera, la creencia subyacente fue que todos los demás bienes y servicios del bosque se producían espontáneamente como consecuencia de la producción de madera. Y todas las consideraciones ecológicas se formulaban principalmente como restricciones a la producción y no como metas en sí mismas. No obstante esto, en los últimos años se ha ido gestando un cambio de paradigma para el uso de las tierras forestales que afectará profundamente a la actividad.

La cuestión de los bosques es una materia de discusión global desde hace aproximadamente veinte años. Originalmente motivadas por una preocupación creciente por la deforestación tropical y las campañas de boicot impulsadas por grupos de interés ambiental, aquellas primeras discusiones culminaron con la formulación de los "Principios Forestales" como un documento separado de la "Declaración de Río sobre Ambiente y Desarrollo" en la Cumbre de la Tierra de 1992, en Río de Janeiro (Nussbaum y Simula, 2005; Schlaepfer y Elliott, 2000). En estos principios forestales se explicitó por primera vez una visión global para el manejo forestal sustentable que reconoce los múltiples valores del recurso (e.g., se enumeran doce bienes y servicios, entre los que se incluye la madera) e incorpora las dimensiones sociales, económicas y ecológicas al alcance del concepto. En los años siguientes, varias iniciativas gubernamentales y no gubernamentales, inspiradas en estas definiciones y en el alto grado de consenso que aún concitan, intentaron llevarlas a la práctica en distintas escalas (ver ISO, 1998). Sin embargo, aunque la sustentabilidad es una meta indisputable y universalmente aceptada como principio ético para la gestión de los recursos naturales, también ha resultado muy compleja de implementar como una guía operativa para tomar decisiones en un contexto específico (Wiersum, 1995). Por una parte, las dificultades se originan en que el concepto tiene una definición tan amplia que da lugar a interpretaciones dispares (Wiersum, 1995). Por otra parte, la sustentabilidad es más una construcción sociopolítica –que refleja un estado deseable y las preocupaciones de los seres humanos para existir como especie– que un concepto científico que se puede medir sin ambigüedades (Schlaepfer y Elliott, 2000).

La certificación forestal

De todas las iniciativas que intentaron implementar el concepto en la práctica, la certificación forestal es casi, con certeza, la que más cambios ha introducido en las prácticas cotidianas del manejo forestal a escala global. El mecanismo puede ser considerado como un instrumento de política económica que provee incentivos indirectos para el logro de objetivos ambientales y sociales. De manera genérica, la certificación opera contrastando el efecto de las actividades del manejo forestal en una operación específica contra un estándar previamente acordado como significativo y aceptable para las partes. El proceso mismo queda a cargo de terceras partes que garantizan públicamente su independencia y su juicio profesional, y que no tienen interés propio en la operación forestal evaluada. El mecanismo se completa con el etiquetado de productos para comunicarle al consumidor los aspectos diferenciales de aquéllos y permitirle tomar decisiones más informadas.

El supuesto fundamental del mecanismo es que los intereses del consumidor en el dilema son fuertes y que provocarán una discriminación a favor de la madera proveniente de bosques manejados sustentablemente. Además, se supone que los consumidores responsables estarán dispuestos a pagar por los costos agregados que el mecanismo implica (Upton y Bass, 1995). Aunque es fácil concluir que algunos de estos supuestos no se han verificado universalmente, el éxito del mecanismo se puede estimar por las superficies de bosques que han sido certificadas por los diferentes esquemas que existen en el mundo y que ya totalizan más de 245.000.000 de ha (CEPI, 2005), en apenas diez años. Aunque todavía existe oposición al mecanismo, sobre todo de algunos gobiernos y de parte de la industria forestal (Nussbaum y Simula, 2005), hoy casi nadie discute que la certificación es una herramienta útil para la sustentabilidad, sino qué tipo de certificación hará mejor la tarea.

Desde múltiples perspectivas, es evidente que los sistemas que garantizan el desempeño resultan ser los más aceptables (Ozinga, 2004). Entre varios de este tipo que son operativos, el sistema del FSC es el más antiguo de todos y, desde la fecha de su creación en 1993, se ha caracterizado por contar con un fuerte apoyo de las más importantes ONG ambientales internacionales (e.g., WWF, Greenpeace) y del sector minorista del comercio forestal (e.g., IKEA, B&Q) –ver Nussbaum y Simula, 2005. En los últimos años también se lo puede encontrar en las políticas de preferencias del sector financiero (e.g., J. P. Morgan Chase, HSBC) y de algunos gobiernos (e.g., Reino Unido). El FSC es una ONG sin fines de lucro cuya membresía incluye empresas forestales, organizaciones ambientales y sociales. Su misión es promover el manejo forestal responsable de los bosques del mundo mediante el sostenimiento de un esquema de certificación y etiquetado de productos forestales de alcance global.

En todo sistema de certificación, la credibilidad de los valores que se prometen se apoya en el cuerpo normativo, el que desempeña un papel crítico, pues aquello que no se especifica en los requerimientos ni siquiera es objeto de evaluación. El modelo de manejo forestal que promueve el FSC está fundado en los Principios y Criterios para el Manejo Forestal (FSC, 2004), un documento aplicable a todo tipo de bosques y que integra toda norma de manejo forestal que se adopta en el sistema. El modelo está inspirado en la visión global del desarrollo sustentable explicitada en la Cumbre de Río (1992); es posible establecer relaciones directas entre varios principios y/o criterios del FSC con principios de la Declaración de Río sobre Ambiente y Desarrollo. Otra característica del modelo de manejo forestal promovido por el FSC es la incorporación entre los requerimientos de dos pilares del manejo ecosistémico: el monitoreo y el enfoque adaptativo. El manejo ecosistémico es un paradigma que, progresivamente, se va imponiendo en el dominio del manejo forestal, sobre todo porque es un concepto más operativo. Aunque tampoco está exento de controversias, busca reforzar la aplicación de principios ecológicos al manejo y es una de las contribuciones científicas más importantes de los últimos tiempos (Schlaepfer y Elliott, 2000).

El uso de los bosques en la Argentina

En el lustro 1999-2003, las últimas estadísticas oficiales publicadas han registrado una extracción media anual de casi 10.000.000 de t de madera (SAyDS, 2005; SAGPyA, 2005). De este total, dos tercios provienen de plantaciones con especies exóticas destinadas a industrias de alto valor agregado y perfil exportador. Del tercio correspondiente al bosque nativo, la mayor parte se destina a la generación de energía (leña o carbón). Estos productos provienen de un patrimonio de 1.200.000 ha cultivadas con especies exóticas, mientras que el área de bosques nativos que provee madera no se puede estimar con certeza, puesto que la deforestación ha sido una importante fuente. Siempre de acuerdo con informes oficiales (Montenegro *et al.*, 2004), la pérdida del patrimonio forestal nativo para el mismo período ha sido estimada en 1.000.000 de ha (más del 3% del total en cinco años). A su vez, la misma fuente ha estimado que la degradación del bosque nativo es un proceso generalizado.

El comercio exterior del mismo período ha pasado de fuertemente deficitario en 1998 (U$S 900.000.000) hasta equilibrado en 2003, lo que se explica casi totalmente por la caída de las importaciones. Las exportaciones se originaron casi totalmente en el complejo celulósico-papelero y en la industria del tablero, con materia prima de plantaciones, mientras que las importaciones, en su mayoría, fueron de papeles y cartones. Si la economía crece, las estimaciones de producción y consumo para los próximos quince años serán de crecimiento en todos los escenarios analizados para el bosque de cultivo, mientras que para el bosque nativo serán de estancamiento o depresión (ver Braier, 2004). Según la misma fuente, las transacciones internacionales ya serán positivas en el corto plazo, aunque todavía habrá un fuerte déficit en el sector de papeles y cartones hacia el 2020.

Estas cifras están indicando que el consumo doméstico es la fuerza más importante del sector forestal argentino. Los productos de las plantaciones son los únicos que se exportan de manera significativa, pero también se importan en valores equivalentes. Los productos más consumidos del bosque nativo no sólo no se exportan, sino que tampoco son de alto valor agregado. El correlato de esta situación en el terreno se verifica al observar que las plantaciones atraen inversiones, generan renta y se gestionan más profesionalmente, mientras que en el bosque nativo ocurre lo contrario y la actividad continúa siendo esencialmente extractiva. En un país de tradición agropecuaria, estas cifras y tendencias también sugieren que las plantaciones son valoradas socialmente, al punto de que llegan a ser subsidiadas por el Estado, mientras que el bosque nativo todavía se considera un obstáculo para la expansión del área cultivable y no como un recurso en sí mismo. En el futuro mediato, es probable que la Argentina se convierta en un país netamente exportador de productos forestales, aunque la importancia del consumo doméstico y de las plantaciones seguirá caracterizando la economía del sector. Algunas de las consecuencias previsibles de estas tendencias son un incremento no sólo del área con plantaciones, lo que trae aparejado el dilema que todo cambio de uso de la tierra implica, sino también de la intensidad de la silvicultura que en ellas se practica, lo que supone el uso de prácticas con un potencial impacto ecológico. Por otra parte, mientras el bosque nativo no sea considerado como un recurso productivo, sólo se puede esperar que la deforestación y la degradación continúen siendo los procesos dominantes.

Los desafíos

En el pasado, las situaciones problemáticas, como las que plantea el uso de los bosques en este país, han tendido a ser resueltas mediante la intervención gubernamental, cristalizada en regulaciones y controles. Aunque el abordaje continúa siendo viable, en la actualidad está socialmente cuestionado por los escasos resultados que ha mostrado, tanto en el país como en buena parte del mundo. Esto ha llevado a la formulación de vías alternativas de solución, entre las que merece analizarse la certificación por su creciente aceptación. El modelo sostenido por el FSC garantiza que una cierta definición de manejo forestal responsable, acordada entre actores sociales significativos, se aplica operativamente en tierras específicamente definidas. Pero, dado que sus efectos son locales, sólo cuando sea masivamente adoptada podrá cumplir su función de manera íntegra.

A mediados de 2005, la superficie de bosques certificados por el FSC ya superaba 60.000.000 de ha distribuidas en más de sesenta países diferentes, mientras que la magnitud del mercado global de sus productos certificados superaba los U$S 5.000.000.000. Aunque estas cifras puedan parecer importantes, lo que están indicando es que su uso todavía no está generalizado si se considera, por ejemplo, que el comercio internacional de productos forestales (una fracción menor de la producción total) ha superado los U$S 150.000.000.000 (Hashiramoto *et al.*, 2004). En este país, desde las pioneras certificaciones de 2001, la superficie de bosques certificados ha crecido hasta 134.000 ha, de las cuales dos terceras partes corresponden a bosques nativos manejados por una sola empresa y el tercio restante, a plantaciones forestales (pertenecientes a seis empresas y dos grupos de pequeños productores). También se han hecho progresos institucionales significativos, como la conformación en 2002 de un grupo de trabajo del FSC integrado por representantes locales del interés ambiental, social y económico que, desde entonces, está desarrollando una norma para el manejo de plantaciones. Sin embargo, si se recuerda que menos del 5% del patrimonio de plantaciones está certificado y que el área del bosque nativo certificado representa poco más que el 6% de lo deforestado en apenas cinco años, es fácil concluir que falta un largo camino por recorrer.

Lo que está ocurriendo, tanto en este país como en el resto del mundo, se puede explicar por uno de los desafíos más importantes que la certificación tiene pendiente a escala global. El supuesto fundamental del mecanismo que indica que los consumidores discriminarán positivamente la madera proveniente de un manejo forestal de calidad y que estarán dispuestos a pagar los costos agregados no se está verificando con suficiente intensidad. Los precios diferenciados que remunerarían la conducta de los productores responsables han sido más bien excepcionales y la discriminación positiva del consumidor apenas si está empezando a instalarse como idea, en muchos casos como una derivación de las políticas de responsabilidad social que muchas organizaciones están empezando a implementar. En la actualidad, la aceptación del mecanismo por parte de la oferta (*i.e.*, la producción) se extiende a todos los continentes y está más generalizada, aunque de forma desigual y parcial. Por el lado de la demanda (*i.e.*, el consumo), el mecanismo está mucho menos difundido y se concentra en unos pocos mercados sensibles. Argentina es un buen ejemplo de estas tendencias, pues presenta una oferta más bien escasa de productos certificados (exportables) y un mercado doméstico que no los demanda. Para generalizar su aceptación entre los consumidores, es necesario que otras organizaciones relacionadas con el manejo forestal o sus consecuencias honren y favorezcan los esfuerzos de los productores responsables mediante políticas institucionales. Además de toda organización que comercializa productos forestales, otras instituciones menos obvias que también deben desarrollar políticas de preferencia para productos responsables son las instituciones financieras (bancos y compañías aseguradoras) y los gobiernos, dado que son agentes económicos de importancia. Sólo cuando se establezcan verdaderas alianzas comerciales entre productores y consumidores con una visión comprometida con el desarrollo sustentable, el manejo forestal responsable se generalizará y hará su contribución más significativa.

Bibliografía

• Bolsa de Cereales, "El Comercio Agroindustrial Argentino. La relación con nuestros socios comerciales". Documento de trabajo del Instituto de Estudios Económicos de la Bolsa de Cereales, 2006, 34 pp., [en línea], <http://www.bolcereales.com.ar>.

• Braier, G., "Tendencias y perspectivas del sector forestal al año 2020 – Argentina", Informe nacional complementario, Estudio de tendencias y perspectivas del sector forestal en América Latina al año 2020, Italia, SAyDS-SAGPyA-FAO, FAO, 2004.

• Burger, D., "Making Rio Work-The vision of sustainable development and its implementation trough forest certification", en: von Gadow, K., T. Pukkala y M. Tomé (eds.), Sustainable forest management, Holanda, Kluwer Academic Publishers, 2000.

• CEPI, Certified area worldwide: July 2005, 2004, [en línea]. <http://www.forestrycertification.info>.

• Clay, J., World Agriculture and the environment. A commodity – by commodity guide to impacts and practices, Washington, Island Press, 2004, 570 pp.

• Cosbey, A., A Capabilities Approach to Trade and Sustainable Development: Using Sen´s Conception of Development to Re-examine the Debates, Ginebra, IISD, noviembre de 2004, pp. 7-9.

• Di Castri, F., Globalización y Biodiversidad, Santiago, Editorial Universidad de Chile, 2002.

• Dros, J. M., Manejo del boom de la soja: dos escenarios sobre la expansión de la producción de soja en América del Sur, Ámsterdam, AIDEnvironment, 2004, 75 pp.

• Enriquez, J., As the Future Catches You, New York, Crown Business, 2001.

• Enriquez, J., El Reto de México – Tecnología y Fronteras del Siglo XXI, Editorial Planeta Mexicana, S.A., 2000.

• FAO, "The global outlook for future wood supply from forest plantations", Working paper GF-POS/WP/03, Italia, FAO, 2000.

• Ferrer, A., Hechos y ficciones de la globalización. Argentina y el Mercosur en el sistema internacional, Fondo de Cultura Económica, 1997.

• FSC, FSC-STD-01-001 (febrero de 2000): Principios y Criterios del FSC para el manejo forestal, Bonn, FSC, 2004.

La Situación Ambiental Argentina 2005

• Hashiramoto, O., J. Castano y S. Johnson, "Changing global picture of trade in wood products", *Unasylva*, 219, 2004, 55.

• Ingaramo J. y E. Sierra, "La integración agrícola – ganadera como estrategia para incrementar la producción de granos en forma sustentable, en el marco del mecanismo de desarrollo limpio". Documento de trabajo del Instituto de Estudios Económicos de la Bolsa de Cereales, 2006, 11 pp., [en línea], <http://www.bolcereales.com.ar>.

• ISO, IRAM-ISO/TR 14061: 2003, Información para orientar a las organizaciones forestales en el uso de normas del sistema de gestión ambiental ISO 14001 e ISO 14004, Buenos Aires, IRAM, 1998.

• Lorenzatti, S., "Agricultura Sustentable: hacia un sello de calidad ambiental", en: "La hora del Empowerment", Manual del XII congreso anual de AAPRESID, AAPRESID, 2004, p. 233.

• Montenegro, C., I. Gasparri, E. Manghi, M Strada, J. Bono y M. G. Parmuchi, Informe sobre deforestación en la Argentina, Unidad de Manejo del Sistema de Evaluación Forestal, Dirección de Bosques, Secretaría de Ambiente y Desarrollo Sustentable, 2004.

• Naumann, M. y M. Madariaga, *Atlas Argentino. Argentinienatlas*, Programa de Acción Nacional de lucha contra la desertificación, Buenos Aires, Secretaría de Ambiente y Desarrollo Sustentable, Instituto Nacional de Tecnología Agropecuaria, Deutsche Gesellschaft für Technische Zusammenarbeit. 2003, 94 pp.

• Nussbaum, R. y M. Simula, *The forest certification handbook*, Londres, Earthscan, 2005.

• Ozinga, S., "Footprints in the forest. Current practice and future challenges in forest certification", Reino Unido, FERN, 2004.

• Peiretti, R. A., "La Globalización y la Agricultura Sustentable", IX Congreso Anual de AAPRESID, Tomo I, Conferencias, AAPRESID, 2001, p. 127.

• Reca, L. y G. Parellada, El sector agropecuario argentino. Aspectos de su evolución, razones de su crecimiento reciente y posibilidades futuras, Buenos Aires, Editorial Facultad de Agronomía, 2001, 150 pp.

• SAGPyA, *El PBI del sector agroindustrial. Primer semestre de 2003*, Dirección de Economía Agraria, Secretaría de Agricultura, Ganadería y Pesca, [en línea], 2003 <http://www.sagyp.mecon.ar/new/0-0/programas/economia_agraria/index/index.php>.

• SAGPyA, Sector forestal argentino año 2003, Buenos Aires, Dirección de Forestación (SAGPyA), 2005.

• SAyDS, *Atlas de los Bosques Nativos Argentinos 2003. Proyecto Bosques Nativos y Áreas Protegidas BIRF 4085-AR*, Buenos Aires, Dirección de Bosques, Secretaría de Ambiente y Desarrollo Sustentable, 2003, 243 pp.

• SayDS, Series estadísticas forestales 1997-2003, Buenos Aires, Dirección de Bosques (SAyDS), 2005.

• SAyDS y PNUMA, *Informe GEO Argentina 2004*, Perspectivas del Medio Ambiente de la Argentina, Buenos Aires, Secretaría de Ambiente y Desarrollo Sustentable, Programa de Naciones Unidas para el Medio Ambiente, 2004, 303 pp.

• Schlaepfer, R. y C. Elliott, "Ecological and landscape considerations in forest management: the end of forestry?", en: von Gadow, K., T. Pukkala y M. Tomé (eds.), *Sustainable forest management*, Holanda, Kluwer Academic Publishers, 2000.

• Solbrig, O., "Entre Silla y Caribdis", en: "El Futuro y los cambios de Paradigmas", Manual del XIII Congreso anual de AAPRESID, AAPRESID, 2005, p. 241.

• Solbrig, O., "La Historia del concepto de Paradigma en la Ciencia y la Agricultura", en: "El Futuro y los cambios de Paradigmas", Manual del XIII Congreso anual de AAPRESID, AAPRESID, 2005, p. 11.

La Situación Ambiental Argentina 2005

• Upton, C. y S. Bass, *The forest certification handbook*, Reino Unido, Earthscan, 1995.

• Walsh, J. R., C. Galperin, E. Ortiz, *Sostenibilidad Ambiental en el Comercio: Evaluación de los Impactos Potenciales del ALCA*, FARN-OEA, WRI, Tulane Institute for Environmental Law and Policy, North South Center, Universidad de Miami, 2003.

• Wiersum, K., "200 years of sustainability in forestry: lessons from history", *Environmental management*, 19, 1995, 3.

• WWF, "The forest industry in the 21st century", Reino Unido, WWF's Forests for Life Campaign, 2001.

ALGUNAS CONDICIONES PARA UN SALTO CUALITATIVO A LA CUESTIÓN AMBIENTAL EN LA ARGENTINA

Por: Homero M. Bibiloni

Subsecretario de Recursos Naturales, Normativa, Investigación y Relaciones Institucionales de la Secretaría de Ambiente y Desarrollo Sustentable de la Nación. hbibiloni@medioambiente.gov.ar

La antigüedad del tema

Si se mirara el almanaque, se comprobaría que hace casi treinta y cinco años atrás el mundo comenzó a preocuparse severamente por el tema ambiental. Los cambios históricos que no han sido violentos llevan procesos temporales prolongados y, según este nivel de razonamiento, se podría decir que éste es relativamente "joven", pero si se asumieran postulados ambientales, se vería la necesidad de un cambio tan urgente como dramático[1]. Cabe recordar que un presidente argentino –entonces en el exilio– señaló con sentido visionario: "Creemos que ha llegado la hora de que todos los pueblos y gobiernos del mundo cobren conciencia de la marcha suicida que la humanidad ha emprendido a través de la contaminación del medio ambiente y la biosfera, la dilapidación de los recursos naturales, el crecimiento sin freno de la población y la sobre-estimación de la tecnología y la necesidad de invertir de inmediato la dirección de esta marcha..."[2].

En Estocolmo, meses después, aconteció el histórico evento de las Naciones Unidas con la declaración de un conjunto de principios sustantivos y la creación del Programa de las Naciones Unidas para el Medio Ambiente (PNUMA). Más recientemente, en 1992 la Cumbre de Río aportó la relevante, aunque inconclusa, Agenda 21[3]. Sin perjuicio de dicha cumbre, en este país fue recién en 1994 cuando la Constitución Nacional y otras constituciones provinciales –como la bonaerense– trataron la temática ambiental con una vigencia y fortaleza ciertas; estos hechos podrían ser considerados como puntos de inflexión temporal concretos para medir el proceso ambiental argentino.

La limitada conciencia colectiva

Los militantes ambientales no pueden perder la perspectiva de lo que sucede fuera del campo en el que usualmente se mueven, porque tal situación conlleva el riesgo de suponer que, fuera de estos terrenos, la convicción, el conocimiento y la voluntad de materializar conductas positivas con el ambiente resultarían sencillas, por la mera apelación a lo que resulta ser una verdad evidente.

De allí a poder decir que este nivel de conciencia es una realidad uniforme y asentada sería un error, al igual que pensar en el involucramiento voluntario del conjunto de la comunidad para revertir aquellas conductas que impactan negativamente sobre el ambiente. Resulta, entonces, más cercano a una expectativa que a una cuestión cierta, porque supone restricciones, decisiones de consumo, costos directos o indirectos que no todos pueden o quieren soportar[4]. Esto es así pese a la existencia de reacciones comunitarias con respecto a las cuestiones de contaminación que las puedan involucrar, pero que no se transforman, luego, en acciones de construcción sostenidas[5].

La crisis política, social y económica

La fenomenal crisis sufrida por la aplicación sistemática de un modelo neoliberal, sumada a una corrupción estructural, y el quiebre de la solidaridad social por el "sálvese quien pueda" no son datos ajenos al tema. Es difícil pensar en el recurso natural o en la reversión o eliminación de la contaminación, cuando la sociedad excluye a una parte sustancial de sus pares del acceso a los bienes más elementales, y los sume en la pobreza y el desamparo. Este modelo perverso impuso también la cuasi desaparición del Estado como generador del bien común (esencialmente solidario) y lo suplantó por los beneficios de la realidad del mercado (esencialmente egoísta) y la pretensión de que el intervencionismo estatal –mínimo– fuera sustituido por las ONG, en función de la transparencia y la participación que éstas suponen.

En este contexto, el destino de los pobres y excluidos no tiene alternativa alguna para salir de dicha categoría social (mitigada por la mano generosa del "asistencialismo"), por cuanto un Estado ausente y unas pocas ONG (muchas de ellas pertenecientes al mundo globalizado) difícilmente pueden cambiar situaciones estructurales y complejas, que sólo son reversibles por políticas diferentes a las aplicadas y por hombres comprometidos con las convicciones, ya que lo ambiental es siempre un problema ético[6], aunque luego pueda tener correlatos empíricos muy concretos. Las ONG –en esta visión– tienen el prestigio de su propia historia e integrantes, con la representatividad limitada a las formas de su generación (pero la democracia nutre los cargos electivos del estado de derecho que, pese a sus falencias, no es sustituible). En efecto, estas organizaciones son positivas a la hora de complementar las políticas públicas junto al resto de la sociedad.

El negocio de la contaminación

El viejo principio **"contaminador-pagador"**, aún hoy aplicable, nos da una clara semblanza: que esta relación cierra una ecuación económica de rentabilidad, dado que evita inversiones amortizables por el pago de un monto menor y permite la acumulación de ganancias sobre la base de un detrimento de bienes o de la calidad de vida de terceros. En suma, se paga una suerte de "canon", en lugar de internalizar los costos derivados de su **"impacto-daño"** sobre el ambiente (si éste es entendido en su más amplio sentido), a lo que hay que añadir que los pobres y los excluidos son generalmente los "socios y vecinos" de la contaminación, con lo cual su realidad es ciertamente negativa, en tanto que no disfrutan de los beneficios de la modernidad, además de que padecen sus disfunciones, inconsecuencias o mezquindades. Los discursos tienen que identificar en lo local y en lo global[7] quiénes son los responsables de las situaciones de una calamidad progresiva hacia la cual transita el planeta[8], de manera que lo asuman diferenciadamente. Desde otro lugar, salvo los GEF (Global Environment Facility) u otras cooperaciones no tan significativas, es posible ver que la asistencia financiera –el Banco Interamericano de Desarrollo (BID) y el Banco Mundial (BM)– se vuelca a disminuir los impactos de la contaminación, con lo cual se sufre el doble por lo mismo (menos calidad de vida, costos sobre la salud, nuevas deudas que se asumen, etc.).

Bienes ambientales. ¿Públicos o privados? ¿Singulares y/o globales?

De acuerdo con las normas vigentes y la aplicación irrestricta del código civil para las transacciones inmobiliarias en las cuales existen compromisos directos o indirectos ambientales, sumadas a la atracción internacional para la inversión en tierras, bosques –con la biodiversidad que éstos comprenden– y en el paisaje, surge la paradoja de la apropiación privada de bienes ambientales por un lado y, por otro, de bienes que pasan a ser considerados públicos a nivel de derecho internacional, tales como la paz, la seguridad, las alertas globales del ambiente, las enfermedades, la estabilidad financiera, el acceso al conocimiento y el libre comercio[9], los cuales tenderán a ser administrados por organismos internacionales, de modo que fácilmente se podrían suponer los impactos de esta lógica para una gestión soberana de los recursos naturales. Esta óptica globalizada merece toda la atención nacional y una fuerte acción provincial en la mejora de sus gestiones, dado que la "seguridad" puede actuar como disparador de cualquier acción derivada hacia los otros bienes, cuya determinación o alcance es difusa a la hora de la definición apriorística, pero seguramente será identificada como de meridiana claridad a la hora de actuar sobre los mismos.

Una nueva institucionalidad ambiental a fortalecer

Tanto en los niveles organizacionales provinciales como nacionales, se puede ver que lo ambiental no ha logrado alcanzar el nivel de otras competencias clásicas de la administración activa. Es una lucha por espacios competenciales, en la que se busca la concentración de las variables que operan sobre el ambiente con la asignación de fondos para ello, a lo que hay que agregar que por la Ley General del Ambiente N°25.675, con la jerarquización del Consejo Federal Medio Ambiente, la gestión ambiental pasa por un esquema de concertación y cooperación donde todos los actores (desde lo público) son relevantes e interdependientes: la Nación, la provincia y los municipios.

Los presupuestos legales mínimos

La Constitucional Nacional de 1994 aportó al esquema legislativo los presupuestos mínimos que, a la fecha, no han logrado consolidarse debidamente como una herramienta reguladora, a la vista de la disímil percepción provincial sobre su legitimidad, su utilidad o la potestad nacional de su reglamentación, con lo cual este plexo normativo (si bien sancionado en otro contexto y tal vez ante demasiada soledad parlamentaria) no ha tenido el empuje ordenatorio esperado, amén de que la técnica legislativa en la Argentina prescinde de algunas consideraciones cuantitativas y cualitativas que permitirían su mejor aplicación posterior, así como también existe una falta de criterios de progresividad que alienten su mayor alcance y eficacia regulatoria.

El valor de lo ambiental: ¿desconocido u oculto?

Ya se señaló que lo natural no puede quedar librado a los mercados[10], y si lo ambiental no tiene el reconocimiento por su valor económico como un activo nacional y por los bienes y servicios que realmente presta, su destino está severamente comprometido. En efecto, si para el diseño de una ruta se sabe su costo de inversión, su valor de mantenimiento y las utilidades que presta, y esto determina una asignación presupuestaria inicial y posterior, es menester que, sobre diferentes paradigmas, esta conceptualización tenga lugar a la mayor brevedad posible, a favor del conjunto de los recursos naturales y las actividades antrópicas de impacto ambiental. Conocer estos valores permitiría internacionalmente cuantificar la deuda ambiental en beneficio de los países, al separarla claramente de la deuda financiera para posibilitar su compensación o utilización cancelatoria.

El camino a recorrer

Hay que concretar más acciones que, integradas en una política ambiental[11], permitan cambiar el curso de una perspectiva que por sí misma no es alentadora. En esta línea, se pueden apuntar de manera no taxativa las siguientes: la eliminación de la contradicción entre producción y ambiente para garantizar la sostenibilidad; describir y medir los impactos de los servicios ambientales; discutir presupuestos públicos crecientes y no históricos; concretar el ordenamiento territorial como presupuesto mínimo; avanzar en fiscalidad y tributos ambientales, sellos verdes, planificación pública ambiental, indicadores del desarrollo sostenible y ambientales específicos, incentivos análogos a otras actividades; aumentar las áreas protegidas; optimizar los mecanismos de desarrollo limpio; estudiar las oportunidades de sostenibilidad y las reconversiones sectoriales (v.g., el desarrollo foresto-industrial nativo); desarrollar, completar e integrar el derecho ambiental, mediante el cierre de temas pendientes contenidos en la Ley Nº25.675 (tales como el daño y la responsabilidad, los seguros, los fondos ambientales, etc.) y la articulación de programas y políticas conjuntas del sector público, amén de racionalizar la dispersión de competencias.

Conclusión

Se ha rescatado para la agenda política nacional lo ambiental: "…el desarrollo de una nueva agenda propone un tratamiento sistemático de las principales cuestiones ambientales e integra la dimensión regional como una categoría central de las acciones de gobierno, refleja el compromiso que habrá de ser permanente de esta administración con la cuestión ambiental, (…) [a fin] de recuperar el pleno ejercicio de los derechos ambientales a los ciudadanos de nuestro país"[12]. Se debe caminar tras la huella de este reconocimiento, salir de la retórica y pasar a los hechos, con menos discursos y más proyectos; es necesario desechar las soluciones mágicas y facilistas por las cuales siempre son otros los que tienen que resolver el problema; es preciso asumir desde cada actor singular, social y económico el conjunto de deberes y derechos ambientales, dado que la acción aislada o testimonial no revierte la actual situación ni garantiza el ambiente sano al que **las generaciones futuras** tienen derecho.

Notas

[1]*Banco Mundial [en línea] <http://lnweb18.worldbank.org/ESSD/envext.nsf/41ByDocName/Environment> y <http://www.bancomundial.org/temas/resenas/medio_ambiente.htm>; PNUMA/ORPALC [en línea] <http://www.rolac.unep.mx/>; División Evaluación y alerta temprana - informes GEO [en línea] <http://www.pnuma.org/dewalac/index.htm; UNEP World Conservation Monitoring Centre [en línea]*

<http://www.unep-wcmc.org/>; World Resources Institute [en línea] <http://www.wri.org/>.

[2]*Perón, J. D., "Mensaje a los Pueblos del Mundo", 21 de febrero de 1972.*

[3]*[En línea] <http://www.medioambiente.gov.ar/acuerdos/convenciones/rio92/agenda21/ageindi.htm>.*

[4]*Basta tan sólo recordar que todos los proyectos ambientales tienen componentes semejantes: información, sensibilización, difusión, involucramiento, participación, etc. Si la descripción anterior fuera incorrecta, estos conceptos no tendrían sentido ni serían propuestos y mucho menos aprobados.*

[5]*Como ocurrió con los casos del Cinturón Ecológico Área Metropolitana Sociedad del Estado (CEAMSE), Esquel, Planta de Ezeiza, Gualeguaychú, Ciudad de Córdoba, etc.*

[6]*Como decía el ya fallecido y querido profesor de la UNLP, Dr. Juan José Catoggio, al inicio de sus clases y seminarios.*

[7]*Pensar en forma global y actuar en forma local es un camino de ida, pero también de vuelta.*

[8]*Repasar la situación de los firmantes del Protocolo de Kyoto (v.g., EE.UU.).*

[9]Regional public goods, *Ed. IDB-ADB, CEPAL International Task Force on Global Public Goods (BID, PNUD). Bienes públicos mundiales, [en línea] <http://www.undp.org/globalpublicgoods/>; (información sobre el documento; algunos capítulos están en idioma inglés). PNUD, "Bienes públicos mundiales, sinopsis en idioma español" (archivo adjunto). PNUD-Office of development studies, [en línea] <http://www.undp.org/ods/> (acceso a varios documentos). PNUD, The global network on global public goods, [en línea] <http://www.sdnp.undp.org/gpgn/> (se trata de un sitio muy interesante; el ítem Knowledge portal da enlace a mucha información). Área que refiere a documentos sobre bienes públicos mundiales ambientales (incluida el agua), [en línea] <http://www.sdnp.undp.org/gpgn/r-environment.php>. Aquí hay elementos de un foro de discusión: The public and private dimensions of the global water challenge: two perspectives on governing water resources, [en línea] <http://www.sdnp.undp.org/gpgn/topic02.php-#viewpoints>. Global public goods.org, [en línea] <http://www.globalpublicgoods.org/>. Informe sobre el desarrollo humano 2003 <http://hdr.undp.org/reports/global/2003/espanol/>. Milton Fisk, Bienes Públicos Mundiales e Interés Propio, Indiana University. Banco Mundial, Más allá del crecimiento económico, [en línea] <http://www.worldbank.org/depweb/spanish/beyond/beg-sp.html#toc>. Relacionado con Objetivos del Desarrollo del Milenio: meta 7) garantizar la sostenibilidad del medio ambiente; 7.1) incorporar los principios de desarrollo sostenible en las políticas y los programas nacionales, invertir la pérdida de recursos del medio ambiente; 7.2) reducir a la mitad el porcentaje de personas que carecen de acceso al agua potable; [en línea] <http://www.un.org/spanish/millenniumgoals/>. Al respecto, hay una nota de James D. Wolfensohn (archivo adjunto).*

[10]Revista de derecho ambiental, *Nº0, noviembre de 2004, p. 1 y siguientes.*

[11]*Agenda ambiental [en línea] <http://www.medioambiente.gov.ar/agenda_ambiental/default.htm>; <http://www.medioambiente.gov.ar/ssrniri/2005_gestion/default.htm>.*

[12]*Kirchner, N., Mensaje del Presidente en la "Conferencia de las Partes sobre Cambio Climático", 15 de diciembre de 2004.*

LA LEGISLACIÓN AMBIENTAL ARGENTINA

Por: Daniel A. Sabsay

Director Ejecutivo de la Fundación Ambiente y Recursos Naturales (FARN). dsabsay@farn.org.ar

Este país cuenta con una abundante normativa ambiental en los niveles nacional, provincial y municipal. Ello se debe a que se trata de un estado federal con tres centros de producción de normas. Desde la transición democrática ocurrida en 1983, se ha ido incorporando esta materia a las constituciones, primero en las provinciales y luego en la de la Nación. Así, en su Artículo N°41 consagra el derecho de todos los habitantes "…a un ambiente sano, equilibrado, apto para el desarrollo humano y para que las actividades productivas satisfagan las necesidades presentes sin comprometer a las de las generaciones futuras...". El desarrollo humano para el constituyente equivale al desarrollo sustentable. Al mismo tiempo, se fija un objetivo en el tiempo –la satisfacción de "…las necesidades (...) de las generaciones futuras…"– que pone de manifiesto la incorporación de la noción de desarrollo sostenible que hoy en día ubica a la variable ambiental como necesaria en la toma de toda decisión que haga al desenvolvimiento de una comunidad organizada.

En la Constitución se habla de actividad productiva; en realidad, se apunta a un tipo de modelo de desarrollo que haga viable la vida en el planeta en el presente y en el futuro. El valor del desarrollo humano hace las veces de una suerte de centro de confluencia ya que, para que su vigencia quede asegurada, es preciso que operen de manera equilibrada las consideraciones social, ambiental y económica. El Artículo N°43, en su segundo párrafo, contiene la figura del amparo colectivo, que es una garantía apta para la protección de los derechos colectivos; entre ellos está el del ambiente, que ha permitido un importante avance de la jurisprudencia, muchos de cuyos contenidos luego se han reflejado en la legislación.

A este importantísimo adelanto se agrega el dictado, desde 2002, de varias leyes de presupuestos mínimos en conformidad con la distribución de competencias Nación-provincias –prevista en el Artículo N°41, en el tercer párrafo de la Constitución Nacional (ver Figura 1)–; entre dichas leyes, se destaca la Ley N°25.675 –Ley General del Ambiente (LGA). Esta norma congrega en su texto una diversidad de temas relacionados con los aspectos fundamentales de la política ambiental. Se trata de una ley "marco" que establece los presupuestos mínimos de protección ambiental sancionados por el Congreso Nacional, en virtud del mandato constitucional del Artículo N°41, párrafo tercero. La técnica legislativa por la que ha optado el legislador engloba aspectos que se vinculan al entramado de la organización federal de estado del país, con énfasis no sólo en las relaciones interjurisdiccionales Nación-provincias y su importancia con respecto a la determinación y la aplicación de los presupuestos mínimos, sino también en los elementos considerados fundamentales para la política ambiental, tales como los objetivos y los principios que deben regirla, y los instrumentos básicos de la gestión ambiental. Asimismo, la LGA dedica un capítulo especial a la temática del daño ambiental colectivo, que el Poder Legislativo Nacional trata en virtud del Artículo N°41, párrafo primero.

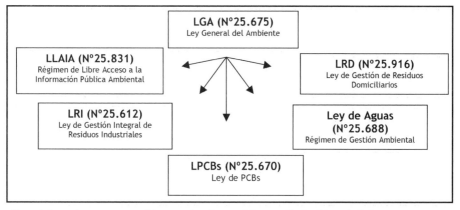

Figura 1. Leyes de presupuestos mínimos sancionadas por el Congreso Nacional hasta la fecha.
El Artículo Nº41 de la Constitución Nacional, párrafo segundo, prevé la elaboración de estas normas, que deben regir en todo el país, y asigna a las provincias la facultad de dictar las normas complementarias a éstas.

Es de destacar la recepción de los principios básicos en la materia derivados del derecho internacional ambiental; asimismo, como instrumentos de gestión se reconocen, entre otros, la participación –con instancias obligatorias de consulta–, la evaluación del impacto ambiental, el derecho al libre acceso a la información y el ordenamiento ambiental del territorio. El ordenamiento jurídico de la mayoría de las provincias y de los municipios incluye de manera prolífica, en muchos casos, la temática ambiental.

Sin embargo, este panorama, por demás alentador, no se ve acompañado por políticas públicas adecuadas para el cumplimiento y la aplicación de las mencionadas normas. Las autoridades de aplicación adolecen de una acentuada debilidad. Por ejemplo, la secretaría nacional integra un ministerio que atiende de manera prioritaria la problemática de la salud. A su vez, carece de un poder de policía amplio y de los medios necesarios para llevar a cabo su cometido. A modo de anexo, se acompañan las conclusiones de la mesa del diálogo ambiental que, si bien ya tienen dos años, mantienen actualidad y contienen las principales líneas institucionales como guía para revertir la situación en este campo (ver recuadro "Recomendaciones de la Mesa…").

Además, no se vislumbra por parte del Poder Ejecutivo la voluntad de reglamentar la obra legislativa mencionada. La FARN está desarrollando un programa de elaboración concertada de la reglamentación, que ha llevado a la organización de más de diez talleres en los cuales han participado importantes actores de los sectores gubernamental, no gubernamental, privado y académico, a fin de brindar contenidos consensuados a las autoridades (Presupuestos Mínimos de Protección Ambiental-Recomendaciones para su reglamentación, [en línea] <http://www.farn.org.ar/docs/p36/index.htm>).

Así, no cabe sorprenderse frente al avance desmedido de los desmontes que de manera insustentable están destruyendo las áreas boscosas naturales del país, la falta de solución al problema de los basurales, la explotación minera depredadora, la total desatención de la contaminación de la cuenca Matanza-Riachuelo, por sólo enumerar algunos de los problemas más graves. Es de esperar que esta desalentadora situación pueda ir revirtiéndose ya que, de lo contrario, las futuras generaciones verán sumamente dificultada la posibilidad de habitar el suelo argentino.

Recomendaciones de la Mesa del Diálogo Ambiental (junio de 2003)

1. Asumir el mandato que surge del Artículo N°41 de la Constitución Nacional, en cuanto a las leyes de presupuestos mínimos de protección ambiental, para definir y mejorar la relación Nación-provincias/CABA (Ciudad Autónoma de Buenos Aires), en el marco de los principios del "federalismo de concertación".

2. Deberá analizarse la normativa vigente en materia ambiental o sectorial con alcance ambiental, a nivel nacional, provincial, de la CABA y municipal, con la finalidad de adecuarla –cuando sea incompatible– al nuevo marco constitucional y legislativo en materia de presupuestos mínimos.

3. Deberán perfeccionarse los mecanismos recíprocos de comunicación constante entre la Nación, las provincias/CABA y los municipios.

4. El nuevo escenario legal e institucional ambiental enfatiza el rol político del COFEMA (Consejo Federal de Medio Ambiente) y, consecuentemente, exige el fortalecimiento de sus aspectos institucionales, administrativos, operativos y presupuestarios.

5. En tal sentido, se deberá considerar la relación del COFEMA con otras instituciones federales con competencias en materia de recursos naturales, en particular, los consejos federales relativos al uso de recursos naturales y políticas de desarrollo (v.g., Consejo Federal Minero, Consejo Federal de Inversiones, Consejo Federal Pesquero).

6. Asimismo, deberá fortalecerse la organización regional del COFEMA y de su labor, con la finalidad de mejorar su eficacia.

7. Deberá generarse un compromiso político y jurídico de la Nación, las provincias y la CABA, con la finalidad de jerarquizar al COFEMA mediante la promoción de las aprobaciones por parte de las jurisdicciones que todavía no lo hayan hecho. En particular, se sugiere que el Presidente de la Nación asuma el compromiso político para impulsar la aprobación del mismo por parte de las provincias.

8. Deberá propiciarse la representación ante el COFEMA de la máxima autoridad ambiental provincial.

9. Resulta necesario contar con una estructura administrativa propia y permanente del COFEMA. Esto requiere de las asignaciones presupuestarias correspondientes. En este sentido, el presupuesto nacional deberá asignar una partida específica a tal fin.

10. Deberán considerarse instancias de consultas y participación de distintos actores en el proceso de adopción de recomendaciones y resoluciones del COFEMA.

11. Deberá fortalecerse el rol de los municipios en materia ambiental y el cumplimiento del Artículo N°123 de la Constitución Nacional.

LA SOCIEDAD CIVIL ES LA ARGENTINA INTANGIBLE

Por: Carlos March

Representante en Buenos Aires de la Fundación AVINA. carlos.march@avina.net

La pobreza en la Argentina no es un problema económico, sino una decisión política. La dirigencia es la que decide cómo se administran los recursos, tanto públicos como privados, tanto humanos como naturales, tanto económicos como financieros. Las variables económicas de distribución de bienes son definidas desde invariables políticas de concentración de la riqueza. Así, se pueden establecer estas tres máximas: 1) "No hay empresas exitosas en sociedades fracasadas"; 2) "No hay sociedades sustentables con estados insostenibles"; 3) "No hay ambiente sano con políticas públicas enfermizas". Empresas, estados y políticas públicas; todos ellos, tangibles sociales administrados por líderes políticos y empresarios que, en su mayoría, ignoran rotundamente las tres máximas descriptas.

Frente a la captura del Estado por parte de dirigentes que lo utilizan para satisfacer intereses sectoriales y corporativos, en lugar de ponerlo al servicio del bien común, y frente al abuso que las empresas cometen sobre los recursos públicos explotados –muchas veces, al margen de la ley y para incrementar sin límite su capital económico y financiero–, surge una pregunta hacia el futuro: ¿cuál es el espacio y cuáles los recursos que le quedan a la sociedad civil para recuperar la calidad de vida colectiva y ponerle freno al ilimitado avance privado sobre los bienes públicos? La respuesta está lejos de ser una máxima, pero se la puede considerar como una propuesta de mínima: la Argentina sustentable comienza a construirse desde una sociedad civil capaz de crear y administrar intangibles que impacten en un desarrollo más equitativo de la sociedad.

Empresas, estados y políticas públicas

La empresa, el Estado y la política pública son tres tangibles sociales que estableció la sociedad para producir, orientar y controlar tanto la generación como la distribución de recursos, en un marco de equidad social que permita vivir en comunidad. Cuando a estos espacios los capturan dirigencias que los bastardean, se cumplen las tres máximas ya señaladas.

Para comprender que "no hay empresas exitosas en sociedades fracasadas", quienes gerencian las empresas tienen que asumirse primero como ciudadanos y luego como empresarios. Cuando un ciudadano se siente primero empresario, antepone su interés particular al interés colectivo. El analista político **Jorge Giacobbe** suele sostener que, en la década del 70, los militares se sintieron primero militares y luego ciudadanos, y asesinaron a 30.000 argentinos. Si se exceptúan las distancias desde los hechos y se efectúa un acercamiento desde el punto de vista conceptual, el empresario que se siente primero empresario y luego ciudadano no tiene problema en ganar licitaciones públicas a través de la coima, en financiar campañas políticas para procurarse políticos que respondan a sus intereses, en practicar un *lobby* legislativo que garantice privilegios corporativos en desmedro del interés general, en contaminar ríos, kilómetros de terreno o la atmósfera a favor de la maximización de las ganancias. Cuando el empresario se siente primero empresario y luego ciudadano, confunde responsabilidad social con asistencia social, o cree que cumplir con la ley es responsabilidad social. Cumplir con la ley es ser empresario, pero de ninguna manera se trata de un empresario socialmente responsable, porque el que no cumple con la ley no es un empresario, sino un delincuente. El empresario-ciudadano sostiene como única ecuación maximizar ganancias privadas al minimizar la inversión social.

Para comprender que "no hay sociedades sustentables con estados insostenibles" es imprescindible que los dirigentes, los representantes políticos y los funcionarios públicos que lo administran se sientan primero ciudadanos y luego políticos; primero ciudadanos y luego funcionarios públicos, y que sientan que el Estado es el lugar de construcción colectiva que produce bienes públicos. Según el filósofo colombiano **Bernardo Toro**, un bien público es aquél que llega a los ciudadanos en idénticas condiciones para todos por igual y en estándares de calidad adecuados, y expone un ejemplo interesante: explica la diferencia entre la educación pública y la educación de gestión pública. Al respecto, asegura que un sistema educativo financiado por el Estado integrado por maestros y profesores que envían a sus hijos al sistema de educación privado es un sistema de gestión pública, pero no es educación pública, porque los propios responsables de brindar el servicio descreen de su calidad. Esto indica que la educación de gestión pública no es un bien público. Por lo tanto, un Estado que no sostiene la educación como bien público construye sociedades sin acceso simétrico al conocimiento. Y la asimetría es uno de los principios de la no sustentabilidad.

Para que no se concrete la máxima "no hay ambiente sano con políticas públicas enfermizas", es necesario que los legisladores legislen normativa acorde con el interés y el bienestar general, en lugar de que sancionen leyes a la medida de los intereses corporativos; es decir, que diputados, senadores y concejales no sancionen normas desde la demagogia legislativa, sino desde la convicción. Se requiere, a su vez, que el Poder Ejecutivo implemente políticas públicas a largo plazo que respondan a una visión de estadistas y no de dirigentes políticos cuyo objetivo es gestionar la política para ver cómo quedan posicionados frente a la próxima elección, cuidándose de no asumir costos políticos y sin reparar en los costos sociales. Las políticas públicas definen la calidad de vida de los habitantes de un país. Y las políticas públicas argentinas, lejos de administrar con equidad las riquezas, se orientan a administrar la pobreza y convierten a los ciudadanos en un objeto de asistencialismo, en lugar de sujetos de derecho.

La agenda social, cautiva de la pobreza

Más del 60% de los argentinos vive bajo la línea de pobreza. El salario mínimo está bajo la línea de indigencia, fijado en $150, que es lo que perciben los beneficiarios de los planes sociales que las estadísticas oficiales consideran como personas ocupadas. Casi el 70% de los jóvenes está bajo la línea de instrucción, sumatoria de toda la población que no llega a terminar su carrera de grado en estándares que le permitan acceder a un trabajo o desarrollar una actividad que garanticen una proyección a futuro. Cientos de miles de pobladores se encuentran bajo la línea de dignidad humana, revuelven basura, concurren a piquetes para recibir migajas, mendigan en las calles, delinquen o son víctimas del alcohol o las drogas. Ésta es la Argentina del presente. Y ésta es la Argentina que pone a sus habitantes, en un futuro cercano, estacionados en las carencias y bien lejos de la abundancia, que los conduce a convertir a las escuelas en comederos y los coloca a un abismo de la excelencia educativa.

El desafío frente a este panorama es doble: el primero consiste en encontrar los caminos para construir una agenda social que combata las causas de los problemas (mediante la generación y la distribución equitativa de recursos productivos, el cuidado de los recursos naturales, la reconstrucción del marco institucional y legal, y el acceso a buenos sistemas de educación y salud) y se abandone la agenda política y empresaria que se centra en administrar consecuencias (pobreza, corrupción y delito). El segundo desafío consiste en construir redes de dirigentes sociales, cívicos, políticos y empresarios que comprendan que el Estado y la empresa son espacios sociales que deben ser desarrollados con capacidad, honestidad y criterios sociales, para reemplazar las redes de políticos y empresarios que capturan el Estado y gerencian las empresas desde la corrupción, la ineptitud y el despilfarro, cuando se trata del primero, y de la maximización de la riqueza, cuando se trata de la empresa.

En la medida en que la agenda del país pase por administrar pobreza expandida y fomentar riqueza concentrada, el margen que tiene la sociedad civil para trabajar en escala una agenda social que contemple producción sustentable, distribución equitativa, manejo sostenible del medio ambiente, plena vigencia del estado de derecho, fortalecimiento institucional y pleno acceso a educación y salud dignas es sumamente estrecho.

Con una agenda social cautiva de la pobreza, en donde una fracción menor de la sociedad se apropia de los tangibles públicos para incrementar el bienestar privado, la sociedad civil organizada, los individuos con compromiso social y los ciudadanos que participan en democracia más allá del voto se enfrentan al único desafío posible: producir intangibles sociales.

Crear y administrar intangibles

Mientras el Estado cuenta con poder formal y las empresas con poder económico, las organizaciones de la sociedad civil construyen poder simbólico. La construcción de poder simbólico no requiere del voto para lograr legitimidad social ni de grandes capitales financieros para imponer una marca; exige que las organizaciones sociales y cívicas sean capaces de crear y administrar intangibles.

Algunos de los intangibles para consolidar a las organizaciones y generar impactos en la sociedad para reducir las desigualdades, combatir la pobreza desde la construcción de políticas sociales y no desde medidas económicas, fortalecer las instituciones del Estado, promover la renovación de dirigentes e impulsar cambios en mayor escala podrían ser:

• **Brecha del conocimiento:** es preciso pasar de la información estática, desarticulada y muchas veces oculta tanto a la producción y la gestión de conocimiento como a la creación de sistemas de acceso público al flujo de saberes de los procesos de la sociedad civil. También es fundamental instalar capacidades en las organizaciones para el desarrollo del pensamiento estratégico, del análisis de contexto, del análisis de riesgo y del manejo de una crisis.

• **Agendas institucionales:** se debe encarar el desafío de convertir a las agendas de contactos institucionales en articulaciones sociales. Es un intangible significativo el hecho de que las organizaciones más consolidadas faciliten el acceso a contactos que puedan ser clave para el desarrollo de organizaciones pequeñas.

• **Poder difuso:** las organizaciones de la sociedad civil, a comparación del poder de incidencia que tienen el Estado y las empresas, poseen un muy limitado poder real. Ante la habilidad para construir poder difuso a partir de la operación en espacios colectivos transversales, en alianza con los medios masivos de comunicación, mediante la diversificación de sus fuentes de financiamiento y la articulación del trabajo voluntario, el escaso poder real se convierte en un poder difuso imposible de medir y de neutralizar.

• **Traductores sociales:** poder instalar en la agenda ciudadana los temas que descartan las agendas políticas y empresarias, y poder convertir el saber científico y académico en mensajes con anclaje social no sólo brinda la posibilidad de convertirse en instaladores y traductores sociales de temas que se ocultan o se manejan lejos del saber popular, sino que también coloca a las organizaciones que desarrollan esta capacidad en una posición de doble ventaja, pues se convierten en referentes del tema para los medios de comunicación y construyen poder territorial.

• **Masa crítica:** un capital intangible más que significativo es la capacidad que tienen las organizaciones de convertir las horas donadas por decenas de voluntarios en una masa crítica con una fuerte incidencia cívica y social.

• **Espacios de credibilidad:** las organizaciones de la sociedad civil todavía gozan de un alto índice de credibilidad. Por lo tanto, transformar la desconfianza paralizante que tiene la ciudadanía en sus representantes en confianza para avanzar, incidir y transformar es una de las pocas oportunidades que quedan.

Éstas son sólo algunas de las herramientas, acciones y procesos que pueden ayudar a la generación de intangibles sociales.

En el contexto descripto del país, frente a los índices de pobreza y exclusión que abruman a gran parte de la población, con la debilidad institucional existente y ante una situación en la que la gran mayoría de la clase dirigente política y empresaria con capacidad de definir las reglas de juego lo hace sin contemplar el bienestar general en sus decisiones, los líderes cívicos sociales que sólo se dedican a administrar presupuestos son meros burócratas de ONG. Un líder de la transformación social debe crear y administrar intangibles, porque el capital social necesario para distribuir con equilibrio el capital económico y financiero sólo se construye si existe la capacidad de administrar intangibles.

EDUCACIÓN AMBIENTAL EN EL ÁMBITO FORMAL

Por: Nélida Harraca

Responsable de Educación Ambiental de la Secretaría de Ambiente y Desarrollo Sustentable de la Nación.
nharraca@medioambiente.gov.ar

La educación ambiental puede entenderse como la transmisión de conocimientos, aptitudes y valores ambientales, que conlleva a la adopción de actitudes positivas hacia el medio natural y social, actitudes que, a su vez, se traducen en acciones de cuidado y respeto por la diversidad biológica y cultural y que fomentan la solidaridad intra e intergeneracional. Se reconoce que la educación ambiental no es neutra, sino que es ideológica, ya que está basada en valores para la transformación social y se asienta sobre una ética profunda que compromete seriamente a cuantos participan en sus programas.

En numerosas oportunidades se ha mencionado que uno de los grandes obstáculos para lograr que la educación ambiental se incorpore efectivamente en la educación formal es la estructura compartimentada en áreas del conocimiento sobre la cual se construye aún el sistema educativo argentino. Estas disciplinas pretenden ser sencillas y motivadoras para el alumno pero, en definitiva, funcionan como compartimentos cerrados sobre sí mismos y aislados del escenario de los problemas ambientales y de la vida cotidiana.

Por otra parte, las ciencias han hecho adquirir muchas certezas pero, de la misma manera, han revelado, en el siglo XX, innumerables campos de incertidumbre. La educación, no sólo ambiental, debería comprender la enseñanza de las incertidumbres que han aparecido en las ciencias físicas, en las ciencias de la evolución biológica y en las ciencias históricas. Tendrían que enseñarse principios de estrategia que permitan afrontar los riesgos, lo inesperado y lo incierto para modificar su desarrollo en virtud de las informaciones adquiridas en el camino.

Es importante entender el valor educativo del conflicto: "En unas sociedades marcadas por el conflicto, la educación que se imparte en los centros escolares generalmente tiende a huir de él, refugiándose en las paredes del aula como ámbitos controlados en los que, aparentemente, nada grave sucede. Una educación ambiental que quiera estar inmersa en el corazón de los problemas de su tiempo ha de plantearse de forma distinta. (...) Se trata de reconocer el valor del conflicto como fuente de aprendizaje, como parte esencial de la vida misma en la que ponemos a prueba nuestras capacidades para discriminar, evaluar, aplicar criterios y valores, elaborar alternativas y tomar decisiones..." (Novo, 1996). En este marco, es necesario pensar en, por lo menos, dos entradas posibles, claramente complementarias, para avanzar en este tema: el compromiso institucional y la formación de los docentes.

Compromiso institucional

En primer lugar, es imprescindible la decisión de los organismos gubernamentales ambientales y de educación para articular no sólo la incorporación de la educación ambiental como eje transversal prioritario en el proyecto educativo y curricular, sino también su efectiva implementación en la escuela como forma de contribución a la adquisición de valores de responsabilidad y de compromiso con el medio ambiente.

En este país esto aparece de manera explícita en la Ley General del Ambiente, que en su artículo 15 dice: "La educación ambiental constituirá un proceso continuo y permanente, sometido a constante actualización que, como resultado de la orientación y articulación de las diversas disciplinas y experiencias educativas, deberá facilitar la percepción integral del ambiente y el desarrollo de una conciencia ambiental. Las autoridades competentes deberán coordinar con los Consejos Federales de Medio Ambiente (COFEMA) y de Cultura y Educación la implementación de planes y programas en los sistemas de educación formal y no formal. Las jurisdicciones, en función de los contenidos básicos determinados, instrumentarán los respectivos programas o currículos a través de las normas pertinentes".

Los programas educativos deben desarrollar un modelo de escuela abierta que encuentre su justificación en dos ideas básicas: la consideración de que la actividad educativa debe rebasar el espacio físico, que constituye el centro escolar, para hacerse eco de las problemáticas sociales y naturales; y la necesidad de propiciar experiencias que permitan, a partir de su reconstrucción y reelaboración en el aula, aprendizajes que garanticen una formación integral, acorde con las demandas y las necesidades de la sociedad actual, a partir de la generación de la ciudadanía.

El proyecto "Agenda 21 Escolar en Municipios (A21E)", que se está implementando desde 2001 y que se lleva a cabo como proyecto piloto en doce municipios de este país, es un aporte significativo para lograr los objetivos mencionados previamente y en el cual la participación de las escuelas tiene especial relevancia debido a que:
• Juegan un papel relevante en el conocimiento y la comprensión de la realidad.
• La comunidad educativa constituye un pequeño modelo de ciudad, en el cual es posible ensayar procesos y soluciones a pequeña escala.
• Es un lugar donde poder imaginar y experimentar estrategias para vivir de acuerdo con los principios de sostenibilidad y –a través de los descubrimientos, las propuestas y la participación real de todos los miembros de la comunidad escolar– vivir experiencias que tengan, en sí mismas, un extraordinario valor educativo.

En el desarrollo del proyecto pueden identificarse cinco fases:

Fase de motivación. El propósito es sensibilizar y suscitar el compromiso y la participación de la mayor parte de la comunidad educativa. Un elemento clave para el éxito de cualquier iniciativa que se vaya a emprender es contar con el apoyo y la complicidad (progre-

La Situación Ambiental Argentina 2005

siva) de la mayor cantidad posible de los miembros de la comunidad escolar. Si la preocupación por las problemáticas ambientales y el interés por generar cambios en el centro son muy diversos o limitados a pocas personas, son conflictivos o plenos de contradicciones, las escuelas pueden comenzar promoviendo acciones cuyo propósito sea sensibilizar y favorecer tanto el compromiso como la participación de más personas y grupos respecto de la necesidad de implicarse en la A21E.

Fase de reflexión. El propósito de esta fase es analizar la filosofía ambiental de la escuela, su grado de coherencia con la acción individual y colectiva de sus miembros, además de su congruencia con los principios de sostenibilidad. Cuando una escuela aborda esta fase, se propone no sólo analizar qué valores, actitudes, normas o comportamientos –en relación con el cuidado del ambiente y con la solución o prevención de sus problemáticas– forman parte de su proyecto educativo, sino también detectar los aspectos positivos sobre los que se quiere profundizar o las posibles carencias y puntos conflictivos que se desea modificar.

Fase de diagnosis. El propósito de esta fase es detectar qué problemáticas ambientales tiene o genera el centro educativo. Al hablar del diagnóstico del contexto, se hace referencia a tres aspectos diferenciados:
• El clima social de la escuela: se analiza la calidad de las relaciones entre las personas, junto con la tolerancia y el respeto de las diferentes opiniones y creencias, ya que son factores clave de la convivencia entre niños, niños y adultos o entre adultos.
• Los aspectos físicos y funcionales de la escuela, es decir, las características y el estado general del edificio, sus espacios exteriores y el tipo de gestión respecto de los recursos (agua, energía, materiales, biodiversidad, etc.).
• La escuela y el entorno exterior: se analiza en qué medida se implica el centro en las preocupaciones, problemáticas e iniciativas ambientales que existen en la realidad cercana y lejana. Una escuela abierta no sólo permite que la realidad externa entre en sus aulas, sino que también ha de ir a buscarla en una actitud solidaria y comprometida.

Fase de acción. Una vez realizado el diagnóstico, se priorizan los problemas más urgentes y se estudian sus posibles soluciones. Finalmente, se formaliza y desarrolla un plan de acción, fruto de la discusión y del consenso entre los diferentes componentes de la comunidad escolar. Elaborar un plan de acción significa identificar qué cambios se quieren introducir y cómo se van a realizar de una manera realista. Esta fase, entonces, incluye:
• Formular los objetivos que se quieren alcanzar.
• Identificar las posibles propuestas de acción para el logro de dichos objetivos.
• Analizar y valorar cada una de esas propuestas.
• Seleccionar las acciones más adecuadas.

Fase de seguimiento y evaluación de los cambios. Después de programar, evaluar las tareas más convenientes y, finalmente, implementar el plan de acción, el siguiente paso incluye un proceso de evaluación para saber si ha habido cambios y hasta dónde se han alcanzado los objetivos formulados en el plan. Tanto el seguimiento del proceso como la evaluación de los productos son fundamentales para realizar los ajustes necesarios e introducir mejoras en el plan de acción. Para ello, la escuela necesita identificar previamente sus propios indicadores en relación con dichos objetivos. Los indicadores pueden corresponder a diferentes aspectos, como por ejemplo:

- El grado de compromiso y participación de la comunidad educativa.
- El desarrollo de la Agenda 21 Escolar.
- El impacto del programa sobre las personas.
- El impacto sobre el ambiente, etc.

Formación de los docentes

Desde el inicio, la formación de los docentes debe encararse teniendo en cuenta la complejidad tanto de la dimensión ambiental como de la relación de la sociedad con su ambiente, lo que significa la necesidad de una concepción sistémica y transdisciplinaria.

Una cuestión es cuál es el perfil de egreso que debe tener el docente que hoy comienza a formarse como tal para educar y para enseñar de acuerdo con los desafíos que la sociedad le presenta. Algunas líneas de investigación sobre estrategias de aprendizaje aportan una posible respuesta a esta interrogante. El perfil de un docente que asume los desafíos que le plantean los cambios sociales debe ser el de un profesional estratégico.

En función de esto, la acción del docente podría pensarse de la siguiente manera: "…la práctica profesional del docente es considerada como una práctica intelectual y autónoma, no meramente técnica; es un proceso de acción y de reflexión cooperativa, de indagación y experimentación, donde el profesor/a aprende al enseñar y enseña porque aprende, interviene para facilitar y no [para] imponer ni sustituir la comprensión de los alumnos/as, la reconstrucción de su conocimiento experiencial; y al reflexionar sobre su intervención ejerce y desarrolla su propia comprensión. Los centros educativos se transforman, así, en centros de desarrollo profesional del docente" (Pérez Gómez, 2000).

Para lograr este desarrollo profesional de los docentes, la investigación-acción aparece como el camino privilegiado porque:
- La reflexión sobre la práctica es el elemento constitutivo de la competencia profesional, en contraposición al modelo de racionalidad técnica.
- El docente debe ser un investigador en el aula, para la que su práctica ha de convertirse en una fuente permanente de conocimientos.

• Los resultados de investigación servirán para regular el propio proceso de enseñanza.

• El profesor debe profundizar en la comprensión y el diagnóstico de problemas de investigación.

• El proceso de reflexión es compartido, supone comprensión, diálogo, cooperación, experimentación, trabajo en equipo, discusión en grupo.

Además, la investigación-acción contribuye a solucionar problemas prácticos en educación ambiental porque:

• Los problemas surgen en el interior de la comunidad que define, contextualiza y resuelve.

• Permite la transformación de la realidad social y el mejoramiento de la vida de los participantes. Los beneficiarios directos son los mismos miembros del grupo o comunidad implicados.

• La comunidad participa plenamente durante toda la investigación, hay una mejor toma de conciencia en la búsqueda de soluciones, una optimización de sus propios recursos, además de una movilización y un desarrollo endógenos.

• Los participantes son investigadores comprometidos que aprenden a investigar mientras actúan.

EDUCACIÓN AMBIENTAL EN EL ÁMBITO NO FORMAL

Por: Carlos Fernández Balboa

Licenciado en Museología y Máster en Educación Ambiental. Coordinador del Servicio de Educación Ambiental de Fundación Vida Silvestre Argentina (FVSA). educa@vidasilvestre.org.ar

A partir de 1980, se ha producido un gran salto en la conciencia pública sobre la problemática ambiental, que se ha trasladado desde los grupos minoritarios a la ciudadanía en general. Se trata de un período en el que la crisis ambiental se acentúa y los problemas demográficos se unen a los desequilibrios norte-sur. Es el momento en que empiezan a divulgarse más allá del mundo científico problemas como el adelgazamiento de la capa de ozono, los cambios climáticos, la desaparición de las especies y los problemas energéticos. El avance más importante quizás sea que se ha generalizado el mensaje de que la problemática ambiental es un fenómeno global y social, y comienza a percibirse la idea de interrelacionar los problemas sociales y los fenómenos ambientales. Este desarrollo de la conciencia sobre la problemática ambiental es directamente proporcional al avance de los sistemas de comunicación y a la mayor posibilidad de aprovechar el tiempo libre de gran parte de la población (espacio de tiempo que caracteriza el ámbito donde se desenvuelve la educación ambiental no formal).

No debe confundirse la educación ambiental no formal con la educación ambiental informal, que es aquélla que se promueve sin mediación pedagógica explícita, es decir, aquélla que tiene lugar espontáneamente a partir de las relaciones del individuo con su entorno natural, social y cultural, cuando lee el diario, mira la televisión o simplemente cuando conversa con algún amigo sobre el tema.

En cuanto a la educación ambiental no formal, una de sus características es que aquéllos que la ejercen poseen una variada formación profesional y, muchas veces, se prioriza en sus capacidades el conocimiento profundo de alguna ciencia o disciplina sobre la formación o experiencia pedagógica, lo que se convierte en un problema para el avance de los objetivos propuestos. Naturalistas, ingenieros agrónomos, extensionistas rurales, profesores de educación física, recreólogos, animadores socioculturales, artistas, ingenieros ambientales, arquitectos, biólogos o veterinarios son algunas de las profesiones que llevan adelante el desarrollo de un programa al que le correspondería tener un enfoque netamente didáctico y que debería entenderse como una actividad complementaria –y nunca sustitutiva o más importante– a la desarrollada en el ámbito formal. El aula (sea cual fuere su nivel) es el centro propio de la enseñanza. La necesaria coherencia entre el decir y el hacer, el manejo de las técnicas pedagógicas y el compromiso ambiental son las mejores herramientas que puede utilizar un educador y, cuando su contacto con los estudiantes es temporal, estas características deberían acentuarse aún más.

Sería conveniente que la educación ambiental formal, la no formal y la informal sean presentadas como un sistema y, como elementos del mismo, que se realimenten y se apoyen. A su vez, siempre debe tenerse en cuenta que la auténtica formación –o donde debe apostarse fuertemente al cambio– está dada por los profesionales de la pedagogía (los maestros) a los que la sociedad necesita revindicar sobre la importancia de su rol en forma urgente.

Los ámbitos de acción de la educación no formal

Fue también a principios de los 80 el momento del impulso de las organizaciones no gubernamentales (ONG) y de los ambientalistas que trabajaban dentro del estado (en organismos municipales, provinciales o nacionales). Dos ejemplos poderosos de organismos estatales vinculados a la educación no formal han sido el Instituto Nacional de Tecnología Agropecuaria (INTA), a través de la tarea de sus extensionistas rurales, y la Administración de Parques Nacionales (APN), a través de su área de interpretación y extensión ambiental, donde se forman guardaparques e intérpretes ambientales.

El crecimiento de estos dos grupos, los vinculados al estado nacional (obviando las instituciones dedicadas a la educación formal) y las ONG, dio el marco adecuado para el desarrollo de experiencias en diversos espacios. Es posible mencionar aquellos espacios más significativos donde se pone en práctica la educación ambiental no formal:

• Granjas educativas, generalmente urbanas o periurbanas, donde se toma contacto con la producción rural y sus características.
• Ecoclubs, talleres de ciencias o ferias ambientales, desarrollados a través de clubes de barrio, organizaciones no gubernamentales o a contraturno del horario escolar oficial. También existen grupos o asociaciones dedicados a las amas de casa, los encargados de edificios, recicladores, etc., generalmente vinculados a modificar pautas de consumo.

La Situación Ambiental Argentina 2005

• Acciones puntuales organizadas por organizaciones ambientalistas o entes gubernamentales, con el objetivo de rememorar una fecha o realizar una campaña puntual (acciones por el día del aire puro, el día del medio ambiente, etc.).

• Cualquier espacio o asociación vinculada con el ecoturismo, el turismo rural, el turismo científico, arqueológico, paleontológico, etc.

• Museos, centros de interpretación ambiental, zoológicos, botánicos, acuarios o centros de reciclado.

• Espacios verdes, reservas naturales provinciales o parques nacionales donde se practique la interpretación ambiental.

Esta oferta se encuentra poco sistematizada y ordenada en la Argentina, y todavía hay una gran superposición de esfuerzos, por ejemplo, en lo que se refiere a la comunicación o tareas de educación sobre las problemáticas ambientales.

Un modelo de comunicación inmerso en la educación ambiental no formal incluye el concepto de "interpretación ambiental" que, además de ser una herramienta efectiva de la educación ambiental, también se considera como una estrategia de comunicación y una herramienta de manejo de los espacios naturales y culturales que preservan patrimonio. La definición que nos brinda la Asociación para la Interpretación del Patrimonio (AIP) es bastante clara con respecto a esta disciplina: "La interpretación del patrimonio es el 'arte' de revelar *in situ* el significado del legado natural o cultural al público que visita esos lugares en su tiempo libre". Dos características nos brinda lo específico de la disciplina de la interpretación: a) debe desarrollarse "en un espacio que preserve patrimonio" y b) se produce "en el tiempo libre de la gente".

El poco tiempo que se dispone para realizar este tipo de experiencias educativas y el espacio no formal obliga a cumplir siempre con la regla de ABC (ser ameno, breve y claro) y a utilizar estrategias que resulten innovadoras y atrapantes para el público: juegos de simulación de roles, actividades de sensibilización, presentación de contrastes, uso de comparaciones y exposiciones atractivas de gráficos, diseños gráficos modernos y provocadores, además –cuando es posible– del uso de tecnología tanto en la proyección de las presentaciones audiovisuales como en los debates sobre películas. Es fundamental recurrir a todas las estrategias y los recursos innovadores que puedan surgir a partir de la creatividad; siempre se debe tener en cuenta la planificación de acciones concretas que los destinatarios de los programas puedan realizar, además de la preparación de programas que fomenten la participación.

La necesidad de identificar a la audiencia

En los primeros años del nuevo milenio, el diagnóstico sobre la educación ambiental ha indicado que se necesitan nuevos conocimientos, valores y aptitudes en todos los niveles y para todos los elementos de la sociedad. A tal fin, es preciso fomentar la propia educación, la educación de la comunidad y la de la nación. Pero ¿dónde poner el acento? ¿Qué público es el prioritario? Las opiniones están divididas. Mientras muchos apuestan a las nuevas generaciones, los niños, y argumentan que los adultos ya no pueden modificar sus conductas, otros apelan a una apuesta mayor. Es necesario realizar acciones rápidas y efectivas de educación antes de que las acciones de determinado sector social empeoren el grave panorama ambiental actual. Por ejemplo, es necesario actuar sobre los profesionales que toman decisiones sobre los recursos, los gestores, que pueden ser considerados como personas clave a quienes dirigir los programas.

Otro grupo importante que necesita atención desde la educación ambiental son los adultos en general, personas que todos los días adoptan pequeñas decisiones a la hora de comer, vestirse, comprar, etc., decisiones que, unidas, conforman grandes impactos. Una importante acción de la educación ambiental debería centrarse en modificar pautas de consumo. El consumo es como la religión, la más eficaz de la historia, porque convence a casi todos y en muy poco tiempo. Además, el consumo invierte ingentes recursos en mejorar su imagen y en multiplicar su presencia. Lo hace por medio de la publicidad, refugio lógico de importantes cantidades de dinero y talento creativo. Competir con la publicidad, con cualquier mensaje no consumista, resulta imposible y hasta ineficaz. El sistema educativo, las familias y las religiones influyen, sin duda, en la vida cotidiana y en las opciones de la sociedad, pero la publicidad ha conseguido instaurar un estilo de vida casi generalizado sobre el planeta. Es sabido que la política educativa, la gestión gubernamental, los hábitos de consumo de la ciudadanía y el cuidado del medio ambiente se interrelacionan estrechamente. Por lo tanto, todo plan de acción que pretenda encauzar los problemas asociados a los malos hábitos de consumo deben considerar los cuatro aspectos mencionados. No debe olvidarse que el papel de la población adulta es muy importante no sólo porque decide, sino también porque puede controlar decisiones. Esto se relaciona con la capacidad de control democrático de los adultos, que pueden exigir a los políticos determinadas actuaciones que favorezcan el desarrollo armónico del medio ambiente. Un tercer grupo, importantísimo también, es el de los formadores. No necesariamente éste se centra en el ámbito docente, donde el tema ambiental debe estar incluido con la importancia que se merece, sino en aquellos espacios para educadores no formales (animadores socioculturales, educadores de adultos, miembros de ONG), porque cada vez que se forma a una de estas personas se está desarrollando un efecto multiplicador de enorme importancia y consistencia.

En resumen, la educación ambiental no formal es una actividad complementaria para obtener una educación integral. El objetivo final es que los destinatarios de los programas pasen de tener pensamientos y sentimientos a la acción directa en favor del medio ambiente. Claro que co-

La Situación Ambiental Argentina 2005

mo cualquier proyecto educativo, las formas de evaluación sistematizada y la planificación del accionar pedagógico garantizarán el éxito de los programas.

Queda un largo camino por recorrer. Hace falta clarificar muchos aspectos de la temática ambiental, desde lo ideológico hasta lo organizativo, consensuar proyectos de crecimiento y hacer internalizar a la sociedad sobre los problemas y las posibles soluciones. Todavía resultan crípticos conceptos como el del desarrollo sustentable, la planificación ecorregional o los distintos modelos de uso de la naturaleza. Pero brinda un gran ánimo el hecho de que cada vez hay que explicar menos el término "ecología" (sobre todo a los niños) y que ya son pocos los que se atreven a despreciar públicamente la legítima inquietud por las problemáticas ambientales. Todavía resta saber si estos resultados son obra del trabajo cotidiano de los educadores o si se debe a una generalizada conciencia ambiental que el mismo deterioro del entorno ha provocado. Lo que sí es seguro es que aún –y en forma más urgente– se necesita pasar de las palabras a los hechos. Algo es algo y toda escalera se empieza a subir por el primer escalón.

EL VALOR DE COMUNICAR

Por: Carolina Diotti
Coordinadora de prensa, Fundación Vida Silvestre Argentina (FVSA). prensa@vidasilvestre.org.ar

Contaminación, cambio climático, agujero de ozono, desmonte, peligro de extinción, especies amenazadas. Estos y otros pocos conceptos son lo que se suele oír cuando se le pregunta qué sabe sobre el medio ambiente a una persona cualquiera. No mucho más que eso podrá responder la mayoría de los políticos, periodistas, educadores y otros miembros de la comunidad con responsabilidad relevantes.

Mejores y más informados comentarios se obtendrían seguramente si se hiciera el mismo ejercicio con cuestiones como la pobreza, la justicia, la crisis educacional, la marcha de la economía o de la campaña electoral del momento. Primera conclusión: en el país, la percepción y la información pública sobre el tema ambiental son escasas y adquieren interés sólo cuando afectan la vida cotidiana de la gente o su sensibilidad, como en el caso de la contaminación de una napa de agua, los cortes de energía, una catástrofe natural o un derrame de petróleo que daña la fauna.

El medio ambiente no es en la Argentina un tema de agenda. No forma parte de las prioridades de los funcionarios del gobierno de turno, no está presente más que esporádicamente en los medios ni gana espacios en los currículos escolares. El tema ambiental no sirve para ganar votos, no "vende" ni interesa verdaderamente más que a un reducido grupo de personas. ¿Por qué, si en realidad se trata de una cuestión fundamental para la supervivencia de cualquier sociedad organizada y están en juego los recursos de un país vasto en riquezas naturales?

Se podría ensayar una respuesta al decir que la Argentina es una nación sumida en una profunda crisis de orden social, institucional y económico que hace que el Estado, las empresas, los medios de comunicación y, por transición, los ciudadanos estén más preocupados en cómo resolver su día a día que en detener los desmontes en la región de las Yungas. Además, los resultados de las eventuales políticas ambientales sólo se ven a largo plazo y eso, claro, no capta votos aquí y ahora. Conclusión dos: el tema ambiental no es, ni por asomo, una prioridad en la Argentina.

Para las organizaciones no gubernamentales comunicar es una obligación. No sólo porque mostrar públicamente qué se hace y cómo es una manera más de asegurarle transparencia a la gestión, sino porque también tiene como misión crear conciencia, instar a los ciudadanos a que contribuyan con su tarea desde su lugar y ejercer cierta presión sobre los que toman las decisiones. Para eso, es fundamental comunicar, y comunicar no es sólo estar en la televisión, en la radio o en los diarios. En una ONG comunicar es, básicamente, llegar a los públicos a los que se quiere transmitir los distintos mensajes de la manera en que ellos puedan interpretarlos mejor y obrar en consecuencia.

El comunicador debe apelar, por ejemplo, a un habitante de un centro urbano desde los diarios para lograr que haga una donación para recuperar una reserva natural que fue vendida por un gobernador. Pero quizás eso no sea lo mejor que se pueda hacer para hacerle saber a una comunidad aborigen sobre los beneficios de la certificación forestal o para que los pescadores artesanales del sur de la Argentina comprendan la problemática de la pesca incidental.

En este marco, comunicar temas ambientales no es tarea fácil y en cualquier estrategia de comunicación los medios, aunque no son los únicos, son actores clave. Trabajar en forma sostenida y continua para generar vínculos de mutuo interés con los periodistas, instalarse como fuente sobre la base de la credibilidad y la consistencia de los mensajes y de los voceros que se eligen, y mantener el respeto por el trabajo propio y el ajeno son tres cuestiones fundamentales. Ganar espacios por peso propio es, tal vez, una de las cosas más difíciles de conseguir. Conclusión tres: la comunicación masiva es una herramienta insoslayable para difundir los temas ambientales, pero no es la única.

Un plan estratégico de comunicación debe incluir, además del trabajo de relación con la prensa, acciones de comunicación publicitaria, campañas institucionales, la presencia de la entidad en eventos y lugares estratégicos, la producción de piezas como videos, folletería, afiches o revistas. Además, en una ONG la estrategia de comunicación va de la mano de la de búsqueda de fondos, la captación de socios y, por supuesto, se complementa con el área de educación ambiental, clave para potenciar la concientización.

Apelar a la creatividad es fundamental. Se pueden hacer muchas cosas: salir a calle, organizar manifestaciones, eventos sociales, cursos de capacitación, foros de discusión, diseñar *merchandising* para aumentar la visibilidad y generar más fondos. Todo aporta y suma. Pero eso sólo sir-

La Situación Ambiental Argentina 2005

La Situación Ambiental Argentina 2005

ve si detrás de ello hay una gestión apoyada en un equipo técnico sólido que trabaja, investiga y produce resultados concretos, con el objetivo de ayudar a la gente común: al productor, al ciudadano, al aborigen, a los chicos.

Sólo a partir de eso se podrá comunicar. No se evita la destrucción del patrimonio natural desde la pantalla de televisión. Llevar respuestas a los verdaderos interesados y afectados por la pérdida de los recursos naturales –que, en realidad, son todos– es la misión de una ONG que se ocupa de temas ambientales. Hacer saber eso del modo más claro, transparente y efectivo posible es la tarea de los comunicadores. Pero, más allá de la teoría, de las experiencias, de la práctica y de la tecnología, ningún experto que forme parte de una organización sin fines de lucro debería olvidar que, antes que nada, tiene la obligación de comunicar valores y de actuar en función de ellos, adentro y afuera del lugar de trabajo.

Bibliografía

• Alba, A. de y E. González Gauidiano, *Evaluación de programas de educación ambiental perspectivas para Latinoamérica*, Universidad autónoma de México, 1997.

• Boletines de la AIP (Asociación Para la Interpretación del Patrimonio) [en línea] <http://www.interpretaciondelpatrimonio.org>.

• Bravo González, J. F., "Propuesta educativa ambiental en el Marco no formal", Boletín N°22, Instituto de Investigaciones ecológicas de Málaga, 1999.

• Durning, A., *¿Cuándo diremos basta? La sociedad de consumo en el planeta*, Editorial Planeta, 1999.

• Unesco, "Situación educativa de América Latina y el Caribe 1980-94" [CD-ROM], Santiago de Chile, 1996.

• Ley N°25.676, Ley General del Ambiente sancionada el 6 de noviembre de 2002.

• Novo, M., "La Educación Ambiental formal y no formal: dos sistemas complementarios", *Revista Iberoamericana de Educación*, N°11, Educación Ambiental: Teoría y Práctica [en línea], 1996, <http://www.campus-oei.org/oeivirt/rie11a02.htm>.

• Pérez Gómez, A., "Capítulo XI. La función y formación del profesor en la enseñanza para la comprensión. Diferentes perspectivas", en: Sacristán, J. G. y Á. Pérez Gómez (eds.), *Comprender y transformar la enseñanza*, Madrid, Morata, 2000.

UN ÚNICO PLANETA: CONCLUSIONES

En base a la apreciación de diferentes autores, en esta sección se han analizado la repercusión de los problemas ambientales globales en la Argentina y los aspectos que afectan transversalmente a las cuestiones ambientales en el país. A continuación, se presentan algunas conclusiones extraídas de los artículos precedentes.

Cambio climático. En las últimas décadas, debido al calentamiento global se ha incrementado la energía disponible en la cuenca del Atlántico Sur en 3×10^{22} Joules, lo que equivale al suministro eléctrico de 1.000 ciudades como Buenos Aires durante 3.200 años (Canziani, en este volumen). Tan enorme cantidad de energía ha intensificado la tasa de evaporación de agua del mar, lo que ha aumentado el contenido de agua precipitable y la inestabilidad de las masas de aire que se desplazan sobre el litoral argentino. Estos procesos, a su vez, han incrementado la frecuencia e intensidad de eventos climáticos extremos, tales como las inundaciones, las sequías, las tormentas intensas y los tornados.

Otro efecto importante del calentamiento global en la Argentina se ha dado sobre los glaciares de la Cordillera de los Andes. En la cuenca superior del río Mendoza, los glaciares del río Plomo han perdido 1.500.000.000 de m³ de hielo, y el Glaciar Piloto ha mostrado un balance de masa altamente negativo que parece haberse acelerado en los últimos años. Asimismo, se ha registrado una disminución en las precipitaciones nivales y un aumento de la temperatura media de entre 0,3 a 0,7°C en la zona (Leiva, en este volumen). La importancia de este proceso radica en el hecho de que, en años de escasa precipitación nívea, entre el 70 y el 80% del caudal del río Mendoza depende del aporte de los glaciares en la alta cuenca. Si se considera que el río Mendoza irriga la mayor parte de la producción agrícola de la provincia y que aproximadamente 1.000.000 de personas utiliza este recurso hídrico para diversos usos (e.g., consumo humano, uso industrial, agrícola, hidroeléctrico y recreativo), se puede tener una idea de las consecuencias sociales y económicas del calentamiento global.

Los riesgos que conlleva el cambio global del clima requieren el fortalecimiento del sistema de observaciones meteorológicas, no sólo para establecer un adecuado monitoreo y una apropiada prevención, sino también para determinar aspectos tales como la planificación y la localización de actividades de producción y obras de infraestructura (Canziani, en este volumen).

En el año 2000, el 44% de las emisiones de los gases de efecto invernadero (GEI) provino del sector energético. En consideración de que el consumo de energía es una condición indispensable para el crecimiento económico del país, el desafío para la Argentina consiste en tener eficiencia en el uso de la energía y en promover el uso de fuentes energéticas limpias y renovables (Tanides, en este volumen).

Conservación y uso de la biodiversidad. La Argentina cuenta con unas trescientas sesenta áreas protegidas (AP) de diferentes categorías, que cubren aproximadamente el 6,8% del territorio nacional. Sin embargo, existen ecorregiones que están subrepresentadas en el Sistema Nacional de Áreas Protegidas; tal es el caso de los Campos y Malezales, el Espinal, la Pampa y el Chaco Húmedo. Por otro lado, el 44% de las reservas declaradas no posee control de terreno alguno y sólo el 19% tiene un nivel de protección mínimamente aceptable (Burkart, en este volumen). A su vez, muchas de estas áreas han sufrido un proceso de insularización debido al cambio en el uso del suelo en las regiones circundantes. Este panorama obliga a adoptar un enfoque de corredores ecológicos como estrategia para garantizar la conectividad y la funcionalidad de los ecosistemas, así como también la supervivencia de la biodiversidad contenida en ellos (Frassetto *et al.*, en este volumen).

La participación de diversos sectores en la gestión del territorio y la planificación biorregional son algunos de los elementos fundamentales para que las AP puedan cumplir su función (Burkart, en este volumen). En este sentido, los propietarios rurales pueden cumplir un importante rol y tienen, además, mucho por ganar, si se considera que son los beneficiarios más directos de numerosos servicios ecológicos. La Argentina presenta un escenario muy propicio para desarrollar estrategias de conservación que incluyan a los propietarios de los campos. El rol de las reservas privadas es particularmente relevante en las ecorregiones insuficientemente representadas en el sistema estatal de AP, pues se integran a estrategias de conservación regionales para conformar, así, áreas de amortiguación y corredores ecológicos. A su vez, podrían insertarse en el marco de un ordenamiento territorial que permita identificar los sitios más adecuados para la producción, el desarrollo, la conservación y el uso sustentable de los recursos naturales. No obstante, existen algunos desafíos legales e institucionales que es necesario superar para potenciar esta herramienta (Codesido *et al.*, en este volumen).

Complementariamente a la conservación en AP, el uso sustentable de la biodiversidad es una alternativa para agregar valor al recurso y generar incentivos destinados a su conservación. Por otro lado, la fauna silvestre en general constituye una alternativa económica para la población rural local, por lo que también desde el punto de vista social es necesario garantizar tanto la sustentabilidad como la rentabilidad de su uso (Ramadori, en este volumen).

Entre las especies amenazadas de la Argentina, una de las más significativas es el yaguareté (*Panthera onca*), no sólo por su valor cultural para los pueblos originarios y habitantes del norte del país, sino también por sus cualidades como símbolo turístico y especie indicadora –debido a las funciones ecológicas que cumple en tanto predador– de la salud de su ecosistema. En los últimos años, las poblaciones de tigres argentinos siguen disminuyendo. Claramente, los actuales niveles de los esfuerzos gubernamentales y privados no alcanzan para salvarlos de su probable extinción en este país.

Uso y degradación del suelo. La erosión del suelo afecta a más de 60.000.000 de ha en la Argentina y cada año se agregan otras 650.000 ha con distintos grados de erosión (Perez Pardo, en este volumen). Asociada a este problema se encuentra la pérdida de la cobertura vegetal debida, principalmente, al desmonte para la ganadería y la agricultura, al sobrepastoreo y a la explotación forestal con destinos maderero y energético. En las zonas de la región chaqueña, donde la expansión de la agricultura fue posibilitada por un período climático húmedo, hay un serio riesgo de desertificación ampliada si el clima vuelve a sus condiciones históricas, dado que la vegetación nativa adaptada a esas condiciones ya ha sido eliminada (Adámoli, en este volumen).

La deforestación en la Argentina alcanza las 200.000 ha/año y se concentra en el Chaco Semiárido (130.000 ha/año), el Chaco Húmedo (42.000 ha/año), la Selva Pedemontana de las Yungas (10.000 ha/año) y la Selva Paranaense, cuya tasa de deforestación es difícil de estimar (Gasparri y Grau, en este volumen). El desafío que encierra esta situación consiste en promover sistemas productivos que, al mismo tiempo garanticen el crecimiento económico y la conservación de los servicios ecológicos. Este último aspecto requiere de mayor conocimiento y de una planificación a escala regional (Adámoli, en este volumen; Gasparri y Grau, en este volumen).

Además de la producción agropecuaria, la otra actividad que reclama insistentemente cada vez más territorio es la expansión urbana. En la Pampa Ondulada, las urbanizaciones y su periurbano ocupan cerca de 674.000 ha, es decir, casi el 18% de los suelos más fértiles del país lo que, a su vez, repercute sobre la expansión agropecuaria en otras áreas (Morello *et al.*, en este volumen). En los últimos años, se ha acentuado la histórica estructura que concentra flujos de recursos, población y servicios desde el interior del país hacia los puertos, lo que ha derivado en la conformación de un conglomerado urbano casi continuo desde La Plata hasta Rosario, una única "megaciudad" en la que vivirá la mayor parte de un país por otro lado semivacío. Esto representa una foto inquietante que se convierte en una realidad muy probable y que, aún, no es objeto de suficiente interés por parte del estado ni de la comunidad argentina en su conjunto. El fenómeno conlleva una definición –tal vez, por omisión– de las economías regionales en función de las necesidades de la megaciudad, en lugar de buscar un desarrollo equitativo del territorio, y plantea serias preocupaciones acerca de los efectos ambientales y sociales de semejante concentración de personas y desechos, así como también acerca de su efecto succionador sobre las regiones "proveedoras" de materia y energía.

Urbanización, contaminación e infraestructura. Uno de los fenómenos más relevantes en relación con el crecimiento urbano de los últimos años ha sido el incremento de lo que se conoce como "urbanizaciones cerradas". Este proceso se desarrolló, principalmente, en la zona norte del Gran Buenos Aires, en particular sobre los valles de inundación de los ríos Luján, Reconquista y Paraná de las Palmas. En el partido de Tigre, por ejemplo, la superficie ocupada por urbanizaciones cerradas creció alrededor de veinte veces respecto de su tamaño original.

La habilitación de sectores inundables necesita la aplicación de tecnologías que implican una masiva transformación del relieve, la afectación irreversible del drenaje superficial, la desaparición o la transformación de cuerpos de agua naturales y la creación de nuevos lagos, lagunas y reservorios. Estas modificaciones se realizan sin un adecuado conocimiento de la respuesta del sistema ambiental y de los riesgos involucrados (Daniele *et al.*, en este volumen). Los valles suelen ser sitios de alta biodiversidad y de un valioso patrimonio natural, que prestan servicios ambientales de importancia, tales como la amortiguación de los excedentes hídricos estacionales y extraordinarios. El crecimiento urbano en estos sitios requiere de una planificación cuidadosa para evitar que los daños ambientales superen los beneficios económicos del crecimiento urbano. Las inundaciones en Santa Fe y otras provincias demuestran que esto aún no ocurre.

La contaminación es un problema serio cuando se analiza su impacto sobre la biodiversidad, el paisaje y los recursos naturales en general, pero su dimensión más dramática estalla a la luz de sus efectos sobre la salud humana. En una crónica surrealista, Antonio E. Brailovski (en este volumen) sumerge al lector en las experiencias de un habitante de las inmediaciones del Polo Petroquímico Dock Sud y la "Villa Inflamable". Claro está, los problemas de contaminación en la Argentina no se limitan a la contaminación industrial en las zonas urbanas. Al respecto, cabe destacar que los emprendimientos mineros en diferentes lugares del país suelen menospreciar sus impactos, por ejemplo, sobre las fuentes de agua potable para las poblaciones cercanas. El precio de tal omisión puede resultarles caro, como se demostró en el caso del proyecto abortado de una mina de oro en Esquel. El mismo día que Esquel dijo "no" a la mina en su famoso plebiscito, las acciones de Meridian Gold cayeron drásticamente en Wall Street. Por otra parte, en numerosas poblaciones del país, los ciudadanos perciben que su principal problema ambiental es la contaminación (ver la Encuesta Ambiental Argentina 2005, en este volumen). La oposición pública al convenio firmado por el INVAP con el gobierno de Australia para tratar residuos radioactivos en la Argentina –cuando ni siquiera se tiene un plan eficaz para tratar los residuos que producen las centrales nucleares propias– dio otra muestra de la sensación de indefensión de la gente ante decisiones basadas en aspectos comerciales. El tema es particularmente sensible cuando se trata de decidir qué hacer con los residuos que pueden emitir niveles letales de radioactividad durante centenares de miles de años.

Por otro lado, el conflicto suscitado con la República Oriental del Uruguay por la instalación de dos plantas de pulpa de celulosa (llamadas vulgarmente "papeleras") en las orillas del río Uruguay ha puesto en evidencia la dimensión transfronteriza de los impactos y la necesidad de incluir a las comunidades interesadas en las discusiones, antes de adoptar decisiones respecto de su localización y de sus estándares ambientales. El hecho no debe enmascarar, sin embargo, la realidad de que la mayoría de las plantas de pulpa de celulosa que se encuentran en este país no han recibido críticas similares, pese a que muchas de ellas liberan peores contaminantes (e.g. cloro en estado elemental) que los que serán emitidos por las dos plantas en el Uruguay. Cabe, en este sentido, generar un plan binacional de monitoreo independiente, en el que la sociedad civil pueda tener una participación que asegure la mayor transparencia en el control de este tipo de emisiones, lo que redundaría en beneficio de todos incluyendo la industria del papel. Urge, entonces, aplicar un plan de mejora ambiental de las plantas de celulosa en la Argentina, con un cronograma realista y controlable para que se implementen mejoras tecnológicas que permitan evitar la liberación de contaminantes altamente tóxicos.

Entre las principales obras de infraestructura, se analizan es esta sección las de ampliación de la capacidad de transporte fluvial (la Hidrovía Paraná-Paraguay y la ruta troncal de Santa Fe al océano) y los embalses para diferentes usos. En el primer caso, los principales impactos se derivan del mayor tránsito de mercancías y personas, y del consecuente crecimiento poblacional e industrial en los puertos. Entre los impactos detectados se destacan la transformación y la degradación significativas de los ecosistemas fluviales y de la ictiofauna, la contaminación puntual y lineal generada por las industrias y las aglomeraciones urbanas, los derrames, la sobreexplotación pesquera y la inserción de especies exóticas, entre otros (Murguía *et al.*, en este volumen).

Con respecto a la construcción de embalses, sus impactos pueden ser muy diversos de acuerdo con el objetivo de uso (la generación de energía, el riego, el consumo humano), con la ubicación geográfica (zonas húmedas o secas) y con el uso del suelo en las inmediaciones (para agricultura, urbanizaciones, etc). Por ejemplo, embalses construidos como fuentes de agua para consumo humano, riego y generación de energía, en cuencas con originariamente bajo uso de la tierra, desarrollaron importantes procesos de eutrofización debido a un uso más intenso del suelo (ocasionado por la agricultura y el crecimiento de las áreas urbanas). Ejemplos de esto son los embalses San Roque, Paso de las Piedras, El Cadillal, Río Hondo, Potrero de los Funes, La Florida, etc. En el caso particular de las grandes represas hidroeléctricas, el principal impacto está determinado por la alteración del régimen hidrológico y sus consecuencias sobre la fauna ictícola y ribereña (Gabellone y Casco, en este volumen).

Como contrapartida, la presencia de embalses ofrece la oportunidad de desarrollar sistemas integrados de gestión de cuencas. Por otro lado, la exigencia de estudios de impacto y monitoreo que exigen los organismos financieros internacionales también es una oportunidad que debe ser aprovechada para mejorar el conocimiento ecológico de la cuenca y planificar e implementar una gestión sustentable.

Globalización y comercio internacional. El análisis de las tendencias del comercio internacional y la globalización genera, como primera reacción, un posicionamiento ideológico sobre el asunto que no es posible soslayar (Walsh, en este volumen). Sin el ánimo de evitar ese debate, se plantean en el capítulo correspondiente diferentes perspectivas, aunque en todas ellas se discuten alternativas frente a un proceso ya instalado y en acelerada evolución.

Los efectos más importantes para el medio ambiente en la Argentina se han dado en el impresionante salto cuali-cuantitativo de la producción agropecuaria en los últimos años. Estos cambios se han reflejado, por un lado, en la fuerte adopción de tecnología tanto de insumos como agronómicas. Entre estas últimas, la Argentina ha liderado en el mundo la adopción de la siembra directa y, junto con ella, se ha desarrollado una visión sobre la sustentabilidad en la producción agropecuaria orientada principalmente a la conservación del suelo (Peiretti, en este volumen). Sin embargo, es necesario incorporar al análisis otros aspectos de la sustentabilidad ecológica y social. La transformación de ambientes naturales sin la adecuada planificación regional involucra el serio riesgo de pérdida de servicios ecológicos esenciales para la propia producción agropecuaria y para la sociedad en general. Afortunadamente, se han generado espacios de diálogo en los que los sectores productivo, gubernamental y el ambientalismo acercan posiciones y acuerdan objetivos comunes hacia el desarrollo sustentable (Corcuera y Martinez Ortiz, en este volumen).

La globalización y las tendencias del comercio internacional generan, por otro lado, oportunidades que es necesario aprovechar. Los consumidores en todo el mundo están cada vez más preocupados por el origen y la calidad de los productos que consumen, y esta preocupación se ha extendido a la calidad del proceso de producción, y si este proceso afecta o no al medio ambiente. Esto ha derivado en un conjunto de sistemas de certificación de productos y procesos que tienen la potencialidad de incentivar una producción responsable bajo normas de calidad controladas. La certificación del manejo forestal según las normas del FSC son un claro ejemplo de ello. En poco más de diez años de existencia, el FSC lleva acreditadas unas 60.000.000 de ha distribuidas en más de sesenta países (con 134.000 ha en la Argentina) y con un mercado global de más de U\$S 5.000.000.000. Sin embargo, aunque estas cifras puedan parecer importantes, sólo representan un 3,3% del comercio internacional de productos forestales, lo que evidencia que aún queda un largo camino por recorrer. En este sentido, uno de los principales desafíos es el de consolidar y ampliar la preferencia de productos certificados por parte de la demanda, hecho que sólo ha sido verificado en algunos mercados sensibles o a través de políticas de responsabilidad social implementadas por algunas instituciones (Yapura, en este volumen).

De todas maneras, es claro que el comercio global se orienta hacia productos cada vez más diferenciados y que la calidad ambiental es un atributo demandado cada vez por más consumidores. La Argentina, por su oferta de recursos naturales y los sistemas de producción predominantes, se encuentra en una situación privilegiada para transformar estas tendencias en una oportunidad para el desarrollo sustentable.

Política ambiental y participación ciudadana. La política ambiental de un país se encuentra obviamente ligada al conjunto de políticas macro y a cada una de las políticas sectoriales con que se relaciona. Si bien esto es verdad para cualquier sector, es claro que en el caso del medio ambiente esta relación es de subordinación frente a otros intereses más urgentes o prioritarios.

Aunque esta situación no es exclusiva de la Argentina ni de los países subdesarrollados, algunas particularidades pueden ser analizadas. Ante la profunda y reciente crisis económica e institucional, la preocupación de la sociedad se dirige hacia problemas más concretos, cercanos y urgentes. Por otro lado, el crecimiento económico con exclusión (aún sin quererlo) ha generado diversos efectos negativos y cuestiona la solidaridad social. Con gente sumida en la pobreza y el desamparo, es difícil esperar que la sociedad se preocupe por la provisión de bienes ambientales que son esencialmente públicos, es decir, que pueden ser disfrutados por todos sin restricciones (Bibiloni, en este volumen).

Ante esta situación, se hace necesario reconstruir el capital social, entendido como la capacidad que tiene una sociedad para utilizar los recursos de que dispone, a fin de construir su propio desarrollo. La Argentina cuenta con recursos naturales y económicos suficientes para su desarrollo, pero ha demostrado desde hace décadas un déficit en la capacidad de sus dirigentes (políticos y empresarios) para administrarlos correctamente. Ante el desprestigio de las instituciones en el país, las ONG tienen la capacidad y la obligación de generar intangibles que promuevan una nueva institucionalidad (March, en este volumen).

Educación y comunicación ambiental. Entre los intangibles que se mencionaban en el apartado anterior, la educación y la información son, sin duda, las herramientas principales para construir capital social. Específicamente en relación con la educación ambiental, llevan implícito el objetivo de generar un cambio de actitud con respecto al medio ambiente, al considerar que las decisiones cotidianas de millones de personas pueden producir un cambio sustancial. La educación ambiental puede desarrollarse tanto en un ámbito formal como no formal. En el primer caso, la educación ambiental debe plantearse como una herramienta que permita reaccionar ante la incertidumbre propia de sistemas complejos y dinámicos. A tal fin, se requiere trabajar primordialmente en la formación de los docentes y en el compromiso institucional para implementar efectivamente la educación ambiental como eje transversal en el sistema educativo (Harracá, en este volumen).

La educación no formal, por su parte, es un ámbito donde las ONG tienen un importante rol que cumplir. Uno de los retos es el de establecer cuál es la audiencia prioritaria, en función de generar un mayor impacto. En este sentido, se rescata la necesidad de trabajar sobre actores con la capacidad de tomar decisiones (políticos, empresarios, dirigentes), formadores (educadores, periodistas) y consumidores (Fernandez Balboa, en este volumen).

Encuesta Ambiental Argentina 2005

**FUNDACIÓN
VIDA SILVESTRE
ARGENTINA**

Esta encuesta ha sido realizada con el apoyo de:

  BAHIA GRANDE S.A.

Gasoducto Nor Andino

ESTUDIO DE OPINIÓN PÚBLICA SOBRE LA SITUACIÓN AMBIENTAL EN LA ARGENTINA

Por: Agustina Budani, Nicolas Solari, Eduardo Fidanza y Alejandro Catterberg

Poliarquía Consultores.   *info@poliarquia.com*

Introducción

Durante las semanas comprendidas entre el 27 de julio y el 22 de agosto de 2005, Poliarquía Consultores realizó, a pedido de la Fundación Vida Silvestre Argentina (FVSA), un estudio de opinión pública sobre la situación medioambiental en la Argentina.

El objetivo de dicho estudio fue conocer las percepciones y las preocupaciones de la población con respecto a la situación medioambiental en el país y las provincias.

A tales efectos, se realizó una encuesta representativa de la población mayor de 18 años del país, residente en localidades de más de cinco mil habitantes. Se entrevistó de forma telefónica a cinco mil ciento seis personas de ciento nueve ciudades. El diseño de la muestra fue aleatorio, polietápico, con estratificación por provincia y tamaño de hábitat para la selección de localidades, y por cuotas de edad y sexo para la selección de entrevistados. Los resultados fueron, luego, ponderados por nivel educativo a nivel provincial y por tamaño de hábitat a nivel nacional. El margen de error para los resultados nacionales es de +/- 1,4% con un nivel de confianza del 95%.

Así, los resultados que a continuación se presentan constituyen una valiosa herramienta para orientar a gobernantes, planificadores, investigadores, docentes, periodistas y todos aquellos interesados en conocer cómo los argentinos perciben la situación medioamiental en la proximidades del bicentenario.

Resultados nacionales

Situación del medio ambiente en la Argentina

Consultados acerca de si la situación medioambiental de la Argentina es muy buena, buena, regular, mala o muy mala, el 15,2% de la población la evaluó positivamente (el 0,9% afirmó que la situación en el país es muy buena y el 14,3%, que es buena), mientras que el doble (29,9%) la evaluó negativamente (el 23,2% la consideró mala y el 6,7%, muy mala). Por su parte, aproximadamente uno de cada dos argentinos cree que la situación del medio ambiente es regular (52%).

Visión retrospectiva de la situación del medio ambiente en la Argentina

Con relación a si la situación del medio ambiente en la Argentina mejoró, se mantiene igual o empeoró, uno de cada cinco argentinos (21,6%) afirma que la situación del medio ambiente en el país mejoró durante los últimos cinco años. Por su parte, poco más de un cuarto de la población (27%) cree que la situación se mantiene igual, mientras que un 45,9% sostiene que ha empeorado.

Principales problemas del medio ambiente

En referencia al principal problema medioambiental de la Argentina, la población mencionó mayoritariamente la contaminación (38,5%). Las inundaciones también fueron nombradas reiteradamente (13%), seguidas por el cambio climático (7,5%), la tala de bosques (7%) y los incendios forestales (4,9%). Por su parte, un 8,9% de los encuestados no mencionó problema alguno, mientras que el 5,7% citó otro tipo de cuestiones. Quienes contestaron por algún problema particular fueron luego consultados por el segundo problema más importante. Nuevamente, los entrevistados optaron mayoritariamente por la contaminación (15,9%), mientras que el 8,8% señaló el cambio climático y el 8,2% la tala de bosques.

Pese a que la contaminación surge como el principal problema de la Argentina, de provincia en provincia se observa una importante variedad de problemáticas y preocupaciones, como lo expresan los resultados de los informes provinciales.

"Le voy a leer a una lista de problemas del medio ambiente. Quisiera que me dijera cuál de ellos considera más grave en la zona donde usted vive."

Principal problema del medio ambiente	Primer lugar (%)	Segundo lugar (%)
Contaminación	38,5	15,9
Inundaciones	13,0	7,7
Cambio climático	7,5	8,8
Tala de bosques	7,0	8,2
Incendios forestales (o de otro tipo de vegetación natural)	4,9	4,7
Degradación del suelo	3,9	4,0
Pesca abusiva	3,8	3,6
Impacto negativo de grandes obras	2,5	3,5
Caza y tráfico de especies	2,0	3,6
Extinción de fauna o flora	1,6	2,6
Otro	5,7	4,9
Ninguno	8,9	22,9
Ns/nc	0,7	9,5
Total	**100,0**	**100,0**

Responsabilidades en la resolución de problemas

Con respecto a quién tiene mayor responsabilidad para resolver los problemas medioambientales, casi la mitad de la población considera que el gobierno de su provincia es el mayor responsable (46,8%), uno de cada cuatro cree que es el gobierno nacional (26,9%) y sólo una de cada diez personas sostiene que son las empresas (10,7%). Por último, el 2,8% opina que las organi-

La Situación Ambiental Argentina 2005

zaciones ambientalistas no gubernamentales son las responsables, mientras que el 8,3% considera que otra institución es la principal responsable para enfrentar estos problemas.

> **"En relación con los problemas de los que estamos hablando, ¿quién cree usted que tiene la mayor responsabilidad para resolverlos?"**

¿Quién tiene la mayor responsabilidad?	%
Gobierno provincial	46,8
Gobierno nacional	26,9
Empresas	10,7
ONG ambientalistas	2,8
Otro	8,3
Ns/nc	4,5
Total	**100,0**

Agente de cambio

Cerca de un cuarto de la población argentina (23,8%) cree que puede hacer mucho para proteger el medio ambiente, mientras que un tercio (32%) considera que puede hacer algo. Por su parte, un quinto (19,6%) sostiene que es muy poco lo que efectivamente puede hacer y, aproximadamente, uno de cada cinco (22,3%) dice que nada puede hacer por el medio ambiente. Estas cifras varían sustancialmente de provincia en provincia, tal como se observa en los informes provinciales.

> **"¿Usted diría que puede hacer mucho, algo, poco o no puede hacer nada para proteger el medio ambiente?"**

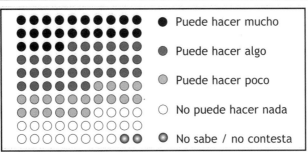

- ● Puede hacer mucho
- ● Puede hacer algo
- ○ Puede hacer poco
- ○ No puede hacer nada
- ● No sabe / no contesta

Acciones para garantizar la preservación del medio ambiente

Cuatro de cada diez argentinos consideran que educar mejor a la población constituye la principal acción para garantizar la preservación del medio ambiente. A su vez, tres de cada de diez opinan que la implementación de leyes y controles más estrictos contribuirían de manera sustancial al cuidado medioambiental. El 12,6% sostiene que los medios de comunicación se deberían ocupar más del tema, mientras que el 7,1% argumenta que la gente debe cambiar sus pautas de consumo. Finalmente, un 4,1% cree en la necesidad de que las ONG (organizaciones no gubernamentales) ambientalistas mejoren y amplíen su rango de acción.

Consultados acerca de qué acción podría contribuir en segundo lugar para garantizar la preservación del medio ambiente, los entrevistados optaron mayoritariamente por la sanción de leyes más estrictas (26,2%) y el mejoramiento de la educación (24,1%).

"¿Cuál de las siguientes acciones le parece que puede contribuir más a la preservación del medio ambiente?"

Acciones para la preservación del medio ambiente	Primer lugar (%)	Segundo lugar (%)
Que se eduque mejor a la población	41,8	24,1
Leyes más estrictas y/o mejores controles	31,6	26,2
Que los medios de comunicación se ocupen más del tema	12,6	15,5
Que la gente cambie sus pautas de consumo	7,1	14,3
Que las ONG ambientalistas mejoren y amplíen su accionar	4,1	8,2
Ninguna	0,8	0,0
Ns / nc	2,0	11,6
Total	**100,0**	**100,0**

Percepción de la situación medioambiental de las provincias

Con relación a la situación medioambiental de las provincias, cada uno de los encuestados pudo evaluar su provincia de residencia en términos de muy buena, buena, regular, mala y muy mala. Sobre la base a la evaluación de las percepciones personales, se procedió a agrupar aquellas positivas (buena y muy buena) y aquellas negativas (mala y muy mala).

Calculados estos datos, se diseñó un *ranking* acerca de la situación medioambiental provincial en este país, sobre la base de las diferencias entre las evaluaciones positivas y negativas para cada una de las provincias. Las diferencias mayores a cero indican una preeminencia de las evaluaciones positivas, mientras que las menores a cero indican mayoría de evaluaciones negativas.

"¿Usted considera que la situación del medio ambiente en su provincia es muy buena, buena, regular, mala o muy mala?"

La Situación Ambiental Argentina 2005

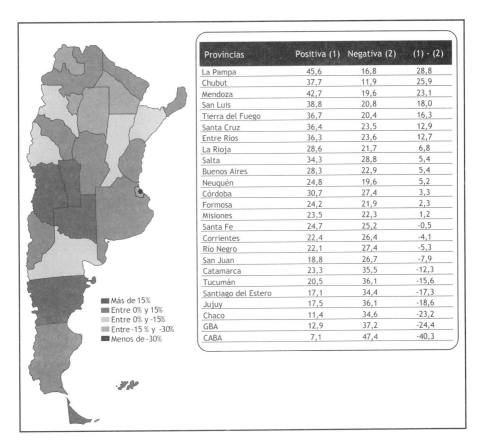

Provincias	Positiva (1)	Negativa (2)	(1) - (2)
La Pampa	45,6	16,8	28,8
Chubut	37,7	11,9	25,9
Mendoza	42,7	19,6	23,1
San Luis	38,8	20,8	18,0
Tierra del Fuego	36,7	20,4	16,3
Santa Cruz	36,4	23,5	12,9
Entre Ríos	36,3	23,6	12,7
La Rioja	28,6	21,7	6,8
Salta	34,3	28,8	5,4
Buenos Aires	28,3	22,9	5,4
Neuquén	24,8	19,6	5,2
Córdoba	30,7	27,4	3,3
Formosa	24,2	21,9	2,3
Misiones	23,5	22,3	1,2
Santa Fe	24,7	25,2	-0,5
Corrientes	22,4	26,4	-4,1
Río Negro	22,1	27,4	-5,3
San Juan	18,8	26,7	-7,9
Catamarca	23,3	35,5	-12,3
Tucumán	20,5	36,1	-15,6
Santiago del Estero	17,1	34,4	-17,3
Jujuy	17,5	36,1	-18,6
Chaco	11,4	34,6	-23,2
GBA	12,9	37,2	-24,4
CABA	7,1	47,4	-40,3

Más de 15%
Entre 0% y 15%
Entre 0% y -15%
Entre -15 % y -30%
Menos de -30%

Ranking de percepción sobre las gestiones provinciales

Consultados sobre cómo evalúan la gestión de los estados provinciales en relación con la pre-servación y el cuidado del medio ambiente, los entrevistados contestaron en términos de muy bien, bien, regular, mal y muy mal. Sobre la base de estas opiniones, y luego de agrupar las eva-luaciones positivas (bien y muy bien) y negativas (mal y muy mal), se procedió a calcular las diferencias entre ambas para cada una de las provincias. A partir de estas diferencias, se confec-cionó un *ranking* de percepción de gestiones provinciales. Los primeros puestos están ocupados por aquellas provincias donde, entre los ciudadanos, prevalecen las evaluaciones positivas de sus gobiernos. En sentido inverso, los últimos lugares corresponden a aquellos distritos en don-de se manifestaron más opiniones negativas que positivas.

"¿Cómo evalúa la gestión del gobierno provincial en relación con la preservación y el cuidado del medio ambiente: muy bien, bien, regular, mal o muy mal?"

La Situación Ambiental Argentina 2005

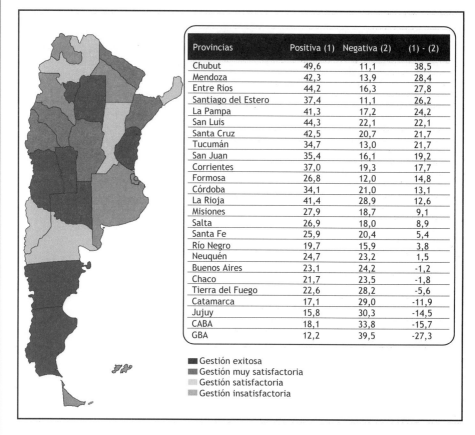

Provincias	Positiva (1)	Negativa (2)	(1) - (2)
Chubut	49,6	11,1	38,5
Mendoza	42,3	13,9	28,4
Entre Ríos	44,2	16,3	27,8
Santiago del Estero	37,4	11,1	26,2
La Pampa	41,3	17,2	24,2
San Luis	44,3	22,1	22,1
Santa Cruz	42,5	20,7	21,7
Tucumán	34,7	13,0	21,7
San Juan	35,4	16,1	19,2
Corrientes	37,0	19,3	17,7
Formosa	26,8	12,0	14,8
Córdoba	34,1	21,0	13,1
La Rioja	41,4	28,9	12,6
Misiones	27,9	18,7	9,1
Salta	26,9	18,0	8,9
Santa Fe	25,9	20,4	5,4
Río Negro	19,7	15,9	3,8
Neuquén	24,7	23,2	1,5
Buenos Aires	23,1	24,2	-1,2
Chaco	21,7	23,5	-1,8
Tierra del Fuego	22,6	28,2	-5,6
Catamarca	17,1	29,0	-11,9
Jujuy	15,8	30,3	-14,5
CABA	18,1	33,8	-15,7
GBA	12,2	39,5	-27,3

■ Gestión exitosa
■ Gestión muy satisfactoria
■ Gestión satisfactoria
■ Gestión insatisfactoria

Resultados provinciales
<u>Buenos Aires[1]</u>

Cantidad de casos: 350
Margen de error: 5,3%

Ciudades: Gran La Plata, Mar del Plata, Bahía Blanca, Tandil, Pergamino, Olavarría, Chivilcoy, Pehuajó, 25 de Mayo, Carmen de Areco, Rammallo, Capitán Sarmiento, General Alvear y Laprida

El 38,3% de los habitantes de la provincia de Buenos Aires afirma que la contaminación representa el principal problema del medio ambiente. A su vez, un 17,1% de la población dice que son las inundaciones el problema más grave del país.

[1] Debido a que el Gran Buenos Aires posee condiciones medioambientales específicas, diferentes a las del resto de la provincia, se ha decidido tratar ambas regiones de manera separada.

Con respecto a la situación medioambiental de la provincia, el 28,3% de la población de Buenos Aires considera que es positiva (un 3,1% cree que es muy buena y un 25,2%, buena). Por su parte, casi la mitad de los bonaerenses piensa que la situación medioambiental es regular (45,8%) y un 22,9% opina que es negativa (un 4,3% cree que es muy mala y un 18,6%, mala).

Al ser consultados sobre el desempeño del gobierno provincial en las temáticas medioambientales, casi uno de cada cuatro bonaerenses evalúa positivamente la gestión del gobierno (el 0,8% opina que lo hace muy bien y el 22,3%, bien) y uno de cada cuatro habitantes lo hace negativamente (un 3,9% sostiene que lo hace muy mal y un 20,4%, mal). Por último, aproximadamente la mitad de la población (45,1%) considera que el accionar del gobierno es regular.

A su vez, el 43% de la población sostiene que el gobierno provincial es el principal responsable de resolver los problemas medioambientales. El 29,5% cree que esa responsabilidad le compete al gobierno nacional, mientras que el 14% la atribuye a las empresas y el 2,4%, a las organizaciones ambientalistas no gubernamentales.

PRINCIPAL PROBLEMA	
Caza y tráfico de especies	2,3%
Pesca abusiva	7,5%
Inundaciones	17,1%
Contaminación	38,3%
Impacto negativo de grandes obras	1,8%
Tala de bosques	3,9%
Incendios forestales	1,6%
Extinción de fauna o flora	2,6%
Degradación del suelo	2,8%
Cambio climático	4,6%

ACCIONES PARA EL CUIDADO DEL MEDIO AMBIENTE	
Leyes más estrictas	35,3%
ONG más eficientes	4,4%
Mejor educación	38,4%
Cambiar las pautas de consumo	7,1%
Medios de comunicación más ocupados por el tema	13,5%

SITUACIÓN AMBIENTAL	País	Provincia
Muy buena	0,9%	3,1%
Buena	15,5%	25,2%
Regular	55,1%	45,8%
Mala	19,6%	18,6%
Muy mala	5,4%	4,3%

EVALUACIÓN DE LA GESTIÓN DEL GOBIERNO PROVINCIAL	
Muy bien	0,8%
Bien	22,3%
Regular	45,1%
Mal	20,4%
Muy mal	3,9%

Sobre la situación ambiental general de la Argentina, casi uno de cada dos bonaerenses sostiene que empeoró (47,4%), mientras que uno de cada cuatro opina que sigue igual (26,3%) y uno de cada cinco considera que mejoró (22,3%).

Interrogados acerca de cuánto puede hacer cada uno para proteger el medio ambiente, uno de cada cinco bonaerenses afirma que mucho (21%). La misma cantidad de la población sostiene que es muy poco lo que se puede hacer (21,3%) y uno de cada tres habitantes dice que puede hacerse algo (30,1%). Uno de cada cuatro manifiesta que nada puede hacerse (26,4%). Además, entre aquéllos que opinan que pueden hacer mucho o algo, un 78,5% dice que ya está haciendo lo que está a su alcance.

El 38,4% de la población bonaerense consideró que brindar una mejor educación es la acción que más puede contribuir a la defensa del medio ambiente. Por su parte, un 35,3% expresó la conveniencia de implementar leyes y controles más estrictos, a la vez que un 13,5% destacó la necesidad de que los medios de comunicación se ocupen más del tema.

Gran Buenos Aires

Cantidad de casos: 300
Margen de error: 5,8%

Con respecto a la situación medioambiental de esta región, el 12,9% de los habitantes del Gran Buenos Aires considera que es positiva (un 1,8% cree que es muy buena y un 11,1%, buena). Por su parte, un 47,3% de los encuestados piensa que la situación medioambiental es regular. Finalmente, un 37,2% opina que la situación es negativa (un 9,8% cree que es muy mala y un 27,4%, mala).

Consultados sobre el desempeño del gobierno provincial en las temáticas medioambientales, un 12,3% de los pobladores del conurbano evalúa positivamente la gestión del gobierno (para el 1,3% lo hace muy bien y para el 11%, bien). Por su parte, un 43,2% de la población considera que el accionar del gobierno es regular, mientras que un 39,6% lo evalúa negativamente (para un 29,6% lo hace mal y para un 10%, muy mal).

Para los habitantes del conurbano, la contaminación constituye el principal problema del medio ambiente. Así lo afirma uno

PRINCIPAL PROBLEMA	
Caza y tráfico de especies	0%
Pesca abusiva	0%
Inundaciones	16%
Contaminación	52,4%
Impacto negativo de grandes obras	2,9%
Tala de bosques	1,7%
Incendios forestales	0,3%
Extinción de fauna o flora	0,1%
Degradación del suelo	5,8%
Cambio climático	3,1%

ACCIONES PARA EL CUIDADO DEL MEDIO AMBIENTE	
Leyes más estrictas	35,6%
ONG más eficientes	3,7%
Mejor educación	43,7%
Cambiar las pautas de consumo	9%
Medios de comunicación más ocupados por el tema	6,6%

SITUACIÓN AMBIENTAL	País	Provincia
Muy buena	0,3%	1,8%
Buena	7,5%	11,1%
Regular	49,1%	47,3%
Mala	30,7%	27,4%
Muy mala	11,8%	9,8%

EVALUACIÓN DE LA GESTIÓN DEL GOBIERNO PROVINCIAL	
Muy bien	1,3%
Bien	11%
Regular	43,2%
Mal	29,6%
Muy mal	10%

de cada dos habitantes de conurbano (52,4%). Por su parte, un 16% de la población dice que las inundaciones representan el problema más importante.

Sobre la situación ambiental general de la Argentina, la mitad de la población del Gran Buenos Aires cree que empeoró (50,8%). En sentido inverso, un 15,5% de la población sostiene que la situación mejoró y un 28,7%, que sigue igual.

A su vez, la mitad de la población considera que el gobierno provincial es el principal responsable de resolver los problemas medioambientales (49,9%). Por su parte, el 29,1% cree que esa responsabilidad le compete al gobierno nacional, mientras que el 8,8% la atribuye a las empresas. Por último, un 3,2% afirma que las organizaciones ambientalistas no gubernamentales son las responsables.

Consultados sobre cuánto puede hacer cada uno para proteger el medio ambiente, un 27,2% de los bonaerenses del conurbano cree que mucho. A su vez, dos de cada diez sostienen que se puede hacer algo (21,6%), mientras que tres de cada diez habitantes (29,2%) dicen que se puede hacer muy poco. Por último, un 18,4% de la población cree que nada puede hacerse. Entre aquéllos que consideran que efectivamente se puede hacer algo o mucho por el medio ambiente, un 74,6% dice que ya está haciendo lo que está a su alcance para proteger el medio ambiente.

En referencia a qué acción puede contribuir más a la defensa del medio ambiente, un 43,7% optó por una mejor educación, mientras que un 35,6% expresó la conveniencia de implementar leyes y controles más estrictos.

Ciudad Autónoma de Buenos Aires

Cantidad de casos: 300
Margen de error: 5,8%

PRINCIPAL PROBLEMA	
Caza y tráfico de especies	1,5%
Pesca abusiva	0%
Inundaciones	11,6%
Contaminación	51,7%
Impacto negativo de grandes obras	3,7%
Tala de bosques	1,7%
Incendios forestales	0%
Extinción de fauna o flora	1,4%
Degradación del suelo	1,8%
Cambio climático	6,9%

La contaminación constituye, para los habitantes de la Ciudad de Buenos Aires, el principal problema del medio ambiente. Así lo sostiene uno de cada dos porteños (51,7%). Por su parte, un 11,6% de la población afirma que las inundaciones representan el problema más importante, mientras que un 6,9% menciona el cambio climático.

En referencia a la situación medioambiental de la ciudad, el 7,1% de la población considera que es positiva (un 0,6% cree que es muy buena y un 6,5%, buena). Asimismo, un

La Situación Ambiental Argentina 2005

44,2% de los porteños piensa que la situación medioambiental es regular. Finalmente, un 47,4% opina que la situación es negativa (un 17,4% cree que es muy mala y un 30%, mala).

Con relación al desempeño del gobierno porteño en las temáticas medioambientales, uno de cada cinco porteños evalúa positivamente la gestión del mismo (para el 1,2% lo hace muy bien y para el 16,9%, bien). Por otra parte, un 41,1% de la población considera que el accionar del gobierno es regular y el 33,8% lo evalúa negativamente (para un 11,7% lo hace muy mal y para un 22,1%, mal).

El 43,9% de la población considera que el gobierno de la ciudad es el principal responsable de resolver los problemas medioambientales. Por su parte, el 29,9% cree que esa responsabilidad le compete al gobierno nacional, mientras que el 8,4% la atribuye a las empresas. Por último, un 2,4% afirma que las ONG son las responsables.

ACCIONES PARA EL CUIDADO DEL MEDIO AMBIENTE	
Leyes más estrictas	35,4%
ONG más eficientes	2,7%
Mejor educación	45,9%
Cambiar las pautas de consumo	4,1%
Medios de comunicación más ocupados por el tema	10,2%

SITUACIÓN AMBIENTAL	País	Provincia
Muy buena	1,2%	0,6%
Buena	14,1%	6,5%
Regular	43,9%	44,2%
Mala	27,6%	30%
Muy mala	9,5%	17,4%

EVALUACIÓN DE LA GESTIÓN DEL GOBIERNO PROVINCIAL	
Muy bien	1,2%
Bien	16,9%
Regular	41,1%
Mal	22,1%
Muy mal	11,7%

En referencia a la situación ambiental general de la Argentina, uno de cada dos porteños opina que ésta empeoró (54,7%), mientras que uno cada cuatro piensa que sigue igual (24,4%). Finalmente, un 13,8% de la población cree que la situación mejoró.

Por otra parte, tres de cada cinco porteños sostienen que su accionar puede contribuir a proteger el medio ambiente (un 22,1% cree que puede hacer mucho y un 40,2% considera que puede hacer algo). De este grupo, un 85,6% dice que hace lo que está a su alcance para proteger el medio ambiente. Finalmente, un 18,5% de los habitantes de la ciudad afirma que es muy poco lo que puede hacerse, mientras que un 17,5% opina que nada puede ser hecho.

En referencia a qué acción puede contribuir más a la defensa del medio ambiente, un 45,9% optó por una mejor educación y un 35,4% expresó la conveniencia de implementar leyes y controles más estrictos. Además, un 10,2% mencionó la necesidad de que los medios de comunicación se ocupen más del tema.

Catamarca

Cantidad de casos: 175
Margen de error: 7,6%

Ciudades: Gran San
Fernando del Valle de
Catamarca, Tinogasta
Belén y Recreo

Uno de cada tres catamarqueños afirma que la contaminación constituye el principal problema del medio ambiente (34,2%). Por su parte, un 19,4% de la población dice que el cambio climático es el problema más importante, mientras que un 14,4% menciona la tala de bosques.

En lo referente a la situación medioambiental de la provincia, el 23,3% de la población de Catamarca considera que es positiva (un 0,2% dice que es muy buena y un 23,1%, buena). Por su parte, un 40,6% de los catamarqueños piensa que la situación del medio ambiente es regular. Finalmente, un 35,5% opina que la situación es negativa (un 5,7% cree que es muy mala y un 29,8%, mala).

Al ser consultados sobre el desempeño del gobierno provincial en las temáticas medioambientales, un 17,1% de los catamarqueños evalúa positivamente la gestión del gobierno (para el 1,4% lo hace muy bien y para el 15,7%, bien). Por su parte, un 48% de la población considera que el accionar del gobierno es regular, mientras que un 29% lo evalúa negativamente (para un 15,5% lo hace mal y para un 13,5%, muy mal).

El 57,6% de la población afirma que el gobierno provincial es el principal responsable de resolver los problemas medioambientales. Por su parte, el 27,6% cree que esta responsabilidad le compete al gobierno nacional, mientras que el 10,9% la atribuye a las empresas. Por último, un 1,1% afirma que las organizaciones ambientalistas no gubernamentales son las principales responsables.

PRINCIPAL PROBLEMA	
Caza y tráfico de especies	6,3%
Pesca abusiva	0,2%
Inundaciones	0,5%
Contaminación	34,2%
Impacto negativo de grandes obras	0,5%
Tala de bosques	14,4%
Incendios forestales	4,8%
Extinción de fauna o flora	3%
Degradación del suelo	10,2%
Cambio climático	19,4%

ACCIONES PARA EL CUIDADO DEL MEDIO AMBIENTE	
Leyes más estrictas	33,7%
ONG más eficientes	6,3%
Mejor educación	40,9%
Cambiar las pautas de consumo	5,4%
Medios de comunicación más ocupados por el tema	13,7%

SITUACIÓN AMBIENTAL	País	Provincia
Muy buena	0,2%	0,2%
Buena	6,2%	23,1%
Regular	59,9%	40,6%
Mala	26,7%	29,8%
Muy mala	2,3%	5,7%

EVALUACIÓN DE LA GESTIÓN DEL GOBIERNO PROVINCIAL	
Muy bien	1,4%
Bien	15,7%
Regular	48%
Mal	15,5%
Muy mal	13,5%

Acerca de la situación ambiental general de la Argentina, uno de cada cinco catamarqueños cree que mejoró (19,4%), uno de cada tres considera que sigue igual (32,3%) y casi la mitad de la población opina que empeoró (45,9%).

En referencia a cuánto puede hacer cada uno para proteger el medio ambiente, uno de cada cuatro habitantes cree que mucho (26,5%). Por su parte, un tercio de los catamarqueños sostiene que puede hacer algo (33,4%) y otro tercio considera que nada puede hacerse (32,8%). Finalmente, un 6,7% de la población afirma que lo que puede hacerse es muy poco. Además, entre aquéllos que opinan que pueden hacer mucho o algo, un 73,8% dice que ya está haciendo lo que está a su alcance para proteger el medio ambiente.

El 40,9% de la población consideró que brindar una mejor educación es la acción que más puede contribuir a la defensa del medio ambiente. Por otra parte, el 33,7% de los catamarqueños expresó la conveniencia de implementar leyes y controles más estrictos.

Chaco

Cantidad de casos: 200
Margen de error: 7,1%

Ciudades: Gran Resistencia, Roque Sáenz Peña, Juan José Castelli, Pampa del Indio y Presidente Roca

La tala de bosques constituye el principal problema del medio ambiente para los habitantes de la provincia de Chaco. Así lo sostiene uno de cada cuatro chaqueños (26,3%). Por su parte, uno de cada cinco habitantes estima que las inundaciones (20,2%) representan el problema más importante, mientras que sólo un 15,1% menciona la contaminación.

En cuanto a la situación medioambiental de la provincia, el 11,4% de la población de Chaco considera que es positiva (un 1,7% cree que es muy buena y un 9,7%, buena). Por su parte, un 54% de los chaqueños piensa que la situación medioambiental es regular. Finalmente, un

PRINCIPAL PROBLEMA	
Caza y tráfico de especies	5,9%
Pesca abusiva	4,2%
Inundaciones	20,2%
Contaminación	15,1%
Impacto negativo de grandes obras	0,5%
Tala de bosques	26,3%
Incendios forestales	5,7%
Extinción de fauna o flora	1,7%
Degradación del suelo	4,8%
Cambio climático	9,5%

ACCIONES PARA EL CUIDADO DEL MEDIO AMBIENTE	
Leyes más estrictas	28%
ONG más eficientes	3,8%
Mejor educación	38,5%
Cambiar las pautas de consumo	13%
Medios de comunicación más ocupados por el tema	16,8%

SITUACIÓN AMBIENTAL	País	Provincia
Muy buena	0,3%	1,7%
Buena	16,2%	9,7%
Regular	57,5%	54%
Mala	22,8%	24%
Muy mala	3,1%	10,6%

34,6% opina que la situación es negativa (un 10,6% cree que es muy mala y un 24%, mala).

Uno de cada cinco chaqueños evalúa positivamente la gestión del gobierno provincial en las temáticas medioambientales (para el 2,2% lo hace muy bien y para el 19,5%, bien). Por su parte, la mitad de la población considera que el accionar del gobierno es regular (51,7%), mientras que un 23,5% lo evalúa negativamente (para un 4,4% lo hace muy mal y para un 19,1%, mal).

EVALUACIÓN DE LA GESTIÓN DEL GOBIERNO PROVINCIAL	
Muy bien	2,2%
Bien	19,5%
Regular	51,7%
Mal	19,1%
Muy mal	4,4%

La mitad de la población chaqueña considera que el gobierno provincial es el principal responsable de resolver los problemas medioambientales (51,3%). Por su parte, uno de cada cuatro cree que esa responsabilidad le compete al gobierno nacional (25,5%), mientras que el 4,5% la atribuye a las empresas. Por último, otro 3,6% afirma que las ONG son las responsables.

Sobre la situación ambiental general de la Argentina, seis de cada diez chaqueños sostienen que empeoró (61%), uno de cada cuatro considera que sigue igual (26,8%) y uno de cada diez opina que mejoró (9,6%).

Interrogados sobre cuánto puede hacer cada uno para proteger el medio ambiente, un 23% de los chaqueños cree que mucho, un 26,1% dice que algo, mientras que un 20,5% afirma que muy poco. Por último, un 28% de la población considera que nada puede hacerse. Además, entre los que sostienen que pueden hacer mucho o algo, un 82,3% dice que ya está haciendo lo que está a su alcance para proteger el medio ambiente.

En referencia a qué acción puede contribuir más a la defensa del medio ambiente, casi cuatro de cada diez chaqueños optaron por una mejor educación (38,5%), mientras que aproximadamente tres de cada diez expresaron la conveniencia de implementar leyes y controles más estrictos (28%).

Chubut

Cantidad de casos: 175
Margen de error: 7,6%

Ciudades: Comodoro Rivadavia, Trelew, Puerto Madryn y Esquel

Para los habitantes de la provincia de Chubut, la contaminación constituye el principal pro-

PRINCIPAL PROBLEMA	
Caza y tráfico de especies	0,5%
Pesca abusiva	16,9%
Inundaciones	6,7%
Contaminación	35,3%
Impacto negativo de grandes obras	2,7%
Tala de bosques	5,8%
Incendios forestales	7,8%
Extinción de fauna o flora	2,2%
Degradación del suelo	8,2%
Cambio climático	6%

La Situación Ambiental Argentina 2005

blema del medio ambiente. Así lo afirma uno de cada tres chubutenses (35,3%). Por su parte, un 16,9% de la población dice que la pesca abusiva es el problema más importante.

El 37,7% de la población de Chubut considera que la situación medioambiental es positiva (un 4,1% cree que es muy buena y un 33,6%, buena). Por su parte, casi la mitad de los chubutenses piensa que la situación medioambiental es regular (47,8%). Finalmente, un 11,9% opina que la situación es negativa (un 2,9% cree que es muy mala y un 9%, mala).

En referencia al desempeño del gobierno provincial en las temáticas medioambientales, uno de cada dos chubutenses evalúa positivamente la gestión del gobierno (para el 11,8% lo hace muy bien y para el 37,8%, bien). Por su parte, un 34,8% de la población considera que el accionar del gobierno es regular, mientras que un 11,1% lo evalúa negativamente (para un 7,4% lo hace mal y para un 3,7%, muy mal).

El 36% de la población opina que el gobierno provincial es el principal responsable de resolver los problemas medioambientales. Por su parte, el 28,7% cree que esa responsabilidad le compete al gobierno nacional, mientras que el 18,8% la atribuye a las empresas. Por último, un 3,5% afirma que las organizaciones ambientalistas no gubernamentales son las responsables.

Acerca de la situación ambiental general de la Argentina, la población chubutense tiene una opinión repartida. Un 32,8% cree que mejoró, un 35,8% considera que empeoró y un 27,3% piensa que sigue igual.

Consultados sobre cuánto puede hacer cada uno para proteger el medio ambiente, un 28,8% de los chubutenses cree que mucho. La misma cantidad de la población sostiene que se puede hacer algo, mientras que uno de cada cuatro habitantes (25,6%) dice que se puede hacer muy poco. Por último, un 14,5% de la población considera que nada puede hacerse. Además, entre aquéllos que opinan que pueden hacer mucho o algo, es ampliamente mayoritaria la creencia de que ya están haciendo lo que está a su alcance para proteger el medio ambiente (92,4%).

ACCIONES PARA EL CUIDADO DEL MEDIO AMBIENTE	
Leyes más estrictas	38,2%
ONG más eficientes	5,2%
Mejor educación	34,2%
Cambiar las pautas de consumo	11,3%
Medios de comunicación más ocupados por el tema	8,6%

SITUACIÓN AMBIENTAL	País	Provincia
Muy buena	1%	4,1%
Buena	20,8%	33,6%
Regular	49%	47,8%
Mala	21,6%	9%
Muy mala	3,9%	2,9%

EVALUACIÓN DE LA GESTIÓN DEL GOBIERNO PROVINCIAL	
Muy bien	11,8%
Bien	37,8%
Regular	34,8%
Mal	7,4%
Muy mal	3,7%

En referencia a qué acción puede contribuir más a la defensa del medio ambiente, un 38,2% expresó la conveniencia de implementar leyes y controles más estrictos, mientras que un 34,2% optó por brindar una mejor educación.

Córdoba

Cantidad de casos: 250
Margen de error: 6,3%

Ciudades: Gran Córdoba, Gran Río Cuarto, Río Tercero, Cruz del Eje, La Carlota y Santa Rosa

PRINCIPAL PROBLEMA	
Caza y tráfico de especies	4%
Pesca abusiva	0,6%
Inundaciones	6,9%
Contaminación	29%
Impacto negativo de grandes obras	1,3%
Tala de bosques	11%
Incendios forestales	17,3%
Extinción de fauna o flora	1,1%
Degradación del suelo	4,8%
Cambio climático	6,3%

ACCIONES PARA EL CUIDADO DEL MEDIO AMBIENTE	
Leyes más estrictas	25,6%
ONG más eficientes	3,4%
Mejor educación	46,4%
Cambiar las pautas de consumo	4,6%
Medios de comunicación más ocupados por el tema	12%

SITUACIÓN AMBIENTAL	País	Provincia
Muy buena	2%	5,1%
Buena	14,6%	25,6%
Regular	49,3%	40,9%
Mala	23,1%	21%
Muy mala	7,2%	6,4%

EVALUACIÓN DE LA GESTIÓN DEL GOBIERNO PROVINCIAL	
Muy bien	5,5%
Bien	28,6%
Regular	39,6%
Mal	12,6%
Muy mal	8,4%

Con respecto a la situación medioambiental de la provincia, el 30,7% de la población de Córdoba considera que es positiva (un 5,1% sostiene que es muy buena y un 25,6%, buena). Por su parte, un 40,9% de los cordobeses piensa que la situación ambiental es regular. Finalmente, un 27,4% opina que la situación es negativa (un 6,4% cree que es muy mala y un 21%, mala).

Consultados sobre el desempeño del gobierno provincial en las temáticas medioambientales, uno de cada tres cordobeses evalúa positivamente la gestión del gobierno (para el 5,5% lo hace muy bien y para el 28,6%, bien). Por su parte, cuatro de cada diez habitantes (39,6%) considera que el accionar del gobierno es regular, mientras que dos de cada diez (21%) lo evalúan negativamente (para un 12,6% lo hace mal y para un 8,4%, muy mal).

Para los habitantes de la provincia de Córdoba, la contaminación representa el principal problema del medio ambiente. Así lo afirman tres de cada diez cordobeses (29%). Por su parte, un 17,3% de la población opina que los incendios forestales constituyen el problema más importante de la provincia, mientras que un 11% hace referencia a la tala de bosques.

Sobre la situación ambiental general de la Argentina, casi la mitad de los cordobeses cree que empeoró (45,7%), mientras que un 17,6% sostiene que mejoró y un 29,4% opina que sigue igual.

El 38,4% de la población considera que el gobierno provincial es el principal responsable de resolver los problemas medioambientales. A su vez, el 21,6% cree que esa responsabilidad le compete al gobierno nacional, mientras que el 10,8% la atribuye a las empresas. Por último, un 3,6% afirma que las ONG son las responsables.

Consultados sobre cuánto puede hacer cada uno para proteger el medio ambiente, uno de cada cinco cordobeses cree que mucho. A su vez, uno de cada tres (33,3%) sostiene que se puede hacer algo, mientras que uno de cada cinco habitantes (20,1%) dice que se puede hacer muy poco. Por último, casi un cuarto de la población (22,8%) piensa que nada puede hacerse. Además, entre aquéllos que manifiestan que pueden hacer mucho o algo por el medio ambiente, un 80,1% afirma que ya está haciendo lo que se encuentra a su alcance.

En referencia a qué acción puede contribuir más a la defensa del medio ambiente, un 46,4% expresó la conveniencia de mejorar la educación, a la par que un 25,6% optó por implementar leyes y controles más estrictos.

Corrientes

Cantidad de casos: 200
Margen de error: 7,1%

Ciudades: Gran
Corrientes, Goya,
Mercedes, Ituzaingó,
Saladas y Alvear

PRINCIPAL PROBLEMA	
Caza y tráfico de especies	7,8%
Pesca abusiva	12,6%
Inundaciones	21,6%
Contaminación	18,8%
Impacto negativo de grandes obras	5,9%
Tala de bosques	5%
Incendios forestales	11,5%
Extinción de fauna o flora	2,2%
Degradación del suelo	0,2%
Cambio climático	7,3%
ACCIONES PARA EL CUIDADO DEL MEDIO AMBIENTE	
Leyes más estrictas	22,1%
ONG más eficientes	7%
Mejor educación	34,5%
Cambiar las pautas de consumo	4,3%
Medios de comunicación más ocupados por el tema	26%

Con respecto a la situación medioambiental de la provincia, el 22,3% de la población de Corrientes considera que es positiva (un 3,1% cree que es muy buena y un 19,2%, buena). Por su parte, más de la mitad de los correntinos (51,2%) piensa que la situación medioambiental es regular. Finalmente, uno de cada cuatro (26,4%) opina que la situación es negativa (para un 7,2% es muy mala y para un 19,2%, mala).

Consultados sobre el desempeño del gobierno provincial en las temáticas medioambientales, un 37% de los correntinos evalúa positivamente la gestión del gobierno (para el 11,3% lo hace muy bien y para el 25,7%, bien). Por su parte, un 42,6% de la población considera que el accionar del gobierno es regular, mientras que un 19,3% lo evalúa negativamente (para un 15,5% lo hace mal y para un 3,8%, muy mal).

SITUACIÓN AMBIENTAL		
	País	Provincia
Muy buena	1,7%	3,1%
Buena	10,9%	19,2%
Regular	61,6%	51,2%
Mala	18,2%	19,2%
Muy mala	2,6%	7,2%

EVALUACIÓN DE LA GESTIÓN DEL GOBIERNO PROVINCIAL	
Muy bien	11,3%
Bien	25,7%
Regular	42,6%
Mal	15,5%
Muy mal	3,8%

Para los habitantes de la provincia de Corrientes, las inundaciones representan el principal problema medioambiental (así lo afirma el 21,6% de los correntinos). Por su parte, un 18,8% de la población dice que la contaminación constituye el problema más importante, a la par que un 12,6% menciona la pesca abusiva y un 11,5%, los incendios forestales.

Sobre la situación ambiental general de la Argentina, un 25,6% de la población correntina cree que mejoró, mientras que un 37,9% sostiene que empeoró y un 31,6% opina que sigue igual.

Seis de cada diez correntinos consideran que el gobierno provincial es el principal responsable de resolver los problemas medioambientales (61,7%). Por su parte, el 21,6% cree que esa responsabilidad le compete al gobierno nacional, mientras que el 8,3% la atribuye a las empresas. Por último, un 2,9% afirma que las organizaciones ambientalistas no gubernamentales son las responsables.

Consultados sobre cuánto puede hacer cada uno para proteger el medio ambiente, casi dos de cada diez correntinos creen que mucho (18,9%). Además, dos de cada cinco sostienen que se puede hacer algo (39,3%), mientras que uno de cada cinco habitantes (20%) dice que se puede hacer muy poco. Por último, un 21,4% de la población piensa que nada puede hacerse. A su vez, un 79,7% de la población opina que ya está haciendo lo que está a su alcance para proteger el medio ambiente.

En referencia a qué acción puede contribuir más a la defensa del medio ambiente, un 34,5% optó por brindar una mejor educación, mientras que un 26% expresó la conveniencia de que los medios de comunicación se ocupen más de la temática. Por su parte, un 22,1% estuvo de acuerdo con implementar leyes y controles más estrictos.

Entre Ríos

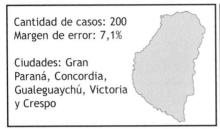

Cantidad de casos: 200
Margen de error: 7,1%

Ciudades: Gran
Paraná, Concordia,
Gualeguaychú, Victoria
y Crespo

PRINCIPAL PROBLEMA	
Caza y tráfico de especies	1,6%
Pesca abusiva	14,6%
Inundaciones	25%
Contaminación	27,1%
Impacto negativo de grandes obras	6,8%
Tala de bosques	5,3%
Incendios forestales	0,4%
Extinción de fauna o flora	2,2%
Degradación del suelo	1,1%
Cambio climático	10,3%

ACCIONES PARA EL CUIDADO DEL MEDIO AMBIENTE	
Leyes más estrictas	34,4%
ONG más eficientes	5,3%
Mejor educación	34,5%
Cambiar las pautas de consumo	6,8%
Medios de comunicación más ocupados por el tema	16,2%

SITUACIÓN AMBIENTAL	País	Provincia
Muy buena	1,8%	2,7%
Buena	18,8%	33,6%
Regular	55,7%	39,7%
Mala	16,8%	18,1%
Muy mala	3,6%	5,5%

EVALUACIÓN DE LA GESTIÓN DEL GOBIERNO PROVINCIAL	
Muy bien	5,9%
Bien	38,3%
Regular	35,7%
Mal	14,3%
Muy mal	2%

El 36,3% de la población de Entre Ríos considera que la situación medioambiental de la provincia es positiva (un 2,7% cree que es muy buena y un 33,6%, buena). Por su parte, un 39,7% de los entrerrianos piensa que la situación medioambiental es regular. Finalmente, un 23,6% opina que la situación es negativa (un 5,5% cree que es muy mala y un 18,1%, mala).

Al ser consultados sobre el desempeño del gobierno provincial en las temáticas medioambientales, cuatro de cada diez entrerrianos evaluaron positivamente la gestión del gobierno (para el 5,9% lo hace muy bien y para el 38,3%, bien). Por su parte, un 35,7% de la población considera que el accionar del gobierno es regular, mientras que un 16,3% lo evalúa negativamente (para un 2% lo hace muy mal y para un 14,3%, mal).

Para los habitantes de la provincia de Entre Ríos, la contaminación constituye el principal problema del medio ambiente. Así lo afirma un 27,1% de los entrerrianos. Por su parte, un cuarto de la población estima que las inundaciones representan el problema más importante (25%).

Acerca de la situación ambiental general de la Argentina, un 27,5% de la población entrerriana cree que mejoró, un 40,8% opina que empeoró y un 28,1% sostiene que sigue igual.

A su vez, el 42,8% de la población considera que el gobierno provincial es el principal responsable de resolver los problemas medioambientales. Por su parte, el 29,1% cree que esa responsabilidad le compete al gobierno nacional, mientras que el 12% la atribuye a las empresas. Por último, un 1,1% afirma que las ONG son las responsables.

Consultados sobre cuánto puede hacer cada uno para proteger el medio ambiente, uno de cada cuatro entrerrianos cree que mucho (25,3%) mientras que uno de cada tres sostiene que se puede hacer algo (33,3%). De ellos, el 86% afirma que habitualmente hace lo que está a su alcance para proteger el medio ambiente. En sentido contrario, aproximadamente uno de cada cinco habitantes (18%) dice que se puede hacer muy poco, a la vez que un 23,2% de la población considera que nada puede hacerse.

En referencia a qué acción puede contribuir más a la defensa del medio ambiente, uno de cada tres correntinos expresó la conveniencia de implementar leyes y controles más estrictos (34,4%), mientras que otros optaron por una mejor educación (34,5%).

Formosa

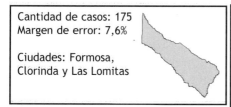

Cantidad de casos: 175
Margen de error: 7,6%

Ciudades: Formosa,
Clorinda y Las Lomitas

PRINCIPAL PROBLEMA	
Caza y tráfico de especies	2,5%
Pesca abusiva	3,9%
Inundaciones	22,2%
Contaminación	20,3%
Impacto negativo de grandes obras	0,9%
Tala de bosques	15,7%
Incendios forestales	8,1%
Extinción de fauna o flora	4,9%
Degradación del suelo	0,6%
Cambio climático	13,2%

ACCIONES PARA EL CUIDADO DEL MEDIO AMBIENTE	
Leyes más estrictas	30,4%
ONG más eficientes	5,3%
Mejor educación	28,2%
Cambiar las pautas de consumo	11,7%
Medios de comunicación más ocupados por el tema	18,9%

Consultados sobre el desempeño del gobierno provincial en las temáticas medioambientales, uno de cada cuatro formoseños evalúa positivamente la gestión del gobierno (para el 5,6% lo hace muy bien y para el 21,2%, bien). Por su parte, un 58,0% de la población considera que el accionar del gobierno es regular, mientras que un 12% lo evalúa negativamente (para un 8,7% lo hace mal y para un 3,3%, muy mal).

Con respecto a la situación medioambiental de la provincia, el 24,2% de la población de Formosa considera que es positiva (un 5% cree que es muy buena y un 19,2%, buena). Por su parte, un 54% de los formoseños piensa que la situación es regular y un 21,9%, que la situación es negativa (un 3,7% cree que es muy mala y un 18,2%, mala).

Para los habitantes de la provincia de Formosa, las inundaciones representan el principal problema del medio ambiente. Así lo afirma un 22,2% de los formoseños. Por su parte, un 20,3% de la población cree que la contaminación representa el problema más importante.

A su vez, cerca de la mitad de la población considera que el gobierno provincial es el principal responsable de resolver los problemas medioambientales (48,3%).

SITUACIÓN AMBIENTAL	País	Provincia
Muy buena	4,6%	5%
Buena	14,1%	19,2%
Regular	63,1%	54%
Mala	8,5%	18,2%
Muy mala	4,4%	3,7%

EVALUACIÓN DE LA GESTIÓN DEL GOBIERNO PROVINCIAL	
Muy bien	5,6%
Bien	21,2%
Regular	58,9%
Mal	8,7%
Muy mal	3,3%

Por su parte, el 29,5% cree que esa responsabilidad le compete al gobierno nacional, mientras que el 6,8% la atribuye a las empresas. Por último, un 3% afirma que las ONG ambientalistas son las responsables.

Sobre la situación ambiental general de la Argentina, la población formoseña tiene una opinión equilibrada. Un 33,3% cree que mejoró y un 38,5%, que empeoró, mientras que un 25,7% piensa que sigue igual.

A ser consultados sobre cuánto puede hacer cada uno para proteger el medio ambiente, uno de cada cinco formoseños cree que mucho (19,6%), mientras que tres de cada diez sostienen que se puede hacer algo (30%). De este 50% de la población, sólo el 70,4% afirma hacer lo que está a su alcance para proteger el medio ambiente. Además, uno de cada cinco formoseños (22%) dice que se puede hacer muy poco, mientras que un 27,8% de la población opina que nada puede hacerse.

En referencia a qué acción puede contribuir más a la defensa del medio ambiente, un 30,4% expresó la conveniencia de implementar leyes más estrictas, mientras que un 28,2% optó por una mejor educación.

Jujuy

Cantidad de casos: 175
Margen de error: 7,6%

Ciudades: Gran San Salvador de Jujuy, Libertador Gral. San Martín, La Quiaca y Fraile Pintado

PRINCIPAL PROBLEMA	
Caza y tráfico de especies	4,7%
Pesca abusiva	2,2%
Inundaciones	9,9%
Contaminación	28,9%
Impacto negativo de grandes obras	2,1%
Tala de bosques	11,2%
Incendios forestales	4,4%
Extinción de fauna o flora	2,7%
Degradación del suelo	4%
Cambio climático	17,1%

El 17,2% de la población de Jujuy considera que la situación medioambiental de la provincia es buena y el 0,3% cree que es muy buena. Por su parte, casi la mitad de los jujeños evalúa que la situación medioambiental es regular (46,2%). Finalmente, uno de cada tres habitantes de la provincia opina que la situación es negativa (un 6,6% cree que es muy mala y un 29,5%, mala).

Consultados sobre el desempeño del gobierno provincial en las temáticas medioambientales, un 15,8% de los jujeños evalúa bien la gestión del gobierno. Por su parte, la mitad de la población considera que el accionar del gobierno es regular (50,5%), mientras que cerca de un tercio lo evalúa negativamente (para un 23% lo hace mal y para un 7,3%, muy mal).

ACCIONES PARA EL CUIDADO DEL MEDIO AMBIENTE	
Leyes más estrictas	26,3%
ONG más eficientes	6,5%
Mejor educación	32,8%
Cambiar las pautas de consumo	11%
Medios de comunicación más ocupados por el tema	19,2%

SITUACIÓN AMBIENTAL	País	Provincia
Muy buena	0%	0,3%
Buena	12,6%	17,2%
Regular	62,6%	46,2%
Mala	20,2%	29,5%
Muy mala	2,5%	6,6%

EVALUACIÓN DE LA GESTIÓN DEL GOBIERNO PROVINCIAL	
Muy bien	0%
Bien	15,8%
Regular	50,5%
Mal	23%
Muy mal	7,3%

Como en la mayoría de las otras provincias, la contaminación constituye, para los jujeños, el principal problema del medio ambiente. Así opinan tres de cada diez jujeños (28,9%). Por su parte, un 17,1% de la población sostiene que el cambio climático es el problema más importante.

Sobre la situación ambiental general de la Argentina, uno de cada dos jujeños piensa que empeoró (51,7%). El resto de las opiniones se reparte entre aquéllos que creen que sigue igual (29,3%) y aquéllos que creen que mejoró (15,8%).

El 43,1% de la población considera que el gobierno provincial es el principal responsable de resolver los problemas medioambientales. Por su parte, el 32,2% cree que esa responsabilidad le compete al gobierno nacional, mientras que el 8,4% la atribuye a las empresas. Por último, un 1,3% sostiene que las ONG son las responsables.

Consultados sobre cuánto puede hacer cada uno para proteger el medio ambiente, dos de cada diez jujeños sostienen que mucho (20,1%), mientras que tres de cada diez afirman que se puede hacer algo (32,4%). De este grupo, el 76,8% afirma que ya está haciendo lo que está a su alcance para proteger el medio ambiente. En sentido contrario, dos de cada diez jujeños creen que muy poco puede hacerse por el medio ambiente (22,6%), a la par que otros dos aseveran que nada puede hacerse (21,4%).

En referencia a qué acción puede contribuir más a la defensa del medio ambiente, un 32,8% optó por una mejor educación, mientras que un 26,3% expresó la conveniencia de implementar leyes y controles más estrictos. Por su parte, un 19,2% sostuvo la necesidad de que los medios de comunicación se ocupen más del tema.

La Pampa

Cantidad de casos: 175
Margen de error: 7,6%

Ciudades:
Gran Santa Rosa,
General Pico, General
Acha e Intendente Alvear

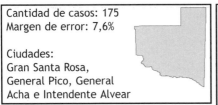

PRINCIPAL PROBLEMA	
Caza y tráfico de especies	7,8%
Pesca abusiva	3,8%
Inundaciones	6,2%
Contaminación	12,8%
Impacto negativo de grandes obras	4,3%
Tala de bosques	7,4%
Incendios forestales	20,1%
Extinción de fauna o flora	5,5%
Degradación del suelo	12%
Cambio climático	9,9%

ACCIONES PARA EL CUIDADO DEL MEDIO AMBIENTE	
Leyes más estrictas	36,7%
ONG más eficientes	4,3%
Mejor educación	31,1%
Cambiar las pautas de consumo	6,2%
Medios de comunicación más ocupados por el tema	16,4%

SITUACIÓN AMBIENTAL	País	Provincia
Muy buena	2,1%	7%
Buena	24,4%	38,6%
Regular	44,7%	33,9%
Mala	17,3%	12,3%
Muy mala	8%	4,6%

EVALUACIÓN DE LA GESTIÓN DEL GOBIERNO PROVINCIAL	
Muy bien	6%
Bien	35,3%
Regular	35,6%
Mal	13,4%
Muy mal	3,8%

Para los habitantes de la provincia de La Pampa, los incendios forestales constituyen el principal problema del medio ambiente. Así lo afirma uno de cada cinco pampeanos (20,1%). Por su parte, un 12,8% de la población dice que la contaminación representa el problema más importante, mientras que el 12% menciona la degradación del suelo.

Con respecto a la situación medioambiental de la provincia, el 45,6% de la población de La Pampa considera que es positiva (un 7% cree que es muy buena y un 38,6%, buena). Por su parte, un 33,9% de los pampeanos piensa que la situación medioambiental es regular. Finalmente, un 16,9% opina que la situación es negativa (un 4,6% cree que es muy mala y un 12,3%, mala).

Consultados sobre el desempeño del gobierno provincial en las temáticas medioambientales, cuatro de cada diez pampeanos evalúan positivamente la gestión del gobierno (para el 6% lo hace muy bien y para el 35,3%, bien). Por su parte, un 35,6% de la población considera que el accionar del gobierno es regular, mientras que un 17,2% lo evalúa negativamente (para un 13,4% lo hace mal y para un 3,8%, muy mal).

Al ser consultados sobre cuánto puede hacer cada uno para proteger el medio ambiente, un 17,5% de los pampeanos cree que mucho, mientras que uno de cada tres habitantes sostiene que se puede hacer algo (33,5%). Entre ellos, el 81,7% de la población dice que ya está haciendo lo que se encuentra a su alcance para proteger el medio ambiente. Mientras tanto, uno de cada cinco pampeanos afirma que se puede hacer muy poco (20,8%). La misma proporción de la población opina que nada puede hacerse (22,5%).

En referencia a qué acción puede contribuir más a la defensa del medio ambiente, un 36,7% expresó la conveniencia de aplicar leyes más estrictas y mejores controles. A su vez, un 31,1% optó por mejorar la educación de la población en estos temas.

A su vez, el 44,1% de la población considera que el gobierno provincial es el principal responsable de resolver los problemas medioambientales. Por su parte, el 23,2% cree que esa responsabilidad le compete al gobierno nacional, mientras que el 12,1% la atribuye a las empresas. Por último, un 6,4% afirma que las ONG ambientalistas son las responsables.

Sobre la situación ambiental general de la Argentina, un 36,1% de la población de La Pampa cree que empeoró. Por su parte, un 28,7% cree que mejoró, mientras que casi el mismo porcentaje piensa que sigue igual (29,1%).

La Rioja

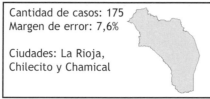

Cantidad de casos: 175
Margen de error: 7,6%

Ciudades: La Rioja, Chilecito y Chamical

PRINCIPAL PROBLEMA	
Caza y tráfico de especies	5,5%
Pesca abusiva	0,6%
Inundaciones	2,8%
Contaminación	35,7%
Impacto negativo de grandes obras	0,6%
Tala de bosques	9%
Incendios forestales	7%
Extinción de fauna o flora	1,3%
Degradación del suelo	5,3%
Cambio climático	13,7%

EVALUACIÓN DE LA GESTIÓN DEL GOBIERNO PROVINCIAL	
Leyes más estrictas	25,3%
ONG más eficientes	5,2%
Mejor educación	41,1%
Cambiar las pautas de consumo	10,2%
Medios de comunicación más ocupados por el tema	17,9%

Para los habitantes de la provincia de La Rioja, la contaminación representa el principal problema del medio ambiente. Así lo afirma un tercio de los riojanos (35,7%). Por su parte, un 13,7% de la población asevera que el cambio climático constituye el problema más importante.

Con respecto a la situación medioambiental de la provincia, el 28,5% de la población de La Rioja considera que es positiva (un 5,9% cree que es muy buena y un 22,6%, buena). Por su parte, un 49,7% de los riojanos piensa que la situación medioambiental es regular. Finalmente, un

21,8% opina que la situación es negativa (un 4% cree que es muy mala y un 17,8%, mala).

Consultados sobre el desempeño del gobierno provincial en las temáticas medioambientales, cuatro de cada diez riojanos evalúan positivamente la gestión del gobierno (para el 5,9% lo hace muy bien y para el 35,5%, bien). Por su parte, tres de cada diez consideran que el accionar del gobierno es regular (28,8%), mientras que otros tres de cada diez lo evalúan negativamente (para un 21,7% lo hace mal y para un 7,2%, muy mal).

SITUACIÓN AMBIENTAL	País	Provincia
Muy buena	2,8%	5,9%
Buena	27,3%	22,6%
Regular	51,9%	49,7%
Mala	14,8%	17,8%
Muy mala	2,5%	4%

EVALUACIÓN DE LA GESTIÓN DEL GOBIERNO PROVINCIAL	
Muy bien	5,9%
Bien	35,5%
Regular	28,8%
Mal	21,7%
Muy mal	7,2%

Acerca de la situación ambiental general de la Argentina, uno de cada cuatro riojanos cree que mejoró (24%), mientras que uno de cada tres sostiene que sigue igual (32,8%) y un 34% considera que empeoró.

Más de la mitad de la población de La Rioja considera que el gobierno provincial es el principal responsable de resolver los problemas medioambientales (52,8%). Por su parte, el 15,4% cree que esa responsabilidad le compete al gobierno nacional, mientras que el 10,5% la atribuye a las empresas. Por último, un 2,7% afirma que las ONG son las responsables.

Consultados sobre cuánto puede hacer cada uno para proteger el medio ambiente, tres de cada diez riojanos creen que mucho (30,4%), mientras que otros tres consideran que algo (29,4%). Del 59,8% que piensa que puede hacer algo o mucho, una amplia mayoría (88,3%) afirma que efectivamente hace lo que está a su alcance. Por otra parte, un 16,8% de los riojanos sostiene que se pude hacer muy poco, a la vez que un 20,2% manifiesta que nada puede hacerse.

En referencia a qué acción puede contribuir más a la defensa del medio ambiente, un 41,1% optó por una mejor educación, mientras que un 25,3% expresó la conveniencia de implementar leyes y controles más estrictos.

Mendoza

Cantidad de casos: 175
Margen de error: 7,6%

Ciudades: Gran Mendoza, San Rafael, Rivadavia y Tupungato

Para los habitantes de la provincia de Mendoza, la contaminación constituye el principal problema del medio ambiente. Así opinan cuatro de cada diez mendocinos (43,3%). Por su parte, un 16,5% de la población sostiene que el cambio climático representa el problema más importante.

Con respecto a la situación medioambiental de la provincia, el 42,6% de la población de Mendoza considera que es positiva (un 8,6% cree que es muy buena y un 34%, buena). Por su parte, un 37,7% de los mendocinos piensa que la situación medioambiental es regular. Finalmente, un 19,6% opina que la situación es negativa (un 1,5% cree que es muy mala y un 18,1%, mala).

Consultados sobre el desempeño del gobierno provincial en las temáticas medioambientales, cuatro de cada diez mendocinos evalúa positivamente la gestión del gobierno (para el 5,6% lo hace muy bien y para el 36,7%, bien). Por su parte, un 40,4% de la población considera que el accionar del gobierno es regular, mientras que un 13,9% lo evalúa negativamente (para un 12,7% lo hace mal y para un 1,2%, muy mal).

Sobre la situación ambiental general de la Argentina, casi uno de cada dos mendocinos cree que empeoró (45,4%). Por su parte, tres de cada diez sostienen que mejoró (31,3%), mientras que dos de cada diez manifiestan que sigue igual (19,3%).

PRINCIPAL PROBLEMA	
Caza y tráfico de especies	0,5%
Pesca abusiva	0%
Inundaciones	5,7%
Contaminación	43,3%
Impacto negativo de grandes obras	0,9%
Tala de bosques	6%
Incendios forestales	9,8%
Extinción de fauna o flora	2,1%
Degradación del suelo	1,7%
Cambio climático	16,5%

ACCIONES PARA EL CUIDADO DEL MEDIO AMBIENTE	
Leyes más estrictas	24%
ONG más eficientes	5%
Mejor educación	48,6%
Cambiar las pautas de consumo	4,9%
Medios de comunicación más ocupados por el tema	17%

SITUACIÓN AMBIENTAL	País	Provincia
Muy buena	0,4%	8,6%
Buena	25,3%	34%
Regular	49,9%	37,7%
Mala	17,7%	18,1%
Muy mala	2,4%	1,5%

EVALUACIÓN DE LA GESTIÓN DEL GOBIERNO PROVINCIAL	
Muy bien	5,6%
Bien	36,7%
Regular	40,4%
Mal	12,7%
Muy mal	1,2%

El 35,3% de la población considera que el gobierno provincial es el principal responsable de resolver los problemas medioambientales. Por su parte, el 30,6% cree que esa responsabilidad le compete al gobierno nacional, mientras que el 13,7% la atribuye a las empresas. Por último, un 3,3% afirma que las ONG ambientalistas son las responsables.

Al ser consultados sobre cuánto puede hacer cada uno para proteger el medio ambiente, un 19,7% de los mendocinos considera que mucho, mientras que un 45,4% cree que puede hacerse algo. De este 65,1%, el 79,4% de la población dice que habitualmente hace lo que se encuentra a su alcance para proteger el medio ambiente. Por su parte, un 16,8% opina que es muy poco lo que se puede hacer y un 15,2% estima que nada puede hacerse.

En referencia a qué acción puede contribuir más a la defensa del medio ambiente, un 48,6% optó por una mejor educación, mientras que un 24% expresó la conveniencia de implementar leyes y controles más estrictos.

Misiones

Cantidad de casos: 200
Margen de error: 7,1%

Ciudades: Gran Posadas, Oberá, El Dorado, Montecarlo y Candelaria

Para los habitantes de la provincia de Misiones, la tala de bosques constituye el principal problema del medio ambiente. Así lo cree un 22,8% de los misioneros. Por su parte, un 18,6% de la población sostiene que la contaminación representa el problema más importante, mientras que el 12,9% menciona los incendios forestales.

Con respecto a la situación medioambiental de la provincia, el 23,5% de la población de Misiones considera que es positiva (un 2,1% cree que es muy buena y un 21,4%, buena). Por su parte, un 53,7% de los misioneros piensa que la situación medioambiental es regular. Finalmente, un 22,3% opina que la situación es negativa (un 6,3% cree que es muy mala y un 16%, mala).

Consultados sobre el desempeño del gobierno provincial en las temáticas medioam-

PRINCIPAL PROBLEMA	
Caza y tráfico de especies	3,8%
Pesca abusiva	4%
Inundaciones	4,7%
Contaminación	18,6%
Impacto negativo de grandes obras	3,4%
Tala de bosques	22,8%
Incendios forestales	12,9%
Extinción de fauna o flora	3,2%
Degradación del suelo	2,4%
Cambio climático	9,4%

ACCIONES PARA EL CUIDADO DEL MEDIO AMBIENTE	
Leyes más estrictas	35,5%
ONG más eficientes	7,5%
Mejor educación	39,4%
Cambiar las pautas de consumo	4,6%
Medios de comunicación más ocupados por el tema	10,7%

SITUACIÓN AMBIENTAL	País	Provincia
Muy buena	2,2%	2,1%
Buena	16,3%	21,4%
Regular	65,2%	53,7%
Mala	13%	16%
Muy mala	1,2%	6,3%

EVALUACIÓN DE LA GESTIÓN DEL GOBIERNO PROVINCIAL	
Muy bien	2,8%
Bien	25,1%
Regular	48,3%
Mal	11,9%
Muy mal	6,8%

bientales, casi tres de cada diez misioneros evalúan positivamente la gestión del gobierno (para el 2,8% lo hace muy bien y para el 25,1%, bien). Por su parte, cerca de la mitad de la población considera que el accionar del gobierno es regular (48,3%), mientras que un 18,7% lo evalúa negativamente (para un 11,9% lo hace mal y para un 6,8%, muy mal).

La Situación Ambiental Argentina 2005

Sobre la situación ambiental general de la Argentina, un 27,2% de la población misionera cree que mejoró, un 39,3% opina que empeoró y un 26,2% sostiene que sigue igual.

El 44% de la población considera que el gobierno provincial es el principal responsable de resolver los problemas medioambientales. Por su parte, el 25,2% cree que esa responsabilidad le compete al gobierno nacional, mientras que el 15,7% la atribuye a las empresas. Por último, un 4% afirma que las ONG son las responsables.

Consultados sobre cuánto puede hacer cada uno para proteger el medio ambiente, un 16,2% de los misioneros considera que mucho, mientras que tres de cada diez dicen puede hacerse algo (30,3%). Por su parte, un 22,9% de los habitantes de la provincia cree que muy poco puede hacerse y un 30,7% manifiesta que nada puede hacerse. Además, entre aquellos que opinan que pueden hacer mucho o algo, el 71,3% de la población afirma que ya hace lo que está a su alcance para proteger el medio ambiente.

En referencia a qué acción puede contribuir más a la defensa del medio ambiente, un 39,4% optó por una mejor educación, mientras que un 35,5% expresó la conveniencia de implementar leyes y controles más estrictos.

Neuquén

Cantidad de casos: 175
Margen de error: 7,6%

Ciudades: Neuquén, Zapala, San Martín de los Andes y Chos Malal

Para los habitantes de la provincia de Neuquén, la contaminación constituye el principal problema del medio ambiente. Así lo afirma un tercio de los neuquinos (35%). Por su parte, un 11,4% de la población dice que el cambio climático representa el problema más importante.

Con respecto a la situación medioambiental de la provincia, uno de cada cuatro neuquinos considera que es positiva (un

PRINCIPAL PROBLEMA	
Caza y tráfico de especies	2%
Pesca abusiva	8,2%
Inundaciones	5,9%
Contaminación	35%
Impacto negativo de grandes obras	4%
Tala de bosques	4,3%
Incendios forestales	3,3%
Extinción de fauna o flora	1,7%
Degradación del suelo	9,3%
Cambio climático	11,4%

ACCIONES PARA EL CUIDADO DEL MEDIO AMBIENTE	
Leyes más estrictas	33%
ONG más eficientes	4%
Mejor educación	37,6%
Cambiar las pautas de consumo	8,7%
Medios de comunicación más ocupados por el tema	13%

0,7% cree que es muy buena y un 24,1%, buena). Por su parte, más de la mitad de la población piensa que la situación medioambiental es regular (55,6%). Finalmente, casi dos de cada diez

La Situación Ambiental Argentina 2005

opinan que la situación es negativa (un 2,3% cree que es muy mala y un 17,3%, mala).

Consultados sobre el desempeño del gobierno provincial en las temáticas medioambientales, uno de cada cuatro neuquinos evalúa positivamente la gestión del gobierno (para el 3,4% lo hace muy bien y para el 21,3%, bien). Por su parte, casi la mitad de la población considera que el accionar del gobierno es regular (49,1%), mientras que aproximadamente uno de cada cuatro lo evalúa negativamente (para un 20,9% lo hace mal y para un 2,3%, muy mal).

SITUACIÓN AMBIENTAL	País	Provincia
Muy buena	1,5%	0,7%
Buena	17,5%	24,1%
Regular	55,5%	55,6%
Mala	17,6%	17,3%
Muy mala	5,3%	2,3%

EVALUACIÓN DE LA GESTIÓN DEL GOBIERNO PROVINCIAL	
Muy bien	3,4%
Bien	21,3%
Regular	49,1%
Mal	20,9%
Muy mal	2,3%

Sobre la situación ambiental general de la Argentina, un 19,1% de la población neuquina cree que mejoró, un 23,5% opina que sigue igual y un 51% sostiene que empeoró.

Cerca de seis de cada diez neuquinos consideran que el gobierno provincial es el principal responsable de resolver los problemas medioambientales (56,8%). Por su parte, el 21,7% cree que esa responsabilidad le compete al gobierno nacional, mientras que el 10,4% la atribuye a las empresas. Por último, un 3,1% afirma que las ONG ambientalistas son las responsables.

Al ser consultados sobre cuánto puede hacer cada uno para proteger el medio ambiente, un 26,5% de los neuquinos cree que mucho, mientras que un 38,9% sostiene que algo. De ellos, el 75,5% afirma ya está haciendo lo que se encuentra a su alcance para proteger el medio ambiente. Por otra parte, el 20,8% de la población opina que puede hacer muy poco por el cuidado del medio ambiente, a la vez que un 12,8% cree que nada puede hacer.

En referencia a qué acción puede contribuir más a la defensa del medio ambiente, casi cuatro de cada diez neuquinos optan por una mejor educación (37,6%), mientras que uno cada tres expresa la conveniencia de implementar leyes y controles más estrictos (33%).

Río Negro

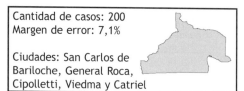

Cantidad de casos: 200
Margen de error: 7,1%

Ciudades: San Carlos de Bariloche, General Roca, Cipolletti, Viedma y Catriel

Para los habitantes de la provincia de Río Negro, la contaminación constituye el principal problema del medio ambiente. Así lo creen dos de cada cinco rionegrinos (41,7%). Por su parte, un 15,1% de la población dice que los incendios forestales representan el problema

La Situación Ambiental Argentina 2005

más importante, mientras que el 11,5% menciona el cambio climático.

Con respecto a la situación medioambiental de la provincia, el 22% de la población de Río Negro considera que es positiva (un 1,6% cree que es muy buena y un 20,4%, buena). Por su parte, un 50,6% de los rionegrinos piensa que la situación medioambiental es regular. Finalmente, un 27,3% opina que la situación es negativa (un 5,8% cree que es muy mala y un 21,5%, mala).

Al ser consultados sobre el desempeño del gobierno provincial en las temáticas medioambientales, uno de cada cinco rionegrinos evalúa bien la gestión del gobierno (19,7%). Por su parte, un 58,1% de la población considera que el accionar del gobierno es regular, mientras que un 15,9% lo evalúa negativamente (para un 12,5% lo hace mal y para un 3,4%, muy mal).

Sobre la situación ambiental general de la Argentina, un 23,9% de la población rionegrina cree que mejoró, un 47,1% sostiene que empeoró y un 22,6% opina que sigue igual.

PRINCIPAL PROBLEMA	
Caza y tráfico de especies	4,8%
Pesca abusiva	4,8%
Inundaciones	4,8%
Contaminación	41,7%
Impacto negativo de grandes obras	1%
Tala de bosques	4,6%
Incendios forestales	15,1%
Extinción de fauna o flora	1%
Degradación del suelo	3,9%
Cambio climático	11,5%

ACCIONES PARA EL CUIDADO DEL MEDIO AMBIENTE	
Leyes más estrictas	22,2%
ONG más eficientes	1,2%
Mejor educación	46,6%
Cambiar las pautas de consumo	11,5%
Medios de comunicación más ocupados por el tema	18,5%

SITUACIÓN AMBIENTAL	País	Provincia
Muy buena	0,2%	1,6%
Buena	13,1%	20,4%
Regular	47,6%	50,6%
Mala	27,6%	21,5%
Muy mala	7,5%	5,8%

EVALUACIÓN DE LA GESTIÓN DEL GOBIERNO PROVINCIAL	
Muy bien	0%
Bien	19,7%
Regular	58,1%
Mal	12,5%
Muy mal	3,4%

A su vez, dos de cada cinco rionegrinos consideran que el gobierno provincial es el principal responsable de resolver los problemas medioambientales (41,7%). Por su parte, el 30,2% cree que esa responsabilidad le compete al gobierno nacional, mientras que el 14,9% la atribuye a las empresas. Por último, un 1,2% afirma que las ONG son las mayores responsables.

Consultados sobre cuánto puede hacer cada uno para proteger el medio ambiente, un 28,5% de los rionegrinos sostiene que mucho, mientras que un 38,3% cree que se puede hacer algo. A su vez, un 13,9% manifiesta que es muy poco lo que se puede hacer. Por último, un 19,3% de la población piensa que nada puede hacerse. Además, entre aquéllos que opinan que pueden hacer mucho o algo, el 85,5% de la población dice que ya está haciendo lo que se encuentra a su alcance para proteger el medio ambiente.

En referencia a qué acción puede contribuir más a la defensa del medio ambiente, un 46,6% optó por una mejor educación, mientras que un 22,2% expresó la conveniencia de implementar leyes y controles más estrictos. Por su parte, un 18,5% cree conveniente que los medios de comunicación se ocupen más del tema.

Salta

Cantidad de casos: 200
Margen de error: 7,1%

Ciudades: Gran Salta,
Metán San Ramón de la
Nueva Orán y Cafayate

PRINCIPAL PROBLEMA	
Caza y tráfico de especies	1,4%
Pesca abusiva	3%
Inundaciones	8,7%
Contaminación	30,2%
Impacto negativo de grandes obras	1%
Tala de bosques	22,7%
Incendios forestales	14,3%
Extinción de fauna o flora	3,6%
Degradación del suelo	4,4%
Cambio climático	5,6%

ACCIONES PARA EL CUIDADO DEL MEDIO AMBIENTE	
Leyes más estrictas	26,7%
ONG más eficientes	1,8%
Mejor educación	46,2%
Cambiar las pautas de consumo	4%
Medios de comunicación más ocupados por el tema	16,6%

SITUACIÓN AMBIENTAL	País	Provincia
Muy buena	0,5%	3%
Buena	21,9%	31,3%
Regular	46%	36,7%
Mala	20,3%	25,8%
Muy mala	5,4%	3%

EVALUACIÓN DE LA GESTIÓN DEL GOBIERNO PROVINCIAL	
Muy bien	3%
Bien	23,9%
Regular	47,9%
Mal	15%
Muy mal	3%

Para los habitantes de la provincia de Salta, la contaminación constituye el principal problema del medio ambiente. Así lo afirman tres de cada diez salteños (30,2%). Por su parte, un 22,7% de la población dice que la tala de bosques es el problema más importante.

Con respecto a la situación medioambiental de la provincia, el 34,3% de la población de Salta considera que es positiva. Por su parte, un 36,7% de los salteños piensa que la situación medioambiental es regular. Finalmente, un 28,8% opina que la situación es negativa (un 3% cree que es muy mala y un 25,8%, mala).

Consultados sobre el desempeño del gobierno provincial en las temáticas medioambientales, uno de cada cuatro salteños evalúa positivamente la gestión del gobierno (para el 3% lo hace muy bien y para el 23,9%, bien). Por su parte, un 47,9% de la población considera que el accionar del gobierno es regular, mientras que un 18% lo evalúa negativamente (para un 15% lo hace mal y para un 3%, muy mal).

Con relación a cuánto puede hacer cada uno para proteger el medio ambiente, un 29,1% de los salteños cree que mucho. Paralelamente, un 19,4% de la población afirma que se puede hacer algo. Por último, un 24,8% de los salteños considera que se puede hacer muy poco, mientras que otro 24,4% dice que nada puede hacerse. Además, entre aquéllos que opinan que pueden hacer mucho o algo, el 87,2% afirma que ya está haciendo lo que se encuentra a su alcance para proteger el medio ambiente.

En referencia a qué acción puede contribuir más a la defensa del medio ambiente, un 46,2% optó por una mejor educación, mientras que un 26,7% expresó la conveniencia de implementar leyes y controles más estrictos.

La mitad de la población salteña considera que el gobierno provincial es el principal responsable de resolver los problemas medioambientales (50,2%). Por su parte, el 24,6% cree que esa responsabilidad le compete al gobierno nacional, mientras que el 11,5% la atribuye a las empresas. Por último, un 3,2% afirma que las ONG ambientalistas son las responsables.

Sobre la situación ambiental general de la Argentina, uno de cada tres salteños cree que mejoró (35,6%), mientras que cuatro de cada diez sostienen que empeoró (41,1%). Además, dos de cada diez piensan que la situación sigue igual (21%).

San Juan

Cantidad de casos: 175
Margen de error: 7,6%

Ciudades: Gran San Juan, Caucete, San José de Jáchal y Villa Santa Rosa

PRINCIPAL PROBLEMA	
Caza y tráfico de especies	2,4%
Pesca abusiva	3,2%
Inundaciones	3,7%
Contaminación	34,2%
Impacto negativo de grandes obras	2,8%
Tala de bosques	4,1%
Incendios forestales	8,2%
Extinción de fauna o flora	1,7%
Degradación del suelo	4,1%
Cambio climático	21,1%

ACCIONES PARA EL CUIDADO DEL MEDIO AMBIENTE	
Leyes más estrictas	29,9%
ONG´s más eficientes	1,9%
Mejor educación	48,5%
Cambiar las pautas de consumo	7,1%
Medios de comunicación más ocupados por el tema	9,3%

Para los habitantes de la provincia de San Juan, la contaminación constituye el principal problema del medio ambiente. Así lo afirma uno de cada tres sanjuaninos (34,2%). Por su parte, un 21,1% de la población dice que el cambio climático es el problema más importante.

Con respecto a la situación medioambiental de la provincia, el 18,7% de la población de San Juan considera que es positiva (un 0,6% cree que es muy buena y un 18,1%, buena). El 54,3% de los sanjuaninos piensa que la situación medioambiental es regular y un 26,7%

opina que la situación es negativa (un 9,9% cree que es muy mala y un 16,8%, mala).

Al ser consultados sobre el desempeño del gobierno provincial en las temáticas medioambientales, uno de cada tres sanjuaninos evalúa positivamente la gestión del gobierno (para el 4,5% lo hace muy bien y para el 30,8%, bien). Por su parte, un 45,7% de la población considera que el accionar del gobierno es regular, mientras que un 16,2% lo evalúa negativamente (para un 13,6% lo hace mal y para un 2,6%, muy mal).

SITUACIÓN AMBIENTAL		
	País	Provincia
Muy buena	0%	0,6%
Buena	13,6%	18,1%
Regular	59,1%	54,3%
Mala	20,5%	16,8%
Muy mala	1,7%	9,9%

EVALUACIÓN DE LA GESTIÓN DEL GOBIERNO PROVINCIAL	
Muy bien	4,5%
Bien	30,8%
Regular	45,7%
Mal	13,6%
Muy mal	2,6%

Paralelamente, consultados sobre cuánto puede hacer cada uno para proteger el medio ambiente, uno de cada cuatro sanjuaninos piensa que mucho (25,2%). El 36,6% de la población sostiene que se puede hacer algo, mientras que un 14,4% dice que se puede hacer muy poco. Por último, un 20,9% de la población cree que nada puede hacerse. Además, entre aquéllos que opinan que pueden hacer mucho o algo, el 83,3% dice que habitualmente hace lo que está a su alcance para proteger el medio ambiente.

En referencia a qué acción puede contribuir más a la defensa del medio ambiente, un 48,5% expresó la conveniencia de mejorar la educación de la población en estos temas, mientras que un 29,9% optó por que haya leyes más estrictas y mejores controles.

A su vez, casi tres de cada cinco sanjuaninos consideran que el gobierno provincial es el principal responsable de resolver los problemas medioambientales (58,6%). Por su parte, el 13,1% cree que esa responsabilidad le compete al gobierno nacional, mientras que otro 12,9% la atribuye a las empresas. Por último, un 6% afirma que las ONG son las responsables.

Sobre la situación ambiental general de la Argentina, el 40,5% de la población de San Juan cree que empeoró, el 30% considera que sigue igual y el 27,8% opina que mejoró.

San Luis

Cantidad de casos: 175
Margen de error: 7,6%

Ciudades: Gran San Luis, Justo Daract y Villa Mercedes

Consultados sobre el desempeño del gobierno provincial en las temáticas medioambientales, más de cuatro de cada diez puntanos evalúan positivamente la gestión del gobierno (para el 10,6% lo hace muy bien y para el 33,6%, bien). Por su parte, un 29,3% de la población considera que el accionar del gobierno es regular, mientras que un 22,1% lo evalúa negativamente (para un 20% lo hace mal y para un 2,1%, muy mal).

Con respecto a la situación medioambiental de la provincia, el 38,8% de la población de San Luis considera que es positiva (un 5,1% cree que es muy buena y un 33,7%, buena). Por su parte, un 39,4% de los puntanos piensa que la situación medioambiental es regular. Finalmente, un 20,9% opina que la situación es negativa (un 6,5% cree que es muy mala y un 14,4%, mala).

Para los habitantes de la provincia de San Luis, la contaminación constituye el principal problema del medio ambiente. Así lo afirma uno de cada tres puntanos (36,2%). Por su parte, un 12,5% de la población dice que el cambio climático es el problema más importante, mientras que otro 11,9% menciona los incendios forestales.

A su vez, casi seis de cada diez puntanos consideran que el gobierno provincial es el principal responsable de resolver los problemas medioambientales (58,8%). Por su parte, el 19,2% cree que esa responsabilidad le compete al gobierno nacional, mientras que el 7,1% la atribuye a las empresas. Por último, un 5,9% afirma que las ONG ambientalistas son las responsables.

PRINCIPAL PROBLEMA	
Caza y tráfico de especies	7,8%
Pesca abusiva	0,2%
Inundaciones	3,5%
Contaminación	36,2%
Impacto negativo de grandes obras	2%
Tala de bosques	4,2%
Incendios forestales	11,9%
Extinción de fauna o flora	1,6%
Degradación del suelo	2,2%
Cambio climático	12,5%

ACCIONES PARA EL CUIDADO DEL MEDIO AMBIENTE	
Leyes más estrictas	20%
ONG más eficientes	3,1%
Mejor educación	35,7%
Cambiar las pautas de consumo	11,5%
Medios de comunicación más ocupados por el tema	27,5%

SITUACIÓN AMBIENTAL	País	Provincia
Muy buena	0,7%	5,1%
Buena	14%	33,7%
Regular	53,6%	39,4%
Mala	19,7%	14,4%
Muy mala	9%	6,5%

EVALUACIÓN DE LA GESTIÓN DEL GOBIERNO PROVINCIAL	
Muy bien	10,6%
Bien	33,6%
Regular	29,3%
Mal	20%
Muy mal	2,1%

Sobre la situación ambiental general de la Argentina, el 27,6% de la población de San Luis cree que mejoró, un 36,5% considera que empeoró y el 32,4% sostiene que sigue igual.

Al ser consultados sobre cuánto puede hacer cada uno para proteger el medio ambiente, un 29,2% de los puntanos cree que mucho. El 31,6% de la población sostiene que se puede hacer algo, mientras que un 13,6% dice que se puede hacer muy poco. Por último, un 22,8% de la población cree que nada puede hacerse. Además, entre aquéllos que opinan que pueden hacer mucho o algo, el 84,4% afirma que ya está haciendo lo que está a su alcance para proteger el medio ambiente.

La Situación Ambiental Argentina 2005

En referencia a qué acción puede contribuir más a la defensa del medio ambiente, un 35,7% expresó la conveniencia de mejorar la educación de la población en estos temas, mientras que un 27,5% optó por una participación mayor de los medios de comunicación en estas cuestiones.

Santa Cruz

Cantidad de casos: 175
Margen de error: 7,6%

Ciudades: Río Gallegos,
Caleta Olivia y
Yacimientos Río Turbio

PRINCIPAL PROBLEMA	
Caza y tráfico de especies	0%
Pesca abusiva	7,7%
Inundaciones	2,2%
Contaminación	31,4%
Impacto negativo de grandes obras	2,1%
Tala de bosques	4,2%
Incendios forestales	6,1%
Extinción de fauna o flora	3,5%
Degradación del suelo	7,7%
Cambio climático	25,7%

ACCIONES PARA EL CUIDADO DEL MEDIO AMBIENTE	
Leyes más estrictas	30,2%
ONG más eficientes	2,5%
Mejor educación	46,6%
Cambiar las pautas de consumo	6,4%
Medios de comunicación más ocupados por el tema	13,8%

SITUACIÓN AMBIENTAL	País	Provincia
Muy buena	0,5%	2,7%
Buena	20,9%	33,7%
Regular	52,4%	39,2%
Mala	17%	18,2%
Muy mala	8,3%	5,2%

EVALUACIÓN DE LA GESTIÓN DEL GOBIERNO PROVINCIAL	
Muy bien	8,1%
Bien	34,4%
Regular	34,3%
Mal	13,1%
Muy mal	7,7%

Al ser consultados sobre el desempeño del gobierno provincial en las temáticas medioambientales, cuatro de cada diez santacruceños evalúan positivamente la gestión del gobierno (para el 8,1% lo hace muy bien y para el 34,4%, bien). Por su parte, un 34,3% de la población considera que el accionar del gobierno es regular, mientras que dos de cada diez lo evalúan negativamente (para un 13,1% lo hace mal y para un 7,7%, muy mal).

Con respecto a la situación medioambiental de la provincia, el 36,4% de la población de Santa Cruz considera que es positiva (un 2,7% cree que es muy buena y un 33,7%, buena). Por su parte, un 39,2% de los santacruceños piensa que la situación medioambiental es regular. Finalmente, un 23,4% opina que la situación es negativa (un 5,2% cree que es muy mala y un 18,2%, mala).

Para los habitantes de la provincia de Santa Cruz, la contaminación constituye el principal problema del medio ambiente. Así lo afirma uno de cada tres santacruceños (31,4%). Por su parte, un 25,7% de la población dice que el cambio climático es el problema más importante.

La Situación Ambiental Argentina 2005

Sobre la situación ambiental general de la Argentina, la población de Santa Cruz tiene una opinión equilibrada. Un 32,4% cree que mejoró, un 28% opina que empeoró y un 29,1% piensa que sigue igual.

Uno de cada dos santacruceños considera que el gobierno provincial es el principal responsable de resolver los problemas medioambientales (48,1%). Por su parte, el 19% cree que esa responsabilidad le compete al gobierno nacional, mientras que el 16,9% la atribuye a las empresas. Por último, un 3,4% afirma que las ONG son las responsables.

Consultados sobre cuánto puede hacer cada uno para proteger el medio ambiente, un 22,7% de los santacruceños considera que mucho. La misma cantidad de la población sostiene que se puede hacer muy poco, mientras que casi uno de cada tres habitantes (30,8%) dice que se puede hacer algo. Por último, un 22,1% de la población cree que nada puede hacerse. Además, entre aquéllos que opinan que pueden hacer mucho o algo, una amplísima mayoría (92,7%) afirma que ya está haciendo lo que se halla a su alcance para proteger el medio ambiente.

En referencia a qué acción puede contribuir más a la defensa del medio ambiente, un 46,6% optó por una mejor educación, mientras que un 30,2% expresó la conveniencia de implementar leyes y controles más estrictos.

Santa Fe

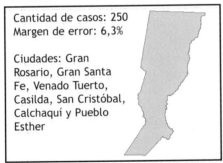

Cantidad de casos: 250
Margen de error: 6,3%

Ciudades: Gran Rosario, Gran Santa Fe, Venado Tuerto, Casilda, San Cristóbal, Calchaquí y Pueblo Esther

PRINCIPAL PROBLEMA	
Caza y tráfico de especies	1,4%
Pesca abusiva	10,8,%
Inundaciones	16,1%
Contaminación	33,4%
Impacto negativo de grandes obras	3,9%
Tala de bosques	4,8%
Incendios forestales	1,8%
Extinción de fauna o flora	1%
Degradación del suelo	1,7%
Cambio climático	7,5%

ACCIONES PARA EL CUIDADO DEL MEDIO AMBIENTE	
Leyes más estrictas	31,7%
ONG más eficientes	4,8%
Mejor educación	36,5%
Cambiar las pautas de consumo	8,6%
Medios de comunicación más ocupados por el tema	13,4%

Consultados sobre el desempeño del gobierno provincial en las temáticas medioambientales, uno de cada cuatro santafesinos evalúa positivamente la gestión del gobierno (para el 3,1% lo hace muy bien y para el 22,8%, bien). Por su parte, un 47,7% de la población considera que el accionar del gobierno es regular, mientras que un 20,5% lo evalúa negativamente (para un 16,9% lo hace mal y para un 3,6%, muy mal).

Para los habitantes de la provincia de Santa Fe, la contaminación es el principal problema del medio ambiente. Así lo afirma uno de cada tres santafesinos (33,4%). Por su parte, un 16,1% de la población opina que las inundaciones constituyen el problema más importante de la provincia, mientras que un 10,8% menciona la pesca abusiva.

Con respecto a la situación medioambiental de la provincia, de cada cuatro santafesinos uno considera que es positiva (un 3,2% cree que es muy buena y un 21,5%, buena),

SITUACIÓN AMBIENTAL		
	País	Provincia
Muy buena	0,9%	3,2%
Buena	16,5%	21,5%
Regular	54,5%	47,4%
Mala	24,3%	23,8%
Muy mala	0,9%	1,4%

EVALUACIÓN DE LA GESTIÓN DEL GOBIERNO PROVINCIAL	
Muy bien	3,1%
Bien	22,8%
Regular	47,7%
Mal	16,9%
Muy mal	3,6%

uno sostiene que es negativa (un 1,4% afirma que es muy mala y un 23,8%, mala) y dos opinan que es regular (47,4%).

Al ser consultados sobre cuánto puede hacer cada uno para proteger el medio ambiente, uno de cada cuatro santafesinos (24,3%) cree que mucho. Uno de cada tres (33%) sostiene que se puede hacer algo, mientras que un 14,7% dice que se puede hacer muy poco. Por último, un cuarto de la población (26,4%) cree que nada puede hacerse. Además, entre aquéllos que opinan que pueden hacer mucho o algo, el 83,2% afirma que ya está haciendo lo que se halla a su alcance para proteger el medio ambiente.

En referencia a qué acción puede contribuir más a la defensa del medio ambiente, un 36,5% expresó la conveniencia de que se eduque mejor a la población, mientras que un 31,7% optó por la implementación de leyes y controles más estrictos.

Sobre la situación ambiental general de la Argentina, la población santafesina cree en un 25,2% que mejoró, en un 41,4%, que empeoró y en un 30,9%, que sigue igual.

El 43% de la población considera que el gobierno provincial es el principal responsable de resolver los problemas medioambientales. Por su parte, el 31,4% cree que esa responsabilidad le compete al gobierno nacional, mientras que el 7% la atribuye a las empresas. Por último, un 1,7% afirma que las ONG ambientalistas son las responsables.

Santiago del Estero

Con respecto a la situación medioambiental de esta provincia, el 17,1% de la población de Santiago del Estero considera que es positiva (un 0,8% cree que es muy buena y un 16,3%, buena). Por su parte, un 48,1% de los santiagueños piensa que la situación medioambiental es regular.

La Situación Ambiental Argentina 2005

Cantidad de casos: 175
Margen de error: 7,6%

Ciudades: Santiago del
Estero - La Banda,
Termas de Río Hondo y
Monte Quemado

PRINCIPAL PROBLEMA	
Caza y tráfico de especies	1,5%
Pesca abusiva	3,5%
Inundaciones	3,8%
Contaminación	29%
Impacto negativo de grandes obras	0,5%
Tala de bosques	24,8%
Incendios forestales	1,4%
Extinción de fauna o flora	4,1%
Degradación del suelo	4,6%
Cambio climático	15,1%

ACCIONES PARA EL CUIDADO DEL MEDIO AMBIENTE	
Leyes más estrictas	29,3%
ONG más eficientes	1,9%
Mejor educación	39,3%
Cambiar las pautas de consumo	2,9%
Medios de comunicación más ocupados por el tema	23,3%

SITUACIÓN AMBIENTAL	País	Provincia
Muy buena	0,4%	0,8%
Buena	19,7%	16,3%
Regular	49,5%	48,1%
Mala	17,5%	31,3%
Muy mala	9,3%	3,2%

EVALUACIÓN DE LA GESTIÓN DEL GOBIERNO PROVINCIAL	
Muy bien	2,2%
Bien	35,2%
Regular	35,2%
Mal	10%
Muy mal	1,1%

Finalmente, un 34,5% opina que la situación es negativa (un 3,2% cree que es muy mala y un 31,3%, mala).

Al ser consultados sobre el desempeño del gobierno provincial en las temáticas medioambientales, un 37,4% evalúa positivamente la gestión del gobierno (para el 2,2% lo hace muy bien y para el 35,2%, bien). Un 35,2% de la población considera que el accionar del gobierno es regular, mientras que un 11,1% lo evalúa negativamente (para un 10% lo hace mal y para un 1,1%, muy mal).

Para los habitantes de la provincia de Santiago del Estero, la contaminación constituye el principal problema del medio ambiente. Así lo afirman tres de cada diez santiagueños (29%). Por su parte, un cuarto de la población sostiene que la tala de bosques representa el problema más importante (24,8%).

A su vez, dos de cada tres santiagueños consideran que el gobierno provincial es el principal responsable de resolver los problemas medioambientales (66%). Por su parte, el 16,3% cree que esa responsabilidad le compete al gobierno nacional, mientras que el 14,2% la atribuye a las empresas.

Sobre la situación ambiental general de la Argentina, la población santiagueña cree en un 35,5% que mejoró, en un 33,4%, que empeoró y en un 24,1%, que sigue igual.

Consultados sobre cuánto puede hacer cada uno para proteger el medio ambiente, un 17,2% de los santiagueños cree que mucho. Por su parte, un 35,7% de la población sostiene que se puede hacer algo, mientras que un 12,5% de la población dice que se puede hacer muy poco. Por último, tres de cada diez santiagueños creen que nada puede hacerse (31,2%). Además, entre aquéllos que opinan que pueden hacer mucho o algo, un 76,7% dice que ya está haciendo lo que se encuentra a su alcance para proteger el medio ambiente.

En referencia a qué acción puede contribuir más a la defensa del medio ambiente, un 39,3% optó por una mejor educación, mientras que un 29,3% expresó la conveniencia de implementar leyes y controles más estrictos. Además, un 23,3% deslizó la alternativa de que los medios de comunicación se ocupen más del tema.

Tierra del Fuego

Cantidad de casos: 175
Margen de error: 7,6%

Ciudades: Río Grande y Ushuaia

Cerca de uno de cada tres fueguinos afirma que la tala de bosques constituye el principal problema del medio ambiente (35,4%). Por su parte, un 22,3% de la población cree que el cambio climático es el problema más importante.

Consultados sobre el desempeño del gobierno provincial en las temáticas medioambientales, uno de cada cuatro fueguinos evalúa positivamente la gestión del gobierno (para el 3% lo hace muy bien y para el 19,6%, bien). Un 42,6% de la población considera que el accionar del gobierno es regular y un 28,2% lo evalúa negativamente (para un 21% lo hace mal y para un 7,2%, muy mal).

Con respecto a la situación medioambiental de la provincia, el 36,7% de la población de Tierra del Fuego considera que es positiva

PRINCIPAL PROBLEMA	
Caza y tráfico de especies	0,6%
Pesca abusiva	9,3%
Inundaciones	0%
Contaminación	14,4%
Impacto negativo de grandes obras	1,7%
Tala de bosques	35,4%
Incendios forestales	6,9%
Extinción de fauna o flora	0,6%
Degradación del suelo	2,5%
Cambio climático	22,3%

ACCIONES PARA EL CUIDADO DEL MEDIO AMBIENTE	
Leyes más estrictas	39,5%
ONG más eficientes	4,5%
Mejor educación	31,6%
Cambiar las pautas de consumo	6,9%
Medios de comunicación más ocupados por el tema	15%

SITUACIÓN AMBIENTAL	País	Provincia
Muy buena	0,3%	4,6%
Buena	14,9%	32,1%
Regular	46%	41,6%
Mala	28,3%	15,6%
Muy mala	7%	4,8%

(un 4,6% cree que es muy buena y un 32,1%, buena). Por su parte, un 41,6% de los fueguinos piensa que la situación medioambiental es regular. Finalmente, un 20,4% opina que la situación es negativa (un 4,8% cree que es muy mala y un 15,6%, mala).

Al ser interrogados sobre cuánto puede hacer cada uno para proteger el medio ambiente, uno de cada cuatro fueguinos cree que mucho (27,3%) y uno de cada tres sostiene que se puede hacer algo (32,1%). Entre ellos, el 71,9% dice que habitualmente hace lo que está a su alcance para proteger el medio ambiente. Por último, uno de cada cuatro fueguinos (23,4%) afirma que se puede hacer muy poco y casi uno de cada cinco (16,7%) cree que nada puede hacerse.

EVALUACIÓN DE LA GESTIÓN DEL GOBIERNO PROVINCIAL	
Muy bien	1,4%
Bien	15,7%
Regular	48%
Mal	15,5%
Muy mal	13,5%

En referencia a qué acción puede contribuir más a la defensa del medio ambiente, un 39,5% expresó la conveniencia de implementar leyes y controles más estrictos, mientras que un 31,6% optó por una mejor educación.

El 55,2% de la población considera que el gobierno provincial es el principal responsable de resolver los problemas medioambientales. El 22,4% cree que esa responsabilidad le compete al gobierno nacional y el 8,2% la atribuye a las empresas. Por último, un 4,6% afirma que las ONG son las responsables.

Sobre la situación ambiental general de la Argentina, uno de cada dos fueguinos cree que empeoró (48,2%), mientras que uno de cada tres piensa que sigue igual (31,4%). Además, un 14% de la población sostiene que mejoró.

Tucumán

Cantidad de casos: 175 Margen de error: 7,6% Ciudades: Gran San Miguel de Tucumán, Concepción - San Roque y Juan Bautista Alberdi

PRINCIPAL PROBLEMA	
Caza y tráfico de especies	0,2%
Pesca abusiva	1,1%
Inundaciones	12%
Contaminación	41,1%
Impacto negativo de grandes obras	1,1%
Tala de bosques	10,8%
Incendios forestales	4,7%
Extinción de fauna o flora	0,7%
Degradación del suelo	3,8%
Cambio climático	7,3%

ACCIONES PARA EL CUIDADO DEL MEDIO AMBIENTE	
Leyes más estrictas	24,2%
ONG más eficientes	3,5%
Mejor educación	54,4%
Cambiar las pautas de consumo	3,9%
Medios de comunicación más ocupados por el tema	11%

Dos de cada cinco tucumanos afirman que la contaminación constituye el principal problema del medio ambiente (41,1%). Por su parte, un 12% de la población afirma que las inundaciones representan el problema más importante, mientras que un 10,8% menciona la tala de bosques.

La Situación Ambiental Argentina 2005

Con respecto a la situación medioambiental de la provincia, el 20,5% de la población de Tucumán considera que es positiva (un 3% cree que es muy buena y un 17,5%, buena). Por su parte, un 42,9% de los tucumanos piensa que la situación medioambiental es regular. Finalmente, un 36% opina que la situación es negativa (un 9,6% cree que es muy mala y un 26,4%, mala).

Al ser consultados sobre el desempeño del gobierno provincial en las temáticas medioambientales, uno de cada tres tucuma-

SITUACIÓN AMBIENTAL		
	País	Provincia
Muy buena	0,4%	3%
Buena	15,9%	17,5%
Regular	53,1%	42,9%
Mala	17,3%	26,4%
Muy mala	9,2%	9,6%
EVALUACIÓN DE LA GESTIÓN DEL GOBIERNO PROVINCIAL		
Muy bien		5,6%
Bien		29,1%
Regular		45,1%
Mal		9,9%
Muy mal		3,1%

nos evalúa positivamente la gestión del gobierno (para el 5,6% lo hace muy bien y para el 29,1%, bien). Casi la mitad de la población considera que el accionar del gobierno es regular (45,1%), mientras que un 13% lo evalúa negativamente (para un 9,9% lo hace mal y para un 3,1%, muy mal).

Sobre la situación ambiental general de la Argentina, tres de cada diez tucumanos creen que mejoró (29,5%). A su vez, casi la misma proporción (30,6%) piensa que la situación empeoró, mientras que un 38,6% sostiene que se mantiene igual.

Asimismo, más de la mitad de la población considera que el gobierno provincial es el principal responsable de resolver los problemas medioambientales (55,1%). Por su parte, el 17,4% cree que esa responsabilidad le compete al gobierno nacional, mientras que el 16% la atribuye a las empresas. Por último, un 1,7% afirma que las ONG ambientalistas son las responsables.

Consultados sobre cuánto puede hacer cada uno para proteger el medio ambiente, un 28,1% de los tucumanos cree que mucho, mientras que un 22,7% sostiene que se puede hacer algo. De este grupo, un 78,3% dice que ya está haciendo lo que se encuentra a su alcance para proteger el medio ambiente. Además, uno de cada cinco tucumanos opina que se puede hacer muy poco (19,1%), en tanto que uno cada cuatro piensa que nada puede hacerse (26,5%).

Por último, en referencia a qué acción puede contribuir más a la defensa del medio ambiente, un 54,4% optó por una mejor educación, mientras que un 24,2% expresó la conveniencia de implementar leyes y controles más estrictos.

RECOMENDACIONES

A lo largo de los artículos firmados por ciento cuarenta y ocho autores en este libro, hemos presentado una diversidad de visiones sobre la situación ambiental argentina, sus principales problemas y las oportunidades y alternativas para superarlos. En base a la información y análisis recopilados, la Fundación Vida Silvestre Argentina ofrece en esta sección una serie de recomendaciones dirigidas a autoridades del poder ejecutivo, legislativo y judicial nacional y provinciales, al sector académico y científico-técnico, al educativo, al empresario y al social, es decir, a los diversos actores con capacidad de decidir o incidir en el uso y la gestión de los recursos naturales, tanto hoy como en el futuro. Hemos ordenado nuestras recomendaciones en las siguientes categorías: (a) de orden político, económico y productivo; (b) de orden educativo y cultural; (c) de orden jurídico administrativo, y (d) de orden científico-técnico.

Recomendaciones en el orden político, económico y productivo

1. Incorporar la variable ambiental en todo proyecto político de desarrollo, estableciendo un marco general en el que una distribución espacial equitativa de los recursos y servicios provistos por los ambientes naturales forme parte indisoluble de las políticas nacionales, regionales y sectoriales.

La agenda ambiental se ha instalado en nuestra sociedad en base a conflictos. La omisión, tanto de las restricciones que imponen como de las potencialidades que ofrecen los ambientes naturales argentinos, debilita toda política de desarrollo que aspire a tener efecto en el largo plazo. Los resultados de este olvido se ven cuando surgen trastornos ambientales –reales o percibidos- que rápidamente se transforman en conflictos sociales de difícil solución.

Entre los signos que debe dar la dirigencia del Estado de su vocación por prevenir estos conflictos e incorporar los temas ambientales en su proyecto político-institucional aún falta, en primer lugar, *la creación de un ministerio dedicado exclusivamente al ambiente*. Esta opinión, compartida desde hace años por numerosas ONGs ambientales del país, se basa en diversos argumentos.

Cuando la agenda ambiental del poder ejecutivo nacional convive con otras -como es el caso del actual Ministerio de Salud y Ambiente de la Nación- muchas veces se diluye, y su acceso al nivel más alto de decisión política es insuficiente. Pese a los esfuerzos de la Secretaría de Ambiente y Desarrollo Sustentable de la Nación (SAyDS, www.medioambiente.gov.ar) -la más alta autoridad ambiental federal hasta la fecha- por coordinar planes y liderar algunas iniciativas (especialmente en materia de contaminación de residuos sólidos y para obtener indicadores de desarrollo sostenible a nivel nacional), los conflictos ambientales de mayor repercusión en los últimos años (minería de oro en Esquel, plan de introducción de residuos radiactivos desde Australia, sobre-explotación pesquera en el mar argentino, avance de la frontera agropecuaria sobre ambientes naturales valiosos, como por ej., la desafectación del área protegida de Pizarro en Salta, y el más reciente, sobre las plantas de celulosa en Uruguay) la han encontrado falta de recursos y/o del peso político necesario para actuar rápida y decididamente en defensa de su misión.

Un Ministerio del Ambiente eficiente debería reunir a las diversas agencias de gobierno con incumbencia preponderantemente ambiental que están dispersas desde hace tiempo en otros ministerios. Citemos algunos ejemplos. El organismo federal dedicado a *coordinar el ordenamiento territorial* (un tema clave, ver más adelante, en esta misma sección) es la Subsecretaría de Planificación Territorial de la Inversión Pública, que depende del Ministerio de Planificación Federal, Inversión Pública y Servicios. Si bajo la órbita de este ministerio se está desarrollando una obra que compromete el ambiente, la SAyDS sólo puede actuar si ese ministerio la convoca... Las áreas competentes en el *manejo integrado del agua como recurso natural* se encuentran también dentro de ese mismo ministerio: el Instituto Nacional del Agua, la Dirección Nacional de Planificación Hídrica y Coordinación Federal y la Dirección Nacional de Conservación y Protección de los Recursos Hídricos. En el plan de saneamiento del Riachuelo –un ícono de la incapacidad argentina en materia de control ambiental- la SAyDS no tiene ninguna participación. El *manejo coordinado de nuestros bosques* autóctonos está bajo la esfera de la SAyDS, pero no así el de los bosques implantados (pese a estar íntimamente relacionado con el manejo de los bosques nativos), que depende de la Dirección de Forestación de la Secretaría de Agricultura, Ganadería, Pesca y Alimentación (SAGPyA) del Ministerio de Economía y Producción. El organismo encargado de sugerir al estado nacional *los límites anuales de capturas pesqueras* -el Instituto Nacional de Investigación y Desarrollo Pesquero (INIDEP)- también depende de este último ministerio. El colapso económico de varios recursos pesqueros claves en las últimas décadas demuestra que este organismo no siempre ha transmitido correctamente la voz de alerta, o no ha sido escuchado con atención. El Consejo Federal Pesquero (CFP) que dicta las políticas sobre este recurso ha mejorado el acceso de información a sus decisiones, publicando todas las actas de sus reuniones y algunas resoluciones (www.cfp.gov.ar). Claro está, el desafío de limitar los réditos instantáneos de la pesca para asegurar los beneficios de largo plazo sigue en pie, y la implementación efectiva del Código de Conducta Responsable de la FAO o del manejo pesquero basado en los ecosistemas avanza lentamente. La Administración de Parques Nacionales, por su parte, se encuentra bajo la esfera de la Secretaría de Turismo de la Nación: esta relación puede ser muy útil para potenciar los recursos de nuestras áreas protegidas federales o puede traducirse en decisiones que afecten negativamente su misión primordial, según la autoridad de turno. La imagen actual de tal relación es positiva, pero ello no quiere decir que se hayan institucionalizado los mecanismos para asegurarla.

2. Diseñar e implementar planes de ordenamiento territorial urbano y rural. En toda política de desarrollo regional o sectorial, el ordenamiento territorial participativo es una herramienta estratégica para prevenir conflictos e impulsar actividades productivas, ya que tiene en cuenta no sólo la dotación de recursos naturales, tecnológicos y humanos disponibles en el espacio geográfico de un proyecto, sino también los intereses de los diversos sectores involucrados, incluyendo especialmente a las comunidades que habitan en dicho espacio.

El ordenamiento territorial es, simplificando, *un plan de desarrollo basado en la disponibilidad de recursos actuales y futuros, que se traduce en un mapa de uso actual y futuro, acordado en un nivel multisectorial.* Para ser aceptado, debe resultar de una negociación transparente de los mapas de uso del territorio propuestos por cada sector. Un estado federal como la República Argentina puede llevar adelante esta coordinación de visiones usando distintos modelos. Los acuerdos de ordenamiento territorial pueden ser de nivel ecorregional o supraecorregional (p. ej., NEA, NOA, etc.). Ningún modelo es perfecto, pero deberían buscarse aquellos aplicados en naciones con estructuras político-jurisdiccionales análogas a las nuestras. Desde las ONGs ambientales y sociales, e incluso desde varios sectores productivos (p. ej., agropecuario, forestal y pesquero) se han dado señales, en los últimos años, de compartir esta visión. En el fondo, tales señales traducen la necesidad de toda una sociedad de contar con reglas de juego cada vez más transparentes y estables. La inversión presupuestaria estatal, en materia de promoción y coordinación de planes regionales de ordenamiento territorial, es la medida concreta de su vocación por lograrlos.

3. Desarrollar **incentivos económicos** que promuevan un desarrollo sustentable y equitativo. Los incentivos económicos son complementarios a los mecanismos de regulación directa (normas, prohibiciones, etc.) y en más de un caso son preferibles, dada la discutible capacidad de control estatal, el hecho de que tienen menores costos y su mayor aceptación por parte de la sociedad. Los incentivos económicos constituyen un mecanismo adecuado para implementar acciones surgidas de las planificaciones regionales y sectoriales mencionadas anteriormente. Estos incentivos pueden adquirir varias formas, y deben ser flexibles ante cambios en el contexto macroeconómico e internacional. Algunos ejemplos de incentivos económicos y de las alternativas que se recomienda promover son los siguientes:

3.1 *Incentivos fiscales* (ej. desgravaciones, reintegros, tasas diferenciales, diferimientos, regímenes de estabilidad fiscal., etc.) para quienes participan, por ej., en el Sistema Nacional de Áreas Protegidas (ya sea en su componente federal, provincial o municipal) a través de sus propiedades privadas. Pese a algunos avances en este sentido, el propietario privado sabe que es ¨castigado¨ en el balance económico final, cada vez que decide conservar un ambiente natural dentro de su propiedad. Todavía hoy, el uso del término ¨tierras improductivas¨ para definir a estos ambientes en numerosas instituciones estatales es una demostración de ese injusto castigo.

3.2 *Líneas de crédito* promocionales para actividades sustentables, incorporando criterios de desempeño ambiental de clientes y/o proyectos entre los criterios de clasificación de la cartera bancaria (y su consecuente aplicación de tasas diferenciales). En este sentido, las entidades bancarias que operan en la Argentina deberían iniciar la implementación de políticas más responsables.

3.3 *Desarrollar mercados* locales y externos para *productos sustentables argentinos*, apoyando la elaboración de estudios de mercado, promoviéndolos en ferias y facilitando a sus productores nuevos canales de información y representación comercial. Las estrategias comerciales del tipo *Marca País* para posicionar ciertos productos y servicios argentinos provenientes de un uso sustentable de sus ambientes naturales (por ej., turísticos, cueros certificados, productos orgánicos, etc.).

3.4 Desarrollar el marco legal e institucional necesario para la promoción de *sistemas de certificación voluntaria*. Los mecanismos voluntarios de producción responsable en lo ambiental y social, especialmente aquellos basados en sistemas sujetos a un control multisectorial vinculante internacional y nacional (por ej., la certificación FSC de productos forestales) generan confianza en los consumidores y permiten acercar los mundos de la producción y del consumo sostenibles. Los gobiernos y muchas empresas que operan en la Argentina podrían adoptar políticas de compra de este tipo de insumos. Los bosques manejados con este tipo de certificado hoy cubren en la Argentina solamente unas 130.000 ha, mientras que en Chile superan las 400.000 ha, en Bolivia son más de 2 millones y en Brasil 3,5 millones de hectáreas certificadas.

3.5 Desarrollar mecanismos de *pagos por servicios ambientales (PSA)*, en particular en la administración de recursos hídricos. En los últimos diez años se están desarrollando en el mundo más de 300 esquemas de PSA, especialmente en relación a la protección de cuencas hídricas, conservación de la biodiversidad, captura de carbono y hasta para conservar la belleza de paisaje. En la Argentina, la Fundación Neuquén desarrolló el primer caso, en las lagunas de Epulauquén. La SAyDS está desarrollando un proyecto para apoyar otros casos de estudio de pago por servicios ambientales de bosques nativos y áreas protegidas en Jujuy y Chubut, con apoyo del Banco Mundial.

Otras recomendaciones relacionadas con incentivos son las siguientes:

3.6 Realizar inversiones en infraestructura de apoyo a producciones y actividades alternativas sustentables.

3.7 Generar información básica, tecnología aplicada y herramientas de gestión para emprendimientos sustentables.

3.8 Ante la comisión de delitos o infracciones ambientales, establecer sanciones económicas y penales acordes con el daño ambiental provocado a la sociedad y/o con los costos de su reparación. Los incentivos mencionados deben promover el uso de tecnologías, insumos y procesos amigables con el ambiente, así como la producción de bienes y la integración de cadenas de valor ambiental y socialmente responsables. Como ejemplos se mencionan:

- *Ganadería:* manejo del pastoreo (carga animal, rotación, suplementación dietaria), prácticas alternativas a la quema de pastizales, capacitación en manejo del fuego, reconversión en ambientes marginales hacia especies autóctonas adaptadas al ambiente, como camélidos en la Puna y Monte; implementación de sistema silvopastoriles en al Chaco y Espinal, etc.

- *Manejo forestal:* diversificación y valorización de productos forestales madereros y no madereros, desarrollo de sistemas silvopastoriles y agrosilvopastoriles, certificación forestal (FSC), unificación de las normas de aprovechamiento por ecorregiones más que por provincias, desarrollo de incentivos para el manejo forestal sustentable y la conservación ("bosques protectores").

- *Agricultura:* Buenas práctica agrícolas (labranza mínima, manejo integrado de plagas, rotaciones, etc.), sistemas de certificación voluntaria, cultivos alternativos para evitar la tendencia al monocultivo.

- *Uso sustentable de fauna silvestre:* Investigación sobre cada especie de uso comercial y sus ecosistemas involucrados. Sistemas de registro y control confiables que eviten las posibilidades de una competencia desleal. Desarrollo de mercados diferenciados. Participación de las comunidades locales.

- *Pesca:* Planificación del uso de los recursos pesqueros en función de estudios y monitoreos poblacionales y ecosistémicos. Promoción de acuerdos para la adopción de modelos de pesca responsable, potencialmente certificables. Incorporación del uso de áreas protegidas marinas como centros de repoblación de especies sobre-explotadas o de biomasa inestable.

- *Turismo:* Desarrollo planificado de las actividades turísticas en espacios silvestres. Desarrollo y adopción de códigos de turismo responsable potencialmente certificables. Potenciar el valor de las áreas protegidas provinciales como destinos turísticos y vincular este valor agregado con su mayor jerarquización, implementación y manejo.

- *Energía:* Promoción del uso de energías alternativas. Promoción del uso eficiente de la energía tanto en el sector industrial como en el transporte y en el consumo domiciliario. En este último caso, promoción del etiquetado de electrodomésticos para favorecer la elección consumidor hacia productos más eficientes.

- *Industria:* Cumplimiento de las regulaciones en materia de contaminación industrial a través de controles más efectivos, que incluyan a representantes de grupos de ciudadanos afectados, y un sistema de sanciones más estrictas. Efectuar estudios de impactos sobre la salud en las áreas más afectadas, determinar responsabilidades y establecer políticas sanitarias, de descontaminación o relocalización de las fuentes de contaminantes.

- *Conservación:* Fortalecer la gestión en áreas protegidas con implementación deficiente. Elaborar e implementar planes de manejo con participación de la comunidad. Promover la conectividad entre áreas protegidas a través del desarrollo e implementación de corredores ecológicos. Establecer áreas de manejo sustentable en tierras privadas y promover alternativas productivas sustentables en dichas áreas. Complementar el sistema nacional de áreas protegidas con un sólido sistema de reservas en tierras privadas. Asegurar una representación ecosistémica en el Sistema Nacional de Áreas Protegidas no inferior al 15% por ecorregión.

Recomendaciones en el orden educativo y cultural

1. **Reforzar** la integración de la **educación ambiental** como eje transversal en el sistema educativo formal en todos sus niveles. Con este fin es clave una mayor inversión en mecanismos de capacitación docente en educación ambiental, que incluya programas de becas e incentivos a docentes, inversión en infraestructura y en personal. Incentivar la capacidad de análisis crítico de los problemas ambientales, que suelen ser complejos, promoviendo por ejemplo los juegos de roles en diversos niveles educativos para que se entiendan mejor las visiones de los sectores que confrontan ante un problema.

2. Apoyar el desarrollo de **programas de educación ambiental no formal** dirigidos a actores claves (educadores, líderes de opinión, medios de comunicación, empresarios y consumidores).

3. Incentivar la visión del **ambiente natural** como **una componente de valor cultural**. La pérdida de ambientes naturales conlleva la pérdida o degradación de la memoria del paisaje, un marco importante para el desarrollo de la cultura.

4. Consolidar y desarrollar **instituciones de investigación y monitoreo** del uso y conservación de los recursos naturales, tanto en el ámbito de los organismos públicos como entre las organizaciones del sector civil y privado. Tales instituciones deben servir para canalizar y dar respuesta rápida a los reclamos ambientales de la sociedad.

5. Garantizar el **acceso a la información** y **la participación de la ciudadanía** en estudios de impacto ambiental, sistemas de gestión de los recursos naturales (por ej., comités de cuencas), control y monitoreo de grandes obras (emprendimientos mineros, grandes represas, etc.).

Recomendaciones en el orden jurídico administrativo

1. Sancionar, reglamentar e implementar las leyes de presupuestos mínimos de protección ambiental, de acuerdo con el mandato constitucional (Art. 41).

La autoridad que debe reglamentar estas leyes es la SAyDS. En el 2000 se promulgaron cuatro leyes de presupuestos mínimos: la ley general del ambiente, la referida a la gestión de los residuos industriales, la que se encarga de la gestión de los bifenilos policlorados (PCBs) y la referida a la gestión ambiental del agua. Hasta ahora, ninguna está reglamentada. Es decir que ninguna puede ser aplicada, salvo que un juez interprete a su manera cómo hacerlo en un caso en particular.

2. Analizar la normativa vigente en los niveles nacional, provincial, y municipal, con la finalidad de adecuarla –cuando sea incompatible- al nuevo marco constitucional y legislativo en materia de presupuestos mínimos.

3. Perfeccionar los mecanismos recíprocos de comunicación y coordinación entre la Nación, las provincias y los municipios.

Merece una mención especial, en este aspecto, el Consejo Federal de Medio Ambiente (COFEMA), que adquirió fuerza política tras la reforma constitucional de 1994, que define que las provincias son las dueñas originarias de los recursos naturales que contienen.

Este Consejo, al que cada provincia debe enviar un representante de su autoridad ambiental (algo que no siempre ocurre) tiene por misión nada menos que coordinar la elaboración de la política ambiental entre las provincias. La Ley General del Ambiente (ley 25.675 del 2002) sitúa al COFEMA como "eje del ordenamiento ambiental del país". Tamaña responsabilidad no se condice con sus escasos recursos. Su avance en la búsqueda de indicadores ambientales regionales que acompañen a los nacionales es loable, pero con un presupuesto actual muy escaso y, todavía hoy, muy poca vocación por parte de varias provincias por enfrentar seriamente las responsabilidades ambientales -que van de la mano de los derechos que reclaman- el COFEMA es mucho más una expresión de deseos que una realidad. A diferencia del Consejo Federal Pesquero, el COFEMA no tiene, por ejemplo, una página propia en internet donde encontrar sus actas y resoluciones. El Sistema de Información Ambiental Nacional (SIAN, www.sian.gov.ar) es un avance de la SAyDS que al menos permite identificar a las autoridades ambientales de cada provincia y revisar algunas de sus actividades. Entre los desafíos del COFEMA se encuentran, entonces, su consolidación institucional y la apertura de sus discusiones a la sociedad que representa. De estas conclusiones se desprenden varias recomendaciones de las que se presentan a continuación:

4. Fortalecer el COFEMA en los aspectos institucionales, administrativos, operativos y presupuestarios para garantizar el cumplimiento efectivo de su rol. Obtener el compromiso político e institucional por parte de los estados provinciales para que el COFEMA tenga la jerarquía necesaria para cumplir con su función.

5. Establecer canales formales de comunicación e interacción entre el COFEMA y otras instituciones federales con competencias en materia de recursos naturales como el Consejo Federal Minero, el Consejo Federal de Inversiones, el Consejo Federal Pesquero, etc.

6. Establecer instancias de consulta y participación de la sociedad civil en el proceso de adopción de recomendaciones y resoluciones del COFEMA.

7. Fortalecer el rol de los municipios en materia ambiental.

8. Desarrollar la normativa necesaria para promover el sistema de conservación en tierras privadas.

Recomendaciones en el orden científico-técnico

Entre agosto y octubre de 2004 la Fundación Vida Silvestre Argentina participó con otras instituciones en el Panel de Medio Ambiente convocado para elaborar el Plan Estratégico de Mediano Plazo sobre Ciencia, Tecnología e Innovación de la Secretaría de Ciencia, Tecnología e Innovación Productiva (SECyT). A continuación se resumen las recomendaciones resultantes de dicho panel.

Resulta imprescindible que en el desarrollo del plan estratégico en ciencia, tecnología e innovación se garantice el abordaje de las siguientes cuestiones críticas.

1. Relevamiento y monitoreo ambiental. Establecer los parámetros a relevar y los procesos que hay que monitorear y asegurar los recursos necesarios para hacerlo de manera sistemática y continua. En diversos temas ambientales (atmósfera, agua), la Argentina ha dejado de producir información de calidad y cantidad similares a las que producía unos pocos años atrás. Es urgente que el país recupere su capacidad de generar información, reconstituyendo los sistemas que dejaron de funcionar por falta de presupuesto, modernizando otros para ponerlos a tono con los tiempos y creando otros para satisfacer las crecientes necesidades de la ciencia, la gestión y la educación.

2. Acceso a la información. Se observan severas dificultades en la disponibilidad y acceso a la información ambiental. Es preciso adoptar una política firme de difusión de la información y desarrollar los instrumentos para que esa política tenga efectividad práctica. La información ambiental generada por el Estado no puede pasar a ser una simple mercancía a la que sólo pueden acceder aquellos que dispongan de fondos: esa información es pública y debe ser gratuita y de fácil acceso. Además se recomienda jerarquizar los medios de difusión locales, científicos (propender a indexación de 5 a10 revistas argentinas en todos los rubros) y de divulgación.

3. Formación de recursos humanos. En los últimos años, muchos organismos han perdido personal, y el existente ha visto limitadas sus posibilidades de capacitación y de promoción. Se requiere articular las necesidades de recursos humanos de las instituciones con las posibilidades de formación, prestando particular atención al mantenimiento de altos niveles de calidad. El país presenta un déficit notable de recursos humanos capacitados para abordar algunos problemas ambientales. Entre los temas en que se requiere un especial esfuerzo de formación se mencionan: biología del suelo, economía ecológica, ecotoxicología, ecología del paisaje, microbiología ambiental, biogeoquímica en sistemas acuáticos, glaciología, ecología urbana, ecología de sistemas e hidrogeología.

4. Líneas prioritarias de investigación ambiental. Atendiendo al hecho que fijar prioridades significa seleccionar unos pocos temas para proponer la asignación de recursos, el panel recomienda que *por lo menos la mitad de los recursos asignados para la investigación en temas ambientales* sea dirigido a proyectos en red encabezados por grupos del interior, con la necesaria integración de por lo menos tres provincias, y que dos tercios de los recursos sean orientados a los temas "urgentes" mencionados a continuación:

Ordenamiento territorial y ambiental
- Ordenamiento territorial urbano. Incluye la relación espacio público y privado, sistemas de mejoramiento de la relación transporte colectivo vs. individual y eliminación y procesamiento de residuos urbanos.
- Ordenamiento de la interfase urbano-rural. Incluye el análisis de los crecimientos humanos anárquicos y el estudio de los conflictos en el acceso y uso de recursos naturales, los cambios no planificados de uso del suelo y la conservación de áreas protegidas de acceso publico.
- Ordenamiento territorial rural. Incluye el análisis de los conflictos socio-ambientales en áreas de intereses sectoriales superpuestos (por ejemplo, ganadería vs. agricultura o áreas productivas vs. áreas de conservación), la investigación de criterios y metodologías de relevamiento de recursos naturales y de los marcos legales e institucionales para la actuación del Estado como ordenador de usos prioritarios.

Extracción de recursos naturales
- Tierras para producción agropecuaria. Impacto de los métodos habituales de habilitación de tierras para agricultura y ganadería sobre la sustentabilidad de producción agropecuaria, los flujos de carbono, nitrógeno y agua, el hábitat y poblaciones de fauna y la diversidad paisajística.
- Producción agropecuaria y forestal. Evaluación y desarrollo de métodos de recuperación e incremento de la producción agropecuaria y forestal, apropiados para el ecosistema.
- Evaluación de recursos forrajeros y madereros. Evaluación del estado actual de los recursos forrajeros y madereros de áreas ubicadas en la zona de expansión de la frontera agropecuaria.

Aprovechamiento de especies autóctonas
- Investigaciones genéticas. Desarrollo de programas de investigación en genética y biotecnología de especies autóctonas.

- Manejo sustentable de fauna. Evaluación y desarrollo de sistemas de manejo sustentable, incluyendo selección de poblaciones de potencial agropecuario y el manejo del hábitat de la fauna de interés cinegético, alimenticio o para obtención de otros productos (piel, mascotas, etc.).

Dinámica y manejo del agua

- Análisis de inundaciones. Incluye los orígenes y el desarrollo de los procesos hídricos de impacto en la sociedad y sus posibles soluciones o paliativos.
- Monitoreo y reducción de contaminación. Conformación y validación de una red de estaciones de monitoreo, detección y control de emisiones contaminantes. Áreas críticas, procesos y aportes contaminantes con criterio de cuenca. Bioconcentración de contaminantes en peces y riesgo para la salud.
- Erosión fluvial y costera. Análisis de los procesos naturales y el efecto de la actividad humana en su potenciación o modificación.

Cambio climático

- Tendencias actuales. Documentación, análisis y comprensión de los mecanismos de las tendencias actuales en Argentina y países vecinos.
- Escenarios climáticos regionales. Desarrollo de escenarios climáticos regionales de América del Sur para el siglo XXI.
- Emisión de gases. Desarrollo de coeficientes nacionales de emisión de gases en ganadería, agricultura, energía y cambios de uso del suelo.
- Impacto de actividad económica y social. Estudios del impacto de las actividades socioeconómicas en el cambio global y la adaptación al mismo.

Sistemas costeros y marinos

- Contaminación costera. Impacto del transporte marítimo de hidrocarburos y otros productos químicos. Vertido de efluentes urbano-industriales crudos y su impacto en el ecosistema costero.
- Erosión costera. Evaluación de los procesos de transporte de sedimentos y deriva litoral. Áreas de erosión y acumulación de material. Mitigación.
- Producción primaria y pesquerías. Evaluación de los sistemas productivos sobre la plataforma Argentina. Impacto antrópico y variabilidad, zonas de frentes y afloramientos. Relación con fuerzas externas y el cambio climático.

Como toda organización de bien público, la Fundación Vida Silvestre Argentina se debe a la gente. Es por esto que nos interesa conocer su opinión sobre este volumen y el uso que pudo hacer de él, para poder tener en cuenta sus sugerencias para futuras publicaciones.

- Agradeceremos mucho que responda estas preguntas y nos las remita por fax o correo a las direcciones detalladas.

Nombre y apellido:

Domicilio: CP:

Localidad: Provincia:

País: Teléfono:

E-mail:

Profesión/ocupación:

- Califique de 1 a 5 (5, excelente; 1, muy malo) los siguientes aspectos de la Situación Ambiental Argentina 2005:

    Cantidad de temas abarcados
    Profundidad en la información
    Actualidad de la información
    Cifras y estadísticas
    Orden/presentación de los contenidos
    Autores/colaboradores de las notas

- Si desea dejarnos algún comentario, por favor hágalo a continuación:

Enviar por fax al (011) 4343-3778/4331-3631 o por correo a: Defensa 251 6°K (C1065AAC), Ciudad Autónoma de Buenos Aires, Argentina.

La Situación Ambiental Argentina 2005